Philosophie

Terminales L•ES•S

Alain Marchal
Professeur agrégé de philosophie
au lycée Sévigné, Charleville-Mézières

Christine Courme-Thubert
Professeur certifiée de philosophie
au lycée Jules Garnier, Noumea

MAGNARD

www.magnard.fr

Conception graphique intérieur et couverture : Aude Cotelli (www.entrelessignes.net)
Mise en page : Aude Cotelli
Infographie : Valérie Goncalves
Iconographie : Valérie Dereux et Geoffroy Mauzé (chapitres 9, 10, 11, 12 et 16)
Relecture typographique : Marion Lacroix
Responsable d'édition : Marie Bourboulou, assistée d'Hélène Deaucourt
Édition : Anne Andrault, Stéphane Marill

Les éditions Magnard remercient Joseph Plichart (lycée français de Berlin) pour sa relecture et Arnaud Sorosina (lycée Édouard Herriot, Voiron) pour ses relectures et suggestions.

5, allée de la 2e D.B. 75015 Paris – www.magnard.fr
ISBN : 978-2-210-44227-6

Programme

		L	ES	S
Le sujet	La conscience	L	ES	S
	La perception	L		
	L'inconscient	L	ES	S
	Autrui	L	ES	
	Le désir	L	ES	S
	L'existence et le temps	L		
La culture	Le langage	L	ES	
	L'art	L	ES	S
	Le travail et la technique	L	ES	S
	La religion	L	ES	S
	L'histoire	L	ES	
La raison et le réel	Théorie et expérience	L		
	La démonstration	L	ES	S
	L'interprétation	L	ES	
	Le vivant	L		S
	La matière et l'esprit	L	ES	S
	La vérité	L	ES	S
La politique	La société	L		
	La société et les échanges		ES	
	La société et l'État			S
	La justice et le droit	L	ES	S
	L'État	L	ES	
La morale	La liberté	L	ES	S
	Le devoir	L	ES	S
	Le bonheur	L	ES	S

Repères

Absolu /relatif, Abstrait/concret, En acte/en puissance, Analyse/synthèse, Cause/fin, Contingent/nécessaire/possible, Croire/savoir, Essentiel/accidentel, Expliquer/comprendre, En fait/en droit, Formel/matériel, Genre/espèce/individu, Idéal/réel, Identité/égalité/différence, Intuitif/discursif, Légal/légitime, Médiat/immédiat, Objectif/subjectif, Obligation/contrainte, Origine/fondement, Persuader/convaincre, Ressemblance/analogie, Principe/conséquence, En théorie/en pratique, Transcendant/immanent, Universel/général/particulier/singulier.

Auteurs

Platon; Aristote; Épicure; Lucrèce; Sénèque; Cicéron; Épictète; Marc Aurèle; Sextus Empiricus; Plotin; Saint Augustin; Averroès; Anselme; Thomas d'Aquin; Guillaume d'Ockham; Machiavel; Montaigne; Bacon; Hobbes; Descartes; Pascal; Spinoza; Locke; Malebranche; Leibniz; Vico; Berkeley; Condillac; Montesquieu; Hume; Rousseau; Diderot; Kant; Hegel; Schopenhauer; Tocqueville; Comte; Cournot; Mill; Kierkegaard; Marx; Nietzsche; Freud; Durkheim; Husserl; Bergson; Alain; Russell; Bachelard; Heidegger; Wittgenstein; Popper; Sartre; Arendt; Merleau-Ponty; Levinas; Foucault.

Sommaire

Partie I • Textes

Le Sujet

Le Sujet 22

chapitre 1 La conscience L ES S

Découvertes 26
Carroll, *De l'autre côté du miroir*; **Sacks**, *L'Homme qui prenait sa femme pour un chapeau*
Une œuvre, une analyse • **Descartes**, *Méditations métaphysiques* 28
Réflexion 1 ▸ La conscience humaine : un privilège ambigu ? 32
Pascal, *Pensées*; **Nietzsche**, *Le Gai Savoir*; **Bergson**, *L'Énergie spirituelle*
Réflexion 2 ▸ La conscience est-elle une « chose parmi les choses » ? 34
Nietzsche, *Par-delà le bien et le mal*; **Sartre**, *Situations I*
Dossier Comment se construit le Moi ? **Marc**, « L'identité personnelle » 36
Une œuvre, une analyse • **Locke**, *Essai sur l'entendement humain* 38
Réflexion 3 ▸ Le Moi ne serait-il qu'une fiction ? 42
Pascal, *Pensées*; **Hume**, *Traité de la nature humaine*; **Comte**, *Cours de philosophie positive*
SUJET COMMENTÉ : EXPLICATION DE TEXTE • Sartre 44
REPÈRES et DISTINCTIONS CONCEPTUELLES 48

chapitre 2 La perception L

Découvertes 52
Swift, *Voyages de Gulliver*; Les deux carrés de Mach ; **Ninio**, *L'Empreinte des sens*
Une œuvre, une analyse • **Diderot**, *Lettre sur les aveugles* 54
Réflexion 1 ▸ Qu'est-ce que « voir » ? 58
Condillac, *Traité des sensations*
Réflexion 2 ▸ Pouvons-nous nous délivrer du monde sensible ? 60
Platon, *République*; **Zoom sur...** L'allégorie de la caverne et l'image de la ligne
Réflexion 3 ▸ La perception : entre subjectivité et objectivité ? 64
Russell, *Problèmes de philosophie*; **Goodman**, *Langages de l'art*; **Merleau-Ponty**, *Le Visible et l'invisible*
Dossier 1 Les sens : outils d'adaptation biologique ? **Uexküll**, *Mondes animaux et monde humain* 66
Dossier 2 Les illusions d'optique **Frisby**, *De l'œil à la vision* 67
Réflexion 4 ▸ Y a-t-il une réalité au-delà de la perception ? 68
Berkeley, *Nouvelle Théorie de la vision*; **Berkeley**, *Principes de la connaissance humaine*

REPÈRES ET DISTINCTIONS CONCEPTUELLES 70

chapitre 3 L'inconscient L ES S

Découvertes 74
Freud, *Introduction à la psychanalyse*; **Brouillet**, Une leçon de clinique du docteur Charcot à la Salpêtrière; **Nasio**, *Cinq Leçons sur la théorie de Jacques Lacan*

Réflexion 1 ▸ Avoir conscience signifie-t-il connaître? 76
Leibniz, *Nouveaux Essais sur l'entendement humain*; **Malebranche**, *Entretiens sur la métaphysique, sur la religion et sur la mort.*

Dossier Comment se manifeste l'inconscient? Le cas Elisabeth 78
Freud et Breuer, *Études sur l'hystérie*

Une œuvre, une analyse • **Freud**, *Cinq Leçons sur la psychanalyse* 80

Réflexion 2 ▸ Quel jugement porter sur l'hypothèse de l'inconscient ? 84
Alain, *Éléments de philosophie*; **Popper**, *La Science: conjectures et réfutations*

SUJET COMMENTÉ: DISSERTATION • La conscience de soi implique-t-elle la connaissance de soi ? 86
REPÈRES ET DISTINCTIONS CONCEPTUELLES 90
Zoom sur... Les deux topiques freudiennes 91

chapitre 4 Le désir, autrui L ES S

Découvertes 94
Flaubert, *L'Éducation sentimentale*; **Sfar et Blain**, *Socrate le demi-chien*; **Baudrillard**, *Le Système des objets, la consommation des signes*

Dossier Répondre aux désirs des enfants est-ce nécessairement les satisfaire ? **Dolto** 96

Réflexion 1 ▸ Faut-il limiter ses désirs pour être heureux ? 98
Platon, *Gorgias*

Réflexion 2 ▸ Peut-on mettre des bornes aux désirs? 100
Épictète, *Manuel*; **Descartes**, *Discours de la méthode*; **Hyppolite**, *Genèse et structure de la Phénoménologie de l'esprit de Hegel*

Réflexion 3 ▸ Comment définir le désir amoureux? 102
Schopenhauer, *Métaphysique de l'amour*; **Bergson**, *Les Deux Sources de la morale et de la religion*; **Sartre**, *L'Être et le néant*

Une œuvre, une analyse • **Platon**, *Le Banquet* 104

Dossier Peut-on vivre sans autrui ? 110
Tournier, *Vendredi ou les Limbes du Pacifique*; **Levi**, *Si c'est un homme*

Réflexion 4 ▸ Toi et moi : une compréhension d'un type particulier? 112
Sheler, *Nature et forme de la sympathie*; **Lavelle**, *L'Erreur de Narcisse*; **Sartre**, *L'Être et le néant*

Réflexion 5 ▸ Qu'est-ce qu'une relation authentique avec autrui? 114
Lévinas, *Totalité et infini*; **Lévinas**, *Éthique et infini*

Réflexion 6 ▸ Omniprésence ou absence du regard d'autrui : quel est le plus à craindre? 116
Bergson, *Le Rire*; **Le Bon**, *Psychologie des foules*

REPÈRES ET DISTINCTIONS CONCEPTUELLES 118

chapitre 5 Le temps, l'existence L

Découvertes 122
Apollinaire, *Alcools*; La France redessinée par le TGV : carte anamorphosée

Réflexion 1 ▸ Quelles sont les caractéristiques du temps ? 124
Bergson, *Essai sur les données immédiates de la conscience*;
Bergson, *L'Évolution créatrice*; **Hawking**, *Une brève histoire du temps*;
Draaisma, *Pourquoi la vie passe plus vite à mesure qu'on vieillit*

Une œuvre, une analyse • **Saint Augustin**, *Les Confessions,* livre XI 126

Réflexion 2 ▸ Sait-on vivre au présent ? 130
Sénèque, *De la brièveté de la vie*; **Delay**, *Les Dissolutions de la mémoire*;
Nietzsche, *Généalogie de la morale*

Réflexion 3 ▸ Peut-on vouloir échapper au temps ? 132
Le Bouddha, *Dhammapada, les stances de la loi*; **Platon**, *Le Banquet*;
Bigot, *Allégorie de la mort ou vanité*

Une œuvre, une analyse • **Sartre**, *L'existentialisme est un humanisme* 134

Dossier Le sentiment d'étrangeté face à l'existence 138
Perec, *Un homme qui dort*; **Sartre**, *La Nausée*

Réflexion 4 ▸ Que signifie « exister » ? 140
Beaufret, *De l'existentialisme à Heidegger*

Réflexion 5 ▸ L'individu a-t-il un droit sur sa vie ? 142
Platon, *Phédon*; **Sénèque**, *Lettres à Lucilius*; **Durkheim**, *Le Suicide*

Réflexion 6 ▸ Quelle place pour l'homme dans un univers infini ? 144
Pascal, *Pensées*

REPÈRES ET DISTINCTIONS CONCEPTUELLES 146
Zoom sur... Les trois faces du temps 147

La culture

148

chapitre 6 Nature et culture

Découvertes 152
Léry, *Histoire d'un voyage fait en la terre de Brésil*; **Malinowski**, *La Sexualité et sa répression dans les sociétés primitives*; **Mead**, *Mœurs et sexualité en Océanie*

Dossier Pouvons-nous remonter à une nature humaine primitive ? 154
Morin, *Le Paradigme perdu, la nature humaine*
Zoom sur... Anatomie humaine et culture 155

Réflexion 1 ▸ Transgresser les règles culturelles au nom de la nature ? 156
Diogène et le cynisme

Réflexion 2 ▸ Y a-t-il des cultures supérieures aux autres ? 158
Lévi-Strauss, *Race et Histoire*; **Todorov**, *Nous et les autres*

Une œuvre, une analyse • **Montaigne**, *Essais,* « Des cannibales » 160

REPÈRES ET DISTINCTIONS CONCEPTUELLES 164

chapitre 7 Le langage L ES

Découvertes 168
Leiris, *Biffures*; **Whorf**, *Linguistique et anthropologie*

Réflexion 1 ▸ Qu'est-ce qu'une langue? 170
Saussure, *Cours de linguistique générale*; **Martinet**, *Éléments de linguistique générale*

Une œuvre, une analyse • **Merleau-Ponty**, *Signes*: « Le langage indirect et les voix du silence » 172

Réflexion 2 ▸ Peut-on penser l'origine du langage? 176
Lucrèce, *De la nature*; **Rousseau**, *Discours sur l'origine de l'inégalité parmi les hommes*; **Saussure**, *Cours de linguistique générale*

Réflexion 3 ▸ Le langage permet-il de tout dire? 178
Bergson, *Le Rire*; **Hegel**, *Encyclopédie des sciences philosophiques, Philosophie de l'esprit*; **Bergson**, *L'Évolution créatrice*

Réflexion 4 ▸ Le langage, au fondement de la subjectivité? 180
Kant, *Anthropologie du point de vue pragmatique*; **Benveniste**, *Problèmes de linguistique générale*; **Austin**, *Quand dire, c'est faire*

Réflexion 5 ▸ Comment distinguer communication animale et langage humain? 182
Descartes, *Lettre au Marquis de Newcastle du 23 novembre 1646*;
Benveniste, *Problèmes de linguistique générale*

Dossier Le langage est-il responsable des ratés de la communication? 184
Watzlawick, Beavin et Jackson, *Une logique de la communication*; **Schulz**, *Peanuts*;
Ducrot, *Dire et ne pas dire, Principes de sémantique linguistique*
Zoom sur... Les six fonctions du langage selon Jakobson 187

SUJET COMMENTÉ: DISSERTATION • Les actes engagent-ils plus que les paroles ? 188
REPÈRES ET DISTINCTIONS CONCEPTUELLES 192

chapitre 8 L'art L ES S

Découvertes 196
Aragon, *Henri Matisse, roman*; **Bourdieu**, *La Distinction*

Dossier 1 Le domaine artistique se laisse-t-il facilement délimiter? 198
Vase, croquis, reliquaire, affiche: qu'est-ce qu'une œuvre d'art?;
Malraux, *Les Voix du silence*

Dossier 2 Comment définir une œuvre d'art ? 200
Brancusi contre États-Unis, un procès historique

Réflexion 1 ▸ Y a t-il des critères universels de la beauté? 202
Diderot, *Recherches philosophiques sur l'origine et la nature du beau*; Différentes statues représentant l'idéal féminin

Réflexion 2 ▸ L'art est-il au service d'une beauté naturelle? 204
Hegel, *Esthétique*; **Proust**, *À la recherche du temps perdu*; **Klee**, *Air ancien*;
Arthus-Bertrand, *Vue aérienne d'une culture d'algues à Bali*

Une œuvre, une analyse • **Hegel**, *Esthétique* 206

Réflexion 3 ▸ L'artiste est-il toujours un génie? 210
Kant, *Critique de la faculté de juger*; **Nietzsche**, *Humain, trop humain*;
Dubuffet, *L'art brut préféré aux arts culturels*

Réflexion 4 ▸ L'art doit-il plaire? 212
Kant, *Critique de la faculté de juger*; **Dubuffet**, *Positions anticulturelles*; **Warhol**, **Luce** : la métamorphose de la réalité

Réflexion 5 ▸ Peut-on séparer la forme et le fond? 214
Hinz, in *Les Réalismes, 1919-1939*; **Amorbach**, *Tagewerk*; **Kauffmann**, *Traité de la nouvelle peinture allemande*; **Otto Dix**, *La grande ville*

Dossier 3 L'artiste et les conditions sociales de la production artistique 216
Baxandall, *L'Œil du Quattrocento*

Dossier 4 L'art peut-il être indépendant de la morale? 218
Cabanel, *La Naissance de Vénus*; **Manet**, *Olympia*; Procès intenté à M. Gustave Flaubert; **Baudelaire**, *Le Peintre de la vie moderne*; **Wilde**, *Le Portrait de Dorian Gray*

Dossier 5 L'art peut-il survivre à son appropriation bourgeoise et à la culture de masse? 222
Arendt, *La Crise de la culture*

REPÈRES ET DISTINCTIONS CONCEPTUELLES 224
Zoom sur... Histoire de la notion d'œuvre d'art 225

chapitre 9 La technique et le travail L ES S

Découvertes 228
Goimard, *Critique de la science-fiction*;Robotisation et compétence technique; **Boltanski et Chiapello**, *Le Nouvel Esprit du capitalisme*

Réflexion 1 ▸ L'homme se définit-il par l'outil? 230
Aristote, *Les Parties des animaux*; **Bergson**, *L'Évolution créatrice*; Objet technique, objet d'art?

Réflexion 2 ▸ Peut-on penser l'origine de la technique? 232
Platon, *Protagoras*; **Lévi-Strauss**, *Race et histoire*

Dossier Biotechnologies et bioéthique 234

Réflexion 3 ▸ Quelles obligations avons-nous envers la nature? 240
Kant, *Métaphysique des mœurs*; **Jonas**, *Le Principe responsabilité*

Une œuvre, une analyse • **Arendt**, *Condition de l'homme moderne* 242

Réflexion 4 ▸ Le travail est-il nécessairement aliénant? 246
Marx, *Manuscrits de 1844*; **Simondon**, *Du mode d'existence des objets techniques*

Réflexion 5 ▸ La propriété est-elle fondée sur le travail ? 248
Locke, *Deuxième traité du gouvernement civil*; **Proudhon**, *Qu'est-ce que la propriété?*

Réflexion 6 ▸ La division du travail : enrichissement ou appauvrissement? 250
Platon, *République*; **Smith**, *Recherches sur la nature et les causes de la richesse des nations*

Réflexion 7 ▸ Le travail est-il une valeur universelle? 252
Malinowski, *Les Argonautes du Pacifique occidental*; **Sahlins**, *Âge de pierre, âge d'abondance*; **Lafargue**, *Le Droit à la paresse*

Une œuvre, une analyse • **Marx**, *Le Capital* 254

REPÈRES ET DISTINCTIONS CONCEPTUELLES 258
Zoom sur... Les différentes images du travail à travers l'histoire 259

chapitre 10 La religion L ES S

Découvertes 262
Makarian et Bonis, « Sectes ou religions ? » ; Le sacré et le sacrifice ;
Sironneau, « La foi chrétienne et la science »

Réflexion 1 ▸ La religion : tournée vers Dieu ou vers l'homme ? 264
Sextus Empiricus, *Contre les mathématiciens* ; **Feuerbach**, *L'Essence du christianisme*

Réflexion 2 ▸ Les religions sont-elles des illusions ? 266
Marx, *Pour une critique de la philosophie du droit de Hegel* ; **Durkheim**, *Les Formes élémentaires de la vie religieuse* ; **Freud**, *L'Avenir d'une illusion*

Réflexion 3 ▸ Est-il possible de concilier foi et raison ? 268
Pascal, *Pensées* ; **Kant**, *La Religion dans les limites de la simple raison* ;
Renan, *Vie de Jésus*

Une œuvre, une analyse • **Hume**, *Dialogues sur la religion naturelle* 270

Réflexion 4 ▸ Comment distinguer la foi de la superstition ? 274
Lucrèce, *De la nature* ; **Spinoza**, *Traité des autorités théologique et politique*

Réflexion 5 ▸ Sur quoi repose le principe de tolérance ? 276
Bayle, *De la tolérance* ; **Locke**, *Lettre sur la tolérance*

Dossier La laïcité se réduit-elle à la tolérance religieuse ? 278
Kintzler, « Qu'est-ce que la laïcité » ?

SUJETS COMMENTÉS : COMPARAISON DE TEXTES • Locke et Bossuet 280
DISSERTATION • Y a-t-il des critères permettant de distinguer foi religieuse et superstition ?
REPÈRES ET DISTINCTIONS CONCEPTUELLES 284
Zoom sur... Les attitudes face au fait religieux 285

chapitre 11 L'histoire L ES

Découvertes 288
Sartre, *Les Temps modernes* ; **Lebrun**, « Un nouveau continent, et alors ? »

Dossier 1 Les résistances à la mémoire historique : l'exemple des sociétés traditionnelles 290
Eliade, *Le Mythe de l'éternel retour*

Réflexion 1 ▸ Le « progrès » : une réalité historique contestable ? 292
Pascal, *Préface sur le Traité du vide* ; **Hegel**, *La Raison dans l'histoire* ;
Lévi-Strauss, *Race et histoire*

Une œuvre, une analyse • **Kant**, *Idée d'une histoire universelle selon le point de vue cosmopolitique* 294

Réflexion 2 ▸ L'histoire humaine a-t-elle une finalité ? 298
Marx, *Critique de l'économie politique*
Zoom sur... La conception marxiste : le matérialisme historique 299

Dossier 2 Comment l'historien doit-il gérer à la fois la mémoire et l'oubli ? 300
Todorov, *Mémoire du mal. Tentation du bien*

SUJET COMMENTÉ : EXPLICATION DE TEXTE • Kant 302
REPÈRES ET DISTINCTIONS CONCEPTUELLES 306
Zoom sur... Les différentes représentations du temps historique 307

La raison et le réel 308

chapitre 12 Théorie et expérience L

Découvertes 312
Einstein et Infeld, *L'Évolution des idées en physique*; **Meyerson**, *Identité et réalité*

Une œuvre, une analyse • **Bachelard**, *Le Nouvel Esprit scientifique* 314

Dossier 1 L'analyse galiléenne: qu'est-ce que le mouvement? 318
Galilée, *Discours sur deux sciences nouvelles*

Dossier 2 Mendel et la découverte des lois de l'hérédité 322

Dossier 3 Semmelweiss et la fièvre puerpérale 324
Hempel, *Éléments d'épistémologie*

Réflexion 1 ▸ Peut-on vérifier une hypothèse scientifique? 326
Bernard, *Introduction à l'étude de la médecine expérimentale*; **Popper**, *Misère de l'historicisme*

Réflexion 2 ▸ Les sciences sont-elles exemptes de préjugés? 328
Kuhn, *La Structure des révolutions scientifiques*

Zoom sur... La notion de paradigme 329

SUJET COMMENTÉ: EXPLICATION DE TEXTE • Bachelard 330

REPÈRES ET DISTINCTIONS CONCEPTUELLES 334

Zoom sur... L'induction et le problème de la vérité scientifique selon Karl Popper 335

chapitre 13 La démonstration L ES S

Découvertes 338
Ionesco, *Rhinocéros*; **Dedron et Itard**, *Mathématiques et mathématiciens*; **Wittgenstein**, *Recherches philosophiques*

Réflexion 1 ▸ Qu'est-ce que démontrer? 340
Kant, *Critique de la raison pure*; **Popper**, *La Nature des problèmes philosophiques et leurs racines scientifiques*

Réflexion 2 ▸ La démonstration mathématique conduit-elle à une révolution morale? 342
Mouy, « Les mathématiques et l'idéalisme philosophique »; **Platon**, *Ménon*; **Alain**, *Saisons de l'esprit*; **Sénèque**, *Lettres à Lucilius*

Une œuvre, une analyse • **Arnauld et Nicole**, *La Logique ou l'Art de penser* 344

Réflexion 3 ▸ Faut-il choisir entre déduction et induction? 348
Descartes, *Règles pour la direction de l'esprit*; **Hume**, *Enquête sur l'entendement humain*; **Kant**, *Critique de la raison pure*

REPÈRES ET DISTINCTIONS CONCEPTUELLES 350

chapitre 14 L'interprétation L ES

Découvertes 354
Hamilton, *La Mythologie*; **Teroni et Cattet**, *Le Chien, un loup civilisé*; **Calvino**, *Palomar*

Réflexion 1 ▸ Qu'est-ce qu'interpréter? 356
Freud, *L'Interprétation des rêves*; **Freud**, *Introduction à la psychanalyse*

Dossier 1 Peut-on penser l'origine du mal? Le mythe d'Adam et Ève 358
La Bible, Genèse; **Kant**, *Conjectures sur le début de l'histoire humaine*

Réflexion 2 ▸ Peut-on penser l'origine du mal? L'interprétation philosophique 360
Kierkegaard, *Le Concept de l'angoisse*

Réflexion 3 ▸ Peut-on penser l'origine du monde? L'interprétation métaphysique 362
Leibniz, *De la production originelle des choses prise à sa racine*

Réflexion 4 ▸ Peut-on penser l'origine du vivant? L'interprétation scientifique 364
Jacob, *Le Jeu des possibles*

Une œuvre, une analyse • **Comte**, *Discours sur l'esprit positif* 366

Dossier 2 Que signifie interpréter un évènement? 370
Veyne, *Comment on écrit l'histoire*

REPÈRES ET DISTINCTIONS CONCEPTUELLES 372

chapitre 15 Le vivant, la matière et l'esprit L ES S

Découvertes 376
Pichot, *Histoire de la notion de vie*; **Nagel**, « Quel effet cela fait d'être une chauve-souris »; **Voltaire**, *Micromégas*

Réflexion 1 ▸ La matière suffit-elle à expliquer la vie? 378
Démocrite, un matérialisme antique; **Aristote**, *De l'âme*

Réflexion 2 ▸ Peut-on réduire l'être vivant à une machine? 380
Descartes, *Principes de la philosophie*; **Kant**, *Critique de la faculté de juger*; **Diderot**, *Entretien entre d'Alembert et Diderot*

Dossier 1 L'origine des êtres vivants 382
Darwin, *L'Origine des espèces au moyen de la sélection naturelle,* ou la *Lutte pour l'existence dans la nature*

Réflexion 3 ▸ Qu'implique l'historicité des êtres vivants? 384
Jacob, *La Logique du vivant*; **Monod**, *Le Hasard et la nécessité*

Une œuvre, une analyse • **Bergson**, *L'Âme et le corps* 386

Réflexion 4 ▸ Pouvons-nous appréhender la nature spécifique de l'esprit? 390
Ryle, *La Notion d'esprit*; **Wittgenstein**, *Le Cahier bleu*

Dossier 2 La machine, rivale de la conscience? 392
Lévy, « L'univers du calcul : calculer, percevoir, penser »

Réflexion 5 ▸ Y a-t-il une réalité spirituelle irréductible? 394
Pascal, *Pensées*; **Leibniz**, *Monadologie*; **Hegel**, *Phénoménologie de l'esprit*; La phrénologie de Gall

REPÈRES ET DISTINCTIONS CONCEPTUELLES 396
Zoom sur... L'explication darwinienne de l'origine des espèces 397

chapitre 16 La vérité L ES S

Découvertes 400
Ross, *Le Monde du zen*

Réflexion 1 ▸ Vérité et mensonge : toute vérité est-elle bonne à dire ? 402
Kant, *D'un prétendu droit de mentir par humanité* ; **Constant**, *Des réactions politiques* ; **Jankélévitch**, *L'Ironie*

Réflexion 2 ▸ Comment définir la vérité ? 404
Spinoza, *Pensées métaphysiques* ; **Aristote**, *La Métaphysique* ; **Russell**, *Problèmes de philosophie* ; **Nietzsche**, *Par-delà le bien et le mal*

Dossier Surgissement et succès des sophistes ? 406
Romilly, *Les Grands Sophistes dans l'Athènes de Périclès*

Une œuvre, une analyse • **Les sceptiques**, Les dix tropes d'Énésidème 408

Réflexion 3 ▸ La vérité, idéal moral ou nécessité pragmatique ? 412
Kant, *Critique de la faculté de juger* ; **James**, *Le Pragmatisme*

Réflexion 4 ▸ Faut-il négliger les erreurs ? 414
Bachelard, *La Formation de l'esprit scientifique* ; **Baruk**, *L'Âge du capitaine*

SUJET COMMENTÉ : DISSERTATION • Toutes les opinions se valent-elles ? 416
REPÈRES ET DISTINCTIONS CONCEPTUELLES 420

La politique 422

chapitre 17 La société, les échanges L ES

Découvertes 426
Lévi-Strauss, *Tristes Tropiques* ; Un échange symbolique mélanésien ; **Malinowski**, *La Vie sexuelle des sauvages du nord-ouest de la Mélanésie*

Réflexion 1 ▸ Qu'est-ce qu'une société ? 428
Dukheim, *Les Règles de la méthode sociologique*

Réflexion 2 ▸ L'échange imposé, fondement des sociétés humaines ? 430
Lévi-Strauss, *Les Structures élémentaires de la parenté* ; **Clastres**, *La Société contre l'État*

Réflexion 3 ▸ Le don est-il nécessairement libre et gratuit ? 432
Mauss, *Essai sur le don* ; **Le Coran**, sourate II

Dossier Une société sans foi, sans loi, sans roi ? 434
Clastres, « Philosophie de la chefferie indienne »

Une œuvre, une analyse • **Aristote**, *La Politique,* livre I 436

SUJET COMMENTÉ : DISSERTATION • Le don n'est-il qu'une forme d'échange parmi d'autres ? 440
REPÈRES ET DISTINCTIONS CONCEPTUELLES 444

chapitre 18 La justice et le droit L ES S

Découvertes 448
Hugo, *Les Misérables*; Article « Droit » du Grand Larousse

Réflexion 1 ▸ Le droit n'est-il que l'arme des faibles? 450
Platon, *Gorgias*

Réflexion 2 ▸ La force peut-elle fonder le droit? 452
Alain, *Les Passions et la sagesse*; **Rousseau**, *Du contrat social*; **Hegel**, *Principes de la philosophie du droit*

Réflexion 3 ▸ Droit du citoyen, droit de l'homme: lequel protège l'autre? 454
Constant, *De la liberté des Anciens comparée à celle des Modernes*

Une œuvre, une analyse • **Rawls**, *Théorie de la Justice* 456

Dossier Les droits de l'homme sont-ils réellement universels? 460
La Déclaration des droits de l'homme et du citoyen; **Burke**, *Réflexions sur la révolution de France*; **Marx**, *La Question juive*

REPÈRES ET DISTINCTIONS CONCEPTUELLES 464
Zoom sur... Les droits de l'homme, trois étapes historiques 465

chapitre 19 L'État L ES S

Découvertes 468
Mercier, *Le Nouveau Paris*; Frontispice du *Léviathan* de Hobbes

Réflexion 1 ▸ Peut-on penser la société avant l'État? 470
Hobbes, *Léviathan*

Réflexion 2 ▸ Comment expliquer l'obéissance au pouvoir ? 472
La Boétie, *Discours de la servitude volontaire*; **Weber**, *Le Savant et le politique*

Une œuvre, une analyse • **Rousseau**, *Du contrat social* 474

Réflexion 3 ▸ L'État, avec ou contre la société? 478
Locke, *Deuxième Traité du gouvernement civil*; **Hegel**, *Principes de la philosophie du droit*; **Stirner**, *L'Unique et la propriété*

Réflexion 4 ▸ L'État porte-t-il en lui le risque totalitaire? 480
Aron, *Démocratie et totalitarisme*; **Lefort**, *Éléments d'une critique de la bureaucratie*

Réflexion 5 ▸ Quelle évolution pour les États? 482
Tocqueville, *De la démocratie en Amérique*; **Burdeau**, *Le Libéralisme*

Dossier 1 L'utopie parvient-elle à supprimer la violence de l'État? 484
More, *L'Utopie*

Une œuvre, une analyse • **Machiavel**, *Le Prince* 486

Réflexion 6 ▸ La responsabilité politique suppose-t-elle une morale particulière ? 490
Kant, *Vers la paix perpétuelle*; **Weber**, *Le Savant et le politique*

Dossier 2 Y a t-il une « banalité du mal » ? 492
Arendt, *Eichmann à Jérusalem*

SUJET COMMENTÉ : EXPLICATION DE TEXTE • Alain 494
REPÈRES ET DISTINCTIONS CONCEPTUELLES 498
Zoom sur... Les fondements de la démocratie 499

La morale

500

chapitre 20 La liberté L ES S

Découvertes 504
Gide, *Les Caves du Vatican*; **Lorenz**, *Trois Essais sur le comportement animal et humain*; **Dortier**, « Les idées pures n'existent pas »

Réflexion 1 ▶ Qu'est-ce qu'une volonté libre ? 506
Leibniz, *Nouveaux Essais sur l'entendement humain*; **Épictète**, *Manuel*; **Alain**, *Les Idées et les âges*

Une œuvre, une analyse • **Spinoza**, *Éthique* 508

Réflexion 2 ▶ Le libre arbitre : fondement de la responsabilité ou prétexte à culpabilité ? 512
Aristote, *Éthique à Nicomaque*; **Kant**, *Critique de la raison pratique*; **Nietzsche**, *Le Crépuscule des idoles*

Réflexion 3 ▶ La liberté, contre ou avec le déterminisme ? 514
Kant, *Critique de la raison pure*; **Engels**, *Anti-Dühring*; **Sartre**, *L'Être et le néant*

Dossier Le droit pénal, entre folie et responsabilité 516
Foucault, *Surveiller et punir*

SUJET COMMENTÉ : EXPLICATION DE TEXTE • D'Alembert 518
REPÈRES ET DISTINCTIONS CONCEPTUELLES 522

chapitre 21 Le devoir L ES S

Découvertes 526
Évangile selon saint Matthieu, « Le Sermon sur la montagne » ; **Rousseau**, *Émile ou De l'éducation*

Dossier La conscience morale, une invention ? 528
Hadot, *Qu'est-ce que la philosophie antique ?* Le démon de Socrate

Réflexion 1 ▶ Devoir moral et devoir social : quelle différence ? 530
Pascal, *Trois Discours sur la considération des grands*

Une œuvre, une analyse • **Kant**, *Fondements de la métaphysique des mœurs* 532

Réflexion 2 ▶ Le devoir suffit-il à fonder la morale ? 536
Schopenhauer, *Le fondement de la morale*; **Sartre**, *L'existentialisme est un humanisme*

Une œuvre, une analyse • **Nietzsche**, *Généalogie de la morale* 538

SUJET COMMENTÉ : DISSERTATION • Devoir et liberté sont-ils deux principes compatibles ? 542
REPÈRES ET DISTINCTIONS CONCEPTUELLES 546
Zoom sur... Kant, les formulations de l'impératif catégorique 547

chapitre 22 Le bonheur L ES S

Découvertes 550
Diderot, *Le Neveu de Rameau*; **Évangile selon saint Matthieu**, « Les béatitudes »
Réflexion 1 ▸ Vertu et bonheur sont-ils liés? 552
Aristote, *Éthique à Nicomaque*
Une œuvre, une analyse • **Épicure**, *Lettre à Ménécée* 554
Réflexion 2 ▸ Le bonheur peut-il faire l'objet d'un calcul moral? 558
Mill, *L'Utilitarisme*
Une œuvre, une analyse • **Pascal**, *Pensées* 560
Réflexion 3 ▸ Le bonheur est-il en contradiction avec la nature humaine? 564
Schopenhauer, *Le Monde comme volonté et comme représentation*; **Freud**, *Le Malaise dans la culture*
Dossier Les choses, une condition du bonheur 566
Perec, *Les Choses*
REPÈRES ET DISTINCTIONS CONCEPTUELLES 568

Partie II • Méthodes

Fiche 1 Le sens d'un problème (1): Comment problématiser? 572
Fiche 2 Le sens d'un problème (2): Comment rédiger une introduction? 574
Fiche 3 Argumenter: comment défendre une thèse? 576
Fiche 4 Construire un plan 578
Fiche 5 Conclure une argumentation 580
Fiche 6 Mettre en place des transitions 582
Fiche 7 Définir mots et concepts (1) 584
Fiche 8 Définir mots et concepts (2) 586
Fiche 9 Expliquer un texte: retrouver les articulations logiques 588

SUJETS COMMENTÉS

Dissertations

La conscience de soi implique-t-elle la connaissance de soi? 86
Les actes engagent-ils plus que les paroles? 188
Y a-t-il des critères permettant de distinguer foi religieuse et superstition? 282
Toutes les opinions se valent-elles? 416
Le don n'est-il qu'une forme d'échange parmi d'autres? 440
Devoir et liberté sont-ils deux principes compatibles? 542

Explications de texte

Sartre, « La conscience, un dévoilement » 44
Kant, *Idée d'une histoire universelle selon le point de vue cosmopolitique* 302
Bachelard, *Le Nouvel Esprit scientifique* 330
Alain, *Propos sur les pouvoirs* 494
D'Alembert, *Essai sur les éléments de philosophie* 518

Les auteurs au programme

Les numéros en couleur renvoient aux pages « Une œuvre, une analyse ».

Philosophie antique et médiévale

Raphaël, *L'École d'Athènes*, 1509-1510, fresque de la Chambre de la Signature, Vatican.

Aristote, *De l'âme* 379
Éthique à Nicomaque 512, 552
Métaphysique 404
Les Parties des animaux 230
La Politique 436
Saint Augustin, *Les Confessions* 126
Épictète, *Manuel* 100, 507
Épicure, *Lettre à Ménécée* 554
Lucrèce, *De rerum natura (De la nature)* 176, 274
Platon, *Le Banquet* 104, 133
Gorgias 98, 450
Ménon 343
Phédon 142
Protagoras 232
République 60, 250
Sénèque, *De la brièveté de la vie* 130
Lettres à Lucilius 143, 343
Sextus Empiricus, *Contre les mathématiciens* 264

Philosophie moderne

Joseph Wright of Derby, *Philosophe faisant un exposé sur le mouvement des planètes*, 1766, musée de Derby, Angleterre.

Berkeley, George, *Nouvelle Théorie de la vision* 68
Principes de la connaissance humaine 69
Condillac, Étienne Bonnot de, *Traité des sensations* 58
Descartes, René, *Discours de la méthode* 100
Lettre au marquis de Newcastle 182
Méditations métaphysiques 28
Principes de la philosophie 380
Règles pour la direction de l'esprit 348
Diderot, Denis, *Entretien entre D'Alembert et Diderot* 381
Lettre sur les aveugles 54
Le Neveu de Rameau 550
Recherches philosophiques sur l'origine et la nature du beau 202
Hobbes, Thomas, *Léviathan* 470
Hume, David, *Dialogues sur la religion naturelle* 270
Enquête sur l'entendement humain 348
Traité de la nature humaine 42
Kant, Emmanuel, *Anthropologie du point de vue pragmatique* 180
Critique de la faculté de juger 210, 212, 381, 412
Critique de la raison pratique 500, 513
Critique de la raison pure 340, 349, 514
Le Droit de mentir 402
Fondement de la métaphysique des mœurs 532
Idée d'une histoire universelle selon le point de vue cosmopolitique 294
La Religion dans les limites de la simple raison 268
Métaphysique des mœurs 240
Philosophie de l'histoire 359
Vers la paix perpétuelle 490
Leibniz, Gottfried, *De la production originelle des choses prise à sa racine* 362
Monadologie 394
Nouveaux Essais sur l'entendement humain 76, 506

Locke, John, *Deuxième Traité du gouvernement civil* 248, 478
Essai sur l'entendement humain 38
Lettre sur la tolérance 277
Machiavel, Nicolas, *Le Prince* 486
Malebranche, Nicolas, *Entretiens sur la métaphysique, sur la religion et sur la mort* 77
Montaigne, Michel de, *Essais* 160
Pascal, Blaise, *Pensées* 32, 42, 144, 268, 394, 560
Préface sur le Traité du vide 292
Trois Discours sur la condition des grands 530
Rousseau, Jean-Jacques, *Discours sur l'origine de l'inégalité parmi les hommes* 176
Du contrat social 453, 474
Émile ou De l'éducation 527
Spinoza, Baruch, *Éthique* 508
Pensées métaphysiques 404
Traité des autorités théologique et politique 275

Philosophie contemporaine

Edward Hopper, *Chair Car*, 1965, huile sur toile.

Alain, *Éléments de philosophie* 84
Quatre-vingt-un Chapitres sur l'esprit et les passions 452
Les Idées et les âges 507
Saisons de l'esprit 343
Arendt, Hannah, *La Crise de la culture* 222
Condition de l'homme moderne 242
Eichmann à Jérusalem. Rapport sur la banalité du mal 492
Bachelard, Gaston, *La Formation de l'esprit scientifique* 414
Le Nouvel Esprit scientifique 314
Bergson, Henri, *L'Âme et le corps* 386
Les Deux Sources de la morale et de la religion 103
L'Énergie spirituelle 33
Essai sur les données immédiates de la conscience 124
L'Évolution créatrice 124, 179, 230, 231
Le Rire 116, 178

Comte, Auguste, *Cours de philosophie positive* 43
Discours sur l'esprit positif 366
Durkheim, Émile, *Les Formes élémentaires de la vie religieuse* 267
Les Règles de la méthode sociologique 428
Le Suicide 143
Foucault, Michel, *Surveiller et punir* 516
Freud, Sigmund, *L'Avenir d'une illusion* 267
Cinq Leçons sur la psychanalyse 80
Études sur l'hystérie 78
L'Interprétation des rêves 356
Introduction à la psychanalyse 74, 357
Le Malaise dans la culture 565
Hegel, Friedrich, *Encyclopédie des sciences philosophiques* 178
Esthétique 204, 206
Phénoménologie de l'esprit 395
Principes de la philosophie du droit 453, 479
La Raison dans l'histoire 292
› **Hyppolite,** *Genèse et structure de la Phénoménologie de l'esprit de Hegel* 101
Heidegger, Martin,
› **Beaufret,** *De l'existentialisme à Heidegger* 140
Kierkegaard, Sœren, *Le Concept de l'angoisse* 360
Lévinas, Emmanuel, *Éthique et infini* 115
Totalité et infini 114
Marx, Karl, *Le Capital* 254
Critique de l'économie politique 298
Manuscrits de 1844. Économie et philosophie 246
Pour une critique de la philosophie du droit de Hegel 266
La Question juive 463
Merleau-Ponty, Maurice, *Signes* 172
Le Visible et l'invisible 65
Mill, John Stuart, *L'Utilitarisme* 558
Nietzsche, Friedrich, *Le Crépuscule des idoles* 513
Le Gai Savoir 32
Généalogie de la morale 131, 538
Humain, trop humain 210
Par-delà le bien et le mal 34, 405
Popper, Karl, *Misère de l'historicisme* 327
La Science : conjectures et réfutations 85
La Nature des problèmes philosophiques et leurs racines scientifiques 341
Russell, Bertrand, *Problèmes de philosophie* 64, 405
Sartre, Jean-Paul, *L'Être et le néant* 103, 113, 515
L'existentialisme est un humanisme 134, 537
Situations I, « Qu'est-ce que la littérature » 35
Les Temps modernes 288
Schopenhauer, Arthur, *Le Fondement de la morale* 536
Le Monde comme volonté et comme représentation 102, 564
Tocqueville, Alexis de, *De la démocratie en Amérique* 482
Wittgenstein, Ludwig, *Le Cahier bleu* 391
Recherches philosophiques 339

Partie I Textes

Rembrandt Harmenszoon Van Rijn, dit Rembrandt, *Philosophe en méditation*, 1632, huile sur bois (0,28 x 0,34 m), Paris, Musée du Louvre.

Le sujet

Chapitre 1 **La conscience**
Chapitre 2 **La perception**
Chapitre 3 **L'inconscient**
Chapitre 4 **Le désir, autrui**
Chapitre 5 **Le temps, l'existence**

[Œdipe] arrivera à Thèbes beaucoup plus tard, au moment où le malheur frappe la ville sous la forme d'un monstre, mi-femme, mi-lionne, tête de femme, seins de femme, corps et pattes de lionne, la Sphinge. Elle s'est logée aux portes de Thèbes, tantôt sur une colonne, tantôt sur un rocher plus élevé, elle prend son plaisir à poser des énigmes aux jeunes gens de la ville. Tous les ans, elle exige que lui soit envoyée l'élite de la jeunesse thébaine, les plus beaux garçons, qui doivent l'affronter. On dit parfois qu'elle veut s'unir à eux. En tout cas, elle leur soumet son énigme et, lorsqu'ils ne peuvent pas répondre, elle les met à mort. Ainsi, Thèbes voit au fil des années toute la fleur de sa jeunesse trucidée, détruite. [...] Œdipe affronte la Sphinge. Le monstre est sur son petit monticule, elle voit venir Œdipe et se dit qu'il est une belle proie. La Sphinge formule l'énigme suivante : « Quel est l'être, le seul parmi ceux qui vivent sur terre, dans les eaux, dans les airs, qui a une seule voix, une seule façon de parler, une seule nature, mais qui a deux pieds, trois pieds et quatre pieds, *dipous, tripous, tetrapous* ? » Œdipe réfléchit. Cette réflexion est peut-être facilitée pour un homme qui s'appelle Œdipe, *Oi-dipous*, « bipède », est inscrit dans son nom. Il répond : « C'est l'homme. Quand il est encore enfant, l'homme marche à quatre pattes, devenu plus âgé, il se tient debout sur ses deux jambes et, lorsqu'il est vieillard, il s'appuie sur une canne pour pallier sa démarche hésitante, oscillante. » La Sphinge, se voyant vaincue dans cette épreuve de savoir mystérieux, se jette du haut de son pilier, ou de son rocher, et meurt. Toute la ville de Thèbes est en liesse, on fait fête à Œdipe, on le ramène en grande pompe. On lui présente Jocaste, la reine, qui sera en récompense son épouse. Œdipe devient le souverain de la ville.

Jean-Pierre Vernant, *L'Univers, les dieux, les hommes*, 1999, Seuil, p. 198 sq.

Gustave Moreau, *Œdipe et le sphinx*, 1864, huile sur toile (2,064 x 1,048 m), New York, Metropolitan Museum of Art. ›››

chapitre 1

La conscience

Vincent Van Gogh, *Autoportraits*, 1887-1889, huiles sur toile.

Du mot...

Le mot conscience est équivoque. Prendre conscience, c'est d'abord prendre connaissance : « cet élève a pris conscience de ses difficultés ». Cette connaissance touche principalement l'individu lui-même et ses états d'âme : « cette personne n'a plus toute sa conscience », c'est-à-dire, elle ne se rend plus compte de ce qu'elle fait. Et lorsqu'on perd conscience, qu'on s'évanouit ou bien qu'on est endormi par un anesthésiste, c'est une coupure radicale dans notre sentiment d'exister. L'usage le plus ancien du mot concerne une autre forme d'intériorité : l'intériorité morale. « Juger en son âme et conscience », c'est juger selon ses propres convictions, à l'écart de tout ce qui pourrait influencer, faire pression.

... au concept

Aussi convient-il de distinguer le concept de conscience morale (la capacité de juger du bien et du mal) de celui de conscience psychologique (la capacité de se rendre compte de ce qui se passe en soi et hors de soi).

Concernant la conscience psychologique, on distingue traditionnellement la conscience immédiate et la conscience réfléchie. La conscience immédiate nous met en relation au monde ; on le perçoit, on y réagit (par exemple : je vois un oiseau) ; la conscience réfléchie consiste à prendre conscience de soi-même en train de percevoir (par exemple : j'ai conscience que je suis en train de voir un oiseau). Il ne s'agit pas de deux consciences distinctes, mais des deux faces d'une même conscience.

Pistes de réflexion

L'expérience intime de la conscience suffit-elle à dire ce qu'est la conscience ?

Nous avons une expérience immédiate et fort simple de la conscience : lorsque nous nous réveillons nous prenons conscience, lorsque nous nous endormons nous perdons conscience. Mais cela ne suffit pas à nous dire ce qu'est la conscience. En quoi consiste-t-elle ? Où la situer : dans le cerveau, ou dans l'esprit ? Quelle fonction remplit-elle, puisque beaucoup d'actions peuvent être accomplies efficacement sans s'accompagner de conscience ?

Comment conscience immédiate et conscience réfléchie s'articulent-elles ?

La conscience immédiate nous met en relation avec le monde ; on le perçoit, on y réagit ; la conscience réfléchie consiste à prendre conscience de soi-même en train de percevoir. La reconnaissance de son image dans le miroir chez l'enfant est une expérience fondamentale. La plupart des animaux n'y parviennent pas. Faut-il leur refuser toute conscience ? Certainement pas. Mais qu'est-ce qu'une conscience qui n'a pas conscience d'elle-même ?

La conscience est-elle un privilège de l'homme ?

Par sa conscience, l'homme se situe face au monde, juge de sa situation : de sa grandeur comme de sa misère. S'agit-il là d'une situation privilégiée au sein de la création, comme le veulent certaines religions ? Ou n'est-ce qu'une forme d'adaptation vitale, fondée sur le caractère fondamentalement social de l'homme ?

Que signifie être soi-même ?

Avoir conscience de soi pose le problème de la singularité : l'homme n'est pas seulement un individu, il revendique cette individualité en se comparant aux autres, en se distinguant des autres. Comment se construit cette identité ? N'est-elle pas vouée à se perdre dans des images illusoires, qu'elles viennent de soi ou des autres ?

La conscience de soi signifie-t-elle connaissance de soi ?

Le fait que notre conscience nous accompagne tout au long de la journée, que nous soyons le témoin permanent de notre vie nous donne-t-il une connaissance privilégiée sur nous-mêmes ? Quelle distance peut s'introduire entre soi et soi, et par quels mécanismes ?

Suffit-il de le vouloir pour être sincère ?

L'introspection, le journal intime, la confession, l'examen de conscience sont des occasions de se voir sans complaisance, d'être sincère avec soi-même. Mais le désir de sincérité n'est-il pas illusoire ?

Passerelles

› chapitre 3 : L'inconscient, p. 72.
› chapitre 4 : Le désir, autrui, p. 92.
› chapitre 15 : Le vivant, la matière et l'esprit, p. 374.

Découvertes

DOCUMENT 1 La conscience : entre rêve et réalité

Alice, en passant à travers un miroir, se retrouve dans un autre monde, organisé à la façon d'un échiquier, où les règles logiques et les principes de réalité sont distordus. Elle rencontre « deux gros petits bonhommes » : Tweedledum et Tweedledee.

Chacun d'eux prit une des mains d'Alice et ils la conduisirent à l'endroit où le Roi dormait.

« Est-ce qu'il n'offre pas un joli spectacle ? » dit Tweedledum.

Alice, honnêtement, ne pouvait répondre « oui ». Il était coiffé d'un grand bonnet de nuit rouge orné d'un gland et, tassé comme une sorte de paquet malpropre, il ronflait bruyamment : « à s'en faire sauter la tête », remarqua Tweedledum.

« Il va attraper un rhume à rester comme ça, dans l'herbe humide, dit Alice, qui était une petite fille très raisonnable.

– Il rêve, en ce moment, dit Tweedledee, et à quoi pensez-vous qu'il rêve ?

– Personne ne peut savoir ça, dit Alice.

– Eh bien ! il rêve à vous ! s'exclama Tweedledee, battant triomphalement des mains. Et s'il cessait de rêver à vous, où croyez-vous que vous seriez ?

– Là où je suis en ce moment, bien sûr, dit Alice.

– Non ! répliqua Tweedledee avec dédain. Vous ne seriez nulle part, car vous n'êtes rien qu'une espèce de chose dans son rêve.

– Si ce Roi s'éveillait, ajouta Tweedledum, vous vous éteindriez – puff ! – comme une chandelle !

– Jamais ! s'écria Alice avec indignation. D'ailleurs, si je ne suis qu'une espèce de chose dans son rêve, vous, qu'est-ce que vous êtes, j'aimerais le savoir ?

– Idem, dit Tweedledum.

– Idem, idem », dit Tweedledee.

Il hurlait si fort qu'Alice ne put s'empêcher de lui dire :

« Chut ! vous allez le réveiller, si vous faites tant de bruit.

– Mais, dit Tweedledum, cela ne sert à rien que vous parliez de le réveiller, puisque vous n'êtes rien qu'une chose de son rêve. Vous savez très bien que vous n'êtes pas réelle.

– Je suis réelle ! » protesta Alice. Et elle se mit à pleurer.

« Vous ne serez pas plus réelle parce que vous pleurerez, remarqua Tweedledee, il n'y a pas de raison de pleurer.

– Si je n'étais pas réelle, dit Alice, riant à moitié à travers ses larmes (tout cela semblait si ridicule), je ne pourrais pas pleurer.

– Vous ne supposez tout de même pas que ce sont de vraies larmes ? » interrompit Tweedledum d'un ton méprisant.

« Je sais qu'ils disent des absurdités, pensa Alice, et je suis bien sotte d'en pleurer. »

Lewis Carroll, *De l'autre côté du miroir*, 1871, trad. A. Bay, Marabout, p. 217-218.

QUESTIONS

1• À première vue, il peut sembler « absurde » de mettre en doute la réalité. Pourquoi cependant ce doute n'est-il pas si « absurde » que cela ? Que manifeste-t-il ?

2• Descartes, au début des *Méditations métaphysiques*, écrit : « Je vois si manifestement qu'il n'y a point d'indices certains par où l'on puisse distinguer nettement la veille d'avec le sommeil, que j'en suis tout étonné. » Alice se trouve devant le même problème. Quels arguments donne-t-elle ? Quelle valeur logique ont-ils ? Cherchez des arguments qui pourraient être concluants.

DOCUMENT 2 Transformation de son corps, affirmation de soi

QUESTIONS

› **1•** Le tatouage relève-t-il d'un simple accessoire esthétique? Les adolescents et les jeunes qui se font « marquer la peau » cherchent-ils seulement à s'embellir? Quelles autres significations peuvent être attribuées à cette pratique?

› **2•** La volonté de modifier son corps peut-elle être comprise comme une recherche de son identité? Pourquoi?

› **3•** Le tatouage est un phénomène social, l'identité est toujours personnelle. Comment expliquer que les adolescents aient recours à cette pratique pour affirmer leur identité?

DOCUMENT 3 Perte de mémoire, perte d'identité

Jimmie G. est un ancien soldat de la Marine, il est atteint du syndrome de Korsakov (« la mémoire récente est perturbée tandis que les impressions lointaines restent bien fixées dans la mémoire, l'ingéniosité du patient, son activité d'esprit, restent en grande partie intactes »).

Quand il s'agissait de se rappeler, de revivre les événements, Jimmie était très animé; il ne donnait pas l'impression de parler du passé mais plutôt du présent, et je fus très frappé par son changement de temps lorsqu'il passait des souvenirs de sa scolarité à ceux de sa période dans la Marine: il avait employé le passé, il employait maintenant le présent – et il ne s'agissait pas, me semblait-il, du présent formel ou fictif du souvenir, mais du présent actuel de l'expérience immédiate.

Un brusque, invraisemblable soupçon me saisit:

– En quelle année sommes-nous, monsieur G.? demandai-je en dissimulant ma perplexité sous un air désinvolte.

– Quarante-cinq, mon gars. Pourquoi?

Il continua:

– Nous avons gagné la guerre, Roosevelt est mort, Truman est à la barre. L'avenir nous appartient.

– Et vous Jimmie, quel âge avez-vous donc?

Chose curieuse, il hésita un moment, comme s'il calculait.

– Voyons, je dois avoir dix-neuf ans, docteur. J'aurai vingt ans au prochain anniversaire.

Regardant l'homme aux cheveux gris qui se tenait en face de moi, j'eus une impulsion que je ne me suis jamais pardonnée – et qui eût été le summum de la cruauté si Jimmie avait eu la possibilité de s'en souvenir.

– Là, dis-je, et je lui tendis une glace. Regardez dans la glace et dites-moi ce que vous voyez. Est-ce bien quelqu'un de dix-neuf ans que vous avez dans la glace?

Il pâlit brusquement et agrippa les bords de la chaise.

– Mon Dieu, dit-il dans un souffle, Dieu, que se passe-t-il? Que m'est-il arrivé? C'est un cauchemar? Je suis fou? C'est une blague?

Il était affolé, hors de lui.

– Ça va, Jimmie, dis-je avec douceur. C'est une erreur. Aucune raison de s'inquiéter, hein! Je l'amenai vers la fenêtre. « N'est-ce pas une belle journée de printemps? »

Oliver Sacks, *L'Homme qui prenait sa femme pour un chapeau*, 1985, trad. É. de La Héronnière, coll. Points, Seuil, p. 43.

QUESTION

› À l'aide de ce texte, précisez le rôle de la mémoire dans la prise de conscience de soi.

Une œuvre, une analyse

Présentation

Descartes : *Méditations métaphysiques*, I et II (1641)

Décidant de douter de tout, d'une façon absolument radicale, Descartes se heurte au « je pense ». Cette subjectivité lui permet de reconstruire toute la réalité du monde et tout le savoir des hommes. Mais quel est ce « je » que Descartes découvre ? Ce n'est pas le « je » de la subjectivité ordinaire, c'est le « je » d'un autre univers philosophique : un « je » par nature universel...

1 L'invention du sujet

De Descartes, on cite souvent la formule célèbre du *cogito* : « je pense donc je suis » (*cogito ergo sum*). Mais outre que l'expression peut sembler incorrecte (Descartes pose une évidence d'un seul tenant : « je pense, je suis »), il faut admettre qu'elle est souvent fort mal comprise. Détachée de son contexte, elle conduit à des contresens. Le « je » du *cogito*, en effet, n'est pas une donnée psychologique : « moi, monsieur Untel, tel âge, telle profession, qui vous parle... ». Que peut-il désigner d'autre ? Il désigne un **sujet**. La grande découverte de Descartes, c'est l'invention de la subjectivité constituante.

La notion de « subjectivité », dans son sens ordinaire, renvoie au point de vue particulier et déformé d'un individu : ce qu'on ne peut pas partager avec les autres, ce qui n'est pas universel, donc ce qui n'est pas objectif. La subjectivité cartésienne désigne « tout le contraire » : donnée fondamentale, à la fois universelle et singulière, c'est sur elle que se fondent toutes les vérités du monde. C'est par le sujet qu'il peut y avoir objectivité.

Pour saisir cela, il faut refaire le trajet de Descartes en son début, celui des deux premières *Méditations*. Sans ce cheminement, le *cogito* est privé de tout contenu philosophique.

2 Le projet cartésien

Le projet cartésien est ambitieux : fonder la science, en faisant table rase de toutes les connaissances accumulées par les siècles et par l'éducation.

L'instrument de la démarche est le doute. Il se déroule en deux temps.

1. D'abord, l'incertitude des sens, maintes fois constatée, me conduit à douter de l'existence des objets sensibles, de mon environnement, et même de moi-même en tant que personne individuelle : je ne peux faire confiance absolument ni à mes impressions corporelles ni à ma mémoire.

2. Admettons que tout ce que je vis soit hallucinations, rêves, délires. Quoi que je rêve, il faut bien que je rêve « à l'aide » d'images ; et ces images présentent des formes séparées les unes des autres, en plus ou moins grand nombre, se déplaçant dans l'espace, selon l'ordre temporel d'un avant et d'un après... Figures, nombres, espace, temps, ce sont précisément les objets qu'étudient les mathématiciens.

Or, comme les objets mathématiques ne prétendent pas être des copies des objets extérieurs, mais de simples objets de pensée, je ne peux pas, semble-t-il, me tromper à leur égard. Il se peut très bien qu'il n'y ait pas quatre pommes dans ce panier (données sensibles), mais comment pourrait-il se faire que deux et deux ne fassent pas quatre (évidence rationnelle) ?

C'est pourtant cette évidence rationnelle, mathématique, que Descartes remet en cause, en utilisant un artifice : la fiction du « malin génie ». Supposons un être infiniment puissant qui mettrait toutes ses forces à me tromper. Il pourrait me convaincre que deux et deux font quatre, alors que rien ne correspondrait véritablement à ces signes.

3 À la recherche du point fixe

À supposer que deux et deux ne fassent plus quatre, que peut-il rester en matière de vérité ? Si je doute de tout, il reste que je doute, donc que je pense ; or cette pensée, précisément, m'oblige à affirmer mon existence. Quelle que soit l'infinie puissance du malin génie, il ne peut pas empêcher que, si je doute, j'existe par cette action même de douter. Telle est l'évidence première du *cogito*, plus vraie que les vérités mathématiques : non pas seulement vérité rationnelle, mais **vérité métaphysique**.

4 Quel est le « je » du « je pense » ?

« C'est à la fois moi », puisque c'est une vérité que personne ne peut saisir à ma place. Pourtant, « ce n'est pas moi en tant qu'individu », doué d'une identité sociale ou psychologique, puisque tout cela est remis en cause par le doute radical. Voilà, donc, une réalité « impersonnelle », fondement de ma personnalité, mais ne se confondant pas avec elle.

Plus fondamentalement : on ne peut pas distinguer dans le *cogito* ces deux réalités que la grammaire nous pousse à imaginer : un « quelque chose » qui serait « je » à côté d'un « acte » qui en serait le produit. Il faut faire au contraire l'effort de penser un « je » qui soit son acte, et un acte qui soit le « je », « je = pense ». Encore faut-il ne pas chercher à « se représenter » une âme, cela voudrait dire « l'imaginer », donc introduire inévitablement dans la pensée des éléments impurs : fantôme, ombre, double, souffle, tout l'imaginaire de la pensée magique.

Cet obstacle est le plus difficile à vaincre et Descartes consacre tout le milieu de la seconde *Méditation* à chercher à l'éliminer de l'esprit de son lecteur. C'est que le préjugé s'enracine dans deux traditions profondes.

1. **L'expérience anthropologique** de la mort : la vision d'un cadavre semble désunir âme et corps, et faire de l'âme le souffle vital responsable de l'animation du corps ;
2. **L'histoire philosophique** : depuis Aristote, l'âme est perçue comme le principe qui anime la matière pour en faire un corps vivant.

La grande révolution cartésienne est d'éliminer ce sens biologique. Le corps biologique n'est qu'une machine, l'âme désormais n'est plus nécessaire pour expliquer les fonctions vitales.

Passerelle

› **Texte :** Descartes, La thèse du corps-machine, p. 380.

Descartes (1596-1650)

René Descartes fait ses études chez les jésuites. Déçu par le contenu de l'enseignement de son époque, il décide « de ne chercher plus d'autre science que celle qui se pourrait trouver en [lui]-même ». Il voyage beaucoup et s'engage dans différentes armées. En 1619, en Bavière, dans une petite chambre, lui vient la révélation de son œuvre : unifier toutes les sciences, en fondant la connaissance sur des bases entièrement nouvelles. Pour s'assurer d'une liberté de penser qu'il n'est pas sûr de trouver dans le royaume de France, il s'établit en Hollande où il demeurera la plus grande partie de sa vie. En 1637 paraît le *Discours de la méthode*, en français, et non en latin comme il était d'usage pour ce genre d'ouvrages. Après la condamnation de Galilée, dont il partage les idées sur le système de l'héliocentrisme (le Soleil, et non la Terre, est au centre du système planétaire), il renonce à publier son *Traité du monde*. En 1641 paraissent les *Méditations métaphysiques*, en 1644, les *Principes de philosophie* et, en 1649, le traité *Les Passions de l'âme*. Appelé en Suède par la reine Christine, il contracte une pneumonie et meurt le 11 février 1650.

Descartes : *Méditations métaphysiques*, I et II (1641)

La déduction du *cogito*

La démarche de Descartes opère en deux temps. L'épreuve du doute remet en cause non seulement l'existence du monde sensible mais aussi celle des idées rationnelles (deux et deux font quatre). Sur ce champ de ruines se révèle une vérité métaphysiquement première : celle du *cogito*. À partir d'elle, Descartes pense pouvoir reconstruire tout l'édifice du savoir.

Texte 1 Le malin génie et le doute radical

Je supposerai donc, non pas que Dieu, qui est très bon et qui est la souveraine source de vérité, mais qu'un certain mauvais génie, non moins rusé et trompeur que puissant, a employé toute son industrie[1] à me tromper ; je penserai que le ciel, l'air, la terre, les couleurs, les figures, les sons, et toutes les autres choses extérieures, ne sont rien que des illusions et rêveries dont il s'est servi pour tendre des pièges à ma crédulité, je me considérerai moi-même comme n'ayant point de mains, point d'yeux, point de chair, point de sang ; comme n'ayant aucun sens, mais croyant faussement avoir toutes ces choses ; je demeurerai obstinément attaché à cette pensée, et si, par ce moyen, il n'est pas en mon pouvoir de parvenir à la connaissance d'aucune vérité, à tout le moins il est en ma puissance de suspendre mon jugement[2]. C'est pourquoi je prendrai garde soigneusement de ne recevoir en ma croyance aucune fausseté, et préparerai si bien mon esprit à toutes les ruses de ce grand trompeur, que, pour puissant et rusé qu'il soit, il ne me pourra jamais rien imposer.

René Descartes, *Méditations métaphysiques*, 1641, I, trad. française de 1647 revue par Descartes, *in Œuvres*, coll. La Pléiade, Gallimard, p. 272.

1. Ruse, habileté, ingéniosité.
2. C'est l'attitude sceptique par excellence : refuser d'affirmer ou de nier la réalité de ce qui se présente.

QUESTIONS

1• Quel est le rôle du malin génie ?

2• Descartes pourrait-il douter de façon aussi radicale sans la fiction du malin génie ? Pourquoi ?

Texte 2 Le point fixe : je pense, je suis

Mais que sais-je s'il n'y a point quelque autre chose différente de celles que je viens de juger incertaines, de laquelle on ne puisse avoir le moindre doute ? [...] Moi donc à tout le moins ne suis-je pas quelque chose ? Mais j'ai déjà nié que j'eusse aucun sens, ni aucun corps. J'hésite néanmoins : car que s'ensuit-il de là ? Suis-je tellement dépendant du corps et des sens, que je ne puisse être sans eux ? Mais je me suis persuadé[1] qu'il n'y avait rien du tout dans le monde, qu'il n'y avait aucun ciel, aucune terre, aucuns esprits, ni aucuns corps ; ne me suis-je donc pas aussi persuadé que je n'étais point ? Non certes, j'étais sans doute si je me suis persuadé, ou seulement si j'ai pensé quelque chose. Mais il y a un je ne sais quel trompeur très puissant et très rusé, qui emploie toute son industrie à me tromper toujours. Il n'y a donc point de doute que je suis, s'il me trompe ; et qu'il me trompe tant qu'il voudra, il ne saurait jamais faire que je ne sois rien tant que je penserai être quelque chose. De sorte qu'après y avoir bien pensé, et avoir soigneusement examiné toutes choses, enfin il faut conclure, et tenir pour constant que cette proposition : Je suis, j'existe, est nécessairement vraie, toutes les fois que je la prononce ou que je la conçois en mon esprit.

Op. cit., II, p. 274-275.

1. Résumé de la première *Méditation*.

QUESTIONS

1• Pourquoi l'acte de douter supprime-t-il le doute sur mon existence même ?

2• « Toutes les fois que je la prononce » : quel est le sens de cette restriction ?

Texte 3 Énumération des idées spontanées

1. D'une extrême finesse.

Qu'est-ce donc que j'ai cru être ci-devant ? Sans difficulté, j'ai pensé que j'étais un homme ; mais qu'est-ce qu'un homme ? Dirai-je que c'est un animal raisonnable ? Non certes, car il faudrait par après rechercher ce que c'est qu'animal, et ce que c'est que raisonnable, et ainsi d'une seule question nous tomberions insensiblement en une infinité d'autres plus difficiles et embarrassées, et je ne voudrais pas abuser du peu de temps et de loisir qui me reste, en l'employant à démêler de semblables subtilités.

Mais je m'arrêterai plutôt à considérer ici les pensées qui naissaient ci-devant d'elles-mêmes en mon esprit, et qui ne m'étaient inspirées que de ma seule nature, lorsque je m'appliquais à la considération de mon être. Je me considérais, premièrement, comme ayant un visage, des mains, des bras, et toute cette machine composée d'os et de chair, telle qu'elle paraît en un cadavre, laquelle je désignais par le nom de corps. Je considérais outre cela, que je me nourrissais, que je marchais, que je sentais, et que je pensais ; et je rapportais toutes ces actions à l'âme ; mais je ne m'arrêtais point à penser ce que c'était que cette âme, ou bien, si je m'y arrêtais, j'imaginais qu'elle était quelque chose extrêmement rare et subtile, comme un vent, une flamme, ou un air très délié[1] qui était insinué et répandu dans mes plus grossières parties.

Op. cit., II, p. 275-276.

QUESTIONS

1• Pourquoi la définition de l'homme comme animal raisonnable ne nous est-elle d'aucun secours ?

2• Quelle compréhension spontanée l'homme a-t-il de lui-même ? 1) de son corps ? 2) de son âme ?

Texte 4 L'âme : non pas un principe biologique, mais la pensée en acte

1. Ce qui appartient en propre à un être et permet de le distinguer d'autres êtres.

Passons aux attributs[1] de l'Âme, et voyons s'il y en a quelques-uns qui soient en moi. Les premiers sont de me nourrir, et de marcher ; mais s'il est vrai que je n'ai point de corps, il est vrai aussi que je ne puis marcher, ni me nourrir. Un autre est de sentir ; mais on ne peut aussi sentir sans le corps, outre que j'ai pensé sentir autrefois plusieurs choses pendant le sommeil, que j'ai reconnu à mon réveil n'avoir point en effet senties. Un autre est de penser ; et je trouve ici que la pensée est un attribut qui m'appartient. Elle seule ne peut être détachée de moi. *Je suis, j'existe* : cela est certain. Mais combien de temps ? À savoir, autant de temps que je pense ; car peut-être se pourrait-il faire, si je cessais de penser, que je cesserais en même temps d'être ou d'exister.

Je n'admets maintenant rien qui ne soit nécessairement vrai : je ne suis donc précisément parlant qu'une chose qui pense, c'est-à-dire un esprit, un entendement, ou une raison, qui sont des termes dont la signification m'était auparavant inconnue. Or je suis donc une chose vraie et vraiment existante ; mais quelle chose ? Je l'ai dit : une chose qui pense. Et quoi davantage ? J'exciterai encore mon imagination pour chercher si je ne suis point quelque chose de plus. Je ne suis point cet assemblage de membres, que l'on appelle le corps humain ; je ne suis point un air délié et pénétrant, répandu dans tous ces membres ; je ne suis point un vent, un souffle, une vapeur, ni rien de tout ce que je puis feindre et imaginer, puisque j'ai supposé que tout cela n'était rien, et que sans changer cette supposition, je trouve que je ne laisse pas d'être certain que je suis quelque chose.

Op. cit., II, p. 276-277.

QUESTIONS

1• Précisez le principe méthodologique qui permet à Descartes d'accepter ou d'exclure telle ou telle propriété dans la définition de l'âme.

2• Quelle définition Descartes donne-t-il de l'âme ? Expliquez.

3• Montrez l'opposition permanente entre l'enseignement de la pensée et celui de l'imagination. Pourquoi notre imagination oppose-t-elle une résistance aux vérités élémentaires de la raison ?

Réflexion 1

▶ La conscience humaine : un privilège ambigu

La Bible affirme que l'homme a été créé à l'image de Dieu. Sans doute l'allusion vise-t-elle la possession par l'homme d'une conscience de soi qui en fait comme un miroir de l'univers. La pensée religieuse interprète donc la conscience comme un privilège. Mais ce privilège est équivoque, comme le remarque Pascal : signe d'honneur, tout autant que de misère.

Texte 1 Grandeur et misère de la conscience

[Fragment 113-348] Ce n'est point de l'espace que je dois chercher ma dignité, mais c'est du règlement de ma pensée. Je n'aurai point d'avantage en possédant des terres. Par l'espace l'univers me comprend et m'engloutit comme un point : par la pensée je le comprends.

[Fragment 114-397] La grandeur de l'homme est grande en ce qu'il se connaît misérable ; un arbre ne se connaît pas misérable.

C'est donc être misérable que de (se) connaître misérable, mais c'est être grand que de connaître qu'on est misérable.

[Fragment 200-347] L'homme n'est qu'un roseau, le plus faible de la nature, mais c'est un roseau pensant. Il ne faut pas que l'univers entier s'arme pour l'écraser ; une vapeur, une goutte d'eau suffit pour le tuer. Mais quand l'univers l'écraserait, l'homme serait encore plus noble que ce qui le tue, puisqu'il sait qu'il meurt et l'avantage que l'univers a sur lui, l'univers n'en sait rien.

Toute notre dignité consiste donc en la pensée. C'est de là qu'il nous faut relever et non de l'espace et de la durée, que nous ne saurions remplir. Travaillons donc à bien penser : voilà le principe de la morale.

Blaise Pascal, *Pensées*, posth. 1669, *in Œuvres complètes*, coll. L'intégrale, Seuil, 1963, p. 513, 528, 540.

QUESTIONS

- 1• Analysez l'équivoque du verbe « comprendre » (troisième ligne).
- 2• Pourquoi la grandeur et la misère de l'homme sont-elles liées aux yeux de Pascal ?

Texte 2 Le caractère superficiel de la conscience

Nous supposons que notre conscience nous découvre notre intimité. Parce que nous avons une conscience, nous aurions une profondeur que les animaux n'ont pas. Pour Nietzsche, il n'en est rien. Cette profondeur n'est qu'un effet de surface ; la conscience est à comprendre comme une adaptation biologique en vue de la communication.

Je me trouve en droit de supposer que la *conscience ne s'est développée que sous la pression du besoin de communiquer* ; qu'elle n'était nécessaire et utile au début que dans les rapports d'homme à homme (notamment pour le commandement), et qu'elle ne s'est développée que dans la mesure de cette utilité. La conscience n'est qu'un réseau de communications entre hommes ; c'est en cette seule qualité qu'elle a été forcée de se développer : l'homme qui vivait solitaire, en bête de proie, aurait pu s'en passer. Si nos actions, pensées, sentiments et mouvements parviennent – du moins en partie – à la surface de notre conscience, c'est le résultat d'une terrible nécessité qui a longtemps dominé l'homme, le plus menacé des animaux : il avait *besoin* de secours et de protection, il avait besoin de son semblable, il était obligé de savoir dire ce besoin, de savoir se rendre intelligible ; et pour tout cela, en premier lieu, il fallait qu'il eût une « conscience », qu'il « sût » lui-même ce qui lui manquait, qu'il « sût » ce qu'il sentait, qu'il « sût » ce qu'il pensait. Car comme toute créature vivante, l'homme, je le répète, pense constamment, mais il l'ignore ; la pensée qui devient *consciente* ne représente que la partie la plus infime, disons la plus superficielle, la plus mauvaise, de tout ce qu'il pense : car il n'y a que cette pensée qui *s'exprime en paroles, c'est-à-dire en signes d'échanges*, ce qui révèle l'origine même de la conscience. Bref le développement du langage et le développement de la conscience (*non* de la raison, mais seulement de la raison qui devient consciente d'elle-même), ces deux développements vont de pair. [...]

Je pense, comme on le voit, que la conscience n'appartient pas essentiellement à l'existence individuelle de l'homme, mais au contraire à la partie de sa nature qui est commune à tout le troupeau ; qu'elle n'est, en conséquence, subtilement développée que dans la mesure de son utilité pour la communauté, le troupeau ; et qu'en dépit de la meilleure volonté qu'il peut apporter à « se connaître », percevoir ce qu'il a de plus individuel, nul de nous ne pourra jamais prendre conscience que de son côté non individuel et « moyen ».

Friedrich Nietzsche, *Le Gai Savoir*, 1882, § 354, trad. A. Vialatte, coll. Idées, Gallimard, p. 306.

QUESTIONS

1• Pour Nietzsche, la conscience est un produit de la vie en société. Quelles conséquences en tire-t-il ?

2• Pourquoi la nécessité du langage en vue de la communication implique-t-elle que nous n'ayons qu'un point de vue déformé sur nous-mêmes ?

Texte 3 Conscience et choix

Si, en effet, conscience signifie choix et si le rôle de la conscience est de se décider, il est douteux qu'on rencontre la conscience dans des organismes qui ne se meuvent pas spontanément et qui n'ont pas de décision à rendre [...]. Il me paraît donc vraisemblable que la conscience, originellement immanente[1] à tout ce qui vit, s'endort là où il n'y a plus de mouvement spontané et s'exalte quand la vie appuie vers l'activité libre. Chacun de nous a d'ailleurs pu vérifier cette loi sur lui-même. Qu'arrive-t-il quand une de nos actions cesse d'être spontanée pour devenir automatique ? La conscience s'en retire. Dans l'apprentissage d'un exercice, par exemple, nous commençons par être conscients de chacun des mouvements que nous exécutons, parce qu'il vient de nous, parce qu'il résulte d'une décision et implique un choix ; puis, à mesure que ces mouvements s'enchaînent davantage entre eux et se déterminent plus mécaniquement les uns les autres, nous dispensant ainsi de nous décider et de choisir, la conscience que nous en avons diminue et disparaît. Quels sont, d'autre part, les moments où notre conscience atteint le plus de vivacité ? Ne sont-ce pas les moments de crise intérieure, où nous hésitons entre deux ou plusieurs partis à prendre, où nous sentons que notre avenir sera ce que nous l'aurons fait ? Les variations d'intensité de notre conscience semblent donc bien correspondre à la somme plus ou moins considérable de choix ou, si vous voulez, de création, que nous distribuons sur notre conduite. Tout porte à croire qu'il en est ainsi de la conscience en général. Si conscience signifie mémoire et anticipation, c'est que conscience est synonyme de choix.

Henri Bergson, *La Conscience et la vie*, 1911, *in L'Énergie spirituelle*, 1919, PUF, p. 10-11.

1. Intérieure.

QUESTIONS

1• Pourquoi l'automatisme tend-il à faire disparaître la conscience ?

2• Expliquez la dernière phrase du texte. Bergson relie la conscience à la temporalité et à la liberté. Expliquez cette double articulation.

Réflexion 2

▶ La conscience est-elle une « chose parmi les choses » ?

Deux problèmes sont ici soulevés : l'un concerne l'existence de la conscience, l'autre sa définition. La conscience existe-t-elle réellement comme unité fondamentale ou bien n'est-elle qu'une illusion du langage ? Si l'on affirme l'irréductibilité de son existence, comment la concevoir ?

Texte 1 — Le sujet de Descartes est une illusion de la grammaire

Nietzsche cherche à montrer que le « je pense » cartésien ne prend sens que si on accepte certaines des tournures grammaticales propres aux langues particulières. Le sujet croit pouvoir les manier comme un outil neutre, il croit pouvoir se placer au-dessus d'elles. Or, si la langue m'obligeait à dire : « ça parle, ça pense en moi » (sur le modèle de « il pleut », « ça gèle »), y aurait-il encore croyance en un sujet connaissant ?

Si j'analyse le processus exprimé dans cette phrase : « je pense », j'obtiens des séries d'affirmations téméraires qu'il est difficile et peut-être impossible de justifier. Par exemple, que c'est *moi* qui pense, qu'il faut absolument *que quelque chose* pense, que la pensée est le résultat de l'activité d'un être connu comme *cause*, qu'il y a un « *je* », enfin qu'on a établi d'avance ce qu'il faut entendre par *penser*, et que je sais ce que c'est que penser. Car si je n'avais pas tranché la question par avance, et pour mon compte, comment pourrais-je jurer qu'il ne s'agit pas plutôt d'un « vouloir », d'un « sentir » ? Bref, ce « je pense » suppose que je compare, pour établir ce qu'il est, mon état présent avec d'autres états que j'ai observés en moi ; vu qu'il me faut recourir à un « savoir » venu d'ailleurs, ce « je pense » n'a certainement pour moi aucune valeur de certitude immédiate. Au lieu de cette certitude immédiate à laquelle le vulgaire peut croire, le philosophe, pour sa part, ne reçoit qu'une poignée de problèmes métaphysiques, qui peuvent se formuler ainsi : où suis-je allé chercher ma notion de « penser » ? Pourquoi dois-je croire encore à la cause et à l'effet ? Qu'est-ce qui me donne le droit de parler d'un « je », et d'un « je » qui soit cause, et, pour comble, cause de la pensée ? [...]

Si l'on parle de la superstition des logiciens, je ne me lasserai jamais de souligner un petit fait très bref que les gens atteints de cette superstition n'aiment guère avouer : c'est à savoir qu'une pensée vient *quand elle veut*, non quand *je veux*, en telle sorte que c'est falsifier les faits que de dire que le sujet « je » est la détermination du verbe « pense ». Quelque chose pense, mais que ce soit ce vieil et illustre « je », ce n'est là, pour le dire en termes modérés, qu'une hypothèse, qu'une allégation[1] ; surtout, ce n'est pas une « *certitude immédiate* ». Enfin, c'est déjà trop dire que quelque chose pense, ce « quelque chose » contient déjà une interprétation du processus lui-même : on raisonne selon la routine grammaticale : « penser est une action, toute action suppose un sujet actif, donc... ». [...] Peut-être arrivera-t-on un jour, même chez les logiciens, à se passer de ce « quelque chose », résidu qu'a laissé en s'évaporant le brave vieux « moi ».

Friedrich Nietzsche, *Par-delà le bien et le mal*, 1886, § 16-17, trad. C. Heim, 10/18, p. 38-39.

1. Affirmation non vérifiée, perçue comme douteuse.

QUESTIONS

› **1•** Quels sont les trois critiques que Nietzsche adresse à Descartes (› textes de Descartes, p. 30-31) ?

› **2•** Pourquoi, pour Nietzsche, le « je » n'est-il pas une certitude immédiate ?

Texte 2 La conscience est intentionnalité

1. Edmund Husserl (1859-1938) philosophe allemand, fondateur de la phénoménologie. Il a influencé la pensée de Sartre.

Le texte suivant propose moins une critique radicale qu'une reformulation du cogito. *Husserl, et Sartre à sa suite, veulent revenir à la vérité première du* cogito *: un acte qui ne suppose pas une « substance ».*

La conscience et le monde sont donnés d'un même coup : extérieur par essence à la conscience, le monde est, par essence, relatif à elle. C'est que Husserl[1] voit dans la conscience un fait irréductible qu'aucune image physique ne peut rendre. Sauf, peut-être, l'image rapide et obscure de l'éclatement. Connaître, c'est s'éclater « vers », s'arracher à la moite intimité gastrique pour filer, là-bas, par-delà soi, vers ce qui n'est pas soi, là-bas, près de l'arbre et cependant hors de lui, car il m'échappe et me repousse et je ne peux pas plus me perdre en lui qu'il ne se peut diluer en moi – hors de lui, hors de moi. Est-ce que vous ne reconnaissez pas dans cette description vos exigences et vos pressentiments ? Vous saviez bien que l'arbre n'était pas vous, que vous ne pouviez pas le faire entrer dans vos estomacs sombres et que la connaissance ne pouvait pas, sans malhonnêteté, se comparer à la possession.

Du même coup, la conscience s'est purifiée, elle est claire comme un grand vent, il n'y a plus rien en elle, sauf un mouvement pour se fuir, un glissement hors de soi ; si, par impossible, vous entriez « dans » une conscience, vous seriez saisi par un tourbillon et rejeté au-dehors, près de l'arbre, en pleine poussière, car la conscience n'a pas de « dedans » ; elle n'est rien que le dehors d'elle-même et c'est cette fuite absolue, ce refus d'être substance qui la constituent comme une conscience. Imaginez à présent une suite liée d'éclatements qui nous arrachent à nous-mêmes, qui ne laissent même pas à un « nous-mêmes », le loisir de se former derrière eux, mais qui nous jettent au contraire au-delà d'eux, dans la poussière sèche du monde, sur la terre rude, parmi les choses ; imaginez que nous sommes ainsi rejetés, délaissés par notre nature même dans un monde indifférent, hostile et rétif ; vous aurez saisi le sens profond de la découverte que Husserl exprime dans cette fameuse phrase : « Toute conscience est conscience de quelque chose. »

Que la conscience essaye de se reprendre, de coïncider enfin avec elle-même, tout au chaud, volets clos, elle s'anéantit. Cette nécessité pour la conscience d'exister comme conscience d'autre chose que soi, Husserl la nomme « intentionnalité ».

Jean-Paul Sartre, *Situations I*, 1947, Gallimard, p. 32.

QUESTIONS

1• Sartre veut montrer que la conscience n'est pas une chose parmi les choses. Pourquoi ?

2• Pourquoi l'image de l'éclatement est-elle la plus adéquate pour faire comprendre ce qu'est la conscience ?

3• Expliquez : « la conscience n'a pas de "dedans" ; elle n'est rien que le dehors d'elle-même ».

4• Pourquoi la conscience doit-elle sans cesse être « conscience d'autre chose que soi » ?

Passerelles

- **Réflexion :** Le langage, au fondement de la subjectivité ?, p. 180.
- **Chapitre 14 : L'interprétation,** p. 352.
- **Chapitre 15 : Le vivant, la matière et l'esprit,** p. 374.
- **Textes :** Sartre, *L'existentialisme est un humanisme*, p. 134, 537.

Dossier

▶ Comment se construit le Moi ?

La construction de l'identité personnelle est un phénomène complexe et progressif, qui s'élabore tout au long de la vie ; il ne concerne pas seulement le regard de soi sur soi-même, mais aussi la relation à autrui, ainsi que des modèles culturels et sociaux.

DOCUMENT

Rapports à autrui et modèles sociaux

C'est d'abord dans la relation affective entre la mère et le nourrisson que celui-là va construire progressivement une conscience stable de lui-même. À travers le corps à corps avec la mère – dans une communication permanente faite de soins, de nourriture, de caresses, de babillage et de paroles – le nourrisson développe la perception de son corps, à la fois dépendant et autonome de celui de sa mère.

Donald Winnicott[1] a souligné tout particulièrement le rôle de miroir joué par le regard maternel qui permet au nourrisson de se découvrir comme investi affectivement [...].

Un autre psychanalyste, René Spitz, a mis l'accent lui aussi sur l'importance des relations précoces dans la formation du sentiment d'identité. Il a pointé notamment la fonction fondamentale de trois « organisateurs ». 1- Le premier est le sourire qui est à la fois signe de détente interne et réponse aux stimulations de l'entourage ; il « constitue le prototype et la base de toutes les relations sociales ultérieures ». 2- Le deuxième est l'angoisse du huitième mois face à une personne étrangère ; elle manifeste le fait que l'enfant peut reconnaître la mère et la distinguer des personnes inconnues (il commence donc à lui conférer une certaine identité). 3- Le troisième organisateur est le « non », dont l'usage intervient vers la deuxième année, et qui permet à l'enfant de s'opposer et donc de se différencier de son entourage ; il constitue une nouvelle étape dans l'affirmation de soi et la perception de soi comme sujet autonome.

L'identité se construit dans ce double mouvement relationnel de rapprochement et d'opposition, d'ouverture et de fermeture, d'assimilation et de différenciation.

L'identification joue un rôle central dans ce processus ; particulièrement active au moment de la phase œdipienne d'identification sexuelle, elle reste par la suite l'un des mécanismes fondamentaux de la dynamique identitaire : identification aux images des parents, des frères et sœurs, des camarades ; aux idéaux et aux modèles de la famille et de la culture (à travers les personnages mythiques, les vedettes, les héros, etc.). Mais l'identification ne se fait pas seulement du sujet aux personnes et aux modèles de son environnement. Tout aussi opérante est l'identification que son entourage impose au sujet : tout au long de son développement, il lui inculque des normes et des modèles auxquels il est invité à se conformer. Ce processus se déroule initialement dans le cadre familial.

Mary Cassatt, *Mère et enfant*, 1905, huile sur toile, Washington, National Gallery of Art.

Cependant, au fur et à mesure que l'enfant grandit, son environnement ne cesse de s'élargir. Avec l'entrée à l'école, avec la pénétration des médias (et notamment de la télévision), l'identification prend comme support des groupes plus larges : milieu local, groupe d'âge, classe sociale, appartenance professionnelle, club sportif, identité nationale...

C'est en effet à l'âge scolaire, vers sept-huit ans, qu'apparaît chez l'enfant une aptitude nouvelle qui va profondément modifier sa vie relationnelle : l'aptitude à la décentration par rapport à son entourage immédiat, grâce à laquelle il peut se mettre à la place d'autrui et voir les choses et lui-même comme il pense que les autres les voient [...].

L'enfant intériorise peu à peu ses groupes d'appartenance, les « nous » auxquels il participe [...].

L'identité se modifie tout au long de l'existence. Elle résulte moins d'une addition successive que de remaniements et de tentatives d'intégration plus ou moins réussies [...].

Ernst Mach, *Autoportrait du Moi*, dessin, *in L'Analyse des sensations*, 1900.

Continuité et rupture

On a amplement souligné, par exemple, la crise de la puberté qui entraîne une modification profonde de l'identité enfantine. L'adolescent voit son corps et son apparence physique se modifier profondément ; il doit intégrer cette transformation et acquérir une nouvelle identité sexuelle. En même temps, il tend à se distancier du cadre familial, pour pouvoir modifier son inscription dans le système symbolique de places où il figurait, et est amené, d'une certaine façon, à réaliser le « meurtre » des images parentales et à assumer le deuil et la culpabilité qui en résultent.

On retrouve d'ailleurs dans toutes les cultures des « rites de passage » qui facilitent et entérinent ce saut qui mène à l'état adulte ; car, après avoir occupé la place de l'enfant, le jeune va conquérir celle du père ou de la mère avec l'accès à la sexualité génitale, à la procréation et au monde du travail.

On pourrait avoir l'impression qu'avec l'accession au statut d'adulte, l'identité entre dans une phase étale où elle a trouvé enfin sa singularité, son unité et sa permanence. Une sorte de *Happy End* où l'équilibre et la lucidité prévalent enfin sur les tensions et les conflits antérieurs. Mais nombreux sont les symptômes du caractère mythique de cette vision.

L'intrusion du « troisième âge » comme phénomène social a attiré l'attention des psychologues sur la crise identitaire grave que traversent souvent les personnes âgées, notamment au moment de l'accession à la retraite. Le vieillissement s'accompagne de transformations dans l'apparence physique, dans les capacités de l'individu, dans son statut social qui réagissent sur le sentiment qu'il a de lui-même, mais aussi sur l'image que les autres s'en font.

Ici ou là, on parle ainsi de « crise de la quarantaine ou de la cinquantaine », du problème que pose à l'identité féminine la ménopause, etc.

Ainsi, la construction identitaire apparaît bien comme un processus dynamique, marqué par des ruptures et des crises, inachevé et toujours repris.

Edmond Marc, « L'identité personnelle », *Sciences humaines*, hors-série n° 15, déc.-janv. 1997.

1. D. W. Winnicott, *Jeu et réalité*, 1975, Gallimard.

Passerelle

› **Chapitre 4 : Le désir, autrui**, p. 92.

QUESTIONS

› **1•** Énumérez les phases principales de la construction de l'identité.

› **2•** Comment peut-on dire que les images jouent un rôle fondamental dans cette histoire ?

Une œuvre, une analyse

Présentation

Locke : *Essai sur l'entendement humain*, livre II, chapitre 27 (1690)

Sur quoi repose l'unité de la personne ? Comment comprendre la permanence de l'individu à partir des seules données de l'expérience sans présupposer une âme immortelle ? Locke recherche un point fixe qui assure l'identité de l'individu malgré ses multiples changements. Il le trouve dans la conscience de soi et dans la mémoire.

1 Critique de la notion d'âme

Le problème ne se pose guère tant que la permanence d'un individu est assurée, en accord avec toute une tradition religieuse et philosophique, par la notion d'« âme ». Entre la naissance et la mort, quels que soient les changements qui interviennent dans sa vie, on dira que c'est le même homme, puisqu'une même substance demeure identique derrière ses variations.

Mais Locke est empiriste ; pour lui, toute connaissance vient de l'expérience. Or l'expérience sensible ne nous donne aucun accès direct aux réalités substantielles, encore moins à cette substance immatérielle que serait l'âme. Aussi faut-il se méfier de la notion de substance, source d'erreurs et de préjugés. Mais si cette notion ne peut jouer le rôle de garant de l'identité humaine, par quoi la remplacer ?

Car cette identité est fondamentale : c'est elle qui fait de ma subjectivité une valeur originale, et proprement humaine ; c'est par elle que je m'approprie la liberté de construire ma propre vie ; enfin c'est par elle qu'on peut m'imputer des actions, me faire responsable et éventuellement coupable. Ni l'individu ni la société ne peuvent se passer de cette notion d'« identité personnelle ».

2 Suffit-il d'être un individu pour être une personne ?

Locke distingue trois degrés d'identité.

Pour une substance matérielle, un atome par exemple, l'identité consiste à occuper un lieu dans l'espace et un moment dans le temps ; deux atomes parfaitement semblables sont au moins différents en ce qu'ils ne peuvent pas occuper le même espace dans le même temps [§ 1-3].

Pour un être vivant, une plante, un animal, la chose est plus complexe, puisqu'il naît, croît, vieillit, meurt, dans un flux permanent de matière. Ce qui demeure, c'est l'unité qui organise continûment ce flux de matière et qui fait d'un être vivant un individu, et non une simple association de parties [§ 3-8].

L'homme est un individu, en tant qu'il est lui aussi un organisme vivant. Mais il n'est pas seulement un individu. Il est aussi une personne, c'est-à-dire un « soi » qui s'affirme, se construit, se revendique. Pour Locke, le propre de cette identité personnelle est la conscience de soi ; tout ce qui m'arrive, je me l'attribue à moi-même, car il ne peut pas se faire que je pense sans que je m'attribue cette pensée. Ce mouvement permanent de conscience, c'est la base fondamentale de mon unité. Elle doit s'accompagner de la mémoire par laquelle je m'attribue mon vécu passé [§ 9 et § 16-17].

3 Difficultés et paradoxes

Si Locke parvient à fonder une des premières analyses modernes de l'idée de personne (moderne en ce sens qu'elle valorise l'individu, non plus être égoïste, mais source de dignité, tout en cherchant à écarter du débat l'ancienne notion d'âme), c'est au prix d'une limitation de nos certitudes. Car le Moi ne peut plus être une réalité absolue. Notre mémoire, qui l'édifie, est fragmentaire, interrompue d'oublis et de sommeils, donc insuffisante à garantir une permanence absolue. Surtout, une telle définition aboutit à des paradoxes redoutables. On peut en effet concevoir [§ 10-12] :
– plusieurs individus sous une seule personne (en supposant un transfert de mémoire d'un individu à l'autre, par exemple) ;
– plusieurs personnes dans un même individu (dédoublement de la personnalité, individu à personnalités multiples) ;
– une seule âme pour une multitude de personnes (transmigration des âmes, réincarnation).

Locke est conscient de l'extravagance de ces suppositions [§ 27]. Certaines relèvent du roman de science-fiction, d'autres de la psychiatrie, d'autres enfin de croyances religieuses anciennes. Mais l'essentiel, c'est : 1) qu'on ne peut pas considérer comme impossibles ces hypothèses ; 2) qu'elles ne sont, après tout, que les formes extrêmes de réalités plus ordinaires (névroses, perversions, passions, amnésies, etc., posent des problèmes similaires, bien que moins spectaculaires).

Il est toujours possible, par exemple, que « quelque chose qui n'a jamais existé en réalité soit représenté à l'esprit comme s'il avait existé », c'est-à-dire que ma mémoire fabrique des fictions ressemblant à des rêves auxquels je croirais. Ne se demande-t-on pas quelquefois : l'ai-je rêvé, ou est-ce que cela s'est réellement passé ? Si la mémoire me trompe, je n'ai plus de recours pour décider de la réalité. Nous ne pouvons « qu'invoquer la bonté de Dieu » [§ 13-15] qui devrait éliminer ces hypothèses embarrassantes. La difficulté essentielle reste d'ordre juridique : comment juger, comment punir un homme qui n'est plus la même personne ? Principe reconnu par tous lorsqu'il s'agit de cas extrêmes, mais plus difficile à appliquer dans les cas les plus courants (l'ivresse, la folie passagère, par exemple).

4 Une interrogation contemporaine

En faisant de la personne humaine une construction de soi par soi, Locke donne à la subjectivité humaine sa valeur essentielle – être à la fois irremplaçable et responsable –, qui en fait la source de l'individualisme moderne. Dans le même temps, il donne à voir les difficultés qui caractérisent notre modernité : comment définir les limites de la responsabilité morale et juridique ? À partir de quand ne sommes-nous plus tout à fait nous-mêmes ? Comment notre mémoire pourrait-elle dire notre passé sans le recréer et le fausser ?

Locke (1632-1704)

Auteur charnière entre le XVIIe et le XVIIIe siècle, ce philosophe anglais, médecin de formation, est « engagé » politiquement. Locke prolonge à la fois le combat de la raison contre les préjugés mené par les grands philosophes rationalistes de son siècle, tout en les critiquant sur des points essentiels : critique des idées innées, des concepts métaphysiques de « substance », d'« âme », de « matière »... (pour les cartésiens, ces idées appartiennent à l'esprit humain dès la naissance). Dans son ouvrage essentiel, *Essai sur l'entendement humain*, qui fera autorité dès sa publication, il part du fait que nos idées ne peuvent venir que de l'expérience et fonde une pensée empiriste qui servira de modèle, en même temps que les *Principes* de Newton, aux philosophes des Lumières et aux encyclopédistes... Ses traités politiques, *Deux Traités du gouvernement*, et pédagogiques auront également une grande influence, par exemple sur les institutions des États-Unis d'Amérique.

Extraits

Locke : *Essai sur l'entendement humain,* livre II, chapitre 27 (1690)

Sur quoi repose l'unité de la personne ?

Dès lors que sont écartées l'hypothèse de l'âme, parce qu'elle est indécidable, et celle de l'unité biologique, parce qu'elle est insuffisante, le problème se pose de l'unité de la personne. Dans son analyse, Locke confronte, distingue ou oppose les notions de « personne », « conscience », « conscience de soi », « substance », « substance immatérielle »... On peut noter que, ici, « homme » désigne l'unité biologique, mais non la personne intérieure.

Texte 1 Qu'est-ce qu'une personne ?

Après ces préliminaires [...], il nous faut considérer ce que représente la personne ; c'est, je pense, un être pensant et intelligent, doué de raison et de réflexion, et qui peut se considérer soi-même comme soi-même, une même chose pensante en différents temps et lieux. Ce qui provient uniquement de cette conscience[1] qui est inséparable de la pensée, et lui est essentielle à ce qu'il me semble : car il est impossible à quelqu'un de percevoir sans percevoir aussi qu'il perçoit. Quand nous voyons, entendons, sentons par l'odorat ou le toucher, éprouvons, méditons ou voulons quelque chose, nous savons que nous le faisons. Il en va toujours ainsi de nos sensations et de nos perceptions présentes : ce par quoi chacun est pour lui-même précisément ce qu'il appelle soi, laissant pour l'instant de côté la question de savoir si le même soi continue d'exister dans la même substance ou dans plusieurs. Car la conscience accompagne toujours la pensée, elle est ce qui fait que chacun est ce qu'il appelle soi et qu'il se distingue de toutes les autres choses pensantes.

John Locke, *Essai sur l'entendement humain*, 1690, livre II, chap. 27, § 9, chapitre ajouté dans la deuxième édition, 1694, *in Identité et différence, l'invention de la conscience*, présenté, traduit et commenté par É. Balibar, coll. Points Essais, Seuil, p. 149-151.

1. Le terme anglais est *consciousness*, conscience au sens psychologique (néologisme). En anglais comme en français, le terme « conscience » désignait exclusivement, jusqu'à la fin du XVIIe siècle, le sens moral.

QUESTION

› Quelle est la caractéristique de la conscience ? En quoi cette caractéristique est-elle proche de la définition de Descartes ?

Texte 2 La conscience est le fondement de la personne

On voit que la même substance immatérielle ou âme ne suffit pas, où qu'elle soit située et quel que soit son état, à faire à elle seule le même homme. En revanche il est manifeste que la simple conscience, aussi loin qu'elle peut atteindre, même si c'est à des époques historiques passées, réunit des existences et des actions éloignées dans le temps au sein de la même personne aussi bien qu'elle le fait pour l'existence et les actions du moment immédiatement précédent. En sorte que tout ce qui a la conscience d'actions présentes et passées est la même personne à laquelle elles appartiennent ensemble. Si j'avais conscience d'avoir vu l'Arche et le Déluge de Noé comme j'ai conscience d'avoir vu une crue de la Tamise l'hiver dernier, ou comme j'ai conscience maintenant d'écrire, je ne pourrais pas plus douter que moi qui écris ceci maintenant, qui ai vu la Tamise déborder l'hiver dernier, et qui aurais vu la terre noyée par le Déluge, j'étais le même soi, dans quelque substance qu'il vous plaira de le placer, que je ne puis douter que moi qui écris suis le même soi ou moi-même que j'étais hier, tandis qu'à présent j'écris (que je sois entièrement constitué ou non de la même substance, matérielle ou immatérielle).

Op. cit., § 16, p. 163.

QUESTION

› Sur quoi repose l'identité personnelle selon Locke ? Quel est le rôle de la mémoire dans cette construction ?

Texte 3 La conscience de soi justifie la récompense ou le châtiment

Maintenant on pourra toujours nous objecter encore ceci : supposons que j'aie totalement perdu la mémoire de certaines parties de mon existence, ainsi que toute possibilité de les retrouver, en sorte que peut-être je n'en serai plus jamais conscient, ne suis-je pas cependant toujours la personne qui a commis ces actes, eu ces pensées dont une fois j'ai eu conscience, même si je les ai maintenant oubliées ? À quoi je réponds que nous devons ici faire attention à quoi nous appliquons le mot « je ». Or dans ce cas il ne s'agit que de l'homme[1]. Si l'on présume que le même homme est la même personne, on suppose aussi facilement que « je » représente aussi la même personne. Mais s'il est possible que le même homme ait différentes consciences sans rien qui leur soit commun à différents moments, on ne saurait douter que le même homme à différents moments ne fasse différentes personnes. Ce qui, nous le voyons bien, est le sentiment de toute l'humanité dans ses déclarations les plus solennelles, puisque les lois humaines ne punissent pas le fou pour les actes accomplis par l'homme dans son bon sens, ni l'homme dans son bon sens pour ce qu'a fait le fou, les considérant ainsi comme deux personnes distinctes. Ce qu'explique assez bien notre façon de parler lorsque nous disons qu'un tel « n'est pas lui-même », ou qu'il est « hors de soi », phrases qui suggèrent que le soi a été transformé, que la même personne qui est soi n'était plus là dans cet homme, comme si c'était bel et bien ce que pensaient ceux qui usent de ces tours, ou du moins ceux qui ont été les premiers à en user.

Op. cit., § 20, p. 167.

1. C'est-à-dire, l'unité biologique ; à distinguer de l'unité intérieure, psychologique et morale (la personne).

QUESTION

› Expliquez comment l'homme, à différents moments, peut faire différentes personnes. Quelle est la conséquence juridique de cette idée ?

Texte 4 Une même personne, plusieurs états mentaux possibles : une même responsabilité

La difficulté essentielle reste d'ordre juridique : comment juger, comment punir un homme qui n'est plus la même personne ? Principe reconnu par tous lorsqu'il s'agit de cas extrêmes, mais plus difficile à appliquer dans les cas les plus courants (l'ivresse, la folie passagère, par exemple).

Mais un homme saoul et un homme sobre ne sont-ils pas la même personne ? Sinon, pourquoi un homme est-il puni pour ce qu'il a commis quand il était saoul, même s'il n'en a plus eu conscience ensuite ? C'est la même personne dans l'exacte mesure où un homme qui marche et fait d'autres choses encore pendant son sommeil est la même personne, et est responsable de tout dommage causé alors. Les lois humaines punissent les deux selon une règle de justice qui s'accorde à leur mode de connaissance : ne pouvant dans des cas de ce genre distinguer avec certitude ce qui est vrai et ce qui est feint, elles ne peuvent admettre comme défense valable l'ignorance due à l'ivresse ou au sommeil. Car bien que le châtiment soit attaché à la personnalité, et la personnalité à la conscience, et que peut-être l'ivrogne n'ait pas conscience de ce qu'il a fait, les tribunaux humains cependant le punissent à bon droit, parce que contre lui il y a la preuve du fait, tandis qu'en sa faveur il ne peut y avoir la preuve du manque de conscience. Mais au jour du Jugement Dernier, quand les secrets de tous les cœurs seront mis a nu, on peut raisonnablement penser que personne ne sera tenu de répondre pour ce dont il n'a pas eu connaissance ; mais il recevra le verdict qui convient, sa seule Conscience l'accusant ou l'excusant.

Op. cit., § 22, p. 169-171.

QUESTION

› En quoi réside la différence entre un amnésique et un homme en état d'ivresse ? Doivent-ils être tous deux tenus pour responsables de leurs actes ?

Réflexion 3

▶ Le Moi ne serait-il qu'une fiction ?

« Qu'est-ce que le moi ? », demande Pascal. Le point de fixation d'un défaut moral : égoïsme, égocentrisme, nombrilisme ? Le but d'une recherche fiévreuse : amour, ambition, jalousie ? En dehors de cela, a-t-il seulement une réalité ? Ou n'est-il qu'une fiction du langage ?

Texte 1 — Peut-on saisir le Moi ?

Qu'est-ce que le moi ? Un homme qui se met à la fenêtre pour voir les passants ; si je passe par là, puis-je dire qu'il s'est mis là pour me voir ? Non ; car il ne pense pas à moi en particulier ; mais celui qui aime quelqu'un à cause de sa beauté, l'aime-t-il ? Non : car la petite vérole, qui tuera la beauté sans tuer la personne, fera qu'il ne l'aimera plus.

Et si on m'aime pour mon jugement, pour ma mémoire, m'aime-t-on ? *moi*? Non, car je puis perdre ces qualités sans me perdre moi-même. Où est donc ce *moi*, s'il n'est ni dans le corps, ni dans l'âme ? et comment aimer ce corps ou l'âme, sinon pour ces qualités, qui ne sont point ce qui fait le moi, puisqu'elles sont périssables ? car aimerait-on la substance de l'âme d'une personne, abstraitement, et quelques qualités qui y fussent ? Cela ne se peut, et serait injuste. On n'aime donc jamais personne, mais seulement des qualités.

Blaise Pascal, *Pensées*, posth. 1669, fr. 688/323, *in Œuvres complètes,* coll. L'intégrale, Seuil, 1963, p. 591.

QUESTION

› Quelles sont, pour Pascal, les fausses définitions du Moi ? Expliquez pourquoi.

Texte 2 — Je n'ai aucune expérience du Moi

Le Moi serait la réalité permanente qui, en chacun d'entre nous, « supporterait » ou « contiendrait » tous nos faits de conscience dans une même unité. Hume montre que cette entité n'est pas donnée dans l'expérience, et qu'elle est donc contestable : au mieux, c'est une simple hypothèse ; au pire, c'est une fiction.

Pour ma part, quand je pénètre le plus intimement dans ce que j'appelle *moi*, je bute toujours sur une perception particulière ou sur une autre, de chaud ou de froid, de lumière ou d'ombre, d'amour ou de haine, de douleur ou de plaisir. Je ne peux jamais me saisir, *moi*, en aucun moment sans une perception et je ne peux rien observer que la perception. Quand mes perceptions sont écartées pour un temps, comme par un sommeil tranquille, aussi longtemps je n'ai plus conscience de *moi* et on peut dire vraiment que je n'existe pas. Si toutes mes perceptions étaient supprimées par la mort et que je ne puisse ni penser, ni sentir, ni voir, ni aimer, ni haïr après la dissolution de mon corps, je serais entièrement annihilé et je ne conçois pas ce qu'il faudrait de plus pour faire de moi un parfait néant.

Si quelqu'un pense, après une réflexion sérieuse et impartiale, qu'il a, de *lui-même*, une connaissance différente, il me faut l'avouer, je ne peux raisonner plus longtemps avec lui. Tout ce que je peux lui accorder, c'est qu'il peut être dans le vrai aussi bien que moi et que nous différons essentiellement sur ce point. Peut-être peut-il percevoir quelque chose de simple et de continu qu'il appelle *lui* : et pourtant je suis sûr qu'il n'y a pas en moi de pareil principe.

Mais, si je laisse de côté quelques métaphysiciens de ce genre, je peux m'aventurer à affirmer du reste des hommes qu'ils ne sont rien qu'un faisceau ou une collection de perceptions différentes qui se succèdent les unes aux autres avec une rapidité inconcevable et qui sont dans un flux et un mouvement perpétuels. Nos yeux ne peuvent tourner dans leurs orbites sans varier nos perceptions. Notre pensée est encore plus variable que notre vue ; tous nos autres sens et toutes nos autres facultés contribuent à ce changement. Il n'y a pas un seul pouvoir de l'âme qui reste invariablement identique peut-être un seul moment. L'esprit est une sorte de théâtre où diverses perceptions font successivement leur apparition ; elles passent, repassent, glissent sans arrêt et se mêlent en une infinie variété de conditions et de situations.

Il n'y a proprement en lui ni *simplicité* à un moment, ni *identité* dans les différents moments, quelque tendance naturelle que nous puissions avoir à imaginer cette simplicité et cette identité. La comparaison du théâtre ne doit pas nous égarer. Ce sont les seules perceptions successives qui constituent l'esprit ; nous n'avons pas la connaissance la plus lointaine du lieu où se représentent ces scènes ou des matériaux dont il serait constitué.

David Hume, *Traité de la nature humaine*, 1739-1740, t. I, trad. A. Leroy, Aubier (Flammarion), p. 343-344.

QUESTION

› Quel problème Hume souligne-t-il ? En quoi prolonge-t-il la question de Locke sur l'identité personnelle (› p. 38) ?

Texte 3 Le Moi peut-il s'observer lui-même ?

L'introspection est l'observation de la conscience par elle-même en vue de se connaître et d'analyser son fonctionnement. Jusqu'à l'avènement de la psychologie expérimentale, c'est le seul outil du « psychologue ». Auguste Comte conteste la validité de cette méthode.

Par une nécessité invincible, l'esprit humain peut observer directement tous les phénomènes, excepté les siens propres. Car, par qui serait faite l'observation ? On conçoit, relativement aux phénomènes moraux, que l'homme puisse s'observer lui-même sous le rapport des passions qui l'animent, par cette raison, anatomique[1], que les organes qui en sont le siège sont distincts de ceux destinés aux fonctions observatrices. Encore même que chacun ait eu occasion de faire sur lui de telles remarques, elles ne sauraient évidemment avoir jamais une grande importance scientifique, et le meilleur moyen de connaître les passions sera-t-il toujours de les observer en dehors ; car tout état de passion très prononcé, c'est-à-dire précisément celui qu'il serait le plus essentiel d'examiner, est nécessairement incompatible avec l'état d'observation. Mais, quant à observer de la même manière les phénomènes intellectuels pendant qu'ils s'exécutent, il y a impossibilité manifeste. L'individu pensant ne saurait se partager en deux, dont l'un raisonnerait, tandis que l'autre regarderait raisonner. L'organe observé et l'organe observateur étant, dans ce cas, identiques, comment l'observation pourrait-elle avoir lieu ? Cette prétendue méthode psychologique est donc radicalement nulle dans son principe. Aussi, considérons à quels procédés profondément contradictoires elle conduit immédiatement ! D'un côté, on vous recommande de vous isoler, autant que possible, de toute sensation extérieure, il faut surtout vous interdire tout travail intellectuel ; car, si vous étiez seulement occupés à faire le calcul le plus simple, que deviendrait l'observation intérieure ? D'un autre côté, après avoir, enfin, à force de précautions, atteint cet état parfait de sommeil intellectuel, vous devez vous occuper à contempler les opérations qui s'exécuteront dans votre esprit lorsqu'il ne s'y passera plus rien !

Auguste Comte, *Cours de philosophie positive*, 1830, première leçon, éd. Ch. Le Verrier, t. I, Classiques Garnier, p. 64-68.

1. Allusion à certaines théories de l'époque (la phrénologie de Gall, en particulier) qui localisent les facultés affectives dans la partie postérieure du cerveau, et les facultés perceptives et réflexives dans les parties antérieures.

QUESTION

› Pourquoi Auguste Comte refuse-t-il toute légitimité à l'introspection ? En quoi cette méthode lui semble-t-elle contradictoire ?

Passerelles

› **Texte :** Comte, *Discours sur l'esprit positif*, p. 366.
› **Chapitre 15 : Le vivant, la matière et l'esprit**, p. 374.

Chacune de nos perceptions s'accompagne de la conscience que la réalité humaine est « dévoilante », c'est-à-dire que par elle « il y a » de l'être, ou encore que l'homme est le moyen par lequel les choses se manifestent ; c'est notre présence au monde qui multiplie les relations, c'est nous qui mettons en rapport cet arbre avec ce coin de ciel ; grâce à nous, cette étoile, morte depuis des millénaires, ce quartier de lune et ce fleuve sombre se dévoilent dans l'unité d'un paysage ; c'est la vitesse de notre auto, de notre avion qui organise les grandes masses terrestres ; à chacun de nos actes le monde nous révèle un regard neuf.

Mais si nous savons que nous sommes les détecteurs de l'être, nous savons aussi que nous n'en sommes pas les producteurs. Ce paysage, si nous nous en détournons, croupira sans témoins dans sa permanence obscure. Du moins croupira-t-il : il n'y a personne d'assez fou pour croire qu'il va s'anéantir. C'est nous qui nous anéantirons et la terre demeurera dans sa léthargie jusqu'à ce qu'une autre conscience vienne l'éveiller. Ainsi, à notre certitude intérieure d'être « dévoilants » s'adjoint celle d'être inessentiels par rapport à la chose dévoilée.

Un des principaux motifs de la création artistique est certainement le besoin de nous sentir essentiels par rapport au monde.

J.- P. Sartre, « Qu'est-ce que la littérature », *Situations II*, © Gallimard, p. 89-90.

La connaissance de la doctrine de l'auteur n'est pas requise. Il faut et il suffit que l'explication rende compte, par la compréhension précise du texte, du problème dont il est question.

Repérer l'idée principale du texte

Selon Sartre, la conscience n'est pas une activité simplement passive. Elle ne se contente pas de refléter le monde tel qu'il est, déjà là, avant mon réveil, avant mon regard. Elle est bien plutôt une activité constituante : c'est par elle que le monde se forme. Qu'elle disparaisse et le monde disparaîtra. Cependant, qu'elle disparaisse et rien ne sera vraiment changé. Essentielle dans le « dévoilement » du monde, la conscience est inessentielle quant à sa « subsistance ». Ainsi, si la conscience donne sens au monde, elle ne le crée pas.

› Chapitre 5, Le temps, l'existence : **Sartre,** *L'existentialisme est un humanisme*, p. 134-137.

Dégager le plan du texte

Partie I En un sens, la conscience est essentielle.

Partie II En un second sens, elle est inessentielle.

Partie III L'activité artistique semble être une réponse à cette contradiction.

Ici, le plan découle directement du découpage du texte selon les paragraphes.

S'interroger à propos du texte

Que veut dire Sartre quand il affirme que la conscience humaine est « dévoilante » ? C'est ici le fil directeur du texte. « Dévoiler » n'est pas à proprement parler un terme technique. C'est une image qu'on peut interroger, par exemple en cherchant tous les sens ordinaires qu'on donne habituellement à ce terme.

Comment comprendre le sens de ce dévoilement ? Différentes réponses sont possibles qui permettent de dégager la plus pertinente. L'explication ne doit pas craindre d'adopter une démarche interrogative.

Question 1 La conscience est-elle « dévoilante » à la manière d'un rideau qui se lèverait sur une scène de théâtre, ou bien à la manière d'une paupière qui s'ouvrirait ? Non, car, dans ce cas, le voile qui se lève ne fait que libérer une réalité déjà constituée. Or dans le texte, la conscience prend une part active à la manifestation du monde. Sartre écrit : « l'homme est le moyen par lequel les choses se manifestent. ».

Question 2 Sartre veut-il dire alors que le simple fait d'avoir conscience, de regarder, de montrer, de nommer produirait les réalités extérieures ? Non, ce serait absurde. Le regard humain ne fait pas naître le monde, il n'en est pas le « producteur ». Il faut ici distinguer entre deux sens du verbe « être » : l'essence et l'existence. La conscience ne crée pas l'« essence » des choses, mais elle les fait « exister ».

› Repères et Distinctions conceptuelles, **Essence / existence**, p. 146-147

Question 3 Comment comprendre que la conscience fait « exister » le monde, qu'elle est le moyen par lequel « les choses se manifestent » ? Que quelque chose « existe », cela suppose un regard qui s'attarde et s'étonne. Pourquoi cet être-ci plutôt qu'un autre ? Les exemples donnés par l'auteur montrent que ces questions sont sous-jacentes au moindre de nos gestes. Ainsi regarder, c'est remarquer, isoler une parcelle du monde. En même temps, c'est donner une unité à cette parcelle, associer un arbre, un champ, une haie. Sans une conscience pour le faire exister, un paysage n'a pas d'unité, il est morcelé, éparpillé. C'est la conscience qui le constitue comme paysage.

› Chapitre 5, Le temps, l'existence : **Sartre,** *La Nausée*, p. 139.

Question 4 « à chacun de nos actes le monde nous révèle un regard neuf. ». Sartre veut-il dire qu'il y a autant d'apparences du monde que de points de vue, et donc qu'il n'y a que des façons de voir subjectives ? Ou bien que la réalité objective du monde n'est rien d'autre que la somme de ces façons de voir le monde ?

Prenez des exemples ; comparez le regard du peintre sur un paysage, celui du géologue, celui de l'agriculteur, du promeneur…

Question 5 « … la vitesse de notre auto, de notre avion… » : comment le paramètre « vitesse » modifie-t-il notre point de vue sur le paysage ? Le travail de la conscience peut-il être indépendant d'un contexte matériel, technique, historique ?

Question 6 « à notre certitude intérieure d'être « dévoilants » s'adjoint celle d'être inessentiels par rapport à la chose dévoilée. ». Comment concilier ces deux aspects, apparemment contradictoires ? Que serait le monde s'il n'y avait pas une conscience humaine pour le révéler ?

Comprendre l'originalité de la pensée de l'auteur

1 ▪ La conscience est vide. Par elle-même elle n'a aucun contenu, c'est le monde seul qui lui en donne un. Pour cette raison, elle n'a aucune existence nécessaire. L'athéisme de Sartre s'oppose à certaines positions religieuses ou philosophiques. Lesquelles ?

› Sur l'intentionalité, Réflexion 2 « La conscience est-elle une *chose parmi les choses* ? » : **Sartre,** *Situations I*, p. 35.

2 ■ Un monde où toute conscience aurait disparu serait un monde étrange : ce serait encore un monde, mais ce ne serait plus « le monde, notre monde ». Pourquoi ? Pouvons-nous nous représenter cette étrangeté ?

3 ■ Le rôle de l'art : « le besoin de nous sentir essentiels par rapport au monde. ». En quoi l'art est-il une réponse à la situation ambiguë de la conscience face au monde ?

› Sur la relation de la conscience à l'art, Chapitre 8 : **Hegel**, *Esthétique*, p. 206-209
› Sur la relation de la conscience et de notre relation du monde : **Berkeley,** *Nouvelle Théorie de la vision*, p. 68

Trouver la problématique

La conscience semble une réalité élémentaire.

■ Dans ce texte, Sartre affirme tout le contraire. Comment expliquer ces deux aspects contradictoires ?

■ Quelles conséquences faut-il en tirer concernant le rôle de l'homme sur Terre ?

■ L'art serait-il, comme l'affirme l'auteur en fin de texte, le seul moyen pour surmonter cette contradiction ?

Remarque › La création artistique semble un sorte de revanche. Elle permet, selon l'auteur, de se sentir « essentiels par rapport au monde ». Sans doute, est-ce la notion de « création » qui est ici en jeu. Lorsqu'un peintre ou un écrivain a décrit un monde comme personne ne l'avait fait jusqu'ici, il nous donne à voir ou à lire une réalité qui, une fois intégrée à nos codes esthétiques, semble avoir toujours existé, comme si l'artiste n'avait fait que copier, ou imiter. Or, contrairement à l'homme face au monde, l'artiste est essentiel à l'œuvre qu'il nous présente, puisque c'est lui qui l'a créée. Sans lui, cette façon de voir le monde n'aurait peut-être jamais existé.

Un texte émet une thèse ; cette thèse est une réponse à une question. Il faut donc retrouver la thèse, puis reformuler la question sous-jacente dans l'introduction.

› Chapitre 8 « La revanche de l'art sur la nature » : **Proust**, *À la recherche du temps perdu*, p. 204

Rédiger la première partie de l'explication

› **Sous-partie 1 :** La conscience humaine est « dévoilante », affirme d'emblée l'auteur. En quel sens ? Serait-ce à la manière d'un rideau qui se lèverait pour livrer la scène d'un théâtre ? Non, car dans ce cas, le voile qui se lève ne fait que libérer une réalité déjà constituée, en attente ; il n'est pas l'instrument de leur apparaître. Or Sartre écrit que « l'homme est le moyen par lequel les choses se manifestent ». Cela signifie que, d'une certaine façon, il les construit, il les façonne, il les fait être. C'est dire que la conscience prend une part active à l'apparition, à la manifestation du monde, à ce que les grecs appelaient « phénomène ».

L'auteur veut-il dire que le simple fait d'avoir conscience, de regarder, de montrer, de nommer, etc. produirait les réalités extérieures ? Non, ce serait absurde. Il dit : par la conscience, « il y a de l'être » ; non pas une chose ou une réalité matérielle, car ce n'est pas notre regard qui pourrait les faire naître. « Être » doit être pris ici au sens d'exister. Par la conscience, quelque chose se met à « exister ».

› **Sous-partie 2 :** En effet, que quelque chose « soit » suppose un regard qui s'attarde et s'étonne en se posant des questions comme : pourquoi de l'être plutôt que rien ? Pourquoi cet être-ci plutôt qu'un

L'utilisation du style interrogatif est intéressante ; elle permet de passer en revue plusieurs hypothèses de lecture.

› Repères et Distinctions conceptuelles, **Phénomène**, p. 71

La difficulté ici est d'expliquer ce qui semble être une banalité : « quelque chose existe » ; la chose en elle-même est ; c'est le regard qui s'attarde sur elle qui la fait exister.

autre? Les exemples donnés par l'auteur montrent que ces questions métaphysiques, très abstraites, sont en réalité sous-jacentes au moindre de nos gestes.

Exemple Regarder, c'est remarquer, isoler une parcelle du monde. Si je regarde un oiseau, c'est que je l'isole du reste du ciel ; il pourrait ne pas être là, ce pourrait être un autre oiseau, et c'est pour cela que je vais le suivre du regard.
De manière générale, percevoir c'est pointer du doigt une chose comme pour ajouter à sa subsistance matérielle, qui ne dépend pas de moi, une existence qui dépend de mon pouvoir de m'étonner : cette chose pourrait ne pas exister, être ailleurs, être autre, mais elle est là. La réalité matérielle ne connaît pas l'absence, elle est remplie d'elle-même. Il faut une conscience pour que la présence se remarque sur fond d'absence.

❯ Sous-partie 3 : Mais ce n'est pas tout. Le paysage devant moi, c'est cet arbre, dans ce champ à côté de cette haie... Tout est dans la liaison entre les éléments qui permettent d'en faire un ensemble, une réalité signifiante : un paysage. Or ce mouvement de synthèse qui ramène à l'« unité » est bien l'activité propre de la conscience : « c'est nous qui mettons en rapport cet arbre avec ce coin de ciel [...] ». Retirons la conscience, et la réalité s'éparpillera à nouveau (un arbre plus un champ plus une haie... cela sans liaison), chaque élément se repliant sur lui-même à l'infini : une matière illimitée, subsistante par elle-même certes, mais pas un paysage. Cette unité du paysage n'existe pas avant la conscience. On peut donc dire qu'elle est « dévoilée », c'est-à-dire constituée par elle. Ce mouvement de synthèse signifiante n'est pas l'acte d'un pur esprit. Les exemples du texte montrent qu'il s'enracine dans la situation concrète des hommes.

La difficulté ici est de comprendre et d'expliquer que la multiplicité des points de vue sur le paysage ne contredit pas l'objectivité du paysage, mais au contraire la construit.

Exemple Le même paysage ne sera pas réellement le même pour le marcheur, le cycliste, le géologue, le peintre. Il n'y a pas de paysage en soi, mais toujours un paysage révélé par une activité, un souci, une recherche : « à chacun de nos actes, le monde nous présente un visage neuf. ». Cela ne veut pas dire seulement qu'il révèle autant d'apparences que de points de vue. Ce serait oublier qu'apparaître et apparence ne forment ici qu'une seule et même chose, et qu'il n'y a de réalité qu'en tant qu'elle nous apparaît. Le paysage du peintre et celui du géologue ne sont pas deux « façons de voir » subjectives, mais bien deux « apparitions objectives » du monde. Car c'est grâce à une conscience qu'il y a de l'apparaître, et donc de l'objectivité. En clair, il n'y a que des « visages » du monde, la science elle-même n'étant qu'une manière parmi d'autres de lui donner « figure ». La réalité objective n'est rien d'autres que la somme infinie de ces « visages ».

En résumé, le monde n'apparaît que pour une conscience finie. C'est parce que l'homme est à la fois conscience, c'est-à-dire capacité de « se diriger vers », et finitude, c'est-à-dire toujours lié à un point de vue particulier, (et incapable d'épouser la totalité du réel en un seul coup d'œil comme le pourrait un Dieu infini) que le monde apparaît : il apparaît dans sa vérité (l'artiste est tout autant à même de dire la « vérité en profondeur » du paysage que le géologue) en même temps que dans son apparence (l'artiste comme le géologue ne saisissent qu'une face, qu'une surface du paysage).

Il est intéressant à la fin d'une partie, de reprendre l'ensemble de l'analyse dans un résumé synthétique.

REPÈRES et DISTINCTIONS CONCEPTUELLES

Conscience morale / conscience psychologique

Cette différence s'exprime, dans d'autres langues, par l'usage de mots différents. En anglais, la conscience morale se dit *conscience* et la conscience psychologique *consciousness*; en allemand, la conscience morale se dit *Gewissen*, et la conscience psychologique *Bewusstsein*.

Au sens psychologique, la conscience est cette capacité de se rendre compte de ce qui se passe en soi et, par suite, de ce qui se passe hors de soi. Si je somnole, je perds une grande part de ma conscience et, de ce fait même, je ne sais plus exactement ce qui se passe hors de moi. Si je suis bien éveillé, au contraire, j'ai l'entière conscience de moi-même et je perçois clairement les faits qui m'entourent. Cette capacité à faire un retour sur soi, pour étudier ses pensées, ses sentiments s'appelle la conscience de soi.

À l'intérieur de la conscience psychologique, on peut opposer non pas deux parties, mais plutôt deux faces indissolubles : la conscience immédiate et la conscience réfléchie. La **conscience immédiate**, c'est notre relation au monde, nous sommes conscients des objets qui nous entourent, nous les percevons, nous réagissons en leur présence. La **conscience réfléchie** consiste à nous percevoir nous-mêmes comme percevant. Si je dis « j'ai froid », je ne saisis pas seulement la sensation de froid, je me saisis moi-même comme ayant froid.

Au sens moral, la conscience est la capacité de juger par soi-même du bien et du mal, d'évaluer chacune de ses actions, non pas selon ce que les autres en disent, mais « en son for intérieur ». La « morale de la conscience » (la capacité de se donner ses propres règles) est donc à distinguer des « mœurs », morale issue de la société et de la tradition (› Chapitre 21 : Le devoir, p. 524).

Subjectivité singulière / subjectivité universelle

Dans le sens courant, on appelle « subjectives » des pensées ou des sensations qui sont propres à des individus, et ne sont pas universelles. On veut dire par là que les goûts dépendent de préférences individuelles (choix du sujet qui sent) et non de réalités appartenant aux objets eux-mêmes (propriétés objectives).

Le sens philosophique est très différent. Est « subjectif » ce qui appartient à un sujet, c'est-à-dire qui provient d'une pensée qui ne peut être que celle d'un « je » qui pense (conscience) et qui pense qu'il pense (conscience de soi). Le sujet unifie ses expériences vécues, ses perceptions, ses jugements, donne cohérence aux apparences. C'est par lui qu'un monde se constitue, aussi bien le monde ordinaire de l'homme de la rue que l'univers complexe du savant. Si tout ce qui existe doit passer par la conscience humaine, cela est vrai aussi bien des rêves que des lois scientifiques. Ainsi, au sens philosophique, « subjectif » ne s'oppose plus à « objectif », mais l'englobe. C'est seulement pour et par un sujet humain qu'une pensée objective peut naître. Ainsi comprise, la subjectivité est le point de départ d'une pensée qui peut être partagée par tous les autres sujets, et commune à tous. C'est ce qu'il y a d'universel en nous. Tel est le sens profond du *cogito* cartésien (› Descartes, p. 28).

Conscience de soi et identité

Avoir une conscience de soi, c'est aussi se bâtir une **identité** : non pas seulement être un individu mais se construire comme individu, être soi-même. Que veut dire être soi-même ?

Norman Rockwell, *Triple Self-Portrait*, 1960, huile sur toile (1,13 x 0,883 m), Stockbridge, Norman Rockwell Museum.

1. L'unité du sujet

Être soi, c'est être un. Or ce n'est pas si simple. Certes, le nourrisson possède un corps qui le définit dans son environnement spatial. Mais sa vie intérieure n'est pas (encore) une, unifiée. La multiplicité de mondes sensoriels (tactile, visuel, auditif, gustatif...), l'accumulation de gestes désordonnés et désarticulés, ne renvoient à aucun centre moteur identifié (le corps perçu de l'intérieur n'est pas encore unifié), ses impressions sont hétéroclites, voire contradictoires (lumières, obscurités, plaisirs, douleurs, faim, soif...), et les instants se succèdent, séparés les uns des autres par des périodes d'oubli, de sommeil...

Il ne suffit pas que le corps soit objectivement un, pour être perçu subjectivement, de l'intérieur, comme unifié.

2. L'unicité du sujet

Être soi, c'est être unique : c'est-à-dire être différent de tous les autres. Certes, tout être vivant, plante ou animal, est génétiquement unique (à quelques exceptions près, dont les vrais jumeaux). Mais l'unicité, ce n'est pas seulement le fait d'être différent des autres ; pour l'homme, c'est aussi la conscience, la revendication, voire l'obligation d'être unique. Pour cela, il faut bien se comparer aux autres, s'évaluer, affirmer ses différences, chercher dans autrui la reconnaissance de ces différences. Par conséquent, plus je cherche à m'affirmer comme unique, plus j'ai besoin des autres pour me différencier.

3. L'ipséité du sujet

Être soi, c'est rester le même à travers les changements : non pas demeurer invariable, mais assumer partout les variations, voire les contradictions dont je suis le témoin immédiat. Je change, soit par nécessité, soit par volonté. Je peux constater ces changements. Le problème, c'est qu'il n'y a pas en moi deux personnes : d'une part, celle qui changerait et, d'autre part, celle qui, demeurant, pourrait constater objectivement ces changements. En même temps que l'acteur, le spectateur change. Comment, dès lors, pourrait-il savoir qu'il a changé, puisque celui qui est en état de le constater est celui-là même qui a changé ?

Personnalité / personne / personnage

› Repères et distinctions conceptuelles, p. 118.

chapitre 2

La perception

David Hockney, *Merced River, Yosemite Valley*, 1982, collage photographique (1,32 x 1,55 m).

Du mot...

Le mot perception est souvent pris dans le sens très large de représentation, de pensée, d'opinion. Percevoir se rapprocherait de « comprendre, reconnaître » : « il est incapable de percevoir ses erreurs ». Mais la perception est d'abord une appréhension du monde qui s'enracine dans notre corps : c'est par nos yeux, nos oreilles, nos mains... que nous accédons à la réalité extérieure.

... au concept

La perception est la saisie consciente, grâce à nos sens, d'objets individualisés, ayant une signification immédiate pour notre action : je regarde un paysage, j'écoute une mélodie, je tiens un marteau. Traditionnellement, on l'oppose aux sensations, données de base non signifiantes : un son, une couleur, une impression de lisse, de rugueux... Face aux sensations brutes, le monde perçu apparaît d'une grande complexité, car il est organisé en objets distincts, agencés les uns par rapport aux autres dans un espace homogène et pré-adaptés à nos actions : voir un verre ou un crayon, c'est déjà préparer son corps à la manière particulière de saisir l'un ou l'autre.
On oppose aussi la perception à la pensée, à la raison qui s'appuie sur elle, mais pour la corriger, la compléter, la prolonger. La perception renvoie l'homme à sa finitude d'animal : pour tous les êtres vivants, les sens sont des outils d'adaptation limités et parcellaires. L'homme doit dépasser cette situation grâce à la science et à la création d'instruments artificiels qui complètent ses sens.

Pistes de réflexion

Peut-on distinguer sensations et perceptions ?

Toute une tradition philosophique et scientifique sépare sensation et perception. Les sensations, ce seraient les données élémentaires, provenant d'un seul sens (une couleur, une odeur, un son...). La perception, ce serait la saisie globale d'unités signifiantes : un objet, une mélodie, un paysage ; une synthèse à la fois de sensations brutes mais aussi de mondes sensoriels. Ainsi les sensations tactiles et les sensations visuelles sont reliées dans la perception que nous avons des objets : il n'est pas absurde de dire que nous « voyons avec nos mains », que nous « touchons avec nos yeux ». Mais avons-nous accès aux sensations brutes ?

La perception : voie d'accès à la réalité ou emprisonnement dans l'apparence sensible ?

Le monde perçu correspond-il au monde réel ? S'il existe une différence, comment avoir accès à la réalité ? Existe-t-il une réalité autre que sensible : non-sensible ? extra-sensible ?

La perception est-elle interprétation ?

Notre perception est-elle indépendante de toute interprétation ou bien percevons-nous le monde à travers une grille préalable d'interprétations ? Dans ce cas, peut-on parler de perception neutre, objective ? Qu'est-ce qui distingue notre œil d'un appareil photographique qui enregistre passivement les images ?

La perception suppose-t-elle un jugement ?

La perception rassemble des sensations pour en faire des objets, elle les identifie comme permanents malgré leurs variations perspectives, elles les distribuent dans un espace homogène. La perception n'est donc pas passive. Mais cette activité de construction doit-elle être attribuée à un jugement intellectuel, comme le veut une tradition venue de Descartes ? Sinon d'où provient-elle ?

Peut-on apprendre à percevoir ?

Jusqu'où l'éducation artistique, le sport, les métiers techniques et artisanaux, l'observation de la nature (botanique, zoologie, géologie, astronomie, etc.) peuvent-ils changer et développer nos capacités perceptives ? Quand on utilise un microscope, un télescope, ne doit-on pas apprendre à voir ? Le rôle du peintre, du musicien n'est-il pas de modifier notre façon de percevoir ?

Comment distinguer percevoir, imaginer, rêver, halluciner ?

Hyppolite Taine a écrit que la perception est une « hallucination vraie ». Et de fait, l'usage ancien des miroirs, l'usage contemporain des « images virtuelles » montre la proximité entre image fictive (virtuelle ou rêvée) et l'image tenue pour réelle. Si notre perception fait spontanément la différence, la réflexion peut-elle fournir des critères de distinction ?

Passerelles

› Chapitre 8 : L'art, p. 194.
› Chapitre 15 : Le vivant, la matière et l'esprit, p. 374.

Découvertes

DOCUMENT 1 «À notre échelle...»

Gulliver est le héros du livre de Jonathan Swift, Voyages de Gulliver, *écrit en 1726. Après un premier voyage chez les Lilliputiens, Gulliver est poussé par la tempête vers une île où il est capturé par un fermier, représentant débonnaire d'une race de géants.*

Vers la fin du repas, on vit entrer la nourrice, portant dans ses bras un enfant d'un an. Celui-ci me repéra tout de suite et poussa un hurlement que l'on aurait pu entendre à Chelsea s'il était venu du Pont de Londres et qui, dans la rhétorique des nourrissons, signifiait qu'il me voulait pour jouet. La mère eut la faiblesse de me tendre au bébé, qui me saisit aussitôt par le milieu du corps et me fourra la tête dans sa bouche ; mais je poussai à mon tour un tel rugissement que l'enfant prit peur et me jeta ; je me serais immanquablement rompu le col, si la mère n'avait étendu son tablier au-dessous de moi.

La nourrice, pour calmer son poupon, agita un hochet, sorte de récipient creux empli d'énormes pierres et attaché à la taille de l'enfant par un câble. Elle n'eut pas de succès et se trouva réduite à appliquer l'ultime remède, c'est-à-dire lui donner à téter. Je dois avouer que jamais rien ne m'inspira un tel dégoût que la vue de ce sein monstrueux ; je ne trouve aucun élément de comparaison pour donner au lecteur curieux une idée de ses dimensions, de sa forme et de sa couleur. Il faisait une protubérance grosse de six pieds et devait avoir au moins seize pieds de tour. Le volume du téton était la moitié de ma tête ; sa surface et celle de l'aréole étaient constellées d'une quantité de boutons, de crevasses et d'excroissances qui en faisaient la chose la plus répugnante du monde – or j'étais bien placé pour tout voir du haut de la table où je me trouvais, puisque la femme s'était assise pour donner sa tétée plus à l'aise.

Ceci me fit méditer sur les jolies peaux de nos dames anglaises, dont toute la beauté vient de ce qu'elles sont à notre échelle, et que leurs défauts ne peuvent être perçus qu'à travers des verres grossissants ; l'expérience prouve alors que le teint le plus lisse et le plus blanc apparaît grossier, rugueux et d'une vilaine couleur.

Je me rappelle que lorsque j'étais à Lilliput, le teint de ces êtres minuscules me semblait le plus beau du monde, et comme j'en parlais un jour avec un savant de ce pays, qui était un de mes amis intimes, il me dit que mon visage lui semblait beaucoup plus beau, et plus lisse, lorsqu'il me regardait depuis le sol, que lorsque je le prenais dans ma main pour l'en approcher ; il m'avoua même avoir été, la première fois, horriblement impressionné par le spectacle. Il me dit qu'il pouvait discerner dans ma peau de grands trous, que les poils de ma barbe étaient dix fois plus forts que les soies d'un sanglier, et mon teint fait d'une juxtaposition fort déplaisante de différentes couleurs ; pourtant le lecteur me permettra de dire à ma décharge que je suis aussi blond et rose que tout individu de mon sexe et de ma nation, et que mon hâle est très faible, malgré tous mes voyages.

Jonathan Swift, *Voyages de Gulliver*, 1726, trad. É. Pons, coll. Folio, Gallimard, p. 122 sq.

QUESTIONS

1• Comparez la perception de Gulliver à celle des géants et à celle des Lilliputiens. Peut-on affirmer que l'une est vraie, les autres fausses ?

2• Quel peut être l'intérêt de multiplier les différents points de vue perceptifs ? Que penser de l'idée que la beauté serait une question d'échelle ? Est-ce valable également pour le vrai, le bien ?

DOCUMENT 2 Les deux carrés de Mach

QUESTIONS

› 1• Les deux figures sont-elles semblables ? Sont-elles perçues spontanément comme semblables ?

› 2• D'où vient la différence perceptive ? Peut-on invoquer une interprétation, un ajout, une modification d'une figure à l'autre ?

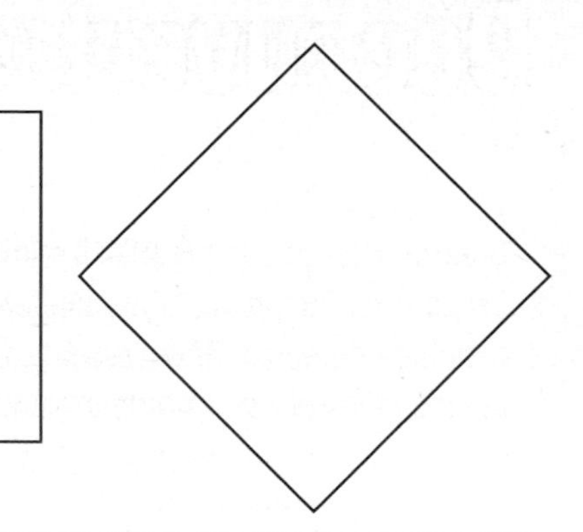

D'après Ernst Mach, *L'Analyse des sensations*, 1886.

DOCUMENT 3 Perception et contraintes perceptives

Les critiques d'art ont remarqué qu'un tableau perd de son attrait quand on inverse la gauche et la droite. Ces curieuses dissymétries ont leur racine dans notre perception elle-même.

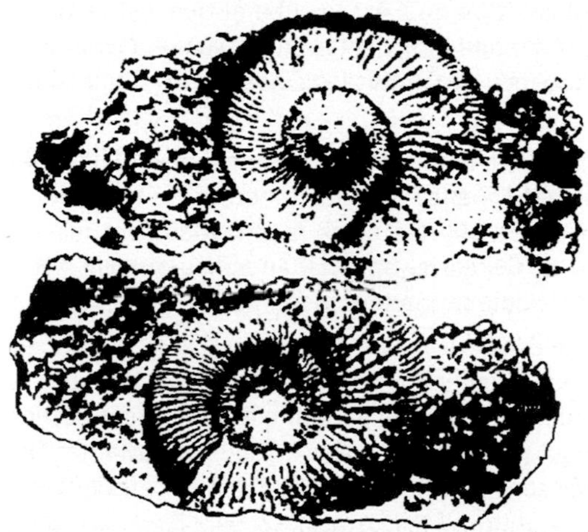

Coquillages. (Si on retourne la page, l'impression de relief ou de creux de cette empreinte de coquillage fossile s'inverse.)

Dans l'interprétation des dessins ou des photos comportant des ombres ou des effets d'ombrage, l'homme réagit comme si la source de lumière était en haut et à droite. Un dessin ou une photo, qui semblent représenter un relief, donneront, après avoir été retournés, une forme creuse.

Au théâtre, le spectateur s'identifie avec le héros, généralement posté à gauche de la scène. Le danger, les menaces viennent de la droite. Dans un tableau également, le centre organisateur, où se situe spontanément le spectateur, est plutôt à gauche.

Au laboratoire, on peut montrer que l'homme surestime la vitesse d'un véhicule venant de la droite, par rapport à celle d'un véhicule venant de la gauche. Comme s'il y avait un sens naturel d'écoulement des choses, de gauche à droite, et que par conséquent, un mouvement dans l'autre sens devait avoir, pour exister, une vigueur particulière.

Quand on visualise les deux diagonales d'un carré, l'une monte et l'autre descend. La diagonale ascendante est celle qui part du coin gauche, en bas. La diagonale descendante part du coin gauche, en haut. Quand on veut transcrire un son ascendant, on emploie l'accent aigu (/) qui correspond au premier type de diagonale, et l'accent grave (\) pour les sons descendants.

Jacques Ninio, *L'Empreinte des sens*, 1989, Odile Jacob, p. 145-146.

QUESTIONS

› 1• Notre perception est organisée selon une dissymétrie gauche/droite. Étudiez cette organisation à partir des exemples du texte.

› 2• Cette organisation est-elle consciente ? Réfléchie ? Est-il possible d'imaginer une explication à cette organisation particulière de l'espace ?

Diderot : *Lettre sur les aveugles* (1749)

Diderot n'est pas le premier à s'intéresser aux aveugles. Durant tout le XVIIIe siècle, le sujet occupe les esprits. Aucun souci humanitaire pour la condition des aveugles dans cette curiosité générale, mais une question métaphysique, celle de l'origine : la perception pourrait-elle être la source de nos idées et de nos valeurs morales ?

1 Le problème de Molyneux

La question de l'origine de nos idées et de nos valeurs est présentée pour la première fois par Locke dans l'*Essai sur l'entendement humain* (1690). Il y retranscrit la question qui lui a été posée par un savant, spécialiste de l'optique, Molyneux : « Supposez un aveugle de naissance qui soit présentement homme fait, auquel on ait appris à distinguer par l'attouchement un cube et un globe de même métal et à peu près de la même grosseur en sorte que lorsqu'il touche l'un et l'autre il puisse dire quel est le cube et quel est le globe. Supposez que, le cube et le globe étant posés sur une table, cet aveugle vienne à jouir de la vue, on demande si, en les voyant sans les toucher, il pourrait les discerner et dire quel est le globe et quel est le cube. »

La question met en scène un débat qui concerne la nature et l'origine des idées. Sont-elles innées ou acquises ? de nature sensible ou rationnelle ? Ce que Diderot vise essentiellement, c'est la philosophie cartésienne qui pense que les idées rationnelles sont innées. Révolutionnaire au XVIIe siècle, la philosophie de Descartes apparaît au milieu du XVIIIe siècle comme « réactionnaire » : elle pense une raison unique, partout la même et invariable.

Le problème, d'abord purement métaphysique, va se nourrir d'une pratique chirurgicale nouvelle : l'opération de la cataracte, pratiquée pour la première fois en 1728 par le chirurgien anglais Cheselden. Dès lors, la question de l'**origine,** qui est aussi une question d'**essence** (quelle est l'origine des idées ? = qu'est ce qu'une idée ?), semble pouvoir trouver son champ expérimental : à partir de quoi pensons-nous ? (= qu'est-ce que la pensée ?).

Diderot ne se contente pas de cet aspect théorique. Le problème de Molyneux est aussi l'occasion de présenter les polémiques philosophiques de son époque : la morale, la religion, le goût esthétique, l'immortalité de l'âme...

Le livre présente trois aveugles :
– l'aveugle-brave-homme-anonyme du Puiseaux ;
– l'aveugle-géomètre-célèbre de Cambridge ;
– l'aveugle-abstraction du problème de Molyneux.

2 L'aveugle du Puiseaux

Les réponses pleines de bon sens de cet homme sont l'occasion pour Diderot de s'attaquer au dogmatisme : pour lui, il n'y a pas de vérité absolue, nos croyances sont liées à l'état de nos organes, à notre situation matérielle. La morale ? L'aveugle se montre intraitable sur le vol, mais peu sensible à la pudeur. Les goûts esthétiques ? « La beauté pour un aveugle n'est qu'un mot, quand elle est séparée de l'utilité » (*op. cit.*, p. 83). Si les idées sont à ce point variables, c'est qu'elles ne sont jamais séparables de la sensibilité. Le bon sens de l'aveugle du Puiseaux est utilisé pour ruiner les fausses évidences de la métaphysique cartésienne.

3 Saunderson : l'aveugle-géomètre

Saunderson est un aveugle célèbre : en 1711, il est nommé professeur de mathématiques à Cambridge. Diderot s'attarde sur son invention d'une machine à calculer à l'usage des aveugles. C'est l'occasion de montrer que la raison n'est pas une, mais multiforme, inventive, adaptative. Ainsi, Saunderson peut faire des cours aux voyants sur la théorie de la lumière et des couleurs, qu'il ne voit pas. Ses paroles sont claires, car, ayant moins d'images en tête, il doit multiplier les analogies, les métaphores. Poussé par l'esprit polémique à l'encontre des visions idéalisées de la nature, Diderot invente le récit fictif de la mort de Saunderson. « Monstre » dans la nature, l'aveugle fait de la nature une histoire de monstruosités réussies. On a cru voir dans ces propos une anticipation des idées darwiniennes et de la sélection naturelle (Chapitre 15 : Le vivant, la matière et l'esprit, p. 394). On lui reprochera surtout de vouloir détruire la preuve de l'existence de Dieu à partir de l'harmonie du monde. En effet, sa thèse matérialiste combat l'argument favori des philosophes du XVIIIe siècle : celui d'un ordre du monde dont la physique newtonienne, dans sa simplicité mathématique, est le modèle.

4 L'aveugle-abstraction du problème de Molyneux

Locke pensait que l'aveugle opéré ne pourrait pas associer le cube et la sphère visuels au cube et à la sphère tangibles, parce que ce sont des signes totalement hétérogènes, comme deux langues différentes que seule l'expérience nous apprend à lier. Condillac soutenait au contraire que la vue pourrait faire le lien, avec quelque doute cependant (Textes 1 et 2, p. 58). La position de Diderot est intermédiaire : avec Locke, il pense que la vue devrait obtenir le secours du toucher pour apprendre à voir ; avec Condillac, il n'exclut pas la possibilité pour l'œil de « s'expérimenter de lui-même ». Tout dépendrait de la culture, de l'éducation des personnes concernées. Diderot est plus soucieux de prolonger, de multiplier les problématiques que d'imposer des réponses définitives.

Diderot (1713-1784)

Acteur essentiel des Lumières, directeur de l'*Encyclopédie*, une des grandes aventures intellectuelles du XVIIIe siècle, Diderot apparaît, aussi bien dans son caractère que dans son œuvre, comme un génie protéiforme[1] : romancier, homme de théâtre, critique d'art, éditeur, pamphlétaire, philosophe, compilateur, curieux des métiers et techniques de son temps. Et toujours écrivain non pensionné et sans mécène. Nouveauté pour l'époque, il vivra de sa plume. En octobre 1747, il est chargé avec d'Alembert, de mener à bien l'*Encyclopédie*. Le prospectus qui l'annonce paraît en 1750, le tome I en 1751. Les premières œuvres de Diderot montrent la diversité de son intelligence : recherches philosophiques (*Pensées philosophiques*, 1746), roman libertin (*Les Bijoux indiscrets*, 1748), réflexions scientifiques (*Mémoire sur différents sujets de mathématiques*, 1748 ; *Lettre au chirurgien Morand sur les troubles de la médecine et de la chirurgie*, 1748). Mais c'est la parution de la *Lettre sur les aveugles à l'usage de ceux qui voient* (avril-juin 1749) qui marque un véritable tournant. Matérialisme et athéisme s'y font voir sans déguisement. Le livre est condamné, Diderot enfermé pendant trois mois à Vincennes. Il en sort transformé. Dorénavant, il apprendra à ruser avec la censure. Une partie non négligeable de son œuvre ne sera jamais publiée de son vivant.

1. Qui peut prendre toutes les formes, qui se présente sous les aspects les plus divers.

Diderot: *Lettre sur les aveugles* (1749)

La perception est-elle source de nos idées et de nos valeurs morales ?

L'*Encyclopédie* semble habiter la pensée de Diderot. Non pas au sens où il chercherait à tout expliquer, à atteindre un « savoir encyclopédique » ; mais plutôt au sens où il ne cesse de construire des ponts, d'établir des passerelles entre des domaines et des problèmes apparemment étrangers. Des mathématiques à la morale, de l'optique à la métaphysique, de l'esthétique à la politique, le cas de l'aveugle semble condenser tous les questionnements de l'homme et du monde.

Texte 1 L'aveugle du Puiseaux et l'expérience du miroir

Je lui demandai ce qu'il entendait par un miroir : « Une machine, me répondit-il, qui met les choses en relief loin d'elles-mêmes, si elles se trouvent placées convenablement par rapport à elle. C'est comme ma main, qu'il ne faut pas que je pose à côté d'un objet pour le sentir. » Descartes, aveugle-né[1], aurait dû, ce me semble, s'applaudir d'une pareille définition.

En effet, considérez, je vous prie, la finesse avec laquelle il a fallu combiner certaines idées pour y parvenir. Notre aveugle n'a de connaissance des objets que par le toucher. Il sait, sur le rapport des autres hommes, que par le moyen de la vue on connaît les objets, comme ils lui sont connus par le toucher ; du moins, c'est la seule notion qu'il s'en puisse former. Il sait, de plus, qu'on ne peut voir son propre visage, quoiqu'on puisse le toucher. La vue, doit-il conclure, est donc une espèce de toucher qui ne s'étend que sur les objets différents de notre visage, et éloignés de nous. D'ailleurs, le toucher ne lui donne l'idée que du relief. Donc, ajoute-t-il, un miroir est une machine qui nous met en relief hors de nous-mêmes. Combien de philosophes renommés ont employé moins de subtilité, pour arriver à des notions aussi fausses ! mais combien un miroir doit-il être surprenant pour notre aveugle !

Combien son étonnement dut-il augmenter, quand nous lui apprîmes qu'il y a de ces sortes de machines qui agrandissent les objets ; qu'il y en a d'autres qui, sans les doubler, les déplacent, les rapprochent, les éloignent, les font apercevoir, en dévoilent les plus petites parties aux yeux des naturalistes ; qu'il y en a qui les multiplient par milliers, qu'il y en a enfin qui paraissent les défigurer totalement. Il nous fit cent questions bizarres sur ces phénomènes. Il nous demanda, par exemple, s'il n'y avait que ceux qu'on appelle naturalistes, qui vissent avec le microscope ; et si les astronomes étaient les seuls qui vissent avec le télescope ; si la machine qui grossit les objets était plus grosse que celle qui les rapetisse ; si celle qui les rapproche était plus courte que celle qui les éloigne ; et ne comprenant point comment cet autre nous-même que, selon lui, le miroir répète en relief, échappe au sens du toucher : « Voilà, disait-il, deux sens qu'une petite machine met en contradiction : une machine plus parfaite les mettrait peut-être d'accord, sans que, pour cela, les objets en fussent plus réels ; peut-être une troisième plus parfaite encore, et moins perfide, les ferait disparaître, et nous avertirait de l'erreur. »

Denis Diderot, *Lettre sur les aveugles*, 1749, *in Œuvres philosophiques*, Garnier, p. 84-85.

1. La philosophie de Descartes a cessé d'être à la mode au milieu du XVIIIe siècle. La physique de Newton, fondée sur d'autres hypothèses et d'autres méthodes, est triomphante.

QUESTIONS

1• Quelles difficultés théoriques y a-t-il pour l'aveugle à comprendre le fonctionnement du miroir ?

2• Une personne voyante est-elle sensible aux contradictions entre la vue et le toucher ? Pourquoi l'aveugle nous oblige-t-il à réfléchir sur nos propres sensations ?

3• Que signifie la remarque, de nature sceptique, de la fin du texte ?

Texte 2 La relativité des principes moraux

1. Répulsion, dégoût.

Comme je n'ai jamais douté que l'état de nos organes et de nos sens n'ait beaucoup d'influence sur notre métaphysique et sur notre morale, et que nos idées les plus purement intellectuelles, si je puis parler ainsi, ne tiennent de fort près à la conformation de notre corps, je me mis à questionner notre aveugle sur les vices et sur les vertus. Je m'aperçus d'abord qu'il avait une aversion[1] prodigieuse pour le vol ; elle naissait en lui de deux causes : de la facilité qu'on avait de le voler sans qu'il s'en aperçût ; et plus encore, peut-être, de celle qu'on avait de l'apercevoir quand il volait. Ce n'est pas qu'il ne sache très bien se mettre en garde contre le sens qu'il nous connaît de plus qu'à lui, et qu'il ignore la manière de bien cacher un vol.

Op. cit., p. 120.

QUESTIONS

1• En quoi la situation physique de l'aveugle oriente-t-elle ses principes moraux ?

2• Si nos valeurs morales dépendent de nos sens, que peut-on conclure à leur sujet ?

Texte 3 La nature : une suite de monstruosités réussies

1. Le pasteur venu consoler Saunderson sur son lit de mort.
2. Leibniz, Clarke, Newton symbolisent les sciences nouvelles. La physique newtonienne unifie le monde à partir d'un seul principe, l'attraction universelle, et proclame ainsi l'harmonie de l'univers.
3. Ministre du culte : le prêtre, le pasteur.

Diderot imagine la mort de Saunderson, l'aveugle-géomètre. Ce dernier présente ses hypothèses sur l'histoire de la nature.

« Considérez, monsieur Holmes[1], ajouta-t-il, combien il faut que j'aie de confiance en votre parole et dans celle de Newton. Je ne vois rien, cependant j'admets en tout un ordre admirable ; mais je compte que vous n'en exigerez pas davantage. Je vous le cède sur l'état actuel de l'univers, pour obtenir de vous en revanche la liberté de penser ce qu'il me plaira de son ancien et premier état, sur lequel vous n'êtes pas moins aveugle que moi. Vous n'avez point ici de témoins à m'opposer ; et vos yeux ne vous sont d'aucune ressource.

Imaginez donc, si vous voulez, que l'ordre qui vous frappe a toujours subsisté ; mais laissez-moi croire qu'il n'en est rien ; et que si nous remontions à la naissance des choses et des temps, et que nous sentissions la matière se mouvoir et le chaos se débrouiller, nous rencontrerions une multitude d'êtres informes pour quelques êtres bien organisés. Si je n'ai rien à vous objecter sur la condition présente des choses, je puis du moins vous interroger sur leur condition passée. Je puis vous demander, par exemple, qui vous a dit à vous, à Leibniz, à Clarke et à Newton[2], que dans les premiers instants de la formation des animaux, les uns n'étaient pas sans tête et les autres sans pieds ? Je puis vous soutenir que ceux-ci n'avaient point d'estomac, et ceux-là point d'intestins ; que tels à qui un estomac, un palais et des dents semblaient promettre de la durée, ont cessé par quelque vice du cœur ou des poumons ; que les monstres se sont anéantis successivement ; que toutes les combinaisons vicieuses de la matière ont disparu, et qu'il n'est resté que celles où le mécanisme n'impliquait aucune contradiction importante, et qui pouvaient subsister par elles-mêmes et se perpétuer. [...] »

Puis, se tournant en face du ministre[3], il ajouta : « Voyez-moi bien, monsieur Holmes, je n'ai point d'yeux. Qu'avions-nous fait à Dieu, vous et moi, l'un pour avoir cet organe, l'autre pour en être privé ? »

Op. cit., p. 121-122.

QUESTIONS

1• Quelle théorie sur l'origine du monde combat l'aveugle-géomètre ?

2• Qu'est-ce qui le conduit à formuler son hypothèse ?

3• Expliquez : « sur lequel vous n'êtes pas moins aveugle que moi » (premier paragraphe).

Réflexion 1

▶ Qu'est-ce que « voir » ?

La cataracte est une affection de l'œil caractérisée par l'opacité partielle ou totale du cristallin. Réalisée pour la première fois par le chirurgien anglais Cheselden en 1728, l'opération de la cataracte, qui « rend » la vue à l'aveugle, permet-elle de résoudre un problème métaphysique : qu'est-ce qui est inné, qu'est-ce qui est acquis dans notre perception du monde ? En d'autres termes, notre vision n'est-elle qu'une copie du monde ou, au contraire, une forme de langage efficace mais très éloigné du monde réel ?

Texte 1 L'opération

L'aveugle-né ne voulait pas se prêter à l'opération[1].

C'était un jeune homme de 13 à 14 ans. Il eut de la peine à se prêter à l'opération ; il n'imaginait pas ce qui pouvait lui manquer. En connaîtrai-je mieux, disait-il, mon jardin ? M'y promènerai-je plus librement ? D'ailleurs, n'ai-je pas sur les autres l'avantage d'aller la nuit avec plus d'assurance ? C'est ainsi que les compensations qu'il trouvait dans son état, lui faisaient présumer qu'il était tout aussi bien partagé[2] que nous. En effet, il ne pouvait regretter un bien qu'il ne connaissait pas.

Invité à se laisser abattre les cataractes, pour avoir le plaisir de diversifier ses promenades, il lui paraissait plus commode de rester dans les lieux qu'il connaissait parfaitement ; car il ne pouvait pas comprendre qu'il pût jamais lui être aussi facile de se conduire à l'œil[3] dans ceux où il n'avait pas été. Il n'eût donc point consenti à l'opération s'il n'eût souhaité de savoir lire et écrire. Ce seul motif le décida ; et l'on commença par abaisser la cataracte à l'un de ses yeux.

Étienne Bonnot de Condillac, *Traité des sensations*, 1754, *Corpus des œuvres de philosophie en langue française*, Fayard, p. 195 sq.

1. La cataracte peut être de naissance ou sénile, traumatique ou spontanée. L'opération de la cataracte (« abattre la cataracte ») consiste à sectionner la cornée de façon à extraire le cristallin.
2. Loti.
3. Avec les yeux.

QUESTION

› Quelles sont les réticences de l'aveugle ? Qu'est-ce qui les explique ?

Texte 2 Un nouveau monde, des découvertes étonnantes

Après l'opération, les objets lui paraissent au bout de l'œil.

Quand il commença à voir, les objets lui parurent toucher la surface extérieure de son œil. La raison en est sensible.

Avant qu'on lui abaissât les cataractes, il avait souvent remarqué qu'il cessait de voir la lumière, aussitôt qu'il portait la main sur ses yeux. Il contracta l'habitude de la juger au-dehors. Mais parce que c'était une lueur faible et confuse, il ne discernait pas assez les couleurs pour découvrir les corps qui les lui envoyaient. Il ne les jugeait donc pas à une certaine distance, il ne lui était donc pas possible d'y démêler de la profondeur ; et par conséquent, elles devaient lui paraître toucher immédiatement ses yeux. Or l'opération ne put produire d'autre effet que de rendre la lumière plus vive et plus distincte. Ce jeune homme devait donc continuer de la voir où il l'avait jugée jusqu'alors, c'est-à-dire contre son œil. Par conséquent, il n'apercevait qu'une surface égale à la grandeur de cet organe.

Et fort grands.

Mais il prouva la vérité des observations que nous avons faites – car tout ce qu'il voyait lui paraissait d'une grandeur étonnante. Son œil n'ayant point encore comparé grandeur à grandeur, il ne pouvait avoir à ce sujet des idées relatives. Il ne savait donc point encore

1. Dans son livre, Condillac imagine une statue qui aurait les mêmes dispositifs qu'un corps humain, et dont on « ouvrirait » peu à peu les différents sens. Cette fiction est destinée à faire réfléchir sur le rôle, les pouvoirs et les limites de nos différents sens.

démêler les limites des objets, et la surface qui le touchait devait, comme à la statue[1], lui paraître immense. Aussi nous assure-t-on qu'il fut quelque temps avant de concevoir qu'il y eût quelque chose au-delà de ce qu'il voyait.

Il ne les discerne ni à la forme, ni à la grandeur.

Il apercevait tous les objets pêle-mêle et dans la plus grande confusion, et il ne les distinguait point, quelque différentes qu'en fussent la forme et la grandeur. C'est qu'il n'avait point encore appris à saisir à la vue plusieurs ensembles. Comment l'aurait-il appris ? Ses yeux, qui n'avaient jamais rien analysé, ne savaient pas regarder ni par conséquent remarquer différents objets, et se faire de chacun des idées distinctes.

Mais à mesure qu'il s'accoutuma à donner de la profondeur à la lumière, et à créer, pour ainsi dire, un espace au-devant de ses yeux, il plaça chaque objet à différentes distances, assigna à chacun le lieu qu'il devait occuper, et commença à juger à l'œil de leur forme et de leur grandeur relative.

Il n'imagine pas comment l'un peut être à la vue plus petit que l'autre.

Tant qu'il ne se fut point encore familiarisé avec ces idées, il ne les comparait que difficilement, et il était bien éloigné d'imaginer comment les yeux pourraient être juges des rapports de grandeur. C'est pourquoi n'étant point encore sorti de sa chambre, il disait que quoiqu'il la sût plus petite que la maison, il ne comprenait pas comment elle pourrait le lui paraître à la vue. En effet, son œil n'avait point fait jusque-là de comparaisons de cette espèce. C'est aussi par cette raison qu'un objet d'un pouce, mis devant son œil, lui paraissait aussi grand que la maison.

Op. cit., p. 196-198.

QUESTION

› Relevez les contradictions logiques que l'aveugle remarque dans la vision. Pourquoi la personne voyante ne perçoit-elle pas ces contradictions ?

Texte 3 Voir : un apprentissage difficile

Il n'apprend à voir qu'à force d'étude.

Des sensations aussi nouvelles, et dans lesquelles il faisait à chaque instant des découvertes, ne pouvaient manquer de lui donner la curiosité de tout voir et de tout étudier à l'œil. Aussi, lorsqu'on lui montrait des objets qu'il reconnaissait au toucher, il les observait avec soin pour les reconnaître une autre fois à la vue. Il y apportait même d'autant plus d'attention qu'il ne les avait d'abord reconnus ni à leur forme, ni à leur grandeur. Mais il avait tant de choses à retenir qu'il oubliait la manière de voir quelques objets, à mesure qu'il apprenait à en voir d'autres. J'apprends, disait-il, mille choses en un jour, et j'en oublie tout autant. [...]

Son étonnement à la vue d'un relief peint.

Comme le relief des objets n'est pas aussi sensible dans la peinture, que dans la réalité, ce jeune homme fut quelque temps à ne regarder les tableaux que comme des plans différemment colorés ; ce ne fut qu'au bout de deux mois qu'ils lui parurent représenter des corps solides ; et ce fut une découverte qu'il parut faire tout à coup. Surpris de ce phénomène, il les regardait, il les touchait et il demandait quel est le sens qui me trompe ? Est-ce la vue ou le toucher ?

À la vue d'un portrait en miniature...

Mais un prodige pour lui, ce fut le portrait en miniature de son père. Cela lui paraissait aussi extraordinaire que de mettre un muid[1] dans une pinte[2] : c'était son expression. Son étonnement avait pour cause l'habitude que son œil avait prise, de lier la forme à la grandeur d'un objet. Il ne s'était pas encore accoutumé à juger que ces deux choses peuvent être séparées.

Op. cit., p. 198-199.

1. Ancienne mesure de capacité pour les liquides, les grains, le sel (à Paris, 268 litres pour le vin et 1 872 litres pour les matières sèches).
2. Ancienne mesure, valant un peu moins d'un litre.

QUESTION

› Relevez les analogies entre l'expérience réelle de ce jeune garçon et le récit fictif des prisonniers de la caverne, chez Platon (› p. 60-62).

Réflexion 2

▶ Pouvons-nous nous délivrer du monde sensible ?

Dans l'allégorie de la caverne, Platon cherche à nous faire comprendre, par l'intermédiaire du personnage de Socrate, l'emprisonnement de la nature humaine dans le monde sensible et les difficultés qui attendent celui qui voudrait sortir de cette prison.

Texte 1 D'étranges prisonniers...

– « Figure-toi des hommes dans une demeure souterraine en forme de caverne, dont l'entrée, ouverte à la lumière, s'étend sur toute la longueur de la façade ; ils sont là depuis leur enfance, les jambes et le cou pris dans des chaînes, en sorte qu'ils ne peuvent bouger de place, ni voir ailleurs que devant eux ; car les liens les empêchent de tourner la tête ; la lumière d'un feu allumé au loin sur une hauteur brille derrière eux ; entre le feu et les prisonniers, il y a une route élevée ; le long de cette route figure-toi un petit mur, pareil aux cloisons que les montreurs de marionnettes dressent entre eux et le public et au-dessus desquelles ils font voir leurs prestiges.

– Je vois cela, dit-il.

– Figure-toi maintenant, le long de ce petit mur, des hommes portant des ustensiles de toute sorte, qui dépassent la hauteur du mur, et des figures d'hommes et d'animaux, en pierre, en bois, de toutes sortes de formes ; et naturellement parmi ces porteurs qui défilent, les uns parlent, les autres ne disent rien.

– Voilà, dit-il, un étrange tableau et d'étranges prisonniers.

– Ils nous ressemblent, répondis-je. Et d'abord penses-tu que dans cette situation ils aient vu d'eux-mêmes et de leurs voisins autre chose que les ombres projetées par le feu sur la partie de la caverne qui leur fait face ?

– Peut-il en être autrement, dit-il, s'ils sont contraints toute leur vie de rester la tête immobile ?

– Et des objets qui défilent, n'en est-il pas de même ?

– Sans contredit.

– Dès lors, s'ils pouvaient s'entretenir entre eux, ne penses-tu pas qu'ils croiraient nommer les objets réels eux-mêmes, en nommant les ombres qu'ils verraient ?

– Nécessairement.

– Et s'il y avait aussi un écho qui renvoyât les sons du fond de la prison, toutes les fois qu'un des passants viendrait à parler, crois-tu qu'ils ne prendraient pas sa voix pour celle de l'ombre qui défilerait ?

– Si, par Zeus, dit-il.

– Il est indubitable, repris-je, qu'aux yeux de ces gens-là la réalité ne saurait être autre chose que les ombres des objets confectionnés.

– C'est de toute nécessité, dit-il.

Platon, *République*, IVe s. av. J.-C., livre VII, 514a-515b,
trad. É. Chambry, t. II, Les Belles Lettres, 1948, p. 121 sq.

QUESTIONS

› 1• Les prisonniers pensent avoir affaire à la réalité. Peuvent-ils savoir qu'ils ne voient que des ombres ? Se sentent-ils prisonniers ?

› 2• À partir de ce texte, définissez la nature de l'illusion. En quoi l'illusion n'est-elle pas une simple erreur ?

Texte 2 Une mystérieuse délivrance…

– Examine maintenant comment ils réagiraient si on les délivrait de leurs chaînes et qu'on les guérît de leur ignorance, et si les choses se passaient naturellement comme il suit. Qu'on détache un de ces prisonniers, qu'on le force à se dresser soudain, à tourner le cou, à marcher, à lever les yeux vers la lumière, tous ces mouvements le feront souffrir, et l'éblouissement l'empêchera de regarder les objets dont il voyait les ombres tout à l'heure. Je te demande ce qu'il pourra répondre, si on lui dit que tout à l'heure il ne voyait que des riens sans consistance, mais que maintenant plus près de la réalité et tourné vers des objets plus réels, il voit plus juste ; si enfin, lui faisant voir chacun des objets qui défilent devant lui, on l'oblige à force de questions à dire ce que c'est. Ne crois-tu pas qu'il sera embarrassé et que les objets qu'il voyait tout à l'heure lui paraîtront plus véritables que ceux qu'on lui montre à présent ?

– Beaucoup plus véritables, dit-il.

– Et si on le forçait à regarder la lumière même, ne crois-tu pas que les yeux lui feraient mal et qu'il se déroberait et retournerait aux choses qu'il peut regarder, et qu'il les croirait réellement plus distinctes que celles qu'on lui montre ?

– Je le crois, fit-il.

– Et si, repris-je, on le tirait de là par force, qu'on lui fît gravir la montée rude et escarpée, et qu'on ne le lâchât pas avant de l'avoir traîné dehors à la lumière du Soleil, ne penses-tu pas qu'il souffrirait et se révolterait d'être ainsi traîné, et qu'une fois arrivé à la lumière, il aurait les yeux éblouis de son éclat, et ne pourrait voir aucun des objets que nous appelons à présent véritables ?

– Il ne le pourrait pas, dit-il, du moins tout d'abord.

Op. cit., 515c-516a, p. 122.

QUESTION

› Platon nous dit qu'il faut tirer de force un prisonnier. Expliquez pourquoi. Le prisonnier se représente-t-il, au départ, sa « délivrance » comme une vraie délivrance ?

Texte 3 L'initiation

– Il devrait en effet, repris-je, s'y habituer, s'il voulait voir le monde supérieur. Tout d'abord ce qu'il regarderait le plus facilement, ce sont les ombres, puis les images des hommes et des autres objets reflétés dans les eaux, puis les objets eux-mêmes ; puis élevant ses regards vers la lumière des astres et de la lune, il contemplerait pendant la nuit les constellations et le firmament lui-même plus facilement qu'il ne ferait pendant le jour le soleil et l'éclat du soleil.

– Sans doute.

– À la fin, je pense, ce serait le soleil, non dans les eaux, ni ses images reflétées sur quelque autre point, mais le Soleil lui-même dans son propre séjour qu'il pourrait regarder et contempler tel qu'il est.

– Nécessairement, dit-il.

– Après cela, il en viendrait à conclure au sujet du Soleil, que c'est lui qui produit les saisons et les années, qu'il gouverne tout dans le monde visible et qu'il est en quelque manière la cause de toutes ces choses que lui et ses compagnons voyaient dans la caverne.

– Il est évident, dit-il, que c'est là qu'il en viendrait après ces diverses expériences.

Op. cit., 516b-516d, p. 123.

QUESTION

› Décrivez précisément les étapes de la découverte du monde extérieur. Pourquoi faut-il autant de temps ? Pourquoi faut-il une gradation ?

Texte 4 Un retour malheureux

– Si ensuite il venait à penser à sa première demeure et à la science qu'on y possède, et aux compagnons de sa captivité, ne crois-tu pas qu'il se féliciterait du changement et qu'il les prendrait en pitié ?

– Certes, si.

– Quant aux honneurs et aux louanges qu'ils pouvaient alors se donner les uns aux autres, et aux récompenses accordées à celui qui discernait de l'œil le plus pénétrant les objets qui passaient, qui se rappelait le plus exactement ceux qui passaient régulièrement les premiers ou les derniers, ou ensemble, et qui par là était le plus habile à deviner celui qui allait arriver, penses-tu que notre homme en aurait envie, et qu'il jalouserait ceux qui seraient parmi ces prisonniers en possession des honneurs et de la puissance ? Ne penserait-il pas comme Achille dans Homère, et ne préférerait-il pas cent fois n'être qu'un valet de charrue au service d'un pauvre laboureur, et supporter tous les maux possibles, plutôt que de revenir à ses anciennes illusions et de vivre comme il vivait ?

– Je suis de ton avis, dit-il ; il préférerait tout souffrir plutôt que de revivre cette vie-là.

– Imagine encore ceci, repris-je ; si notre homme redescendait et reprenait son ancienne place, n'aurait-il pas les yeux offusqués par les ténèbres, en venant brusquement du soleil ?

– Assurément si, dit-il.

– Et s'il lui fallait de nouveau juger de ces ombres et concourir avec les prisonniers qui n'ont jamais quitté leurs chaînes, pendant que sa vue est encore confuse et avant que ses yeux se soient remis et accoutumés à l'obscurité, ce qui demanderait un temps assez long, n'apprêterait-il pas à rire et ne diraient-ils pas de lui que, pour être monté là-haut, il en est revenu les yeux gâtés, que ce n'est même pas la peine de tenter l'ascension ; et, si quelqu'un essayait de les délier et de les conduire en haut, et qu'ils pussent le tenir en leurs mains et le tuer, ne le tueraient-ils pas ?

– Ils le tueraient certainement, dit-il.

Platon, *op. cit.*, 516c-517b, p. 123 sq.

QUESTIONS

› 1• Au terme de son ascension, qu'est-ce que l'initié sait de plus que les prisonniers de la caverne ? Ceux-ci ont-ils les moyens de le croire ?

› 2• Qu'est-ce qui rend l'attitude de celui qui est revenu haïssable aux yeux de ceux qui sont restés ?

› 3• À quoi fait allusion la dernière phrase ?

Anne-Laure Jacquart, *La caverne de Platon.*

Passerelles

› **Chapitre 16 : La vérité,** p. 398.

› **Textes :** Platon, *Le Banquet*, p. 104, 133.
Platon, La vérité ne peut venir que de nous-mêmes, p. 342.

Zoom sur...

L'allégorie de la caverne et l'image de la ligne

L'allégorie de la caverne illustre les différents niveaux de la connaissance humaine, de l'illusion à la vérité. Pour se faire mieux comprendre, Socrate utilise l'image d'une ligne :

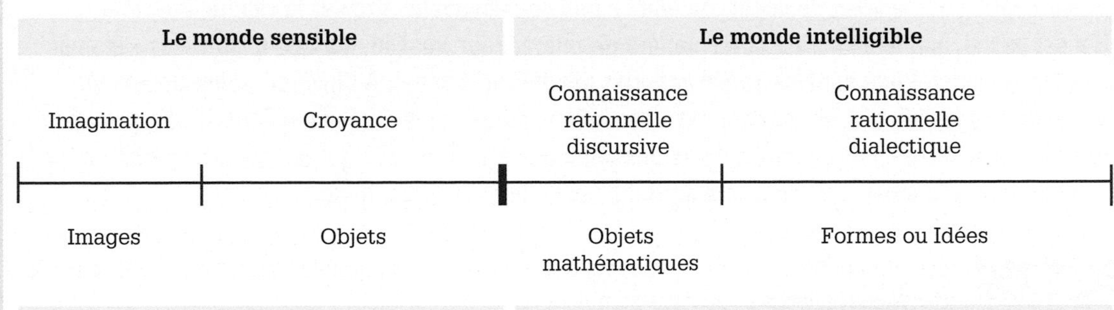

▪ **1. Le monde sensible** (le premier segment de la ligne coupée en deux) est le reflet appauvri du monde intelligible (le second). C'est l'ensemble des objets que nous connaissons par les **sens** ; l'**opinion** est le mode de connaissance de ces objets.

Ce premier segment est lui-même divisé en deux sections :

– la première représente les **images**, c'est-à-dire les ombres des objets réels, que l'on connaît par l'**imagination** ; toute image n'est pas fausse mais elle tend à l'être ;

– la seconde représente les **objets réels**, les originaux dont les ombres sont les reflets, que l'on connaît par la **croyance** et la **conjecture**. Une croyance peut être vraie, mais on ne peut pas savoir pourquoi elle est vraie.

▪ **2. Le monde intelligible** est représenté par le plus grand segment de la ligne. C'est l'ensemble des objets que nous connaissons par l'**intelligence rationnelle**, c'est le domaine de la **science**.

Il se scinde en deux sections :

– les **objets mathématiques**, que l'on connaît par la **pensée discursive**. Le discours mathématique est rigoureux, mais il part d'hypothèses qu'il ne remet pas en question : le triangle est composé de trois côtés adjacents. De ce fait, la science discursive n'accède jamais à la vérité, elle accède seulement à la vérité qui relie les hypothèses et les conséquences ;

– les **Formes ou Idées**. Pour Platon, les Idées ou Formes sont infiniment plus réelles que les choses que nous pouvons voir, sentir ou toucher. Elles sont comme l'essence des réalités. On connaît les Idées par la **pensée dialectique**. Celle-ci est un art du dialogue, mais c'est aussi le « discours que l'âme se tient à elle-même ». Elle cherche à remonter aux principes qui la fondent. Elle est la méthode philosophique par excellence, et consiste en un double mouvement : définir et analyser.

Dialectique ascendante

Définir, c'est rechercher l'essence. L'essence est cette qualité unique, identique et invariable que possèdent toutes les choses d'un même type. Ainsi toutes les conduites vertueuses ont une qualité commune (l'idée de vertu) qui permet de les identifier en les distinguant de toutes les autres conduites.

Dialectique descendante

Analyser, c'est chercher à connaître la réalité dans toutes ses articulations et déterminations. Le dialecticien part de l'idée et l'applique à la réalité. L'analyse progresse « sans faire usage d'aucune donnée sensible. Elle chemine en passant d'une idée à une autre, pour aboutir à une idée » (Platon, *op. cit.*, 511b-c).

Réflexion 3

▶ La perception : entre subjectivité et objectivité ?

La perception est le point de départ de tout ce que nous pouvons dire sur la réalité. Pourtant, il n'est pas si simple de cerner cette matière première. Pour Russell, il s'agit d'isoler les « atomes de connaissance » que sont les *sense data* (les données des sens). À l'inverse, selon Goodman, il n'est pas possible d'avoir accès à des « sensations pures » : d'emblée la vision est interprétation. Pour Merleau-Ponty, notre corps est à la fois objet de perception et sujet percevant. La perception semble donc s'inscrire à la charnière entre l'objectivité et la subjectivité.

Texte 1 — Apparence subjective et réalité

Concentrons notre attention sur la table. À la vue, elle est rectangulaire, de couleur marron et brillante ; au toucher, elle est lisse, froide et dure ; quand je la frappe, elle rend le son sourd du bois. Quiconque voit et touche la table, ou perçoit ces sons sera d'accord avec cette description, si bien qu'il peut sembler qu'il n'y a là nulle difficulté ; pourtant, dès que nous essayons d'être plus précis, notre embarras commence. Bien que je croie que la table est « réellement » partout de la même couleur, les parties qui réfléchissent la lumière semblent plus brillantes que les autres, et certaines semblent blanches à cause de la réflexion. Je sais que, si je me déplace, ce seront d'autres parties qui réfléchiront la lumière, de sorte que la distribution apparente des couleurs sur la table aura changé. Il s'ensuit que si plusieurs personnes regardent la table au même moment, il n'y en aura pas deux qui verront exactement la même distribution de couleurs, puisque deux personnes différentes ne voient pas la table sous le même angle et que tout changement de point de vue transforme la manière dont la lumière est réfléchie.

Dans la pratique, ces différences sont en général sans importance, mais pour le peintre elles sont capitales : le peintre doit se défaire de l'habitude qui consiste à penser que les choses paraissent de la couleur que le sens commun leur attribue comme leur couleur « réelle », et doit apprendre à voir les choses telles qu'elles lui apparaissent. Nous voyons surgir ici une distinction parmi les plus embarrassantes philosophiquement – la distinction entre « apparence » et « réalité » – entre ce que les choses semblent être et ce qu'elles sont. Le peintre veut saisir l'apparence des choses, l'homme pratique et le philosophe veulent savoir ce qu'elles sont. [...]

Il n'en va guère mieux pour la forme de la table. Nous sommes tous habitués à juger des formes « réelles » des choses, et nous le faisons tellement sans réfléchir que nous en venons à croire que nous voyons effectivement les formes réelles. En fait, comme nous devons l'apprendre en nous mettant à dessiner, une même chose apparaît sous des formes différentes selon chaque point de vue. Si notre table est « réellement » rectangulaire, nous la verrons, de presque partout, avec deux angles aigus et deux angles obtus. Si les côtés opposés sont parallèles, il nous semblera qu'ils convergent vers un point éloigné ; et s'ils sont de longueur égale, nous aurons l'impression que le plus proche de nous est plus long. On ne remarque habituellement rien de tout cela en regardant une table, parce que l'expérience nous a enseigné à construire la forme « réelle » à partir de la forme apparente, et c'est la forme « réelle » qui nous intéresse en tant que nous sommes tournés vers l'action. Mais la forme « réelle » n'est pas ce que nous voyons ; elle est inférée[1] à partir de ce que nous voyons.

Bertrand Russell, *Problèmes de philosophie*, 1912, trad. F. Rivenc, Payot, p. 29-30, 32-33.

1. Inférer, c'est tirer d'une idée une autre idée, ici d'un fait présent un fait absent.

QUESTION

› L'auteur montre la différence entre ce que nous croyons percevoir et ce que nous percevons réellement. D'où peut venir cette différence ? Pouvons-nous atteindre le réel uniquement avec nos sens ? Pouvons-nous l'atteindre sans eux ?

Texte 2 Le mythe de l'œil innocent

Il n'existe pas d'œil innocent. C'est toujours vieilli que l'œil aborde son activité, obsédé par son propre passé et par les insinuations anciennes et récentes de l'oreille, du nez, de la langue, des doigts, du cœur, du cerveau. Il ne fonctionne pas comme un instrument solitaire et doté de sa propre énergie, mais comme un membre soumis d'un organisme complexe et capricieux. Besoins et préjugés ne gouvernent pas seulement sa manière de voir mais aussi le contenu de ce qu'il voit, il choisit, rejette, organise, distingue, associe, classe, analyse, construit. Il saisit et fabrique plutôt qu'il ne reflète ; et les choses qu'il saisit et fabrique, il ne les voit pas nues comme autant d'éléments privés d'attributs, mais comme des objets, comme de la nourriture, comme des gens, comme des ennemis, comme des étoiles, comme des armes. Rien n'est vu tout simplement, à nu. Les mythes de l'œil innocent et du donné absolu sont de fieffés complices.

Nelson Goodman, *Langages de l'art*, 1968, éd. Jacqueline Chambon, p. 36-37.

QUESTION

› La vision est-elle indépendante d'une éducation de la vision ? Cherchez des exemples, à partir du texte, qui montreraient que « Rien n'est vu tout simplement, à nu ».

Texte 3 Le statut particulier du corps : à la fois objet perçu et outil pour percevoir

Il faut qu'entre l'exploration et ce qu'elle m'enseignera, entre mes mouvements et ce que je touche, existe quelque rapport de principe, quelque parenté, selon laquelle ils ne sont pas seulement, comme les pseudopodes de l'amibe[1], de vagues et éphémères déformations de l'espace corporel, mais l'initiation et l'ouverture à un monde tactile. Ceci ne peut arriver que si, en même temps que sentie du dedans, ma main est aussi accessible du dehors, tangible elle-même, par exemple, pour mon autre main, si elle prend place parmi les choses qu'elle touche, est en un sens l'une d'elles, ouvre enfin sur un être tangible dont elle fait aussi partie. Par ce recroisement en elle du touchant et du tangible, ses mouvements propres s'incorporent à l'univers qu'ils interrogent, sont reportés sur la même carte que lui. [...] Dans le « toucher », nous venons de trouver trois expériences distinctes qui se sous-tendent, trois dimensions qui se recoupent, mais sont distinctes : un toucher du lisse et du rugueux, un toucher des choses, – un sentiment passif du corps et de son espace –, et enfin un véritable toucher du toucher, quand ma main droite touche ma main gauche en train de palper les choses, par lequel le « sujet touchant » passe au rang de touché, descend dans les choses, de sorte que le toucher se fait du milieu du monde et comme en elles.

Maurice Merleau-Ponty, *Le Visible et l'invisible*, posth. 1964, coll. Tel, Gallimard, p. 176.

1. Les amibes sont des êtres vivants aquatiques unicellulaires. Les pseudopodes sont des prolongements rétractiles qui leur permettent de se déplacer, de « sentir », de capturer d'autres organismes microscopiques.

QUESTIONS

› **1•** Pourquoi la main est-elle à la fois du côté de la perception et du côté du monde perçu ?

› **2•** Cette réflexion ne pourrait-elle pas aussi être appliquée à notre épiderme, à notre peau ? Quelles conséquences en tirer sur le rôle que joue notre corps dans la manière dont nous nous situons dans le monde ?

Passerelles

› **Chapitre 8 : L'art,** p. 194.
› **Dossier :** La machine, rivale de la conscience ?, p. 392.

Dossier 1

▶ Les sens : outils d'adaptation biologique ?

Nous pensons que notre perception est une sorte de miroir de la réalité. L'analyse de la perception d'autres espèces animales nous montre qu'il n'en est rien. Chaque perception est construction d'un monde sensible. Le plus difficile est d'admettre que ce qui vaut pour la tique vaut également pour la perception humaine.

DOCUMENT

La tique ou ixode, sans être très dangereuse, est un hôte très importun des mammifères et des hommes. [...] Lorsque la femelle est fécondée, elle grimpe à l'aide de ses huit pattes jusqu'à la pointe d'une branche d'un buisson quelconque pour pouvoir, d'une hauteur suffisante, se laisser tomber sur les petits mammifères qui passent ou se faire accrocher par les animaux plus grands.

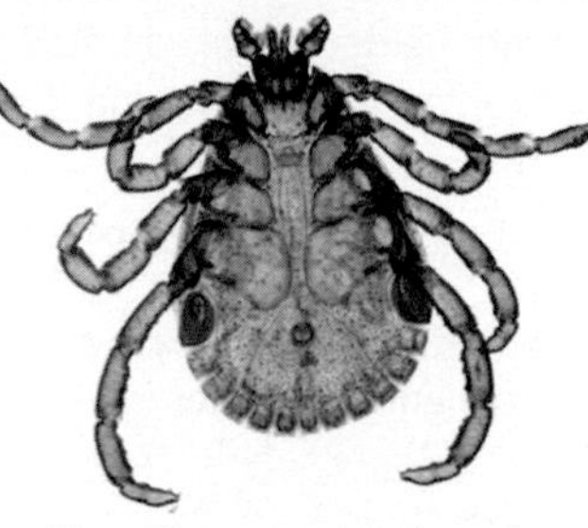
Tique (*Dermacentor andersoni*).

Cet animal, privé d'yeux, trouve le chemin de son poste de garde à l'aide d'une sensibilité générale de la peau à la lumière. Ce brigand de grand chemin, aveugle et sourd, perçoit l'approche de ses proies par son odorat. L'odeur de l'acide butyrique, que dégagent les follicules sébacés de tous les mammifères, agit sur lui comme un signal qui le fait quitter son poste de garde et se lâcher en direction de sa proie. S'il tombe sur quelque chose de chaud (ce que décèle pour lui un sens affiné de la température), il a atteint sa proie, l'animal à sang chaud, et n'a plus besoin que de son sens tactile pour trouver une place aussi dépourvue de poils que possible, et s'enfoncer jusqu'à la tête dans le tissu cutané de celle-ci. Il aspire alors lentement à lui un flot de sang chaud.

On a, à l'aide de membranes artificielles et de liquides imitant le sang, fait des essais qui démontrent que la tique n'a pas le sens du goût ; en effet, après perforation de la membrane, elle absorbe tout liquide qui a la bonne température. Si la tique, stimulée par l'acide butyrique, tombe sur un corps froid, elle a manqué sa proie et doit regrimper à son poste d'observation.

Ce copieux repas de sang de la tique est aussi son festin de mort, car il ne lui reste alors plus rien à faire qu'à se laisser tomber sur le sol, y déposer ses œufs et mourir. [...]

La tique, qui est sourde et muette, est constituée uniquement de manière à laisser entrer dans son milieu n'importe quel mammifère en tant que porteur de signification. On peut caractériser ce porteur de signification comme un mammifère extrêmement simplifié, ne possédant aucun des caractères visibles ou audibles par lesquels les espèces de mammifères se différencient. Le porteur de signification de la tique ne possède qu'une odeur, celle qui se dégage par la transpiration et qui est commune à tous les mammifères. En outre, ce porteur de signification est palpable, chaud et susceptible d'être percé pour un prélèvement de sang. De cette façon, il est possible de ramener tous les mammifères que nous voyons dans notre milieu et qui diffèrent par la forme, la couleur, la voix et l'odeur, à un commun dénominateur dont les caractères, en cas d'approche, qu'il s'agisse d'un homme, d'un chien, d'un chevreuil ou d'une souris, surgissent en contrepoint et déclenchent la règle de vie de la tique.

Jakob J. von Uexküll, *Mondes animaux et monde humain*, 1934, coll. Médiations, Gonthier, p. 16-17, 125-126.

QUESTIONS

1• Résumez sous forme de schéma le comportement de la tique, à partir du couple signal/action : signal → action → signal → action → etc.

2• Le texte permet d'opposer : a) le milieu perceptif de la tique, c'est-à-dire ce qui existe pour la tique ; b) son environnement, c'est-à-dire ce qui existe pour un observateur humain ; c) le monde, c'est-à-dire le cadre objectif, tel que la science peut le reconstituer. Distinguez, dans un tableau en trois colonnes, les données fournies par le texte selon qu'elles appartiennent à l'un ou l'autre de ces domaines.

Les illusions d'optique

L'analyse de certaines illusions d'optique montre bien le travail neurologique de traduction des informations sensorielles.

DOCUMENT 1

DOCUMENT 2

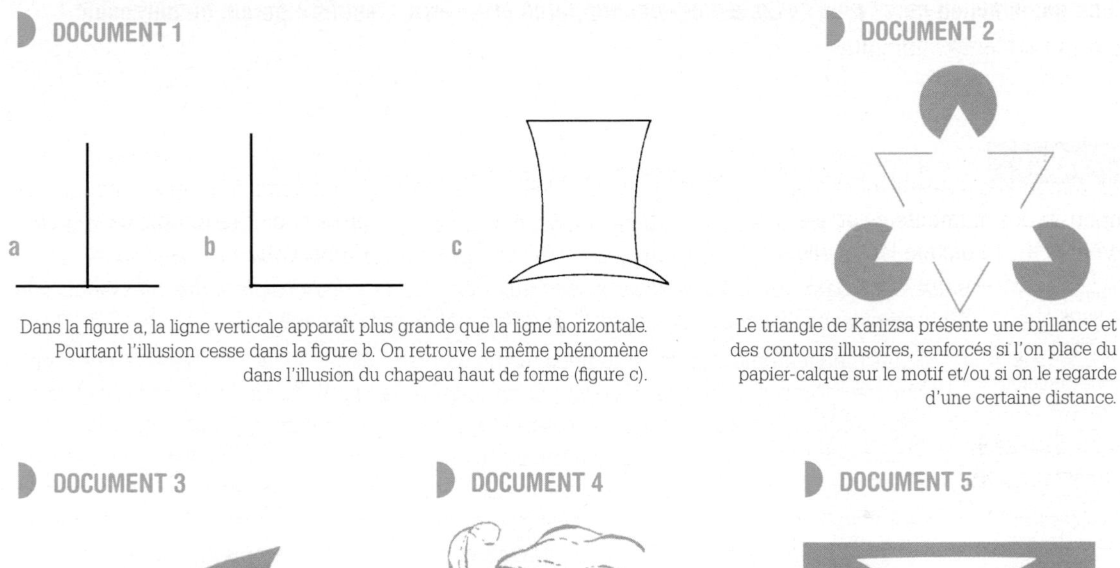

Dans la figure a, la ligne verticale apparaît plus grande que la ligne horizontale. Pourtant l'illusion cesse dans la figure b. On retrouve le même phénomène dans l'illusion du chapeau haut de forme (figure c).

Le triangle de Kanizsa présente une brillance et des contours illusoires, renforcés si l'on place du papier-calque sur le motif et/ou si on le regarde d'une certaine distance.

DOCUMENT 3

DOCUMENT 4

DOCUMENT 5

Figures ambiguës : 3) faucon/oie ; 4) femme/belle-mère ; 5) vase/têtes. L'une ou l'autre des deux perceptions est possible, mais jamais les deux en même temps.

DOCUMENT 6

Poggendorff (1860)

Hering (1861)

Müller-Lyer (1889)

John P. Frisby, *De l'œil à la vision*, 1979, Fernand Nathan.

QUESTIONS

› **1•** Notre perception se contente-t-elle de refléter passivement le monde ? Peut-on parler d'une image fidèle de la réalité ?

› **2•** Dans la figure ambiguë femme/belle-mère, comment passe-t-on d'une perception à l'autre ? Comparez les processus perceptifs et la lecture d'un texte.

Réflexion 4

▶ Y a-t-il une réalité au-delà de la perception ?

Bien loin de nier la réalité sensible, le philosophe anglais Berkeley veut prouver que rien n'existe au-delà du sensible : aucune matière, aucun monde extérieur matériel. L'être des choses se réduit à ce que nous en percevons : *esse est percipi aut percipere*, « être, c'est être perçu, ou percevoir ».

Texte 1 — Le monde sensible : un assemblage arbitraire des différents sens

Les données visuelles sont radicalement différentes des données tactiles. Seules ces dernières, pour Berkeley, peuvent nous donner l'impression d'étendue et d'extériorité. C'est seulement parce qu'elles sont associées aux données tactiles depuis notre naissance que les impressions visuelles nous permettent d'appréhender l'espace.

Il suit manifestement de ce que nous avons montré que les idées d'espace, d'extériorité et de choses placées à distance ne sont pas, strictement parlant, les objets de la vue ; elles ne sont pas perçues autrement par l'œil que par l'oreille. Assis dans mon bureau, j'entends une voiture passer dans la rue ; je regarde à travers la croisée, et je la vois ; je sors et je monte dans la voiture ; ainsi, le langage courant nous amènerait à penser que j'entends, vois et touche la même chose, à savoir, la voiture. Il est néanmoins certain que les idées introduites par chacun des sens sont radicalement différentes et distinctes les unes des autres ; mais, comme on a observé constamment qu'elles vont ensemble, on en parle comme d'une seule et même chose.

Je perçois, par la variation du bruit, les différentes distances de la voiture, et je sais qu'elle approche avant de regarder dehors. Ainsi, je perçois la distance par l'oreille exactement de la même manière que je la perçois par l'œil.

Néanmoins, je ne dis pas que j'entends la distance de la même manière que je dis la voir, car les idées perçues par l'ouïe ne sont pas aussi propres à être confondues avec les idées du toucher que le sont celles de la vue. [...]

Afin donc de traiter de la vision avec précision, et sans confusion, nous devons garder à l'esprit qu'il y a deux sortes d'objets appréhendés par l'œil, les uns originellement et immédiatement[1], les autres secondairement et par l'intermédiaire des premiers[2]. Les objets de la première sorte ne sont ni ne paraissent être hors de l'esprit, ou à quelque distance ; ils peuvent certainement devenir plus grands ou plus petits, plus confus, plus nets ou plus pâles, mais ils ne s'approchent pas, ne s'éloignent pas – ne sauraient s'approcher ni s'éloigner de nous. Toutes les fois que nous disons qu'un objet est à distance, toutes les fois que nous disons qu'il s'approche ou qu'il s'écarte, nous devons toujours l'entendre en référence aux objets de la seconde sorte, qui appartiennent en propre au toucher, et qui ne sont pas tant perçus que suggérés par l'œil de la même manière que les pensées sont suggérées par l'oreille.

George Berkeley, *Nouvelle Théorie de la vision*, 1709,
trad. L. Déchery, *in Œuvres*, t. I, § 46, 47, 50, PUF, p. 224 sq.

1. Ce sont les données visuelles pures (lumière et couleurs), non encore associées aux données tactiles et motrices.
2. Ce sont les données visuelles étroitement associées aux données tactiles et motrices qu'elles « suggèrent ».

QUESTIONS

› 1• Expliquez l'exemple de la voiture. Pourquoi n'est-ce pas, à proprement parler, la même voiture que je vois, j'entends et je touche ? À partir de là, montrez que la vue, le toucher et l'ouïe forment des mondes sensoriels distincts.

› 2• Expliquez pourquoi, selon Berkeley, la vue seule ne peut pas donner d'indications spatiales (› Condillac, p. 58).

Texte 2 La vision, un outil pour l'action

1. Dieu.

Notre vision n'est qu'un langage de signes arbitraires et non une doublure de la réalité.

En somme, je pense que nous pouvons conclure honnêtement que les objets propres de la vision constituent un langage universel de l'Auteur de la nature[1] par lequel nous apprenons à régler nos actions en vue d'acquérir ces choses qui sont nécessaires à la préservation et au bien-être de nos corps, et aussi d'éviter tout ce qui peut leur nuire et les détruire. C'est principalement par les informations qu'ils nous donnent que nous sommes guidés dans toutes les affaires et dans toutes les occupations de la vie. Et la manière dont ils nous font entendre et dont ils nous indiquent les objets qui sont à distance, est la même que celle des langages et des signes de facture humaine qui ne suggèrent pas les choses signifiées par une ressemblance ou une identité de nature, mais seulement par une connexion habituelle que l'expérience nous a fait remarquer entre eux.

Supposez qu'un homme qui serait toujours resté aveugle entende son guide lui dire qu'après s'être avancé de tant de pas il arrivera au bord d'un précipice ou qu'il sera arrêté par un mur ; cela ne doit-il pas lui sembler très admirable et très surprenant ? Il ne peut pas concevoir comment il est possible pour les mortels de faire de telles prédictions qui lui semblent aussi étranges et inexplicables que le sont les prophéties pour les autres. Même ceux qui ont le bonheur de jouir de la faculté visuelle peuvent (bien que la familiarité fasse qu'elle est moins remarquée) y trouver une cause suffisante d'admiration.

Op. cit., § 147-148, p. 276-277.

QUESTIONS

1• Pourquoi Berkeley compare-t-il la vision à un langage ?

2• Pourquoi, pour l'aveugle, la vue fonctionne-t-elle comme une « voyance » (un don de prophétie) ?

Texte 3 Le monde n'est rien d'autre que notre perception

1. Être (verbe latin).
2. Être perçu (verbe latin).

Il semble évident que les diverses impressions ou idées imprimées sur les sens, [...] ne peuvent exister autrement que dans un esprit qui les perçoit. Je pense qu'une connaissance intuitive de cela peut s'obtenir par quiconque fera attention à ce que veut dire le terme « exister » lorsqu'il est appliqué aux choses sensibles. Je dis que la table sur laquelle j'écris existe, c'est-à-dire que je la vois et la touche ; et, si je n'étais pas dans mon bureau, je dirais que cette table existe, ce par quoi j'entendrais que, si j'étais dans mon bureau, je pourrais la percevoir ; ou bien, que quelque autre esprit la perçoit actuellement. « Il y eut une odeur », c'est-à-dire, elle fut sentie ; « il y eut un son », c'est-à-dire, il fut entendu ; « il y eut une couleur ou une figure » ; elle fut perçue par la vue ou le toucher. C'est tout ce que je puis entendre par des expressions telles que celles-là. Car, quant à ce que l'on dit de l'existence absolue de choses non pensantes, sans aucun rapport avec le fait qu'elles soient perçues, cela semble parfaitement inintelligible. L'*esse*[1] de ces choses-là, c'est leur *percipi*[2] ; et il n'est pas possible qu'elles aient une existence quelconque en dehors des esprits ou des choses pensantes qui les perçoivent.

George Berkeley, *Principes de la connaissance humaine*, 1710, § 3,
trad. M. Phillips, *in Œuvres*, t. I, PUF, p. 320.

QUESTION

Par quel raisonnement Berkeley en vient-il à refuser l'existence matérielle du monde ?

REPÈRES et DISTINCTIONS CONCEPTUELLES

Perception / sensation

Les **sensations** désignent les données de sens, éléments premiers de la perception. Elles peuvent être externes (des sons, des couleurs...), ou internes (des douleurs, des sensations de mouvements...). La **perception** utilise ces sensations pour construire ce monde perceptif qui nous est familier, fait d'unités signifiantes (des objets) dans un milieu unifié (l'espace à trois dimensions). Cette distinction tranchée entre sensations et perception est contestée par certains philosophes et certains biologistes.

Descartes, dans *La Dioptrique*, fait le rapprochement entre la vue et le toucher. Les deux bâtons de l'aveugle permettent de comprendre par analogie l'action des rayons lumineux sur la rétine. Cette gravure est extraite d'une édition du XVIIIe siècle.

Les différents mondes perceptifs

Les **mondes sensoriels** sont bien **séparés** : la vue, le toucher, l'ouïe, l'odorat, le goût. On ne peut pas voir avec les mains. Mais, en ce qui concerne la perception, les choses ne sont pas si simples. On voit les choses en tenant compte des effets potentiels du toucher ou du déplacement du corps, on les voit à partir de la mémoire de formes tactiles. Dans la **perception**, les sens mélangent leurs informations dans une **unité** qui nous apparaît naturelle, mais qui est construite. Aussi n'est-il pas absurde de dire qu'on voit avec les mains, et qu'on touche avec les yeux.

Perception et mémoire

La perception est en grande partie faite de **mémoire**. Notre mémoire devance ce que nous percevons, en y projetant des formes préalablement enregistrées. Nous pouvons le savoir grâce aux dysfonctionnements de la mémoire : les **agnosies**. Ce sont des troubles où les données sensorielles sont intactes, mais où la mémoire des formes qui les regroupe en objets signifiants a disparu : le malade continue d'enregistrer différentes sensations, mais ne perçoit plus l'objet qui y correspond.

Perception et action

Notre perception est étroitement liée aux possibilités d'action de notre corps. Les gestes fins d'un sportif ou d'un musicien montre l'étroitesse du lien qui unit le percevoir de l'agir, ce qu'on appelle le **sensori-moteur :** la liaison constante et réciproque entre informations sensibles et mouvements dans l'espace.

On appelle **corps propre** cette perception de notre corps de l'intérieur (sensations de mouvement, de posture, d'équilibre, de douleur, de toucher), dont nous sommes les seuls à avoir la représentation, ce qui le distingue de notre corps objectif.

Monde perçu / Monde réel ; apparence / réalité

La **réalité** ne se donne jamais à nous telle qu'elle est, mais telle qu'elle nous **apparaît**. La réalité apparaît à nos sens, à notre corps, à notre échelle, à notre point de vue, à notre type d'intelligence, à nos moyens d'interprétation. Si je me lève le matin et que je vois le soleil se lever, je dois comprendre que le soleil se lève pour moi, qui vis en France ; mais qu'il est déjà levé à Moscou, et qu'il n'est pas encore levé à Washington. De même, nous savons maintenant que ce n'est pas le soleil qui bouge réellement, c'est la Terre qui tourne. La nature nous *apparaît* (c'est le sens étymologique de **phénomène**), au deux sens du verbe « apparaître » : se montrer, mais dans l'apparence. C'est pour cette raison que Platon oppose monde sensible et monde intelligible (› p. 63).

Milieu perceptif / Environnement / Monde

Le biologiste Jakob von Uexküll propose d'appeler *Umwelt,* « milieu perceptif », le monde perçu par chaque espèce animale, différent d'une espèce à l'autre ; « environnement » le milieu perceptif de l'homme, qui est un monde parmi de nombreux autres ; et « monde » (« Welt »), la réalité objective telle que la science, petit à petit, peut le reconstituer.

Trois types de champs de vision, celle de l'homme, du chat et du chien.

Objectif / subjectif ; qualités premières / qualités secondes des corps

Dès le début du XVIIe siècle, Galilée part du principe que la science, pour comprendre le monde, doit d'abord cerner précisément ce qui lui appartient objectivement, et exclure ce qui ne lui appartient pas. Le **monde objectif** est un livre écrit en langage mathématique. Cela signifie que tout ce qui n'est pas quantifiable relève de « qualités » qui appartiennent à la **subjectivité de l'être vivant**, à sa perception. Dès lors, ce qu'on appelle « réalité » se dédouble. La couleur existe bien réellement, mais d'une certaine façon : en tant que *quantité*, c'est une onde électromagnétique. Mais ce phénomène *quantifiable* n'est pas une couleur. Le « rouge », que nous le distinguons du « bleu », appartient à notre être biologique, c'est une traduction, dont il serait vain de chercher la réalité à l'extérieur de nous. De même, un violon fait vibrer l'air d'une façon dont on peut rendre compte mathématiquement, c'est une « **qualité première** ». Mais le son du violon lui-même, son timbre que nous reconnaissons si différent de celui de la flûte, appartient au monde de notre subjectivité. C'est une « **qualité seconde** ».

chapitre 3

L'inconscient

Pablo Picasso, *Minotaure et jument morte devant une grotte face à une jeune fille au voile,* 1936, gouache et encre de chine (0,50 x 0,65 m), Paris, musée Picasso.

Du mot...

Le mot inconscient est d'abord un adjectif ; comme tel, il peut avoir un sens très large et désigner tout ce qui échappe à la conscience (par exemple les réflexes, les activités physiologiques du corps telle la digestion, les habitudes, les automatismes...).
Il convient d'écarter d'emblée une équivoque : inconscient est aussi un terme moral qui désigne un comportement ou un individu irresponsable : « il est inconscient de faire un feu en forêt en été ». Insouciance, irresponsabilité, ce sens ne sera pas étudié ici.
Lorsque le mot est substantivé, « l'inconscient », il est souvent employé pour désigner un lieu caché ou une force obscure à l'intérieur de l'individu (« c'est son inconscient qui parle »). L'inconscient est souvent perçu comme une réalité évidente, alors qu'il n'est qu'une hypothèse.

... au concept

L'inconscient, c'est ce qui échappe entièrement à la conscience, quels que soient les efforts de la réflexion pour l'atteindre. Il ne s'agit pas de quelque chose de temporairement absent, ou situé à l'arrière plan de la conscience. C'est une réalité vécue qui refuse, à la suite d'une histoire individuelle, de se dévoiler. Hypothèse philosophique ou psychologique, l'inconscient n'est pas un fait établi, c'est une construction théorique qui prend sens à l'intérieur d'un système de concepts : la psychanalyse.

Pistes de réflexion

Qu'est-ce qui échappe à la conscience ?

Une grande partie des phénomènes mentaux et physiologiques échappent à la conscience : je parle sans forcément connaître les lois de la linguistique, un musicien ou un sportif ne pourraient pas expliquer dans le détail tous leurs gestes. Ainsi, la plus grande partie du fonctionnement de mon corps m'est inconnu. Cette non-conscience n'est pas gênante. En revanche, l'ignorance vis-à-vis de mes désirs, mes souvenirs, mes idées, mes angoisses met en question la maîtrise de moi-même. Pourquoi ?

Comment l'homme peut-il s'aveugler lui-même ?

C'est un thème très ancien, dont les premières tragédies grecques cherchent à rendre compte, les religions également, et surtout la philosophie : peut-on s'aveugler ? Peut-on se mentir à soi-même ? Comment peut-on être son propre ennemi ? Ces thèmes moraux ou juridiques recherchent les mécanismes par lesquels la conscience peut se tromper elle-même, et jusqu'à quel point cela la décharge de sa responsabilité.

L'hypothèse freudienne de l'inconscient est-elle scientifiquement acceptable ?

Même s'il n'est pas l'inventeur du concept d'inconscient, Freud est le premier à en faire l'objet d'une investigation qu'il veut scientifique. Quels arguments présente-t-il en faveur de cette prétention ? Quels sont les arguments de ses adversaires d'hier et d'aujourd'hui, qui refusent la moindre scientificité à ces travaux ? Le fait de n'être pas une science enlève-t-il toute validité à la démarche freudienne ?

L'hypothèse freudienne de l'inconscient est-elle un argument contre la liberté humaine ?

Si l'inconscient gouverne une grande partie de la vie mentale, comment se considérer comme responsable d'actes, de pensées que l'on n'aurait pas consciemment choisis ? Mais si l'inconscient limite le champ individuel de la liberté, ne peut-on pas, d'un autre côté, le considérer comme une condition du développement de l'humanité ? Car, à l'échelle historique, le refoulement est au service de la maîtrise des pulsions, il est au fondement des obligations sociales, il explique la réalité humaine du travail, de la création artistique, de l'autonomie morale.

L'hypothèse de l'inconscient psychologique sera-t-elle remplacée un jour par des explications neurologiques et biochimiques ?

Une tendance répandue dans le monde scientifique consiste à se méfier des explications « psychologiques ». On préfère invoquer les causes biologiques, dûment vérifiées : l'action des hormones, des molécules chimiques dans le cerveau, etc. Mais peut-on réduire le comportement humain à des problèmes de cerveau et de molécules ?

Sur quoi repose l'hypothèse d'un inconscient sociologique ?

Nous sommes également inconscients des valeurs morales, des subtilités de langage, des postures que notre éducation a intégrées à notre personnalité. Elles « font corps » avec nous, elles « sont » nous. Il ne s'agit plus d'un vécu refusé, comme dans la psychanalyse ; il s'agit d'un vécu social intégré sous forme de normes « évidentes », de comportements « naturels, spontanés ». Comment prendre une distance par rapport à cette réalité qui nous constitue aussi intimement ?

Passerelles

› Chapitre 4 : Le désir, autrui, p. 92.
› Réflexion : Qu'est-ce qu'interpréter ? L'exemple des rêves, Freud, p. 356.
› Réflexion : La liberté, contre ou avec le déterminisme, p. 514.

Découvertes

DOCUMENT 1 Les trois humiliations

L'histoire de la pensée humaine serait marquée, aux yeux de Freud, par des crises comparables à celles que l'enfant doit traverser pour atteindre l'âge adulte : accepter de n'être plus le centre du monde ; accepter également de ne plus être totalement transparent à soi-même, de ne pas maîtriser totalement sa vie et son monde. Bien loin d'être un renoncement, la reconnaissance de cette fragilité initiale du sujet humain serait au contraire un appel à le bâtir sur des bases nouvelles.

Dans le cours des siècles, la science a infligé à l'égoïsme naïf de l'humanité deux graves démentis.

La première fois, ce fut lorsqu'elle a montré que la Terre, loin d'être le centre de l'univers, ne forme qu'une parcelle insignifiante du système cosmique dont nous pouvons à peine nous représenter la grandeur. Cette première démonstration se rattache pour nous au nom de Copernic[1], bien que la science alexandrine[2] ait déjà annoncé quelque chose de semblable.

Le second démenti fut infligé à l'humanité par la recherche biologique, lorsqu'elle a réduit à rien les prétentions de l'homme à une place privilégiée dans l'ordre de la création, en établissant sa descendance du règne animal et en montrant l'indestructibilité de sa nature animale. Cette dernière révolution s'est accomplie de nos jours, à la suite des travaux de Ch. Darwin, de Wallace[3] et de leurs prédécesseurs, travaux qui ont provoqué la résistance la plus acharnée des contemporains.

Un troisième démenti sera infligé à la mégalomanie[4] humaine par la recherche psychologique de nos jours qui se propose de montrer au moi qu'il n'est seulement pas maître dans sa propre maison, qu'il en est réduit à se contenter de renseignements rares et fragmentaires sur ce qui se passe, en dehors de sa conscience, dans sa vie psychique.

Les psychanalystes ne sont ni les premiers ni les seuls qui aient lancé cet appel à la modestie et au recueillement, mais c'est à eux que semble échoir la mission d'étendre cette manière de voir avec le plus d'ardeur et de produire à son appui des matériaux empruntés à l'expérience et accessibles à tous. D'où la levée générale de boucliers contre notre science, l'oubli de toutes les règles de politesse académique, le déchaînement d'une opposition qui secoue toutes les entraves d'une logique impartiale.

Sigmund Freud, *Introduction à la psychanalyse*, 1916, 3e partie, chap. 18, trad. S. Jankélévitch, 1970, Payot, p. 266-267.

---

1. Copernic (1473-1543), dans son traité *Des révolutions des orbes célestes* (1543), part de l'hypothèse que le soleil est au centre de notre système planétaire (héliocentrisme).
2. Allusion à Aristarque de Samos, qui forma l'hypothèse de la rotation de la Terre. Mais c'est le système de Ptolémée (géocentrisme) qui fut le plus répandu.
3. Charles Darwin (1809-1882) fait paraître en 1859 *L'Origine des espèces*. La théorie de l'évolution est défendue à la même époque par un autre Anglais, Alfred R. Wallace (1823-1913).
4. Délire de grandeur, orgueil démesuré.

QUESTIONS

1• Relevez les trois révolutions évoquées par Freud. En quoi ces découvertes sont-elles humiliantes pour l'homme ?

2• En quoi la psychanalyse entend-elle montrer au moi qu'il n'est pas « maître dans sa propre maison » ?

DOCUMENT 2 L'inconscient : objet de manipulation ou de libération ?

Le professeur Charcot (1825-1893) fut considéré comme le plus grand neurologue de son temps. Il étudia à la Salpêtrière les états hystériques, hypnotiques, cataleptiques[1], somnambuliques, en montrant leur origine entièrement psychique. On lui reprocha de mettre en scène ses malades hystériques.

1. La catalepsie est la suspension complète du mouvement volontaire des muscles.

André Brouillet, *Une leçon de clinique du docteur Charcot à la Salpêtrière*, 1887, huile sur toile, Paris, musée d'Histoire de la médecine.

QUESTION › 1• Pourquoi les théories affirmant l'action d'une partie non consciente de la personnalité humaine engendrent-elles à la fois séduction et méfiance ? Quelles difficultés particulières ces théories posent-elles à l'analyse rationnelle ?

DOCUMENT 3 L'inconscient est structuré comme un langage

L'inconscient est la trame tissée par le travail de la répétition signifiante, plus exactement, l'inconscient est une chaîne virtuelle d'événements ou de « dires » qui *sait* s'actualiser en un « dit » opportun que le sujet dit sans savoir ce qu'il dit.

Ce « dit » que le sujet énonce à son insu et qui actualise la chaîne inconsciente des dires, peut resurgir aussi bien chez l'un ou l'autre des partenaires de l'analyse[1]. Quand le « dit » surgit chez l'analysant[2], nous l'appelons entre autre symptômes, lapsus ou mot d'esprit, et quand il surgit chez le psychanalyste, nous l'appelons entre autres interprétation. Vous le voyez, l'inconscient relie et noue les êtres. Telle est à mes yeux une des idées lacaniennes[3] fondamentales. L'inconscient est un langage qui attache les partenaires de l'analyse : le langage lie, tandis que le corps sépare, l'inconscient noue tandis que la jouissance écarte. [...] Si l'inconscient est une structure de signifiants répétitifs qui s'actualisent en un « dit » énoncé par l'un ou l'autre des sujets analytiques, il s'ensuit que l'inconscient ne peut être individuel, attaché à chacun, et que, par conséquent, nous ne saurons plus assigner un inconscient propre à l'analyste puis un inconscient propre à l'analysant. L'inconscient n'est ni individuel ni collectif, mais produit dans l'espace de l'entre-deux, comme une entité unique qui traverse et englobe l'un et l'autre des acteurs de l'analyse.

Jean-David Nasio, *Cinq Leçons sur la théorie de Jacques Lacan*, 1992, coll. Petite bibliothèque Payot, Payot, p. 28-29.

1. Méthode thérapeutique fondée sur la parole, initiée par Freud.
2. Patient.
3. Renvoie à Jacques Lacan (1901-1981), un psychanalyste célèbre dont les idées sont présentées dans ce texte.

QUESTION › Quelles sont les caractéristiques de l'inconscient mises en avant ici ?

Réflexion 1

Avoir conscience signifie-t-il connaître ?

Les textes suivants ont été écrits par des philosophes héritiers de la pensée cartésienne. Il faut leur ajouter la réflexion d'un autre cartésien : Spinoza (› p. 508). Or, il est remarquable que ces trois auteurs – à la différence de Descartes – ne pensent pas que la connaissance de soi dérive directement de la conscience de soi.

Texte 1 — Des perceptions sans conscience

Sans doute faut-il lire ce texte en se souvenant que Leibniz est, avec Newton, l'inventeur du calcul différentiel. Comment des grandeurs inassignables, petites au-delà de ce que l'on peut imaginer, peuvent-elles, en fin de compte, produire, si on les additionne, des grandeurs sensibles ?

Il y a mille marques qui font juger qu'il y a à tout moment une infinité de perceptions en nous, mais sans aperception[1] et sans réflexion, c'est-à-dire des changements dans l'âme même, dont nous ne nous apercevons pas, parce que les impressions sont, ou trop petites et en trop grand nombre, ou trop unies, en sorte qu'elles n'ont rien d'assez distinguant à part, mais jointes à d'autres, elles ne laissent pas de faire leur effet et de se faire sentir, au moins confusément dans l'assemblage. C'est ainsi que l'accoutumance fait que nous ne prenons pas garde au mouvement d'un moulin ou à une chute d'eau, quand nous avons habité tout auprès depuis quelque temps. Ce n'est pas que ce mouvement ne frappe toujours nos organes et qu'il ne se passe encore quelque chose dans l'âme qui y réponde, à cause de l'harmonie de l'âme et du corps ; mais ces impressions qui sont dans l'âme et dans le corps, destituées des attraits de la nouveauté, ne sont pas assez fortes pour s'attirer notre attention et notre mémoire, attachées à des objets plus occupants. Car toute attention demande de la mémoire ; et souvent, quand nous ne sommes point admonestés[2] pour ainsi dire, et avertis de prendre garde à quelques-unes de nos perceptions présentes, nous les laissons passer sans réflexion et même sans être remarquées ; mais si quelqu'un nous en avertit incontinent[3] après, et nous fait remarquer, par exemple, quelque bruit qu'on vient d'entendre, nous nous en souvenons et nous nous apercevons d'en avoir eu tantôt quelque sentiment. Ainsi c'étaient des perceptions dont nous ne nous étions pas aperçus incontinent, l'aperception ne venant, dans ce cas, que de l'avertissement, après quelque intervalle, tout petit qu'il soit.

Gottfried Leibniz, *Nouveaux Essais sur l'entendement humain*, écrits en 1703-1704, posth. 1765, Éd. Émile Boutroux, Delagrave, 1886, p. 129-131.

1. C'est-à-dire conscience de soi.
2. Prévenus.
3. Tout de suite.

QUESTIONS

› **1•** Par quel argument Leibniz montre-t-il que nous pouvons avoir des perceptions sans avoir de conscience réfléchie de ces perceptions ?

› **2•** Quelles conditions sont nécessaires pour que nous ayons conscience de nos perceptions ?

Passerelle

› **Chapitre 2 : La perception,** p. 50.

Texte 2 La conscience n'implique pas la connaissance

Pour Malebranche, la conscience est une donnée obscure. En effet, on peut avoir un sentiment de soi sans avoir une connaissance associée. Le dialogue suivant prend comme exemple la douleur. Le personnage de Théodore est le porte-parole de l'auteur.

THÉODORE : [...] Pensez-vous que Dieu sent la douleur que nous souffrons ?

ARISTE : Non sans doute : car le sentiment de la douleur rend malheureux.

THÉODORE : Fort bien. Mais croyez-vous qu'il la connaisse ?

ARISTE : Oui, je le crois. Car il connaît tout ce qui arrive à ses créatures. La connaissance de Dieu n'a point de bornes, et connaître ma douleur ne le rend ni malheureux ni imparfait. Au contraire...

THÉODORE : Oh, oh, Ariste ! Dieu connaît la douleur, le plaisir, la chaleur et le reste, et il ne sent point ces choses ! Il connaît la douleur, puisqu'il sait quelle est cette modification de l'âme en quoi la douleur consiste. Il la connaît, puisque c'est lui seul qui la cause en nous, ainsi que je vous prouverai dans la suite, et qu'il sait bien ce qu'il fait. En un mot, il la connaît puisque sa connaissance n'a point de bornes. Mais il ne la sent pas, car il serait malheureux. Connaître la douleur ce n'est donc pas la sentir ?

ARISTE : Il est vrai. Mais sentir la douleur, n'est-ce pas la connaître ?

THÉODORE : Non sans doute, puisque Dieu ne la sent nullement, et qu'il la connaît parfaitement. Mais pour ne point nous arrêter à l'équivoque des termes, si vous voulez que sentir la douleur ce soit la connaître, du moins demeurez d'accord que ce n'est point la connaître clairement, que ce n'est point la connaître par lumière et par évidence ; en un mot que ce n'est point en connaître la nature, et qu'ainsi, à parler exactement, ce n'est point la connaître. Sentir la douleur, par exemple, c'est se sentir malheureux, sans savoir bien ni ce qu'on est, ni quelle est cette modalité de notre être qui nous rend malheureux. Mais connaître, c'est avoir une idée claire de la nature de son objet, et en découvrir tels et tels rapports par lumière et par évidence. Je connais clairement les parties de l'étendue, parce que j'en puis voir évidemment les rapports. Je vois clairement que les triangles semblables ont leurs côtés proportionnels, qu'il n'y a point de triangle plan dont les trois angles ne soient égaux à deux droites. Je vois clairement ces vérités ou ces rapports dans l'idée ou l'archétype[1] de l'étendue. Car cette idée est si lumineuse, que c'est en la contemplant que les géomètres et les bons physiciens se forment ; et elle est si féconde en vérités, que tous les esprits ensemble ne l'épuiseront jamais.

Il n'en est pas de même de mon être. Je n'en ai point d'idée, je n'en vois point l'archétype. Je ne puis découvrir les rapports des modifications qui affectent mon esprit. Je ne puis en me tournant vers moi-même reconnaître aucune de mes facultés ou de mes capacités. Le sentiment intérieur[2] que j'ai de moi-même m'apprend que je suis, que je pense, que je veux, que je sens, que je souffre, etc. mais il ne me fait point connaître ce que je suis, la nature de ma pensée, de ma volonté, de mes sentiments, de mes passions, de ma douleur, ni les rapports que toutes ces choses ont entre elles.

Nicolas Malebranche, *Entretiens sur la métaphysique, sur la religion et sur la mort*, 1688, IIIe entretien, coll. Folio, Gallimard, p. 254.

1. Idée, essence des choses, « prototype » idéal tel qu'il se trouve en Dieu.
2. L'expression est utilisée jusqu'à la fin du XVIIe siècle, à la place du mot « conscience », pris dans son sens psychologique. Ce dernier sens est un néologisme, que Malebranche sera un des premiers à employer couramment, en même temps que Locke (› p. 38).

QUESTIONS

› 1• Relevez les concepts et exemples rattachés à la notion de « connaissance », et ceux relatifs à la notion de « conscience ». Précisez les oppositions.

› 2• Avoir conscience, ce n'est pas connaître : la douleur est prise ici comme simple exemple. Voyez si le raisonnement de Malebranche vaut pour d'autres faits vécus : amour, désirs, angoisse...

Dossier

▶ Comment se manifeste l'inconscient ? Le cas Élisabeth

DOCUMENT

Élisabeth s'appelle en réalité Ilona Weiss. Hongroise d'origine, cette jeune femme âgée de 29 ans vient consulter Freud en 1892. Elle souffre de douleurs aux jambes que Freud attribue à des causes sexuelles. C'est l'occasion pour lui de proposer une méthode d'analyse nouvelle qui deviendra bientôt la psychanalyse.

Je l'interrogeai donc sur les circonstances et les causes de la première apparition des douleurs[1]. Ses pensées s'attachèrent alors à des vacances dans la ville d'eaux où elle était allée avant son voyage à Gastein et certaines scènes surgirent, que nous avions déjà plus superficiellement traitées auparavant. Elle parla de son état d'âme à cette époque, de sa lassitude après tous les soucis que lui avaient causés la maladie ophtalmique de sa mère et les soins qu'elle lui avait donnés à l'époque de l'opération ; elle parla enfin de son découragement final en pensant qu'il lui faudrait, vieille fille solitaire, renoncer à profiter de l'existence et à réaliser quelque chose dans la vie. Jusqu'alors, elle s'était trouvée assez forte pour se passer de l'aide d'un homme ; maintenant, le sentiment de sa faiblesse féminine l'avait envahie, ainsi que le besoin d'amour, et alors, suivant ses propres paroles, son être figé commença à fondre.

Naissance du désir

En proie à un pareil état d'âme, l'heureux mariage de sa sœur cadette fit sur elle la plus grande impression ; elle fut témoin de tous les tendres soins dont le beau-frère entourait sa femme, de la façon dont ils se comprenaient d'un seul regard, de leur confiance mutuelle. On pouvait évidemment regretter que la deuxième grossesse succédât aussi rapidement à la première, mais sa sœur qui savait que c'était là la cause de sa maladie supportait allègrement son mal en pensant que l'être aimé en était la cause.

Au moment de la promenade qui était étroitement liée aux douleurs d'Élisabeth, le beau-frère avait tout d'abord refusé de sortir, préférant rester auprès de sa femme malade, mais un regard de celle-ci, pensant qu'Élisabeth s'en réjouirait, le décida à faire cette excursion. La jeune fille resta tout le temps en compagnie de son beau-frère, ils parlèrent d'une foule de choses intimes et tout ce qu'il lui dit correspondait si bien à ses propres sentiments qu'un désir l'envahit alors : celui de posséder un mari ressemblant à celui-là. Puis ce fut le matin qui suivit le départ de la sœur et du beau-frère qu'elle se rendit à ce site, promenade préférée de ceux qui venaient de partir. Là, elle s'assit sur une pierre, et rêva à nouveau d'une vie heureuse comme celle de sa sœur, et d'un homme, comme son beau-frère, qui saurait capter son cœur. En se relevant, elle ressentit une douleur qui disparut cette fois-là encore, et ce ne fut que dans l'après-midi qui suivit un bain chaud pris dans cet endroit que les douleurs réapparurent pour ne plus la quitter.

J'essayai de savoir quelles pensées l'avaient préoccupée dans son bain ; je ne pus apprendre qu'une seule chose, c'est que l'établissement de bains l'avait fait se souvenir de ce que le jeune ménage y avait habité. J'avais compris depuis longtemps de quoi il s'agissait. La malade, plongée dans ses souvenirs à la fois doux et amers, paraissait ne pas saisir la sorte d'explication qu'elle me suggérait, et continuait à rapporter ses réminiscences[2]. Elle dépeignait son séjour à Gastein et l'état d'anxiété où la plongeait l'arrivée de chacune des lettres ; enfin lui parvint la nouvelle de l'état alarmant de sa sœur, et Élisabeth décrivit la longue attente, le départ du train, le voyage fait dans une angoissante incertitude, la nuit sans sommeil, tout cela accompagné d'une violente recrudescence des douleurs.

Rejet du désir illicite

Je lui demandai si elle s'était représenté pendant le trajet la tragique possibilité qu'elle trouva réalisée à son arrivée. Elle me dit avoir fait l'impossible pour chasser cette idée, mais sa mère, croyait-elle, s'était dès le début attendue au pire. Suivit le récit de son arrivée à Vienne. Elle décrivit l'impression causée par les parents qui les attendaient à la gare, le petit trajet de Vienne à la proche banlieue où habitait sa sœur, l'arrivée le soir, la traversée rapide du jardin jusqu'à la porte du petit pavillon, la maison silencieuse et plongée dans une angoissante obscurité, le fait que le beau-frère ne vint pas à leur rencontre. Puis l'entrée dans la chambre où reposait la morte, et tout d'un coup, l'horrible certitude que cette sœur bien-aimée était partie sans leur dire adieu, sans que leurs soins eussent pu alléger ses derniers moments.

Au même instant une autre pensée avait traversé l'esprit d'Élisabeth, une pensée qui, à la manière d'un éclair rapide, avait traversé les ténèbres : l'idée qu'il était redevenu libre, et qu'elle pourrait l'épouser. Tout s'éclairait. Les efforts de l'analyste étaient couronnés de succès. À cette minute, ce que j'avais supposé se confirmait à mes yeux, l'idée du « rejet » d'une représentation insupportable, l'apparition des symptômes hystériques par conversion d'une excitation psychique en symptômes somatiques[3], la formation – par un acte volontaire aboutissant à une défense – d'un groupe psychique isolé. C'était ainsi et non autrement que les choses s'étaient ici passées. Cette jeune fille avait éprouvé pour son beau-frère une tendre inclination, mais toute sa personne morale révoltée avait refusé de prendre conscience de ce sentiment. Enfin, lorsque cette certitude s'était imposée à elle (pendant la promenade faite avec lui, pendant sa rêverie matinale, au bain et devant le lit de sa sœur), elle s'était créé des douleurs par une conversion réussie de psychique en somatique.

Les résistances

À l'époque où j'entrepris son traitement, l'isolement du groupe d'associations relatives à cet amour était déjà fait accompli ; sans cela, je crois qu'elle ne se serait jamais prêtée au traitement, la résistance qu'elle opposa maintes fois à la reproduction des scènes traumatisantes correspondant réellement à l'énergie mise en œuvre pour rejeter hors des associations l'idée intenable. Toutefois, le thérapeute[4] fut en proie à bien des difficultés dans le temps qui suivit. Pour cette pauvre enfant, l'effet de la prise de conscience d'une représentation refoulée fut bouleversante. Elle poussa les hauts cris, lorsqu'en termes précis, je lui exposai les faits en lui montrant que depuis longtemps, elle était amoureuse de son beau-frère. À cet instant, elle se plaignit des plus affreuses douleurs et fit encore un effort désespéré pour rejeter mes explications : « Ce n'était pas vrai, c'était moi qui le lui avais suggéré, c'était impossible, elle n'était pas capable de tant de vilenie[5], ce serait impardonnable, etc. »

Il ne fut pas difficile de lui démontrer que ses propres paroles ne laissaient place à aucune autre interprétation, mais il me fallut longtemps pour lui faire accepter mes deux arguments consolateurs, à savoir que l'on n'est pas responsable de ses sentiments et que, dans ces circonstances, son comportement, son attitude, sa maladie, témoignaient suffisamment de sa haute moralité.

Sigmund Freud et Joseph Breuer, *Études sur l'hystérie*, 1895, trad. A. Berman, PUF, 2002, p. 163.

1. La patiente éprouve des symptômes hystériques. L'hystérie est une névrose caractérisée par des symptômes d'apparence organique (convulsions, paralysies, douleurs, catalepsie) et des troubles psychiques (hallucinations, délire, mythomanie, angoisse).
2. Souvenirs involontaires.
3. Du corps.
4. Personne qui soigne les malades, médecin.
5. Bassesse, méchanceté.

Vilhem Hammershoi, *Le Repos*, Paris, musée d'Orsay.

QUESTION

› Relevez et distinguez :
- ce qui semble être de l'ordre des faits ;
- ce qui relève de l'interprétation des faits par Élisabeth ;
- ce qui relève de l'interprétation des faits par Freud.

Ces domaines sont-ils bien séparés ? Quel reproche peut-on faire à Freud ?

Une œuvre, une analyse

Présentation

Freud : *Cinq Leçons sur la psychanalyse* (1909)

C'est à partir de l'étude de ses patients, en particulier les hystériques, que Freud élabore sa théorie de l'inconscient. Cette théorie ne concerne pas seulement les individus souffrant de pathologies mentales, mais tout être humain. C'est à une nouvelle compréhension du psychisme et de ses mécanismes que nous invite Freud.

Les *Cinq Leçons sur la psychanalyse* reprennent les conférences prononcées par Freud aux États-Unis en 1909. Persuadé du caractère révolutionnaire de son œuvre et de son rôle bénéfique pour l'humanité, Freud cherche à la répandre dans les pays où elle n'est pas encore connue. Les États-Unis, de ce point de vue, sont un terrain tout désigné pour l'expansion de ses idées. Instruments de propagande, en quelque sorte, ces textes pèchent parfois par schématisme et simplification. Cependant, leur intérêt est de livrer une **genèse à la fois logique et historique** des principaux concepts de la psychanalyse. Cinq leçons, cinq strates successives dans la définition de l'inconscient et dans la compréhension de ses mécanismes. Au cœur de chacun de ces chapitres se trouvent présentées une **intuition essentielle** de la découverte freudienne, une détermination de **concepts fondamentaux**, une définition de plus en plus précise des **symptômes névrotiques**.

L'intérêt philosophique de cette œuvre réside essentiellement dans le souci permanent de Freud d'expliquer les maladies mentales, ici les névroses, en *termes psychiques*: c'est-à-dire en termes de sens, de signification, d'intention, de langage... au lieu de les renvoyer, comme la psychiatrie de son temps, à des causes mécaniques, physiologiques, génétiques, à une sorte de fatalité de naissance.

Freud (1856-1939)

Freud n'est pas un philosophe, mais les répercussions de son œuvre sur la psychologie, la littérature, l'art, l'éducation ne pouvaient laisser la philosophie indifférente. Médecin de formation, il cherchera d'abord à se spécialiser dans le domaine de la neurologie. Ses écrits s'alimentent à deux grandes sources : d'une part, l'analyse des maladies mentales, d'autre part, l'étude des faits ordinaires, comme les rêves, les actes manqués. Il s'attribue deux grandes découvertes : celle de l'inconscient et celle de la sexualité infantile. On ne peut parler de « découverte » de l'inconscient que si l'on comprend que l'inconscient freudien n'est pas seulement du non-conscient, ni du somatique, du neurologique, du neuronal, bref du « mécanisme ». L'inconscient, c'est ce monde de nature psychique, parcouru de sens, de significations, d'intentions, qui ne peut pas devenir conscient, sauf par l'intermédiaire de la cure psychanalytique. Ces processus, qui empêchent une partie de moi-même de parvenir à ma conscience et que l'on schématise derrière le concept de refoulement, Freud tentera toute sa vie de les élucider.
En 1933, les nazis, au pouvoir, brûlent ses livres. Après l'*Anschluss*[1], Freud doit quitter Vienne pour s'installer à Londres où il meurt, aux premiers jours de la Seconde Guerre mondiale.

1. Le 15 mars 1938, l'Autriche est rattachée à l'Allemagne nazie.

	Intuition essentielle	Concepts clés	Définition du symptôme névrotique
1re leçon	1) Les névroses ont des causes psychiques. 2) Elles sont liées à des souvenirs « coincés » dans la mémoire. 3) La parole a un pouvoir thérapeutique.	1) L'hystérique souffre de réminiscences. 2) La maladie est due à une fixation de la vie mentale à un moment du passé.	Les symptômes sont les effets de résidus mnésiques (c'est-à-dire relatifs à la mémoire) non assimilés par la conscience.
2e leçon	1) La névrose n'est pas due à une dégénérescence congénitale, mais à une histoire individuelle. 2) Elle est l'effet de conflits à l'intérieur du psychisme.	1) Le refoulement est pathogène. Ce qui est refoulé par la conscience est inacceptable pour elle. 2) Le refoulement s'accompagne de résistances au redevenir conscient du refoulé.	Les symptômes sont des substituts d'idées refoulées.
3e leçon	La vie psychique est entièrement cohérente ; toutes les lacunes ou incohérences, au niveau conscient, doivent pouvoir s'expliquer en reconstituant les chaînes inconscientes d'idées. Tout est signifiant dans notre vie psychique.	1) Postulat du déterminisme psychique (les faits psychiques s'expliquent les uns par les autres). 2) Méthode de libre association des idées. 3) Le travail du rêve est un ensemble de déformations visant à transformer un contenu inconscient pour le rendre incompréhensible au rêveur.	Les symptômes sont la réalisation déformée, déguisée, de désirs refoulés.
4e leçon	1) Il existe une sexualité infantile. 2) La sexualité humaine ne peut se réduire à des faits biologiques. Elle est le produit d'une histoire où l'imaginaire joue un rôle essentiel.	1) L'ensemble des pulsions sexuelles forme la libido. 2) Les pulsions sexuelles ont un destin différent selon les individus. 3) Elles doivent traverser un drame universel : le complexe d'Œdipe.	Les symptômes sont la réalisation déformée de désirs sexuels d'origine infantile.
5e leçon	1) Il n'y a pas de coupure nette entre la santé mentale et la maladie. 2) La maladie est un refuge pour échapper aux conflits pulsions/réalité.	1) La maladie marque une régression à un stade infantile. 2) Pour y échapper, il ne faut pas chercher à détruire les pulsions, mais à les sublimer. 3) Pour être décisive, la cure psychanalytique doit passer par l'épreuve du transfert.	Les symptômes expriment une défense du Moi envers la réalité extérieure, en même temps qu'un refuge contre la pression des pulsions intérieures.

Définitions

• La **névrose** est caractérisée par des troubles affectifs et émotionnels mais qui n'altèrent pas toutes les capacités mentales.
• L'**hystérie** est une névrose caractérisée par une exagération des modalités d'expression psychique et affective. Elle peut se manifester de façon organique (convulsion, paralysie) ou psychique (hallucination, délire).
• Une **réminiscence** est un retour à la conscience d'une image non identifiée comme souvenir.
• La **libre association** est une méthode utilisée lors des thérapies invitant le patient à exprimer toutes les idées qui lui viennent à l'esprit sans les censurer (» Texte 3, p. 83).
• La **libido**, c'est l'énergie psychique sous-tendant les pulsions, notamment sexuelles.
• Le **complexe d'Œdipe**, très schématiquement, est l'attachement érotique de l'enfant le plus souvent au parent de sexe opposé.
• **Sublimer**, c'est transposer consciemment ou non ses pulsions sur un plan supérieur de réalisation (par exemple dans l'art).
• Le **transfert** est l'acte par lequel le patient reporte sur le psychanalyste une affection ou une hostilité qu'il éprouvait pour une autre personne.

Extraits

Freud : *Cinq Leçons sur la psychanalyse* (1909)

Prendre conscience de son inconscient ?

Dans les *Cinq Leçons sur la psychanalyse*, Freud expose la genèse des principaux concepts de sa théorie. Son évolution est orientée par sa pratique de médecin. Il propose de nouveaux concepts, de nouvelles méthodes plus efficaces pour comprendre le fonctionnement de l'esprit.

Texte 1 Un traitement par la parole

*En compagnie du docteur Breuer, Freud cherche à traiter des cas de névroses hystériques (**p. 78**). Le cas envisagé ici est celui d'Anna O.*

On avait remarqué que dans ses états d'absence, d'altération psychique avec confusion, la malade avait l'habitude de murmurer quelques mots qui semblaient se rapporter à des préoccupations intimes. Le médecin se fit répéter ses paroles et, ayant mis la malade dans une sorte d'hypnose, les lui répéta mot à mot, espérant ainsi déclencher les pensées qui la préoccupaient. La malade tomba dans le piège et se mit à raconter l'histoire dont les mots murmurés pendant ses états d'absence avaient trahi l'existence. C'étaient des fantaisies d'une profonde tristesse, souvent même d'une certaine beauté – nous dirons des rêveries – qui avaient pour thème une jeune fille au chevet de son père malade. Après avoir exprimé un certain nombre de ces fantaisies, elle se trouvait délivrée et ramenée à une vie psychique normale. L'amélioration, qui durait plusieurs heures, disparaissait le jour suivant, pour faire place à une nouvelle absence que supprimait, de la même manière, le récit des fantaisies nouvellement formées. Nul doute que la modification psychique manifestée pendant les absences était une conséquence de l'excitation produite par ces formations fantaisistes d'une vive tonalité affective. La malade elle-même qui, à cette époque de sa maladie, ne parlait et ne comprenait que l'anglais, donna à ce traitement d'un nouveau genre le nom de *talking cure*[1] ; elle le désignait aussi, en plaisantant, du nom de *chimney sweeping*[2]. [...]

Nous pouvons *grosso modo* résumer tout ce qui précède dans la formule suivante : *les hystériques souffrent de réminiscences*[3]. Leurs symptômes sont les résidus et les symboles de certains événements (traumatiques).

Sigmund Freud, *Cinq Leçons sur la psychanalyse*, 1909, trad. Y. Le Lay, coll. Petite bibliothèque Payot, Payot, p. 12-13, 16.

1. Cure par la parole.
2. Ramonage.
3. Surgissements de scènes du passé qui avaient été oubliées et dont l'origine paraît inconnue.

QUESTIONS

1• Expliquez : « les hystériques souffrent de réminiscences ». Comment Anna O. gère-t-elle le souvenir de l'événement traumatisant ? En a-t-elle conscience ?

2• Le refoulement est à la fois un oubli d'apparence définitive (le souvenir est effacé) et une incapacité à oublier (le souvenir demeure). Expliquez ce paradoxe.

3• Que serait le fonctionnement normal d'un « travail de deuil » à la suite d'un événement traumatisant ?

Texte 2 Le postulat du déterminisme psychique

L'hypnose se révélant à l'usage décevante et aléatoire, Freud est à la recherche d'une technique capable de faire resurgir les souvenirs inconscients sans contrainte.

Incapable de m'en sortir, je m'accrochai à un principe dont la légitimité scientifique a été démontrée plus tard [...]. C'est celui du déterminisme psychique, en la rigueur duquel j'avais la foi la plus absolue. Je ne pouvais pas me figurer qu'une idée surgissant spontanément dans la conscience d'un malade, surtout une idée éveillée par la concentration de son attention, pût être tout à fait arbitraire et sans rapport avec la représentation oubliée que nous voulions retrouver. Qu'elle ne lui fût pas identique, cela s'expliquait par l'état psychologique supposé.

1. Qui ne se manifestent pas, cachées.
2. « Il existe une force qui les empêche [les souvenirs refoulés] de devenir conscients [...].

Cette force, qui maintient l'état morbide, on l'éprouve comme une résistance opposée par le malade » (*op. cit.*, p. 26).

Deux forces agissaient l'une contre l'autre dans le malade ; d'abord son effort réfléchi pour ramener à la conscience les choses oubliées, mais latentes[1] dans son inconscient ; d'autre part la résistance[2] que je vous ai décrite et qui s'oppose au passage à la conscience des éléments refoulés. Si cette résistance est nulle ou très faible, la chose oubliée devient consciente sans se déformer ; on était donc autorisé à admettre que la déformation de l'objet recherché serait d'autant plus grande que l'opposition à son arrivée à la conscience serait plus forte. L'idée qui se présentait à l'esprit du malade à la place de celle qu'on cherchait à rappeler avait donc elle-même la valeur d'un symptôme. C'était un substitut nouveau, artificiel et éphémère de la chose refoulée et qui lui ressemblait d'autant moins que sa déformation, sous l'influence de la résistance, avait été plus grande. Pourtant, il devait y avoir une certaine similitude avec la chose recherchée, puisque c'était un symptôme et, si la résistance n'était pas trop intense, il devait être possible de deviner, au moyen des idées spontanées, l'inconnu qui se dérobait. L'idée surgissant dans l'esprit du malade est, par rapport à l'élément refoulé, comme une allusion, comme une traduction de celui-ci dans un autre langage.

Op. cit., p. 33-34.

QUESTIONS

1• Comment Freud justifie-t-il l'adoption du principe du déterminisme psychique ?

2• D'après le texte, donnez une définition du déterminisme psychique.

Texte 3 La méthode de libre association

À partir du postulat du déterminisme psychique, Freud établit une règle de méthode : celle de la libre association des idées, qui s'oppose à toute forme de « violence » (hypnose) ou de contrainte (suggestion). La parole libre sera au cœur du traitement psychanalytique.

Pour rechercher un complexe refoulé, nous partons des souvenirs que le malade possède encore, nous pouvons donc y parvenir, à condition qu'il nous apporte un nombre suffisant d'associations libres. Nous laissons parler le malade comme il lui plaît, conformément à notre hypothèse d'après laquelle rien ne peut lui venir à l'esprit qui ne dépende indirectement du complexe recherché. Cette méthode pour découvrir les éléments refoulés vous semble peut-être pénible ; je puis cependant vous assurer que c'est la seule praticable. Il arrive parfois qu'elle semble échouer : le malade s'arrête brusquement, hésite et prétend n'avoir rien à dire, qu'il ne lui vient absolument rien à l'esprit. S'il en était réellement ainsi, notre procédé serait inapplicable. Mais une observation minutieuse montre qu'un tel arrêt des associations libres ne se présente jamais. Elles paraissent suspendues parce que le malade retient ou supprime l'idée qu'il vient d'avoir, sous l'influence de résistances revêtant la forme de jugements critiques. On évite cette difficulté en avertissant le malade à l'avance et en exigeant qu'il ne tienne aucun compte de cette critique. Il faut qu'il renonce complètement à tout choix de ce genre et qu'il dise tout ce qui lui vient à l'esprit, même s'il pense que c'est inexact, hors de la question, stupide même, et surtout s'il lui est désagréable que sa pensée s'arrête à une telle idée. S'il se soumet à ces règles, il nous procurera les associations libres qui nous mettront sur les traces du complexe refoulé.

Op. cit., p. 36-37.

QUESTIONS

1• Quelle est la règle posée par le psychanalyste ?

2• Pourquoi permet-elle de mettre au jour les résistances ? Comment les résistances mènent-elles au refoulé ?

Passerelles

Chapitre 4 : Le désir, autrui, p. 92.

Textes : Freud, *L'Interprétation des rêves*, p. 356.
Freud, *Le Malaise dans la culture*, p. 565.

Dossier : Le langage est-il responsable des ratés de la communication ? p. 184.

Réflexion 2

▶ Quel jugement porter sur l'hypothèse de l'inconscient ?

Aujourd'hui, la notion d'inconscient semble renvoyer à une vérité d'évidence. Or l'inconscient n'existe pas au même titre qu'existe le soleil, ou le mont Everest ; on ne peut pas le constater de la même façon. Pour Freud lui-même, c'est une hypothèse. Comme toute hypothèse, elle est fondée indirectement sur des interprétations de faits. Il est donc possible d'en contester la réalité.

Texte 1 La notion d'inconscient est-elle dangereuse ?

La critique d'Alain, d'inspiration cartésienne, vise à réduire l'inconscient freudien à des mécanismes corporels.

Le *freudisme*, si fameux, est un art d'inventer en chaque homme un animal redoutable, d'après des signes tout à fait ordinaires ; les rêves sont de tels signes ; les hommes ont toujours interprété leurs rêves, d'où un symbolisme facile. Freud se plaisait à montrer que ce symbolisme facile nous trompe et que nos symboles sont tout ce qu'il y a d'indirect. Les choses du sexe échappent évidemment à la volonté et à la prévision ; ce sont des crimes de soi, auxquels on assiste. On devine par là que ce genre d'instinct offrait une riche interprétation.

L'homme est obscur à lui-même ; cela est à savoir. Seulement il faut éviter ici plusieurs erreurs que fonde le terme d'*inconscient*. La plus grave de ces erreurs est de croire que l'inconscient est un autre Moi ; un Moi qui a ses préjugés, ses passions et ses ruses ; une sorte de mauvais ange, diabolique conseiller. Contre quoi il faut comprendre qu'il n'y a point de pensées en nous sinon par l'unique sujet, Je ; cette remarque est d'ordre moral [...]. L'inconscient est donc une manière de donner dignité à son propre corps ; de le traiter comme un semblable –, comme un esclave reçu en héritage et dont il faut s'arranger. L'inconscient est une méprise sur le Moi, c'est une idolâtrie du corps. On a peur de son inconscient ; là se trouve logée la faute capitale. Un autre Moi me conduit qui me connaît et que je connais mal. L'hérédité est un fantôme du même genre. « Voilà mon père qui se réveille ; voilà celui qui me conduit. Je suis par lui possédé. » [...]

En somme, il n'y a pas d'inconvénient à employer couramment le terme d'inconscient ; c'est un abrégé du mécanisme[1]. Mais, si on le grossit, alors commence l'erreur ; et, bien pis, c'est une faute.

Émile-Auguste Chartier, dit Alain, *Éléments de philosophie*, 1916, coll. Idées, Gallimard, 1941, p. 147.

1. Attitude philosophique et scientifique qui consiste à réduire le fonctionnement des corps vivants à des mécanismes physico-chimiques (› Descartes, p. 380).

Odilon Redon, *L'Araignée souriante*, avant 1887, fusain sur papier chamois (0.495 x 0.390 m), Paris, musée d'Orsay, conservé au musée du Louvre.

QUESTIONS

› **1•** Énumérez les contresens que la notion d'inconscient, selon Alain, peut entraîner. Sont-ils imputables : a) à Freud, b) aux lecteurs de Freud, c) à une mauvaise lecture de Freud par Alain ?

› **2•** « Alors commence l'erreur ; et bien pis, c'est une faute. » En vous servant du texte, expliquez ce passage de l'erreur à la faute.

Texte 2 La théorie freudienne est-elle réellement explicative ?

Pour Popper, le caractère scientifique d'une théorie dépend de sa capacité à être réfutable, (➚ p. 327), *elle doit pouvoir être testée. Toute théorie qui n'est pas testable est non scientifique. C'est le cas du freudisme, selon lui.*

J'avais remarqué que ceux de mes amis qui s'étaient faits les adeptes de Marx, Freud et Adler[1] étaient sensibles à un certain nombre de traits communs aux trois théories, et tout particulièrement à *leur pouvoir explicatif* apparent. Celles-ci semblaient aptes à rendre compte de la quasi-totalité des phénomènes qui se produisaient dans leurs domaines d'attribution respectifs. L'étude de l'une quelconque de ces théories paraissait agir à la manière d'une conversion, d'une révélation intellectuelle, exposant aux regards une vérité neuve qui demeurait cachée pour ceux qui n'étaient pas encore initiés. Dès lors qu'on avait les yeux dessillés[2], partout l'on apercevait des confirmations : l'univers abondait en *vérifications* de la théorie [...].

Or je remarquai que cela n'avait pas grand sens, étant donné que tous les cas imaginables pouvaient recevoir une interprétation dans le cadre de la théorie adlérienne ou, tout aussi bien, dans le cadre freudien. J'illustrerai ceci à l'aide de deux exemples, très différents, de comportement : celui de quelqu'un qui pousse à l'eau un enfant dans l'intention de le noyer, et celui d'un individu qui ferait le sacrifice de sa vie pour tenter de sauver l'enfant. On peut rendre compte de ces deux cas, avec une égale facilité, en faisant appel à une explication de type freudien ou de type adlérien. Pour Freud, le premier individu souffre d'un refoulement (affectant, par exemple, l'une des composantes de son complexe d'Œdipe), tandis que, chez le second, la sublimation est réussie. Selon Adler, le premier souffre de sentiments d'infériorité (qui font peut-être naître en lui le besoin de se prouver à lui-même qu'il peut oser commettre un crime), tout comme le second (qui éprouve le besoin de se prouver qu'il ose sauver l'enfant).

Je ne suis pas parvenu à trouver de comportement humain qui ne se laisse interpréter selon l'une et l'autre de ces théories. Or c'est précisément cette propriété – la théorie opérait dans tous les cas et se trouvait toujours confirmée – qui constituait, aux yeux des admirateurs de Freud et d'Adler, l'argument le plus convaincant en faveur de leurs théories. Et je commençais à soupçonner que cette force apparente représentait en réalité leur point faible.

Karl Raimund Popper, « La Science : conjectures et réfutations », 1953, *in Conjectures et réfutations*, Payot, 1979, p. 61-63.

1. Alfred Adler (1870-1937), disciple dissident de Freud. Il modifie très fortement la théorie freudienne en remettant en cause les concepts de refoulement et de libido pour les remplacer par l'analyse des sentiments d'infériorité et de supériorité, au cœur, selon lui, des névroses.
2. Avoir les yeux dessillés, c'est prendre conscience de la vérité.

QUESTIONS

› 1• Que conclure de l'exemple proposé par Popper ? En quoi est-ce une critique du freudisme ?

› 2• Pourquoi, pour Popper, la force apparente de la théorie freudienne est-elle en réalité son point faible ?

› 3• À supposer que l'hypothèse de l'inconscient ne réponde pas aux exigences de scientificité, à quelle légitimité peut-elle continuer à prétendre ?

Salvador Dali, *L'Énigme sans fin*, 1938 (114 x 146 cm), Madrid, musée Reina Sofia.

SUJET COMMENTÉ **DISSERTATION • La conscience de soi implique-t-elle la connaissance de soi ?**

Comprendre le sujet

Le sujet invite à réfléchir à la différence entre *conscience* et *connaissance*.

▪ **Pour démarrer la réflexion**

On serait tenté d'aller chercher directement des références philosophiques, surtout si un cours a été fait précédemment, par exemple sur l'inconscient freudien. Mais c'est prendre le risque d'un devoir partiel, d'une récitation de cours.

Plutôt que de commencer par des références et des oppositions abstraites, il est préférable de réfléchir sur des expériences vécues, parmi les plus simples. Prendre, par exemple, les expressions communes (*se lever du pied gauche, perdre la tête, être hors de soi…*) ; des réalités psychologiques (sympathies, antipathies, angoisses…) ; des réalités sociales (passions excessives, incompréhensions...). Pouvons-nous expliquer tout cela, en avons-nous une connaissance précise? Certainement pas.

Dans un premier temps, et pour débuter, on pourra également se contenter de distinctions provisoires : avoir conscience, c'est constater, se rendre compte. Avoir connaissance, c'est expliquer.

Cette première approche permettra de chercher des exemples, qui permettront d'affiner les distinctions. Il ne faut pas chercher tout de suite des définitions précises. Définitions et analyses, dans le travail préalable de réflexion, se soutiennent mutuellement.

Chercher à enraciner le problème dans des réalités concrètes, de façon à lui donner toute son extension.

▪ **La forme logique**

Lorsqu'un sujet de dissertation contient deux concepts, il est important de savoir si les deux concepts ont un poids égal et doivent donc être traités de façon équilibrée et symétrique, ou bien si l'un des deux concepts concentre le poids essentiel de l'analyse.

Dans le sujet qui nous est proposé, le premier concept (conscience de soi) ne pose pas de difficulté, c'est une réalité de fait qui sert de point de départ au problème ; celui-ci se concentre autour de l'idée de connaissance.

En effet, la conscience de soi est une **condition nécessaire** de la connaissance de soi. Il faut donc avoir conscience pour avoir connaissance. Ce constat ne pose donc pas de problème. On peut se contenter de donner une description rapide de la conscience de soi au début du devoir, et de noter qu'elle est la condition nécessaire de toute connaissance.

La question est de savoir si la conscience est une **condition suffisante.** Le centre du problème devient donc : que veut dire se connaître soi-même? Qu'est-ce qui peut manquer à la conscience pour atteindre cette connaissance?

Un outil logique semble indispensable : la différence entre **condition nécessaire** et **condition suffisante.**

Construire une problématique

De manière générale, qu'est-ce qui me permet de dire que je « connais » quelque chose?

Il faut réfléchir sur les différents sens possibles de « connaissance ».

› Trois critères peuvent être proposés :

1▪ Il faut d'abord **prendre conscience que cette chose existe**, ou peut exister.

Par exemple, les virus, les microbes sont restés « inconnus » pendant des millénaires, on ne soupçonnait même pas leur existence, puisqu'ils sont invisibles à l'œil nu.

2▪ Connaître une chose, c'est aussi pouvoir expliquer son fonctionnement, **connaître ses causes**, son origine, pouvoir l'insérer dans les lois de la nature, ou dans une histoire.
3▪ Connaître, c'est **juger objectivement** une réalité, sans la déformer.

Ces trois questions se recoupent partiellement. Il est rare que les parties d'une dissertation soient parfaitement « étanches » ; l'essentiel est de permettre un traitement séparé de problèmes différents, en essayant d'aller des plus simples aux plus complexes.

› Si l'on applique ces trois critères à notre vie intérieure, trois questions se posent :
1▪ Est-ce que j'ai accès à tout ce qui se passe dans mon psychisme ?
2▪ Est-ce que je peux expliquer les causes de toutes mes émotions, idées et réactions ?
3▪ Est-ce que j'ai suffisamment de recul pour me juger de façon neutre, objective ?

Rédiger l'introduction

La conscience de soi est cette intuition immédiate et permanente (du moins tant que nous sommes éveillés) de notre vie intérieure : nos pensées, nos sentiments, nos émotions, nos désirs... nous sont immédiatement donnés, et personne ne pourrait les vivre à notre place. Aussi, il semblerait naturel de conclure que nous nous connaissons, puisque nous avons un contact direct avec ce que nous vivons.

Point de départ : proposer une esquisse de définition de la conscience dans l'opinion commune.

Cependant certains faits peuvent nous faire douter de ce constat. Tout n'est pas transparent dans la conscience que j'ai de moi-même. J'ai souvent conscience de certaines réactions dont je ne comprends pas les causes. Je crois avoir conscience de mon caractère, mais souvent j'exagère ou je minimise tel défaut ou telle qualité. Je suis conscient de mes opinions, mais est-ce que je sais réellement d'où elles me viennent ? Peut-être que ma conscience en reste-t-elle aux apparences immédiates. Or connaître, c'est chercher la réalité profonde, trouver les causes réelles des faits.

Ce qui conduit à **un premier problème.**

Utiliser les connecteurs logiques comme : *cependant, pourtant ...*

La conscience de soi est sans doute une condition nécessaire de la connaissance. Sans elle je ne pourrais rien connaître, ni le monde, ni moi-même. Mais est-elle une condition suffisante ? Suffit-il de se vivre de l'intérieur pour prétendre se connaître ?

Esquisse de **définition de la connaissance.**

Reformulation du **problème**.

Nous étudierons donc dans un premier temps si nous avons accès à l'intégralité de notre psychisme. Puis si nous sommes capables d'expliquer les causes de toutes nos pensées, et enfin si nous pouvons nous juger de façon neutre, objective.

Annoncer le plan n'est pas une nécessité si les questions posées suffisent à faire comprendre la démarche.
› **Fiche 2,** p. 574

Pistes pour rédiger le plan

Partie I

Se connaître implique au minimum que l'on prenne conscience de ce qui est inconnu en soi-même.

› **Fiche 4,** p. 578

Si je suis angoissé et que je n'en vois pas les raisons, ou que les raisons que je peux trouver me semblent disproportionnées, je prends conscience immédiatement que quelque chose m'échappe. Je ne sais pas ce que c'est, mais au moins je sais que je ne le sais pas, et comme l'affirme Socrate, cette conscience de l'ignorance est le début de la connaissance.

› Chapitre 21, Le devoir : **Socrate**, p. 528-529.

› **Sous-partie 1 :** Les hommes se méconnaissent, **parce qu'ils croient se connaître**.

Exemple Les préjugés apparaissent comme des évidences ; c'est la raison pour laquelle on a du mal à les remarquer.

› Sous-partie 2 : Plus grave, les hommes peuvent se méconnaître, **parce qu'ils se cachent à eux-mêmes**.

Exemple La mauvaise foi, le refus de se regarder en face, la peur de la réalité sont des manières de se fuir. Se mentir à soi-même semble contradictoire.

› Sous-partie 3 : Enfin, **l'expérience nous manque** souvent pour connaître les potentialités qui sont en nous.

Exemple On ne peut connaître ses limites que dans l'action, ou lorsque la vie nous met au pied du mur. Ce sont les épreuves de la vie qui peuvent m'apprendre si je suis lâche ou courageux, résistant à l'épreuve.

Ici des arguments sont proposés, sans être développés. Ils sont donc à compléter.

Transition

Tant qu'on ignore qu'on ignore, on ne peut chercher à se connaître ; tant qu'on n'a pas conscience d'un problème, on ne peut pas en chercher les causes. C'est donc souvent en se heurtant à des traits de caractère ou à des réactions étranges que l'on cherchera à mieux se connaître en analysant les causes de nos actions.

La transition entre deux parties résume ce qui précède, mais fait rebondir le problème en introduisant la partie suivante.
› **Fiche 6,** p. 586

Partie II

Se connaître implique qu'on puisse expliquer les vraies causes de ses sentiments, de ses pensées, de ses actions ou réactions.
Or ces causes nous sont souvent inconnues. Pourquoi ?

› Sous-partie 1 : De manière générale, j'ai une conscience immédiate de mes désirs, de mes envies, et je peux imaginer que ce sont là les causes de mes actions.

Exemple Dans une lettre dans laquelle il traite de la question de la liberté et du libre arbitre, Spinoza affirme que la méconnaissance que les hommes ont d'eux-mêmes est à l'origine d'une fausse conception de la liberté : « Cette liberté humaine que tous se vantent de posséder consiste en cela seul que les hommes ont conscience de leurs désirs et ignorent les causes qui les déterminent. »

› **Spinoza,** *Lettre à Schuller*

› Sous-partie 2 : De manière plus approfondie, cette ignorance des causes peut s'enraciner dans des mécanismes qui ne dépendent pas de moi. C'est ainsi que Freud explique cette part inconnue de nous-mêmes que nous ne pouvons connaître même si nous le voulons de toutes nos forces, et qu'il appelle **« inconscient »**.

Exemple Les angoisses, les phobies, les complexes d'infériorité ou de supériorité, une timidité maladive ou une agressivité chronique sont autant de pathologies ordinaires dont on voudrait comprendre les mécanismes.

› Une œuvre, une analyse : **Freud,** *Cinq Leçons sur la psychanalyse,* p. 80-83

› Sous-partie 3 : De manière générale, l'inconscient n'est pas seulement d'ordre psychologique. Il naît aussi de notre appartenance à un groupe social. Très tôt, nous apprenons des manières d'être, de penser que nous intériorisons si profondément que nous n'y faisons plus attention. On parlera d'*inconscient sociologique.*

Exemple La morale familiale imprègne très tôt l'enfant qui n'a pas les moyens de l'analyser.

Transition

Ce n'est pas seulement des comportements étranges ou déplacés qui nous sont inconnus, mais aussi une trop grande familiarité. Comment prendre suffisamment de recul pour nous juger avec objectivité ?

Partie III

Se connaître implique que l'on puisse avoir une distance suffisante par rapport à soi pour pouvoir se juger objectivement.
Est-ce possible ? La conscience de soi est un contact immédiat avec soi-même. Mais n'est-ce pas précisément cette proximité qui est le principal obstacle à notre connaissance de nous-mêmes. Peut-on se juger à la fois de l'intérieur et de l'extérieur, être juge et partie ?

› Chapitre 1, La conscience : **Comte,** *Cours de philosophie positive,* p. 43

› **Sous-partie 1 :** On se heurte ici aux contradictions de **l'introspection**, peut-on à la fois être l'observateur neutre et l'observé ?

› Chapitre 4, Le désir et autrui : **Lavelle,** *L'Erreur de Narcisse,* p. 113

› **Sous-partie 2 :** Pour se juger avec recul, le **regard d'autrui** est nécessaire ; il renvoie une image extérieure de soi-même qui peut corriger certaines déformations du regard que l'on a sur soi-même. Pour autant, lui non plus n'est pas un juge impartial. Il peut même conforter l'individu dans des distorsions ou en créer d'autres.

› **Sous-partie 3 :** Un **recul sur soi** passe souvent par des expériences ou des exercices pénibles, qui peuvent autant éveiller la lucidité que refermer les gens derrière des défenses plus infranchissables.

Exemple 1 Des expériences douloureuses (décès, échecs, trahison) peuvent conduire à une révision d'un point de vue sur nous-mêmes.

Exemple 2 La compréhension de soi peut passer par des analyses apparemment abstraites (la littérature, la sociologie, l'histoire, la psychanalyse) qui semblent loin de la vie intérieure, mais qui sont pourtant nécessaires. Ces lectures peuvent parfois tromper autant qu'éclairer.

Exemple 3 L'injonction socratique : « connais-toi toi-même » supposerait apparemment que l'homme soit toujours égal à lui-même, et ne change pas, qu'il puisse se connaître une bonne fois pour toutes. Mais cette uniformité de vie n'est pas nécessairement acquise, et Socrate lui-même prononce cette injonction afin d'inciter les hommes à ce mouvement de retour sur soi, de recherche et de réflexion. C'est en se tournant vers soi que l'homme cesse de courir et d'errer à la recherche d'un sens qu'il ne peut trouver qu'en lui, s'il a le courage de se penser et de réfléchir hors de tout préjugé.

› Chapitre 21, Le devoir : **Socrate,** p. 528-529

Rédiger la conclusion

Les hommes n'ont pas une connaissance immédiate de la nature qui les entoure. Il a fallu l'invention des sciences et de détours multiples pour parvenir à un début de connaissance objective. N'en est-il pas de même pour le « monde intérieur » ? Pour celui-ci, il semble qu'une simple familiarité devrait suffire : spectateur de nous-mêmes à chaque instant, nous aurions un accès privilégié à cette intériorité. Or nous avons vu que cette familiarité est précisément un des grands obstacles à cette connaissance. Quant à la recherche des causes qui font ce que nous sommes, il ne semble pas que l'accès en soit plus facile que pour le monde extérieur. La conscience de soi donne la surface de notre personnalité, elle n'en donne pas spontanément les mécanismes.

Comparer la connaissance de soi à la connaissance de la nature (connaissance de l'intérieur/connaissance de l'extérieur). C'est une façon d'élargir le problème.

› **Fiche 5**, p. 580

REPÈRES et DISTINCTIONS CONCEPTUELLES

Les figures de l'inconscient : la tradition

L'inconscient désigne une obscurité fondamentale dans l'être humain, qui l'empêcherait d'avoir une parfaite maîtrise de lui-même, et qui dans les cas extrêmes le rendraient étranger à lui-même (ce qui est le sens premier **d'aliénation**). Analysés par la philosophie et la psychologie à partir du XIXe siècle, les phénomènes de l'inconscient ne sont pas ignorés par les traditions les plus lointaines.

Louis Soutter, *Glace d'argent, miroir d'ébène*, 1938, encre noire et gouache rouge, doigt sur papier (44 x 58.1 cm), Lausanne, musée cantonal des Beaux-Arts.

Les croyances magiques ou religieuses donnent de multiples exemples de **possession, d'envoûtement**. L'obscurité prend la forme d'altérités radicales (diables, esprit mauvais) qui entraînent l'âme à penser et à agir malgré elle. Même s'il ne s'agit que de croyances superstitieuses, le fait d'y croire suffit à transformer ces croyances en réalités psychologiques.

La tradition philosophique met en avant l'**ignorance**. Non pas, comme le montre Socrate, l'ignorance qui se connaît ignorante, — car c'est déjà le premier stade de la lucidité — mais l'ignorance qui s'ignore. Les grecs nommeront ***doxa*, opinion**, cette obscurité, les hommes des Lumières la nommeront **préjugé ou obscurantisme**. À côté de l'ignorance, les désirs effrénés, les **passions** (au sens classique de maladies de l'âme) expliquent l'auto-aveuglement.

Le **corps** est souvent rendu responsable de l'aveuglement de l'esprit. Il apparaît comme la source de désirs obscurs qu'on ne peut pas maîtriser.

Inconscient / non conscient : la psychanalyse

Freud fait de l'inconscient le cœur de la **psychanalyse**. Il ne s'agit pas d'une simple non-conscience, mais d'une impossibilité de conscience.

Un fait psychique non conscient n'est pas encore « inconscient », au sens freudien du terme. La majeure partie de nos souvenirs ou de nos savoirs n'est pas présente actuellement à notre conscience mais est disponible lorsque nous en avons besoin. Freud nomme **préconscient**, cette masse latente. Il réserve à la réalité inconsciente les souvenirs **qui ne peuvent pas devenir conscients**, parce qu'ils ont été refoulés. Longtemps, Freud identifie inconscient et **refoulé**. Progressivement, il inclura également dans l'inconscient ces forces primitives que sont les **pulsions**.

L'inconscient est donc le résultat d'un **conflit** à l'intérieur de l'être humain : entre des forces qui cherchent à se satisfaire, et la personnalité globale, qui s'y refuse. Les idées indésirables sont alors refoulées et, afin qu'elles ne reviennent plus à la conscience, des **résistances** s'opposent à leur survenue. Mais si une représentation peut être refoulée, elle ne peut être détruite. Elle continue à agir sous d'autres formes : c'est le **retour du refoulé**.

Zoom sur...

Les deux topiques freudiennes

On appelle **topique** la représentation sous forme spatiale, plus précisément sous forme de lieux (du grec *topos*: lieu), des parties du psychisme humain. Cette représentation est purement métaphorique, elle concerne uniquement la psychanalyse et la théorie freudienne, et ces « lieux » n'ont aucun soubassement neurologique.

▪ **La première topique** distingue trois instances : le **conscient** qui a en charge la réponse de l'individu aux exigences de la vie ; le **préconscient** qui est l'ensemble des souvenirs disponibles, déposés par l'expérience ; enfin l'**inconscient**, constitué par les souvenirs refoulés qui ne peuvent plus redevenir conscients. Une force (que Freud appelle censure ou résistance) empêche le refoulé de parvenir à la conscience, si ce n'est de façon déguisée, déformée, méconnaissable (comme dans le rêve ou dans les symptômes pathologiques). Au départ de la théorie freudienne, inconscient est synonyme de refoulé.

▪ **La deuxième topique** est construite par Freud au début des années 1920. La nécessité de reconnaître un réservoir de forces inconscientes plus primitives que les désirs refoulés ; la reconnaissance que les processus de refoulement[1] sont eux-mêmes inconscients, et donc ne peuvent être expliqués par le système conscient ; enfin, la prise en cause de certaines forces agressives retournées contre l'individu lui-même (sentiment de culpabilité, autopunition) obligent à modifier la nature des instances psychiques. Cette nouvelle division du psychisme ne recoupe pas la première.

Elle distingue :

▪ **1. Le Ça** est le **réservoir des pulsions inconscientes**, des forces qui naissent à la frontière du somatique[2] et du psychique, et dont le but est la satisfaction immédiate (principe de plaisir/déplaisir). Le propre de ces pulsions est d'être des forces impersonnelles, décousues. Il est possible de détourner, refouler, sublimer[3] une pulsion, mais non de la détruire. Le Ça ignore l'opposition du Bien et du Mal propre à la morale.

▪ **2. Le Moi** est le **centre d'adaptation à la réalité**, il contrôle les mouvements volontaires. C'est lui qui est chargé de l'unité du sujet. Il est pris entre deux exigences contraires : l'adaptation au monde extérieur (principe de réalité) et la maîtrise des forces inconscientes (dirigées par le principe de plaisir). C'est le Moi qui est chargé de satisfaire ou de résister aux pulsions. Le Moi ne peut plus s'identifier au Conscient de la première topique, car une partie des mécanismes du Moi, ceux par lesquels il se défend contre les pulsions intérieures, est inconsciente.

▪ **3. Le Surmoi** est l'héritier du complexe d'Œdipe[4] ; il est issu de l'**intériorisation des règles morales extérieures**, des contraintes exercées par les parents et les éducateurs. L'image des parents est intériorisée, non pas tels qu'ils sont, mais tels qu'ils apparaissent à l'enfant et tels qu'ils ont été eux-mêmes modelés par leur propre Surmoi. Le noyau du Surmoi forme donc un ensemble tout aussi obscur et tout aussi inconscient que les pulsions du Ça.

---

1. Phénomène inconscient de défense par lequel sont rejetées dans l'inconscient (le Ça) les pulsions contraires, opposées aux exigences du Surmoi.

2. Qui concerne le corps, qui provient de causes physiques.

3. Transposer consciemment ou non ses pulsions sur un plan supérieur de réalisation (par exemple dans l'art, le sport, le travail).

4. Très schématiquement, attachement érotique de l'enfant le plus souvent au parent de sexe opposé.

chapitre 4 Le désir, autrui

Jan Toorop, *Le Désir et l'Assouvissement*, 1898, carton collé, papier, pastel (0,760 x 0,900 m), Paris, musée d'Orsay.

Des mots...

Le mot « autrui » est rarement utilisé dans le langage quotidien. C'est un mot qui appartient à un registre de langage soutenu, d'usage juridique (« *agir pour le compte d'autrui* »), ou moral (« *ne fais pas à autrui ce que tu ne voudrais pas qu'on te fasse* »). On parle plus couramment des autres, terme qui renvoie à l'anonymat du « on ».

Dans le langage courant, le désir a une extension très large. Il est souvent confondu avec le besoin, l'envie, le vouloir, voire le caprice.

... aux concepts

Autrui, c'est l'autre que je rencontre en face de moi, avec son visage, son regard, sa parole, ses gestes... En tant qu'individu singulier, il peut m'être étranger car je ne le connais pas, mais en tant que conscience face à la mienne, il m'est proche car il est comme moi. Il convient de ne pas confondre autrui avec la société. La société est un horizon extérieur qui dépasse ma sphère vécue. À l'inverse, autrui ne se limite pas à mes proches, mes amis. Un inconnu dans la rue, dès lors qu'il s'adresse à moi ou tourne les yeux vers moi, me touche d'une manière particulière. Autrui ne se confond pas non plus avec le prochain (terme religieux) ou la personne (terme moral, juridique), même si ces dimensions religieuses ou morales peuvent parfois s'imposer.

On peut rencontrer autrui par le biais du désir. Force vitale ou force existentielle, le désir n'est jamais une simple envie.

Pistes de réflexion

Faut-il distinguer désirs et besoins ?

Le désir est souvent défini par différence avec le besoin. Le besoin serait naturel, nécessaire, limité, tandis que le désir serait artificiel, superflu, illimité. Mais, si on les approfondit, ces oppositions ne s'avèrent pas satisfaisantes. De plus, elles ont le défaut de présenter le désir de façon négative. Or n'existe-t-il pas une positivité du désir ?

Le désir est-il l'effet d'un manque ou une force d'affirmation ?

On définit couramment le désir comme une tendance à combler un manque. Le désir serait alors la marque de notre imperfection. Il est plus difficile d'envisager la relation inverse : le manque serait l'effet du désir, et le désir lui-même une force primordiale et autonome, une puissance d'affirmation de la vie. Quelles sont les conséquences de chacune de ces hypothèses sur notre compréhension et notre jugement sur le désir ?

Doit-on limiter ses désirs ?

Est-il possible de discipliner ses désirs, ou bien toute tentative pour exercer un contrôle sur eux est-elle vouée à l'échec ? Maîtriser ses désirs, n'est-ce pas en réalité vouloir les nier, les supprimer ? Et pourquoi serait-il préférable de maîtriser ses désirs plutôt que de s'y abandonner ? En effet, n'est-ce pas en satisfaisant nos désirs que l'on peut prétendre accéder au bonheur ?

Quel rôle autrui joue-t-il dans la formation de mes propres désirs ?

On peut souvent assister à cette scène : un enfant désire soudainement le jouet qu'un autre enfant vient de prendre, alors que jusqu'ici le jouet lui était indifférent. Cette situation n'est-elle pas généralisable à l'ensemble des relations humaines ? La jalousie ne précède-t-elle pas souvent le désir ? Faut-il en conclure que le désir s'inscrit avant tout dans une relation de soi à autrui et non pas seulement de soi à un objet ?

Pourquoi autrui est-il indispensable à la formation de la conscience de soi ?

On pense souvent que l'intimité, l'intériorité, la conscience de soi sont des données évidentes, et qu'autrui ne peut être à cet égard qu'un intrus ou une gêne. Or ne faut-il pas des regards extérieurs, des paroles extérieures pour que, petit à petit, se forme un monde intérieur ? Que seraient les conséquences d'une solitude extrême ? On sait aujourd'hui que le nourrisson a besoin d'interactions avec autrui, pour sa maturation psychique. Ce qui est valable pour le bébé ne le demeure-t-il pas à tout âge ?

Faut-il craindre le regard d'autrui ?

Si autrui m'oblige à me voir de l'extérieur et à assumer ma situation, il peut aussi m'enfermer dans des images où je deviens étranger à moi-même : autrui me fige dans une posture, une situation, un corps dont je risque de ne pas me débarrasser. Mais pour que cette image extérieure m'aliène, ne faut-il pas d'abord que je la fasse mienne, que j'accepte de me voir comme autrui me voit ? Serait-il possible que l'image qu'autrui a de moi se substitue à l'image que j'ai de moi-même ?

Passerelles

- **Une œuvre, une analyse :** Épicure, *Lettre à Ménécée*, p. 554.
- **Texte :** Freud, *Le Malaise dans la culture*, p. 565.
- **Dossier :** Comment se construit le Moi ?, p. 36.

DOCUMENT 1 «Leurs yeux se rencontrèrent»

Frédéric prend le bateau à Paris pour regagner Nogent, sa ville natale. Tandis qu'il cherche une place, c'est la rencontre soudaine.

Frédéric, pour rejoindre sa place, poussa la grille des Premières, dérangea deux chasseurs avec leurs chiens.

Ce fut comme une apparition:

Elle était assise, au milieu du banc, toute seule; ou du moins il ne distingua personne, dans l'éblouissement que lui envoyèrent ses yeux. En même temps qu'il passait, elle leva la tête; il fléchit involontairement les épaules; et, quand il se fut mis plus loin, du même côté, il la regarda.

Elle avait un large chapeau de paille, avec des rubans roses qui palpitaient au vent, derrière elle. Ses bandeaux noirs, contournant la pointe de ses grands sourcils, descendaient très bas et semblaient presser amoureusement l'ovale de sa figure. Sa robe de mousseline claire, tachetée de petits pois, se répandait à plis nombreux. Elle était en train de broder quelque chose; et son nez droit, son menton, toute sa personne se découpait sur le fond de l'air bleu.

Comme elle gardait la même attitude, il fit plusieurs tours de droite et de gauche pour dissimuler sa manœuvre; puis il se planta tout près de son ombrelle, posée contre le banc, et il affectait d'observer une chaloupe sur la rivière.

Jamais il n'avait vu cette splendeur de sa peau brune, la séduction de sa taille, ni cette finesse des doigts que la lumière traversait. Il considérait son panier à ouvrage avec ébahissement, comme une chose extraordinaire. Quels étaient son nom, sa demeure, sa vie, son passé? Il souhaitait connaître les meubles de sa chambre, toutes les robes qu'elle avait portées, les gens qu'elle fréquentait; et le désir de la possession physique même disparaissait sous une envie plus profonde, dans une curiosité douloureuse qui n'avait pas de limites.

Une négresse, coiffée d'un foulard, se présenta, en tenant par la main une petite fille, déjà grande. L'enfant dont les yeux roulaient des larmes, venait de s'éveiller; elle la prit sur ses genoux. «Mademoiselle n'était pas sage, quoiqu'elle eût sept ans bientôt; sa mère ne l'aimerait plus; on lui pardonnait trop ses caprices.» Et Frédéric se réjouissait d'entendre ces choses, comme s'il eût fait une découverte, une acquisition.

Il la supposait d'origine andalouse, créole peut-être; elle avait ramené des îles cette négresse avec elle.

Cependant un long châle à bandes violettes était placé derrière son dos, sur le bordage de cuivre. Elle avait dû, bien des fois, au milieu de la mer, durant les soirs humides, en envelopper sa taille, s'en couvrir les pieds, dormir dedans! Mais, entraîné par les franges, il glissait peu à peu, il allait tomber dans l'eau; Frédéric fit un bond et le rattrapa. Elle lui dit:

– Je vous remercie, monsieur.

Leurs yeux se rencontrèrent.

Gustave Flaubert, *L'Éducation sentimentale*, 1869, Livre de poche, p. 7-8.

QUESTIONS

1• Énumérez les signes qui ont éveillé le désir de Frédéric et provoqué son coup de foudre. Vous semblent-ils suffisants pour l'expliquer?

2• Montrez la métamorphose des choses ordinaires en mystères extraordinaires. Peut-on l'expliquer?

3• Pourquoi cette curiosité est-elle «douloureuse»? Sans «limites»? Comment expliquer que la douleur et l'absence de limites se mêlent au désir?

DOCUMENT 2 Désir et domination d'autrui

Joann Sfar et Christophe Blain, *Socrate le demi-chien*, vol. 1 : « Héraclès », coll. Poisson Pilote, Dargaud, 2002.

QUESTIONS

› **1•** Quelle est la part de dissimulation dans le désir amoureux?

› **2•** Est-il inévitable que le désir amoureux passe par l'expérience de la domination? Quelle est la relation de pouvoir à l'œuvre dans le désir?

DOCUMENT 3 Désir et consommation

Selon Baudrillard, la société de consommation ne se contente plus, comme par le passé, de satisfaire des besoins, elle veut donner des raisons de vivre. Mais ces raisons sont toujours à renouveler, en même temps que les objets de consommation, toujours « nouveaux ».

Les objets de consommation constituent un lexique idéaliste de signes[1], où s'indique dans une matérialité fuyante le projet même de vivre. [...]

Ceci explique *qu'il n'y ait pas de limites à la consommation*. Si elle était ce pour quoi on la prend naïvement : une absorption, une dévoration, on devrait arriver à une saturation. Si elle était relative à l'ordre des besoins, on devrait s'acheminer vers une satisfaction. Or, nous savons qu'il n'en est rien : on veut consommer de plus en plus. Cette compulsion[2] de consommation n'est pas due à quelque fatalité psychologique (qui a bu boira, etc.) ni à une simple contrainte de prestige. Si la consommation semble irrépressible, c'est justement qu'elle est une pratique idéaliste totale qui n'a plus rien à voir (au-delà d'un certain seuil) avec la satisfaction de besoins ni avec le principe de réalité[3]. C'est qu'elle est dynamisée par le projet toujours déçu et sous-entendu dans l'objet.

Le projet immédiatisé dans le signe transfère sa dynamique existentielle à la possession systématique et indéfinie d'objets/signes de consommation. Celle-ci ne peut dès lors que se dépasser, ou se réitérer continuellement pour rester ce qu'elle est : une raison de vivre. Le projet même de vivre, morcelé, déçu, signifié, se reprend et s'abolit dans les objets successifs. « Tempérer » la consommation ou vouloir établir une grille de besoins propre à la normaliser relève donc d'un moralisme naïf ou absurde.

Jean Baudrillard, *Le Système des objets, la consommation des signes*, 1968, coll. Médiations, Gonthier-Denoël, p. 237-238.

1. Les objets de consommation émettent des signes qui excitent notre désir.
2. Force intérieure qui pousse à répéter certaines actions.
3. Le principe de réalité oblige l'individu à s'adapter aux contraintes de l'existence.

QUESTIONS

› **1•** Pourquoi, dans la société de consommation, les désirs ne sont-ils plus de simples besoins? Qu'est-ce qui distingue désirs et besoins?

› **2•** L'auteur affirme que la consommation est devenue une raison de vivre. Qu'en pensez-vous?

Dossier

Répondre aux désirs des enfants, est-ce nécessairement les satisfaire ?

DOCUMENT

En éducation, nous devrions veiller à satisfaire de notre mieux les besoins de l'enfant, mais à ne satisfaire qu'un minimum de leurs désirs : ne pas donner tout tout de suite mais ouvrir le désir vers un horizon, vers un circuit long, vers le travail à accomplir sur soi, qui amènera l'enfant à se satisfaire dans la direction qui est la sienne. En lui accordant immédiatement ce qu'il réclame, c'est comme si nous lui disions : « *Satisfais-toi, par toi tout seul, tout de suite. Et tais-toi, n'en parlons plus.* »

Comme une pièce de monnaie est pile et face, nous sommes tous partagés entre le variant et l'invariant. Nous sommes au service des besoins de notre corps, pour le garder tel qu'il est, et donc dans l'invariant ; mais le corps grandit, vieillit jusqu'à mourir, et là nous sommes dans le domaine du variant.

Les fonctions du corps, respiration, pulsations du cœur, sont répétitives, relèvent des besoins et du mortifère[1], je veux dire de l'habitude, dont le désir est absent. Nous sommes sans cesse pris entre ces pulsions de mort[2], mort du sujet désirant, grâce auxquelles pourtant nous vivons sans nous en douter, en particulier dans le sommeil profond, où nous réparons les fatigues du désir. Et de l'autre côté, nous vivons des pulsions de vie qui nous poussent à la découverte du nouveau pour notre désir, du pas encore connu, pour combler ce sentiment d'un manque à être, à avoir, à connaître qui nous tient tous. Le besoin est répétition, le désir est recherche de nouveauté.

L'éducation doit veiller à soutenir le désir vers le nouveau, en le parlant, en parlant l'impossible de la satisfaction : donc, en fait, ne pas satisfaire les désirs qui, satisfaits aussitôt, devenus habitudes, rentreraient parmi les besoins. Il faudrait alors chercher ailleurs du nouveau.

Ne donnez pas le bonbon, dessinez-le !

Laissons l'enfant parler de ses désirs, justifions-les, même si nous les nions au nom de la réalité. En entrant en communication avec lui à propos de ce qu'il désire, on lui ouvre le monde : un monde de représentation, de langage, de vocabulaire et de promesses de plaisirs. Une fois qu'il a son bonbon – ou pire son chewing-gum – les parents ont peut-être la paix, mais l'enfant ne parle pas, n'observe rien, il est centré sur son tube digestif. Son désir est mis au niveau du besoin, puisque ses parents l'ont satisfait, sans doute parce qu'ils seraient angoissés de ne pas le faire… Résultat : cet enfant est obligé de chercher de nouveaux désirs, d'une façon incohérente, sans entrer dans le langage. L'enfant n'a pas besoin de bonbons. Il en demande un pour qu'on s'occupe de lui, qu'on lui parle. Si on lui dit : « *Comment serait ce bonbon ? Rouge ?* » on se met à parler du goût du bonbon rouge, du goût du bonbon vert ; on dessinera même un bonbon, et l'enfant aura complètement oublié qu'il voulait en manger un. Mais quelle bonne conversation autour des bonbons !

Parler les désirs, les représenter, partir des désirs pour entrer en communication avec les autres, par la parole et non dans le corps à corps, voilà ce qui fait la culture, la littérature, la sculpture, la musique, la peinture, le dessin, la danse : voilà ce qui fait fabriquer ce que l'on n'a pas obtenu, représenter le désir en inventant, en créant. Quand un enfant veut avoir un jouet qu'il n'a pas, il invente n'importe quoi pour le remplacer. Si on lui donne le jouet, il est rapidement cassé, il ne peut plus rien inventer et il faut lui en racheter un autre.

Ne pas satisfaire les désirs, cependant, ce n'est pas les nier. Devant les vitrines de jouets, par exemple, un enfant s'écriera : « *Ah ! je voudrais ce camion !* » Beaucoup de mères (ou de pères) entraîneront alors l'enfant rapidement loin de la vitrine en disant : « *On ne peut pas l'acheter* ». Ils ne veulent pas qu'il soit tenté, alors que c'est cela vivre, mettre des mots sur ce qui nous tente :

« *Ce camion-là, tu trouves qu'il est bien ? – Ah oui ! – Qu'est-ce qu'il a de bien ? – Il a des roues rouges. – Est-ce qu'avec des roues rouges, il marche bien ? Un camion, il faut que cela roule. Entrons dans le magasin, tu vas le toucher, le regarder, mais aujourd'hui, je n'ai pas l'argent pour le payer. – Si, si, si ! – Je ne l'ai pas, c'est comme ça !* »

Quand l'enfant voit que la mère est décidée, il s'arrête. Il a été satisfait de communier avec elle dans le désir du camion. Et la non-satisfaction immédiate n'empêche pas d'espérer :

« *Un jour, oui. À Noël, peut-être, ou ton anniversaire… – Mais c'est long ! – Regardons le calendrier…* »

La Saint-André, la Saint-Anselme, la Saint-Barnabé… À parler de tous les saints, on oublie que ce sera long d'attendre le camion […].

Justifier les désirs des enfants

Beaucoup de parents dévalorisent les désirs de leurs enfants, alors qu'il faut toujours les justifier : « *Ce n'est pas possible à réaliser, mais tu as tout à fait raison de le désirer.* » De même plus profondément, les enfants ont des désirs contradictoires, ambivalents[3]. « *Tu veux et tu ne veux pas en même temps. Tu es comme deux, un qui veut, un qui ne veut pas. Les adultes aussi sont ainsi.* » Et l'enfant comprendra très bien qu'il est justifié d'un désir contradictoire.

Pour les adolescents, cette attitude de justification du désir reste toujours la bonne. Ainsi, beaucoup de jeunes brûlent d'envie d'avoir une mobylette, ce qui angoisse leurs parents qui soulèvent alors des questions d'argent. Ils devraient plutôt dire : « *J'ai trop peur qu'il ne t'arrive un accident, je ne veux pas te payer une mobylette. Maintenant, toi, tu es en âge de le faire, la loi t'en donne le droit. Débrouille-toi si tu peux arriver, d'une façon licite, à avoir de l'argent, je n'aurai pas le droit de m'y opposer.* »

En agissant ainsi, on donne à l'enfant, au jeune, son autonomie pour satisfaire ses désirs, et on ne l'aide que pour satisfaire ses besoins. Ses désirs, on les justifie et on s'y dérobe en même temps, quelle que soit la raison, matérielle, ou tout simplement, parce qu'on n'en a pas envie. Les parents ont le droit d'avoir leurs désirs et le devoir de les dire. Parents et éducateurs ont aussi le droit d'avoir des désirs sur l'enfant mais pas n'importe lequel. On pourrait le définir comme le désir que l'enfant devienne quelqu'un de bien, et que dans ce but, on le libère des entraves qui l'empêchent de construire sa vie.

Propos tenus par Françoise Dolto[4], rassemblés par la revue *L'École des parents*, avril 1985.

1. Qui porte la mort.
2. Désignent ici la tendance des organismes à revenir à des états d'équilibre, de repos et, finalement, de mort.
3. Où coexistent des sentiments, des tendances opposés.
4. Françoise Dolto (1908-1988), médecin et psychanalyste française. Elle s'intéressa surtout au traitement des enfants. Par ses livres, ses émissions de radio ou de télévision, elle chercha à populariser les enseignements de la psychanalyse.

Robert Doisneau, *Une vitrine à Noël*, début des années 1950.

QUESTIONS

› **1•** Quelles différences Françoise Dolto fait-elle entre désirs et besoins ? Opposez, sur deux colonnes, les caractéristiques des uns et des autres.

› **2•** Comment comprenez-vous l'expression : « manque à être » (§ 3) ?

› **3•** Pourquoi répondre aux désirs des enfants n'est-ce pas nécessairement les satisfaire ?

Passerelles

› **Chapitre 7 : Le langage**, p. 166.

› **Texte** : Freud, *Cinq Leçons sur la psychanalyse*, p. 80.

Réflexion 1

Faut-il limiter ses désirs pour être heureux ?

En limitant ses désirs, la satisfaction, donc le bonheur, est assurée. Telle est la thèse défendue par Socrate. Mais Calliclès n'en démord pas : assouvir tous ses désirs quand on le peut, c'est la loi de la nature.

Texte 1 — Le bonheur, c'est assouvir tous ses désirs

CALLICLÈS – Veux-tu savoir ce que sont le beau et le juste selon la nature[1] ? Eh bien, je vais te le dire franchement ! Voici, si on veut vivre comme il faut, on doit laisser aller ses propres passions, si grandes soient-elles, et ne pas les réprimer. Au contraire, il faut être capable de mettre son courage et son intelligence au service de si grandes passions et de les assouvir avec tout ce qu'elles peuvent désirer. Seulement, tout le monde n'est pas capable, j'imagine, de vivre comme cela. C'est pourquoi la masse des gens blâme les hommes qui vivent ainsi, gênée qu'elle est de devoir dissimuler sa propre incapacité à le faire. La masse déclare donc bien haut que le dérèglement – j'en ai déjà parlé – est une vilaine chose. C'est ainsi qu'elle réduit à l'état d'esclaves les hommes dotés d'une plus forte nature que celle des hommes de la masse ; et ces derniers, qui sont eux-mêmes incapables de se procurer les plaisirs qui les combleraient, font la louange de la tempérance[2] et de la justice à cause du manque de courage de leur âme. Car, bien sûr, pour tous les hommes qui, dès le départ, se trouvent dans la situation d'exercer le pouvoir, qu'ils soient nés fils de rois ou que la force de leur nature les ait rendus capables de s'emparer du pouvoir – que ce soit le pouvoir d'un seul homme ou celui d'un groupe d'individus –, oui, pour ces hommes-là, qu'est-ce qui serait plus vilain et plus mauvais que la tempérance et la justice ? Ce sont des hommes qui peuvent jouir de leurs biens, sans que personne y fasse obstacle, et ils se mettraient eux-mêmes un maître sur le dos, en supportant les lois, les formules et les blâmes de la masse des hommes ! Comment pourraient-ils éviter, grâce à ce beau dont tu dis qu'il est fait de justice et de tempérance, d'en être réduits au malheur, s'ils ne peuvent pas, lors d'un partage, donner à leurs amis une plus grosse part qu'à leurs ennemis, et cela, dans leurs propres cités, où eux-mêmes exercent le pouvoir ! Écoute, Socrate, tu prétends que tu poursuis la vérité, eh bien, voici la vérité : si la facilité de la vie, le dérèglement, la liberté de faire ce qu'on veut, demeurent dans l'impunité, ils font la vertu et le bonheur ! Tout le reste, ce ne sont que des manières, des conventions, faites par les hommes, à l'encontre de la nature. Rien que des paroles en l'air, qui ne valent rien !

SOCRATE – Ce n'est pas sans noblesse, Calliclès, que tu as exposé ton point de vue, tu as parlé franchement. Toi, en effet, tu viens de dire clairement ce que les autres pensent et ne veulent pas dire. Je te demande donc de ne céder à rien, en aucun cas ! Comme cela, le genre de vie qu'on doit avoir paraîtra tout à fait évident. Alors, explique-moi : tu dis que, si l'on veut vivre tel qu'on est, il ne faut pas réprimer ses passions, aussi grandes soient-elles, mais se tenir prêt à les assouvir par tous les moyens. Est-ce bien en cela que la vertu consiste ?

CALLICLÈS – Oui, je l'affirme, c'est cela la vertu !

SOCRATE – Il est donc inexact de dire que les hommes qui n'ont besoin de rien sont heureux.

CALLICLÈS – Oui, parce que, si c'était le cas, les pierres et même les cadavres seraient tout à fait heureux !

Platon, *Gorgias*, IVe s. av. J.-C., 491e-492e, trad. M. Canto-Sperber, *in Œuvres complètes*, Flammarion, p. 467-468.

1. L'argumentation de Calliclès consiste à opposer selon la nature/selon la loi (des hommes).
2. Une des quatre vertus cardinales, qui vise la maîtrise et l'équilibre des plaisirs.

Texte 2 Le bonheur, c'est satisfaire ses désirs en nombre limité

SOCRATE – Mais, tout de même, la vie dont tu parles, c'est une vie terrible ! En fait, je ne serais pas étonné si Euripide[1] avait dit la vérité – je cite le vers : « Qui sait si vivre n'est pas mourir et si mourir n'est pas vivre ? » Tu sais, en réalité, nous sommes morts. Je l'ai déjà entendu dire par des hommes qui s'y connaissent : ils soutiennent qu'à présent nous sommes morts, que notre corps est notre tombeau[2] et qu'il existe un lieu dans l'âme, là où sont nos passions, un lieu ainsi fait qu'il se laisse influencer et ballotter d'un côté et de l'autre. Eh bien, ce lieu de l'âme, un homme subtil, Sicilien ou Italien[3], je crois, qui exprime la chose sous la forme d'un mythe, en a modifié le nom. Étant donné que ce lieu de l'âme dépend de ce qui peut sembler vrai et persuader, il l'a appelé passoire. Par ailleurs, des êtres irréfléchis, il affirme qu'ils n'ont pas été initiés[4]. En effet, chez les hommes qui ne réfléchissent pas, il dit que ce lieu de l'âme, siège des passions, est comme une passoire percée, parce qu'il ne peut rien contrôler ni rien retenir – il exprime ainsi l'impossibilité que ce lieu soit jamais rempli.

Tu vois, c'est donc tout le contraire de ce que tu dis, Calliclès. D'ailleurs, un sage fait remarquer que, de tous les êtres qui habitent l'Hadès[5], le monde des morts – là, il veut parler du monde invisible –, les plus malheureux seraient ceux qui, n'ayant pu être initiés, devraient à l'aide d'une écumoire apporter de l'eau dans une passoire percée. Avec cette écumoire, toujours d'après ce que disait l'homme qui m'a raconté tout cela, c'est l'âme que ce sage voulait désigner. Oui, il comparait l'âme de ces hommes à une écumoire, l'âme des êtres irréfléchis est donc comme une passoire, incapable de rien retenir à cause de son absence de foi et de sa capacité d'oubli.

Ce que je viens de te dire est, sans doute, assez étrange ; mais, pourtant, cela montre bien ce que je cherche à te faire comprendre. Je veux te convaincre, pour autant que j'en sois capable, de changer d'avis et de choisir, au lieu d'une vie déréglée, que rien ne comble, une vie d'ordre, qui est contente de ce qu'elle a et qui s'en satisfait.

Op. cit., 492e-493c.

John W. Waterhouse, *Les Danaïdes*, 1903, huile sur toile (152,4 x 111,9 cm), coll. privée.

1. Tragédien grec (vers 480-406 av. J.-C. ; allusion à une pièce qui ne nous est pas parvenue.
2. Jeu de mot en grec, sur *soma*, corps, et *séma*, tombeau.
3. Empédocle (vers 490-vers 435 av. J.-C.), originaire de Sicile, alors colonie grecque.
4. Les initiés dans les Mystères grecs doivent garder le secret ; les non-initiés, les profanes n'ont pas à garder le secret.
5. Les Enfers de la mythologie grecque.

QUESTION

› Les deux thèses de Calliclès et de Socrate sont radicalement opposées. Présentez leur méthode argumentative (argument, exemple, image).

Passerelles

› **Chapitre 22 : Le bonheur,** p. 548.
› **Réflexion :** Le droit n'est-il que l'arme des faibles ?, p. 450.

Réflexion 2

▶ Peut-on mettre des bornes au désir ?

Limiter ses désirs, pour éviter insatisfaction et esclavage, est une sagesse ancienne. Mais si le désir, dans ses mécanismes les plus intimes, renvoie au regard des autres (par exemple, désirer être reconnu, aimé, respecté...), peut-il encore avoir des bornes ?

Texte 1 « Quant au désir, supprime-le complètement pour l'instant »

Rappelle-toi que le propos avoué du désir est d'obtenir l'objet désiré, que le propos avoué de l'aversion est de ne pas tomber sur l'objet de l'aversion ; celui qui, éprouvant un désir, manque son objet n'est pas heureux ; celui qui, éprouvant une aversion, tombe sur son objet est malheureux. Si donc tu réserves ton aversion aux choses contraires à la nature parmi celles qui dépendent de toi[1], tu ne tomberas sur aucune de celles que tu as en aversion ; mais si tu as en aversion la maladie, la mort ou la pauvreté, tu seras malheureux. Enlève donc ton aversion de tout ce qui ne dépend pas de nous et transporte-la sur les choses contraires à la nature parmi celles qui dépendent de nous. Quant au désir, supprime-le complètement pour l'instant[2] ; car si tu désires l'une des choses qui ne dépendent pas de nous, il est impossible que tu sois heureux ; quant à celles qui dépendent de nous et qu'il serait beau de désirer, aucune n'est encore à ta portée. Use seulement de la tendance[3] et de son contraire, et que ce soit légèrement, avec des réserves[4], en souplesse.

Épictète, *Manuel*, IIe s. apr. J.-C., § II, *in Les Stoïciens. Œuvres*, coll. La Pléiade, Gallimard, p. 1112.

1. › Épictète, p. 507.
2. La fin ultime du désir devrait être l'accord de soi avec soi-même et avec l'ordre de l'univers. Mais cette fin est réservée au sage.
3. Ce qui nous pousse à agir en fonction de notre nature humaine.
4. En anticipant tous les événements.

QUESTIONS

› 1• Distinguez le désir de la « tendance ».

› 2• Épictète conseille à son disciple de supprimer complètement le désir. S'agit-il de s'arrêter de vivre ? Pourquoi supprimer le désir, pas la « tendance » ?

Passerelles

› Textes : Épictète, *Ce qui dépend de nous, ce qui n'en dépend pas*, p. 507.
Épicure, *Lettre à Ménécée*, p. 554.

Texte 2 « Plutôt changer mes désirs que l'ordre du monde »

Dans le Discours de la méthode, *Descartes expose une morale « par provision », ou provisoire. La première maxime est d'obéir aux coutumes du pays où l'on vit, en choisissant les plus modérées. La deuxième est d'être résolu dans ses actions et la troisième, d'origine stoïcienne, concerne les désirs.*

Ma troisième maxime était de tâcher toujours plutôt à me vaincre que la fortune[1], et à changer mes désirs que l'ordre du monde ; et généralement, de m'accoutumer à croire qu'il n'y a rien qui soit entièrement en notre pouvoir, que nos pensées[2], en sorte qu'après que nous avons fait notre mieux, touchant les choses qui nous sont extérieures, tout ce qui manque de nous réussir est, au regard de nous, absolument impossible. Et ceci seul me semblait être suffisant pour m'empêcher de rien désirer à l'avenir que je n'acquisse, et ainsi pour me rendre content[3]. Car notre volonté ne se portant naturellement à désirer que les choses que notre entendement lui représente en quelque façon comme possibles, il est certain que, si nous considérons tous les biens qui sont hors de nous comme également éloignés de notre pouvoir, nous n'aurons pas plus de regret de manquer de ceux qui semblent être dus à notre naissance, lorsque

1. Les hasards de la vie.
2. Descartes ne dit pas que seules nos pensées sont en notre pouvoir, mais que seules, elles sont absolument en notre pouvoir.
3. Au sens fort : heureux.

nous en serons privés sans notre faute, que nous avons de ne posséder pas les royaumes de la Chine ou du Mexique ; et que faisant, comme on dit, de nécessité vertu, nous ne désirerons pas davantage d'être sains, étant malades, ou d'être libres, étant en prison, que nous faisons maintenant d'avoir des corps d'une matière aussi peu corruptible que les diamants, ou des ailes pour voler comme les oiseaux.

René Descartes, *Discours de la méthode*, 1637, IIIe partie, 10/18, p. 54-55.

QUESTIONS

› 1• Précisez la règle morale. En quoi est-elle délibérément artificielle et outrée ?

› 2• Descartes nous dit-il de ne pas satisfaire nos désirs ? Que propose-t-il exactement ? Quelle distinction entre les désirs reprend-il ?

Texte 3 — Le combat pour la reconnaissance

Pour Hegel, comme l'explique Hyppolite, le désir humain vise essentiellement un autre désir humain, c'est ce qui le distingue du besoin animal. C'est pourquoi le désir est lutte. En ce sens, il ne peut avoir de bornes.

La conscience de soi ne parvient donc à exister, au sens où exister n'est pas seulement être-là à la manière des choses, que par une « opération » qui la pose dans l'être comme elle est pour soi-même ; et cette opération est essentiellement une opération sur et par une autre conscience de soi. Je ne suis une conscience de soi que si je me fais reconnaître par une autre conscience de soi, et si je reconnais l'autre de la même façon. Cette reconnaissance mutuelle, telle que les individus se reconnaissent comme se reconnaissant réciproquement, crée l'élément de la vie spirituelle, le milieu où le sujet est à soi-même objet, se retrouvant parfaitement dans l'autre, sans toutefois faire disparaître une altérité qui est essentielle à la conscience de soi. [...]

Toute la vie spirituelle repose sur ces expériences qui sont aujourd'hui dépassées dans l'histoire humaine, mais qui en restent le soubassement. Les hommes n'ont pas, comme les animaux, le seul désir de persévérer dans leur être, d'être-là à la façon des choses, ils ont le désir impérieux de se faire reconnaître comme conscience de soi, comme élevés au-dessus de la vie purement animale, et cette passion pour se faire reconnaître exige à son tour la reconnaissance de l'autre conscience de soi. La conscience de la vie s'élève au-dessus de la vie, et l'idéalisme n'est pas seulement une certitude, il se prouve encore ou plutôt s'avère dans le risque de la vie animale. Que les hommes, selon l'expression de Hobbes[1], soient « des loups pour l'homme », cela ne signifie pas que, comme les espèces animales[2], ils luttent pour leur conservation ou pour l'extension de leur puissance. En tant que tels ils sont différents, les uns plus forts et les autres plus faibles, les uns plus ingénieux, et les autres moins, mais ces différences sont inessentielles, elles sont seulement des différences vitales. La vocation spirituelle de l'homme se manifeste déjà dans cette lutte de tous contre tous, car cette lutte n'est pas seulement une lutte pour la vie, elle est une lutte pour être reconnu, une lutte pour prouver aux autres et se prouver à soi-même qu'on est une conscience de soi autonome, et l'on ne peut se le prouver à soi-même qu'en le prouvant aux autres et en obtenant cette preuve d'eux. Cette lutte contre l'autre peut bien avoir de multiples occasions qu'évoqueront les historiens ; mais ces occasions ne sont pas les motifs véritables d'un conflit qui essentiellement est un conflit pour la reconnaissance. Le monde humain commence là.

Jean Hyppolite, *Genèse et structure de la Phénoménologie de l'esprit de Hegel*, 1946, t. 1, Aubier (Flammarion), p. 159 sq., 163 sq.

1. › Hobbes, p. 470.
2. › La lutte pour l'existence, Darwin, p. 382.

QUESTIONS

› 1• Pourquoi le désir humain est-il lié essentiellement au désir de reconnaissance ?

› 2• Comment comprendre que mettre sa vie en jeu devient l'enjeu de cette lutte ?

Réflexion 3

▶ Comment définir le désir amoureux ?

L'enthousiasme du désir amoureux s'impose comme une révélation. Mais son obscurité, sa violence, son refus de voir les choses comme elles sont peuvent aveugler et rendre esclave. Entre illumination et illusion, quel sens donner au désir amoureux ?

Texte 1 Le désir est-il le « génie » de l'espèce ?

Pour Schopenhauer, « la procréation de tel enfant déterminé, voilà le but véritable, quoique ignoré des acteurs, de tout roman d'amour ». Le choix amoureux donne l'illusion d'un désir individualisé ; derrière lui se cache en réalité une tendance de la nature, ou du « vouloir-vivre », à produire des enfants les plus harmonieusement conformés, au profit de l'espèce.

Le profond sérieux avec lequel l'homme examine chaque partie du corps de la femme, et réciproquement, le soin scrupuleux avec lequel nous inspectons une femme qui commence à nous plaire, l'obstination de notre choix, l'attention minutieuse avec laquelle le fiancé observe sa promise, ses précautions pour n'être trompé sur aucun point, la grande importance qu'il attache à la plus ou moins grande perfection des parties essentielles – tout cela est bien en rapport avec l'importance du but. C'est que ces parties-là se retrouveront semblables, et pour la vie, dans l'enfant qui doit naître. La femme, par exemple, est-elle un peu contrefaite : l'enfant pourra parfaitement naître bossu et ainsi du reste. Les parents n'ont certainement pas conscience de tout cela ; bien plus, chacun pense bien ne faire ce choix si laborieux que dans l'intérêt de sa jouissance personnelle (qui, au fond, n'est ici nullement en question) ; mais il se borne à le conformer, sa propre constitution étant donnée, à l'intérêt de l'espèce, dont il a la secrète mission de conserver le type aussi pur que possible. L'individu agit ici, sans le savoir, pour le compte de l'espèce, qui lui est supérieure. De là l'importance qu'il attribue à des choses pour lesquelles, en tant qu'individu, il ne pourrait et ne devrait avoir que de l'indifférence. Il y a quelque chose de tout particulier dans le sérieux profond et inconscient avec lequel deux jeunes gens de sexe différent, qui se voient pour la première fois, se considèrent l'un l'autre, dans le regard scrutateur et pénétrant qu'ils jettent l'un sur l'autre, dans cet examen attentif qu'ils font subir réciproquement à tous les traits et à toutes les parties de leur personne. Cette analyse si minutieuse, c'est la *méditation du génie*[1] *de l'espèce* sur l'individu qui peut naître d'eux et la combinaison de ses qualités. Du résultat de cette méditation dépend la force de leur sympathie et de leurs désirs réciproques.

Arthur Schopenhauer, *Métaphysique de l'amour*, 1818, *in Le Monde comme volonté et comme représentation*, trad. A. Burdeau, coll. Quadrige, PUF, p. 1305-1306.

1. C'est une force aveugle, dont le seul but est la conservation de l'espèce, ici le genre humain.

QUESTIONS

› 1• Pourquoi, pour Schopenhauer, le désir amoureux est-il une illusion ?

› 2• Expliquez le décalage, selon Schopenhauer, entre les raisons pour lesquelles les individus croient être amoureux et les raisons véritables.

› 3• Quels autres arguments pourraient venir appuyer la thèse de l'auteur ? Quelles objections pourrait-on lui faire ?

Texte 2 La sacralisation de l'amour

1. Deux choses sont contiguës quand elles se touchent.
2. Ensemble des croyances et pratiques religieuses qui cherchent à établir un contact direct, intime avec Dieu.

De tout temps, la femme a dû inspirer à l'homme une inclination distincte du désir, qui y restait cependant contiguë[1] et comme soudée, participant à la fois du sentiment et de la sensation. Mais l'amour romanesque a une date : il a surgi au Moyen Âge, le jour où l'on s'avisa d'absorber l'amour naturel dans un sentiment en quelque sorte surnaturel, dans l'émotion religieuse telle que le christianisme l'avait créée et jetée dans le monde. Quand on reproche au mysticisme[2] de s'exprimer à la manière de la passion amoureuse, on oublie que c'est l'amour qui avait commencé par plagier le mystique, qui lui avait emprunté sa ferveur, ses élans, ses extases ; en utilisant le langage d'une passion qu'elle avait transfigurée, la mystique n'a fait que reprendre son bien. Plus, d'ailleurs, l'amour confine à l'adoration, plus grande est la disproportion entre l'émotion et l'objet, plus profonde par conséquent la déception à laquelle l'amoureux s'expose, – à moins qu'il ne s'astreigne indéfiniment à voir l'objet à travers l'émotion, à n'y pas toucher, à le traiter religieusement. Remarquons que les anciens avaient déjà parlé des illusions de l'amour, mais il s'agissait alors d'erreurs apparentées à celles des sens, et qui concernaient la figure de la femme qu'on aime, sa taille, sa démarche, son caractère... L'illusion porte seulement ici sur les qualités de l'objet aimé et non pas, comme l'illusion moderne, sur ce qu'on peut attendre de l'amour. Entre l'ancienne illusion et celle que nous y avons surajoutée, il y a la même différence qu'entre le sentiment primitif, émanant de l'objet lui-même, et l'émotion religieuse, appelée du dehors, qui est venue le recouvrir et le déborder. La marge de la déception est devenue énorme, parce que c'est l'intervalle entre le divin et l'humain.

Henri Bergson, *Les Deux Sources de la morale et de la religion*, 1932, *in Œuvres*, éd. du Centenaire, p. 1010-1011.

QUESTIONS

› 1• Expliquez le lien que fait Bergson entre sentiment religieux et amour profane.

› 2• Bergson veut rétablir une chronologie historique, méconnue selon lui. Quelle est cette chronologie ?

Texte 3 Les contradictions du désir

Celui qui veut être aimé ne désire pas l'asservissement de l'être aimé. Il ne tient pas à devenir l'objet d'une passion débordante et mécanique. Il ne veut pas posséder un automatisme. [...] Mais, d'autre part, il ne saurait se satisfaire de cette forme éminente de la liberté qu'est l'engagement libre et volontaire. Qui se contenterait d'un amour qui se donnerait comme pure fidélité à la foi jurée ? Qui donc accepterait de s'entendre dire : « Je vous aime parce que je me suis librement engagé à vous aimer et que je ne veux pas me dédire ; je vous aime par fidélité à moi-même ? » Ainsi l'amant demande le serment et s'irrite du serment. Il veut être aimé par une liberté et réclame que cette liberté comme liberté ne soit plus libre. Il veut à la fois que la liberté de l'Autre se détermine elle-même à devenir amour – et cela, non point seulement au commencement de l'aventure mais à chaque instant – et, à la fois, que cette liberté soit captivée par elle-même, qu'elle se retourne sur elle-même, comme dans la folie, comme dans le rêve, pour vouloir sa captivité. Et cette captivité doit être démission libre et enchaînée à la fois entre nos mains. Ce n'est pas le déterminisme passionnel que nous désirons chez autrui, dans l'amour, ni une liberté hors d'atteinte mais c'est une liberté qui joue le déterminisme passionnel et qui se prend à son jeu.

Jean-Paul Sartre, *L'Être et le néant*, 1943, Gallimard, p. 434-435.

QUESTION

› Quelle est la contradiction essentielle du désir amoureux ? Analysez les deux demandes contradictoires : pourquoi sont-elles nécessaires ? Pourquoi se contredisent-elles ?

Une œuvre, une analyse

Présentation

Platon : *Le Banquet* (IVe s. av. J.-C.)

Le Banquet réunit autour d'une table des invités venus fêter la victoire du poète Agathon à un concours de tragédie. Les convives décident qu'au lieu de s'enivrer, comme c'est la tradition, ils prononceront des discours. Ils choisissent de faire l'éloge de l'amour, le dieu Éros.

1 La question de l'homosexualité

L'amour dont il sera essentiellement question ici est l'amour homosexuel, plus exactement l'amour pédérastique (amour d'un homme envers les jeunes garçons), dont la perception chez les Anciens est très différente de celle d'aujourd'hui.

Remarquons d'abord que, si les Grecs acceptaient l'homosexualité, celle-ci n'était pas pour autant tolérée sans résistances ni barrières éthiques. Comme le remarque Foucault dans *L'Usage des plaisirs* (1984), la mise en problème du désir n'est pas la même chez le Grec que chez l'homme occidental contemporain. Pour l'homme moderne, la question essentielle est de savoir d'où vient ce désir qu'on appelle « différent », « autre » ; s'il dérive d'une histoire individuelle, ou bien d'un héritage génétique. Sur un plan éthique, dès lors que l'homosexualité est acceptée, aucune morale particulière ne lui est applicable ; on jugera que les règles de la vie de couple et de la vie sociale sont les mêmes pour tout le monde. En bref, l'interrogation contemporaine porte sur l'origine spécifique du désir, mais non sur les normes spécifiques d'une conduite.

Le Grec, au contraire, ne se pose guère le problème de l'origine, de la nature particulière du désir homosexuel. Tout désir lui apparaît dans la nature des choses. En revanche, il attend de cet amour un type de comportement, une éthique tout à fait particulière.

La relation pédérastique est asymétrique ; elle oppose deux personnes dont les rôles sont codifiés de façon différenciée. L'amant (l'éraste) est le plus âgé : c'est lui qui prend l'initiative de la poursuite, il peut montrer sa passion, il n'y a pas de honte à ce qu'il manifeste cette forme de délire, de possession, qu'on nomme l'amour ; ses extravagances, à défaut d'être louées, peuvent être tolérées. L'aimé (l'éromène) forme l'autre pôle ; il est le plus jeune ; ne lui conviennent que la discrétion et la décence. Il ne doit pas céder facilement, sous peine d'être mal perçu, mais doit faire preuve de circonspection.

Dans *Le Banquet*, le caractère asymétrique du désir est lié à l'arrière-fond éducatif de la relation amoureuse : le plus vieux est « celui qui enseigne au plus jeune », dans une société où les rôles sociaux, les savoirs n'étaient pas enseignés dans des universités.

2 Une mise en scène théâtrale

Le Banquet illustre le talent de Platon à mettre en scène non seulement des personnages, mais aussi des caractères et des idées. Aucun détail n'est anodin, comme ce hoquet qui empêche malencontreusement Aristophane de parler, et dont on peut penser qu'il est nécessaire dans l'ordonnancement logique de l'ensemble. Car les discours qui se succèdent n'ont pas tous la même importance, mais on peut montrer qu'ils s'enchaînent dans un ordre réfléchi. Certains sont des parodies, qu'il faut lire comme des scènes de Molière. Le discours d'Agathon est parfaitement ridicule ; ceux de Phèdre et d'Éryximaque montrent leurs artifices rhétoriques. Le discours de Pausanias, sur les différentes politiques adoptées par les cités grecques concernant le problème de l'homosexualité, a pour nous un intérêt sociologique, car il montre bien la subtilité de règles qui, quoique non écrites, n'en sont pas moins étroitement codifiées.

3 Derrière la mise en scène, une cohérence démonstrative

Amour-Éros rapporté à un jugement moral (quelle est sa valeur ?), mais sans examen de son essence (quelle est sa définition ?).	**Phèdre** L'Amour enfante le Bien : thème rhétorique. Unité de l'Amour.	Caractère **asymétrique** de la relation amoureuse. Le caractère pédérastique est clairement affirmé. L'asymétrie permet d'établir une relation pédagogique : du plus mûr au moins âgé.
	Pausanias L'Amour doit se construire selon des normes sociales : souci « sociologique ». Dualité de l'amour : Amour noble/amour vulgaire.	
Amour-Éros rapporté à un ordre naturel, à sa définition, mais non articulé à un jugement moral.	**Aristophane** Origine anthropologique de l'Amour : il est issu d'une incomplétude primordiale et d'une recherche de soi.	Caractère **symétrique** du dynamisme amoureux. Le caractère pédérastique passe au second plan. L'Amour établit des relations d'égalité, de réciprocité.
	Éryximaque Origine cosmologique de l'Amour: il nous lie à l'univers. C'est une force universelle, l'harmonie des contraires.	
Synthèse : Amour-Éros jugé en fonction d'une appréciation morale liée à un examen de sa définition.	**Agathon** Synthèse superficielle de tous les défauts précédents. Unité de l'Amour, multiplicité de ses qualités.	Tous les défauts des discours précédents se rencontrent dans le discours de celui qui a gagné le prix du concours de tragédie.
	Socrate/Diotime Synthèse réelle qui englobe les vérités des étapes précédentes. • Dualité des origines (naissance, Éros n'est ni un homme ni un Dieu, c'est un démon), mais unité de l'élan ; l'Amour est un médiateur. • Contradiction sensible/intelligible ; mais identité de l'élan vers le Beau.	L'**asymétrie** de départ (amour des corps, des caractères, relation pédagogique) est transformée en **symétrie** finale (relation d'égalité en vue du savoir) ; un lien entre l'amour et l'amour du savoir (la philosophie) est établi.

Platon (vers 427-vers 347 av. J.-C.)

Né à Athènes, il appartient à une famille noble. À 20 ans, il fait la rencontre de Socrate, qu'il fréquente jusqu'à la condamnation à mort de celui-ci, en 399 av. J.-C. On pense que ses premières œuvres précèdent ou suivent de peu la mort de Socrate. Platon voyage en Égypte, en Italie. En 388-387 av. J.-C., il fonde son école, à Athènes, l'Académie, où il enseignera jusqu'à sa mort. Cette vie savante est entrecoupée de tentatives d'action politique auprès des tyrans de Syracuse, Denys Ier et son fils Denys II, mais ces tentatives s'achèvent sur des échecs cuisants. Platon meurt à 80 ans. Il laisse une œuvre écrite considérable, composée essentiellement de dialogues.

Extraits

Platon : *Le Banquet* (IVe s. av. J.-C.)

Qu'est-ce que l'amour ?

Le mythe d'Aristophane est une parodie à un double niveau : Platon imite Aristophane, l'auteur de comédies, aussi célèbre en son temps que Molière au XVIIe siècle. Le personnage d'Aristophane parodie à son tour les mythes grecs, et cette parodie de parodie donne une histoire bouffonne. C'est une énorme farce, mais qui cache, derrière le comique, une profonde analyse de l'existence humaine.

Texte 1 L'état primitif de l'humanité

Au temps jadis, notre nature n'était pas la même qu'à présent, elle était très différente. D'abord, il y avait chez les humains trois genres, et non pas deux comme aujourd'hui, le mâle et la femelle. Il en existait un troisième, qui tenait des deux autres ; le nom s'en est conservé de nos jours, mais le genre, lui, a disparu ; en ce temps-là, en effet, existait l'androgyne[1], genre distinct, qui pour la forme et pour le nom tenait des deux autres, à la fois du mâle et de la femelle. Aujourd'hui il n'existe plus, ce n'est plus qu'un nom déshonorant.

Ensuite, la forme de chaque homme constituait un tout, avec un dos arrondi et des flancs bombés. Ils avaient quatre mains, le même nombre de jambes, deux visages tout à fait pareils sur un cou parfaitement rond ; leur tête, au-dessus de ces deux visages situés à l'opposé l'un de l'autre, était unique ; ils avaient aussi quatre oreilles, deux organes de la génération, et le reste à l'avenant, autant qu'on peut l'imaginer. Ils se déplaçaient ou bien en ligne droite, comme à présent, dans le sens qu'ils voulaient ; ou bien quand ils se mettaient à courir rapidement, ils opéraient comme les acrobates qui exécutent une culbute et font la roue en ramenant leurs jambes en position droite : ayant huit membres qui leur servaient de point d'appui, ils avançaient rapidement en faisant la roue.

Platon, *Le Banquet*, IVe s. av. J.-C., 189c, trad. P. Vicaire, Les Belles Lettres, 1989, p. 29 sq.

1. Homme et femme en même temps.

QUESTIONS

1• Comment était l'humanité « au temps jadis » ?

2• Montrez le caractère comique et parodique de cette description.

Texte 2 Le châtiment, la naissance des amours

Ces créatures étranges tentèrent un jour d'escalader le ciel, pour combattre les dieux. En punition, Zeus décida de les couper en deux. Ce châtiment expliquerait les différentes formes de sexualité.

Quand donc l'être primitif eut été dédoublé par cette coupure, chacun, regrettant sa moitié, tentait de la rejoindre. S'embrassant, s'enlaçant l'un l'autre, désirant ne former qu'un seul être, ils mouraient de faim, et d'inaction aussi, parce qu'ils ne voulaient rien faire l'un sans l'autre. Et quand une des moitiés était morte et que l'autre survivait, la moitié survivante en cherchait une autre et s'enlaçait à elle – qu'elle rencontrât la moitié d'une femme entière, c'est-à-dire ce qu'aujourd'hui nous appelons une femme, ou la moitié d'un homme. Ainsi l'espèce s'éteignait.

Mais Zeus, pris de pitié, s'avise d'un autre expédient : il transporte sur le devant leurs organes de la génération. Jusqu'alors, en effet, ils les avaient sur leur face extérieure, et ils engendraient et enfantaient non point en s'unissant mais dans la terre comme les cigales. Il transporta donc ces organes à la place où nous les voyons, sur le devant, et fit que par ce moyen les hommes engendrèrent les uns dans les autres, c'est-à-dire par l'organe mâle, dans la femelle. Son but était le suivant : dans l'accouplement, si un homme rencontrait une femme, ils auraient un enfant et l'espèce se reproduirait ; mais si un mâle rencontrait un mâle, ils trouveraient au moins une satiété dans leurs rapports, ils se calmeraient et ils se tourneraient vers l'action, et pourvoiraient aux autres besoins de leur existence.

C'est évidemment de ce temps lointain que date l'amour inné des hommes les uns pour les autres, celui qui rassemble des parties de notre nature ancienne, qui de deux êtres essaie d'en faire un seul, et de guérir la nature humaine.

Op. cit., 191a, p. 32 sq.

QUESTIONS

1• Montrez les deux étapes : avant et après la sexualité. Pourquoi, au départ, la liaison conduit-elle à la mort ?

2• Le désir humain est souvent présenté comme un prolongement du besoin sexuel. Ici, le besoin sexuel vient « après » le désir et fonctionne comme un frein. Quelle est l'importance de ce renversement ?

Texte 3 L'énigme de l'amour

Chacun d'entre nous est donc une fraction d'être humain dont il existe le complément, puisque cet être a été coupé comme on coupe les soles, et s'est dédoublé. Chacun, bien entendu, est en quête perpétuelle de son complément. Dans ces conditions, ceux des hommes qui sont une part de ce composé des deux sexes qu'on appelait alors androgyne, sont amoureux des femmes, et c'est de là que viennent la plupart des hommes adultères ; de la même façon, les femmes qui aiment les hommes et qui sont adultères, proviennent de cette espèce ; quant à celles des femmes qui sont une part de femme, elles ne prêtent aucune attention aux hommes, leur inclination les porte plutôt vers les femmes, et c'est de cette espèce que viennent les petites amies des dames[1]. Ceux qui sont une part de mâle recherchent les mâles et, tant qu'ils sont des enfants, comme ils sont de petites tranches du mâle primitif, ils aiment les hommes, prennent plaisir à coucher avec eux, à être dans leurs bras. Ce sont les meilleurs des enfants et des jeunes gens, parce qu'ils sont les plus virils de nature[2]. [...]

Et ces êtres, qui passent toute leur vie l'un avec l'autre, sont des gens qui ne sauraient même pas dire ce qu'ils attendent l'un de l'autre ; nul ne peut croire, en effet, que ce soit la jouissance amoureuse, et se figurer que telle est la raison de leur joie et de leur grand empressement à vivre côte à côte. C'est autre chose, évidemment, que veut l'âme de chacun, une chose qu'elle ne peut exprimer, mais elle devine[3] ce qu'elle veut et le laisse obscurément entendre[4].

Op. cit., 191e-192d, p. 33 sq.

1. Euphémisme du traducteur pour « lesbiennes ».
2. L'éloge d'Aristophane est sans doute ironique, car son hôte, Agathon, n'est pas un modèle de virilité.
3. Se rapproche de « diviner », c'est-à-dire chercher à interpréter l'oracle.
4. Parler par énigme, à la manière d'un oracle.

QUESTION

Quels liens étroits l'amour entretient-il avec 1) la mort ; 2) l'identité individuelle ; 3) l'énigme de la vie ? Que peut-on en conclure sur la nature du désir ?

Scène de banquet, 460-450 av. J.-C., céramique, Paris, musée du Louvre.

Platon : *Le Banquet* (IVe s. av. J.-C.)

Qu'est-ce que l'amour ?

Diotime est une prêtresse rencontrée par Socrate dans sa jeunesse. On ne sait pas si le personnage a vraiment existé, ou bien s'il n'est qu'une invention. Mais il résout un problème fréquemment rencontré dans les dialogues de Platon : comment dire une vérité que la raison pressent, mais qu'elle ne peut démontrer ? Dans ces cas-là, Platon fait appel à des mythes, à des traditions religieuses ou à des personnages inspirés. Diotime remplit ce rôle : Platon la présente comme celle qui a initié Socrate aux mystères de l'amour.

Texte 4 La purification

On représente souvent l'amour platonique comme un amour désincarné. Le texte suivant montre que Platon ne méprisait pas totalement les impulsions du corps. Le désir physique correspond à la première étape de l'initiation.

Voilà sans doute, Socrate, dans l'ordre de l'amour, les vérités auxquelles tu peux être, toi aussi, initié. Mais la révélation suprême et la contemplation qui en sont le but quand on suit la bonne voie, je ne sais si elles seront à ta portée. Je vais parler pourtant, dit-elle, sans ménager mon zèle. Essaye de me suivre, toi-même, si tu en es capable. Il faut, dit-elle, que celui qui prend la bonne voie pour aller à ce but commence dès sa jeunesse à rechercher les beaux corps. En premier lieu, s'il est bien dirigé par celui qui le dirige, il n'aimera qu'un seul corps, et alors il enfantera de beaux discours, puis il constatera que la beauté qui réside en un corps quelconque est sœur de la beauté d'un autre corps et que, si l'on doit chercher la beauté qui réside en la forme, il serait bien fou de ne pas tenir pour une et identique la beauté qui réside en tous les corps. Quand il aura compris cela, il deviendra amoureux de tous les beaux corps, et son violent amour d'un seul se relâchera : il le dédaignera, il le jugera sans valeur.

Platon, *Le Banquet*, IVe s. av. J.-C., 210a, trad. P. Vicaire, Les Belles Lettres, p. 67 sq.

QUESTIONS

1• Comment passe-t-on du désir d'un beau corps au désir de tous les beaux corps ?

2• Pourquoi l'amour inspire-t-il de beaux discours ?

Texte 5 L'ascension initiatique

L'initiation est un cheminement rituel, sur une route balisée et codifiée, qui sert à symboliser une transformation intérieure et volontaire. L'expérience de l'amour est analysée par Platon comme une démarche quasi religieuse : c'est un chemin que l'on s'ouvre en soi-même.

Ensuite il estimera la beauté des âmes plus précieuse que celle des corps, en sorte qu'une personne dont l'âme a sa beauté sans que son charme physique ait rien d'éclatant, va suffire à son amour et à ses soins. Il enfantera des discours capables de rendre la jeunesse meilleure ; de là il sera nécessairement amené à considérer la beauté dans les actions et dans les lois, et à découvrir qu'elle est toujours semblable à elle-même, en sorte que la beauté du corps soit peu de chose à son jugement.

Ensuite, des actions humaines il sera conduit aux sciences, pour en apercevoir la beauté et, les yeux fixés sur l'immense étendue qu'occupe le beau, cesser désormais de s'attacher comme le ferait un esclave à la beauté d'un jeune garçon, d'un homme, ou d'une seule action – et renoncer à l'esclavage qui l'avilit et lui fait dire des pauvretés. Qu'il se tourne au contraire vers l'océan du beau, qu'il le contemple, et il enfantera de beaux discours sans nombre, magnifiques, des pensées qui naîtront dans l'élan généreux de l'amour du savoir, jusqu'à ce qu'enfin, affermi et grandi, il porte les yeux vers une science unique, celle de la beauté dont je vais te parler.

Op. cit., 210b, p. 68-69.

QUESTION

› Expliquez la logique de l'enchaînement des étapes de l'initiation. Comment passe-t-on de la beauté des corps à celle des actions, puis à celle des sciences ?

Texte 6 La dernière étape : la contemplation

La contemplation est la dernière étape de l'initiation : elle en est la révélation. En général, ce qui est révélé est à la fois différent des étapes précédentes, mais dépendant d'elles. Il ne s'agit pas de mépriser les étapes antérieures, mais au contraire de les intégrer.

Adolescent au repos, éphèbe dit *Narcisse*, 480-323 av. J.-C., marbre, Paris, musée du Louvre.

Efforce-toi, dit-elle, de m'accorder toute l'attention dont tu es capable. L'homme guidé jusqu'à ce point sur le chemin de l'amour contemplera les belles choses dans leur succession et leur ordre exact ; il atteindra le terme suprême de l'amour et soudain il verra une certaine beauté qui par nature est merveilleuse, celle-là même, Socrate, qui était le but de tous ses efforts jusque là, une beauté qui tout d'abord est éternelle, qui ne connaît ni la naissance ni la mort, ni la croissance ni le déclin, qui ensuite n'est pas belle par un côté et laide par un autre, qui n'est ni belle en ce temps-ci et laide en ce temps-là, ni belle sous tel rapport et laide sous tel autre, ni belle ici et laide ailleurs, en tant que belle pour certains et laide pour d'autres.

Et cette beauté ne lui apparaîtra pas comme un visage, ni comme des mains ou rien d'autre qui appartienne au corps, ni non plus comme un discours ni comme une connaissance ; elle ne sera pas non plus située dans quelque chose d'extérieur, par exemple dans un être vivant, dans la terre, dans le ciel, ou dans n'importe quoi d'autre. Non, elle lui apparaîtra en elle-même et par elle-même, éternellement jointe à elle-même par l'unicité de sa forme, et toutes les autres choses qui sont belles participent de cette beauté de telle manière que la naissance ou la destruction des autres réalités ne l'accroît ni ne la diminue, elle, en rien, et ne produit aucun effet sur elle.

Quand, à partir de ce qui est ici-bas, on s'élève, grâce à l'amour bien compris des jeunes gens, et qu'on commence d'apercevoir cette beauté-là, on n'est pas loin de toucher au but. Suivre, en effet, la voie véritable de l'amour, ou y être conduit par un autre, c'est partir, pour commencer, des beautés de ce monde pour aller vers cette beauté-là, s'élever toujours, comme par échelons, en passant d'un seul beau corps à deux, puis de deux à tous, puis des beaux corps aux belles actions, puis des actions aux belles sciences, jusqu'à ce que des sciences on en vienne enfin à cette science qui n'est autre que la science du beau, pour connaître enfin la beauté en elle-même.

Op. cit., 210e, p. 69.

QUESTIONS

› 1• Quelles sont les caractéristiques de la beauté véritable ? Analysez-les.

› 2• Comparez les étapes initiatiques décrites dans ce texte avec celles de l'allégorie de la caverne, p. 60 et suivantes.

Passerelles

› **Chapitre 8 : L'art,** p. 194.
› **Textes :** Platon, *République*, p. 60-62.

Dossier

▶ Peut-on vivre sans autrui ?

Un être humain pourrait-il résister longtemps à une solitude absolue ? Pour répondre à une question aussi radicale, il faut s'adresser ou bien à la fiction (Robinson dans son île) ou bien à des situations extrêmes (les entreprises de dépersonnalisation dans les camps d'internement nazis).

DOCUMENT 1 « Quelqu'un, grands dieux, quelqu'un ! »

Ce roman reprend l'histoire de Robinson Crusoé.

Je sais ce que je risquerais en perdant l'usage de la parole, et je combats de toute l'ardeur de mon angoisse cette suprême déchéance. Mais mes relations avec les choses se trouvent elles-mêmes dénaturées par ma solitude. Lorsqu'un peintre ou un graveur introduit des personnages dans un paysage ou à proximité d'un monument, ce n'est pas par goût de l'accessoire. Les personnages *donnent l'échelle* et, ce qui importe davantage encore, ils constituent des *points de vue possibles* qui ajoutent au point de vue réel de l'observateur d'indispensables virtualités.

À Speranza, il n'y a qu'un point de vue, le mien, dépouillé de toute virtualité. Et ce dépouillement ne s'est pas fait en un jour. Au début, par un automatisme inconscient, je projetais des observateurs possibles – des paramètres – au sommet des collines, derrière tel rocher ou dans les branches de tel arbre. L'île se trouvait ainsi quadrillée par un réseau d'interpolations et d'extrapolations qui la différenciait et la dotait d'intelligibilité. Ainsi fait tout homme normal dans une situation normale. Je n'ai pris conscience de cette fonction – comme de bien d'autres – qu'à mesure qu'elle se dégradait en moi. Aujourd'hui, c'est chose faite. Ma vision de l'île est réduite à elle-même. Ce que je n'en vois pas est un inconnu absolu. Partout où je ne suis pas actuellement règne une nuit insondable. Je constate d'ailleurs en écrivant ces lignes que l'expérience qu'elles tentent de restituer non seulement est sans précédent, mais contrarie dans leur essence même les mots que j'emploie. Le langage relève en effet d'une façon fondamentale de cet univers peuplé où les autres sont autant de phares créant autour d'eux un îlot lumineux à l'intérieur duquel tout est – sinon connu – du moins connaissable. Les phares ont disparu de mon champ. [...]

Derek Harris, *Singular Figure*, 1988.

Et ma solitude n'attaque pas que l'intelligibilité des choses. Elle mine jusqu'au fondement même de leur existence. De plus en plus, je suis assailli de doutes sur la véracité du témoignage de mes sens. Je sais maintenant que la terre sur laquelle mes deux pieds appuient aurait besoin pour ne pas vaciller que d'autres que moi la foulent. Contre l'illusion d'optique, le mirage, l'hallucination, le rêve éveillé, le fantasme, le délire, le trouble de l'audition... le rempart le plus sûr, c'est notre frère, notre voisin, notre ami ou notre ennemi, mais quelqu'un, grands dieux, quelqu'un !

Michel Tournier, *Vendredi ou les Limbes du Pacifique*, 1967, coll. Folio, Gallimard, 1969, p. 53-55.

QUESTIONS

1• Comment la solitude finit-elle par dépouiller progressivement le monde de Robinson de son objectivité ? Décrivez les étapes de cet anéantissement.

2• À partir de ce texte, expliquez pourquoi nos relations avec les autres consciences sont fondamentales pour construire nos relations à notre environnement.

DOCUMENT 2 Deux catégories d'hommes ?

Les camps de concentration nazis constituent des situations extrêmes. Le bouleversement des comportements y est radical, tout autant que la solitude. L'évitement, le non-regard, l'impassibilité et le silence certifient votre inexistence.

Il existe chez les hommes deux catégories particulièrement bien distinctes, que j'appellerai métaphoriquement les élus et les damnés. Les autres couples de contraires [...] sont beaucoup moins nets, plus artificiels semble-t-il, et surtout ils se prêtent à toute une série de gradations intermédiaires plus complexes et plus nombreuses.

Cette distinction est beaucoup moins évidente dans la vie courante, où il est rare qu'un homme se perde, car en général l'homme n'est pas seul et son destin, avec ses hauts et ses bas, reste lié à celui des êtres qui l'entourent. Aussi est-il exceptionnel qu'un individu grandisse indéfiniment en puissance ou qu'il s'enfonce inexorablement de défaite en défaite, jusqu'à la ruine totale. D'autre part, chacun possède habituellement de telles ressources spirituelles, physiques, et même pécuniaires, que les probabilités d'un naufrage, d'une incapacité de faire face à la vie, s'en trouvent encore diminuées. Il s'y ajoute aussi l'action modératrice exercée par la loi, et par le sens moral qui opère comme une loi intérieure ; on s'accorde en effet à reconnaître qu'un pays est d'autant plus évolué que les lois qui empêchent le misérable d'être trop misérable et le puissant trop puissant y sont plus sages et plus efficaces. Mais au *Lager*[1] il en va tout autrement : ici, la lutte pour la vie est implacable car chacun est désespérément et férocement seul. Si un quelconque *Null Achtzehn*[2] vacille, il ne trouvera personne pour lui tendre la main, mais bien quelqu'un qui lui donnera le coup de grâce, parce que ici personne n'a intérêt à ce qu'un « musulman[3] » de plus se traîne chaque jour au travail ; et si quelqu'un, par un miracle de patience et d'astuce, trouve une nouvelle combine pour échapper aux travaux les plus durs, un nouveau système qui lui rapporte quelques grammes de pain supplémentaires, il gardera jalousement son secret, ce qui lui vaudra la considération et le respect général, et lui rapportera un avantage strictement personnel ; il deviendra plus puissant, on le craindra, et celui qui se fait craindre est du même coup un candidat à la survie. [...] Mais les « musulmans », les hommes en voie de désintégration, ceux-là ne valent même pas la peine qu'on leur adresse la parole, puisqu'on sait d'avance qu'ils commenceraient à se plaindre et à parler de ce qu'ils mangeaient quand ils étaient chez eux. Inutile, à plus forte raison, de s'en faire des amis : ils ne connaissent personne d'important au camp [...]. Ils souffrent et avancent dans une solitude intérieure absolue, et c'est encore en solitaires qu'ils meurent ou disparaissent, sans laisser de trace dans la mémoire de personne.

Primo Levi, *Si c'est un homme*, 1947, trad. M. Schruoffeneger, Robert Laffont, p. 94-95.

1. Le camp, en allemand.
2. « Zéro dix-huit », début de numéro de matricule.
3. « *Muselmann*, c'est ainsi que les anciens du camp surnommaient, j'ignore pourquoi, les faibles, les inadaptés, ceux qui étaient voués à la sélection » (note de P. Levi).

Christian Boltanski, *Disparition*, 1998, Copenhague, Arken Museum.

QUESTION

› Comment une solitude « féroce », organisée, conduit-elle à une dépersonnalisation des individus ?

Réflexion 4

Toi et moi : une compréhension d'un type particulier ?

Il peut sembler évident, puisque nous nous percevons de l'intérieur, que nous nous connaissons mieux que les autres nous connaissent. Pourtant, il y a une obscurité inévitable dans le fait que nous nous vivions uniquement « de l'intérieur ». Ainsi le regard porté sur nous « de l'extérieur », par les autres, est-il tout aussi essentiel. Mais comment concilier ces deux regards ?

Texte 1 Une perception immédiate d'autrui ?

Tazio Secchiaroli, Sophia Loren et Richard Avedon, Rome, 1966.

À la suite d'un certain nombre d'actions accomplies par quelqu'un qui venait de me parler et dont j'avais cru percevoir les sentiments et les intentions, je puis être forcé d'arriver à la conclusion que je l'ai mal compris ou qu'il m'a trompé, ou qu'il fait preuve à mon égard de simulation, etc. Ce faisant, je formule réellement des jugements se rapportant à ses expériences psychiques. [...] Mais n'oublions pas, à cette occasion, que les prémisses matérielles de ces jugements et conclusions reposent sur les données fournies par la perception pure et simple, soit de l'homme auquel nous avons affaire, soit d'autres hommes ; elles supposent donc ces perceptions directes et immédiates. C'est ainsi, par exemple, que je ne vois pas seulement les « yeux » d'un autre : je vois aussi qu'« il me regarde » ; je vois même qu'« il me regarde, de façon à ce que je ne voie pas qu'il me regarde ». Je perçois ainsi qu'il « prétend » ressentir ce qu'en réalité il ne ressent pas, qu'il déchire le lien (qui m'est connu) entre sa vie psychique et son « expression naturelle » et que là où son expérience psychique exige un phénomène d'expression déterminé, il met à la place un mouvement d'expression tout à fait différent. C'est ainsi, par exemple, que si je me rends compte de son mensonge, ce n'est pas en me disant qu'il doit bien savoir que les choses ne sont pas telles qu'il les représente ou expose ou décrit : dans certaines circonstances, je suis capable de percevoir directement son mensonge, de surprendre pour ainsi dire l'acte par lequel il ment. Je puis aussi dire raisonnablement à quelqu'un : « vous voulez dire autre chose que ce que vous dites ; vous vous exprimez mal » : c'est-à-dire que je saisis le sens de ce qu'il voulait dire, sens qui ne découle certainement pas de ses paroles, car s'il en était ainsi, je ne pourrais pas les corriger conformément à l'intention que j'attribue d'avance à leur auteur.

Max Scheler, *Nature et formes de la sympathie*, 1913, trad. M. Lefebvre, coll. Petite bibliothèque Payot, Payot, p. 353-355.

QUESTION

› L'auteur pense qu'il y a, avant toute réflexion, une compréhension immédiate d'autrui. Analysez les exemples concrets du texte.

Texte 2 Intérieur, extérieur : deux perspectives également nécessaires ?

Il est naturel que je connaisse les autres mieux que moi-même, qui suis tout occupé à me faire. Et c'est pour cela qu'il y a tant de vanité, de faux-semblant et de perte de temps dans ce soin avec lequel je me considère, qui me retarde quand il me faut agir ; je dois l'abandonner à autrui qui n'a point la charge directe de ce que je vais devenir et qui, à l'inverse de moi-même, s'intéresse à mon être réalisé plus qu'à l'acte qui le réalise. Il ne voit en moi que l'homme manifesté, celui qui se distingue de tous les autres par son caractère et par ses faiblesses, et non l'homme que je veux être et qui cherche toujours à surpasser sa nature et à guérir ses imperfections. J'éprouve indéfiniment en moi la présence d'une puissance qui n'a point encore été employée, d'une espérance qui n'a point encore été déçue. Un autre n'observe en moi que l'être que je puis montrer, et moi, que l'être que je ne montrerai jamais. À l'inverse de ce qu'il fait, j'ai toujours les yeux fixés sur ce que je ne suis pas plutôt que sur mon état, sur le terme de mes désirs plutôt que sur la distance qui m'en sépare. Le malentendu qui règne entre les hommes provient toujours de la perspective différente selon laquelle chacun se regarde et regarde autrui. Car il ne voit en lui que ses puissances et ne voit en l'autre que ses actions. Et le crédit qu'il se donne, il le lui refuse. Une parenté commence à les unir dès que, dépassant tous les deux ce qu'ils peuvent montrer, ils se font cette mutuelle confiance, qui est déjà une muette coopération.

Louis Lavelle, *L'Erreur de Narcisse*, 1939, Grasset, p. 35 sq.

QUESTIONS

1• Quelles différences l'auteur établit-il entre la manière dont je me perçois et la manière dont les autres me perçoivent ? Y a-t-il une perspective plus juste que l'autre ? Quel danger y aurait-il pour soi-même à minimiser l'une ou l'autre de ces deux perspectives ?

2• Comment ces deux perspectives expliquent-elles « le malentendu qui règne entre les hommes » ?

Texte 3 Autrui, médiateur entre moi et moi-même ?

Je viens de faire un geste maladroit ou vulgaire : ce geste colle à moi, je ne le juge ni ne le blâme, je le vis simplement, je le réalise sur le mode du pour-soi. Mais voici tout à coup que je lève la tête : quelqu'un était là et m'a vu. Je réalise tout à coup toute la vulgarité de mon geste et j'ai honte. Il est certain que ma honte n'est pas réflexive, car la présence d'autrui à ma conscience, fût-ce à la manière d'un catalyseur, est incompatible avec l'attitude réflexive : dans le champ de ma réflexion, je ne puis jamais rencontrer que la conscience qui est mienne. Or autrui est le médiateur indispensable entre moi et moi-même : j'ai honte de moi tel que j'apparais à autrui. Et, par l'apparition même d'autrui, je suis mis en mesure de porter un jugement sur moi-même comme sur un objet, car c'est comme objet que j'apparais à autrui.

Mais pourtant, cet objet apparu à autrui, ce n'est pas une vaine image dans l'esprit d'un autre. Cette image en effet serait entièrement imputable à autrui et ne saurait me « toucher ». Je pourrais ressentir de l'agacement, de la colère en face d'elle, comme devant un mauvais portrait de moi, qui me prête une laideur ou une bassesse d'expression que je n'ai pas ; mais je ne saurais être atteint jusqu'aux moelles : la honte est, par nature, reconnaissance. Je reconnais que je suis comme autrui me voit.

Jean-Paul Sartre, *L'Être et le néant*, 1943, Gallimard, p. 265.

QUESTIONS

1• Montrez la différence entre autrui comme simple présence (§ 1) et autrui comme opinion extérieure sur moi-même (§ 2).

2• Que veut dire « catalyseur » en chimie ? En quoi cette métaphore permet-elle de comprendre qu'autrui n'intervient pas ici comme une intrusion mais comme une révélation ?

Réflexion 5

▶ Qu'est-ce qu'une relation authentique avec autrui ?

Selon Lévinas, le visage d'autrui m'impose un interdit moral : l'interdiction de tuer. Je peux refuser de le respecter, mais tout visage adresse, du fait de sa nudité, de son caractère unique, le même message. La relation à autrui est donc décrite d'emblée comme dissymétrique : autrui m'impose un devoir.

Texte 1 L'interdit moral du visage : tu ne tueras pas

Tuer n'est pas dominer mais anéantir, renoncer absolument à la compréhension. Le meurtre exerce un pouvoir sur ce qui échappe au pouvoir. Encore pouvoir, car le visage s'exprime dans le sensible ; mais déjà impuissance, parce que le visage déchire le sensible. L'altérité qui s'exprime dans le visage fournit l'unique « matière » possible à la négation totale. Je ne peux vouloir tuer qu'un étant absolument indépendant, celui qui dépasse infiniment mes pouvoirs et qui par là ne s'y oppose pas, mais paralyse le pouvoir même de pouvoir. Autrui est le seul être que je peux vouloir tuer.

Mais en quoi cette disproportion entre l'infini et mes pouvoirs diffère-t-elle de celle qui sépare un obstacle très grand d'une force qui s'applique à lui ? Il serait inutile d'insister sur la banalité du meurtre qui révèle la résistance quasi nulle de l'obstacle. Cet incident le plus banal de l'histoire humaine correspond à une possibilité exceptionnelle – puisqu'elle prétend à la négation totale d'un être. Elle ne concerne pas la force que cet être peut posséder en tant que partie du monde. Autrui qui peut souverainement me dire *non*, s'offre à la pointe de l'épée ou à la balle du revolver et toute la dureté inébranlable de son « pour soi » avec ce *non* intransigeant qu'il oppose, s'efface du fait que l'épée ou la balle a touché les ventricules ou les oreillettes de son cœur. Dans la contexture du monde il n'est quasi rien. Mais il peut m'opposer une lutte, c'est-à-dire opposer à la force qui le frappe non pas une force de résistance, mais *l'imprévisibilité* même de sa réaction. Il m'oppose ainsi non pas une force plus grande – une énergie évaluable et se présentant par conséquent comme si elle faisait partie d'un tout – mais la transcendance même de son être par rapport à ce tout ; non pas un superlatif quelconque de puissance, mais précisément l'infini de sa transcendance. Cet infini, plus fort que le meurtre, nous résiste déjà dans son visage, est son visage, est *l'expression* originelle, est le premier mot : « Tu ne commettras pas de meurtre. » L'infini paralyse le pouvoir par sa résistance infinie au meurtre, qui, dure et insurmontable, luit dans le visage d'autrui, dans la nudité totale de ses yeux, sans défense, dans la nudité de l'ouverture absolue du Transcendant. Il y a là une relation non pas avec une résistance très grande, mais avec quelque chose d'absolument *Autre* : la résistance de ce qui n'a pas de résistance – la résistance éthique.

Emmanuel Lévinas, *Totalité et infini*, 1961, coll. Biblio essais, Livre de poche, 1971, p. 215-217.

QUESTIONS

› 1• Comment comprendre l'expression : « l'infini de la transcendance » d'autrui ?

› 2• Quels arguments Lévinas propose-t-il pour justifier la relation éthique qu'autrui exige de tout homme ?

Texte 2 Comment regarder autrui ?

Phillipe Nemo – Dans *Totalité et infini*, vous parlez longuement du visage. C'est là un de vos thèmes fréquents. En quoi consiste et à quoi sert cette phénoménologie du visage, c'est-à-dire cette analyse de ce qui se passe quand je regarde autrui face à face ?

Emmanuel Lévinas – Je ne sais si on peut parler de « phénoménologie » du visage, puisque la phénoménologie décrit ce qui apparaît. De même, je me demande si on peut parler d'un regard tourné vers le visage, car le regard est connaissance, perception. Je pense plutôt que l'accès au visage est d'emblée éthique. C'est lorsque vous voyez un nez, des yeux, un front, un menton, et que vous pouvez les décrire, que vous vous tournez vers autrui comme vers un objet. La meilleure manière de rencontrer autrui, c'est de ne pas même remarquer la couleur de ses yeux ! Quand on observe la couleur des yeux, on n'est pas en relation sociale avec autrui. La relation avec le visage peut certes être dominée par la perception, mais ce qui est spécifiquement visage, c'est ce qui ne s'y réduit pas.

Il y a d'abord la droiture même du visage, son exposition droite, sans défense. La peau du visage est celle qui reste la plus nue, la plus dénuée. La plus nue, bien que d'une nudité décente. La plus dénuée aussi : il y a dans le visage une pauvreté essentielle ; la preuve en est qu'on essaie de masquer cette pauvreté en se donnant des poses, une contenance. Le visage est exposé, menacé, comme nous invitant à un acte de violence. En même temps, le visage est ce qui nous interdit de tuer.

Ph. N. – Les récits de guerre nous disent en effet qu'il est difficile de tuer quelqu'un qui vous regarde de face.

E. L. – Le visage est signification, et signification sans contexte. Je veux dire qu'autrui, dans la rectitude de son visage, n'est pas un personnage dans un contexte. D'ordinaire, on est un « personnage » : on est professeur à la Sorbonne, vice-président du Conseil d'État, fils d'Un tel, tout ce qui est dans le passeport, la manière de se vêtir, de se présenter. Et toute signification, au sens habituel du terme, est relative à un tel contexte : le sens de quelque chose tient dans sa relation à autre chose. Ici, au contraire, le visage est sens à lui seul. Toi, c'est toi. En ce sens, on peut dire que le visage n'est pas « vu ». Il est ce qui ne peut devenir un contenu, que votre pensée embrasserait ; il est l'incontenable, il vous mène au-delà. C'est en cela que la signification du visage le fait sortir de l'être en tant que corrélatif d'un savoir. Au contraire, la vision est recherche d'une adéquation ; elle est ce qui par excellence absorbe l'être. Mais la relation au visage est d'emblée éthique. Le visage est ce qu'on ne peut tuer, ou du moins ce dont le *sens* consiste à dire : « Tu ne tueras point. » Le meurtre, il est vrai, est un fait banal : on peut tuer autrui ; l'exigence éthique n'est pas une nécessité ontologique. L'interdiction de tuer ne rend pas le meurtre impossible, même si l'autorité de l'interdit se maintient dans la mauvaise conscience du mal accompli – malignité du mal.

Emmanuel Lévinas, *Éthique et infini*, entretiens radiophoniques, 1981,
coll. Biblio essais, Livre de poche, 1982, p. 79-81.

QUESTIONS

› **1•** Présentez la façon authentique de rencontrer autrui et la façon inauthentique de le rencontrer.

› **2•** Expliquez : « Le visage est [...] signification sans contexte. »

Réflexion 6

▶ Omniprésence ou absence du regard d'autrui : quel est le plus à craindre ?

Derrière le rire, Bergson décrit une forme de pression sociale bien plus efficace que certaines règles morales ou juridiques. La peur du ridicule, c'est l'omniprésence d'autrui et de son regard. Pourtant, quand cette menace disparaît, comme dans les phénomènes de foule, un autre danger se fait jour.

Texte 1 Le rire, un geste social fondamental

Il n'y a pas de comique en dehors de ce qui est proprement *humain*. Un paysage pourra être beau, gracieux, sublime, insignifiant ou laid ; il ne sera jamais risible. On rira d'un animal, mais parce qu'on aura surpris chez lui une attitude d'homme ou une expression humaine. On rira d'un chapeau ; mais ce qu'on raille alors, ce n'est pas le morceau de feutre ou de paille, c'est la forme que des hommes lui ont donnée, c'est le caprice humain dont il a pris le moule. Comment un fait aussi important, dans sa simplicité, n'a-t-il pas fixé davantage l'attention des philosophes ? Plusieurs ont défini l'homme « un animal qui sait rire ». Ils auraient aussi bien pu le définir un animal qui fait rire, car si quelque autre animal y parvient, ou quelque objet inanimé, c'est par une ressemblance avec l'homme, par la marque que l'homme y imprime ou par l'usage que l'homme en fait.

Signalons maintenant, comme un symptôme non moins digne de remarque, *l'insensibilité* qui accompagne d'ordinaire le rire. Il semble que le comique ne puisse produire son ébranlement qu'à la condition de tomber sur une surface d'âme bien calme, bien unie. L'indifférence est son milieu naturel. Le rire n'a pas de plus grand ennemi que l'émotion. Je ne veux pas dire que nous ne puissions rire d'une personne qui nous inspire de la pitié, par exemple, ou même de l'affection : seulement alors, pour quelques instants, il faudra oublier cette affection, faire taire cette pitié. Dans une société de pures intelligences, on ne pleurerait probablement plus, mais on rirait peut-être encore ; tandis que des âmes invariablement sensibles, accordées à l'unisson de la vie, où tout événement se prolongerait en résonance sentimentale, ne connaîtraient ni ne comprendraient le rire [...]. Le comique exige donc enfin, pour produire tout son effet, quelque chose comme une anesthésie momentanée du cœur. Il s'adresse à l'intelligence pure.

Henri Bergson, *Le Rire*, 1900, PUF, p. 2-5 ; éd. du Centenaire, p. 388-389.

QUESTION

› Quelles sont les caractéristiques du rire repérées par Bergson ?

Texte 2 La menace du ridicule maintient chacun en éveil sous le regard d'autrui

Ce que le rire juge, ce sont de légers manquements qui ne seraient condamnables ni moralement ni juridiquement ; le rire contraint chacun à se placer sous le regard d'autrui.

Ce que la vie et la société exigent de chacun de nous, c'est une attention constamment en éveil, qui discerne les contours de la situation présente, c'est aussi une certaine élasticité du corps et de l'esprit, qui nous mette à même de nous y adapter. *Tension* et *élasticité*, voilà deux forces complémentaires l'une de l'autre que la vie met en jeu. [...] Toute *raideur* du caractère, de l'esprit et même du corps, sera donc suspecte à la société, parce qu'elle est le signe possible d'une activité qui s'endort et aussi d'une activité qui s'isole, qui tend à s'écarter du centre commun autour duquel la société gravite, d'une excentricité enfin. Et pourtant la société ne peut intervenir ici par une répression matérielle, puisqu'elle n'est pas atteinte matériellement.

Elle est en présence de quelque chose qui l'inquiète, mais à titre de symptôme seulement, – à peine une menace, tout au plus un geste. C'est donc par un simple geste qu'elle y répondra. Le rire doit être quelque chose de ce genre, une espèce *de geste social*. Par la crainte qu'il inspire, il réprime les excentricités, tient constamment en éveil et en contact réciproque certaines activités d'ordre accessoire qui risqueraient de s'isoler et de s'endormir, assouplit enfin tout ce qui peut rester de raideur mécanique à la surface du corps social. [...] En un mot, si l'on trace un cercle autour des actions et dispositions qui compromettent la vie individuelle ou sociale et qui se châtient elles-mêmes par leurs conséquences naturelles, il reste en dehors de ce terrain d'émotion et de lutte, dans une zone neutre où l'homme se donne simplement en spectacle à l'homme, une certaine raideur du corps, de l'esprit et du caractère, que la société voudrait encore éliminer pour obtenir de ses membres la plus grande élasticité et la plus haute sociabilité possibles. Cette raideur est le comique, et le rire en est le châtiment.

Op. cit., PUF, p. 14-16 ; éd. du Centenaire, p. 395-396.

QUESTION

› Quelle est la force du rire ? Qu'est-ce qui est puni par le rire, qui ne peut être ni blâmé par la morale, ni puni par les lois ?

Texte 3 L'individu en foule est un être primitif

Dans une foule, on ne craint plus le regard d'autrui, on en est au contraire comme délivré. Mais, privé de ce regard, on peut être entraîné par une présence plus lourde et anonyme.

Des observations attentives paraissent prouver que l'individu plongé depuis quelque temps au sein d'une foule agissante, tombe bientôt – par suite des effluves qui s'en dégagent, ou pour toute autre cause encore ignorée – dans un état particulier, se rapprochant beaucoup de l'état de fascination de l'hypnotisé entre les mains de son hypnotiseur. La vie du cerveau étant paralysée chez le sujet hypnotisé, celui-ci devient l'esclave de toutes ses activités inconscientes, que l'hypnotiseur dirige à son gré. La personnalité consciente est évanouie, la volonté et le discernement abolis. Sentiments et pensées sont alors orientés dans le sens déterminé par l'hypnotiseur.

Tel est à peu près l'état de l'individu faisant partie d'une foule. Il n'est plus conscient de ses actes. Chez lui, comme chez l'hypnotisé, tandis que certaines facultés sont détruites, d'autres peuvent être amenées à un degré d'exaltation extrême. L'influence d'une suggestion le lancera avec une irrésistible impétuosité vers l'accomplissement de certains actes. Impétuosité plus irrésistible encore dans les foules que chez le sujet hypnotisé, car la suggestion, étant la même pour tous les individus, s'exagère en devenant réciproque. Les unités d'une foule qui posséderaient une personnalité assez forte pour résister à la suggestion, sont en nombre trop faible et le courant les entraîne. Tout au plus pourront-elles tenter une diversion par une suggestion différente. Un mot heureux, une image évoquée à propos ont parfois détourné les foules des actes les plus sanguinaires.

Donc, évanouissement de la personnalité consciente, prédominance de la personnalité inconsciente, orientation par voie de suggestion et de contagion des sentiments et des idées dans un même sens, tendance à transformer immédiatement en actes les idées suggérées, tels sont les principaux caractères de l'individu en foule. Il n'est plus lui-même, mais un automate que sa volonté est devenue impuissante à guider.

Par le fait seul qu'il fait partie d'une foule, l'homme descend donc plusieurs degrés sur l'échelle de la civilisation.

Gustave Le Bon, *Psychologie des foules*, 1895, PUF, 1971, p. 13-14.

QUESTION

› Paradoxalement, dans un phénomène de foule, le regard d'autrui disparaît. Pourquoi ? En quoi cette disparition est-elle dangereuse ?

Émile Loreaux, *Échanges entre voisins, rue de la Villette, 20e arrondissement de Paris.*

Autrui : un autre moi-même

Autrui, c'est l'autre qui, en face de moi, est à la fois **proche** même s'il m'est étranger (par son regard, son visage, sa voix) et à fois **étranger** même s'il m'est proche (à cause de l'obscurité du désir, de la jalousie, des malentendus). La relation à autrui constitue l'**intersubjectivité**. L'intersubjectivité est le milieu dans lequel la conscience de chacun peut naître. En effet, la conscience de soi se bâtit en compagnie d'autres consciences, et grâce à elles.

Aliénation / mauvaise foi

« Autrui est d'abord pour moi l'être pour qui je suis un objet », écrit Sartre dans *L'Être et le Néant*. Deux regards constituent en effet la conscience de soi : l'un, que chacun porte sur soi-même en train de se réaliser (**le pour soi**) ; l'autre, qu'autrui porte sur chacun d'entre nous, en tant qu'individu réalisé, identifié, classé, comme n'importe quel objet, dans des catégories objectives : sexe, âge, profession, personnalité officielle, caractère (**l'en-soi**). Dans ce jeu, le Moi peut se perdre d'une double manière : soit **en acceptant** sans réserve l'image extérieure qu'autrui lui renvoie (on parlera d'**aliénation**), soit **en refusant** cette réalité objective qui est aussi sa réalité (on parlera de **mauvaise foi**). Car le rôle d'autrui est équivoque : si son regard peut enfermer dans des images faussées, sa présence est cependant indispensable pour forcer chacun à se regarder de l'extérieur et à se juger en toute lucidité.

Trois pôles de la conscience, trois relations à autrui

- Chacun revendique le statut de **personne** : être porteur de droits moraux, juridiques au même titre que tout homme ; c'est au nom de cette égalité affirmée avec les autres personnes qu'on exige le respect, qu'on revendique une dignité. Cette identité juridique et morale se construit dans le milieu de l'**universalité** (« Autrui a les mêmes droits que moi »).
- Chacun veut se bâtir une **personnalité** qui lui soit propre ; ce par quoi il se différencie de tous les autres, parce qu'il a un corps, une histoire, une mémoire, qui ne peuvent être le corps, ou l'histoire, ou la mémoire de personne d'autre ; parce qu'il affirme ses différences, ses goûts, ses valeurs. Cette identité psychologique vise la **singularité** (« je ne suis pas comme toi, et je ne veux pas l'être »).
- Chacun est contraint à jouer un **personnage** (ou plus exactement une multitude de personnages successifs, à chaque heure du jour) : ce sont les rôles sociaux qu'il convient de jouer dès lors qu'on est en société. C'est la zone la plus équivoque : celle du **particulier**, intersection entre des situations généralisables (profession, fonction, statut, sexe, âge) et des jeux singuliers (une manière d'habiter ces rôles, de prendre en charge les scénarios). Toute authenticité doit viser à jouer le moins mal possible ces rôles devant autrui.

Remarque : en logique, l'universel désigne la totalité d'un ensemble, le singulier une unité de cet ensemble, le particulier une partie de cet ensemble.

Le désir

Le désir est souvent défini par le **manque** : on ne peut, semble-t-il, désirer que ce qui nous manque. Manque à combler, naturel ou artificiel, limité ou illimité, réel ou illusoire. Pourtant on peut aussi renverser le problème et faire du désir une **force positive**, à partir de laquelle se définira le désirable. Ce n'est pas le désirable qui cause le désir, c'est la force du désir qui constitue le désirable. Ainsi, pour Spinoza, le désir est « l'appétit avec conscience de lui-même » (*Éthique*, III, IX) ; et il ajoute : « nous ne désirons aucune chose parce que nous la trouvons bonne Mais au contraire, nous jugeons bonne une chose parce que nous la désirons » (*op. cit.*).

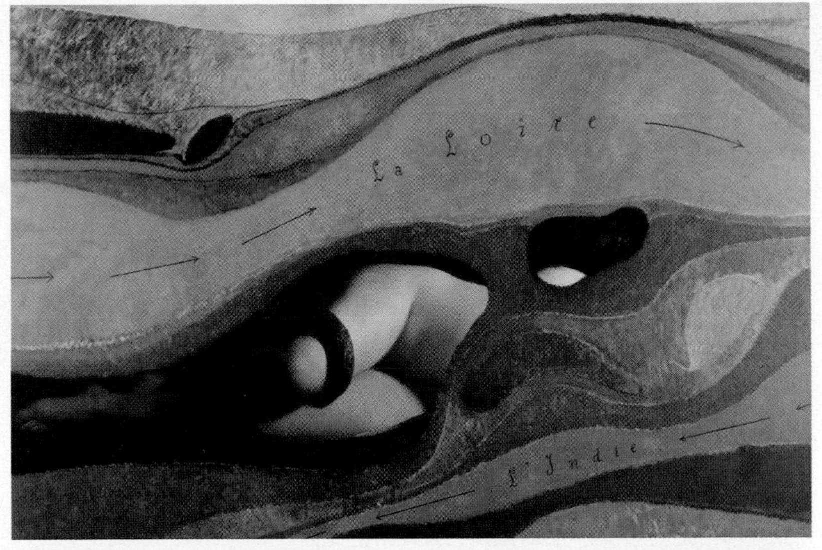

Max Ernst, *Le Jardin de la France*, 1962, huile sur toile (1,14 x 1,68 m), Paris, Centre Georges-Pompidou.

Mesure / démesure

L'homme est l'être qui, laissé à lui-même, n'a pas de mesure. Ses émotions, ses passions, ses violences, et donc aussi ses désirs peuvent aller jusqu'à leurs dernières limites. Les Grecs appellent cette démesure *ubris*. Épicure lui oppose la mesure du désir. Ce qui est naturel, c'est ce qui est de l'ordre de la **limite**. « Ce n'est pas le ventre qui est insatiable, comme le croit la foule, mais la fausse opinion qu'on a de sa capacité indéfinie » (*Sentences vaticanes*, 59).

Désir / besoin

Le propre du **besoin**, c'est que son manque est strictement déterminable : si mon organisme a besoin de calcium ou de fer, en consommer pourra combler entièrement ce besoin. De même si j'ai besoin d'une voiture pour travailler, mon besoin sera satisfait quelle que soit la marque, la couleur, la forme de la voiture. Il n'en va pas de même si je « désire » une voiture. Certes ce désir peut se greffer sur un besoin réel, mais le désir s'éveille dès lors qu'une part de rêve, d'images, de fantasmes est lié à cet achat : je n'achèterai pas n'importe quelle voiture, mais celle qui correspondra le mieux à mes rêves.

Il y a désir quand, visant un objet, je vise à travers lui autre chose que lui, un inconnu qui s'ouvre par l'intermédiaire de signes que je perçois confusément.

Ce que le **désir** met en jeu est moins un manque de quelque chose qu'une recherche de soi, un « manque à être ». Il appartient alors à son essence de ne pouvoir être satisfait, contrairement au besoin. Il est une recherche sans fin. De plus, le désir met en jeu le désir de l'autre : la concurrence, la jalousie montrent que l'on désire souvent ce que les autres désirent, à tel point que parfois le fait qu'autrui désire un objet est ce qui rend cet objet désirable.

chapitre 5

Le temps, l'existence

Gustav Klimt, *Les trois âges de la vie*, 1905, huile sur toile (1,73 x 1,71 m), Rome, Galleria Nazionale d'Arte Moderna.

Des mots...

Le temps semble être quelque chose que nous pourrions posséder : on peut perdre son temps, avoir tout son temps, et on peut même gaspiller son temps. Comme si le temps était un bien à notre disposition. Nos mots font du temps une réalité agissante. Souvent, il est personnifié : le temps passe vite, le temps efface tout, le temps détruit tout. Nos mots multiplient les métaphores : le temps est comme l'eau, comme une rivière qui emporte les existences ou dans laquelle les hommes se baignent.

... aux concepts

Le temps est une réalité, mais ce n'est ni une chose ni un acteur. Il s'agit d'une dimension fondamentale de l'univers. Par elle-même, elle est neutre. Pour l'homme la difficulté consiste à se situer face au caractère irréversible du temps, qui pourtant concerne tout ce qui est.
Existé, ce n'est pas seulement vivre (aller d'un point à un autre, dans le cadre d'un temps dit objectif, de la naissance à la mort).
Exister, c'est habiter le temps, c'est avoir conscience de vivre, c'est chercher du sens à sa vie, à la vie. C'est selon la formule de Heidegger, se trouver là dans ce monde (en allemand, exister se dit *dasein*, « être là »).

Pistes de réflexion

Qu'est-ce que le temps ?

« Si personne ne me le demande, je le sais, remarque Augustin. Mais si quelqu'un me le demande et que je veuille l'expliquer, je ne le sais. » Notre tendance naturelle est de traduire le temps en espace car notre premier souci, c'est la mesure et la gestion du temps : montres, horloges, calendriers, agendas, plannings sont des lieux où le temps se spatialise. Peut-on dès lors décrire le temps en échappant aux schémas spatiaux ? Peut-on dire ce qu'est le temps dans son essence ?

Sommes-nous dans le temps ou bien le temps est-il en nous ?

Le temps est-il une donnée subjective qui suppose mémoire et anticipation dans un esprit ? Ou une réalité objective dans laquelle toute réalité se retrouve ? Si l'on admet les deux hypothèses à la fois, comment les concilier ?

En quoi les passions emprisonnent-elles l'homme dans le temps ?

Le temps n'est pas pour nous un cadre neutre. D'abord parce qu'il entraîne vieillissement et mort, parce que son rythme est indifférent à nos attentes, soit trop lent soit trop rapide. Surtout il peut nous enchaîner au passé : remords, regret, ressentiment, nostalgie... ou à l'avenir : angoisse des décisions à prendre, ambition effrénée, peur du lendemain... Peut-on assumer cette condition temporelle sans se perdre ?

Pouvons-nous vivre au présent ?

Vivre *au* présent, vivre *le* présent, tel semble l'objectif de nombreuses sagesses antiques. Il semblerait pourtant que nous ne pourrions pas faire autrement que de vivre au présent. Mais le présent n'est pas seulement l'instant présent ; vivre le présent n'est pas vivre au jour le jour, oublier le passé, fuir le futur. Que pourrait être ce présent, qui ne serait contraire ni à la fidélité ni à la responsabilité, et qui pourtant nous délivrerait à la fois du poids du passé et du souci excessif du futur ?

Peut-on vouloir échapper au temps ?

L'idée d'échapper au temps est par définition absurde. Mais elle est pourtant courante, aussi bien dans des comportements illusoires du quotidien (par exemple l'utilisation de crèmes cosmétiques antirides) que dans des sagesses morales ou religieuses (par exemple dans le bouddhisme).

Exister, pour l'homme, est-ce simplement vivre ?

Exister, c'est d'abord donner sens à sa vie. Or ce sens n'est défini par rien ni personne : à chacun de le trouver, de le définir. D'où une liberté fondamentale, mais aussi une angoisse, puisque rien ne garantit ni la validité de mon choix, ni son succès. Quant à vouloir échapper à cette responsabilité, n'est-ce pas encore une manière d'exister inauthentique ?

Le sentiment d'exister est-il lié au sentiment d'absurdité du monde ?

Souvent le monde apparaît comme un cadre étranger, sans raison d'être, indifférent à toute présence humaine ; il semble livrer l'homme à un abandon radical, à une solitude indépassable. Ce sentiment est-il le fondement de la condition humaine, ou bien un simple malaise passager, grossi par la littérature ?

Découvertes

DOCUMENT 1

« Le pont Mirabeau »

Sous le pont Mirabeau coule la Seine
Et nos amours
Faut-il qu'il m'en souvienne
La joie venait toujours après la peine

Vienne la nuit sonne l'heure
Les jours s'en vont je demeure
Les mains dans les mains restons face à face
Tandis que sous
Le pont de nos bras passe
Des éternels regards l'onde si lasse

Vienne la nuit sonne l'heure
Les jours s'en vont je demeure

L'amour s'en va comme cette eau courante
L'amour s'en va
Comme la vie est lente
Et comme l'Espérance est violente

Vienne la nuit sonne l'heure
Les jours s'en vont je demeure

Passent les jours et passent les semaines
Ni temps passé
Ni les amours reviennent
Sous le pont Mirabeau coule la Seine

Vienne la nuit sonne l'heure
Les jours s'en vont je demeure

Guillaume Apollinaire, *Alcools*, 1913.

QUESTIONS

1• Étudiez la métaphore du fleuve. Quels aspects du vécu humain du temps le poème souligne-t-il ?

2• Analysez la phrase : « Les jours s'en vont je demeure » (sixième vers). Le temps passe et le spectateur est immobile. Cette image vous semble-t-elle adéquate pour décrire le temps ? Argumentez.

DOCUMENT 2 L'espace déformé par le temps

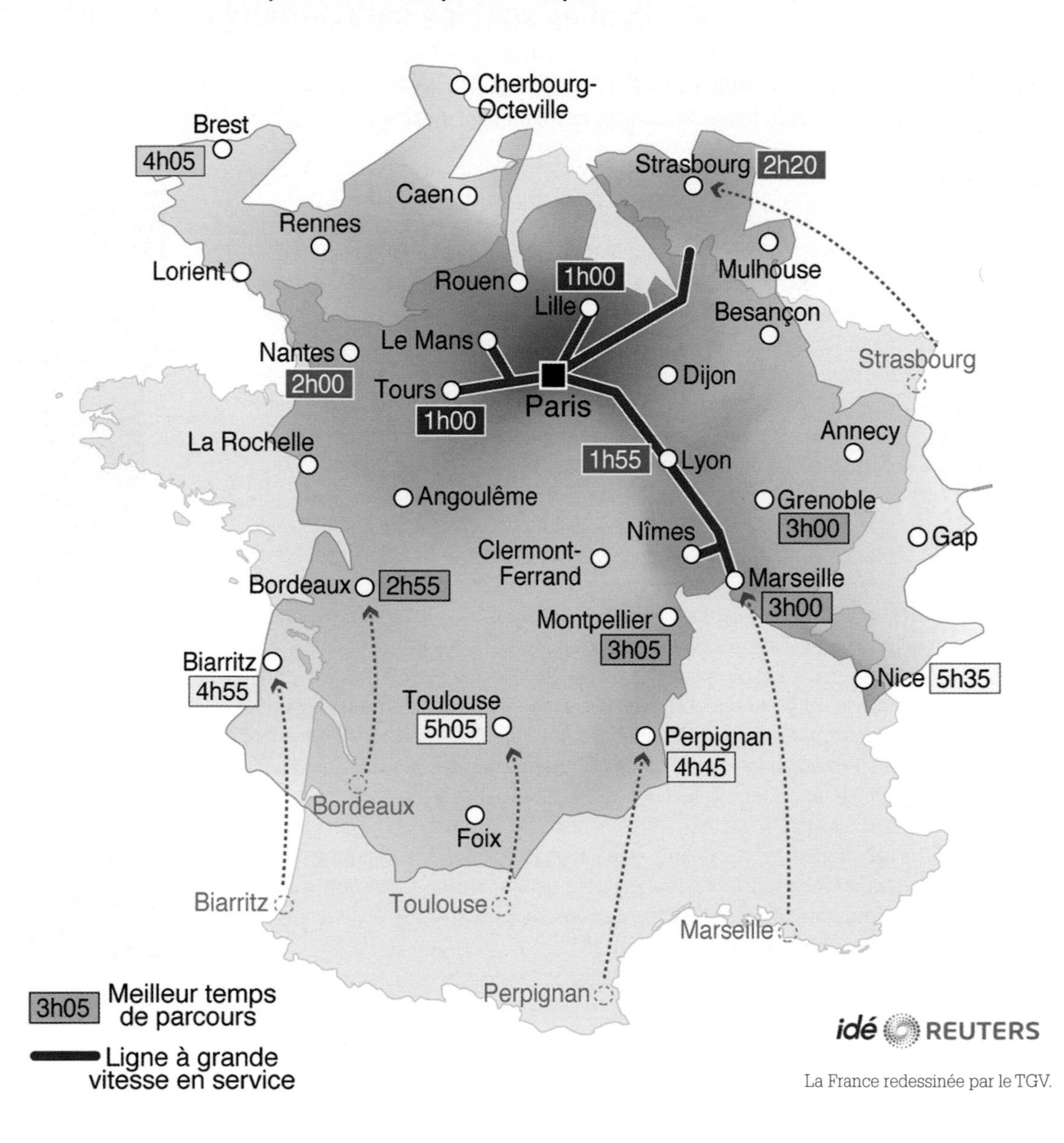

La France redessinée par le TGV.

QUESTIONS

1• Cette carte montre l'espace du territoire français déformé par le temps. Quelle réalité concrète est ici figurée ?

2• En quel sens peut-on dire que la carte déformée est plus vraie que la carte traditionnelle ?

3• N'y a-t-il pas cependant une part d'illusion à vouloir « gagner du temps » ? Que gagne-t-on réellement quand on va plus vite ?

Réflexion 1

Quelles sont les caractéristiques du temps ?

Considéré comme une dimension de l'univers, le temps se distingue de l'espace. Mais les pratiques quotidiennes de mesure du temps favorisent des confusions entre ces deux dimensions.

Texte 1 — Durée et succession

Quand je suis des yeux, sur le cadran d'une horloge, le mouvement de l'aiguille qui correspond aux oscillations du pendule, je ne mesure pas de la durée, comme on paraît le croire ; je me borne à compter des simultanéités[1], ce qui est bien différent. En dehors de moi, dans l'espace, il n'y a jamais qu'une position unique de l'aiguille et du pendule, car des positions passées il ne reste rien. Au dedans de moi, un processus d'organisation ou de pénétration mutuelle des faits de conscience se poursuit, qui constitue la durée vraie. C'est parce que je dure de cette manière que je me représente ce que j'appelle les oscillations passées du pendule, en même temps que je perçois l'oscillation actuelle. Or, supprimons pour un instant le moi qui pense ces oscillations dites successives ; il n'y aura jamais qu'une seule oscillation du pendule, une seule position même de ce pendule, point de durée par conséquent. Supprimons, d'autre part, le pendule et ses oscillations ; il n'y aura plus que la durée hétérogène du moi, sans moments extérieurs les uns aux autres, sans rapport avec le nombre. Ainsi, dans notre moi, il y a succession sans extériorité réciproque ; en dehors du moi, extériorité réciproque sans succession : extériorité réciproque, puisque l'oscillation présente est radicalement distincte de l'oscillation antérieure qui n'est plus ; mais absence de succession, puisque la succession existe seulement pour un spectateur conscient qui se remémore le passé et juxtapose les deux oscillations ou leurs symboles dans un espace auxiliaire[2].

Henri Bergson, *Essai sur les données immédiates de la conscience*, 1889, PUF, p. 80-81.

1. Simultanéités des événements coexistants pour chaque position de l'aiguille.
2. La dimension spatiale permet d'articuler ensemble durée et succession.

Horloge de grand-père.

QUESTIONS

› 1• Pourquoi la durée, aux yeux de Bergson, ne peut-elle pas exister sur le cadran de l'horloge ?

› 2• Expliquez : « dans notre moi, il y a succession sans extériorité réciproque ; en dehors du moi, extériorité réciproque sans succession ».

Texte 2 — L'irréductibilité de la durée

Si je veux me préparer un verre d'eau sucrée, j'ai beau faire, je dois attendre que le sucre fonde. Ce petit fait est gros d'enseignements. Car le temps que j'ai à attendre n'est plus ce temps mathématique qui s'appliquerait aussi bien le long de l'histoire entière du monde matériel, lors même qu'elle serait étalée tout d'un coup dans l'espace. Il coïncide avec mon impatience, c'est-à-dire avec une certaine portion de ma durée à moi, qui n'est pas allongeable ni rétrécissable à volonté. Ce n'est plus du pensé, c'est du vécu. Ce n'est plus une relation, c'est de l'absolu.

Henri Bergson, *L'Évolution créatrice*, 1907, PUF, p. 9-10.

QUESTION

› Qu'est-ce qui distingue le temps mathématique du temps vécu ?

Texte 3 L'irréversibilité

Imaginez qu'une tasse tombe d'une table et se brise en morceaux sur le plancher. Si vous filmez cela, vous pourrez aisément dire si le film se déroule à l'endroit ou à l'envers. Si vous le déroulez à l'envers, vous verrez les morceaux se rassembler soudain sur le plancher et sauter en l'air pour former une tasse entière sur la table. Vous pouvez dire que le film va à l'envers parce que ce genre de comportement n'est jamais observé dans la vie ordinaire. Si c'était le cas, les fabricants de porcelaine mettraient la clé sous la porte.

L'explication généralement donnée pour comprendre pourquoi nous ne voyons pas les tasses brisées se recoller sur le plancher et bondir pour retourner sur la table est que cela est interdit par le second principe de la Thermodynamique[1]. Celui-ci pose que dans tout système clos, le désordre, ou l'entropie, croît toujours avec le temps. [...] Pour résumer, les lois de la physique ne font pas de distinction entre les directions future et passée du temps. Cependant, il y a au moins trois flèches de temps qui distinguent effectivement le passé du futur. Ce sont les flèches thermodynamique, direction du temps qui accroît le désordre ; psychologique, direction dans laquelle nous nous souvenons du passé, et non pas du futur. Et cosmologique, direction du temps dans laquelle l'univers se dilate au lieu de se contracter.

Stephen Hawking, *Une brève histoire du temps*, (pp. 186-187) 1988, trad. I. Naddeo, coll. Champs, Flammarion.

1. La thermodynamique étudie les relations entre l'énergie thermique (chaleur) et l'énergie mécanique (travail).

QUESTIONS

1• Quelle expérience simple permet de comprendre la notion d'irréversibilité ? En quoi dans cet exemple, la distinction passé/futur est-elle liée à la distinction ordre/désordre ?

2• Quelles sont les trois flèches du temps distinguées dans le texte. Quel est leur lien ?

Texte 4 La relativité de la perception psychologique du temps

On part une semaine en vacances. Les journées filent à toute allure. Et le dernier jour est là, avant même qu'on s'en soit rendu compte. Une fois rentré, on a l'impression d'être parti bien plus longtemps qu'une semaine. Alors le temps a-t-il passé plus vite ou plus lentement ? Si chaque journée passait plus vite qu'à l'habitude, comment se fait-il que, une fois additionnées, ces journées ultrarapides fassent une semaine qui semble plus longue que sept jours ? Dans une semaine subjectivement longue, le temps ne devrait-il pas au contraire s'être écoulé plus lentement ? [...] Une évaluation de la durée *au moment même* peut être différente d'une évaluation rétrospective. Pendant les vacances, ces appréhensions ont souvent un rapport inverse, si bien que sept journées « rapides » (évaluation primaire) donnent au total une « longue » semaine (évaluation secondaire). La même inversion est à l'œuvre dans le sentiment d'ennui. Le temps au cours duquel il ne se passe « rien » semble long, comme l'écrivait Thomas Mann[1], mais rétrospectivement il semble s'être « contracté ».

Douwee Draaisma, *Pourquoi la vie passe plus vite à mesure qu'on vieillit*, 2008, trad. F. Wuilmart, Flammarion.

1. Allusion au roman de Thomas Mann, *La Montagne magique* (1924), où les journées de patients dans un sanatorium se passent très lentement, alors que les semaines et les mois semblent filer à toute vitesse.

Mouvement perpétuel de Léonard de Vinci, Milan, musée de la science et des techniques de Léonard de Vinci.

QUESTION

Montrez la variabilité de notre perception du temps.

Une œuvre, une analyse

Présentation

Saint Augustin : *Les Confessions*, livre XI (vers 400 apr. J.-C.)

C'est indirectement qu'Augustin aborde le problème du temps. Dans le livre XI des *Confessions*, la question est intégrée dans une analyse plus vaste, qui touche au cœur même du monothéisme : elle est liée au problème de la Création (y a-t-il un temps avant le temps ?), et à la possibilité d'une relation entre l'homme et Dieu (comment une créature insérée dans le temps peut-elle joindre l'Être éternel, c'est-à-dire hors du temps ?).

1 Le problème théologique : les apories du monothéisme

Le monothéisme doit concilier deux thèses fondamentales :

1. Dieu est le créateur du monde (création *ex nihilo*, c'est-à-dire à partir de rien).
2. Dieu est infiniment infini, il ne saurait ressembler aux hommes, tout anthropomorphisme (*anthropos* = homme et *morphé* = forme) doit être exclu. Prêter à Dieu des formes, des pensées, des attitudes, des comportements humains, c'est le propre des religions païennes.

Or l'idée de Création n'est-elle pas justement un résidu d'anthropomorphisme ? N'est-ce pas imaginer Dieu sur le modèle d'un artisan « qui met la main à la pâte » ? Beaucoup de philosophes « païens », adversaires des chrétiens, le pensaient.

La Création marque une coupure entre Dieu et Dieu, un « avant » et un « après » incompatible avec sa perfection, puisque l'être parfait ne peut changer.

Le problème devient plus aigu si l'on tient compte de la différence entre **immortalité** et **éternité**. Les dieux grecs sont immortels : ils ne meurent pas, mais ils sont soumis au temps, comme l'univers. En ce sens, ils peuvent accompagner les trajectoires éphémères des créatures mortelles. Mais l'éternité n'est pas un temps infini, c'est un au-delà du temps. Est éternel l'être qui n'est pas soumis au temps, car le temps divise l'être en lui-même.

Mais si Dieu est éternel, comment expliquer qu'un contact soit possible entre lui et l'homme ? Par exemple, Augustin, en écrivant ses *Confessions*, bâtit une vaste prière. Il se souvient de son enfance, de sa jeunesse, de ses errances et erreurs. C'est un cheminement dans la mémoire, donc dans le temps : comment ce qui demande du temps peut-il toucher Celui qui, par définition, est hors du temps ?

La seule solution serait de faire du temps une **réalité créée par Dieu**, en même temps que la Création. Alors, la question même d'un « avant-la-Création » disparaîtrait.

2 La question philosophique : les apories du temps

L'aporie est une contradiction logique fondamentale (littéralement, une voie sans issue) ; par exemple, le sens commun affirme comme évidente l'existence du temps. L'analyse logique conclut, quant à elle, à sa non-existence (le passé n'est plus, le futur n'est pas encore, le présent disparaît à mesure qu'il apparaît). Les deux positions se contredisent, l'une doit être fausse. Or aucune des deux ne peut être fausse. L'absence d'issue est manifeste.

Quatre apories sont dégagées successivement par Augustin :
1. Le temps est, le temps n'est pas.
2. Le temps se mesure, le temps ne se mesure pas.
3. Les choses passées et futures existent, elles n'existent pas.
4. Le temps est un mouvement, le temps n'est pas un mouvement.

La solution, pour Augustin, consiste à faire de la durée le produit d'une **subjectivité**. Par la mémoire, l'attention et l'anticipation, l'esprit peut lier les moments du temps, dans un mouvement continu et mesurable. La **mémoire** empêche le passé proche de tomber dans le néant ; l'**anticipation** fait entrer le futur proche dans le présent ; et l'**attention** produit une distension de l'âme, un « espace » de durée qui permet au temps de « couler » et d'être mesuré.

3 Une analyse, deux découvertes fondamentales

1. Une nouvelle conception de la Création : la **création continuée**. La Création ne peut plus être pensée comme un événement ponctuel, un fait historique qui se serait produit une fois, à un moment donné, comme la prise de la Bastille. Un événement suppose un avant et un après, il suppose le temps comme arrière-plan. Ce présupposé n'a de sens que pour une créature finie. Si Dieu est éternel, la Création n'a jamais eu lieu comme événement historique, elle est l'état permanent du monde. Elle dit la dépendance de toute créature finie par rapport à son créateur infini. C'est à tout moment, en quelque sorte, qu'il y a création. On peut parler de « création continuée ».

2. Notre héritage moderne : la **subjectivité**. Nous produisons le temps, cela ne veut pas dire que nous le faisons à notre fantaisie. Bien au contraire, c'est une subjectivité paradoxale : universelle quoique individuelle, nécessaire quoique contingente. Cette subjectivité, Descartes la retrouvera avec le *cogito* (› p. 28). La phénoménologie moderne (Husserl, Sartre, Merleau-Ponty...), quand elle voudra analyser le temps, reprendra bon nombre d'intuitions d'Augustin.

Saint Augustin (354-430)

Né à Thagaste, dans l'actuelle Algérie, d'une mère chrétienne et d'un père berbère, Augustin fait des études à Carthage et se destine à l'enseignement de la rhétorique. D'abord adepte du manichéisme, qui affirme le combat permanent entre les forces du Bien et les forces du Mal, il se convertit au christianisme à Milan, puis devient évêque d'Hippone (Afrique du Nord). Il fait le récit de son cheminement et de sa conversion dans *Les Confessions*, texte autobiographique qui mêle à la fois le récit d'une vie et celui d'une recherche sur les questions essentielles du bien et du mal. Texte remarquable puisque pour la première fois, le « je » se rend des comptes à lui-même dans l'écriture d'une « confession ».
L'œuvre écrite d'Augustin est immense. On retiendra surtout sa *Cité de Dieu*, écrite entre 413 et 427, où il oppose la cité terrestre, transitoire et contingente, à la cité de Dieu, formée par les élus prédestinés par Dieu. C'est l'occasion pour Augustin de défendre une thèse qui jouera un grand rôle dans les conflits religieux des XVIe et XVIIe siècles. L'homme, naturellement corrompu par le péché originel, ne peut prétendre à faire lui-même son salut, quelle que soit sa bonne volonté, il doit attendre la grâce de Dieu. Or cette grâce est gratuite au sens le plus fort du terme et personne ne peut savoir s'il sera sauvé ou non. Le mérite personnel ne garantit plus le salut.

Extraits

Saint Augustin : *Les Confessions,* livre XI (vers 400 apr. J.-C.)

Qu'est-ce que le temps ?

La démarche d'Augustin est une démarche aporétique : avant de répondre, il faut comprendre toute l'ampleur du problème et, en particulier, bien saisir les contradictions internes au concept de temps. Une aporie est une impasse : le sens commun affirme une thèse, l'analyse la dément, les deux positions sont à la fois nécessaires et contradictoires. Comment s'en sortir ?

Texte 1 L'aporie de l'être du temps

Qu'est-ce en effet que le temps ? Qui serait capable de l'expliquer facilement et brièvement ? Qui peut le concevoir, même en pensée, assez nettement pour exprimer par des mots l'idée qu'il s'en fait ? Est-il cependant notion plus familière et plus connue dont nous usions en parlant ? Quand nous en parlons, nous comprenons sans doute ce que nous disons ; nous comprenons aussi, si nous entendons un autre en parler. Qu'est-ce donc que le temps ? Si personne ne me le demande, je le sais ; mais si on me le demande et que je veuille l'expliquer, je ne le sais plus.

Pourtant, je le déclare hardiment : je sais que si rien ne passait, il n'y aurait pas de temps passé ; que si rien n'arrivait, il n'y aurait pas de temps à venir ; que si rien n'était, il n'y aurait pas de temps présent. Comment donc, ces deux temps, le passé et l'avenir, sont-ils, puisque le passé n'est plus et que l'avenir n'est pas encore ? Quant au présent, s'il était toujours présent, s'il n'allait pas rejoindre le passé, il ne serait pas du temps, il serait l'éternité[1]. Donc, si le présent, pour être du temps, doit rejoindre le passé, comment pouvons-nous déclarer qu'il est aussi, lui qui ne peut être qu'en cessant d'être ? Si bien que ce qui nous autorise à affirmer que le temps est, c'est qu'il tend à n'être plus.

Augustin d'Hippone, ou saint Augustin, *Les Confessions*, vers 400 apr. J.-C., livre XI, chap. 14, trad. J. Trabucco, Garnier-Flammarion, p. 264.

1. Ce n'est pas l'immortalité, c'est le fait d'être hors du temps.

Clepsydre (horloge à eau) égyptienne, XVI-XVIIIe s. av. J.-C., argile..

QUESTIONS

1• Confrontez la position du sens commun avec celle de l'analyse logique. Pourquoi se contredisent-elles ? Au nom de quel argument pourrait-on trancher entre l'une ou l'autre ?

2• D'où vient l'impossibilité de « tenir » l'instant ?

Texte 2 Le temps n'existe qu'au présent

Ce qui m'apparaît maintenant avec la clarté de l'évidence, c'est que ni l'avenir, ni le passé n'existent. Ce n'est pas user de termes propres que de dire : « Il y a trois temps, le passé, le présent et l'avenir. » Peut-être dirait-on plus justement : « Il y a trois temps : le présent du passé, le présent du présent, le présent du futur. » Car ces trois sortes de temps existent dans notre esprit et je ne les vois pas ailleurs. Le présent du passé, c'est la mémoire ; le présent du présent, c'est l'intuition directe ; le présent de l'avenir, c'est l'attente. Si l'on me permet de m'exprimer ainsi, je vois et j'avoue qu'il y a trois temps, oui, il y en a trois.

Que l'on persiste à dire : « Il y a trois temps, le passé, le présent et l'avenir », comme le veut un usage abusif, oui qu'on le dise. Je ne m'en soucie guère, ni je n'y contredis ni ne le blâme, pourvu cependant que l'on entende bien ce qu'on dit et qu'on n'aille pas croire que le futur existe déjà, que le passé existe encore. Un langage fait de termes propres est chose rare : très souvent nous parlons sans propriété, mais on comprend ce que nous voulons dire.

Op. cit., chap. 20, p. 269 sq.

QUESTIONS

1• Pourquoi le présent n'est-il pas une partie du temps comme les autres ?

2• Expliquez ce que sont le « présent du passé » et « le présent de l'avenir ».

3• En quoi cette mise au point permet-elle de répondre à la première aporie ?

Texte 3 L'aporie de la mesure du temps

Sablier, XVIe s.

Ce n'est donc ni le futur, ni le passé, ni le présent, ni le temps qui passe que nous mesurons – et cependant nous mesurons le temps. « Deus creator omnium », *Dieu Créateur de toutes choses*, ce vers est formé de huit syllabes, alternativement brèves et longues. Les quatre brèves, la première, la troisième, la cinquième et la septième sont simples par rapport aux quatre longues, la seconde, la quatrième, la sixième et la huitième. Chaque syllabe longue a une durée double de chaque brève. Je les prononce et, je l'affirme, il en est bien ainsi au témoignage évident de mes sens. Pour autant que ce témoignage est digne de foi, je mesure une longue par une brève et je vois bien qu'elle la contient deux fois. Mais une syllabe ne se faisant entendre qu'après une autre, si la brève vient la première et que la longue la suive, comment retiendrai-je la brève, comment l'appliquerai-je à la longue pour la mesurer et trouver que celle-ci contient celle-là deux fois, étant donné que la longue ne commence à vibrer que lorsque la brève a fini de le faire ? La longue elle-même, m'est-il possible de la mesurer tandis qu'elle est présente, puisque je ne saurais la mesurer que lorsqu'elle a fini de résonner ? Mais finir pour elle, c'est être évanouie.

Op. cit., chap. 27, p. 277.

QUESTION

› Reprenez l'argument de saint Augustin en l'appliquant à la première phrase d'une chanson : pourquoi faut-il mesurer pour chanter ? Qu'est-ce qui ne peut pas être mesuré ? Pourquoi ?

Texte 4 Nous ne mesurons pas le temps qui passe, mais ses traces

Horloge, fer, fin du XVIe s.

Qu'est-ce donc que je mesure ? Où est la brève qui est ma mesure ? Où est la longue que je mesure ? Toutes les deux ont retenti, elles se sont envolées, elles ont passé, elles ne sont plus : et voilà que je les mesure et réponds avec assurance, autant qu'on peut se fier à un sens exercé, qu'évidemment l'une est simple, l'autre double en durée. Mais je ne le puis que si elles sont déjà passées et achevées. Ce n'est donc pas elles que je mesure, puisqu'elles ne sont plus, mais quelque chose qui demeure gravé dans ma mémoire. [...]

Si quelqu'un veut prononcer un son prolongé et en déterminer d'avance, dans son esprit, la longueur, il prend en silence la mesure de cette durée, et la confiant à sa mémoire, il commence à proférer ce son qui retentit jusqu'à ce qu'il atteigne le terme fixé.

Que dis-je, il retentit ? Il a retenti et il retentira : car ce qui de ce son s'est écoulé a retenti ; ce qui reste retentira, et de la sorte il s'accomplit, l'attention présente faisant passer l'avenir dans le passé, et le passé s'enrichissant de ce que perd l'avenir, jusqu'à ce que par l'épuisement de l'avenir, tout ne soit plus que passé.

Op. cit., chap. 27, p. 277 sq.

QUESTIONS

› 1• Comment la mesure du temps s'opère-t-elle ?

› 2• Quels éléments du texte permettent de dire que le temps est une donnée subjective ? Pour saint Augustin, le temps est-il pour autant en son pouvoir ?

Réflexion 2

▶ Sait-on vivre au présent ?

Comment vivre le présent ? La question peut sembler paradoxale puisque l'instant présent est le seul temps que nous vivons. Mais, précisément, le présent n'est pas une simple donnée de fait, c'est une réalité psychologique que nous devons construire, c'est une valeur morale que nous pouvons choisir.

Texte 1 Le temps gaspillé

Il ne se trouve personne pour vouloir partager son argent, mais entre combien chacun distribue-t-il sa vie ? On est serré quand il faut garder son patrimoine ; s'agit-il d'une perte de temps, on est particulièrement prodigue du seul bien dont il serait honorable de se montrer avare.

Aussi, j'aime à prendre à partie quelqu'un dans la foule des gens âgés : « Nous te voyons parvenu à l'extrême limite de la vie humaine ; cent ans ou plus s'amoncellent sur ta tête : allons, reviens en arrière, fais le compte de ton existence. Calcule combien de ce temps-là t'a pris un créancier, combien une maîtresse, combien un roi, combien un client, combien les querelles conjugales, combien le châtiment des esclaves, combien les allées et venues à travers la ville pour des devoirs mondains –, ajoute les maladies que nous nous sommes données, ajoute encore le temps inemployé – tu verras que tu as moins d'années que tu n'en comptes. Rappelle-toi quand tu t'en es tenu à tes décisions, quel jour s'est passé comme tu l'avais arrêté, quand tu as pu disposer de toi-même, quand ton visage est resté impassible, ton âme intrépide, quelle a été ton œuvre dans une si longue existence, combien de gens ont gaspillé ta vie sans que tu t'aperçoives du dommage, tout ce que t'ont soustrait de vaines contrariétés, une sotte allégresse, une avide cupidité, un entretien flatteur, combien peu de toi-même t'est resté : tu comprendras que tu meurs prématurément. »

Quelle en est la raison ? Vous vivez toujours comme si vous alliez vivre, jamais vous ne songez à votre fragilité, vous ne considérez pas tout le temps qui est déjà passé ; vous perdez comme si vous aviez un trésor inépuisable, alors que peut-être ce jour que vous donnez à un homme ou à une occupation quelconque est le dernier. Vos terreurs incessantes sont d'un mortel, vos désirs incessants d'un immortel.

Sénèque, *De la brièveté de la vie*, entre 49 et 55 apr. J.-C., trad. A. Bourgery, revue par P. Veyne, coll. Bouquins, Robert Laffont, p. 267.

QUESTION

› Sénèque fait le bilan entre le temps qui nous appartient vraiment et le temps qui ne nous appartient pas. Reprenez ce bilan.

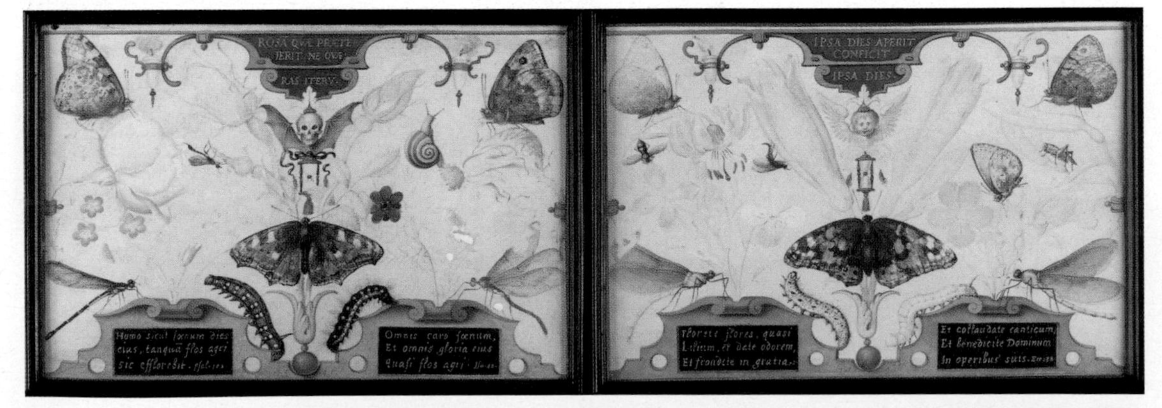

Georg Hoefnagel, *Allégorie de la brièveté de la vie*, 1591, aquarelle sur parchemin (0,123 x 0,180 m), Lille, Palais des Beaux-Arts.

Texte 2 La construction psychologique du présent

1. C'est la fixation du présent, alors que la remémoration est le rappel du souvenir fixé.
2. Réflexes qui ne peuvent se manifester qu'après un « conditionnement » (réflexes pavloviens).

Noémi est une patiente âgée, souffrant de sénilité. Elle a gardé les souvenirs de son enfance, mais ne parvient plus à fixer son passé proche.

M. Janet a renouvelé le problème en introduisant la notion de *présentification*. Il a montré que la constitution du présent était inséparable de la constitution du récit. Le présent consiste à transformer l'action en récit au moment même où nous l'exécutons. Le présent est une narration faite au moment même où nous agissons. Vous me direz à cela : nous avons souvent du présent sans qu'il y ait personne. Si, il y a quelqu'un, il y a vous-même. La narration se fait à soi-même. La présentification est cet acte intellectuel qui mélange la conduite actuelle et l'acte mémoriel du récit, qui unit la narration et l'action. Ce qui n'a pas été présentifié ne pourra être récité et sera seulement répété. Si je demande à Noémi « où êtes-vous ? », elle ne pourra me répondre, bien que je vienne de lui faire répéter dix fois de suite : « Je suis à la salle Baillarger. » Il n'y a pas ici déficit de fixation mais de mémoration[1]. Noémi n'a pas assimilé, n'a pas intégré. Elle répète : « Je suis à la salle Baillarger » mais elle ne le récite pas, elle ne fait pas une réponse à une question.

La fixation est un acte biologique élémentaire commun à l'homme et à l'animal, l'élaboration des réflexes conditionnels[2] témoigne chez l'un et l'autre de la persistance des impressions ; la mémoration suppose une intelligence évoluée, l'organisation des cadres sociaux de la mémoire, aussi fait-elle défaut au-dessous d'un certain niveau mental et comme la notion de présent est inséparable de la construction du récit, tous les hommes n'ont pas de présent pour la même raison qu'ils n'ont pas tous la conduite du récit.

Jean Delay, *Les Dissolutions de la mémoire*, 1942, PUF, p. 74 sq.

QUESTION

› Essayez de définir la notion de « présentification ». Quelle différence l'auteur fait-il à la fin du texte entre présentification et fixation ?

Texte 3 L'oubli, faculté nécessaire pour vivre le présent

1. Force d'inertie, force qui s'oppose au mouvement, au changement.
2. Inhibition.
3. Régime politique dans lequel le pouvoir appartient à un petit groupe de personnes.
4. Ordre de préséance ; cérémonial dans un contexte officiel.

L'oubli n'est pas seulement une *vis inertiae*[1], comme le croient les esprits superficiels, c'est bien plutôt un pouvoir actif, une faculté d'enrayement[2] dans le vrai sens du mot, faculté à quoi il faut attribuer le fait que tout ce qui nous arrive dans la vie, tout ce que nous absorbons se présente tout aussi peu à notre conscience pendant l'état de « digestion » (on pourrait l'appeler une assimilation psychique) que le processus multiple qui se passe dans notre corps pendant que nous « assimilons » notre nourriture.

Fermer de temps en temps les portes et les fenêtres de la conscience ; demeurer insensibles au bruit et à la lutte que le monde souterrain des organes à notre service livre pour s'entraider ou s'entre-détruire ; faire silence, un peu, faire table rase dans notre conscience pour qu'il y ait de nouveau de la place pour les choses nouvelles, et en particulier pour les fonctions et les fonctionnaires plus nobles, pour gouverner, pour prévoir, pour pressentir (car notre organisme est une véritable oligarchie[3]) – voilà, je le répète, le rôle de la faculté active d'oubli, une sorte de gardienne, de surveillante chargée de maintenir l'ordre psychique, la tranquillité, l'étiquette[4]. On en conclura immédiatement que nul bonheur, nulle sérénité, nulle espérance, nulle fierté, nulle jouissance de l'instant présent ne pourraient exister sans faculté d'oubli.

Friedrich Nietzsche, *Généalogie de la morale*, 1887, Deuxième dissertation,
trad. H. Albert, Mercure de France, p. 75-76.

QUESTIONS

› 1• Examinez les différentes métaphores utilisées. En quoi chacune de ces images rend-elle compte d'un aspect de la conscience du présent ?

› 2• Quel est le rôle de l'oubli pour Nietzsche ? Pourquoi le qualifie-t-il positivement ?

Réflexion 3

▶ Peut-on vouloir échapper au temps ?

Notre condition d'homme nous soumet au temps : au vieillissement, à la mort, à l'impossibilité de revenir en arrière, au temps d'avant. Mais ne serait-il pas possible de ruser avec le temps ? De quelle façon ?

Texte 1 L'expérience de la sainteté : le bouddhisme

Siddharta Gautama, appelé plus tard Bouddha, l'Éveillé, est né vers 560 av. J.-C. Il découvre que la souffrance de l'homme est due au désir et à la recherche insatisfaite des plaisirs qui nous enchaînent aux temps circulaires (en particulier, celui des réincarnations). Pour s'en défaire, il faut arrêter le flux impur des désirs afin de parvenir au Nirvana, le bonheur ultime qui consiste en une extinction des désirs.

En lui pas d'espoirs en ce monde et dans l'autre ; il n'a point d'aspirations, il est détaché : c'est lui que j'appelle le brahmane[1]. En lui point d'adhésions, point de doutes grâce à la science ; il est immergé dans l'immortalité qu'il a atteinte – c'est lui que j'appelle le brahmane. Ici-bas, il a laissé derrière lui le bien comme le mal, le double attachement, il n'a plus de chagrin, il est immaculé, pur : c'est lui que j'appelle le brahmane. Immaculé comme l'astre lunaire, pur, clair, exempt de souillure, il a éteint toute existence et toute joie : c'est lui que j'appelle le brahmane. Cet obstacle, la route difficile, la transmigration[2], l'égarement, il l'a laissé derrière lui ; il a traversé, il a atteint l'autre rive, lui le méditatif, sans désirs ni doutes, lui l'inconditionnellement éteint. C'est lui que j'appelle le brahmane. Il a renoncé ici-bas au désir, sans maison il erre, toute existence et tout désir éteints : c'est lui que j'appelle le brahmane. Il a abandonné les liens avec les humains, laissé derrière lui les liens avec les dieux, il est totalement détaché de tout lien : c'est lui que j'appelle le brahmane. Il a abandonné plaisir et déplaisir, refroidi, dépourvu d'acquisitions, lui, le héros, vainqueur de tous les mondes : c'est lui que j'appelle le brahmane.

De toutes les créatures il connaît la chute et la renaissance sous tous leurs aspects, il n'a plus d'attachement, il est bienheureux, éveillé : c'est lui que j'appelle le brahmane. Sa destinée, ne la connaissent ni les dieux, ni les gandharva, ni les hommes, il a détruit les souillures, lui l'arhant[3] : c'est lui que j'appelle le brahmane. Avant, après, entre les deux, il n'a rien, il ne possède rien, ne prend rien : c'est lui que j'appelle le brahmane. Taureau excellent, héros, grand sage, vainqueur, sans désir, étudiant accompli, éveillé, c'est lui que j'appelle le brahmane.

Son existence antérieure, il la connaît ; le ciel et l'enfer, il les voit, il en a fini avec les renaissances, il maîtrise les connaissances spéciales, lui l'ascète[4], c'est lui, l'omniscient, que j'appelle le brahmane.

Le Bouddha, *Dhammapada, les stances de la loi*, VIe s. av. J.-C., trad. J.-P. Osier, Flammarion, p. 126-128.

1. Ici, le vrai brahmane, c'est celui qui a mérité la sainteté, non par sa fonction sociale, mais par sa vie intérieure.
2. Réincarnation (*samsara*), c'est le cycle des renaissances. Tous les êtres vivants y sont soumis.
3. Le saint, le délivré, celui qui a brisé le lien avec le cycle des renaissances et ne renaîtra plus, atteignant l'extinction complète.
4. Qui renonce aux plaisirs des sens.

QUESTION

› Comment le saint parvient-il à se placer au-dessus du temps ? De quoi doit-il se détacher ?

Passerelles

› **Chapitre 4 : Le désir, autrui**, p. 92.
› **Chapitre 10 : La religion**, p. 260.
› **Texte :** Schopenhauer, Le désir, obstacle au bonheur ?, p. 564.

Texte 2 Désir de procréation, désir d'éternité

*Socrate raconte ce qu'il apprit, dans sa jeunesse, de la prêtresse Diotime (**➤ p. 108**).*

Voilà tout ce qu'elle m'enseignait, quand elle parlait des choses de l'amour. Un jour elle me demanda : « Quelle est, à ton avis, Socrate, la cause de cet amour et de ce désir ? Ne vois-tu pas dans quel étrange état sont tous les animaux, quand l'envie les prend de procréer ? Ceux qui marchent comme ceux qui volent, ils sont tous malades, l'amour les travaille, d'abord quand ils vont s'unir, puis quand le moment vient de nourrir leurs petits ; ils sont prêts à combattre pour les défendre, les plus faibles affrontant les plus forts, et à se sacrifier pour eux ; ils souffrent eux-mêmes les tortures de la faim pour parvenir à les nourrir et se dévouent de toute autre façon. Chez les hommes, dit-elle, on pourrait croire que cette conduite est l'effet du calcul. Mais chez les animaux, d'où vient que l'amour les met dans cet état ? Peux-tu me le dire ? »

Je lui répondis encore une fois que je ne savais pas. Elle reprit alors : « Ainsi, tu penses devenir un jour très fort sur les choses de l'amour sans avoir idée de cela ? – Mais, c'est bien pour cela, Diotime, je te l'ai justement dit tout à l'heure, que je m'adresse à toi, car je sais que j'ai besoin de maîtres. Alors, dis-moi la cause de tout cela, et de tout ce qui d'ailleurs touche à l'amour. – Si tu es convaincu, dit-elle, que l'objet naturel de l'amour est celui sur lequel nous sommes tombés d'accord[1] plusieurs fois, tu n'as pas à t'étonner. Car sur ce point la nature mortelle suit encore le même principe, quand elle cherche, dans la mesure de ses moyens, à perpétuer son existence et à être immortelle. Or elle ne le peut qu'en engendrant, c'est-à-dire en laissant toujours un être nouveau qui prend la place de l'ancien. »

Platon, *Le Banquet*, IVe s. av. J.-C., trad. P. Vicaire, Les Belles Lettres.

1. Diotime a fait admettre à Socrate que « l'amour est le désir de posséder toujours ce qui est bon ». Le « toujours » implique le refus de l'éphémère.

QUESTION ➤ Par quel moyen l'être mortel cherche-t-il à échapper au temps ?

Document Le thème des vanités

Trophime Bigot, *Allégorie de la mort ou vanité*, XVIIe s., huile sur toile, Rome, musée national.

QUESTION ➤ Dégagez les éléments de cette vanité, qui illustre la fragilité de l'existence.

Une œuvre, une analyse

Présentation

Sartre : *L'existentialisme est un humanisme* (1946)

L'ouvrage est le compte rendu d'une conférence faite en 1946, qui se veut une présentation pédagogique de *L'Être et le néant*, paru en 1943. Le fil directeur de la pensée de Sartre peut se résumer dans cette phrase paradoxale : l'homme est condamné à être libre. Son objectif est également de répondre à certaines attaques, venant de deux bords opposés : des chrétiens, d'une part, des marxistes, de l'autre.

1 Existence et essence

L'analogie avec un objet technique (ici le coupe-papier) permet de poser, assez schématiquement, l'opposition conceptuelle existence/essence. L'**essence** du coupe-papier précède, à la fois logiquement et chronologiquement, son existence. Cela signifie que la définition de l'objet (ce qu'il est), sa finalité (ce à quoi il sert), sa structure (ce qui le compose), les moyens utilisés pour le produire, existent dans le projet de l'artisan ou de l'ingénieur, **avant** que l'objet n'apparaisse à l'**existence**. La conséquence majeure est que l'objet n'est réellement lui-même que s'il copie son essence. Tout écart par rapport à elle serait un « vice » (vice de fabrication, de conception, d'utilisation...). L'objet est ainsi déterminé totalement à être ce qu'il est.

La pensée religieuse semble obéir au même schéma. Un Dieu créateur impose à l'homme le modèle qu'il doit suivre durant sa vie. Certes, à la différence de l'objet technique, l'homme posséderait encore une liberté : celle du mal, du péché, de la faute, la liberté de s'écarter du modèle. Mais il n'aurait pas celle de créer le modèle. Pour Sartre, ce n'est pas encore la liberté.

Sa position consiste à affirmer que l'homme n'a pas d'essence : l'homme existe d'abord ; aucune raison naturelle, historique, métaphysique ne peut donner une nécessité à son existence. Existant, il doit se définir lui-même, après coup. On dira donc que, pour l'homme, **l'existence précède l'essence**. Qu'il ait à se choisir, telle est la liberté à laquelle l'homme est condamné. Elle signifie deux choses : a) qu'il existe une multitude de personnages entre lesquels l'homme **peut** choisir, puisqu'il n'y a pas de nature humaine ; b) que l'homme **doit** cependant choisir, puisque la vie lui fait obligation de vivre à la façon de tel ou tel personnage...

Deux présupposés fondent cette analyse.

Premier présupposé, l'**athéisme** : si Dieu n'existe pas, la vie humaine n'a pas de mode d'emploi.

Second présupposé : dans la lignée de Descartes, Sartre affirme la primauté de la **subjectivité**. Toute vérité vient de l'homme. Il n'y pas de vérités transcendantes. Sur ce point, l'opposition est frontale avec les chrétiens qui affirment un Bien et un Mal absolus, définis par Dieu ; et avec les marxistes, qui affirment une fin absolue de l'histoire, fixée par le *matérialisme historique*.

2 De la liberté à la responsabilité

1. L'homme est **projet, choix**. C'est la vie entière de l'individu qui est choix ; l'homme se choisit, décide de sa vie même quand il n'a pas conscience de le faire.

2. Cette liberté signifie une **responsabilité absolue** : subjectif au départ, l'acte engage l'homme en général. Quand je me choisis un personnage, je choisis par là même un rôle pour l'humanité. Je suis ce que je pense que l'homme en général devrait être.

3. De là, ce poids de la conscience qui oscille entre **angoisse et désespoir**. L'angoisse est au point de départ, le désespoir est au point d'arrivée de mes actions. Angoisse, car je ne saurai jamais si mes choix sont les bons. Désespoir, car mes capacités d'action sur le monde, et sur moi-même, semblent limitées.

Quant à la décision (que dois-je faire?), Sartre montre que rien ne peut décider à ma place. **Ni la raison** de la morale kantienne (› Chapitre 21 : Le devoir, p. 524), car elle conduit à des dilemmes qu'elle est incapable de résoudre. **Ni les sentiments**, car c'est moi qui accepte de les ressentir et non d'y résister. **Ni les conseils** de personnes de confiance, car je choisis les personnes dont j'estimerai les conseils; ce ne sont donc pas eux, mais moi en définitive qui décide. **Ni des signes extérieurs** (vocation, destin...), car ils n'existent que par mon interprétation et n'ont de valeur que si je leur en donne.

3 La mauvaise foi

La tentation est forte de se désengager. La mauvaise foi, c'est ce mensonge adressé à soi-même qui consiste à ne s'affirmer libre que lorsque cela nous arrange, à s'appuyer sur le déterminisme (circonstances, milieu familial, malchance...) lorsqu'il faut justifier les échecs, les lâchetés, etc. La mauvaise foi transforme la liberté de l'homme (qui est ouverture aux possibles futurs, mais en même temps vide à remplir, et donc angoisse) en facticité (un plein d'être, refermé sur soi et définitif, qui rassure l'homme, mais au prix d'un renoncement à la liberté).

4 L'humanisme

S'il n'y a pas de nature humaine (universelle), il y a cependant une condition humaine (universelle); s'il n'y a pas de valeurs morales transcendantes à la subjectivité, il n'en reste pas moins qu'on peut fonder une morale existentialiste.

L'existentialisme n'est pas l'apologie de l'acte gratuit (› p. 504). Si chaque individu doit choisir sa morale, ce choix ne saurait être arbitraire: il doit tenir compte 1) de la situation qui s'impose à tout homme; 2) de l'universalité du projet (tout homme devrait se reconnaître dans ces choix); 3) de l'authenticité des pensées (refuser la mauvaise foi, tendre vers l'authenticité).

Ainsi apparaît, pour Sartre, le vrai sens de l'**humanisme**: l'homme n'a pas d'autre législateur que lui-même et c'est pour cela qu'il a une dignité.

Sartre (1905-1980)

Né à Paris, il intègre l'École normale supérieure en 1924. C'est à cette époque qu'il fait la rencontre de Simone de Beauvoir. Un séjour à Berlin, de 1933 à 1934, lui fait découvrir la pensée d'Husserl, qui sera décisive dans l'élaboration de sa propre philosophie. Sartre connaît la célébrité avec son roman *La Nausée* (1938). En 1943 paraît son ouvrage philosophique fondamental, *L'Être et le néant*.
À la fin de la guerre, Sartre abandonne l'enseignement et fonde la revue *Les Temps modernes*. Durant cette époque de guerre froide, il entretient des relations difficiles avec le Parti communiste, dont il se veut « compagnon de route » tout en critiquant le marxisme dogmatique (*Critique de la raison dialectique*, 1960). En 1964, le prix Nobel de littérature lui est décerné, il le refuse ; la même année est publié un récit autobiographique : *Les Mots*. Après Mai 1968, il milite aux côtés de mouvements maoïstes.

Extraits

Sartre : *L'existentialisme est un humanisme* (1946)

Qu'est-ce qu'exister ?

Le paradoxe de la situation humaine est résumé par Sartre dans une formule célèbre : l'homme est condamné à être libre. La liberté est la seule réalité qui ne dépend pas du choix de l'homme. Sartre répond ainsi aux reproches adressés à l'existentialisme : le refus de l'action ; une complaisance envers les noirceurs de la vie ; un manque de solidarité envers les hommes ; la gratuité de sa morale ; son pessimisme.

Texte 1 La vision technique du monde

Lorsqu'on considère un objet fabriqué, comme par exemple un livre ou un coupe-papier, cet objet a été fabriqué par un artisan qui s'est inspiré d'un concept ; il s'est référé au concept de coupe-papier, et également à une technique de production préalable qui fait partie du concept, et qui est au fond une recette. Ainsi, le coupe-papier est à la fois un objet qui se produit d'une certaine manière et qui, d'autre part, a une utilité définie, et on ne peut pas supposer un homme qui produirait un coupe-papier sans savoir à quoi l'objet va servir. Nous dirons donc que, pour le coupe-papier, l'essence, – c'est-à-dire l'ensemble des recettes et des qualités qui permettent de le produire et de le définir – précède l'existence ; et ainsi la présence, en face de moi, de tel coupe-papier ou de tel livre est déterminée. Nous avons donc là une vision technique du monde, dans laquelle on peut dire que la production précède l'existence.

Lorsque nous concevons un Dieu créateur, ce Dieu est assimilé la plupart du temps à un artisan supérieur. [...] Ainsi, le concept d'homme, dans l'esprit de Dieu, est assimilable au concept de coupe-papier dans l'esprit de l'industriel ; et Dieu produit l'homme suivant des techniques et une conception, exactement comme l'artisan fabrique un coupe-papier suivant une définition et une technique. Ainsi l'homme individuel réalise un certain concept qui est dans l'entendement divin. Au XVIIIe siècle, dans l'athéisme des philosophes, la notion de Dieu est supprimée, mais non pas pour autant l'idée que l'essence précède l'existence. Cette idée, nous la retrouvons un peu partout : nous la retrouvons chez Diderot, chez Voltaire, et même chez Kant. L'homme est possesseur d'une nature humaine ; cette nature humaine, qui est le concept humain, se retrouve chez tous les hommes, ce qui signifie que chaque homme est un exemple particulier d'un concept universel, l'homme [...]. Ainsi, là encore, l'essence d'homme précède cette existence historique que nous rencontrons dans la nature.

Jean-Paul Sartre, *L'existentialisme est un humanisme*, 1946, coll. Folio, Gallimard, p. 26 sq.

QUESTIONS

1• Définissez la notion d'essence. Que signifie une essence, ou une nature, humaine ? En quoi une telle notion réduit-elle la liberté humaine ?

2• Expliquez l'exemple du coupe-papier. Pourquoi, dans ce cas, l'essence précède-t-elle l'existence ?

Passerelles

- **Chapitre 10 : La religion**, p. 260.
- **Chapitre 20 : La liberté**, p. 502.
- **Chapitre 21 : Le devoir**, p. 524.

Texte 2 Si Dieu n'existe pas, l'homme n'a pas d'essence préétablie

L'existentialisme athée, que je représente, est plus cohérent. Il déclare que si Dieu n'existe pas, il y a au moins un être chez qui l'existence précède l'essence, un être qui existe avant de pouvoir être défini par aucun concept et que cet être c'est l'homme ou, comme dit Heidegger, la réalité-humaine. Qu'est-ce que signifie ici que l'existence précède l'essence ? Cela signifie que l'homme existe d'abord, se rencontre, surgit dans le monde, et qu'il se définit après. L'homme, tel que le conçoit l'existentialiste, s'il n'est pas définissable, c'est qu'il n'est d'abord rien. Il ne sera qu'ensuite, et il sera tel qu'il se sera fait. Ainsi, il n'y a pas de nature humaine, puisqu'il n'y a pas de Dieu pour la concevoir. L'homme est non seulement tel qu'il se conçoit, mais tel qu'il se veut, et comme il se conçoit après l'existence, comme il se veut après cet élan vers l'existence, l'homme n'est rien d'autre que ce qu'il se fait. Tel est le premier principe de l'existentialisme. C'est aussi ce qu'on appelle la subjectivité, et que l'on nous reproche sous ce nom même. Mais que voulons-nous dire par là, sinon que l'homme a une plus grande dignité que la pierre ou que la table ? Car nous voulons dire que l'homme existe d'abord, c'est-à-dire que l'homme est d'abord ce qui se jette vers un avenir, et ce qui est conscient de se projeter dans l'avenir.

Op. cit., p. 29 sq.

QUESTIONS

1• Pourquoi chez l'homme, selon Sartre, l'existence précède-telle l'essence ?

2• Que signifie dans ce texte la notion de subjectivité ? Correspond-elle à la définition habituelle de la subjectivité ?

Texte 3 Seuls les actes définissent une existence

L'homme n'est rien d'autre que son projet, il n'existe que dans la mesure où il se réalise, il n'est donc rien d'autre que l'ensemble de ses actes, rien d'autre que sa vie. D'après ceci, nous pouvons comprendre pourquoi notre doctrine fait horreur à un certain nombre de gens. Car souvent ils n'ont qu'une seule manière de supporter leur misère, c'est de penser : « Les circonstances ont été contre moi, je valais beaucoup mieux que ce que j'ai été ; bien sûr, je n'ai pas eu de grand amour, ou de grande amitié, mais c'est parce que je n'ai pas rencontré un homme ou une femme qui en fussent dignes, je n'ai pas écrit de très bons livres, c'est parce que je n'ai pas eu de loisirs pour le faire ; je n'ai pas eu d'enfants à qui me dévouer, c'est parce que je n'ai pas trouvé l'homme avec lequel j'aurais pu faire ma vie. Sont restées donc, chez moi, inemployées et entièrement viables, une foule de dispositions, d'inclinations, de possibilités qui me donnent une valeur que la simple série de mes actes ne permet pas d'inférer. »

Or, en réalité, pour l'existentialiste, il n'y a pas d'amour autre que celui qui se construit, il n'y a pas de possibilité d'amour autre que celle qui se manifeste dans un amour ; il n'y a pas de génie autre que celui qui s'exprime dans des œuvres d'art : le génie de Proust c'est la totalité des œuvres de Proust ; le génie de Racine c'est la série de ses tragédies, en dehors de cela il n'y a rien ; pourquoi attribuer à Racine la possibilité d'écrire une nouvelle tragédie, puisque précisément il ne l'a pas écrite ? Un homme s'engage dans sa vie, dessine sa figure, et en dehors de cette figure il n'y a rien.

Évidemment, cette pensée peut paraître dure à quelqu'un qui n'a pas réussi sa vie. Mais d'autre part, elle dispose les gens à comprendre que seule compte la réalité, que les rêves, les attentes, les espoirs permettent seulement de définir un homme comme rêve déçu, comme espoirs avortés, comme attentes inutiles ; c'est-à-dire que ça les définit en négatif et non en positif.

Op. cit., p.51 sq.

QUESTION

Pourquoi Sartre affirme-t-il que l'individu n'est rien d'autre que ses actes ?

Dossier

Le sentiment d'étrangeté face à l'existence

Ce sentiment vécu de l'existence, ce sentiment soudain d'être ici et de ne pas y être, d'être présent en même temps qu'absent, est-il une forme de lucidité qui permet de décrire le monde dans sa réalité non humaine, ou bien n'est-il que l'effet d'une fatigue passagère, d'une pathologie accidentelle ?

DOCUMENT 1 Un homme qui dort

Tu te laisses aller, tu te laisses entraîner : il suffit que la foule monte ou descende les Champs-Élysées, il suffit d'un dos gris qui te précède de quelques mètres et oblique dans une rue grise ; ou bien une lumière ou une absence de lumière, un bruit ou une absence de bruit, un mur, un groupe, un arbre, de l'eau, un porche, des grilles, des affiches, des pavés, un passage clouté, une devanture, un signal lumineux, une plaque de rue, la carotte d'un tabac, l'étal d'un mercier, un escalier, un rond-point...

Tu marches ou tu ne marches pas. Tu dors ou tu ne dors pas. Tu descends tes six étages, tu les remontes. Tu achètes *Le Monde* ou tu ne l'achètes pas. Tu manges ou tu ne manges pas. Tu t'assieds, tu t'étends, tu restes debout, tu te glisses dans la salle obscure d'un cinéma. Tu allumes une cigarette. Tu traverses la rue, tu traverses la Seine, tu t'arrêtes, tu repars. Tu joues au billard électrique ou tu n'y joues pas.

Parfois, tu restes trois, quatre, cinq jours dans ta chambre, tu ne sais pas. Tu dors presque sans arrêt, tu laves tes chaussettes, tes deux chemises. Tu relis un roman policier que tu as déjà lu vingt fois, oublié vingt fois. Tu fais les mots croisés d'un vieux *Monde* qui traîne. Tu étales sur ta banquette quatre rangées de treize cartes, tu retires les as, tu mets le sept de cœur après le six de cœur, le huit de trèfle après le sept de trèfle, le deux de pique à sa place, le roi de pique après la dame de pique, le valet de cœur après le dix de cœur.

Tu manges de la confiture sur du pain, tant que tu as du pain, puis sur des biscottes, si tu en as, puis à la petite cuiller, dans le pot.

Un homme qui dort de Bernard Queysanne avec Jacques Spiesser, 1973.

Tu t'étends sur ta banquette étroite, mains croisées derrière la nuque, genoux haut. Tu fermes les yeux, tu les ouvres. Des filaments tordus dérivent lentement de haut en bas à la surface de ta cornée.

Tu dénombres et organises les fissures, les écailles, les failles du plafond. Tu regardes ton visage dans ton miroir fêlé. Tu ne parles pas tout seul, pas encore. Tu ne hurles pas, surtout pas.

Georges Perec, *Un homme qui dort*, 1967, Denoël, p. 88 sq.

Passerelles

› **Chapitre 1 : La conscience,** p. 24.
› **Chapitre 3 : L'inconscient,** p. 72.

QUESTIONS

› **1•** Qu'est-ce que l'auteur cherche à décrire ? Se contente-t-il d'établir un constat ou bien prononce-t-il un jugement critique ?

› **2•** Quel est le rôle joué par le pronom « tu » ? Qui désigne-t-il ?

› **3•** « Tu marches ou tu ne marches pas. Tu dors ou tu ne dors pas » (§2). Quel est ici le sens de « ou » ?

› **4•** Comment interpréter les deux dernières phrases du texte ?

DOCUMENT 2

Une présence intempestive...

Francis Bacon, *Van Gogh dans un paysage*, 1957, huile sur toile (1,530 x 1,200 m), Paris, musée national d'Art moderne, Centre Georges-Pompidou.

Donc j'étais tout à l'heure au jardin public. La racine du marronnier s'enfonçait dans la terre, juste au-dessous de mon banc. Je ne me rappelais plus que c'était une racine. Les mots s'étaient évanouis et, avec eux, la signification des choses, leurs modes d'emploi, les faibles repères que les hommes ont tracés à leur surface. J'étais assis, un peu voûté, la tête basse, seul en face de cette masse noire et noueuse, entièrement brute et qui me faisait peur. Et puis j'ai eu cette illumination. Ça m'a coupé le souffle. Jamais, avant ces derniers jours, je n'avais pressenti ce que voulait dire « exister ».

J'étais comme les autres, comme ceux qui se promènent au bord de la mer dans leurs habits de printemps. Je disais comme eux « la mer est verte ; ce point blanc, là-haut, c'est une mouette », mais je ne sentais pas que ça existait, que la mouette était une « mouette existante » ; à l'ordinaire l'existence se cache. Elle est là, autour de nous, en nous, on ne peut pas dire deux mots sans parler d'elle et, finalement, on ne la touche pas.

Quand je croyais y penser, il faut croire que je ne pensais rien, j'avais la tête vide, ou tout juste un mot dans la tête, le mot « être ». Ou alors, je pensais... comment dire ? Je pensais l'appartenance, je me disais que la mer appartenait à la classe des objets verts ou que le vert faisait partie des qualités de la mer. Même quand je regardais les choses, j'étais à cent lieues de songer qu'elles existaient : elles m'apparaissaient comme un décor. Je les prenais dans mes mains, elles me servaient d'outils, je prévoyais leurs résistances. Mais tout ça se passait à la surface. Si l'on m'avait demandé ce que c'était que l'existence, j'aurais répondu de bonne foi que ça n'était rien, tout juste une forme vide qui venait s'ajouter aux choses du dehors, sans rien changer à leur nature. Et puis voilà : tout d'un coup, c'était là, c'était clair comme le jour : l'existence s'était soudain dévoilée.

Elle avait perdu son allure inoffensive de catégorie abstraite : c'était la pâte même des choses, cette racine était pétrie dans de l'existence. Ou plutôt la racine, les grilles du jardin, le banc, le gazon rare de la pelouse, tout ça s'était évanoui ; la diversité des choses, leur individualité n'étaient qu'une apparence, un vernis. Ce vernis avait fondu, il restait des masses monstrueuses et molles, en désordre, nues, d'une effrayante et obscène nudité.

Jean-Paul Sartre, *La Nausée*, 1938, coll. Folio, Gallimard, p. 178-179.

QUESTIONS

› **1•** Expliquez la différence entre le sens courant du verbe « exister » et le sens nouveau que le narrateur découvre dans ce texte.

› **2•** Pourquoi, habituellement, ne perçoit-on pas l'existence ?

Réflexion 4

▶ Que signifie « exister » ?

Pour Heidegger, l'homme est l'être-là (*Dasein*) ; par sa présence, l'Être des choses est révélé. Jean Beaufret présente la pensée de Heidegger, et notamment les trois modalités de cette présence humaine : 1) projet, ouverture ; 2) contingence, facticité ; 3) chute, perte de soi dans l'inauthentique. Il montre comment ces trois fondements sont également trois manières d'être dans le temps.

Texte 1 L'existence comme projet

Faisons maintenant l'analyse de cette *Erschlossenheit*[1] dont nous venons de voir qu'elle pénètre de fond en comble l'homme défini par l'être-au-monde. Sous quelles formes s'éclaire à elle-même cette existence de base sans quoi il n'y a plus rien qui puisse encore être dit exister ? Pour répondre à cette question, il convient de se rappeler d'abord que l'être-au-monde, loin d'avoir l'existence figée de la *chose*, est essentiellement un *pouvoir-être*. À ce titre, il est de son essence de se révéler à lui-même dans l'*essor* (*Aufsprung*) ou le *bondissement* (*Absprung*) du *projet*. De ce point de vue, l'homme se laisse déterminer comme l'étant qui constamment cherche à savoir où il en est au juste avec la possibilité qui lui est radicale. Cet effort pour faire le point de soi-même dans l'axe de sa possibilité, Heidegger le nomme *Verstehen*. *Verstehen* – comprendre – c'est essentiellement se tirer soi-même au clair en tant que possibilité.

Mais l'homme comme être-au-monde n'est pas qu'un être de possibilité, c'est-à-dire un être de bondissement pur. Caractérisé au contraire par une certaine impuissance à n'être que possibilité, il est, pourrait-on dire, dans un état de bondissement englué. [...] Cette condition limitative d'un pouvoir pourtant fondamental, elle nous est attestée dans l'expérience par un sentiment on ne peut plus familier : le sentiment abrupt de se trouver là sans y avoir été pour rien. Nommons-la donc *Befindlichkeit*[2]. L'homme est là comme s'il y avait été jeté : c'est le thème de la *Geworfenheit*[3]. Autrement dit encore, l'homme est là *comme ça*. Telle est, dit Heidegger, l'existence de fait ou la facticité de sa nature. Ces trois caractères qui signifient à peu près la même chose interviennent comme autant de correctifs, ou mieux de restrictifs à la liberté, ils signalent l'autre aspect, également irréductible, de la condition humaine, sans toutefois détruire le premier.

Jean Beaufret, « À propos de l'existentialisme », 1945, *in De l'existentialisme à Heidegger*, Vrin, 1986, p. 21-22.

1. Ouverture, révélation.
2. Littéralement, le fait de se trouver là, de se situer.
3. Littéralement, le fait d'être jeté.

QUESTIONS

› **1•** Quelles sont les deux faces complémentaires mais opposées de l'existence humaine ?

› **2•** Que signifie « être jeté » ? À quelle expérience ce concept renvoie-t-il ?

Passerelle

› **Textes :** Pascal, *Pensées*, p. 560.

Texte 2 Le risque de l'inauthenticité

1. › p. 60.
2. › p. 562.
3. C'est la connaissance par ouï-dire, qui s'oppose à la connaissance empirique et à la connaissance rationnelle.

Mais notre description n'est pas encore complète. L'être-au-monde [...] présente encore un troisième caractère. C'est un lieu commun de la religion et de la philosophie que de noter que l'homme n'est pas nativement de niveau avec sa vérité. Il est d'abord le prisonnier de la caverne platonicienne[1], le jouet du divertissement pascalien[2], le sujet de ce que Spinoza nomme connaissance du premier genre[3]. Loin donc de naître d'emblée à la conscience authentique de sa condition, l'homme commence par s'égarer dans le dédale de son propre destin. Heidegger fait sienne cette remarque en déterminant initialement l'être-au-monde comme *chute* (*Verfallen*) dans l'inauthentique. Perdu dans ses besognes, diverti de lui-même par les échéances auxquelles il doit faire face, l'homme reçoit machinalement sa règle de vie d'une discipline faite de conformisme anonyme : la dictature du *On*. Cette fois le tableau est complet : être de projet, mais jeté *comme çà* et tombé à l'inauthentique par la perte de soi-même dans le *On*, tel est l'étant à qui son être-au-monde est radicalement lumière, tel est l'homme comme *existant*.

Op. cit., p. 22.

QUESTIONS

› 1• À quoi correspond la « dictature du *On* » ? Expliquez le type de limitation qu'elle impose. Cherchez des exemples.

› 2• Pourquoi la « dictature du *On* » place-t-elle l'homme dans l'inauthenticité ?

Texte 3 Exister, c'est habiter le temps

1. *Sein und Zeit*, p. 325.
2. Elle consiste à dégager les cadres constitutifs de toute existence humaine.

Écrivons donc la formule complète de l'existant dont l'être est souci. Nous savons que le souci rassemble en lui les trois caractères de l'existentialité, de la facticité et de la chute. Cela donne à peu près, pour peu qu'on développe *être – en – avant – de – soi – déjà – jeté – dans – un – monde – où – on – s'est – laissé – accaparer – par – des objets – de – rencontre*. Or, il suffit de se faire attentif à la formule ainsi développée pour voir avec évidence affleurer en elle les trois moments fondamentaux du temps avenir, passé, présent. À quelle condition, en effet, est-il possible qu'un étant comme l'existant du souci se porte à l'extrême pointe de soi-même en faisant projet de son pouvoir être, sinon à la condition que cet existant, dans son exister le plus intime, soit fondamentalement à venir ? Comment d'autre part est possible la facticité de la nature humaine, sinon à la condition que, partout où il se trouve, l'homme se heurte à soi-même comme *déjà-là ? Être embarqué, et se réveiller en plein voyage :* il est impossible à l'homme de revenir *derrière* ces servitudes déjà assignées par l'angoisse de Pascal. Le passé, c'est l'homme encore se réveillant à soi non plus dans l'essor et le bondissement du projet, mais dans la nécessité de toujours se trouver implacablement soi-même déjà derrière soi, comme un défi à sa prétention de fonder le tout de son être sur sa liberté. Enfin comment est possible la pesanteur qui nous entraîne et nous disperse dans la chute, sinon par la *présence* de ce monde-ci, laquelle suppose comme condition l'aptitude de l'homme à faire *rencontrant de soi*, donc *présent à soi*, « ce qu'en agissant il empoigne[1] » ? Avenir, passé et présent, ces trois « moments » fondamentaux de la temporalité, nous les surprenons ainsi à l'état naissant au plus vif de l'exister humain. Le temps, c'est donc l'homme même porté à la pleine élucidation de son être le plus intime. S'il en est ainsi, l'accès de l'homme au temps ne suppose nullement l'entrée de l'homme dans un milieu extérieur à lui et où il aurait à s'insérer pour y faire carrière, mais simplement que l'on essaye à fond, en la soumettant à l'épreuve de l'analytique[2], l'expérience élémentaire que chacun a naturellement de sa condition.

Op. cit., p. 26-27.

QUESTIONS

› 1• Quelles sont les trois caractéristiques de l'existence humaine ?

› 2• Comment ces trois caractéristiques correspondent-elles aux trois « parties » du temps ?

Réflexion 5

L'individu a-t-il un droit sur sa vie ?

Le suicide est souvent considéré comme un crime, au même titre qu'un assassinat. Et la société peut décider de protéger l'individu contre lui-même. Pourtant, n'est-il pas le seul à avoir le droit de mettre fin à son existence, de se donner la mort ?

Texte 1 L'interdiction absolue du suicide

Les amis de Socrate – Cébès, Simmias, Apollodore, Critobule... – l'assistent dans sa prison, quelques heures avant sa mort.

– Quelle raison, Socrate, peut faire dire qu'il n'est pas permis de se donner à soi-même la mort ? [...]

– Eh bien, dit Socrate, il faut t'y mettre avec courage : tu vas probablement t'instruire. Mais il te paraîtra sans doute étonnant que ce seul cas, entre tous les autres, soit simple, et qu'il n'arrive jamais à l'homme – comme dans les autres cas où l'on tient compte des circonstances et des personnes – que la mort vaille mieux que la vie. S'il y a des gens pour qui la mort est préférable, il te paraît sans doute étonnant qu'ils soient impies en se rendant ce service à eux-mêmes, et qu'ils doivent attendre un bienfaiteur étranger.

Cébès sourit doucement :

– Que Zeus y comprenne quelque chose !, dit-il dans le parler de son pays.

– De fait, dit Socrate, on peut y trouver, sous cette forme, quelque chose d'irrationnel. Et pourtant il est probable que cela se justifie. La formule qu'on prononce dans les Mystères[1], quand on dit : « Nous sommes dans un lieu où l'on nous garde, nous les hommes, et nous ne devons pas nous en libérer ni nous en évader », cette formule est à mes yeux imposante et en même temps peu claire. Elle me semble du moins exprimer très bien ceci : que ce sont des dieux qui veillent sur nous, et que nous, les hommes, nous sommes une part de ce qui appartient aux dieux. N'est-ce pas ton avis ?

– Si, dit Cébès.

– Or, reprit Socrate, si l'un des êtres qui t'appartiennent se donnait à lui-même la mort sans ton ordre, ne serais-tu pas irrité contre lui, et si tu avais un moyen de le punir, ne t'en servirais-tu pas ?

– Certainement, dit-il.

– De ce point de vue, il n'y a sans doute rien d'irrationnel à cette obligation de ne pas se donner la mort, avant qu'un dieu ne nous ait envoyé quelque signe qui nous y contraigne, comme celui qui se présente à moi aujourd'hui.

Platon, *Phédon*, vers 383 av. J.-C., 61e-62c, trad. P. Vicaire, Les Belles Lettres, p. 8-9.

1. Mystères orphiques. Ils forment la face privée, personnelle de la religion grecque. N'y étaient admis que des initiés.

QUESTION

› Sur quel argument l'interdiction du suicide repose-t-elle ?

Passerelles

› **Chapitre 21 : Le devoir,** p. 524.

› **Dossier :** Le démon de Socrate, p. 528.

Texte 2 Le suicide, arme réservée au sage

1. Les hasards, les circonstances.
2. Surabondance, excès de sang.

Cette vie, il ne faut pas toujours chercher à la retenir, tu le sais ; ce qui est un bien, ce n'est pas de vivre, mais de vivre bien. Voilà pourquoi le sage vivra autant qu'il le doit, non pas autant qu'il le peut. Il examinera où il lui faut vivre, en quelle société, dans quelles conditions, dans quel rôle. Il se préoccupe sans cesse de ce que sera la vie, non de ce qu'elle durera. S'il voit venir à lui une série de disgrâces qui bouleverseront son repos, il quitte la place. Et il ne s'y détermine pas seulement en cas de nécessité extrême, mais, aussitôt que la Fortune[1] lui est devenue suspecte, il considère d'un regard circonspect et minutieux s'il ne doit pas dès lors cesser d'être.

Il tient pour chose indifférente de se donner la mort ou de la recevoir, de mourir plus tard ou plus tôt : c'est qu'il n'appréhende pas un sérieux dommage. Une goutte d'eau tombant du toit n'est jamais grande perte. L'affaire n'est pas de mourir plus tôt ou plus tard ; l'affaire est de bien ou mal mourir. Or, bien mourir, c'est se soustraire au danger de vivre mal. [...] Un des plus grands bienfaits de l'éternelle loi, c'est que, bornant à un seul moyen l'entrée dans la vie, elle en a multiplié les issues. Attendrai-je la brutalité de la maladie ou celle de l'homme, alors que je suis en mesure de me faire jour à travers les tourments et de balayer les obstacles ? Le grand motif de ne pas nous plaindre de la vie, c'est qu'elle ne retient personne. Tout est bien dans les choses humaines dès que nul ne reste malheureux que par sa faute. Vivre t'agrée : vis donc. Il ne t'agrée pas : libre à toi de t'en retourner d'où tu es venu. Pour calmer le mal de tête, tu as pratiqué mainte fois la saignée. En cas de pléthore[2], on perce une veine. Il n'est pas besoin qu'une blessure énorme partage les entrailles : un coup de lancette dégage la route vers cette sublime liberté ; et c'est la tranquillité, au prix d'une piqûre.

Sénèque, *Lettres à Lucilius*, vers 63-65 apr. J.-C., lettre 70, trad. H. Noblot, revue par P. Veyne, Les Belles Lettres, p.780 sq.

QUESTIONS

1• « Une goutte d'eau tombant du toit n'est jamais grande perte » (deuxième paragraphe). Que veut dire Sénèque ?

2• Quels arguments sont avancés par Sénèque pour justifier le suicide ?

Texte 3 Une morale laïque interdit-elle le suicide ?

1. On ne fait pas tort à celui qui consent ; principe de jurisprudence qui signifie qu'on ne peut pas porter plainte pour un dommage auquel on a consenti.
2. S'énerver, c'est ici être privé de nerf, d'énergie, s'affaiblir.

Il est nécessaire que le suicide soit classé au nombre des actes immoraux, car il nie, dans son principe essentiel, cette religion de l'humanité. L'homme qui se tue ne fait, dit-on, de tort qu'à soi-même et la société n'a pas à intervenir, en vertu du vieil axiome *Volenti non fit injuria*[1]. C'est une erreur. La société est lésée, parce que le sentiment sur lequel reposent aujourd'hui ses maximes morales les plus respectées, et qui sert presque d'unique lien entre ses membres, est offensé, et qu'il s'énerverait[2] si cette offense pouvait se produire en toute liberté. Comment pourrait-il garder la moindre autorité si, quand il est violé, la conscience morale ne protestait pas ? Du moment que la personne humaine est et doit être considérée comme une chose sacrée, dont ni l'individu ni le groupe n'ont la libre disposition, tout attentat contre elle doit être proscrit. Peu importe que le coupable et la victime ne fassent qu'un seul et même sujet : le mal social qui résulte de l'acte ne disparaît pas, par cela seul que celui qui en est l'auteur se trouve lui-même en souffrir.

Émile Durkheim, *Le Suicide*, 1897, coll. Quadrige, PUF, p. 383.

QUESTIONS

1• « Religion de l'humanité » : grammaticalement, l'expression est ambiguë. Quels sont les deux sens possibles ? Quel est celui du texte ?

2• Pourquoi une démocratie, selon Durkheim, doit-elle empêcher toute complaisance vis-à-vis du suicide ? Quelle valeur est en jeu ?

Réflexion 6

Quelle place pour l'homme dans un univers infini ?

Si le monde est un espace infini, il n'a plus de centre, plus d'orientation, plus de repères absolus. Impossible de décider si un corps bouge par rapport à un autre, ou si ce n'est pas cet autre qui bouge par rapport au premier. Comment alors donner sens à l'existence humaine dans cette nouvelle compréhension de l'univers ? Les textes de Pascal décrivent les embarras du libertin : l'homme privé de Dieu, qui, à la manière du Dom Juan de Molière, pense fonder son existence sur la libre-pensée et la recherche du plaisir.

Texte 1 Une sphère infinie dont le centre est partout...

Que l'homme contemple donc la nature entière dans sa haute et pleine majesté, qu'il éloigne sa vue des objets bas qui l'environnent. Qu'il regarde cette éclatante lumière[1] mise comme une lampe éternelle pour éclairer l'univers, que la Terre lui paraisse comme un point au prix de ce vaste tour que cet astre décrit, et qu'il s'étonne de ce que ce vaste tour lui-même n'est qu'une pointe très délicate à l'égard de celui que ces astres, qui roulent dans le firmament[2], embrassent. Mais si notre vue s'arrête là, que l'imagination passe outre, elle se lassera plutôt de concevoir que la nature de fournir. Tout le monde visible n'est qu'un trait imperceptible dans l'ample sein de la nature. Nulle idée n'en approche, nous avons beau enfler nos conceptions au-delà des espaces imaginables, nous n'enfantons que des atomes au prix de la réalité des choses. C'est une sphère infinie dont le centre est partout, la circonférence nulle part. Enfin c'est le plus grand caractère sensible de la toute-puissance de Dieu que notre imagination se perde dans cette pensée.

Que l'homme étant revenu à soi considère ce qu'il est au prix de ce qui est, qu'il se regarde comme égaré, et que de ce petit cachot où il se trouve logé, j'entends l'univers, il apprenne à estimer la terre, les royaumes, les villes, les maisons et soi-même, son juste prix.

Qu'est-ce qu'un homme, dans l'infini ?

Blaise Pascal, *Pensées*, posth. 1669, 199/72, *in Œuvres complètes*, coll. L'intégrale, Seuil, p. 525 sq.

1. Le soleil.
2. Galilée a montré, en braquant sa lunette vers le ciel, que la Voie lactée est faite d'un amas d'étoiles.

QUESTIONS

1• Quelle définition Pascal donne-t-il de l'infini ? Expliquez.

2• Relevez les termes qui expriment le malaise de l'existence humaine.

Galaxie NGC 4214 située à 13 millions d'années-lumière de la Terre. Une supernova a favorisé la formation de nouvelles étoiles. Image prise par Hubble.

Texte 2 L'infini dans l'infini : un emboîtement effrayant…

1. Animal minuscule (acarien du fromage ; très petit arachnide).
2. Espace délimité, entouré d'une clôture.

Mais pour lui présenter un autre prodige aussi étonnant, qu'il recherche dans ce qu'il connaît les choses les plus délicates, qu'un ciron[1] lui offre dans la petitesse de son corps des parties incomparablement plus petites, des jambes avec des jointures, des veines dans ses jambes, du sang dans ses veines, des humeurs dans ce sang, des gouttes dans ces humeurs, des vapeurs dans ces gouttes ; que divisant encore ces dernières choses, il épuise ses forces en ces conceptions et que le dernier objet où il peut arriver soit maintenant celui de notre discours. Il pensera peut-être que c'est là l'extrême petitesse de la nature.

Je veux lui faire voir là-dedans un abîme nouveau. Je lui veux peindre non seulement l'univers visible, mais l'immensité qu'on peut concevoir de la nature dans l'enceinte[2] de ce raccourci d'atome, qu'il y voie une infinité d'univers, dont chacun a son firmament, ses planètes, sa terre, en la même proportion que le monde visible, dans cette terre des animaux, et enfin des cirons dans lesquels il retrouvera ce que les premiers ont donné, et trouvant encore dans les autres la même chose sans fin et sans repos, qu'il se perdra dans ces merveilles aussi étonnantes dans leur petitesse, que les autres par leur étendue, car qui n'admirera que notre corps, qui tantôt n'était pas perceptible dans l'univers imperceptible lui-même dans le sein du tout, soit à présent un colosse, un monde ou plutôt un tout à l'égard du néant où l'on ne peut arriver. Qui se considérera de la sorte s'effraiera de soi-même et, se considérant soutenu dans la masse que la nature lui a donnée entre ces deux abîmes de l'infini et du néant, il tremblera dans la vue de ces merveilles et je crois que sa curiosité se changeant en admiration, il sera plus disposé à les contempler en silence qu'à les rechercher avec présomption.

Op. cit., p. 526.

QUESTIONS

› **1•** Quels sont les deux « abîmes » de l'infini ? D'où vient le caractère effrayant de l'idée d'infini ?

› **2•** Comment la raison et l'imagination se mêlent-elles dans le discours de Pascal ? Est-il possible de dissocier l'argument rationnel de la formulation rhétorique ?

Texte 3 La connaissance humaine, entre deux infinis

Car enfin qu'est-ce que l'homme dans la nature ? Un néant à l'égard de l'infini, un tout à l'égard du néant, un milieu entre rien et tout, infiniment éloigné de comprendre les extrêmes ; la fin des choses et leurs principes sont pour lui invinciblement cachés dans un secret impénétrable.

Manque d'avoir contemplé ces infinis, les hommes se sont portés témérairement à la recherche de la nature comme s'ils avaient quelque proportion avec elle.

C'est une chose étrange qu'ils ont voulu comprendre les principes des choses et de là arriver jusqu'à connaître tout, par une présomption aussi infinie que leur objet. Car il est sans doute qu'on ne peut former ce dessein sans une présomption ou sans une capacité infinie comme la nature.

Quand on est instruit, on comprend que la nature ayant gravé son image et celle de son auteur dans toutes choses, elles tiennent presque toutes de sa double infinité. C'est ainsi que nous voyons que toutes les sciences sont infinies en l'étendue de leurs recherches, car qui doute que la géométrie par exemple a une infinité d'infinités de propositions à exposer ? Elles sont aussi infinies dans la multitude et la délicatesse de leurs principes, car qui ne voit que ceux qu'on propose pour les derniers ne se soutiennent pas d'eux-mêmes et qu'ils sont appuyés sur d'autres qui en ayant d'autres pour appui ne souffrent jamais de dernier ?

Op. cit., p. 526.

QUESTION

› Quelles sont les conséquences de l'infinité du monde pour le savoir humain ?

REPÈRES et DISTINCTIONS CONCEPTUELLES

Les caractéristiques du temps

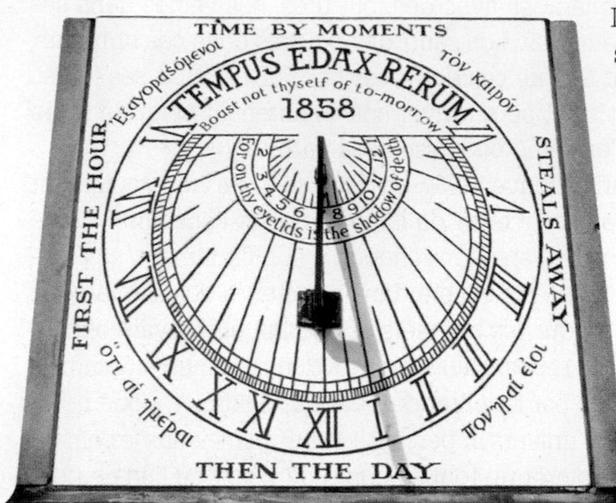

Cadran solaire décoré d'homélies, XIXe s., Angleterre.

La propriété fondamentale du temps est l'**irréversibilité** : si, à la fin d'un voyage, je peux revenir à mon **lieu** de départ dans l'espace, je ne peux revenir à **l'heure** de mon départ. Le devenir n'a qu'un seul sens, il ne connaît pas le retour. C'est ce qu'on appelle la « flèche du temps ».

Le temps se donne à nous comme **durée.** La durée, c'est l'écoulement continu du temps. Or cet écoulement suppose le maintien des instants qui viennent de passer (par la mémoire) et l'attente des instants qui vont venir (par l'anticipation). La durée suppose que soit encore présent ce qui n'est plus (le passé immédiat) et déjà esquissé ce qui n'est pas encore (le futur immédiat). La durée est une donnée **irréductible :** elle ne peut ni accélérer ni ralentir. Toutefois, elle peut être **vécue** de manière différente : soit comme trop lente, soit comme trop rapide.

Éternité / immortalité

Le temps s'oppose alors à la fois à l'immortalité et à l'éternité. L'**immortalité** est le fait de ne pas mourir, d'appartenir à un temps sans commencement ni fin ; elle caractérise par exemple la vie des dieux grecs. L'**éternité** est le fait d'être hors du temps ; elle caractérise le Dieu du monothéisme.

La contingence / la nécessité / le possible

Exister, c'est se trouver là dans ce monde. Se trouver là implique un effet de surprise, d'inattendu, que la vie ordinaire occulte souvent. Car nous avons toujours des raisons d'être quelque part, en des lieux, à des heures données. Parfois, on peut entrevoir le fait qu'on est bien là, mais qu'aucune raison n'explique pourquoi : on fait alors l'expérience de la **contingence** de l'existence. La contingence est le contraire de la nécessité, c'est ce qui pourrait être ou ne pas être, être ainsi ou être autrement. Or chacun fuit le sentiment d'inutilité, chacun recherche une vie qui serait **nécessaire** à quelqu'un ou à quelque chose. De là sans doute l'importance de l'amour, l'ambition, le désir de gloire, l'espérance religieuse. L'existence nous met en face de **possibles**, qui ne sont ni certains ni hors de notre portée.

L'existence / l'essence

Sartre exprime cette idée en disant que pour l'homme « l'existence précède l'essence ». L'**essence,** c'est ce qui définit la nature profonde d'une réalité, et par là sa fonction et son rôle. Un objet fabriqué par l'homme a une essence : un marteau peut être défini à la fois par sa finalité et par les caractéristiques qui le rendent apte à sa fonction. Si l'homme avait un créateur, son destin serait tracé par ce créateur, son **existence** serait justifiée par son essence. Dans le cas contraire, son existence n'a pas de raison d'être, elle est un fait contingent ; la définition de ce que l'homme doit être – son essence – vient en second : chaque homme se définit par ce qu'il choisit d'être.

Zoom sur...

Les trois faces du temps

La difficulté de l'analyse du temps est de lier trois faces souvent confondues, mais qui se réfèrent à des logiques bien différentes.

▪ 1 Le temps comme devenir

C'est une sorte de **mouvement** qui emporte toutes choses ; ce mouvement est *irréversible*. En physique, on parlera de « flèche du temps » pour désigner le passage irréversible d'un état ordonné à un état moins ordonné de l'univers (c'est la notion d'*entropie* du deuxième principe de thermodynamique).

→ Problème : chaque instant de ce mouvement envoie les instants passés dans le néant. On ne peut donc pas décomposer le temps en passé, présent et futur. Il faut penser une succession d'états, chacun remplaçant celui qui précède.

→ Curieux paradoxe d'une « flèche du temps » qui n'est pas un segment de droite, puisqu'il ne peut avoir d'extension.

Dans cette première définition, le temps est objectif, il est bien irréversible, mais peut-on dire qu'il s'écoule ?

▪ 2 Le temps comme durée

C'est **l'écoulement continu** d'instants, construit par une conscience vivante, grâce à sa mémoire et à l'attente de ce qui arrive. Cette construction peut s'opérer à un niveau biologique (les neurones), psychologique (la mémoire consciente). Ici un écoulement du temps peut naître, de la liaison permanente des instants qui passent, dans une sensibilité animale ou dans une conscience humaine.

→ Problème : ce temps subjectif est un contenant (la mémoire contient le passé, fait s'écouler le futur...) qui est lui-même contenu par le temps (l'être vivant porteur de cette mémoire vieillit ; la mémoire elle-même s'use).

→ Paradoxe d'une parcelle de monde (une conscience) construisant les cadres du monde.

Dans cette deuxième définition, le temps s'écoule, il a des parties, mais quelle réalité doit on lui accorder s'il n'existe que dans une mémoire subjective ?

▪ 3 Le temps comme espace de mesure : objectif / subjectif

Ce n'est plus ce qui entraîne les êtres dans leur devenir (de la vie à la mort par exemple) mais **ce dans quoi ces êtres sont entraînés.** Le temps est alors un ensemble de repères fixes à la manière d'un repère cartésien, ou d'un tableau permettant de situer le mouvement du devenir.

→ Problème : cette face du temps est mi-subjective (les prises de repère, les représentations, les techniques de mesure sont humaines), mi-objective (ces repères reposent sur des réalités objectives, cosmologiques ou physiques).

→ Paradoxe d'un temps qui est constitué comme un espace immobile.

Ici, le temps a des parties, il est objectivement mesurable, mais est-il encore irréversible ?

C'est un **temps spatialisé** : on peut faire avancer ou reculer les aiguilles d'une montre. Une même équation mathématique permet de calculer les éclipses qui ont déjà eu lieu dans le passé comme celles qui se produiront dans le futur.

La culture

Chapitre 6 **Nature et culture**
Chapitre 7 **Le langage**
Chapitre 8 **L'art**
Chapitre 9 **La technique et le travail**
Chapitre 10 **La religion**
Chapitre 11 **L'histoire**

Tout le monde se servait d'une même langue et des mêmes mots. Comme les hommes se déplaçaient à l'orient, ils trouvèrent une vallée au pays de Shinéar[1] et ils s'y établirent. Ils se dirent l'un à l'autre : « Allons ! Faisons des briques et cuisons-les au feu ! ». La brique leur servit de pierre et le bitume[2] leur servit de mortier. Ils dirent : « Allons ! Bâtissons-nous une ville et une tour dont le sommet pénètre les cieux ! Faisons-nous un nom et ne soyons pas dispersés sur toute la terre ! »
Or Yahvé[3] descendit pour voir la ville et la tour que les hommes avaient bâties. Et Yahvé dit : « Voici que tous font un seul peuple et parlent une seule langue, et tel est le début de leurs entreprises ! Maintenant, aucun dessein ne sera irréalisable pour eux. Allons ! Descendons ! Et là, confondons leur langage pour qu'ils ne s'entendent plus les uns les autres. » Yahvé les dispersa de là sur toute la face de la terre et ils cessèrent de bâtir la ville. Aussi la nomma-t-on Babel[4], car c'est là que Yahvé confondit le langage de tous les habitants de la terre et c'est de là qu'il les dispersa sur toute la face de la terre.

La Bible, Genèse, 11, 1-9, trad. École biblique de Jérusalem, Les Éditions du cerf.

---

1. C'est ainsi que les hébreux désignaient la Mésopotamie.
2. Mélange d'hydrocarbures à l'état solide ou pâteux.
3. « Celui qui est », nom donné à Dieu dans la Bible.
4. Babel désigne en réalité Babylone, qui signifie « porte du ciel ».

Pieter Bruegel l'Ancien, *La tour de Babel*, 1563 (détail), peinture sur bois (1,14 x 1,55 m), Vienne, Kunsthistorisches Museum. ››

chapitre 6

Nature et culture

Dennis Nona, *Sarup [Perdu en mer]*, linogravure kaidaral coloriée à la main, Badu, Australie.

Des mots...

La notion de culture, quand elle s'applique à l'homme, renvoie couramment à ce qu'on appelle la « culture générale ». On songe d'abord à des savoirs et savoir-faire désintéressés qui élèvent l'esprit de l'individu : la littérature, la musique, la gastronomie, les connaissances acquises lors des voyages ou en société... La culture s'opposerait à la grossièreté et l'étroitesse d'esprit.
Quant à la « nature humaine », elle est souvent utilisée pour justifier des fausses excuses (« c'est dans ma nature »), des stéréotypes (la nature féminine), des normes morales (« c'est naturel, c'est normal »). La nature humaine apparaît soit comme une fatalité (on ne peut pas aller contre), soit comme un idéal (à opposer au pathologique, à l'anormalité, au monstrueux). Le mot renferme des jugements de valeur, des normes morales ou sociales, donc culturelles. Ces confusions sont sources d'une grande partie des préjugés humains.

... aux concepts

Les concepts veulent échapper aux jugements de valeur dissimulés derrière les mots. La culture c'est tout ce que l'homme s'est ajouté à lui-même durant son histoire. La fabrication d'un outil, une règle d'hygiène, une comptine enfantine, une recette de cuisine sont des faits de culture. Quant à la nature, elle relève de l'hérédité biologique qui définit l'ensemble de l'humanité. Déduire de cette nature des normes sociales est à la fois contestable et dangereux.

Pistes de réflexion

Y a-t-il un état animal de l'homme vers lequel il pourrait régresser?

L'homme, à la différence des animaux domestiques, s'est domestiqué lui-même. Ce processus s'est traduit par la disparition d'instincts, de comportement préétablis génétiquement. Surtout, le corps humain, en évoluant, est devenu à ce point dépendant de l'environnement culturel qu'il ne peut plus se développer en dehors de lui. L'« homme-animal », l'« homme de la nature » relève de la fiction. Pourquoi alors cette peur de la « bestialité » chez l'homme?

Peut-on isoler chez l'homme une face naturelle et une face culturelle?

Si l'on doit admettre chez l'homme une face biologique, issus de l'hérédité, et une face culturelle, issue de l'éducation, peut-on retrouver et séparer ces deux faces dans ses comportements? Il semble que nature et culture soient à ce point imbriquées chez l'homme qu'une telle distinction est devenue impossible.

Quel est le rôle joué par l'enfance dans le développement de l'humanité?

L'homme a une longue enfance. Son développement biologique le conduit très tardivement à la maturité. La société elle-même tend à prolonger cette immaturité par ce qu'on appelle l'adolescence. Ce long développement de l'individu joue un rôle stratégique dans le développement de l'humanité. Pourquoi l'homme a-t-il besoin d'une longue enfance?

En quoi la notion de « nature humaine » peut-elle être dangereuse?

Peut-on définir la nature humaine comme on définit un objet? Une telle définition devra être valable pour tous les êtres humains, de toutes les époques, de toutes les cultures. Elle exige donc de mettre de côté les différences culturelles. Est-ce possible? Est-ce souhaitable? Vouloir définir ainsi l'homme, n'est-ce pas passer à côté de sa spécificité essentielle : l'homme est un être de projet, il doit se réaliser.

Une culture peut-elle juger une autre culture objectivement?

Lorsque l'on est en contact avec des cultures différentes, la tentation est grande de vouloir les juger, les évaluer. Mais l'échelle de valeurs qui sera choisie n'est-elle pas toujours celle qui privilégie notre culture? L'ethnocentrisme consiste à considérer comme seule valable ou comme supérieure sa propre culture et donc à refuser la diversité culturelle. Comment déterminer alors une échelle de valeurs neutre, objective? Est-ce seulement possible?

À l'inverse, le relativisme culturel empêche-t-il tout jugement de valeur universel?

Respecter indifféremment toutes les formes de cultures, toutes les traditions, même celles qui sont contraires à la dignité des personnes, n'est-ce pas refuser à certains hommes et certaines femmes des droits et des dignités universels (principe d'égalité des droits)? Comment concilier le respect des différences (relativisme des cultures) et le respect des hommes (universalité du genre humain)?

Passerelle

› **Chap. 17 : La société, les échanges,** p. 424.

Découvertes

Gravure de T. de Bry illustrant *Histoire d'un voyage fait en la terre de Brésil* de J. de Léry (1692).

DOCUMENT 1 Un cannibale philosophe

Jean de Léry participe à l'expédition de Villegagnon qui, en 1555, a pour but de bâtir une colonie française au Brésil. Jean de Léry a le temps d'observer une société cannibale, les Tupinamba.

Au reste, nos Toüoupinambaoults sont fort ébahis de voir les Français et les autres des pays lointains prendre tant de peine pour aller quérir leur Arabotan, c'est-à-dire bois de Brésil[1]. Il y eut une fois un vieillard des leurs qui me fit cette demande :

« Que veut dire que vous autres Mairs et Peros, c'est-à-dire Français et Portugais, vous veniez de si loin chercher du bois pour vous chauffer ? N'y en a-t-il pas dans votre pays ? »

Je lui répondis que si, et en grande quantité, mais pas de la même espèce que les leurs, ni même du bois de Brésil : que nous ne le brûlions pas, comme il le pensait, mais les nôtres l'emmenaient pour faire de la teinture (comme eux-mêmes en usent pour rougir leurs cordons de coton, plumages et autres choses). Il me répliqua soudain :

« Oui, mais vous en faut-il tant ?

– Oui, lui dis-je, car (en lui faisant trouver bon) il y a tel marchand en notre pays qui a plus de frises et de draps rouges, voire même (m'arrangeant toujours pour lui parler des choses qui lui étaient connues) plus de couteaux, ciseaux, miroirs, et autres marchandises que vous n'en avez jamais vu par-deçà, et un seul de ces marchands achètera tout le bois de Brésil dont plusieurs navires reviennent chargés.

– Ha, ha, dit mon sauvage, tu me contes des merveilles. »

Puis, ayant bien retenu ce que je venais de lui dire, il m'interrogea à nouveau : « Mais cet homme si riche dont tu me parles ne meurt-il point ?

– Si fait, si fait, lui dis-je, aussi bien que les autres. »

Sur quoi, comme ils sont aussi grands discoureurs et poursuivent fort bien un propos jusqu'au bout, il me demanda derechef[2] :

« Et quand il est mort, à qui donc est tout le bien qu'il laisse ?

– À ses enfants, s'il en a, et à défaut de ceux-ci à ses frères, sœurs ou plus proches parents.

– Vraiment, dit alors mon vieillard (lequel, comme vous le jugerez, n'était nullement lourdaud), à cette heure, je comprends que vous autres Mairs, c'est-à-dire Français, vous êtes de grands fous : car vous faut-il tant peiner à passer la mer, sur laquelle (comme vous nous le dites en arrivant ici) vous endurez tant de maux, pour entasser des richesses pour vos enfants, ou ceux qui vous survivent ! La terre qui vous a nourri n'est-elle pas aussi suffisante pour les nourrir ? Nous avons, ajouta-t-il, des parents et des enfants, que nous aimons et chérissons, comme tu le vois ; mais, nous nous assurons qu'après notre mort, la terre qui nous a nourris, les nourrira, nous ne nous en soucions donc pas davantage et nous nous reposons sur cela. »

Voilà sommairement et dans sa vérité le discours que j'ai entendu de la propre bouche d'un pauvre sauvage américain.

Jean de Léry, *Histoire d'un voyage fait en la terre de Brésil*, 1578, Plasma, 1980, p. 153.

1. L'arbre, utilisé en teinturerie, donnera son nom au pays : le Brésil. 2. De nouveau.

QUESTION

› Sur quoi porte exactement l'étonnement du vieillard ? Le problème de compréhension est-il d'ordre intellectuel ?

DOCUMENT 2 État de nature et état de culture

Le comportement typique, caractéristique de l'état civilisé, diffère essentiellement du comportement animal à l'état de nature. Quelque simple que soit sa culture, l'homme dispose d'un ensemble matériel d'instruments, d'armes, d'ustensiles domestiques ; il évolue dans un milieu social qui l'assiste et le contrôle à la fois ; il communique avec les autres à l'aide de langage et arrive à former des concepts d'un caractère rationnel, religieux ou magique. L'homme dispose ainsi d'un ensemble de biens matériels, il vit au sein d'une organisation sociale, communique à l'aide du langage et puise les mobiles de ses actions dans des systèmes de valeurs spirituelles. Ce sont là les quatre principaux groupes dans lesquels nous rangeons la totalité des conquêtes culturelles de l'homme. Nous ne connaissons donc la culture qu'à l'état de fait accompli, mais nous ne l'observons jamais *in statu nascendi*[1], et c'est ce dont il importe de se rendre compte avec toute la clarté possible.

Bronislaw Malinowski, *La Sexualité et sa répression dans les sociétés primitives*, 1933, Payot, p. 140.

1. À l'état naissant, en train de naître.

QUESTIONS

› 1• Étudiez les quatre dimensions essentielles de la culture d'après le sociologue.

› 2• En quoi chacune de ces dimensions dépend-elle des trois autres ?

DOCUMENT 3 La « nature humaine » serait-elle une construction culturelle ?

Il nous est maintenant permis d'affirmer que les traits de caractère que nous qualifions de masculins ou de féminins sont pour un grand nombre d'entre eux, sinon en totalité, déterminés par le sexe d'une façon aussi superficielle que le sont les vêtements, les manières, ou la coiffure qu'une époque assigne à l'un ou l'autre sexe. Quand nous opposons le comportement typique de l'homme ou de la femme arapesh[1] à celui, non moins typique, de l'homme ou de la femme mundugumor[2], l'un et l'autre apparaissent, de toute évidence, être le résultat d'un conditionnement social. Comment expliquer autrement que les enfants arapesh deviennent presque uniformément des adultes paisibles, passifs et confiants, alors que les jeunes Mundugumor, d'une façon tout aussi caractéristique, se transforment en êtres violents, agressifs et inquiets ? Seule la société, pesant de tout son poids sur l'enfant, peut être l'artisan de tels contrastes. Il ne saurait y avoir d'autre explication – que l'on invoque la race, l'alimentation ou la sélection naturelle. Nous sommes obligés de conclure que la nature humaine est éminemment malléable, obéit fidèlement aux impulsions que lui communique le corps social. [...] La formation de la personnalité de chaque sexe n'échappe pas à cette règle : elle est le fait d'une société qui veille à ce que chaque génération, masculine ou féminine, se plie au type qu'elle a imposé.

Otto Ludwig Bettmann, *Margaret Mead, une mère et son enfant*, îles de l'Amirauté, 1953.

Margaret Mead, *Mœurs et sexualité en Océanie*, 1928 et 1935, Plon, p. 252 sq.

1. et 2. Sociétés étudiées par Margareth Mead en Nouvelle-Guinée, île située au nord de l'Australie.

QUESTIONS

› 1• L'anthropologue américaine Margaret Mead (1901-1978) défend la thèse culturaliste : les différences que l'on croit d'origine biologique ou psychologique dépendent en réalité d'un conditionnement social. Pourquoi les premières années de l'enfance sont-elles considérées comme déterminantes ?

› 2• « La nature humaine est éminemment malléable » : quels exemples pourrait-on donner ? N'y a-t-il pas cependant des résistances de la nature humaine au conditionnement social ?

Dossier

▶ Pouvons-nous remonter à une nature humaine primitive ?

Pendant longtemps, les préhistoriens ont séparé l'hominisation, c'est-à-dire l'évolution biologique de l'homme, en deux parties distinctes : une évolution biologique, anatomique, cérébrale, d'abord ; puis, prenant le relais à partir d'un certain seuil, une évolution culturelle. Ce schéma est aujourd'hui abandonné, car l'évolution biologique n'a pu se faire qu'en parallèle avec l'évolution culturelle.

DOCUMENT La culture, moteur de l'évolution biologique de l'homme

Depuis l'Australopithèque, l'évolution culturelle a accompagné l'évolution anatomique, et réciproquement : chaque avancée dans un domaine rendant possible et/ou nécessaire un progrès dans l'autre, dans une relation d'interdépendance.

Le progrès de la juvénilisation[1] signifie la régression des comportements stéréotypés (instinctuels) qui étaient programmés de façon innée, l'ouverture extrême à l'environnement (naturel et social), l'acquisition d'une très grande plasticité[2] et disponibilité. Le progrès de la cérébralisation correspond au développement des possibilités associatives du cerveau, à la constitution de structures organisationnelles ou compétences, non seulement linguistiques (Chomsky[3]), mais aussi logiques, heuristiques[4] et inventives. Le progrès de la culturisation correspond à la multiplication des informations, des connaissances, du savoir social et aussi à la multiplication des règles d'organisation et des modèles de conduite, voire donc au développement d'une programmation proprement socioculturelle.

Autrement dit, la culture s'insère complémentairement dans la régression des instincts (programmes génétiques) et la progression des compétences organisationnelles, renforcée simultanément par cette régression (juvénilisante) et par cette progression (cérébralisante), nécessaire à celle-ci et celle-là. [...]

À partir d'un certain stade, la complexité du cerveau et la complexité socioculturelle ne peuvent que s'emboîter l'une dans l'autre, et par conséquent les développements ultimes des puissances génératives du cerveau ne peuvent s'exprimer qu'à partir d'une complexité phénoménale socioculturelle. Autrement dit, le grand cerveau aurait été un handicap pour un être qui n'aurait pas disposé de cette complexité. Comme le disent Hockett et Asher, pour nos ancêtres, « la valeur de survie des grands cerveaux est évidente, si et seulement s'ils ont déjà accompli l'essence du langage et de la culture ». Notre néocortex[5] qui s'est accru en interaction avec la culture, « est incapable de diriger notre conduite ou d'organiser notre expérience sans la gouverne fournie par un système de symboles signifiants » (Geertz, 1966).

Privé de culture, *sapiens* serait un débile mental, incapable de survivre sinon comme un primate de plus bas rang ; il ne pourrait même pas reconstituer une société de complexité égale à celle des babouins et des chimpanzés.

Il est bien évident que le gros cerveau de *sapiens* n'a pu advenir, réussir, triompher qu'après la formation d'une culture déjà complexe, et il est étonnant que l'on ait pu si longtemps croire exactement le contraire. [...] L'homme est un être culturel par nature parce qu'il est un être naturel par culture.

Edgar Morin, *Le Paradigme perdu, la nature humaine*, 1973, coll. Points, Seuil, p. 98-100.

1. Fœtalisation, ou néoténie : un certain nombre de faits biologiques montre que le développement de l'espèce humaine est lié à un retard du développement fœtal de l'être humain.
2. Souplesse, caractère de ce qui se laisse déformer pour mieux s'adapter.
3. Noam Chomsky (1928), linguiste américain, insiste sur le caractère inné de certains schémas grammaticaux universels, sous-jacents aux grammaires particulières des langues.
4. Qui favorisent la découverte, l'invention.
5. C'est l'écorce extérieure du cerveau, particulièrement évoluée chez les mammifères et surtout chez l'homme.

QUESTIONS

❯ **1•** Quel est le rôle joué par la « juvénilisation » ? Pourquoi est-elle un élément essentiel de l'histoire de l'humanité ? Expliquez pourquoi on a pu décrire l'homme comme un « animal prématuré », c'est-à-dire inachevé à la naissance.

❯ **2•** Expliquez la dernière phrase : « L'homme est un être culturel... »

Zoom sur...

Anatomie humaine et culture

Le dispositif anatomique de l'homme montre que le corps humain n'a pu évoluer en dehors d'un environnement culturel (causalité circulaire : les transformations du corps poussent à l'évolution culturelle, l'évolution culturelle en retour favorise les évolutions anatomiques). En effet, les différents éléments de cette anatomie seraient inutiles, voire dangereux, s'ils n'étaient accompagnés d'un prolongement culturel.

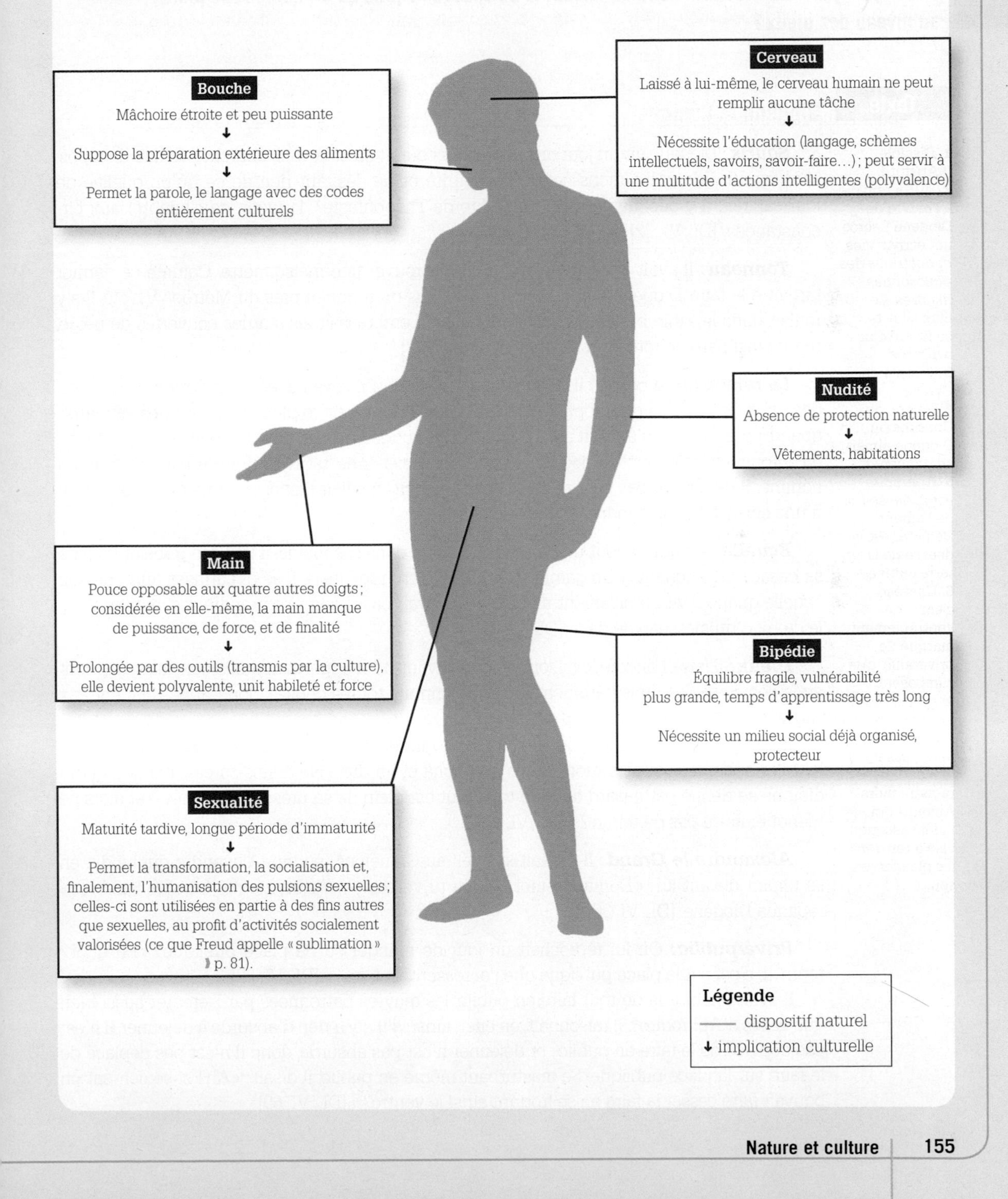

Réflexion 1

Transgresser les règles culturelles au nom de la nature ?

Les transgressions des cyniques semblent marquées par un refus radical des règles sociales. Le mot d'ordre est : il faut revenir à la loi naturelle, vivre comme un chien (« cynisme » vient d'un mot grec qui signifie « chien »). Mais, en transgressant la règle sociale, peut-être Diogène indique-t-il une règle hyper-morale : comment, en faisant la bête, devenir plus qu'un homme, se placer au niveau des dieux ?

Texte

Diogène le Cynique

Souris : Diogène vit un jour une souris qui courait çà et là sans chercher de lieu de repos, sans prendre de précautions contre l'obscurité et ne désirant rien de ce qu'on qualifie de jouissances ; il y découvrit aussitôt, au dire de Théophraste[1], la façon de s'adapter aux circonstances. [DL, VI, 22][2]

Tonneau : Il avait écrit à quelqu'un de lui trouver une maisonnette. Comme ce dernier tardait à le faire, Diogène établit sa demeure dans un tonneau près du Métroon[3]. L'été, il s'y roulait dans le sable brûlant, tandis que l'hiver, il embrassait les statues couvertes de neige, tirant ainsi parti de tout pour s'endurcir. [DL, VI, 23]

La raison ou la corde : Il disait encore que lorsqu'il voyait à leur occupation des pilotes, des médecins ou des philosophes, il jugeait que l'homme est le plus intelligent des animaux ; quand, par ailleurs, il s'arrêtait aux interprètes de songes, aux devins et à tous leurs assistants, ou à tous les gens gonflés de gloire et de richesses, il ne trouvait rien de plus idiot qu'un homme. Il ne cessait pas de dire que pour bien vivre, il fallait disposer d'une raison droite ou d'une corde [pour se pendre]. [DL, VI, 24]

Écuelle : Voyant un jour un petit garçon boire dans ses mains, il jeta son gobelet hors de sa besace en s'écriant : « Un gamin m'a dépassé en frugalité ! » Il se débarrassa aussi de son écuelle quand il vit pareillement un enfant qui avait cassé son plat prendre ses lentilles dans le creux d'un morceau de pain. [DL, VI, 37]

Dieux : Il faisait encore le raisonnement suivant : tout appartient aux dieux, les sages sont amis des dieux, les amis partagent tout en commun, toutes choses, donc, appartiennent aux sages.

Il aperçut un jour une femme prosternée devant les dieux d'une façon inconvenante ; voulant l'arracher à sa superstition, il s'en approcha et lui dit : « Ne crains-tu pas, ma fille, qu'un dieu ne se tienne par hasard derrière toi – tout est plein de sa présence en effet – et alors ne manquerais-tu pas de tenue ? » [DL, VI, 37]

Alexandre le Grand : Il prenait le soleil au Cranéion[4] ; survint Alexandre qui lui dit, en se tenant devant lui : « Demande-moi ce que tu veux ! » – « Arrête de me faire de l'ombre ! » répliqua Diogène. [DL, VI, 38]

Privé/public : On lui reprochait un jour de manger sur la place publique : « Eh quoi ? reprit-il, c'est sur la place publique que j'ai ressenti la faim ! » [DL, VI, 58]

Il avait l'habitude de tout faire en public, les œuvres patronnées par Déméter aussi bien que celles d'Aphrodite[5]. Il raisonnait, en effet, ainsi : s'il n'y a rien d'absurde à déjeuner, il n'est pas déplacé de le faire en public ; or déjeuner n'est pas absurde, donc il n'est pas déplacé de le faire sur la place publique. Se masturbant même en public, il disait : « Ah ! si seulement on pouvait faire cesser la faim en se frottant ainsi le ventre ! » [DL, VI, 69]

1. Disciple d'Aristote.
2. « DL » renvoie à l'œuvre de Diogène Laërce qui écrivit *Vies et doctrines des philosophes illustres*. Le livre VI est consacré aux cyniques.
3. Temple de Cybèle.
4. Colline de Corinthe où Diogène aimait se promener.
5. Aphrodite est la déesse de l'amour, Déméter est la déesse de la terre cultivée.
6. L'ascèse, c'est l'entraînement, marqué de privations, que s'imposent le sportif ou le musicien. Diogène veut faire passer le mot dans le registre moral. Aujourd'hui, l'idéal ascétique vise à refuser les plaisirs des sens.

Diogène et sa lanterne : « Je cherche un homme. » La tradition veut que Diogène cherche un homme véritable, conforme à un idéal d'humanité. Mais une autre interprétation veut qu'il soit à la recherche de l'idée (abstraite) d'homme. C'est une manière plaisante de critiquer les Idées de Platon (› p. 63).

Entraînement : À son avis, il y a deux sortes d'ascèse[6], celle de l'âme et celle du corps. Cette dernière est celle dans laquelle, par un exercice continu, se forment les représentations susceptibles d'assurer la souplesse des mouvements en vue des actes vertueux. Il faut voir comment les ouvriers, dans les métiers manuels et les autres arts, acquièrent leur savoir-faire, non par hasard, mais à force d'entraînement ; comment encore les flûtistes et les athlètes se surpassent à force de labeur persévérant. Et si seulement ils avaient pu transposer cet entraînement sur le terrain de leur âme, leur labeur n'eût pas été inutile ou privé de résultat. [DL, VI, 70]

Société/mariage : Diogène se moquait de la noblesse du sang, du renom et autres choses du même genre : ce sont, disait-il, les parures voyantes du vice. Et la seule vraie citoyenneté est celle qui s'étend au monde entier. Il défendait la communauté des femmes et jugeait que le mariage n'est rien d'autre que l'union d'un homme et d'une femme au gré du bon vouloir de l'un et du consentement de l'autre. [DL, VI, 72]

Il pensait en conséquence que les enfants doivent aussi appartenir à tous. [DL, VI, 73]

Cannibalisme : Il ne voyait rien non plus de déplacé à s'emparer des biens d'un temple ou à manger la chair de quelque animal : pas plus qu'il ne trouvait d'impiété particulière à dévorer de la chair humaine, comme l'attestent les coutumes de certains peuples étrangers.

Sépulture : Certains racontent que, sur le point de mourir, il ordonna qu'on le jette au-dehors, sans sépulture, livré en proie aux bêtes sauvages, ou bien qu'on le culbute dans quelque fosse en le recouvrant d'un peu de poussière. [DL, VI, 79]

Pauvreté : La vertu, disait-il, ne saurait habiter dans une ville ou une maison riche. La pauvreté, selon Diogène, est, pour la philosophie, une aide qu'on n'apprend pas dans les livres : ce que la philosophie tente d'inculquer par des discours, la pauvreté, par les faits, contraint l'esprit à le saisir. [Stobée]

Extraits de *Les Cyniques grecs, fragments et témoignages,* 1975, choix, traduction et notes par L. Paquet, Le Livre de poche, 1992.

QUESTIONS

› 1• Relevez les transgressions et montrez, pour chacune d'entre elles : a) quelle règle sociale fondamentale lui correspond ; b) quelle importance cette règle a pour l'ordre social.

› 2• En transgressant les règles sociales, Diogène ne veut-il pas créer une morale encore plus exigeante ? Reprenez la liste des transgressions et montrez, pour chacune d'entre elles, quelle exigence y est impliquée. S'agit-il réellement d'un retour à la nature ?

Passerelle

› Dossier : La conscience morale, une invention ?, p. 528.

Réflexion 2

▶ Y a-t-il des cultures supérieures aux autres ?

Si la nature unit le genre humain, la culture distingue les sociétés et les divise. Dès qu'il y a confrontation entre des peuples, la tendance spontanée n'est pas de comprendre l'autre, mais de le refuser. Ethnocentrisme et racialisme sont deux formes de ce rejet.

Texte 1 L'ethnocentrisme

L'attitude la plus ancienne, et qui repose sans doute sur des fondements psychologiques solides puisqu'elle tend à réapparaître chez chacun de nous quand nous sommes placés dans une situation inattendue, consiste à répudier purement et simplement les formes culturelles : morales, religieuses, sociales, esthétiques, qui sont les plus éloignées de celles auxquelles nous nous identifions. « Habitudes de sauvages », « cela n'est pas de chez nous », « on ne devrait pas permettre cela », etc., autant de réactions grossières qui traduisent ce même frisson, cette même répulsion, en présence de manières de vivre, de croire ou de penser qui nous sont étrangères. Ainsi l'Antiquité confondait-elle tout ce qui ne participait pas de la culture grecque (puis gréco-romaine) sous le même nom de barbare ; la civilisation occidentale a ensuite utilisé le terme de sauvage dans le même sens. Or derrière ces épithètes se dissimule un même jugement : il est probable que le mot barbare se réfère étymologiquement à la confusion et à l'inarticulation du chant des oiseaux, opposées à la valeur signifiante du langage humain ; et sauvage, qui veut dire « de la forêt », évoque aussi un genre de vie animale, par opposition à la culture humaine. Dans les deux cas, on refuse d'admettre le fait même de la diversité culturelle ; on préfère rejeter hors de la culture, dans la nature, tout ce qui ne se conforme pas à la norme sous laquelle on vit. [...]

Ainsi se réalisent de curieuses situations où deux interlocuteurs se donnent cruellement la réplique. Dans les Grandes Antilles, quelques années après la découverte de l'Amérique, pendant que les Espagnols envoyaient des commissions d'enquête pour rechercher si les indigènes possédaient ou non une âme, ces derniers s'employaient à immerger des blancs prisonniers afin de vérifier par une surveillance prolongée si leur cadavre était ou non, sujet à la putréfaction.

Cette anecdote à la fois baroque[1] et tragique illustre bien le paradoxe du relativisme culturel (que nous retrouverons ailleurs sous d'autres formes) : c'est dans la mesure même où l'on prétend établir une discrimination entre les cultures et les coutumes que l'on s'identifie le plus complètement avec celles qu'on essaye de nier. En refusant l'humanité à ceux qui apparaissent comme les plus « sauvages » ou « barbares » de ses représentants, on ne fait que leur emprunter une de leurs attitudes typiques. Le barbare, c'est d'abord l'homme qui croit à la barbarie.

Claude Lévi-Strauss, *Race et histoire*, 1952, chap. 3, coll. Médiations, Gonthier, p. 19 sq.

1. Ici, au sens d'insolite, de bizarre.

QUESTIONS

› **1•** Que nous apprend l'étymologie des mots « barbare », « sauvage » ?

› **2•** Relevez les phrases qui permettent de définir l'ethnocentrisme. Proposez votre propre définition.

› **3•** Que veut dire : « Le barbare, c'est d'abord l'homme qui croit à la barbarie » ? (dernière phrase).

Texte 2 Racisme et racialisme

Le racisme n'est l'apanage d'aucune culture. Mais Todorov distingue racisme – comportement ancien et probablement universel – et ce qu'il appelle racialisme, doctrine théorique propre au monde occidental, fondée sur des arguments qui se veulent scientifiques.

1. L'existence des races. La première thèse [du racialisme] consiste évidemment à affirmer la réalité des races, c'est-à-dire des groupements humains dont les membres possèdent des caractéristiques physiques communes ; ou plutôt – car les différences mêmes relèvent de l'évidence – à affirmer la pertinence et l'importance de cette notion. Les races sont ici assimilées aux espèces animales, et l'on pose qu'il y a entre deux races la même distance qu'entre le cheval et l'âne : pas assez pour empêcher la fécondation mutuelle, mais suffisamment pour établir une frontière qui saute aux yeux de tous. [...]

2. La continuité entre physique et moral. Mais les races ne sont pas simplement des regroupements d'individus ayant des apparences semblables (si tel avait été le cas, l'enjeu n'aurait été que bien faible). Le racialiste postule[1] en deuxième lieu, la solidarité des caractéristiques physiques et des caractéristiques morales ; en d'autres termes, à la division du monde en races correspond une division par cultures, tout aussi tranchée. [...]

3. L'action du groupe sur l'individu. Le même principe déterministe[2] joue aussi dans un autre sens : le comportement de l'individu dépend, dans une très large mesure, du groupe racio-culturel (ou « ethnique ») auquel il appartient. Cette proposition n'est pas toujours explicitée car elle va de soi[3] : à quoi bon distinguer les races et les cultures, si l'on croit en même temps que les individus sont moralement indéterminés, qu'ils agissent en fonction de leur volonté librement exercée, et non de leur appartenance – sur laquelle ils n'ont aucune prise ? Le racialisme est donc une doctrine de psychologie collective, et il est par nature hostile à l'idéologie individualiste.

4. Hiérarchie unique des valeurs. Le racialiste ne se contente pas d'affirmer que les races sont différentes ; il les croit aussi supérieures ou inférieures les unes aux autres, ce qui implique qu'il dispose d'une hiérarchie unique des valeurs, d'un cadre évaluatif par rapport auquel il peut porter des jugements universels. [...]

5. Politique fondée sur le savoir. [...] Une politique doit être engagée, qui mette le monde en harmonie avec la description précédente. Ayant établi les « faits », le racialiste en tire un jugement moral et un idéal politique. Ainsi, la soumission des races inférieures, voire leur élimination, peut être justifiée par le savoir accumulé au sujet des races. C'est ici que le racialisme rejoint le racisme : la théorie donne lieu à une pratique.

C'est l'ensemble de ces traits qui constitue la doctrine racialiste.

Tzvetan Todorov, *Nous et les autres*, 1989, Seuil, p. 114 sq.

1. Postuler, c'est demander d'admettre un principe qu'on ne peut pas démontrer.
2. Ici, cela reviendrait à admettre qu'un individu est « modelé » par son appartenance raciale, sans être en état de faire valoir sa différence.
3. Elle « va de soi » pour le « racialiste » mais pas pour celui qui le critique.

QUESTIONS

1• Reprenez un à un les cinq éléments de la doctrine racialiste : en quoi sont-ils fondés sur des arguments qui se veulent scientifiques ? En quoi sont-ils contestables ?

2• Expliquez la notion de « psychologie collective ».

3• Montrez en quoi les différents éléments de cette doctrine reposent sur des amalgames entre faits naturels et faits culturels.

Passerelles

- **Chapitre 11 : L'histoire,** p. 286.
- **Chapitre 20 : La liberté,** p. 502.

Une œuvre, une analyse

Présentation

Montaigne : *Essais*, « Des cannibales » (1572-1592)

À travers la présentation du cannibalisme, pratique barbare pour les Occidentaux, Montaigne nous incite à un renversement de perspective. Si les pratiques provenant d'autres cultures nous choquent, les nôtres ne sont-elles pas plus dérangeantes encore vues par un regard extérieur ?

1 La rencontre manquée

La découverte du Nouveau Monde a été l'occasion manquée d'une rencontre, non seulement entre deux continents, mais aussi entre deux époques : Montaigne n'est pas le seul à penser que ces sociétés nouvelles de l'au-delà des mers, sociétés déroutantes – les cannibales, par exemple, mais aussi les empires aztèque, maya, inca – sont comme les reflets des sociétés dont parlaient les Anciens.

Or cette occasion inespérée est aussi une occasion perdue : écrivant à peine un siècle après la découverte de Christophe Colomb, Montaigne constate que les dés sont déjà jetés.

La population de l'Amérique centrale et des Antilles est passée de dix millions à un million d'habitants. Le prêtre catholique Bartolomé de Las Casas, dans son *Histoire des Indes* (1527-1562) et dans la *Très Brève Relation de la destruction des Indes* (1539), a décrit les terribles violences, les actes de barbarie qui ont été commis à l'encontre des populations locales.

2 Comprendre l'autre

Montaigne propose une nouvelle manière de s'interroger : **non plus voir les autres avec ses propres yeux, mais se voir soi-même avec les yeux de l'autre**. Ce renversement est fondamental.

Il inaugure également le thème du bon sauvage, qui aura une influence considérable au XVIIIe siècle.

Qu'y a-t-il en effet de barbare chez ces peuples ? Rien, sinon que leur mode de vie semble radicalement différent du nôtre. Le terme de « barbare » n'a donc qu'un sens purement relatif. Le barbare, c'est simplement l'autre, celui qui ne nous ressemble pas. Montaigne ne fuit pas les exemples les plus difficiles : la cruauté guerrière, la polygamie, le cannibalisme, tout cela est décrit en détail. Rien de ce que fait l'homme ne peut échapper à l'humain. Au nom d'un **relativisme** culturel et moral, Montaigne réinstalle le « sauvage » dans l'humanité.

3 Se comprendre soi-même à partir du regard de l'autre

Montaigne ne se contente pas de dénoncer l'ethnocentrisme de notre civilisation. Il opère un renversement des points de vue. Notre « civilisation » est jugée par le regard de l'autre. Ce regard met au jour, sans complaisance, les insuffisances de notre société. Dans ce renversement, c'est nous qui devenons des « barbares ». Et, de fait, les guerres de Religion qui ravagent la France à cette époque, ne plaident pas en faveur de l'humanité de la « civilisation ».

4 Le retour d'un ethnocentrisme insidieux ?

L'auteur des « Cannibales » ne mène pas à son terme le renversement critique qu'il a amorcé. Et sans doute ne le pouvait-il pas : on ne peut pas penser au-delà de son époque. En critiquant l'ethnocentrisme des conquistadors, Montaigne, sans le savoir, prête le flanc à un ethnocentrisme moins visible, mais plus insidieux. En effet, d'où vient selon lui que les « sauvages » nous sont supérieurs ? C'est qu'ils vivent selon la nature, que la société ne les a pas encore abâtardis et corrompus. Montaigne identifie « sauvage » et « naturel ». Le sauvage demeure un non-civilisé. En d'autres termes, le bon sauvage est encore un sauvage.

Montaigne se heurte ici à la difficulté courante de reconnaître une autre culture derrière des manières de vivre étrangères, quand elle n'est pas la sienne. La bonté du sauvage est attribuée à la nature, et non à des règles culturelles, dont les sociétés seraient les productrices. Cette négation du fait culturel chez l'autre, n'est-ce pas la racine même du préjugé ethnocentrique ?

Les ethnologues, depuis, ont révélé la richesse et la complexité des mythes et du mode de pensée des tribus amazoniennes ou australiennes. Celles-ci ont une culture originale, même si elles ignorent l'écriture et assurent leurs besoins par la pêche et la chasse. Toute société dite « primitive » possède un savoir technique riche et complexe (techniques de chasse, de pêche, culture du manioc, du maïs, du tabac, art médicinal, etc.) et un mode d'organisation social et politique qui lui est propre. Ce qui apparaît à l'Occidental comme un manque – des sociétés sans loi, sans roi, sans foi – semble répondre à des choix culturels : ainsi l'absence d'accumulation de richesses ne serait pas due à une incapacité d'économiser, mais à un refus de donner à quelques-uns l'occasion de s'approprier un pouvoir dont ils abuseraient.

Ce n'est donc pas la nature qui explique l'équilibre des sociétés cannibales ; mais une civilisation. En l'ignorant, Montaigne ne retombe-t-il pas sans le savoir dans une autre forme d'ethnocentrisme ?

Passerelles

Textes : Clastres, *La Société contre l'État,* p. 431, 434.
Mauss, *Essai sur le don,* p. 432.
Malinowski, Existe-t-il des peuples paresseux ?, p. 252.

Montaigne (1533-1592)

Né en 1533, Michel Eyquem de Montaigne est imprégné de culture humaniste dès son plus jeune âge. Après des études de droit, il entre au parlement de Bordeaux. Là, il se lie d'amitié avec Étienne de La Boétie, dont il gardera toujours le souvenir. En 1571, il abandonne sa charge et se retire sur ses terres. Il fait publier les écrits de La Boétie, mort en 1563. La première édition des *Essais* paraît en 1580. La même année, il part en voyage en Suisse, en Allemagne, en Italie. En 1581, il assume la charge de maire de Bordeaux. Tout en jouant un rôle de médiateur politique, il poursuit la rédaction de ses *Essais*, qu'il corrige sans cesse. Il construit pas à pas un ouvrage sans équivalent, où un Moi dialogue avec lui-même, avec son temps, mais aussi avec les « maîtres » de l'Antiquité. Ce mélange de tradition et de modernité, de repli sur soi et d'ouverture au monde, fait de ce livre une des manifestations les plus déroutantes et les plus attachantes de ce qu'on a appelé l'humanisme.

Extraits

Montaigne : *Essais*, « Des cannibales » (1572-1592)

▶ Le cannibale : monstre ou bon sauvage ?

Montaigne est informé par le témoignage direct de « voyageurs » des pratiques des peuples du Nouveau Monde. Le livre de Jean de Léry (› p. 152) a pu l'éclairer sur la réalité des peuples cannibales.

Texte 1 « Chacun appelle barbarie ce qui n'est pas de son usage »

Or je trouve, pour en revenir à mon propos, qu'il n'y a rien de barbare et de sauvage en ce peuple, à ce qu'on m'en a rapporté, sinon que chacun appelle barbarie ce qui n'est pas conforme à ses usages ; à vrai dire, il semble que nous n'ayons d'autre critère de la vérité et de la raison que l'exemple et l'idée des opinions et des usages du pays où nous sommes. Là est toujours la parfaite religion, le parfait gouvernement, la façon parfaite et accomplie de se comporter en toutes choses. Ils sont sauvages, de même que nous appelons sauvages les fruits que la nature, d'elle-même et de son propre mouvement, a produits : tandis qu'à la vérité ce sont ceux que nous avons altérés par notre artifice et détournés de l'ordre commun, que nous devrions appeler plutôt sauvages. [...] Ces peuples me semblent donc barbares, dans le sens où ils ont reçu fort peu de formation intellectuelle, et ils me semblent encore fort proches de leur nature originelle. Les lois naturelles leur commandent encore, fort peu abâtardies par les nôtres ; mais c'est à un état si pur, qu'il m'arrive de regretter qu'ils n'aient pas été connus plus tôt, du temps où il y avait des hommes qui en eussent su mieux juger que nous. Je regrette que Lycurgue et Platon ne les aient pas connus ; car il me semble que ce que nous voyons par expérience en ces peuples surpasse non seulement toutes les peintures dont la poésie a embelli l'âge d'or et toutes ses fictions pour représenter une condition humaine heureuse, mais encore les conceptions et les désirs mêmes de la philosophie. Ils n'auraient pu imaginer un état naturel si pur et si simple, comme nous le voyons par expérience, ni croire que la communauté humaine puisse se maintenir avec si peu d'artifice et de liens entre les hommes.

Michel Eyquem de Montaigne, « Des cannibales », *in Essais*, 1572-1592, livre I, chap. 31, trad. en français moderne M. Tarpinian, Ellipses, p. 27-29.

QUESTION

› Relevez les différents sens du mot « barbare ». Comparez avec la définition qu'en donne Lévi-Strauss (› p. 158). Est-ce la même définition ?

Texte 2 Moins cruels que nous mais terribles guerriers

Nous pouvons donc bien les appeler barbares, par rapport aux règles de la raison, mais non pas par rapport à nous, qui les surpassons en toute sorte de barbarie. Leur guerre est toute noble et généreuse, et a autant d'excuse et de beauté que cette maladie humaine peut en recevoir ; elle n'a d'autre fondement chez eux que la rivalité dans le courage. Ils ne se battent pas pour la conquête de nouvelles terres, car ils jouissent encore de cette richesse naturelle qui leur fournit sans travail et sans peine toutes les choses nécessaires, dans une telle abondance qu'ils n'ont que faire d'agrandir leur territoire. Ils sont encore en cet heureux état de ne désirer qu'autant que leurs besoins naturels leur ordonnent ; tout ce qui est au-delà est superflu pour eux. Ils s'appellent généralement, pour ceux du même âge, « frères » ; « enfants », pour ceux qui sont plus jeunes ; et les vieillards sont les « pères » de tous les autres. Ceux-ci laissent à leurs héritiers, en commun, cette pleine possession par indivis, sans autre titre que celui, tout simple, que la nature donne à ses créatures, en les mettant au monde. Si leurs voisins passent les montagnes pour venir les attaquer, et qu'ils remportent la victoire sur eux, le gain du vainqueur, c'est la gloire, et l'avantage d'être demeuré le meilleur en valeur et en courage ; car autrement ils n'ont que faire des biens des vaincus, et ils s'en retournent dans leur pays, où ils ne manquent d'aucune chose nécessaire, ni, non plus, de cette grande qualité de savoir heureusement jouir de leur condition et de s'en contenter.

C'est ainsi également que se comportent ceux-ci. Ils ne demandent à leurs prisonniers d'autre rançon que d'avouer et de reconnaître qu'ils ont été vaincus ; mais il ne s'en trouve pas un, en tout un siècle, qui n'aime pas mieux la mort que de céder, ni par l'attitude, ni par la parole, sur un seul point d'une grandeur de courage invincible ; il ne s'en voit pas un qui n'aime mieux être tué et mangé, que de demander seulement de ne pas l'être.

Op. cit., p. 37.

QUESTION

Quel est le statut de la guerre chez les « sauvages » ? Est-il différent dans les sociétés « civilisées » ? Pourquoi ?

Texte 3 Quand le Nouveau Monde juge l'ancien

Trois d'entre eux, ignorant combien coûtera un jour à leur repos et à leur bonheur la connaissance des corruptions de notre monde, ignorant aussi que, de ces relations, naîtra leur ruine, dont d'ailleurs je suppose qu'elle est déjà bien avancée, bien malheureux de s'être laissé prendre au désir de la nouveauté et d'avoir quitté la douceur de leur ciel pour venir voir le nôtre, vinrent à Rouen, du temps où le feu roi Charles IX y était. Le roi leur parla longtemps ; on leur fit voir notre façon d'être, notre pompe, l'aspect d'une belle ville. Après cela quelqu'un demanda leur avis sur tout cela, et voulut savoir d'eux ce qu'ils y avaient trouvé de plus surprenant ; ils répondirent trois choses, dont j'ai oublié la troisième, et je le regrette bien ; mais j'en ai encore deux en mémoire. Ils dirent qu'ils trouvaient en premier lieu étrange que tant d'hommes grands, portant la barbe, forts et armés, qui étaient autour du roi (il est vraisemblable qu'ils parlaient des Suisses de sa garde), acceptent d'obéir à un enfant, et qu'on ne choisisse pas plutôt l'un d'entre eux pour commander ; secondement (ils ont une façon de parler telle qu'ils nomment les hommes « moitié » les uns des autres) qu'ils avaient remarqué qu'il y avait parmi nous des hommes pleins et gorgés de toutes sortes de privilèges, et que leurs moitiés mendiaient à leurs portes, décharnés de faim et de pauvreté ; et ils trouvaient étrange la façon dont ces moitiés nécessiteuses pouvaient supporter une telle injustice, sans prendre les autres à la gorge ou mettre le feu à leurs maisons.

Je parlai à l'un d'eux fort longtemps ; mais j'avais un interprète qui me suivait mal et qui était si incapable de comprendre mes idées à cause de sa bêtise, que je ne pus guère en tirer de plaisir. À la question que je lui posai de savoir quel profit il recevait de la supériorité qu'il avait parmi les siens (car c'était un capitaine, et nos matelots le nommaient « roi »), il me dit que c'était de marcher le premier à la guerre ; à la question de savoir de combien d'hommes il était suivi, il me montra un vaste espace, pour signifier que c'était autant qu'un tel espace pourrait en contenir, et ce pouvait être quatre ou cinq mille hommes ; à la question de savoir si, en dehors de la guerre, toute son autorité s'évanouissait, il dit qu'il lui en restait ceci : quand il visitait les villages qui dépendaient de lui, on lui traçait des sentiers à travers les haies de leurs bois, par où il pût passer bien à l'aise. Tout cela ne va pas trop mal : mais quoi, ils ne portent point de hauts-de-chausses[1] !

Op. cit., p. 43-45.

1. Vêtement masculin couvrant le corps de la ceinture jusqu'aux genoux.

QUESTIONS

1• Analysez la critique politique et la critique sociale formulées par les « touristes » cannibales.

2• Montaigne a « oublié » la troisième critique. Selon vous, quelle pouvait-elle être ?

REPÈRES et DISTINCTIONS CONCEPTUELLES

La nature / la culture

La **nature**, c'est d'abord le monde dans son ensemble, abstraction faite des transformations que l'homme y a produites : vents, marées, planètes, étoiles, plantes, êtres vivants, maladies, mort. L'homme lui-même, en tant qu'organisme vivant, fait partie de la nature.
La **culture** comprend tout ce qui n'existerait pas sans l'activité humaine : non seulement l'œuvre d'art, le livre, mais également la table, le manteau ou le marteau.
La culture désigne l'ensemble des réalités matérielles et spirituelles produites par l'homme. Or cette production suppose la transmission d'une mémoire, qui n'est plus celle des gènes, mais celle de la tradition. Cette mémoire, c'est la culture. Si la nature est hérédité, la culture est héritage.

Inné / acquis ; universel / particulier

Le naturel renvoie à l'**inné**, le culturel, à l'**acquis**. L'inné (du latin *in natus*, « né dans ») est constitué par l'ensemble des aptitudes que l'homme possède en naissant. L'acquis recouvre tous les savoirs et les compétences transmis par l'éducation. L'inné est du côté de la nature (l'hérédité), il se retrouve chez tous les hommes, il est de l'ordre de l'**universel** ; l'acquis du côté de la culture (la société), il est de l'ordre du **particulier.**

Naturel / spontané

Commencée dès la naissance, l'assimilation culturelle n'est ni vraiment volontaire, ni vraiment consciente. Souvent la culture se fait « seconde nature ». Nous croyons avoir naturellement besoin de manger vers midi, alors qu'il s'agit d'une habitude sociale. C'est l'habitude, la fausse évidence de certaines manières d'être qui nous semblent tout à fait « naturelles » parce que nous n'en avons pas connu d'autres. Aussi faut-il prendre garde à ne pas confondre le spontané et le naturel.

Femme Hmong portant son enfant dans son dos, Vietnam.

Culture / civilisation

Faut-il distinguer la notion de **culture** de celle de **civilisation ?**
Une civilisation, c'est l'ensemble des phénomènes sociaux transmissibles dans les domaines religieux, moraux, esthétiques, techniques, scientifiques qui caractérisent une société ou plusieurs sociétés en relation. Par exemple la « civilisation européenne », la « civilisation chinoise ». En ce sens la notion ne se distingue pas fondamentalement du concept de culture. On peut aller jusqu'à parler de « civilisation de la préhistoire ».
Mais « la civilisation » renvoie également à un jugement de valeur, à une hiérarchisation des cultures. La civilisation, opposée à la barbarie, à la sauvagerie, désigne une société jugée supérieure d'un point de vue intellectuel, moral et social. On oppose alors les peuples civilisés aux primitifs aux sauvages. Historiquement, les peuples européens se sont considérés comme les détenteurs de *la* civilisation. C'est pourquoi le terme est aujourd'hui contesté, comme le sont les termes de « barbare » et de « sauvage ».

L'ethnocentrisme et le refus des autres cultures

L'**ethnocentrisme**, c'est littéralement prendre son ethnie, son peuple, sa culture pour centre de référence. Consciemment ou non, on fait de sa propre culture une norme absolue, un modèle pour juger les autres cultures. Celles-ci sont alors mal comprises, sous-estimées, jugées négativement. L'ethnocentrisme peut ainsi conduire à la xénophobie (la peur, voire la haine, de l'étranger) et au racisme.

Si l'ethnocentrisme est un phénomène ancien et touche toutes les sociétés, ethnocide et génocide sont des faits historiquement plus récents et qui touchent les États.

Petite fille geijia et sa mère, Chine.

L'**ethnocide** est la destruction de la civilisation d'un peuple par un autre peuple plus puissant. Elle vise à faire disparaître les coutumes, la langue, les croyances traditionnelles, l'organisation familiale et économique d'un groupe ethnique, sans porter atteinte aux personnes.

Le **génocide** désigne l'extermination ou la tentative d'extermination dans son ensemble d'un groupe humain. Il s'agit non seulement des meurtres mais encore des conditions de vie inhumaines qui sont imposées dans l'intention de détruire entièrement ou en partie un groupe humain.

Selon la définition de la Cour Pénale Internationale créée en 1998, est appelé **crime contre l'humanité** tout acte d'extrême cruauté (meurtre, torture, esclavage sexuel) commis systématiquement ou à grande échelle, consciemment par des individus agissant dans le cadre d'un plan d'attaque contre des populations civiles.

Relativisme / universalisme

Le refus de l'ethnocentrisme peut conduire au **relativisme** : toutes les cultures se valent, toutes ont une égale dignité. Cependant, cette attitude n'est pas sans danger, puisqu'elle reviendrait à accepter des coutumes qui vont directement à l'encontre des personnes et de leur dignité. Sous prétexte qu'une pratique dégradante est issue de la tradition, doit-elle être tolérée ? Le relativisme se heurte à l'**universalisme** des valeurs humanistes, exprimées entre autres dans les *Déclarations des droits de l'Homme* : le respect absolu de la personne humaine.

chapitre 7

Le langage

Raymond Hains et Jacques Mahé de La Villeglé, *Ach Alma Manetro*, 1949, papier lacéré, (0,580 x 2,560 m), Paris, musée national d'Art moderne, Centre Georges-Pompidou.

Du mot...

Le mot langage est utilisé couramment en des sens multiples qui peuvent conduire à des confusions.

1) Toute forme de communication peut être appelée « langage » : le langage des émotions, le langage du corps, le langage des yeux, le langage des corbeaux.

2) Mais le langage désigne plus précisément la faculté humaine de parler, c'est-à-dire le langage articulé.

3) On appelle aussi langage des codes particuliers, créés artificiellement par l'homme. Ce sont des systèmes de symboles : on parlera du langage des couleurs, du langage des mathématiques, du langage musical. L'écriture elle-même est parfois appelée langage alors qu'elle n'est qu'un code destiné à transcrire le langage articulé.

4) On fait aussi un usage métaphorique du mot langage : le langage des armes, le langage de la force, le langage de la nature.

... aux concepts

Ce dernier sens peut être abandonné. Quant aux trois premiers, il serait bon de distinguer les concepts de communication, de langage articulé, de code, afin de pouvoir analyser toute la richesse et la puissance du langage humain dans sa spécificité. La communication se retrouve dans l'ensemble du monde animal et n'est pas nécessairement la fonction principale du langage humain. Concernant le langage articulé, les linguistes distinguent le langage proprement dit, qui est la faculté générale propre à tous les hommes, la langue, qui est le code propre à une communauté linguistique, et la parole, qui est l'usage de la langue et du langage propre à un individu dans un contexte particulier. Enfin, les codes, naturels ou artificiels, sont en très grand nombre. Toutes les langues humaines sont des codes, c'est-à-dire des systèmes de signes. Mais tous les codes ne sont pas nécessairement des langues.

Pistes de réflexion

Le langage n'est-il qu'un moyen de communication parmi d'autres?

Nous parlons, entre autres choses, pour communiquer; personne ne conteste cette évidence. Mais le danger de cette affirmation serait de réduire le langage à la seule dimension d'un outil, toujours disponible, certes, mais extérieur à l'homme, à la manière d'un téléphone portable. Or historiquement, le langage est ce qui a construit l'humanité. Si le langage articulé n'existait pas, resterait-il encore de l'humain? Les lois, les engagements moraux, les institutions, les techniques, les bâtiments, les monuments, le tracé des villes et des villages, et une infinité d'autres choses dépendent du langage humain. Aussi est-il essentiel d'analyser ce qui distingue le langage humain des communications animales.

Le langage est-il un « vêtement » pour la pensée, ou la pensée elle-même?

Parler, disons-nous ordinairement, c'est exprimer ses pensées. Y a-t-il une pensée « avant » le langage? Quelle pourrait-elle être? Si le langage n'était pas un simple habillage pour la pensée, serait-il la pensée elle-même? Penser, ce serait se parler à soi-même? Le langage peut-il tout exprimer, ou bien certaines vérités échapperaient-elles au pouvoir des mots ordinaires (les sentiments, le sacré...). Le problème se pose de savoir si ces réalités existent vraiment en deça du langage ou bien si l'ineffable (ce qui ne peut pas être dit) n'est qu'illusion.

Est-ce par le langage que l'homme devient un sujet?

Être un sujet, c'est être conscient de soi, c'est se bâtir une identité, c'est pouvoir s'engager moralement et juridiquement. Quelle est la place du langage dans cette construction? Les animaux sont liés par des liens instinctifs; les hommes inventent des liens par contrat. Ces liens sont-ils pensables en dehors d'un langage? Et comme il faut se parler à soi-même pour prendre conscience de ce que qu'on fait, pourrait-on être sujet sans être un sujet parlant?

Le langage peut-il être un instrument de pouvoir?

Si nous sommes égaux devant la langue, nous ne sommes pas égaux devant la parole car nous n'en avons pas tous la même maîtrise (compétences syntaxiques, profondeur et étendue du vocabulaire). Le langage reflète ici des inégalités culturelles et sociales qui conduisent à des inégalités de pouvoirs. De plus, n'utilise-t-on pas le langage pour s'imposer (non plus par la force, mais par les mots)? Un dialogue authentique est-il alors possible?

Faut-il opposer les paroles aux actes?

Les paroles s'envolent, les promesses n'engagent que ceux qui y croient... Beaucoup d'autres proverbes soulignent la légèreté des mots qu'ils opposent à la réalité des actes. Évidemment, les proverbes s'appuient toujours sur des réalités. Mais n'y a-t-il pas une forme d'injustice à accuser ici le langage? N'y a-t-il pas des phrases décisives, que ce soit dans la vie d'un individu ou dans la vie d'une nation? N'y a-t-il pas des phrases qui sont par elles-mêmes des actions, et qui engagent? La notion même d'engagement n'est-elle pas liée au devoir de « tenir parole »?

Passerelles

- Chapitre 1 : La conscience, p. 24.
- Chapitre 4 : Le désir, autrui, p. 92.
- Chapitre 21 : Le devoir, p. 524.

Découvertes

DOCUMENT 1 « ...Reusement ! »

Dans le texte suivant, l'auteur se souvient d'une scène furtive de sa petite enfance, à l'intérieur de cette zone mystérieuse entre toutes : la frontière entre l'avant et l'après du langage.

L'un de mes jouets – et peu importait ce qu'il fût : il suffisait qu'il fût un jouet –, l'un de mes jouets était tombé. En grand danger d'être cassé, car la chute avait été directe et l'altitude – prise au-dessus du niveau du sol – d'une table, voire même d'un simple guéridon, est fort loin d'être négligeable, quand il s'agit de la chute d'un jouet... Rapidement je me baissai, ramassai le soldat gisant, le palpai et le regardai. Il n'était pas cassé, et vive fut ma joie. Ce que j'exprimai en m'écriant : « ...Reusement ! »

Dans cette pièce mal définie – salon ou salle à manger, pièce d'apparat ou pièce commune –, dans ce lieu qui n'était alors rien autre que celui de mon amusement, quelqu'un de plus âgé – mère, sœur ou frère aîné – se trouvait avec moi. Quelqu'un de plus averti, de moins ignorant que je n'étais, et qui me fit observer, entendant mon exclamation, que c'est « heureusement » qu'il faut dire et non, ainsi que j'avais fait : « ...Reusement ! »

L'observation coupa court à ma joie ; ou plutôt – me laissant un bref instant interloqué – eut tôt fait de remplacer la joie, dont ma pensée avait été d'abord tout entière occupée, par un sentiment curieux dont c'est à peine si je parviens, aujourd'hui, à percer l'étrangeté.

L'on ne dit pas « ...Reusement », mais « heureusement ».

Ce mot, employé par moi jusqu'alors sans nulle conscience de son sens réel, comme une interjection pure, se rattache à « heureux » et, par la vertu magique d'un pareil rapprochement, il se trouve inséré soudain dans toute une séquence de significations précises. Appréhender d'un coup dans son intégrité ce mot qu'auparavant j'avais toujours écorché prend une allure de découverte, comme le déchirement brusque d'un voile ou l'éclatement de quelque vérité. Voici que ce vague vocable – qui jusqu'à présent m'avait été tout à fait personnel et restait comme fermé – est, par un hasard, promu au rôle de chaînon de tout un cycle sémantique. Il n'est plus maintenant une chose à moi : il participe de cette réalité qu'est le langage de mes frères, de ma sœur, et celui de mes parents. De chose propre à moi, il devient chose commune et ouverte. Le voilà, en un éclair, devenu chose partagée ou – si l'on veut – *socialisée*. Il n'est plus maintenant l'exclamation confuse qui s'échappe de mes lèvres – encore toute proche de mes viscères, comme le rire ou le cri – il est, entre des milliers d'autres, l'un des éléments constituants du langage, de ce vaste instrument de communication dont une observation fortuite, m'a permis d'entrevoir l'existence extérieure à moi-même et remplie d'étrangeté.

Michel Leiris, *Biffures*, 1948, Gallimard, p. 11-12.

QUESTIONS

1• À partir de la correction du mot « ...Reusement » en « heureusement » se produit chez l'enfant une prise de conscience de ce qu'est le langage. Qu'est-ce que cette prise de conscience nous apprend sur la nature et la fonction du langage ?

2• Expliquez : « Ce mot [...] n'est plus maintenant une chose à moi : il participe de cette réalité qu'est le langage de mes frères, de ma sœur, et celui de mes parents. »

DOCUMENT 2 Langage et communication

À côté de la transmission proprement verbale, notre corps, nos gestes, nos expressions interviennent pour souligner, suggérer ou contrecarrer ce que nous voulons dire.

Deux vieilles dames, Paris, 1983.

QUESTIONS

› 1• Les deux index dressés de cette photo ont-ils le même sens ?

› 2• Quels messages extralinguistiques peuvent s'échanger au cours d'une conversation ?

› 3• Ces messages annexes viennent-ils toujours appuyer, seconder le message linguistique ? À quelles occasions viennent-ils le contredire ?

DOCUMENT 3 Autre langue, autre logique

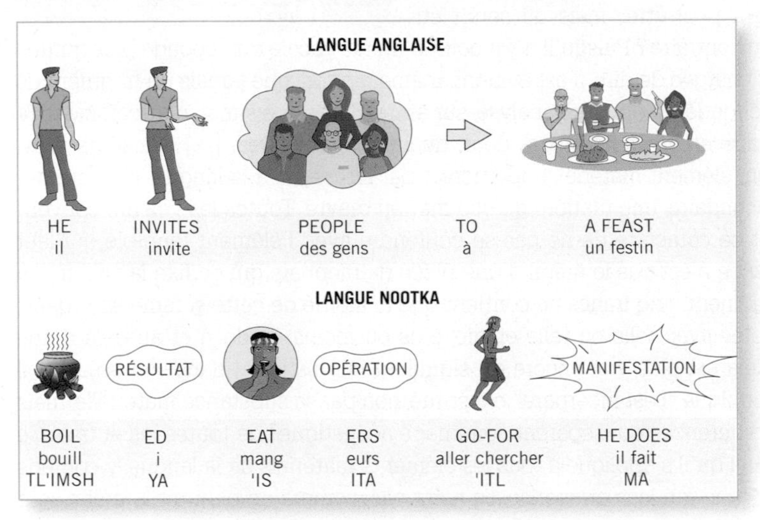

Quant au nootka, il ne comporte que des phrases sans sujet ni prédicat.

La traduction « il invite des gens à un festin » fait la distinction entre le sujet et le prédicat, alors que la phrase originelle ne la fait pas. Celle-ci commence en énonçant l'action de « bouillir » ou de « cuire », *tl'imsh* ; puis vient *-ya* (« résultat ») = « cuit » ; ensuite *-'is* (« le fait de manger »), ce qui donne « le fait de manger de la nourriture cuite » ; puis *-ita* (« ceux qui font »), c'est-à-dire « mangeurs de nourriture cuite » ; puis *-'itl* (« allant à ») ; enfin *-ma*, signe de la troisième personne de l'indicatif ; ce qui donne au total *tl'im shya'isita'itlma*, dont la paraphrase approximative est « il (ou quelqu'un) va chercher (invite) des mangeurs de nourriture cuite ».

Benjamin L. Whorf, *Linguistique et anthropologie*, 1956, coll. Médiations, Gonthier, p. 176-177.

QUESTIONS

› 1• Les phrases françaises et anglaises reposent sur des structures grammaticales qui nous semblent naturelles : sujet-copule-prédicat (« le ciel est bleu ») ; sujet-verbe-compléments (« il invite son voisin à manger »). Pourquoi ces structures nous semblent-elles calquées sur la réalité ?

› 2• Étudiez la phrase nootka : sur quelles structures grammaticales repose-t-elle ? Pourquoi ces formes ne nous sont-elles pas familières ? Sont-elles moins capables de traduire la réalité ?

Réflexion 1

▶ Qu'est-ce qu'une langue ?

On attribue la naissance de la linguistique moderne, au début du xxe siècle, à Ferdinand de Saussure (1857-1913). Sa découverte est paradoxale : les signes n'ont aucun sens en eux-mêmes ; ils prennent sens par différenciation avec les autres signes dont ils se distinguent. Cela est vrai aussi bien pour les signifiants (les phonèmes) que pour les signifiés (les concepts).

Texte 1 La langue conçue comme structure

Si la partie conceptuelle[1] de la valeur est constituée uniquement par des rapports et des différences avec les autres termes de la langue, on peut en dire autant de sa partie matérielle[2]. Ce qui importe dans le mot, ce n'est pas le son lui-même, mais les différences phoniques qui permettent de distinguer ce mot de tous les autres, car ce sont elles qui portent la signification.

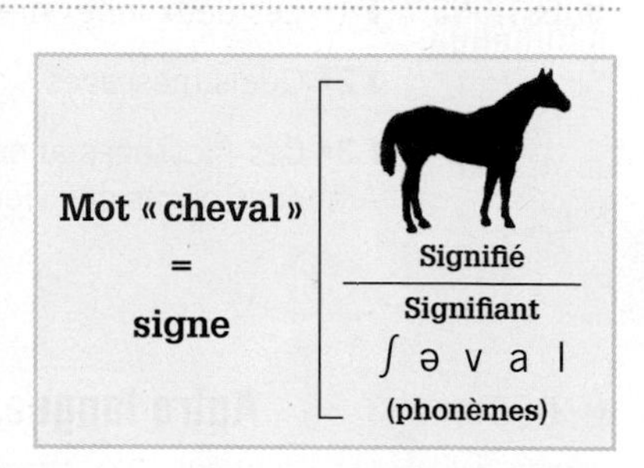

La chose étonnera peut-être ; mais où serait en vérité la possibilité du contraire ? Puisqu'il n'y a point d'image vocale qui réponde plus qu'une autre à ce qu'elle est chargée de dire, il est évident, même *a priori*, que jamais un fragment de langue ne pourra être fondé, en dernière analyse, sur autre chose que sur sa non-coïncidence avec le reste. *Arbitraire* et *différentiel* sont deux qualités corrélatives. [...] D'ailleurs il est impossible que le son, élément matériel, appartienne par lui-même à la langue. Il n'est pour elle qu'une chose secondaire, une matière qu'elle met en œuvre. Toutes les valeurs conventionnelles présentent ce caractère de ne pas se confondre avec l'élément tangible qui leur sert de support. Ainsi ce n'est pas le métal d'une pièce de monnaie qui en fixe la valeur ; un écu qui vaut nominalement cinq francs ne contient que la moitié de cette somme en argent ; il vaudra plus ou moins avec telle ou telle effigie, plus ou moins en deçà et au-delà d'une frontière politique. Cela est plus vrai encore du signifiant linguistique ; dans son essence, il n'est aucunement phonique, il est incorporel, constitué, non par sa substance matérielle, mais uniquement par les différences qui séparent son image acoustique[3] de toutes les autres. Ce principe est si essentiel qu'il s'applique à tous les éléments matériels de la langue, y compris les phonèmes[4]. [...] Or ce qui les caractérise, ce n'est pas, comme on pourrait le croire, leur qualité propre et positive, mais simplement le fait qu'ils ne se confondent pas entre eux. Les phonèmes sont avant tout des entités oppositionnelles, relatives et négatives.

Ferdinand de Saussure, *Cours de linguistique générale*, 1906-1911, posth. 1916, Payot, p. 163-164.

1. C'est la partie signifiée du signe.
2. Le signifiant, dont l'élément de base sonore est le phonème.
3. Image psychique d'un son, différente selon les langues, que chaque enfant doit apprendre à reconnaître comme unité signifiante.
4. Plus petite unité du langage parlé (voyelles et consonnes), face signifiante du signe linguistique.

QUESTIONS

› **1•** À partir de l'analyse générale du signe, distinguez précisément ce qu'on appelle « signifié » et « signifiant ». Pourquoi ces deux faces du signe sont-elles inséparables ?

› **2•** Comment comprenez-vous, concernant le langage humain articulé, l'opposition entre « partie conceptuelle » et « partie matérielle » du signe linguistique (§ 1) ?

› **3•** Pourquoi le caractère différentiel d'un signe est-il la conséquence de son caractère arbitraire ? Prenez l'exemple d'un jeu de cartes ou des panneaux du Code de la route.

Texte 2 La langue n'est pas un calque du monde

Conséquence essentielle de la notion de structure : une langue ne reproduit pas la réalité, mais la reconstruit, chaque langue opérant cette reconstruction de façon différente.

Selon une conception fort naïve, mais assez répandue, une langue serait un répertoire de mots, c'est-à-dire de productions vocales (ou graphiques), chacune correspondant à une chose : à un certain animal, le cheval, le répertoire particulier connu sous le nom de *langue française* ferait correspondre une production vocale déterminée que l'orthographe représente sous la forme *cheval*; les différences entre les langues se ramèneraient à des différences de désignation : pour le cheval, l'anglais dirait *horse* et l'allemand *Pferd*; apprendre une seconde langue consisterait simplement à retenir une nouvelle nomenclature[1] en tous points parallèle à l'ancienne. Les quelques cas où il faut bien constater des entorses à ce parallélisme constitueraient des « idiotismes[2] ». [...]

Cette notion de langue-répertoire se fonde sur l'idée simpliste que le monde tout entier s'ordonne, antérieurement à la vision qu'en ont les hommes, en catégories d'objets parfaitement distinctes, chacune recevant nécessairement une désignation dans chaque langue ; ceci, qui est vrai, jusqu'à un certain point, lorsqu'il s'agit par exemple d'espèces d'êtres vivants, ne l'est plus dans d'autres domaines : nous pouvons considérer comme naturelle la différence entre l'eau qui coule et celle qui ne coule pas ; mais à l'intérieur de ces deux catégories, qui n'aperçoit ce qu'il y a d'arbitraire dans la subdivision en océans, mers, lacs, étangs, en fleuves, rivières, ruisseaux, torrents ? La communauté de civilisation fait sans doute que, pour les Occidentaux, la Mer Morte est une mer et le Grand Lac Salé un lac, mais n'empêche pas que les Français soient seuls à distinguer entre le fleuve, qui se jette dans la mer, et la rivière, qui se jette dans un autre cours d'eau. [...] Dans le spectre solaire, un Français, d'accord en cela avec la plupart des Occidentaux, distinguera entre du violet, du bleu, du vert, du jaune, de l'orangé et du rouge. Mais ces distinctions ne se trouvent pas dans le spectre lui-même où il n'y a qu'un continu du violet au rouge. Ce continu est diversement articulé selon les langues. Sans sortir d'Europe, on note qu'en breton et en gallois un seul mot : *glas* s'applique à une portion du spectre qui recouvre à peu près les zones françaises du bleu et du vert. Il est fréquent de voir ce que nous nommons vert partagé entre deux unités qui recouvrent l'une une partie de ce que nous désignons comme bleu, l'autre l'essentiel de notre jaune. Certaines langues se contentent de deux couleurs de base correspondant grossièrement aux deux moitiés du spectre. Tout ceci vaut, au même titre, pour des aspects plus abstraits de l'expérience humaine. [...]

En fait, à chaque langue correspond une organisation particulière des données de l'expérience. Apprendre une autre langue, ce n'est pas mettre de nouvelles étiquettes sur des objets connus, mais s'habituer à analyser autrement ce qui fait l'objet de communications linguistiques.

André Martinet, *Éléments de linguistique générale*, 1960, coll. U prisme, Armand Colin, p. 10 sq.

1. Répertoire de noms, spécifiques à une science, une technique, un art, etc., organisés selon les classes précises d'objets qu'ils désignent : par exemple, la nomenclature des outils de tel métier ou celle des pièces détachées d'une machine ou d'un appareil.
2. Expressions ou tournures particulières à une langue, impossibles à traduire littéralement dans une autre.

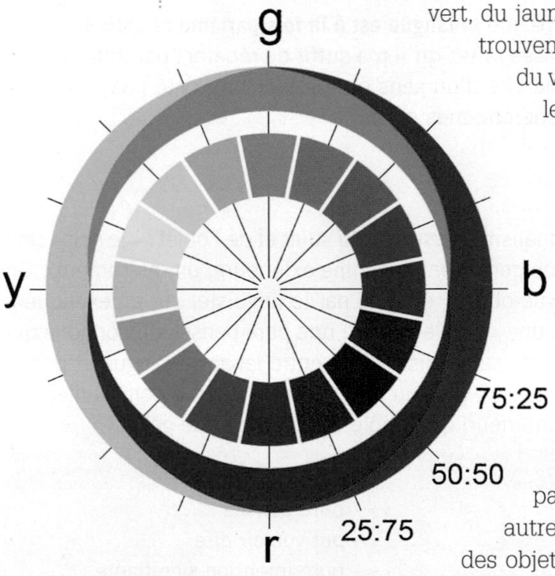

Roue chromatique, selon la théorie des couleurs du physiologiste allemand Ewald Hering.

QUESTIONS

› 1• Quel est le préjugé dénoncé par ce texte ? Pourquoi l'auteur le critique-t-il ?

› 2• Pourquoi une langue n'est-elle pas un instrument neutre d'analyse ? Quelles sont les conséquences diverses de ce constat ?

Une œuvre, une analyse

Présentation

Merleau-Ponty : *Le Langage indirect et les voix du silence* (1952)

Deux faits humains mettent en évidence la connexion objet/sujet : l'expérience du corps propre (le corps vécu de l'intérieur) et la pratique du langage. Du reste, lorsqu'il aborde l'un de ces deux domaines, Merleau-Ponty ne cesse de transférer les concepts d'un domaine à l'autre : il parle de « quasi-corporéité » du signifiant linguistique, de « gestes » de la parole ; inversement, il montre l'« intentionnalité » signifiante du corps.

1 Le corps propre et le langage

Le langage et le corps humain ont en commun de n'être ni totalement objet ni totalement sujet. Ce sont des subjectivités incorporées. Le langage n'est pas seulement un outil, le corps n'est pas seulement une machine ; ils sont aussi moi-même. Inséparables de mon intériorité vivante, ils agissent sur moi autant que j'agis sur eux. D'un côté, ils me devancent, par des sens, des intentions, des significations ; je ne suis pas « dans » eux, je suis « par » eux ; de l'autre, ils ont une opacité, une lourdeur, qui me les fait ressentir comme des réalités extérieures, parfois comme des obstacles.

Mon corps propre est sujet et objet. Si ma main droite palpe ma main gauche, ma main est à la fois touchée et touchante. Touchante, elle n'est pas un outil que j'utiliserais, elle est moi-même en acte d'investigation ; touchée, elle est résistance objective, limite, obstacle.

De la même façon, Merleau-Ponty répète que **la langue est à la fois parlante et parlée.** Parlée quand elle est déjà objet constitué, phrases faites qu'il me suffit de répéter ; parlante, quand mes mots en mouvement sont à la recherche d'un sens qui ne leur préexiste pas, mais qui se construit au fur et à mesure que je cherche mes mots.

2 Contre le dualisme pensée/parole

Mais la tentation est forte de revenir au dualisme rassurant du sujet et de l'objet : « je suis » une conscience (libre, transparente), « j'ai » un corps (une machine extérieure, un instrument). On distinguera de la même façon une « langue-objet », étudiée par le linguiste, qui en expliquera la phonétique, la syntaxe, l'histoire..., et une « parole-sujet » : une pure pensée personnelle qui se déroulerait derrière mes mots, avant eux (sur la distinction entre langage, langue et parole › p. 192). Dans ce schéma, le langage ne serait plus qu'un outil, utile pour la communication extérieure, mais ne jouant plus, vu de l'intérieur, qu'un rôle d'obstacle et de gêne.

Parole empirique	Parole pure
– efforts – lutte perpétuelle – recherche insatisfaisante de mots	– pure pensée – pur vouloir-dire – pure intention signifiante
– usage d'une langue, limitée à une histoire, une culture, une syntaxe... le français, l'anglais...	– une grammaire universelle – des concepts, des connexions logiques objectives et universelles
– des significations équivoques, imparfaites, provisoires	– des concepts purs, univoques, définitifs
– malentendus, équivoques, quiproquos... entre les individus	– accord idéal des intelligences

C'est contre cette illusion d'une parole idéale, d'un texte idéal derrière la parole concrète, que Merleau-Ponty va s'inscrire en faux. Et, pour cela, il utilise les résultats des travaux de Ferdinand de Saussure, créateur de la linguistique moderne.

3 Les paradoxes de la linguistique saussurienne

L'idée centrale de Saussure est difficile à comprendre. La langue est une structure, elle n'est pas faite d'unités, mais d'oppositions, de différences entre des termes. Pour comprendre cela, prenons un jeu de cartes. Au premier abord, il s'agit d'un ensemble comme les autres, composé d'éléments : les cartes individuelles. Pourtant, si l'on examine ce qui fait la valeur d'une carte, son être, on s'aperçoit que rien dans sa réalité matérielle ni dans sa réalité symbolique ne permet de le définir. On ne fait pas comprendre ce qu'est un « roi de cœur » en expliquant ce qu'est un « cœur », un « roi », la couleur « rouge »... Du reste, on comprend bien que le jeu de cartes subsisterait si l'on remplaçait le roi par une autre figure, le cœur par un autre symbole. Que reste-t-il, qui nous fera comprendre « ce qu'est » un roi de cœur ? Rien, si ce n'est l'ensemble des traits qui l'opposent aux autres cartes du jeu. C'est donc le jeu qui définit la réalité des cartes et non l'inverse. Une structure, c'est donc une réalité où le tout définit les parties, où les parties elles-mêmes n'ont de réalités que « différentielles », les unes par rapport aux autres. **Dans une structure, il n'y a que des relations.**

4 Ce qui se trame dans le langage

De ce constat, quelles conséquences philosophiques peut-on tirer ?

1. Faire sens, c'est faire jouer des différences entre des mots et, pour cela, construire des phrases, parler. C'est dans l'action de parler qu'il y a du sens, et non pas, comme on pourrait le croire, dans une intention extérieure à la parole.

2. Il suit que le langage n'est pas un remplissage, un acte extérieur de communication ; il est la pensée en construction.

3. L'opacité du langage est un fait indépassable ; le rêve d'une pensée débarrassée de la gêne des mots est une chimère.

Merleau-Ponty (1908-1961)

Merleau-Ponty entame son œuvre avec deux ouvrages majeurs : *La Structure du comportement*, en 1942, et *Phénoménologie de la perception*, en 1945. Il s'inspire de la philosophie de Husserl : il faut revenir aux choses mêmes ; mais l'originalité de Merleau-Ponty réside sans doute dans le détour, qu'il juge nécessaire, par l'analyse critique des sciences. S'il faut dépasser la science, ce sera en partant d'elle. Comment rendre compte des discordances entre le discours objectif des sciences et le vécu subjectif de la conscience ? Faut-il se résigner à en faire deux mondes à jamais séparés ? Ou bien tâcher de rendre compte de la manière dont ils se relient ? Merleau-Ponty opte pour la seconde solution : la science, qui fonde notre savoir objectif, est elle-même basée sur notre rapport subjectif au monde. Il faut « formuler une expérience du monde, un contact avec le monde qui précède toute pensée sur le monde » (*Sens et non-sens*, 1948). Aux côtés de Sartre, il fonde la revue *Les Temps modernes*. Devenu professeur au Collège de France, il disparaît brutalement à l'âge de 53 ans. Avant sa mort sont publiés *Sens et non-sens* (1948) et *Éloge de la philosophie* (1953). *Le Visible et l'Invisible* (1964), ainsi que *La Prose du monde* (1969) sont des esquisses parues après sa mort.

Merleau-Ponty : *Le Langage indirect et les voix du silence* (1952)

Le langage, simple outil de communication ?

Merleau-Ponty part de la découverte de Saussure : la langue est une structure ; dans la langue, il n'y a que des différences (› p. 170). Découverte déroutante, car elle semble fonder le sens de nos paroles sur le vide qui sépare nos mots, sur le silence qui court à travers ce que nous disons.

Texte 1 Les paradoxes de la découverte de Saussure

Ce que nous avons appris dans Saussure, c'est que les signes un à un ne signifient rien, que chacun d'eux exprime moins un sens qu'il ne marque un écart de sens entre lui-même et les autres. Comme on peut en dire autant de ceux-ci, la langue est faite de différences sans termes ou plus exactement les termes en elle ne sont engendrés que par les différences qui apparaissent entre eux. Idée difficile, car le bon sens répond que si le terme A et le terme B n'avaient pas du tout de sens, on ne voit pas comment il y aurait contraste de sens entre eux, et si vraiment la communication allait du tout de la langue parlée au tout de la langue entendue, il faudrait savoir la langue pour l'apprendre [...]. Mais l'objection est du même genre que les paradoxes de Zénon[1] : comme eux par l'exercice du mouvement, elle est surmontée par l'usage de la parole. Et cette sorte de cercle[2] qui fait que la langue se précède auprès de ceux qui l'apprennent, s'enseigne elle-même et suggère son propre décryptement[3], est peut-être le prodige qui définit le langage.

Maurice Merleau-Ponty, *Le Langage indirect et les voix du silence*, 1952, *in Signes*, 1960, Gallimard, p. 49.

1. Le plus connu des paradoxes de Zénon d'Élée est celui de la tortue. Pour atteindre un point donné, un coureur doit parcourir une certaine distance. Mais il ne peut pas le faire avant d'en avoir parcouru la moitié, les deux tiers, les trois quarts, et ainsi de suite, à l'infini. Le coureur ne pourra jamais rattraper la tortue dans un temps fini.
2. Ici, cercle vicieux.
3. Décodage.

QUESTIONS

› 1• Présentez l'idée de structure défendue par Saussure. Quel cercle vicieux peut-on y voir spontanément ?

› 2• En quoi consiste « le prodige » du langage ?

Texte 2 Le langage n'est pas un outil, il est le lieu de la pensée

Nos analyses de la pensée font comme si, avant d'avoir trouvé ses mots, elle était déjà une sorte de texte idéal que nos phrases chercheraient à traduire. Mais l'auteur lui-même n'a aucun texte qu'il puisse confronter avec son écrit, aucun langage avant le langage. Si sa parole le satisfait, c'est par un équilibre dont elle définit elle-même les conditions, par une perfection sans modèle. Beaucoup plus qu'un moyen, le langage est quelque chose comme un être et c'est pourquoi il peut si bien nous rendre présent quelqu'un : la parole d'un ami au téléphone nous le donne lui-même comme s'il était tout dans cette manière d'interpeller et de prendre congé, de commencer et de finir ses phrases, de cheminer à travers les choses non dites. Le sens est le mouvement total de la parole et c'est pourquoi notre pensée trame dans le langage.

Op. cit., p. 54.

QUESTIONS

› 1• Nous avons tendance à croire que le langage n'est qu'un outil fait pour traduire un texte déjà là, la pensée. Pourquoi ?

› 2• « Notre pensée trame dans le langage » (dernière phrase). Expliquez cette expression, compte tenu de l'équivoque du mot « tramer ».

Texte 3 D'où vient le sens des mots ?

1. Extérieur et supérieur à.
2. Intérieur à.

En ce qui concerne le langage, si c'est le rapport latéral du signe au signe qui rend chacun d'eux signifiant, le sens n'apparaît donc qu'à l'intersection et comme dans l'intervalle des mots. Ceci nous interdit de concevoir comme on le fait d'habitude la distinction et l'union du langage et de son sens. On croit le sens transcendant[1] par principe aux signes comme la pensée le serait à des indices sonores ou visuels, – et on le croit immanent[2] aux signes en ceci que, chacun d'eux, ayant une fois pour toutes son sens, ne saurait entre lui et nous glisser aucune opacité [...]. À la vérité, ce n'est pas ainsi que le sens habite la chaîne verbale et pas ainsi qu'il s'en distingue. Si le signe ne veut dire quelque chose qu'en tant qu'il se profile sur les autres signes, son sens est tout engagé dans le langage, la parole joue toujours sur fond de parole, elle n'est jamais qu'un pli dans l'immense tissu du parler. Nous n'avons pas, pour la comprendre, à consulter quelque lexique intérieur qui nous donnât, en regard des mots ou des formes, de pures pensées qu'ils recouvriraient : il suffit que nous nous prêtions à sa vie, à son mouvement de différenciation et d'articulation, à sa gesticulation éloquente. Il y a donc une opacité du langage : nulle part il ne cesse pour laisser place à du sens pur, il n'est jamais limité que par du langage encore et le sens ne paraît en lui que serti dans les mots.

Op. cit., p. 49.

QUESTION

L'auteur écarte les deux hypothèses d'un sens transcendant ou immanent aux mots. Expliquez ces deux hypothèses et la critique de l'auteur.

Texte 4 Le langage, par définition, est allusif et indirect

1. Codée, au moyen d'un code secret : le chiffre.
2. L'être, c'est ici la réalité.
3. L'aspect exprime la manière linguistique dont l'action est envisagée dans sa durée, son déroulement ou son achèvement.
4. L'optatif sert, dans certaines langues, à exprimer le souhait.

Or, si nous chassons de notre esprit l'idée d'un texte original dont notre langage serait la traduction ou la version chiffrée[1], nous verrons que l'idée d'une expression complète fait non-sens, que tout langage est indirect ou allusif, est, si l'on veut, silence. Le rapport du sens à la parole ne peut plus être cette correspondance point par point que nous avons toujours en vue. Saussure encore remarque que l'anglais disant *the man I love* s'exprime aussi complètement que le français disant *l'homme que j'aime*. Le relatif, dira-t-on, n'est pas exprimé par l'anglais. La vérité est qu'au lieu de l'être par un mot, c'est par un blanc entre les mots qu'il passe dans le langage. Mais ne disons pas même qu'il y est sous-entendu. Cette notion du sous-entendu exprime naïvement notre conviction qu'une langue (généralement notre langue natale) est parvenue à capter dans ses formes les choses mêmes, et que toute autre langue, si elle veut aussi les atteindre, doit user au moins tacitement d'instruments de même sorte. Or, si le français pour nous va aux choses mêmes, ce n'est assurément pas qu'il ait copié les articulations de l'être[2] : il a un mot distinct pour exprimer la relation, mais il ne marque pas la fonction complément par une désinence spéciale ; on pourrait dire qu'il sous-entend la déclinaison, que l'allemand exprime (et l'aspect[3], que le russe exprime, et l'optatif[4], que le grec exprime). Si le français nous paraît calqué sur les choses, ce n'est pas qu'il le soit, c'est qu'il nous en donne l'illusion par les rapports internes de signe à signe. Mais cela, *the man I love* le fait aussi bien. L'absence de signe peut être un signe.

Op. cit., p. 54.

QUESTIONS

1• Quel statut privilégié avons-nous spontanément tendance à accorder à notre langue maternelle ? Pourquoi ?

2• Expliquez l'exemple : « *the man I love.* » Comparez-le avec l'équivalent français.

3• Expliquez pourquoi l'« absence de signe peut être un signe » (dernière phrase).

Réflexion 2

▶ Peut-on penser l'origine du langage ?

On croit pouvoir assez facilement imaginer l'origine du langage. Mais cette facilité n'est-elle pas due à ce qu'on sous-estime les difficultés du problème ? Aujourd'hui, les linguistes refusent de répondre à une telle question qu'ils jugent insoluble. Pour quelles raisons ?

Texte 1 — Le langage n'est pas né d'une convention entre les hommes

Lucrèce invoque une histoire naturelle du langage, parce qu'il voit les contradictions de l'hypothèse opposée : celle d'une origine conventionnelle, où le langage serait issu d'un contrat passé volontairement entre les hommes.

Quant aux divers sons du langage, c'est la nature qui poussa les hommes à les émettre, et c'est le besoin qui fit naître les noms des choses ; à peu près comme nous voyons l'enfant amené à recourir au geste par son incapacité même de s'exprimer avec la langue, qui lui fait désigner du doigt les objets présents. Tout être en effet a le sentiment de l'usage qu'il peut faire de ses facultés. Avant même que les cornes aient commencé à poindre sur son front, le veau irrité s'en sert pour menacer son adversaire et le poursuivre tête baissée. [...]

Aussi, penser qu'un homme ait pu donner à chaque chose son nom, et que les autres aient appris de lui les premiers éléments du langage, est vraiment folie. Si celui-là a pu désigner chaque objet par un nom, émettre les divers sons du langage, pourquoi supposer que d'autres n'aient pu le faire en même temps que lui ? En outre, si les autres n'avaient pas également usé entre eux de la parole, d'où la notion de son utilité lui est-elle venue ? De qui a-t-il reçu le premier le privilège de savoir ce qu'il voulait faire et d'en avoir la claire vision ? De même, un seul homme ne pouvait contraindre toute une multitude et, domptant sa résistance, la faire consentir à apprendre les noms de chaque objet ; et d'autre part trouver un moyen d'enseigner, de persuader à des sourds[1] ce qu'il est besoin de faire, n'est pas non plus chose facile : jamais ils ne s'y fussent prêtés ; jamais ils n'auraient souffert plus d'un temps qu'on leur écorchât les oreilles des sons d'une langue inconnue.

Lucrèce, *De la nature*, milieu du Iᵉʳ s. av. J.-C., livre V, 1030-1055, trad. A. Ernout, Les Belles Lettres, p. 242-243.

1. Sourds, parce qu'ils n'auraient pas encore appris à « entendre ».

QUESTIONS

› **1•** Énumérez les difficultés que l'auteur voit dans l'hypothèse d'une origine conventionnelle du langage.

› **2•** L'hypothèse d'une origine naturelle du langage est-elle plus fiable ? En quoi consisterait-elle ?

Texte 2 — Les contradictions de l'origine du langage

On ne peut concevoir l'origine du langage sous la forme d'une invention de mots qui viendraient désigner des choses. En effet, les mots renvoient non à des choses mais à des idées générales, or il faut déjà parler pour avoir des idées générales.

Toute idée générale est purement intellectuelle. Pour peu que l'imagination s'en mêle, l'idée devient aussitôt particulière. Essayez de vous tracer l'image d'un arbre en général, jamais vous n'en viendrez à bout ; malgré vous, il faudra le voir petit ou grand, rare ou touffu, clair ou foncé, et s'il dépendait de vous de n'y voir que ce qui se trouve en tout arbre, cette image ne ressemblerait plus à un arbre. Les êtres purement abstraits se voient de même, ou ne se conçoivent que par le discours. La définition seule du triangle vous en donne la véritable idée : sitôt que vous vous en figurez un dans votre esprit, c'est un tel triangle et non pas un autre, et vous ne pouvez éviter d'en rendre les lignes sensibles, ou le plan coloré. Il faut énoncer des propositions, il faut donc parler pour avoir des idées générales. Car sitôt que l'imagination s'arrête, l'esprit ne marche plus qu'à l'aide du discours.

Jean-Jacques Rousseau, *Discours sur l'origine de l'inégalité parmi les hommes*, première partie, 1755, *in Œuvres*, t. III, coll. Pléiade, Gallimard, p. 147 sq.

QUESTIONS

› 1• Pourquoi faut-il déjà parler pour avoir des idées générales?

› 2• Pourquoi cela interdit-il de penser l'origine du langage comme une simple invention?

Texte 3 Le mystère de la «pensée-son»

Si le signifiant et le signifié sont les deux faces du signe linguistique, aussi inséparables que le recto et le verso d'une feuille de papier, il devient difficile de comprendre l'origine du langage: car la pensée ne préexiste pas aux sons, et les découpages sonores ne préexistent pas à l'expression des pensées.

Psychologiquement, abstraction faite de son expression par les mots, notre pensée n'est qu'une masse amorphe[1] et indistincte. Philosophes et linguistes se sont toujours accordés à reconnaître que, sans le secours des signes, nous serions incapables de distinguer deux idées d'une façon claire et constante. Prise en elle-même, la pensée est comme une nébuleuse où rien n'est nécessairement délimité. Il n'y a pas d'idées préétablies, et rien n'est distinct avant l'apparition de la langue.

En face de ce royaume flottant, les sons offriraient-ils par eux-mêmes des entités circonscrites d'avance? Pas davantage. La substance phonique n'est pas plus fixe ni plus rigide; ce n'est pas un moule dont la pensée doive nécessairement épouser les formes, mais une matière plastique[2] qui se divise à son tour en parties distinctes pour fournir les signifiants dont la pensée a besoin. Nous pouvons donc représenter le fait linguistique dans son ensemble, c'est-à-dire la langue, comme une série de subdivisions contiguës[3] dessinées à la fois sur le plan indéfini des idées confuses (A) et sur celui non moins indéterminé des sons (B); c'est ce qu'on peut figurer très approximativement par le schéma:

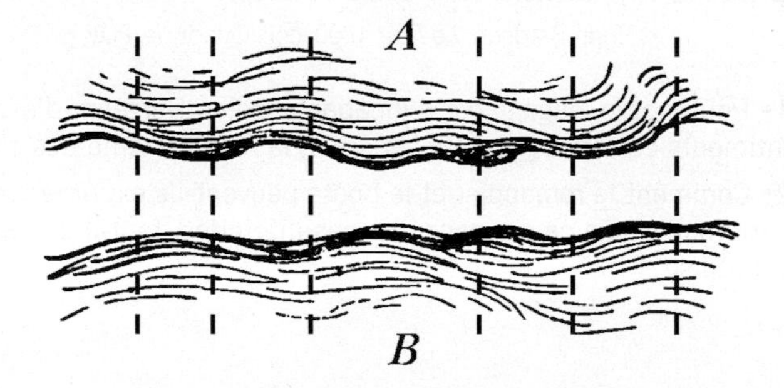

Le rôle caractéristique de la langue vis-à-vis de la pensée n'est pas de créer un moyen phonique matériel pour l'expression des idées, mais de servir d'intermédiaire entre la pensée et le son, dans des conditions telles que leur union aboutit nécessairement à des délimitations réciproques d'unités. La pensée, chaotique de sa nature, est forcée de se préciser en se décomposant.

Ferdinand de Saussure, *Cours de linguistique générale*, 1906-1911, posth. 1916, Payot, p. 155-156.

1. Privée de forme.
2. Au sens premier, plastique désigne ce qui est déformable, malléable, comme l'argile du sculpteur.
3. Sont contiguës des choses qui se touchent par un contact spatial: par exemple, deux chambres, deux maisons contiguës.

QUESTIONS

› 1• «Matière phonique» et «pensée» renvoient à la distinction signifiant/signifié (› p. 170). Précisez en quoi.

› 2• Pourquoi ces deux faces du signe sont-elles si étroitement liées, aux yeux de Saussure, qu'elles ne peuvent naître qu'ensemble?

Réflexion 3

▶ Le langage permet-il de tout dire ?

Le langage nous permet-il d'exprimer nos pensées de façon parfaitement claire ? Ou bien est-ce parce que nos pensées sont elles-mêmes confuses que nous ne parvenons pas à les exprimer ?

Texte 1 — Le langage peut-il dépasser l'aspect impersonnel des choses ?

Enfin, pour tout dire, nous ne voyons pas les choses mêmes ; nous nous bornons, le plus souvent, à lire des étiquettes collées sur elles. Cette tendance, issue du besoin, s'est encore accentuée sous l'influence du langage. Car les mots (à l'exception des noms propres) désignent des genres. Le mot, qui ne note de la chose que sa fonction la plus commune et son aspect banal, s'insinue entre elle et nous, et en masquerait la forme à nos yeux si cette forme ne se dissimulait derrière les besoins qui ont créé le mot lui-même. Et ce ne sont pas seulement les objets extérieurs, ce sont aussi nos propres états d'âme qui se dérobent à nous dans ce qu'ils ont d'intime, de personnel, d'originalement vécu. Quand nous éprouvons de l'amour ou de la haine, quand nous nous sentons joyeux ou tristes, est-ce bien notre sentiment lui-même qui arrive à notre conscience avec les mille nuances fugitives et les mille résonances profondes qui en font quelque chose d'absolument nôtre ? Nous serions alors tous romanciers, tous poètes, tous musiciens. Mais le plus souvent nous n'apercevons de notre état d'âme que son déploiement extérieur. Nous ne saisissons de nos sentiments que leur aspect impersonnel, celui que le langage a pu noter une fois pour toutes parce qu'il est à peu près le même, dans les mêmes conditions, pour tous les hommes. Ainsi, jusque dans notre propre individu, l'individualité nous échappe. Nous nous mouvons parmi les généralités et des symboles, comme en un champ clos où notre force se mesure utilement avec d'autres forces ; et fascinés par l'action, attirés par elle, pour notre plus grand bien, sur le terrain qu'elle s'est choisi, nous vivons dans une zone mitoyenne entre les choses et nous, extérieurement aux choses, extérieurement aussi à nous-mêmes.

Henri Bergson, *Le Rire*, 1900, coll. Quadrige, PUF, p. 117-118 ; éd. du Centenaire, p. 460-461.

QUESTIONS

1• Pourquoi le langage est-il incapable, selon Bergson, d'exprimer fidèlement nos sentiments et, d'une manière générale, la réalité même des choses ?

2• Comment le romancier et le poète peuvent-ils exprimer ce qui, pour nous, est inexprimable ? En ce qui concerne ces infirmités, faut-il accuser le langage articulé ou celui qui l'utilise ?

Texte 2 — Ce qui ne peut être dit est une pensée confuse

Parce que les mots nous sont extérieurs et apparemment superficiels, impersonnels, ils nous contraignent à clarifier notre pensée, en jouant avec eux pour les différencier, les préciser, les rendre communicables. Ainsi, c'est dans la superficialité des mots que la pensée peut devenir profonde.

C'est dans les mots que nous pensons. Nous n'avons conscience de nos pensées déterminées et réelles que lorsque nous leur donnons la forme objective, que nous les différencions de notre intériorité, et, par suite, nous les marquons d'une forme externe, mais d'une forme qui contient aussi le caractère de l'activité interne la plus haute. C'est le son articulé, le mot, qui seul nous offre l'existence où l'externe et l'interne sont si intimement unis. Par conséquent,

1. Ce qui ne peut pas être dit à l'aide de mots.

vouloir penser sans les mots, c'est une tentative insensée [...]. Et il est également absurde de considérer comme un désavantage et comme un défaut de la pensée cette nécessité qui lie celle-ci au mot. On croit ordinairement, il est vrai, que ce qu'il y a de plus haut, c'est l'ineffable[1]. Mais c'est là une opinion superficielle et sans fondement ; car, en réalité, l'ineffable, c'est la pensée obscure, la pensée à l'état de fermentation, et qui ne devient claire que lorsqu'elle trouve le mot. Ainsi le mot donne à la pensée son existence la plus haute et la plus vraie.

Friedrich Hegel, *Encyclopédie des sciences philosophiques. Philosophie de l'esprit*, 1817, trad. A. Vera, Félix Alcan, add. § 462.

QUESTIONS

› 1• Que reproche Hegel à l'« ineffable » ? Comparez cette position à celle de Bergson.

› 2• « On croit ordinairement [...] que ce qu'il y a de plus haut, c'est l'ineffable. » Expliquez pourquoi.

Texte 3 La mobilité signifiante des signes linguistiques

Parce qu'un signe linguistique n'est pas figé dans une seule signification, le langage humain, malgré son nombre fini de signes, peut exprimer une infinité de choses et d'idées. Cette spécificité, propre au langage humain, le distingue de la communication animale.

Dans une société humaine, la fabrication et l'action sont de forme variable, et, de plus, chaque individu doit apprendre son rôle, n'y étant pas prédestiné par sa structure. Il faut donc un langage qui permette, à tout instant, de passer de ce qu'on sait à ce qu'on ignore. Il faut un langage dont les signes – qui ne peuvent pas être en nombre infini – soient extensibles à une infinité de choses. Cette tendance du signe à se transporter d'un objet à un autre est caractéristique du langage humain. On l'observe chez le petit enfant, du jour où il commence à parler. Tout de suite, et naturellement, il étend le sens des mots qu'il apprend, profitant du rapprochement le plus accidentel ou de la plus lointaine analogie pour détacher et transporter ailleurs le signe qu'on avait attaché devant lui à un objet. « N'importe quoi peut désigner n'importe quoi », tel est le principe latent[1] du langage enfantin. On a eu tort de confondre cette tendance avec la faculté de généraliser. Les animaux eux-mêmes généralisent, et d'ailleurs un signe, fût-il instinctif, représente toujours, plus ou moins, un genre[2]. Ce qui caractérise les signes du langage humain, ce n'est pas tant leur généralité que leur mobilité. *Le signe instinctif est un signe* adhérent, *le signe intelligent est un signe* mobile.

Or, cette mobilité des mots, faite pour qu'ils aillent d'une chose à une autre, leur a permis de s'étendre des choses aux idées.

Henri Bergson, *L'Évolution créatrice*, 1907, PUF, p. 159.

1. Profond, sous-jacent.
2. Idée générale, classe, espèce.

QUESTIONS

› 1• Pourquoi, selon Bergson, la mobilité est-elle ce qui caractérise le langage humain ? Étudiez l'exemple de l'enfant. Comparez-le avec celui qui est présenté dans le texte de Michel Leiris, p. 168. Quel est l'intérêt de cette mobilité ?

› 2• « Les animaux eux-mêmes généralisent » : comment comprendre ce constat ? Quels exemples peut-on donner ?

› 3• Pourquoi, cependant, le signe instinctif trouve-t-il sa limite dans le fait qu'il est un signe « adhérent » ?

Passerelle

› **Texte :** Nietzsche, Le sujet de Descartes est une illusion de la grammaire, p. 34.

Réflexion 4

Le langage, au fondement de la subjectivité ?

Décrire le langage comme simple médiation entre des sujets parlants, c'est présupposer que ces sujets existent avant la communication. Or la subjectivité, au sens psychologique et au sens moral, ne se constitue-t-elle pas à l'intérieur du langage ?

Texte 1 — Pouvoir dire « je » fait de l'homme une personne

Que l'homme puisse disposer du *Je* dans sa représentation : voilà qui l'élève à l'infini au-dessus de tous les autres êtres vivant sur la terre. Il est par là une *personne*, et en vertu de l'unité de la conscience maintenue à travers tous les changements qui peuvent lui advenir, une seule et même personne, c'est-à-dire un être tout distinct, par le rang et par la dignité, de choses, tels les animaux dépourvus de raison, dont on peut disposer à sa guise ; et il en est ainsi même lorsqu'il ne lui est pas encore donné de prononcer le *Je*, parce que celui-ci n'en est pas moins dans sa pensée ; pareillement, toutes les langues, quand elles parlent à la première personne, pensent ce *Je* nécessairement, même si elles n'ont pas un mot particulier pour en exprimer la réalité. Cette capacité (de penser) n'est autre que *l'entendement*. Remarque étonnante : l'enfant, déjà parvenu à une certaine facilité de langage, ne se met qu'à un moment assez tardif (au bout d'un an peut-être) à se servir du *Je*, alors qu'il a si longtemps parlé de lui-même à la troisième personne (*Charles veut manger, marcher*, etc.) ; et une lumière semble en quelque sorte s'être faite en lui, lorsqu'il commence à se servir du *Je* ; à dater de ce jour, il ne revient plus à ce premier langage. Il n'avait auparavant que le sentiment de lui-même, il en a maintenant la pensée. L'explication de ce phénomène réserverait sans doute à l'anthropologue[1] de sérieuses difficultés.

Emmanuel Kant, *Anthropologie du point de vue pragmatique*, 1798, trad. P. Jalabert, *in Œuvres*, t. III, coll. La Pléiade, Gallimard, p. 945 sq.

1. L'anthropologie étudie l'homme dans sa globalité et sa spécificité. Pour Kant, elle est « une doctrine de la connaissance de l'homme systématiquement traitée ».

QUESTIONS

1• Quelle étape cruciale est franchie quand l'enfant fait référence à lui en disant « je » ?

2• Comment comprendre que ce fait linguistique justifie, aux yeux de Kant, une coupure radicale entre l'homme et les autres êtres de la nature ?

Texte 2 — Le statut particulier des pronoms personnels

La « subjectivité » dont nous traitons ici est la capacité du locuteur à se poser comme « sujet ». Elle se définit, non par le sentiment que chacun éprouve d'être lui-même (ce sentiment, dans la mesure où l'on peut en faire état, n'est qu'un reflet), mais comme l'unité psychique qui transcende la totalité des expériences vécues qu'elle assemble, et qui assure la permanence de la conscience. Or nous tenons que cette « subjectivité », qu'on la pose en phénoménologie[1] ou en psychologie, comme on voudra, n'est que l'émergence dans l'être d'une propriété fondamentale du langage. Est « ego » qui dit « ego ». Nous trouvons là le fondement de la « subjectivité », qui se détermine par le statut linguistique de la « personne ».

La conscience de soi n'est possible que si elle s'éprouve par contraste. Je n'emploie *je* qu'en m'adressant à quelqu'un, qui sera dans mon allocution un *tu*. C'est cette condition de dialogue qui est constitutive de la *personne*, car elle implique en réciprocité que *je* devient *tu* dans l'allocution de celui qui à son tour se désigne par *je*. [...]

Or ces pronoms se distinguent de toutes les désignations que la langue articule, en ceci : *ils ne renvoient ni à un concept ni à un individu*.

1. La phénoménologie entend revenir à la « chose même » (Husserl), faire l'étude des phénomènes tels qu'ils apparaissent à la conscience.
2. « Quand l'individu se l'approprie, le langage se tourne en instances du discours, caractérisées par ce système

de références internes, dont la clef est *je*... » (*op. cit.*, p. 254-255).
3. Au double sens de présent et d'effectif, en acte.

Il n'y a pas de concept « je » englobant tous les *je* qui s'énoncent à tout instant dans les bouches de tous les locuteurs, au sens où il y a un concept « arbre » auquel se ramènent tous les emplois individuels de *arbre*. Le « je » ne dénomme donc aucune entité lexicale. Peut-on dire alors que *je* se réfère à un individu particulier ? Si cela était, ce serait une contradiction permanente admise dans le langage, et l'anarchie dans la pratique : comment le même terme pourrait-il se rapporter indifféremment à n'importe quel individu et en même temps l'identifier dans sa particularité ? On est en présence d'une classe de mots, les « pronoms personnels », qui échappent au statut de tous les autres signes du langage. À quoi donc *je* se réfère-t-il ? À quelque chose de très singulier, qui est exclusivement linguistique : *je* se réfère à l'acte de discours individuel où il est prononcé, et il en désigne le locuteur. C'est un terme qui ne peut être identifié que dans ce que nous avons appelé ailleurs une instance de discours[2], et qui n'a de référence qu'actuelle[3]. La réalité à laquelle il renvoie est la réalité du discours. C'est dans l'instance de discours où *je* désigne le locuteur que celui-ci s'énonce comme « sujet ».

Émile Benveniste, « De la subjectivité dans le langage », 1958, *in Problèmes de linguistique générale*, coll. Tel, Gallimard, p. 259 sq.

QUESTIONS

1• Expliquez : « Est "ego" qui dit "ego" » (fin du premier paragraphe).

2• Pourquoi les pronoms personnels « je » et « tu » ne fonctionnent-ils pas comme les autres mots ?

Texte 3

L'usage performatif de la langue : « quand dire, c'est faire »

1. John Langshaw Austin (1911-1960), philosophe anglais, professeur à Oxford.

Austin[1] met en évidence des usages particuliers du langage, qu'il nomme performatifs. Il s'agit de paroles qui sont en même temps des actes ou d'actes qui n'existent que par des énoncés linguistiques (« je promets, je baptise, etc. »). Ces énoncés ne peuvent pas être « faux » puisqu'ils ne se réfèrent à rien d'autre qu'eux-mêmes.

Dans le cas particulier de la promesse, comme dans celui de beaucoup d'autres performatifs, il convient que la personne qui promet ait une certaine intention (ici, par exemple, celle de tenir parole). Il semble même que de tous les éléments concomitants, celui-là soit le plus apte à être ce que décrit ou enregistre effectivement le « Je promets ». De fait, ne parlons-nous pas d'une « fausse » promesse lorsqu'une telle intention est absente ?

Parler ainsi ne signifie pourtant pas que l'énonciation « Je promets que... » soit fausse, dans le sens où la personne, affirmant faire, ne ferait pas, ou décrivant, décrirait mal, rapporterait mal. Car elle promet, effectivement : la promesse, ici, n'est même pas nulle et non avenue, bien que donnée de mauvaise foi. Son énonciation est peut-être trompeuse ; elle induira probablement en erreur, et elle est sans nul doute incorrecte. Mais elle n'est pas un mensonge ou une affirmation manquée. Tout au plus pourrait-on trouver une raison de dire qu'elle implique ou introduit un mensonge ou une affirmation manquée (dans la mesure où le déclarant a l'intention de faire quelque chose) ; mais c'est là une tout autre question. De plus, nous ne parlons pas d'un faux pari ou d'un faux baptême ; et que nous parlions, de fait, d'une *fausse promesse*, ne nous compromet pas plus que de parler d'un *faux mouvement*.

John L. Austin, *Quand dire, c'est faire*, 1962, trad. G. Lane, coll. Points, Seuil, 1970, p. 45.

QUESTIONS

1• Pourquoi une promesse reste-t-elle une promesse quelle que soit l'intention de celui qui la dit ?

2• Cherchez d'autres exemples d'énoncés performatifs. Quelle est leur différence avec les autres énoncés langagiers ?

Réflexion 5

▶ Comment distinguer communication animale et langage humain ?

Les animaux agissent et réagissent selon des systèmes de communication parfois très complexes. Mais peut-on considérer qu'ils ont un langage au même titre que l'être humain ? Pour répondre par la négative à cette question, il faut trouver des critères permettant de poser une distinction claire entre langage humain et communication animale.

Texte 1 — Par quels critères prouver que les animaux ne parlent pas ?

Le texte de Descartes est sous-tendu par la thèse de l'animal-machine. Derrière le problème moral – y a-t-il plus de différences d'homme à homme que d'homme à bête ? – se cache un second problème : qu'est-ce qui caractérise le langage humain ?

Enfin, il n'y a aucune de nos actions extérieures, qui puisse assurer ceux qui les examinent, que notre corps n'est pas seulement une machine qui se remue de soi-même, mais qu'il y a aussi en lui une âme qui a des pensées, excepté les paroles, ou autres signes faits à propos des sujets qui se présentent, sans se rapporter à aucune passion[1].

Je dis les paroles ou autres signes, parce que les muets se servent de signes en même façon que nous de la voix ; et que ces signes soient à propos, pour exclure le parler des perroquets, sans exclure celui des fous, qui ne laisse pas d'être à propos des sujets qui se présentent, bien qu'il ne suive pas la raison ; et j'ajoute que ces paroles ou signes ne se doivent rapporter à aucune passion, pour exclure non seulement les cris de joie ou de tristesse, et semblables, mais aussi tout ce qui peut être enseigné par artifice aux animaux ; car si on apprend à une pie à dire bonjour à sa maîtresse, lorsqu'elle la voit arriver, ce ne peut être qu'en faisant que la prolation[2] de cette parole devienne le mouvement de quelqu'une de ses passions ; à savoir, ce sera un mouvement de l'espérance qu'elle a de manger, si l'on a toujours accoutumé de lui donner quelque friandise, lorsqu'elle l'a dit ; et ainsi toutes les choses qu'on fait faire aux chiens, aux chevaux et aux singes, ne sont que des mouvements de leur crainte, de leur espérance, ou de leur joie, en sorte qu'ils les peuvent faire sans aucune pensée.

Or il est, ce me semble, fort remarquable que la parole, étant ainsi définie, ne convient qu'à l'homme seul. Car, bien que Montaigne[3] et Charron[4] aient dit qu'il y a plus de différences d'homme à homme, que d'homme à bête, il ne s'est toutefois jamais trouvé aucune bête si parfaite, qu'elle ait usé de quelque signe, pour faire entendre à d'autres animaux quelque chose qui n'eût point de rapport à ses passions ; et il n'y a point d'homme si imparfait, qu'il n'en use ; en sorte que ceux qui sont sourds et muets, inventent des signes particuliers, par lesquels ils expriment leurs pensées. Ce qui me semble un très fort argument pour prouver que ce qui fait que les bêtes ne parlent point comme nous, est qu'elles n'ont aucune pensée, et non point que les organes leur manquent. Et on ne peut dire qu'elles parlent entre elles, mais que nous ne les entendons pas ; car, comme les chiens et quelques autres animaux nous expriment leurs passions, ils nous exprimeraient aussi bien leurs pensées, s'ils en avaient.

René Descartes, « Lettre au marquis de Newcastle du 23 novembre 1646 », *in Œuvres*, coll. Pléiade, Gallimard, p. 1255-1256.

1. Tout ce qui nous rend passifs : sensation, imagination, émotions, désirs, craintes, habitudes…
2. Acte de proférer, de prononcer.
3. Dans l'*Apologie de Raymond Sebond (Essais*, livre II, chap. 12), Montaigne cherche à estomper les frontières entre l'animal et l'humain.
4. Charron (1541-1603), homme d'Église et de lettres, auteur de *De la sagesse* (1601).

QUESTIONS

› 1• Quels sont les trois critères proposés par Descartes pour définir le langage humain ?

› 2• Pourquoi peut-on dire que le « fou » pense, quand bien même ses propos seraient incohérents ?

› 3• Retrouvez les enchaînements de l'argumentation de Descartes contre la thèse de Montaigne.

Texte 2 Répondre à des signaux, comprendre des symboles

Benveniste[1] tente de préciser la différence entre communication animale et langage humain. Il faut noter qu'il utilise le concept de symbole dans un sens plus large que celui couramment employé.

On peut montrer plus précisément où est la différence qui sépare l'homme de l'animal. Prenons d'abord grand soin de distinguer deux notions qui sont bien souvent confondues quand on parle du « langage animal » – le signal et le symbole.

Un signal est un fait physique relié à un autre fait physique par un rapport naturel ou conventionnel : éclair annonçant l'orage ; cloche annonçant le repas ; cri annonçant le danger. L'animal perçoit le signal et il est capable d'y réagir adéquatement. On peut le dresser à identifier des signaux variés, c'est-à-dire à relier deux sensations par la relation de signal. Les fameux réflexes conditionnés de Pavlov[2] le montrent bien. L'homme aussi, en tant qu'animal, réagit à un signal. Mais il utilise en outre le symbole qui est institué par l'homme ; il faut apprendre le sens du symbole, il faut être capable de l'interpréter dans sa fonction signifiante et non plus seulement de le percevoir comme impression sensorielle, car le symbole n'a pas de relation naturelle avec ce qu'il symbolise. L'homme invente et comprend des symboles ; l'animal, non. Tout découle de là. La méconnaissance de cette distinction entraîne toutes sortes de confusions ou de faux problèmes. On dit souvent que l'animal dressé comprend la parole humaine. En réalité l'animal obéit à la parole parce qu'il a été dressé à la reconnaître comme signal ; mais il ne saura jamais l'interpréter comme symbole. Pour la même raison, l'animal exprime ses émotions, il ne peut les dénommer. On ne saurait trouver au langage un commencement ou une approximation dans les moyens d'expression employés chez les animaux. Entre la fonction sensori-motrice[3] et la fonction représentative, il y a un seuil que l'humanité seule a franchi.

Car l'homme n'a pas été créé deux fois, une fois sans langage, et une fois avec le langage. L'émergence de Homo dans la série animale peut avoir été favorisée par sa structure corporelle ou son organisation nerveuse ; elle est due avant tout à sa faculté de représentation symbolique, source commune de la pensée, du langage et de la société.

Cette capacité symbolique est à la base des fonctions conceptuelles. La pensée n'est rien d'autre que ce pouvoir de construire des représentations des choses et d'opérer sur ces représentations. Elle est par essence symbolique. La transformation symbolique des éléments de la réalité ou de l'expérience en concepts est le processus par lequel s'accomplit le pouvoir rationalisant de l'esprit. La pensée n'est pas un simple reflet du monde ; elle catégorise la réalité, et en cette fonction organisatrice elle est si étroitement associée au langage qu'on peut être tenté d'identifier pensée et langage à ce point de vue.

Émile Benveniste, « Coup d'œil sur le développement de la linguistique », 1963, *in Problèmes de linguistique générale*, I, coll. Tel, Gallimard, p. 27.

1. Émile Benveniste (1902-1976), linguiste français, spécialiste des langues indo-européennes.
2. Pavlov (1849-1936), physiologiste et médecin russe.
3. Une action sensori-motrice fait intervenir des données sensorielles et des réponses motrices. Ici, l'action, supposant la présence d'un cadre concret, est opposée à la pensée représentative, qui peut agir abstraitement sur des signes en l'absence des objets.

QUESTIONS

› **1•** Définissez les sens respectifs de « signal » et de « symbole ». Pourquoi l'auteur voit-il un abîme entre les deux ? Qu'en conclure sur la différence entre communication animale et langage humain ?

› **2•** Expliquez : « Car l'homme n'a pas été créé deux fois [...] le langage » (§ 3).

Passerelle

› **Chapitre 6 : Nature et culture,** p. 150.

Dossier

▶ Le langage est-il responsable des ratés de la communication ?

Une théorie de la communication fondée sur le schéma techniciste : émetteur – message – récepteur, ne peut expliquer les ratés de l'échange qu'en invoquant des causes extérieures : « bruits », malentendus, incompatibilité d'humeur... Pourtant, ne faut-il pas interroger la communication elle-même, dans toute sa complexité, pour comprendre les raisons de ses dysfonctionnements ?

DOCUMENT 1 L'impossibilité de ne pas communiquer

Disons tout d'abord que le comportement possède une propriété on ne peut plus fondamentale, et qui de ce fait échappe souvent à l'attention : le comportement n'a pas de contraire. Autrement dit, il n'y a pas de « non-comportement », ou pour dire les choses encore plus simplement : on ne peut pas *ne pas* avoir de comportement. Or, si l'on admet que, dans une interaction, tout comportement a la valeur d'un message, c'est-à-dire qu'il est une communication, il suit qu'on ne peut pas *ne pas* communiquer, qu'on le veuille ou non. Activité ou inactivité, parole ou silence, tout a valeur de message. De tels comportements influencent les autres, et les autres, en retour, ne peuvent pas *ne pas* réagir à ces communications, et de ce fait eux-mêmes communiquer. Il faut bien comprendre que le seul fait de ne pas parler ou de ne pas prêter attention à autrui ne constitue pas une exception à ce que nous venons de dire. Un homme attablé dans un bar rempli de monde et qui regarde droit devant lui, un passager qui dans un avion reste assis dans son fauteuil les yeux fermés, communiquent tous deux un message : ils ne veulent parler à personne, et ne veulent pas qu'on leur adresse la parole ; en général, leurs voisins « comprennent le message » et y réagissent normalement en les laissant tranquilles. Manifestement, il y a là un échange de communication, tout autant que dans une discussion animée.

Paul Watzlawick, Janet Helmick Beavin et Don D. Jackson, *Une logique de la communication*, 1967, trad. J. Morche, Seuil, 1972, p. 45-46.

DOCUMENT 2 Communiquer, c'est ponctuer

Le désaccord sur la manière de ponctuer[1] la séquence des faits est à l'origine d'innombrables conflits qui portent sur la relation. Soit un couple aux prises avec un problème conjugal ; le mari y contribue par son attitude de repli et sa passivité, tandis que la femme y contribue pour moitié par ses critiques hargneuses. En parlant de leurs frustrations, le mari dira que le repli est sa seule défense contre la hargne de sa femme ; celle-ci qualifiera cette explication de distorsion grossière et délibérée de ce qui se passe « réellement » dans leur vie conjugale : elle le critique en raison de sa passivité. Dépouillés de leurs éléments passagers et fortuits, leurs affrontements se réduisent à un échange monotone de messages de ce genre : « Je me replie parce que tu te montres hargneuse » et « Je suis hargneuse parce que tu te replies ». Si l'on donne une représentation graphique de l'interaction de ce couple, en choisissant arbitrairement un point de départ, on obtient à peu près ceci :

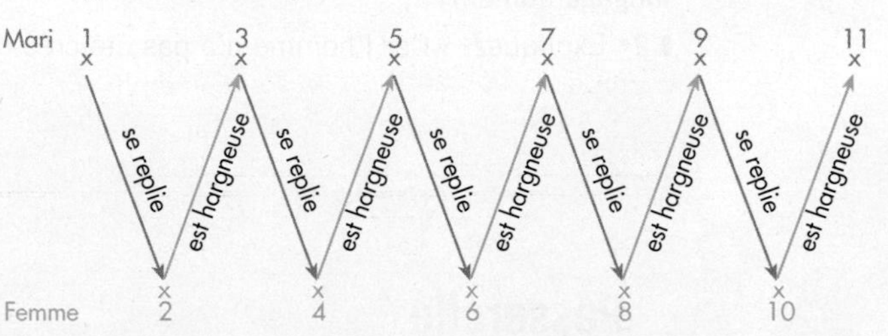

Op. cit., p. 54-55.

1. Les comportements peuvent se laisser ponctuer de la même façon que des phrases écrites ou des séquences de film. Peu perceptible, la manière de ponctuer peut produire des interprétations très différentes d'un même contenu.

DOCUMENT 3 Forme et contenu du message

Même dans les cas où la traduction paraît correcte, au niveau de la relation, la communication digitale[1] peut très bien ne pas emporter la conviction. Ce fait est caricaturé dans l'extrait de la bande dessinée Peanuts *que nous reproduisons ci-dessous :*

Je trouve que j'ai un charmant sourire.

Tu ne m'as jamais dit que j'avais un charmant sourire… Tu crois que j'ai un charmant sourire ?

Oh, oui, tu as le plus charmant sourire qui soit depuis que le monde est monde…

Même quand il le dit, il ne le dit pas vraiment !

Charles Schulz

1. Désigne ici la communication qui se sert des signes arbitraires (les mots, essentiellement), par opposition à celle dite « analogique », utilisant des signes expressifs ou ressemblants (mimiques ou dessins, par exemple). Il semble que les auteurs emploient souvent ce terme en un sens plus vague : ce qui est explicitable en mots.

DOCUMENT 4 La communication suppose toujours de l'implicite

Dire que les langues naturelles sont des codes destinés à la transmission de l'information d'un individu à un autre, c'est admettre du même coup que tous les contenus exprimés grâce à elles sont exprimés de façon *explicite*. Par définition en effet, une information encodée, c'est, pour celui qui sait déchiffrer le code, une information manifeste, une information qui se donne comme telle, qui s'avoue, qui s'étale. Ce qui est dit dans le code est totalement dit, ou n'est pas dit du tout.

Or on a bien fréquemment besoin, à la fois de dire certaines choses, et de pouvoir faire comme si on ne les avait pas dites, de les dire, mais de façon telle qu'on puisse en refuser la responsabilité. […] Il y a, dans toute collectivité, même dans la plus apparemment libérale, voire libre, un ensemble non négligeable de tabous linguistiques. On n'entendra pas seulement par là qu'il y a des mots – au sens lexicographique[1] du terme – qui ne doivent pas être prononcés, ou qui ne le peuvent que dans certaines circonstances strictement définies. Ce qui importe davantage, vu notre propos, c'est qu'il y a des thèmes entiers qui sont frappés d'interdit et protégés par une sorte de loi du silence (il y a des formes d'activité, des sentiments, des événements dont on ne parle pas). Bien plus, il y a, pour chaque locuteur, dans chaque situation particulière, différents types d'informations qu'il n'a pas le droit de donner, non qu'elles soient en elles-mêmes objets d'une prohibition, mais parce que l'acte de les donner constituerait une attitude considérée comme répréhensible. Pour telle personne, à tel moment, dire telle chose, ce serait se vanter, se plaindre, s'humilier, humilier l'interlocuteur, le blesser, le provoquer, etc. Dans la mesure où, malgré tout, il peut y avoir des raisons urgentes de parler de ces choses, il devient nécessaire d'avoir à sa disposition des modes d'expression implicite, qui permettent de laisser entendre sans encourir la responsabilité d'avoir dit.

Oswald Ducrot, *Dire et ne pas dire. Principes de sémantique linguistique*, 1972, Hermann, 1991.

1. La lexicographie étudie les mots et leurs significations en vue d'établir des dictionnaires.

DOCUMENT 5 Les injonctions paradoxales ; la double contrainte (*double bind*)

La forme la plus fréquente, peut-être, sous laquelle le paradoxe s'introduit dans la pragmatique[1] de la communication humaine est celle d'une injonction exigeant un comportement déterminé qui, de par sa nature même, ne saurait être que spontané. Le prototype d'un tel message est donc : « Soyez spontané ! » Toute personne mise en demeure d'avoir ce comportement, se trouve dans une position intenable, car pour obéir, il lui faudrait être spontanée par obéissance, donc sans spontanéité. Voici quelques variantes de ce type d'injonction paradoxale :
1. « Tu devrais m'aimer. »
2. « Je veux que tu me domines. » (Demande faite par une femme à un mari passif.)
3. « Tu devrais aimer jouer avec les enfants, comme les autres pères. »
4. « Ne sois donc pas si docile. » (Des parents à leur enfant qu'ils jugent trop dépendant d'eux.)
5. « Tu es libre de partir, tu le sais, t'en fais pas si je pleure. » (Exemples tirés d'un roman de William Styron.) [...]

Greenburg a récemment publié une merveilleuse et effarante collection de communications maternelles paradoxales. Voici l'une de ses perles :

« Faites cadeau à votre fils Marvin de deux chemises sport. La première fois qu'il en met une, regardez-le avec tristesse, et dites-lui d'un ton pénétré : "Alors, et l'autre, elle ne te plaît pas ?" »

Paul Watzlawick, Janet Helmick Beavin et Don D. Jackson, *Une logique de la communication*, 1967, trad. J. Morche, Seuil, 1972, p. 201 et 211.

1. Qui concerne les conséquences de la communication relatives au comportement, à l'action.

DOCUMENT 6 Communication et métacommunication[1]

Au cours d'une psychothérapie conjugale, un couple rapporte l'incident suivant : le mari, seul à la maison, reçoit un coup de téléphone d'un ami qui lui dit qu'il allait venir dans la région où ils habitaient pour quelques jours. Aussitôt le mari invite cet ami à venir les voir ; il sait que cela ferait plaisir aussi à sa femme, et il pense donc qu'elle aurait agi de même. Pourtant, au retour de la femme, une scène violente éclate entre eux à propos de l'invitation faite par le mari à cet ami. Le problème est abordé dans la séance de psychothérapie, le mari et la femme conviennent tous deux qu'il était parfaitement légitime et naturel d'inviter cet ami. Leur embarras est grand de constater que d'un côté ils sont d'accord, et que pourtant « par certains côtés », il y a entre eux un désaccord, apparemment sur la même question.

En fait, deux questions étaient impliquées dans cette discussion. L'une avait trait à la manière de résoudre un problème pratique, l'invitation, et pouvait faire l'objet d'une communication digitale ; l'autre concernait la relation entre les deux partenaires : qui avait le droit de prendre une initiative sans consulter l'autre ? Il était beaucoup moins facile de trancher cette question sur le mode digital, car cela présupposait que mari et femme étaient capables de parler sur leur relation. En essayant de dissiper leur désaccord, ils ont commis une erreur de communication très courante : leur désaccord se situait au niveau de la métacommunication (ou relation), et ils se sont évertués à le dissiper au niveau du contenu, où il n'existait pas, ce qui les a conduits à de pseudo-désaccords.

Op. cit., p. 79-80.

1. C'est la communication sur la communication.

QUESTIONS **Documents 1 à 6**

1• Comment sont expliquées ici les difficultés de communication ? Qu'est-ce qui est imputable au langage lui-même ?

2• Quelle difficulté y a-t-il à communiquer sur la communication ? Pourquoi cette difficulté, et parfois cette impossibilité, sont-elles sources de conflits insolubles ?

Les six fonctions du langage selon Jakobson

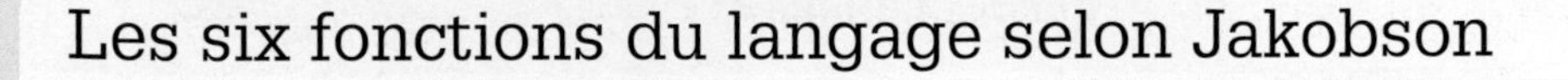

▪ **1. La fonction émotive ou expressive** met l'accent sur les sentiments ou les émotions de l'**émetteur** : « Centrée sur le sujet, elle vise à une expression directe de l'attitude du sujet à l'égard de ce dont on parle » (Roman Jakobson, *Essais de linguistique générale*, 1960, Seuil, p. 214). On note l'importance des interjections, marquées par des points d'exclamation : « Hélas ! je suis arrivé trop tard... » ou « Super, tu as vu ce ciel bleu ! ».

▪ **2. La fonction impressive ou conative** met l'accent sur le **destinataire** ou **récepteur**. Le message exprime la volonté d'agir sur lui. Il s'agit de le convaincre, de le persuader, de l'émouvoir ou de le commander : « Allez vite ! Dépêche-toi ! » « [Cette fonction] trouve son expression grammaticale la plus pure dans le vocatif et l'impératif. » (*op. cit.*, p. 216). Le vocatif, dans les langues à déclinaisons comme le latin, est le cas employé pour s'adresser directement à quelqu'un ou à quelque chose. En français, il est indiqué parfois par le « ô » : « Ô jeunes gens ! quelle leçon ! Marchons avec candeur dans le sentier de la vertu ! » (Beaumarchais, *La Mère coupable*, V, 7).

▪ **3. La fonction référentielle** prédomine lorsque la **situation** ou la réalité désignée par le message est l'élément essentiel de l'acte de communication. Ainsi, lorsque je dis : « le train est en retard », je me contente de transmettre une information sur une situation. C'est cette information qui est au cœur de mon message. Le reste passe au second plan.

▪ **4. La fonction phatique** consiste à mettre l'accent sur le canal de la communication, sur l'établissement matériel du **contact** de la communication. Il s'agit de s'assurer que le message est bien reçu, que la communication n'a pas été interrompue. Cette fonction s'exprime par des interjections, par des expressions sans contenu précis : « Allô », « heu », « hein ». Il y a des messages qui servent essentiellement à vérifier si le circuit fonctionne (« Allô, vous m'entendez ? »), à attirer l'attention de l'interlocuteur ou à s'assurer qu'elle ne se relâche pas (« Dites, vous m'écoutez ? »).

▪ **5. La fonction métalinguistique** est cette capacité du langage à se questionner lui-même. « Chaque fois que le destinateur et/ou le destinataire jugent nécessaire de vérifier s'ils utilisent bien le même **code**, le discours est centré sur le code : il remplit une fonction métalinguistique (ou de glose[1]). "Je ne vous suis pas – que voulez-vous dire ?" demande l'auditeur, ou, dans un style plus relevé : "Qu'est-ce à dire ?" Et le locuteur par anticipation s'enquiert : "Comprenez-vous ce que je veux dire ?" » (Jakobson, *op. cit.*, p. 217-218).

▪ **6. La fonction poétique** intervient lorsque la **valeur rythmique, sonore ou visuelle** du message (la face signifiante) devient aussi importante, voire plus importante que le contenu du message (la face signifiée) : « Quel pur travail de fins éclairs consume/ Maint diamant d'imperceptible écume » (Paul Valéry). Elle n'est pas à l'œuvre seulement en poésie, mais aussi dans les slogans publicitaires, dans les jeux de mots et les tournures populaires : par exemple le slogan « Cracotte, je craque ».

1. Annotation entre les lignes ou en marge d'un texte, pour expliquer ou interpréter un mot difficile, éclaircir un passage obscur.

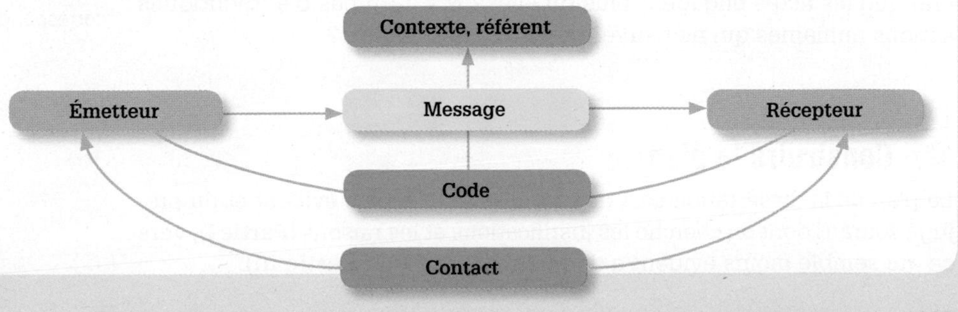

DISSERTATION • Les actes engagent-ils plus que les paroles ?

Comprendre le sujet

Ce sujet ne pose pas de problème de compréhension ; il part d'une opposition courante et familière, qu'on pourrait caricaturer ainsi : il y a ceux qui parlent, il y a ceux qui agissent. Ou bien encore : il est plus facile de parler que d'agir. Le concept d'engagement mérite d'être analysé de façon précise. En effet, en un sens ordinaire, s'engager, c'est d'abord se lier par une promesse ou un contrat qui doit être respecté. En un sens plus approfondi, s'engager, c'est prendre ses responsabilités, ne pas rester un spectateur passif du monde, agir pour une cause. Le concept d'engagement renvoie alors ici à l'engagement politique, au militantisme, à la littérature engagée... Le contraire de l'engagement est, dans le meilleur des cas, l'attente passive, dans le pire des cas, la fuite et la trahison. L'opinion courante tend à dévaloriser les paroles au profit de l'action. Certes, elle n'a pas tort, mais on peut penser que ce jugement est trop rapide, et finalement injuste. L'analyse philosophique ne consistera pas à rejeter totalement l'opinion, mais à montrer ses limites. L'essentiel du travail de recherche consistera à « défendre » le rôle de la parole et à trouver des exemples de ses capacités actives (« actives » renvoie ici à « action »). Un fil directeur pour la recherche : faire l'inventaire des caractéristiques positives attribuées à l'action, puis chercher si on ne pourrait pas trouver l'équivalent pour les paroles.

Le sujet fait manifestement allusion à une opinion commune (« doxa »).

Rédiger l'introduction

› **Fiche 2,** p. 574

« Les paroles s'envolent, les écrits restent », « les promesses n'engagent que ceux qui y croient » : beaucoup de proverbes de ce genre dévalorisent les paroles humaines, légères et versatiles, au profit des actes, solides et efficaces. Sans doute cette sagesse commune peut-elle s'appuyer sur beaucoup d'exemples de promesses non tenues, de trahisons, de faux-semblant, d'hypocrisie, de lâcheté. Mais aussi nombreux soient-ils, ces exemples autorisent-ils à minimiser le rôle de la parole dans les sociétés humaines ? Après tout, les actes aussi peuvent échouer ou avoir des effets malencontreux. Quant aux paroles, elles ont peut-être plus de poids qu'on ne le pense. Pour une promesse non tenue, combien de promesses quotidiennes sont remplies dont on ne se rend pas compte, car ordinaires et peu spectaculaires ? Nous étudierons donc les trois questions suivantes : d'où vient cette dévalorisation des paroles ? Est-il vrai que les actes engagent plus qu'elles ? N'y a-t-il pas d'authentiques actions humaines qui ne peuvent être que des paroles ?

Concession à l'opinion commune (*sans doute, certes...*).
Mise en cause du préjugé (*mais, pourtant...*).
Raisons de douter du préjugé (*après tout, en effet...*).

Nouveau questionnement : les trois dernières questions indiquent le plan, chacune correspondant à une partie.

Construire le plan

Le plan de la dissertation part de ce qui semble le plus évident et du préjugé courant dont on cherche les justifications et les raisons (**Partie I**), vers ce qui semble moins évident à démontrer (**Partie II** ; **Partie III**).

Partie I - L'opinion commune dévalorise les paroles, elle n'a pas totalement tort

Pourquoi valorise-t-on les actes au détriment de la parole? D'où vient cette dévalorisation de la parole?

› Sous-partie I - Pourquoi dévalorise-t-on la parole?

La méfiance de l'opinion commune vis-à-vis des paroles s'explique facilement. On invoque les mensonges, l'hypocrisie, les promesses non tenues, la vantardise, voire la mythomanie.

Transition secondaire Mais ces critiques semblent accuser davantage les personnes que la parole elle-même, davantage la nature humaine que l'essence du langage. Or il y a une fragilité plus profonde de la parole: tandis que les actes s'inscrivent toujours dans la réalité et exigent travail, attention et apprentissage, les mots au contraire semblent nous éloigner de cette réalité.

La transition secondaire montre l'insuffisance de l'argument précédent, elle permet d'avancer plus profondément dans la réflexion.

› Sous-partie 2 - Qu'est-ce qui conduit à préférer les actes ?

Trois possibilités pour développer cette sous-partie vous sont proposées.

Référence 1 Rousseau remarque l'inutilité qu'il y a à faire la morale à un enfant. Faire la morale est souvent un aveu d'impuissance pour les parents. Ce sont les exemples qu'ils donnent par leurs actes qui peuvent convaincre l'enfant. Et les parents ne peuvent demander à leurs enfants ce qu'ils ne sont pas capables de faire.

› Chapitre 21, Le devoir: **Rousseau,** *Émile ou de l'éducation,* p. 527.

Exemple « La critique est aisée, mais l'art est difficile (Beaumarchais) ». Celui qui agit – le peintre, le sculpteur, le musicien – peut voir les obstacles qui s'interposent entre ce qu'il fait et ce qu'il voudrait faire.

Référence 2 Dans *L'existentialisme est un humanisme*, Sartre rappelle en permanence que seuls les actes peuvent définir la valeur d'une vie. Même les sentiments se jugent par les actes, alors que notre tendance spontanée est de justifier nos actes par nos sentiments. Un amour n'est authentique que s'il s'éprouve dans des gestes, des risques, des sacrifices. Le sentiment comme la parole trompent… « Je ne puis déterminer la valeur de cette affection que si, précisément, j'ai fait un acte qui l'entérine et qui la définit [...]. Le sentiment se construit par les actes qu'on fait ».

› Chapitre 5, Le temps, l'existence: **Sartre,** *L'existentialisme est un humanisme*, p. 134-137.

Remarque : traditionnellement, on met en italique le titre d'une œuvre, ou on le souligne.

Transition

L'action est soumise au « principe de réalité » ; si elle méconnaît ce principe, elle échoue. Au contraire, la parole ne semble pas liée à cette contrainte. De plus, l'action semble soutenue par des valeurs morales: le travail, l'effort, la patience, la modestie… Au contraire la parole peut sembler légère, frivole, orgueilleuse, voire irresponsable. Enfin l'action sanctionne le succès ou l'échec sans qu'on puisse se trouver de mauvaises excuses. Au contraire, la parole trouve toujours à se justifier, même dans la mauvaise foi. Pourtant ces oppositions sont-elles justifiées? Ne peut-on pas retrouver dans la parole ces caractères positifs que l'on attribue à l'action? Et ne peut-on pas voir dans certaines paroles de véritables actions?

La transition entre deux parties résume ce qui précède…

… mais fait rebondir le problème en introduisant la partie suivante…

Partie II - Il y a un véritable travail de la parole sur la réalité

N'y a-t-il pas des paroles agissantes, qui parfois ont plus de poids que des actes ?

Il s'agit dans la seconde partie de critiquer le préjugé courant exposé en Partie I.

› Sous-partie 1 - Des paroles peuvent avoir une action sur la réalité

Certaines paroles ont eu dans l'histoire une portée et des conséquences considérables.

Importance de la transdisciplinarité : utiliser des connaissances apprises en cours d'histoire ou de langues étrangères.

Exemple 1 Après la défaite de la France, en juin 1940, Charles de Gaulle parle à la radio : « La France a perdu une bataille, elle n'a pas perdu la guerre. ».

Exemple 2 Dans les années 60, aux États-Unis, Martin Luther King commence son discours contre la ségrégation raciale par cette phrase : « I have a dream. ».

Donner des références.
› **Fiche 3,** p. 576

Exemple 3 En pleine guerre froide, alors que le Mur se construit à Berlin, et sépare les deux parties de l'ancienne capitale, J.-F. Kennedy prononce en allemand : « Ich bin ein Berliner. ».

Exemple 4 De façon moins spectaculaire, beaucoup de personnes ont été marquées dans leur vie par une parole, qui les a sauvées, ou au contraire, détruites.

› Sous-partie 2 - Il peut y avoir un travail de la parole

Ainsi la psychologie se sert de la parole comme outil principal pour aider un patient.

Exemple Freud avec la cure psychanalytique propose un long travail, par la parole afin de résoudre les difficultés psychiques du patient.

› Chapitre 3, L'inconscient : **Freud,** *Cinq Leçons sur la psychanalyse*, p. 80-83.

› Sous-partie 3 - La parole est souvent une action à part entière

L'opposition parole/acte est peut-être tout à fait illusoire. Si l'on reprend les caractéristiques positives conférées à l'action, on s'aperçoit qu'on peut les accorder également à la parole.

Argument 1 L'action vise à modifier, transformer, créer la réalité extérieure tout comme le fait la rhétorique, la poésie, la psychologie.

Argument 2 L'action demande du travail, des efforts, une discipline comme le travail intellectuel, pédagogique, littéraire.

Argument 3 Si l'action demande du temps, de la durée, de la patience, il faut aussi du temps pour apprendre à se servir des mots, à se méfier des mots, à dire et à se taire.

Tous ces champs d'analyses ne peuvent pas être traités en même temps. On peut faire un tri. L'essentiel est de développer et d'argumenter.

Transition

Ainsi donc il peut y avoir un véritable travail de la parole ; celle-ci ne doit pas être réduite à un bavardage inconsistant. Par ailleurs, dans les moments essentiels de l'histoire nationale ou individuelle, les mots peuvent jouer un rôle décisif. Mais ne peut-on pas aller plus loin et montrer que beaucoup d'actions humaines restent fondamentalement des paroles ?

Partie III - Beaucoup d'actes humains authentiques ne peuvent être que des paroles

L'axe général de cette troisième partie est de prolonger la critique de la partie II en utilisant la notion de performatif.

N'y a-t-il pas des actes essentiels de la vie humaine qui ne peuvent être que des paroles?

› Sous-partie 1 - Beaucoup de paroles sont des actes

› Réflexion 4, « Le langage au fondement de la subjectivité » : **Austin**, *Quand dire, c'est faire*, p. 181.

Les linguistes appellent ces actes de parole des performatifs. Ce sont des énoncés qui constituent en même temps des actions.

Exemple Je vous déclare unis par les liens du mariage, je vous autorise à partir, je décrète l'état d'urgence…

Ici la transition secondaire vise à approfondir l'idée énoncée précédemment.

Transition secondaire Mais ce qui est important, ce n'est pas que la parole produise des actions (un impératif le fait aussi bien: venez, partez…), c'est qu'il y ait des actions qui ne puissent être « que des paroles ». Or ces actions sont essentielles dans le domaine moral, juridique, politique (je promets, je m'engage, je reconnais…). Le sujet grammatical devient ici sujet moral, juridique, politique.

› Sous-partie 2 - Sans la parole, il ne peut pas y avoir de vie morale ou juridique

Examiner l'importance de la parole au niveau moral et juridique.

Toute responsabilité requiert un engagement, qui est une promesse implicite ou explicite. On ne peut concevoir le devoir sans un engagement du type « je veux », « je déclare », « je promets ». Supprimer ces actes de paroles serait supprimer la société elle-même.

› Sous-partie 3 - La parole peut produire de l'existence

Étudier ici leur importance au niveau existentiel.
› Chapitre 5, Le temps, l'existence : **Sartre,** *L'existentialisme est un humanisme*, p. 134-137.

Sartre lui-même, quand il souligne l'importance des actes, fait allusion à une phrase de Gide : « un sentiment qui se joue ou un sentiment qui se vit sont presque deux choses indiscernables. » Tout sentiment est obscur, cela signifie qu'on peut s'engager au-delà de ce qu'on ressent réellement et mentir involontairement (on croit vivre un sentiment alors qu'on le joue, qu'on fait « comme si » on le ressentait). Mais l'inverse est aussi vrai : en s'engageant par la parole, on finit par construire en actes un sentiment qui n'était au début qu'une esquisse (on finit par vivre un sentiment qu'on a commencé par jouer).

Rédiger la conclusion

› **Fiche 5,** p. 580

Certes, on a raison de se méfier des paroles car, aussi éloignées qu'elles sont de la réalité, elles peuvent tromper et mentir. On parlera de fausses promesses, par exemple. Mais y a-t-il réellement des fausses promesses? Comme le remarque Austin, dès lors que la promesse ne consiste qu'en la parole donnée, toute parole donnée est une promesse authentique. Ce qui suit ne change rien à la réalité de la promesse. La parole crée précisément cette réalité qui n'existe que dans le monde humain : la réalité de l'engagement et de la responsabilité. Si les hommes veulent fuir cette réalité, il serait injuste d'en accuser la parole.

REPÈRES et DISTINCTIONS CONCEPTUELLES

Langage / Communication / code

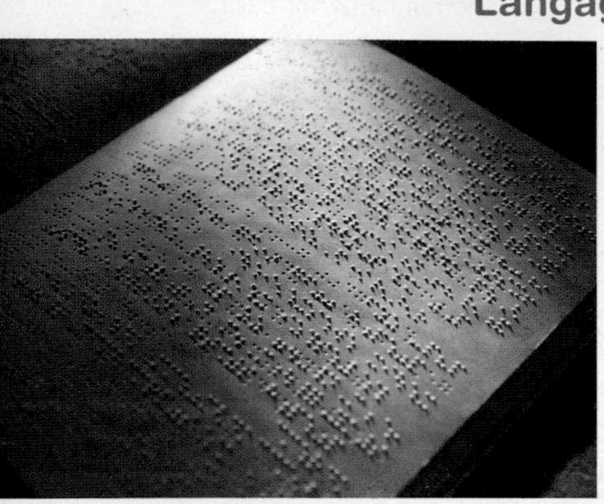

Page en braille pour personnes non voyantes.

Il y a **communication** dès lors qu'un échange de signes ou de messages est établi, volontaire ou involontaire, conscient ou inconscient, entre deux êtres vivants ou entre deux groupes. On va jusqu'à parler de « communication » dans le monde physique (communication chimique entre les cellules d'un même organisme, par exemple).
Il est souhaitable de circonscrire le terme de langage au **langage articulé**, spécifiquement humain.
Le **code** est un système de signes, naturel ou conventionnel. Une langue est un code, l'écriture est un code, les symbolismes des couleurs, des fleurs, des figures animales… peuvent constituer des codes dans certaines civilisations.

Langage / langue / parole

La linguistique distingue ces trois concepts qui, bien qu'interdépendants, imposent des analyses différentes.
- **Le langage :** c'est la faculté propre à tous les hommes.
- **La langue :** c'est le code propre à une communauté. Par exemple, le français, l'anglais, l'italien…
- **La parole :** c'est l'appropriation par l'individu de cette faculté et de ce code, dans des contextes particuliers.

Tous les hommes ne sont pas égaux devant le langage. Leur parole s'exercera plus ou moins facilement en fonction de leur éducation, de leur milieu social, de leurs capacités intellectuelles, de leur tempérament, etc.

Linguistique / sémiologie / le monde des signes

Si la **linguistique** étudie le fonctionnement des langues humaines, la **sémiologie** étudie le fonctionnement des signes en général, qu'ils soient naturels ou artificiels, volontaires ou involontaires.
Un signe est une réalité à double face, comme le recto-verso d'une feuille de papier. Une face sensible, « matérielle » sert à signifier : c'est le **signifiant** ; une face non sensible est signifiée ; c'est le **signifié**. L'union indissoluble de ces deux faces constitue le **signe**.

Les signes qui n'entrent pas dans un processus de communication s'appellent des **indices** (traces, symptômes, présages…).
Les signes qui entrent dans un processus de communication le font soit pour déclencher une action, soit pour représenter une réalité absente. On appellera **signal** tout signe déclenchant une action (le code de la route est composé en grande partie de signaux, les communications animales également).
Les signes qui représentent le font soit dans une relation de ressemblance, d'imitation, d'analogie avec ce qu'ils représentent : ce sont les **symboles** ou les **icônes**, soit sans aucune relation de ressemblance : ce sont alors des signes arbitraires.
Ces signes arbitraires font référence soit à une réalité extérieure, ce sont les **signes linguistiques** proprement dit (les mots, les phrases) ; soit à d'autres signes, ce sont des « signes de signes » : signes de l'écriture, symboles mathématiques, signes musicaux, écriture en braille…

On appelle **arbitraire** un signe dans lequel on ne peut trouver aucun rapport de ressemblance ou d'analogie entre le signifiant et le signifié. Dans le code de la route, le signe « triangle = danger » est un signe arbitraire ; mais le dessin montrant des chutes de pierres ne l'est pas.

Plusieurs signes routiers juxtaposés.

Sens / signification

En règle générale, la **signification** est du ressort de la langue ; le **sens**, au contraire, c'est ce qui déborde et dépasse la signification dans l'acte de parole. Un enfant peut dire à sa mère : « je veux un bonbon. » La signification, dans la langue, est claire ; mais le sens, dans la parole, est plus obscur. La phrase peut vouloir dire : « je veux une friandise sucrée » ; ou bien : « je veux qu'on s'occupe de moi » ; ou encore : « j'ai besoin d'être rassuré », etc. Le sens renvoie donc à l'interprétation, jamais achevée (❯ F. Dolto, p. 96.)

Langage / dialogue

Dans *Le Banquet*, Platon décrit l'échec d'un dialogue. Agathon vient de faire l'éloge d'Eros en montrant que c'est le dieu le plus beau, le plus vertueux, etc. Dans un examen dialectique rapide, Socrate met Agathon devant les contradictions de son propre discours ; « amour est désir », a-t-il dit ; or « désir » signifie « manque » ; donc, on ne peut désirer que ce qu'on n'a pas. Conclusion inévitable : si l'amour désire la beauté, c'est que lui-même n'est pas beau... Socrate a rappelé la cohérence des mots, que la **langue** impose. Agathon répond : « Je crains de n'avoir rien su de ce que je disais alors. » Reconnaissance « intellectuelle » de la vérité. Cependant, sa seconde réaction montre que le dialogue a échoué. « Pour moi, Socrate, je ne serais pas en mesure de te contredire. Qu'il en soit *comme tu dis.* » En renvoyant la vérité dans la parole de Socrate, Agathon l'exclut de sa propre **parole.** Refus « intime » de la vérité. Dialoguer, ce n'est pas chercher à imposer sa vérité à l'autre, mais c'est chercher ensemble la vérité. Ensemble, parce qu'en réfléchissant à plusieurs, on a plus de chances de trouver la vérité (chacun a des idées différentes, il est possible de se formuler mutuellement des objections,...).

Halasz Gyula, dit Brassaï, série VIII, *La Magie*, vers 1935-1950, graffiti, Paris, musée national d'Art moderne – Centre Georges-Pompidou

chapitre 8

L'art

Pablo Picasso, *L'enlèvement des Sabines*, 1962, huile sur toile (0,97 x 1,30 m), Paris, Centre Georges Pompidou.

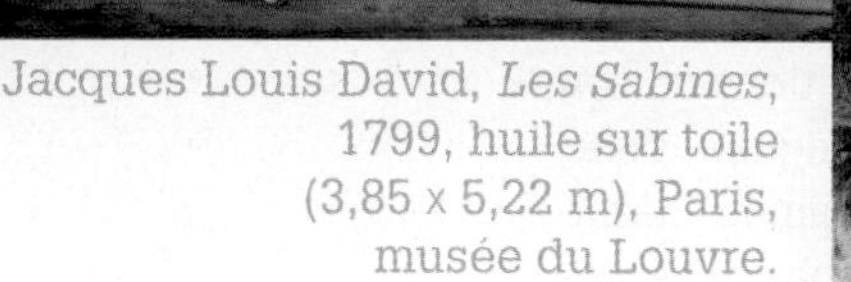

Jacques Louis David, *Les Sabines*, 1799, huile sur toile (3,85 x 5,22 m), Paris, musée du Louvre.

Du mot...

Si le mot art a gardé ici ou là son sens premier de technique (ouvrage d'art, homme de l'art, arts et métiers), son sens récent de beaux-arts est devenu courant. C'est moins le mot qui pose un problème que ce qu'il désigne. La perplexité domine aujourd'hui sur ce qu'il convient d'appeler manifestation artistique. On parle d'arts martiaux, d'arts culinaires, d'arts de la table. S'agit-il d'expressions défectueuses? Curieusement, on parle du septième art pour désigner le cinéma. Il y aurait donc six arts avant lui, mais quels sont-ils? Qui a décidé de cette classification, et depuis quand?

... au concept

À l'origine les concepts de technique et d'art sont confondus: le métier de peintre ou de sculpteur est comparable à celui du menuisier ou du tisserand. L'artiste est longtemps perçu comme un artisan, un technicien, parfois un ingénieur. Puis, progressivement, l'art s'est distingué de la technique ; le concept prend le sens de beaux-arts au XVIIIe siècle. Sont considérés traditionnellement comme arts l'architecture, la sculpture, la peinture, la musique, la danse et la poésie. C'est pourquoi on ajoute le « septième art », le cinéma. Mais cela relève davantage d'une tradition que d'une réalité. Selon les époques, de nombreuses activités techniques sont utilisées pour leur valeur artistique (orfèvrerie, tapisserie, verrerie, céramique, haute-couture, design, graphisme, dessins publicitaires...).
On ne saurait aller plus loin dans une clarification conceptuelle. Le concept d'art, dans sa définition même, est devenu un des enjeux de la création artistique.

Pistes de réflexion

Qu'est-ce qu'une œuvre d'art ?

Comment définir une œuvre d'art ? Par quels critères la distinguer d'un objet technique, d'un produit industriel, d'un produit de l'artisanat ? Les différents critères mis en avant (originalité, absence d'utilité, caractère unique, permanence dans le temps...) sont remis en question par l'art contemporain. Faut-il alors admettre que tout peut être de l'art ?

Quelle est la place de la création dans l'art ?

Longtemps, l'imitation de la nature a été un idéal absolu, y compris pour des artistes très novateurs comme Léonard de Vinci. Pourquoi cet idéal a-t-il été abandonné, pourquoi l'idée d'imitation est-elle devenue un repoussoir ? La notion de «création artistique» qui la remplace aujourd'hui ne constitue-t-elle pas un abus de langage : l'artiste crée-t-il à partir de rien ? Ne s'inspire-t-il pas de ces prédécesseurs, de la nature, de sa culture... ?

Quelle est la part d'inspiration, de génie, de métier, de technique dans la production artistique ?

Comment expliquer le travail artistique ? Est-elle le résultat d'une compétence technique, la manifestation d'une époque (de sa culture, de ses procédés techniques), ou bien le fruit du génie individuel de l'artiste ? Certes, il serait absurde de croire qu'il suffit de suivre des cours de dessin pour devenir un grand peintre, mais n'est-il pas tout autant absurde de croire que les artistes se contentent d'attendre l'inspiration ?

L'art est-il au service du beau ?

La première finalité de l'art est-elle de produire du beau ? Une œuvre d'art, pour être considérée comme telle, doit-elle nécessairement être belle ? La conception du beau varie selon les époques, les cultures et les personnes. De plus, ce qui nous apparaît comme une émotion immédiate ne passe-t-il pas par l'apprentissage de codes esthétiques ? Enfin, associer l'art au beau, n'est-ce pas en limiter sa fonction aux fins de décoration ou de contemplation, au détriment de rôles plus essentiels : critique sociale, politique, philosophique ?

L'art est-il réservé à une élite ?

Le jugement esthétique se donne comme un souci désintéressé, demandant des loisirs, une érudition, une éducation, une sorte de noblesse culturelle. N'est-il pas alors réservé à une élite sociale qui y trouverait un profit d'image et de distinction ? L'art peut-il vraiment s'adresser à tous ? Une éducation spécifique est-elle indispensable ?

Comment articuler art et morale ?

L'art peut choquer les principes moraux d'une époque. L'histoire montre des exemples de procès intentés aux artistes ou aux écrivains pour immoralité. Est-il légitime parfois de censurer les œuvres d'art ? À l'inverse, l'art peut se placer au-dessus de toute morale, au nom d'un idéal purement esthétique. Le dandysme, l'art pour l'art, la provocation vont dans ce sens. Une liberté absolue peut-elle être accordée *a priori* aux artistes sous prétexte d'esthétisme ?

Passerelles

- **Chapitre 2 : La perception**, p. 50.
- **Texte :** Platon, *Le Banquet*, L'initiation à la beauté, p. 109.

Découvertes

DOCUMENT 1 À propos du dessin d'un arbre

Un arbre est-il beau parce qu'il est un arbre ? ou bien parce que nous avons appris à le regarder ? Mais que voudrait dire « apprendre à regarder » ?

Je vous ai montré, n'est-ce pas, ces dessins que je fais ces temps-ci, pour apprendre à représenter un arbre, les arbres ? Comme si je n'avais jamais vu, dessiné d'arbre. J'en vois un de ma fenêtre. Il faut que patiemment je comprenne comment se fait la masse de l'arbre, puis l'arbre lui-même, le tronc, les branches, les feuilles. D'abord les branches qui se disposent symétriquement, sur un seul plan. Puis comment les branches tournent, passent devant le tronc [...]. Ne vous y trompez pas : je ne veux pas dire que, voyant l'arbre par ma fenêtre, je travaille pour le copier. L'arbre, c'est aussi tout un ensemble d'effets qu'il fait sur moi. Il n'est pas question de dessiner un arbre que je vois. J'ai devant moi un objet qui exerce sur mon esprit une action, pas seulement comme arbre, mais aussi par rapport à toute sorte d'autres sentiments [...]. Je ne me débarrasserais pas de mon émotion en copiant l'arbre avec exactitude, ou en dessinant les feuilles une à une dans le langage courant [...]. Mais après m'être identifié en lui. Il me faut créer un objet qui ressemble à l'arbre. Le signe de l'arbre. Et pas le signe de l'arbre tel qu'il a existé chez d'autres artistes [...]. Par exemple, chez ces peintres qui avaient appris à faire le feuillage en dessinant 33, 33, 33, comme vous fait compter le médecin qui ausculte... Ce n'est que le déchet de l'expression des autres... Les autres ont inventé leur signe... Le reprendre, c'est reprendre une chose morte : le point d'arrivée de leur émotion à eux, et le déchet de l'expression des autres ne peut être en rapport avec mon sentiment original. Tenez : Claude Lorrain, Poussin, ont des façons à eux de dessiner les feuilles d'un arbre, ils ont, eux, inventé leur façon d'exprimer les feuilles. Si habilement qu'on dit qu'ils ont dessiné leurs arbres feuille à feuille. Simple manière de parler : en réalité ils ont peut-être représenté cinquante feuilles pour deux mille. Mais la façon de placer le signe feuille multiplie les feuilles dans l'esprit du spectateur, qui en voit deux mille. Ils avaient leur langage personnel.

Henri Matisse, *La Gerbe*, 1953, gouache et collage (2,934 x 3,505 x 0,032 m), collection de l'Université de Californie, Los Angeles, Hammer Museum.

C'est depuis devenu un langage appris, il me faut trouver des signes en rapport avec la qualité de mon invention. Ce seront des signes plastiques nouveaux qui rentreront à leur tour dans le langage commun, si ce que je dis par leur moyen a une importance par rapport à autrui. L'importance d'un artiste se mesure à la quantité de nouveaux signes qu'il aura introduits dans le langage plastique.

Louis Aragon, *Henri Matisse, roman*, 1971, Gallimard.

QUESTIONS

1• Pourquoi, pour Matisse, dessiner un arbre, ce n'est pas le copier ?

2• Comment comprenez-vous l'expression « le signe de l'arbre » ? En quoi l'art est-il producteur de signes ? Ces signes sont-ils comparables aux signes linguistiques ?

DOCUMENT 2 Le regard sur l'art

Devant une photographie de mains de vieille femme, les plus démunis expriment une émotion plus ou moins conventionnelle ou une complicité éthique et jamais un jugement proprement esthétique (sauf négatif) : « Oh dites-donc, elle a les mains drôlement déformées [...]. Y a un truc que je ne m'explique pas (la main gauche) : on dirait que le pouce va se détacher de la main. La photo a été prise drôlement. La grand-mère, elle a dû travailler dur. On dirait qu'elle a des rhumatismes. Oui, mais elle est mutilée cette femme-là ou alors, elle a les mains pliées comme ça (fait le geste) ? Ah ! c'est bizarre, oui, ça doit être ça, sa main est pliée comme ça. Ah ! ça représente pas des mains de baronne ou de dactylo [...] Bah, ça me touche de voir les mains de cette pauvre femme, elles sont noueuses, on pourrait dire » (Ouvrier, Paris). Avec les classes moyennes, l'exaltation des vertus éthiques vient au premier plan (« des mains usées par le travail »), se colorant parfois d'un sentimentalisme populiste (« la pauvre, elle doit bien souffrir de ses mains ! ça donne le sentiment de souffrance ») ; et il arrive même que l'attention aux propriétés esthétiques et les références à la peinture fassent leur apparition : « On dirait que ça a été un tableau qui a été photographié [...] ; en tableau ça doit être drôlement beau » (Employé, province). « Ça me fait penser à un tableau que j'ai vu dans une exposition de peintres espagnols, un moine avec les deux mains croisées devant lui et dont les doigts étaient déformés » (Technicien, Paris). « Ce sont les mains des premiers tableaux de Van Gogh, une vieille paysanne ou les mangeurs de pommes de terre » (Cadre moyen, Paris). À mesure que l'on s'élève dans la hiérarchie sociale, les propos deviennent de plus en plus abstraits, les mains, le travail et la vieillesse (des autres) fonctionnant comme des allégories ou des symboles qui servent de prétexte à des considérations générales sur des problèmes généraux : « Ce sont les mains d'une personne qui a trop travaillé, d'un travail manuel très dur [...] C'est d'ailleurs assez extraordinaire de voir des mains de la sorte » (Ingénieur, Paris). « Ces deux mains évoquent indiscutablement une vieillesse pauvre, malheureuse » (Professeur, province). Plus fréquente, plus diverse et plus subtilement maniée, la référence esthétisante à la peinture, la sculpture ou la littérature, participe de cette sorte de neutralisation, de mise à distance, que suppose et opère le discours bourgeois sur le monde social. « Je trouve que c'est une très belle photo. C'est tout le symbole du travail. Ça me fait penser à la vieille servante de Flaubert. Le geste à la fois très humble de cette femme... C'est dommage que le travail et la misère déforment à ce point » (Ingénieur, Paris).

Pierre Bourdieu, *La Distinction*, 1979, Éd. de Minuit, p. 46.

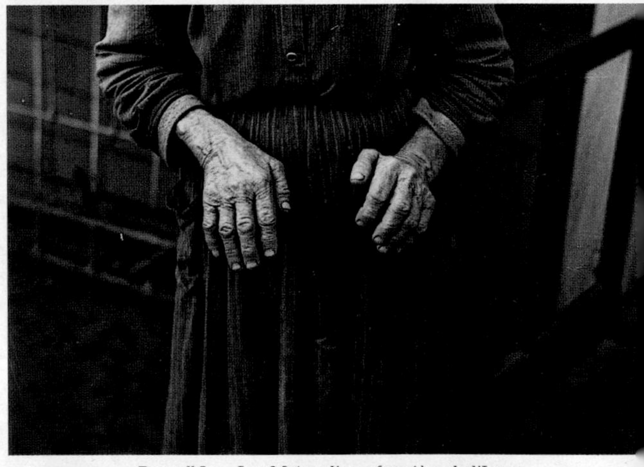

Russell Lee, *Les Mains d'une fermière de l'Iowa, Woodbury County, Iowa*, 1936.

QUESTIONS

› **1•** Comparez les commentaires de la photographie selon les différentes catégories sociales. Que peut-on en conclure sur leurs rapports respectifs à l'art ?

› **2•** Le jugement esthétique semble requérir une « neutralisation », une « mise à distance ». L'auteur relie cette « mise à distance » à une position sociale. Pourquoi ?

› **3•** Peut-on porter un jugement esthétique sans dissocier la chose représentée et la manière dont elle est représentée ? Cette distanciation est-elle nécessairement le fait d'un élitisme social ?

Dossier 1

▶ Le domaine artistique se laisse-t-il facilement délimiter ?

DOCUMENTS 1

L'art, au sens de beaux-arts, semble délimiter un domaine d'activités précis. Sont considérés traditionnellement comme arts l'architecture, la sculpture, la peinture, la musique, la danse et la poésie. On leur ajoute le « septième art », le cinéma. Mais cela relève plus d'une tradition que d'une réalité. Selon les époques, de nombreuses activités techniques ont eu valeur artistique (orfèvrerie, tapisserie, verrerie, céramique, haute-couture, design, affiches publicitaires, objets industriels…). Circonscrire le champ artistique se révèle donc très difficile. D'autant qu'une telle délimitation peut être remise en cause par l'art contemporain.

Max Ernst, *Au-delà des images*, 1920, photomontage, coll. privée.

Voiture 2 CV Citroën, XXe s.

Jean Patou, dessin de mode, 1925.

Émile Gallé, vase « Clair de lune », verre émaillé et doré, XXe s.

Reliquaire du VIIIe ou IXe s., trésor de l'abbaye Sainte-Foy-de-Conques.

QUESTION

› Pourquoi ne peut-on pas donner une définition *a priori* et définitive du domaine artistique ?

DOCUMENT 2 Le caractère récent de la notion d'œuvre d'art

Une époque qui ne filtre pas l'art du passé, ne tente pas de le ressusciter dans ses formes initiales: elle l'ignore. Si, pendant les siècles médiévaux, les statues antiques ont existé sans qu'on les regardât, c'est que leur style était mort, mais c'est aussi que certaines civilisations ont rejeté la métamorphose, avec autant de passion que la nôtre l'accueille. [...] Pour que le passé prenne une valeur artistique, il faut que l'idée d'art existe; pour qu'un chrétien voie dans une statue antique une statue, et non une idole ou rien, il faut qu'il voie dans une Vierge une statue avant d'y voir la Vierge.

Qu'un tableau religieux avant d'être une Vierge, soit « une surface plane couverte de couleurs en un certain ordre assemblées » est vrai pour nous, mais quiconque eût tenu ce discours aux sculpteurs de Saint-Denis[1] se fût fait rire au nez. Pour eux comme pour Suger[2], plus tard pour saint Bernard[3], cet objet était une Vierge bien plus qu'un assemblage de couleurs: car il n'était pas d'abord assemblage de couleurs pour être une statue, mais pour être la Vierge. Non pour représenter une dame qui portât les attributs de Marie: pour *être*; pour accéder à l'univers religieux qui le fondait en qualité.

Ces couleurs « en un certain ordre », puisqu'elles ne sont pas au seul service de la représentation, au service de quoi sont-elles? De leur ordre propre, répond le moderne. Ordre au moins variable, puisqu'il est un style. Michel-Ange n'eût pas accepté plus que Suger « avant d'être une Vierge ». Il eût dit: « Des lignes et des couleurs doivent être assemblées selon un certain ordre, *afin* qu'une Vierge soit digne de Marie. » Pour lui comme pour Van Eyck, l'art plastique était, entre autres choses, un moyen d'accès à un domaine divin. Ce domaine n'était pas distinct de leur peinture comme un modèle l'est d'un portrait; il prenait forme par l'expression qu'ils en donnaient.

Le Moyen Âge ne concevait pas plus l'idée que nous exprimons par le mot art, que la Grèce ou l'Égypte, qui n'avaient pas de mot pour l'exprimer. Pour que cette idée pût naître, il fallut que les œuvres fussent séparées de leur fonction. Comment unir une Vénus qui était Vénus, un Crucifix qui était le Christ, et un buste? Mais on peut unir trois statues. Lorsque, à la Renaissance, le christianisme choisit parmi des formes nées au service d'autres dieux ses moyens d'expression privilégiés, commença de sourdre la valeur particulière que nous avons appelée art, et qui allait devenir l'égale des valeurs suprêmes qu'elle avait servies. Le *Christ* de Giotto[4] sera une œuvre d'art pour Manet, mais le *Christ aux anges* de Manet[5] n'eût rien été pour Giotto. [...] La métamorphose la plus profonde commença lorsque l'art n'eut plus d'autre fin que lui-même.

André Malraux, *Les Voix du silence*, 1951, NRF, Gallimard, p. 51-52.

1. Giotto di Bondone, *Histoire de la vie du Christ, le Christ devant Caiphe*, détail, 1305, fresque, Padoue, Italie.

2. Edouard Manet, *Le Christ aux anges*, 1864, aquarelle, gouache et encre de chine (0,32 x 0,27 m), Paris, musée d'Orsay.

1. Sa cathédrale est considérée comme le point de départ de l'art gothique en France et en Europe. **2.** Suger (1081-1151), abbé de Saint-Denis, promoteur de la construction de l'abbatiale de Saint-Denis, prélude de l'art gothique. **3.** Saint Bernard de Clairvaux (1090-1153), initiateur de l'art cistercien. **4.** Giotto (vers 1266-1337), peintre annonciateur de la Renaissance, auteur entre autres des fresques de l'église haute d'Assise et de la chapelle des Scrovegni, à Padoue. **5.** › p. 218.

QUESTION › Qu'entend Malraux par « métamorphose »? Pourquoi est-elle le propre des Temps modernes?

Dossier 2

▶ Comment définir une œuvre d'art?

En 1927, les douanes américaines refusent de considérer l'objet ci-dessous comme une œuvre d'art et de l'exonérer des droits de douane. S'ouvre à New York un procès autour de la définition de l'œuvre d'art. Le tribunal donnera raison au plaignant contre les douanes.

DOCUMENT 1 Définition juridique de l'œuvre d'art

Depuis 1913, la législation américaine exonérait de droits de douane tout objet ayant le statut d'œuvre d'art. La loi précisait que les sculptures devaient être «taillées ou modelées, à l'imitation de modèles naturels» et en avoir également «les proportions: longueur, largeur et épaisseur». Selon une définition plus large de 1922, les «sculptures ou statues» devaient être «originales», ne pas avoir fait l'objet de «plus de deux répliques ou reproductions»; [...] avoir été produites uniquement par des sculpteurs professionnels» [...], «taillées ou sculptées, et en tout cas travaillées à la main [...] ou coulées dans le bronze ou tout autre métal ou alliage [...] et réalisées au titre exclusif de productions professionnelles de sculpteurs»; et les mots «peinture», «sculpture» et «statue» [...] ne devaient pas être «interprétés comme incluant les objets utilitaires [...]».

Le problème était donc de s'accorder sur la ressemblance entre l'objet et ce qu'il était censé «imiter» et, de plus, prouver qu'il était une œuvre «originale», réalisée par un sculpteur professionnel reconnu, et fabriquée entièrement de ses mains. Si aujourd'hui, ces considérations font sourire, surtout au regard de la personne et de l'œuvre mise en cause, l'issue des débats était moins évidente en 1927.

Brancusi contre États-Unis, un procès historique, 1928, 1995, préface de M. Rowell, trad. J. de Pass, Adam Biro, p. 5-6.

DOCUMENT 2 Extraits des interrogatoires

FRANK CROWNINSHIELD, cité comme témoin par le demandeur, après avoir dûment prêté serment, a fait la déposition suivante:

Q. M. Crowninshield, qu'y a-t-il dans la pièce à conviction n° 1 qui vous incite à dire – si toutefois c'est votre avis – qu'il s'agit d'un oiseau?

R. Elle donne l'impression du vol, elle suggère la grâce, l'élan, la vigueur alliés à la vitesse, dans un esprit de force, de puissance, de beauté, comme l'oiseau. Le nom de cette œuvre, le titre en soi, ne veut pas dire grand-chose. Les plus grands sculpteurs, Barye[1] et d'autres, ont donné à nombre de leurs œuvres des titres qui ne veulent rien dire. L'une des plus connues de M. Barye s'intitule *Esprit de la nuit*. Nous n'accordons aucune attention au titre, ça ne nous intéresse pas du tout. Ce qui nous intéresse, c'est l'œuvre. Il aurait pu tout aussi bien l'intituler l'*Esprit du vol*. Dans un certain sens, le titre n'a pas grand-chose à voir avec l'œuvre du sculpteur. Il ne modifie en rien la qualité esthétique de l'œuvre en tant qu'œuvre d'art, du moment que celle-ci réunit proportions, équilibre, lignes et témoigne d'un art accompli.

CONTRE-INTERROGATOIRE PAR Me HIGGINBOTHAM:

Q. Pourquoi dites-vous que cette œuvre d'art vous séduit dans la mesure où elle représente le vol d'un oiseau?

R. Je n'ai pas dit ça, j'ai dit qu'elle suggérait le vol.

Q. Ainsi, ce qui fait qu'elle flatte votre sens artistique, c'est qu'elle suggère le vol?

R. Pas du tout. Ce qui me séduit ce sont ses proportions, sa forme, son équilibre, sa conception et l'art accompli dont elle témoigne.

Q. Donc, si vous preniez une barre en laiton parfaitement incurvée et symétrique, magnifiquement polie, elle vous séduirait également au titre d'œuvre d'art?

R. Non, Monsieur. S'il s'avérait qu'un grand artiste a fait la barre...

Q. Imaginez que vous ne sachiez pas qui l'a faite.

R. Cela ne changerait rien.

Constantin Brancusi, *Oiseau dans l'espace*, 1925, bronze, Venise, coll. Guggenheim.

Q. Cela ne changerait rien à sa qualité artistique, à sa qualité de séduction ou à son équilibre harmonieux, à sa forme, etc., qu'elle soit l'œuvre d'un ouvrier ou d'un sculpteur ?

R. Si elle était belle, elle ne pourrait pas être l'œuvre d'un ouvrier.

WILLIAM HENRY FOX, cité comme témoin par le demandeur, après avoir dûment prêté serment, a fait la déposition suivante :

CONTRE-INTERROGATOIRE PAR Me HIGGINBOTHAM :

Q. Pourquoi appelez-vous cela une œuvre d'art ?

R. D'abord, elle est expressive, elle a une forme, elle traduit une idée, probablement suggérée par le vol d'un oiseau, ou elle suggère simplement le vol d'un oiseau. Une chose de cette nature est souvent inspirée à l'artiste par une idée abstraite qu'il exprime de manière originale. Je pense que c'est ce que cet artiste a fait. L'idée qu'il en avait quand il a commencé à y travailler a probablement évolué et il l'a suivie. Il est probable qu'il a d'abord conçu son oiseau de manière réaliste.

Q. Si l'artiste l'avait appelé « poisson », cette même chose aurait évoqué pour vous un poisson plutôt qu'un oiseau ?

R. Vous voulez parler de cette pièce-ci en particulier ?

Q. Oui.

R. Non, elle n'évoque pas un poisson pour moi.

Q. Mais s'il l'avait appelée « tigre en vol » ?

R. Non.

Q. Évoque-t-elle pour vous un lion ou tout autre animal ?

R. Il est possible que la qualité de vol me séduise en tant que qualité abstraite, une qualité parmi d'autres, mais vraiment pas celle d'un tigre ou d'un lion réaliste.

Q. Pensez-vous que le gros du public qui visite votre musée tirerait quelque enseignement de cette forme ?

R. J'espère bien que oui, Monsieur le Président. Je pense qu'il en apprécierait la beauté.

Q. Croyez-vous qu'il y aurait plus d'un visiteur sur dix mille qui imaginerait qu'il s'agit d'un oiseau ?

R. Je pense que plus d'un visiteur sur dix mille dirait que c'est un bel objet.

Op. cit., p. 38-43.

1. Sculpteur français (1795-1875), célèbre pour ses sculptures animalières.

DOCUMENT 3 Contre Brancusi, les conclusions de l'avocat des États-Unis

De notre point de vue, l'expression « œuvre d'art » dans l'acception qu'elle revêt dans l'article 399, ne désignait pas dans l'esprit du Congrès toute la gamme du beau et de l'artistique mais seulement ces productions de l'artiste qui, au-delà de leurs qualités ornementales et décoratives, peuvent sans équivoque être tenues pour exemplaires des arts plastiques, ou plus précisément de cette catégorie des beaux-arts imitant les objets naturels tels que l'artiste les perçoit et dont la seule vue est capable d'engendrer l'émotion. Le potier, le verrier, l'orfèvre, le tisserand, la couturière, la dentellière, le sculpteur sur bois, le joaillier, tous produisent des objets qui sont à la fois beaux et artistiques. On ne saurait légitimement soutenir cependant qu'il entrait dans les vues du législateur d'inclure ces objets, si beaux et artistiques soient-ils, dans une disposition qui, comme le montrent son histoire et l'énumération qu'elle contient, visait à favoriser ce type d'art particulier dont relèvent la peinture et la sculpture.

Que tout ce qui est artistique et beau ne peut entrer dans la catégorie des beaux-arts a été clairement établi dans l'affaire *États-Unis contre Perry,* qui concernait la classification des vitraux sur lesquels des artistes de grand mérite avaient représenté des images de saints et d'autres sujets bibliques. Dans ce cas particulier, la Cour suprême a considéré que les vitraux n'étaient pas des peintures et que bien qu'étant artistiques parce qu'ils étaient beaux, ils relevaient davantage des arts décoratifs et industriels que des beaux-arts. *(États-Unis contre Perry* 146 U. S., 71, 74).

Op. cit., p. 107-108, 111.

QUESTIONS

1• Pourquoi les douanes ont-elles besoin de distinguer œuvres d'art et marchandises ordinaires ? Quels critères sont proposés par les douanes pour définir une œuvre d'art ? Quelles objections soulèvent ces critères aujourd'hui ?

2• Les témoins interrogés ici sont favorables à Brancusi. Quelles difficultés ont-ils à justifier leur point de vue ?

3• En quoi ces interrogatoires sont-ils les témoins d'une nouvelle conception de l'œuvre d'art ?

Réflexion 1

▶ Y a-t-il des critères universels de la beauté ?

Le postulat d'une beauté invariable et universelle se heurte à la réalité historique. Ce qui frappe, dans le survol d'une histoire de l'art, c'est la diversité des formes selon les civilisations. Il est peut-être maladroit et inadéquat de vouloir juger ces différentes œuvres par rapport à une norme universelle, par exemple le canon grec de la beauté.

Texte

Existe-t-il une définition universelle du beau ?

Diderot est conscient de la relativité des productions artistiques : le jugement sur le beau varie en fonction des époques et des lieux. Mais il lui semble qu'on peut et qu'on doit malgré tout trouver un critère universel, au-delà de la diversité des goûts. Ce critère, il le place dans la notion de rapport : ordre, proportion, arrangement, équilibre, symétrie. Mais en proposant ce critère général, apparemment neutre, n'est-il pas encore prisonnier des goûts de son époque ?

Quand on exige que la notion générale de *beau* convienne à tous les êtres *beaux*, parle-t-on seulement de ceux qui portent cette épithète ici et aujourd'hui, ou de ceux qu'on a nommés *beaux* à la naissance du monde, qu'on appelait *beaux* il y a cinq mille ans, à trois mille lieues, et qu'on appellera tels dans les siècles à venir ; de ceux que nous avons regardés comme tels dans l'enfance, dans l'âge mur, et dans la vieillesse ; de ceux qui font l'admiration des peuples policés[1], et de ceux qui charment les sauvages ? La vérité de cette définition sera-t-elle locale, particulière, et momentanée ? ou s'étendra-t-elle à tous les êtres, à tous les temps, à tous les hommes et à tous les lieux ? Si l'on prend le dernier parti, on se rapprochera beaucoup de mon principe, et l'on ne trouvera guère d'autre moyen de concilier entre eux les jugements de l'enfant et de l'homme fait : de l'enfant, à qui il ne faut qu'un vestige de symétrie et d'imitation pour admirer et pour être récréé ; de l'homme fait, à qui il faut des palais et des ouvrages d'une étendue immense pour être frappé : du sauvage et de l'homme policé ; du sauvage, qui est enchanté, à la vue d'une pendeloque de verre, d'une bague de laiton, ou d'un bracelet de quincaille[2] ; et de l'homme policé, qui n'accorde son attention qu'aux ouvrages les plus parfaits : des premiers hommes, qui prodiguaient les noms de *beaux*, de *magnifiques*, etc., à des cabanes, des chaumières et des granges ; et des hommes d'aujourd'hui, qui ont restreint ces dénominations aux derniers efforts de la capacité de l'homme.

Placez la *beauté* dans la perception des rapports, et vous aurez l'histoire de ses progrès depuis la naissance du monde jusqu'aujourd'hui ; choisissez pour caractère différentiel du *beau* en général, telle autre qualité qu'il vous plaira, et votre notion se trouvera tout à coup concentrée dans un point de l'espace et du temps.

La perception des rapports est donc le fondement du *beau* ; c'est donc la perception des rapports qu'on a désignée dans les langues sous une infinité de noms différents, qui tous n'indiquent que différentes sortes de *beau*.

Denis Diderot, *Recherches philosophiques sur l'origine et la nature du beau*, 1751, *in Œuvres esthétiques*, Garnier, p. 425-428.

1. Civilisés.
2. Bijou sans valeur, toc, « cacaille ».

QUESTIONS

1• Pourquoi Diderot ne se résigne-t-il pas au relativisme en matière de beauté ? En quoi la solution qu'il donne pourrait-elle avoir une valeur universelle ?

2• Pour illustrer sa thèse, il affirme plus loin dans son texte : « Il faut absolument qu'un *bel* homme soit grand ; nous exigeons moins cette qualité dans une femme ; et il est plus permis à une petite femme d'être *belle* qu'à un petit homme d'être *beau*. » Cette notion de « rapport » vous semble-t-elle universelle ?

Documents La diversité des formes idéales

Ces différentes sculptures représentent toutes une vision idéalisée de la femme, mais elles ne respectent pourtant pas le même canon de beauté. L'idée d'une beauté universelle et invariable se heurte ainsi à la réalité historique.

Gabriel Christophe Allegrain, *Vénus sortant du bain*, dite aussi *La Baigneuse*, 1772, marbre, musée du Louvre.

Venus de Willendorf, 23 000 av. J.-C., calcaire, Vienne, Musée national d'histoire naturelle.

Statuette féminine marbre sculpté de Paros (archipel grec), époque cycladique, musée du Louvre, Paris.

Statuette féminine mossi, XIXe ou XXe s., bois et métal, New York, Metropolitan Museum of Art.

QUESTIONS

1• La beauté est-elle une réalité extérieure au regard de l'homme?

2• Ce regard est-il indépendant de l'activité matérielle des artistes, des artisans? Est-ce le beau qui guide l'art, ou l'activité artistique qui produit des normes du beau?

3• Peut-on proposer une analyse qui dégagerait des traits universels derrière les formes variables?

Passerelles

Texte : Platon, *Le Banquet*, L'initiation à la beauté, p. 109.

Chapitre 2 : La perception, p. 50.

Chapitre 6 : Nature et culture, p. 150.

Réflexion 2

▶ L'art est-il au service d'une beauté naturelle ?

La nature est souvent considérée comme la première pourvoyeuse de beautés. Pourtant cette référence à la nature est ambiguë. En effet, d'une part la nature a-t-elle toujours été prise comme modèle, comme norme de la beauté ? D'autre part, les artistes ont-ils toujours pris comme sujets des objets naturels ? S'est-on toujours intéressé aux paysages de campagne, aux sites sauvages des montagnes, aux couleurs du ciel et de la mer ?

Texte 1 — L'art doit-il être imitation de la nature ?

Quel but l'homme poursuit-il en imitant la nature ? Celui de s'éprouver lui-même, de montrer son habileté et de se réjouir d'avoir fabriqué quelque chose ayant une apparence naturelle. La question de savoir si et comment son produit pourra être conservé et transmis à des époques à venir ou être porté à la connaissance d'autres peuples et d'autres pays, ne l'intéresse pas. Il se réjouit avant tout d'avoir créé un artifice, d'avoir démontré son habileté et de s'être rendu compte de ce dont il était capable ; il se réjouit de son œuvre, il se réjouit de son travail par lesquels il a imité Dieu, dispensateur de bonheur et démiurge[1]. Mais cette joie et cette admiration de soi-même ne tardent pas à tourner en ennui et mécontentement, et cela d'autant plus vite et plus facilement que l'imitation reproduit plus fidèlement le modèle naturel. Il y a des portraits dont on a dit assez spirituellement qu'ils sont ressemblants jusqu'à la nausée.

D'une façon générale, la joie que procure une imitation réussie ne peut être qu'une joie très relative, car dans l'imitation de la nature le contenu, la matière sont des données qu'on n'a que la peine d'utiliser. L'homme devrait éprouver une joie plus grande en produisant quelque chose qui soit bien de lui, quelque chose qui lui soit particulier et dont il puisse dire qu'il est sien. Tout outil technique, un navire par exemple ou, plus particulièrement, un instrument scientifique, doit lui procurer plus de joie, parce que c'est sa propre œuvre, et non une imitation. Le plus mauvais outil technique a plus de valeur à ses yeux ; il peut être fier d'avoir inventé le marteau, le clou, parce que ce sont des inventions originales, et non imitées. L'homme montre mieux son habileté dans des productions surgissant de l'esprit qu'en imitant la nature.

Friedrich Hegel, *Esthétique*, posth. 1835, Flammarion, p. 35-37.

1. Pour Platon, c'est le dieu architecte de l'univers, qui ne le crée pas à partir de rien, comme le Dieu judéo-chrétien, mais qui l'organise à partir d'une matière préexistante.

QUESTION › Pourquoi l'imitation de la nature ne peut-elle pas être satisfaisante ?

Texte 2 — La revanche de l'art sur la nature

Pour réussir à être ainsi reconnus, le peintre original, l'artiste original procèdent à la façon des oculistes. Le traitement par leur peinture, par leur prose, n'est pas toujours agréable. Quand il est terminé, le praticien nous dit : Maintenant regardez. Et voici que le monde (qui n'a pas été créé une fois, mais aussi souvent qu'un artiste original est survenu) nous apparaît entièrement différent de l'ancien, mais parfaitement clair. Des femmes passent dans la rue, différentes de celles d'autrefois, puisque ce sont des Renoir, ces Renoir où nous nous refusions jadis à voir des femmes. Les voitures aussi sont des Renoir, et l'eau, et le ciel [...]. Tel est l'univers nouveau et périssable qui vient d'être créé. Il durera jusqu'à la prochaine catastrophe géologique que déchaîneront un nouveau peintre ou un nouvel écrivain originaux.

Marcel Proust, *Le Côté de Guermantes*, 1920-1921, *À la recherche du temps perdu*, t. II, coll. La Pléiade, Gallimard, p. 623.

QUESTION › Ce texte donne un sens fort à la création artistique. Lequel ?

Documents

Selon la formule d'Oscar Wilde, la nature imite l'art.

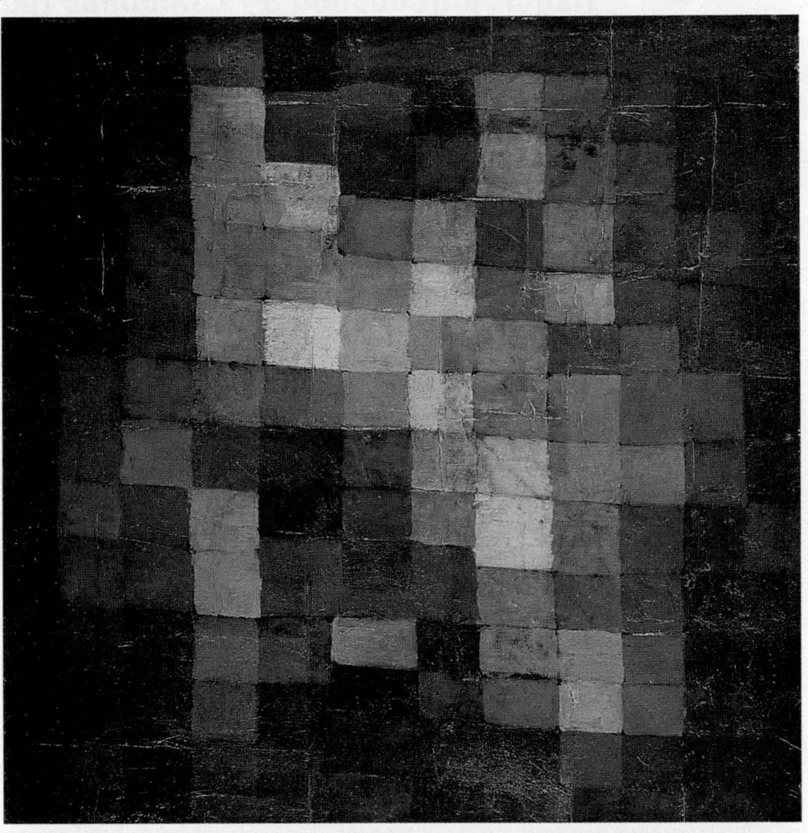

1. Paul Klee, *Air ancien*, abstraction sur fond noir, 1925, Bâle.

2. Yann Arthus-Bertrand, *Vue aérienne d'une culture d'algues à Bali (Indonésie).*

QUESTIONS

› **1•** Observez ces deux images. Comment comprenez-vous la formule paradoxale d'Oscar Wilde ?

› **2•** Réfléchissez au mode d'expression artistique qu'est la photographie. Est-elle nécessairement vouée à représenter la réalité ?

Une œuvre, une analyse

Présentation

Hegel : introduction à l'*Esthétique* (posth. 1835)

Dans l'*Esthétique*, Hegel a le projet de revaloriser la production artistique. Celle-ci n'est pas une simple imitation de la nature, toujours imparfaite. Au contraire, étant une manifestation de l'esprit humain, l'art est supérieur à la nature.

1 La vérité du sensible

Pour Hegel, l'Esprit Absolu correspond à la prise de conscience de l'existence de l'Idée, ou Raison, à l'œuvre dans le monde. L'Esprit prend conscience de lui-même sous trois formes essentielles : l'art, la religion, la philosophie. « Les peuples ont déposé leurs conceptions les plus hautes dans les productions de l'art, les ont exprimées et en ont pris conscience par le moyen de l'art » (PUF, p. 11-12). « C'est ainsi, par exemple, que, chez les Grecs, l'art était la forme la plus haute sous laquelle le peuple se représentait les dieux et prenait conscience de la vérité. C'est pourquoi les artistes et les poètes de la Grèce étaient devenus les créateurs de ses dieux » (*op. cit.*, p. 151-152).

L'art a donc rapport à **la vérité**, non pas directement, mais par l'intermédiaire de ce qui semble, depuis Platon, le contraire de la vérité : **l'apparence**. Le sensible esthétique est un sensible à la puissance deux, puisqu'il ne s'occupe que de la surface du sensible. Comment ces « ombres sensibles » ont-elles rapport à la vérité ? L'apparence n'est pas seulement une surface qui masque l'essentiel. L'apparence, c'est aussi **l'apparaître** et la vérité n'est rien de réel si elle n'apparaît pas dans des formes concrètes et historiques. « N'oublions pas que toute essence, toute vérité, pour ne pas rester abstraction pure, doit *apparaître* » (*op. cit.*, p. 29). L'art sera donc un jeu d'apparences. Mais qu'est-ce qui fait la profondeur de cet apparaître ? Comment la pensée peut-elle se donner dans cette surface sensible ?

2 La primauté du beau artistique sur le beau naturel

Un certain nombre d'affirmations découle de la thèse centrale.

1. La nature n'est pas supérieure à l'art humain. Au contraire, l'art humain est supérieur à toutes les productions naturelles. Avec Hegel, l'art n'est plus subordonné à une norme préexistante. La beauté naturelle n'existe pas pour la nature ; elle n'existe que pour un spectateur humain qui la contemple (*op. cit.*, p. 174). Un ciel nuageux, la grandeur d'une montagne, des irisations sur l'eau, la démarche d'un félin... peuvent avoir effectivement une beauté ; mais une beauté pour le regard humain qui s'arrête sur eux, qui a appris à les voir, qui s'étonne de cette beauté. Cette contemplation de la nature par l'esprit est en même temps contemplation de l'esprit par lui-même. Or la vraie grandeur de l'esprit, c'est précisément d'exister en soi et *pour soi* : être et prendre conscience d'être.

2. Le critère qui paraissait essentiel au XVIIIe siècle, et encore chez Kant, celui du **goût**, est lui aussi relativisé. « Aujourd'hui on entend moins parler du goût... La chose exige un jugement en profondeur ; le goût, le sentiment, ne peut rester qu'à la surface et se contente de réflexions abstraites » (*op. cit.*, p. 64). Est également relativisé l'aspect **érudit** de la connaissance artistique, ce que Hegel appelle le « connaisseurisme », qui remplace trop souvent l'effort d'aller dans la chose. « Or le connaisseur peut bien, lui aussi, s'en tenir au côté purement extérieur, technique, historique, sans soupçonner quoi que ce soit de la nature profonde de l'œuvre d'art » (*op. cit.*, p. 65).

3. Le jugement esthétique est essentiellement un jugement qui **laisse l'homme et les choses à leur liberté**. Car si la sensibilité intervient, c'est une sensibilité idéalisée, sublimée, comme un corps sensible qui serait privé de la chair du désir. « Le désir dévore les objets » (*op. cit.*, p. 67), littéralement ou métaphoriquement. Le désir consomme, donc détruit. « Il a besoin de ce qui est matériel et concret. » L'art, parce qu'il n'a pas affaire directement au sensible, mais à l'apparence du sensible, laisse au contraire l'objet à sa liberté. Il ne consomme pas, il ne détruit pas, il contemple, il laisse l'objet, l'être vivant, la personne à sa propre vie. Et, contrairement à la science, l'art n'efface pas les individualités au profit des généralités.

3 Un aperçu d'une dialectique du beau

Le problème de l'esthétique est de lier deux faces essentielles mais apparemment contradictoires : 1) l'art est émanation d'une idée, d'une vérité absolue ; 2) l'art doit se donner dans un concret sensible, individuel. Cela conduit à une troisième exigence : 3) la rencontre entre l'Idée et l'objet sensible, entre le fond et la forme, ne doit pas apparaître comme arbitraire mais comme entièrement nécessaire. La forme *doit être* le fond ; le fond *doit naître* de la forme.

Hegel distingue trois grandes étapes dans l'histoire de l'art.

1. L'art symbolique ou oriental dont la volonté d'infini, qui ne trouve pas matière à sa taille, violente les formes, dans le grandiose, le sublime, le monumental, le symbolisme. « On obtient ainsi des géants et des colosses, des statues aux cent bras et aux cent poitrines... » (*op. cit.*, p. 113).

2. L'art classique est au contraire marqué par un équilibre parfait entre la forme et le contenu. Hegel vise l'art grec, dont la figure centrale est le corps humain.

3. L'art romantique est marqué par une nouvelle rupture entre la forme et le fond. Son cœur, c'est la subjectivité, l'intériorité. La tension qui l'habite ne peut se résoudre qu'à un stade supérieur, qui nous obligerait à sortir de la sphère de l'art. « C'est en ce sens qu'on peut dire que l'art romantique est un effort de l'art de se dépasser lui-même, sans toutefois sortir des limites mêmes de l'art » (*op. cit.*, p. 118).

En résumé, « l'art symbolique est encore à la recherche de l'idéal, l'art classique l'a atteint et l'art romantique l'a dépassé » (*op. cit.*, p. 120).

Passerelles

› **Chapitre 2 : La perception,** p. 50.
› **Chapitre 11 : L'histoire,** p. 286.

Hegel (1770-1831)

Après des études de théologie au séminaire protestant de Tübingen, Hegel renonce à être pasteur et devient professeur de philosophie. Durant sa carrière, il enseigne dans diverses universités allemandes : Iéna, Nuremberg, Heidelberg, Berlin. En 1807 paraît la *Phénoménologie de l'esprit*. De 1812 à 1816, il travaille à ce qui sera le cœur de son système : la *Science de la logique*. Hegel a le projet de constituer un système philosophique englobant l'ensemble de la réalité : la nature et l'homme. Sa méthode, la dialectique, procède par contradictions surmontées. Sa philosophie intègre également une histoire de la philosophie et une philosophie de l'histoire. Hegel meurt en 1831, au cours de la grande épidémie de choléra. L'ouvrage l'*Esthétique* est une retranscription des leçons données par Hegel à l'université de Berlin. Il fut publié en 1835, peu après sa mort.

Extraits

Hegel : introduction à l'*Esthétique* (posth. 1835)

▶ Le Beau, effet de la nature ou de l'art ?

Dès le début de son cours, Hegel tient à se démarquer de ses prédécesseurs : « Le beau artistique est supérieur au beau naturel. » Formulation importante, puisqu'elle témoigne d'une évolution culturelle irréversible. Il n'y a pas de beauté qui préexisterait à l'homme, ni dans la nature ni dans le ciel des Idées.

Texte 1 Le beau artistique est supérieur au beau naturel

Tout ce qui vient de l'esprit est supérieur à ce qui existe dans la nature. La plus mauvaise idée qui traverse l'esprit d'un homme est meilleure et plus élevée que la plus grande production de la nature, et cela justement parce qu'elle participe de l'esprit et que le spirituel est supérieur au naturel.

En examinant de près le contenu du beau naturel, le soleil, par exemple, on constate qu'il constitue un moment absolu, essentiel dans l'existence, dans l'organisation de la nature, tandis qu'une mauvaise idée est quelque chose de passager et de fugitif. Mais en considérant ainsi le soleil au point de vue de sa nécessité et du rôle nécessaire qu'il joue dans l'ensemble de la nature, nous perdons de vue sa beauté, nous en faisons pour ainsi dire abstraction, pour ne tenir compte que de sa nécessaire existence. Or, le beau artistique n'est engendré que par l'esprit, et c'est en tant que produit de l'esprit qu'il est supérieur à la nature.

Friedrich Hegel, *Esthétique*, posth. 1835, trad. S. Jankélévitch, Flammarion, p. 10-11.

QUESTIONS

1• Pourquoi la beauté artistique est-elle supérieure à la beauté naturelle ?

2• En quoi la beauté artistique a-t-elle rapport à la vérité ? Quel est le rapport à la vérité de la beauté artistique ?

Texte 2 L'art : un besoin universel ?

L'universalité du besoin d'art ne tient pas à autre chose qu'au-fait que l'homme est un être pensant et doué de conscience. En tant que doué de conscience, l'homme doit se placer en face de ce qu'il est, de ce qu'il est d'une façon générale, et en faire un objet pour soi. Les choses de la nature se contentent d'être, elles sont simples, ne sont qu'une fois, mais l'homme, en tant que conscience, se dédouble : il est une fois, mais *il est pour lui-même*. Il chasse devant lui ce qu'il est ; il se contemple, se représente lui-même. Il faut donc chercher le besoin général qui provoque une œuvre d'art dans la pensée de l'homme, puisque l'œuvre d'art est un moyen à l'aide duquel l'homme extériorise ce qu'il est.

Cette conscience de lui-même, l'homme l'acquiert de deux manières : théoriquement, en prenant conscience de ce qu'il est intérieurement, de tous les mouvements de son âme, de toutes les nuances de ses sentiments, en cherchant à se représenter à lui-même, tel qu'il se découvre par la pensée, et à se reconnaître dans cette représentation qu'il offre à ses propres yeux. Mais l'homme est également engagé dans des rapports pratiques avec le monde extérieur, et de ces rapports naît également le besoin de transformer ce monde, comme lui-même, dans la mesure où il en fait partie, en lui imprimant son cachet personnel. Et il le fait, pour encore se reconnaître lui-même dans la forme des choses, pour jouir de lui-même comme d'une réalité extérieure.

On saisit déjà cette tendance dans les premières impulsions de l'enfant : il veut voir des choses dont il soit lui-même l'auteur, et s'il lance des pierres dans l'eau, c'est pour voir ces cercles qui se forment et qui sont son œuvre dans laquelle il retrouve comme un reflet de lui-même. Ceci s'observe dans de multiples occasions et sous les formes les plus diverses, jusqu'à cette sorte de reproduction de soi-même qu'est une œuvre d'art. À travers les objets extérieurs, il cherche à se retrouver lui-même. Il ne se contente pas de rester lui-même tel qu'il est : il se couvre d'ornements. Le barbare pratique des incisions à ses lèvres, à ses oreilles ; il se tatoue. Toutes ces aberrations [...] n'ont qu'un but – l'homme ne veut pas rester tel que la nature l'a fait.

Op. cit., p. 61.

QUESTIONS

1• Quelle est, pour Hegel, la principale source du besoin d'art ?

2• Quelles sont les deux manières par lesquelles l'homme prend conscience de lui-même ?

Texte 3 La profondeur esthétique de l'apparence

Le contenu peut être tout à fait indifférent et ne présenter pour nous, dans la vie ordinaire, en dehors de sa représentation artistique, qu'un intérêt momentané. C'est ainsi, par exemple, que la peinture hollandaise a su recréer les apparences fugitives de la nature et en tirer mille et mille effets. Velours, éclats de métaux, lumière, chevaux, soldats, vieilles femmes, paysans répandant autour d'eux la fumée de leurs pipes, le vin brillant dans des verres transparents, gars en vestes sales jouant aux cartes, tous ces sujets et des centaines d'autres qui, dans la vie courante, nous intéressent à peine – car nous-mêmes, lorsque nous jouons aux cartes ou lorsque nous buvons et bavardons de choses et d'autres, y trouvons des intérêts tout à fait différents – défilent devant nos yeux lorsque nous regardons ces tableaux. Mais ce qui nous attire dans ces contenus, quand ils sont représentés par l'art, c'est justement cette apparence et cette manifestation des objets, en tant qu'œuvres de l'esprit qui fait subir au monde matériel, extérieur et sensible, une transformation en profondeur. Au lieu d'une laine, d'une soie réelles, de cheveux, de verres, de viandes et de métaux réels, nous ne voyons en effet que des couleurs ; à la place de dimensions totales dont la nature a besoin pour se manifester, nous ne voyons qu'une simple surface, et, cependant, l'impression que nous laissent ces objets peints est la même que celle que nous recevrions si nous nous trouvions en présence de leurs répliques réelles.

L'apparence créée par l'esprit est donc, à côté de la prosaïque réalité existante, un miracle d'idéalité, une sorte de raillerie et d'ironie, si l'on veut, aux dépens du monde naturel extérieur.

Op. cit., p. 220.

QUESTIONS

1• Quel intérêt y a-t-il à reproduire des objets ou des scènes de la vie courante ?

2• La vérité dans l'apparence, la profondeur dans la surface : justifiez ces paradoxes.

Texte 4 L'idéalité de l'art

Grâce à cette idéalité, l'art imprime une valeur à des objets insignifiants en soi et que, malgré leur insignifiance, il fixe pour lui en en faisant son but et en attirant notre attention sur des choses qui, sans lui, nous échappaient complètement. L'art remplit le même rôle par rapport au temps et, ici encore, il agit en idéalisant. Il rend durable ce qui, à l'état naturel, n'est que fugitif et passager ; qu'il s'agisse d'un sourire instantané, d'une rapide contraction sarcastique de la bouche, ou de manifestations à peine perceptibles de la vie spirituelle de l'homme, ainsi que d'accidents et d'événements qui vont et viennent, qui sont là pendant un moment pour être oubliés aussitôt, tout cela l'art l'arrache à l'existence périssable et évanescente, se montrant en cela encore supérieur à la nature.

Op. cit., p. 211-221.

QUESTION

D'après les exemples du texte, quel sens donnez-vous à la notion d'idéalité ?

Réflexion 3

L'artiste est-il toujours un génie ?

La notion de « génie » si souvent utilisée à l'époque moderne montre bien l'ambiguïté du statut de l'artiste et de l'œuvre d'art. Elle apparaît à la fin du XVIIIe siècle pour définir la source mystérieuse et quasi surnaturelle de l'inspiration artistique ; elle est contemporaine de l'idée de création dont elle n'est pas séparable. Kant définit le génie par quatre critères : l'originalité ; l'exemplarité ; l'ignorance du processus créateur ; l'imprévisibilité des règles inventées. Cette conception de génie est contestée par Nietzsche.

Texte 1 Définition du génie

Il en ressort : 1° que le génie est un talent qui consiste à produire ce pour quoi on ne saurait donner de règle déterminée : il n'est pas une aptitude à quoi que ce soit qui pourrait être appris d'après une règle quelconque ; par conséquent, sa première caractéristique doit être *l'originalité* ;

2° que, dans la mesure où l'absurde peut être lui aussi original, les productions du génie doivent être également des modèles, c'est-à-dire être *exemplaires* ; sans être elles-mêmes créées par imitation, elles doivent être proposées à l'imitation des autres, c'est-à-dire servir de critère ou de règle au jugement ;

3° que le génie n'est pas lui-même en mesure de décrire ou de montrer scientifiquement comment il crée ses productions et qu'au contraire, c'est en tant que *nature* qu'il donne les règles de ses créations ; par conséquent le créateur d'un produit qu'il doit à son génie ignore lui-même comment et d'où lui viennent les idées de ses créations ; il n'a pas non plus le pouvoir de concevoir ces idées à volonté ou d'après un plan, ni de les communiquer à d'autres sous forme de préceptes qui leur permettraient de créer de semblables productions (c'est sans doute la raison pour laquelle le mot génie vient de *genius* qui désigne l'esprit que reçoit en propre un homme à sa naissance pour le protéger et le guider, et qui est la source d'inspiration d'où proviennent ces idées originales) ;

4° qu'à travers le génie la nature prescrit ses règles non à la science, mais à l'art, et dans le cas seulement où il s'agit de beaux-arts.

Emmanuel Kant, « Analytique du sublime », *in Critique de la faculté de juger*, 1790, trad. J.-R. Ladmiral, M. de Launay et J.-M. Vaysse, § 46, coll. Folio Essais, Gallimard, p. 261.

QUESTIONS

- **1•** Énumérez les critères du génie donnés par Kant. Pourquoi le premier est-il insuffisant ?
- **2•** Que signifie être exemplaire ? Donnez des exemples.

Texte 2 Le culte du génie par vanité

L'activité du génie ne paraît pas le moins du monde quelque chose de foncièrement différent de l'activité de l'inventeur en mécanique, du savant astronome ou historien, du maître en tactique. Toutes ces activités s'expliquent si l'on se représente des hommes dont la pensée est active dans une direction unique, qui utilisent tout comme matière première, qui ne cessent d'observer diligemment leur vie intérieure et celle d'autrui, qui ne se lassent pas de combiner leurs moyens. Le génie ne fait rien que d'apprendre d'abord à poser des pierres, ensuite à bâtir, que de chercher toujours des matériaux et de travailler toujours à y mettre la forme. Toute activité de l'homme est compliquée à miracle, non pas seulement celle du génie – mais aucune n'est un « miracle ».

D'où vient donc cette croyance qu'il n'y a de génie que chez l'artiste, l'orateur et le philosophe ? qu'eux seuls ont une « intuition » ? (mot par lequel on leur attribue une sorte de lorgnette merveilleuse avec laquelle ils voient directement dans l'« être » !) Les hommes ne parlent intentionnellement de génie que là où les effets de la grande intelligence leur sont le plus agréables et où ils ne veulent pas d'autre part éprouver d'envie. Nommer quelqu'un « divin », c'est dire : « ici nous n'avons pas à rivaliser ». En outre, tout ce qui est fini, parfait, excite l'étonnement, tout ce qui est en train de se faire est déprécié. Or personne ne peut voir dans l'œuvre de l'artiste comment elle s'est faite ; c'est son avantage, car partout où l'on peut assister à la formation, on est un peu refroidi. L'art achevé de l'expression écarte toute idée de devenir, il s'impose tyranniquement comme une perfection actuelle. Voilà pourquoi ce sont surtout les artistes de l'expression qui passent pour géniaux, et non les hommes de science. En réalité cette appréciation et cette dépréciation ne sont qu'un enfantillage de la raison.

Friedrich Nietzsche, *Humain, trop humain*, 1878-1879, trad. A.-M. Desrousseaux, t. I, Mercure de France, p. 160.

Marcel Duchamp, *Porte-chapeaux*, 1917, Paris, musée national d'Art moderne, Centre Georges-Pompidou.

QUESTION

› En quoi les autres activités humaines ont-elles aussi leur part de création ? En quoi l'activité artistique a-t-elle aussi sa part de « mécanisation », d'« automatisation » ?

Texte 3 L'art est passionnément épris d'incognito

Le vrai art il est toujours là où on ne l'attend pas. Là où personne ne pense à lui ni ne prononce son nom. L'art, il déteste être reconnu et salué par son nom. Il se sauve aussitôt. Sitôt qu'on le décèle, que quelqu'un le montre du doigt, alors il se sauve en laissant à sa place un figurant lauré qui porte sur son dos une grande pancarte où c'est marqué art, que tout le monde asperge aussitôt de champagne et que les conférenciers promènent de ville en ville avec un anneau dans le nez. C'est le faux monsieur Art celui-là. C'est celui que le public connaît, vu que c'est lui qui a le laurier et la pancarte. Le vrai monsieur Art pas de danger qu'il aille se flanquer des pancartes ! Alors, personne ne le reconnaît. Il se promène partout, tout le monde l'a rencontré sur son chemin et le bouscule vingt fois par jour à tous les tournants de rues, mais pas un qui ait l'idée que ça pourrait être lui monsieur Art lui-même dont on dit tant de bien. Parce qu'il n'en a pas du tout l'air. Vous comprenez, c'est le faux monsieur Art qui a le plus l'air d'être le vrai et c'est le vrai qui n'en a pas l'air ! Ça fait qu'on se trompe ! Beaucoup se trompent !

Jean Dubuffet, *L'art brut*[1] *préféré aux arts culturels*, catalogue de l'exposition, galerie Drouin, 1949.

1. Le peintre français Jean Dubuffet a inventé le terme d'« art brut » pour décrire l'art créé par ceux qui ignorent les canons artistiques et les valeurs culturelles de leur temps, et pour qui l'acte de peindre satisfait avant tout un besoin intérieur. Enfants, malades mentaux, prisonniers ou amateurs obscurs, ils produisent hors des circuits professionnels.

Jean Dubuffet, *Portrait au mur*, 1955, lithographie (0,34 x 0,290 m), Toulouse, musée d'Art moderne et contemporain.

QUESTION

› « L'art, il déteste être reconnu et salué par son nom » : cette mise en garde vous semble-t-elle nécessaire ? Pourquoi ?

Réflexion 4

L'art doit-il plaire ?

« L'art, ce n'est pas la représentation d'une belle chose, mais la belle représentation d'une chose » (Kant). Si c'est la représentation de l'objet, et non pas l'objet lui-même, qui autorise le jugement esthétique, une laideur extérieure ne peut-elle pas être transfigurée dans une œuvre d'art ? Un portrait de vieillard, le tableau d'une souffrance, les violences d'une guerre ne peuvent avoir de beauté qu'en tant que représentations. Encore faut-il éviter la confusion si fréquente entre l'expérience du beau et la sensation de l'agréable.

Texte 1 — On ne saurait confondre le beau avec l'agréable

En ce qui concerne l'agréable, chacun consent à ce que son jugement, qu'il fonde sur un sentiment personnel et privé, et en vertu duquel il dit d'un objet qu'il lui plaît, soit du même coup restreint à sa seule personne. C'est pourquoi, s'il dit : « Le vin des Canaries est agréable », il admettra volontiers qu'un autre le reprenne et lui rappelle qu'il doit plutôt dire : « cela est agréable pour moi » ; et ce, non seulement pour ce qui est du goût de la langue, du palais et du gosier, mais aussi pour ce qui peut être agréable aux yeux ou à l'oreille de chacun. La couleur violette sera douce et agréable pour l'un, morte et sans vie pour l'autre. L'un aimera le son des instruments à vent, l'autre leur préférera celui des instruments à cordes. Ce serait folie d'en disputer pour récuser comme inexact le jugement d'autrui qui diffère du nôtre, tout comme s'il s'opposait à lui de façon logique ; en ce qui concerne l'agréable, c'est donc le principe suivant qui est valable : *À chacun son goût* (pour ce qui est du goût des sens).

Il en va tout autrement du beau. Il serait bien au contraire ridicule que quelqu'un qui se pique d'avoir du goût songeât à s'en justifier en disant : cet objet (l'édifice que nous avons devant les yeux, le vêtement que porte tel ou tel, le concert que nous entendons, le poème qui se trouve soumis à notre appréciation) est beau *pour moi*. Car il n'a pas lieu de l'appeler beau si ce dernier ne fait que lui plaire, à lui. Il y a beaucoup de choses qui peuvent avoir pour lui de l'attrait et de l'agrément, mais, de cela, personne ne s'en soucie ; en revanche, s'il affirme que quelque chose est beau, c'est qu'il attend des autres qu'ils éprouvent la même satisfaction ; il ne juge pas pour lui seulement, mais pour tout le monde, et il parle alors de la beauté *comme* si c'était une propriété des choses. C'est pourquoi il dit : cette *chose* est belle ; et ce, en comptant sur l'adhésion des autres à son jugement exprimant la satisfaction qui est la sienne, non pas parce qu'il aurait maintes fois constaté que leur jugement concordait avec le sien ; mais, bien plutôt, il exige d'eux cette adhésion. S'ils jugent autrement, il les en blâme et leur dénie ce goût dont, par ailleurs, il affirme qu'ils doivent l'avoir ; et, dans cette mesure, on ne peut pas dire : *À chacun son goût*. Cela reviendrait à dire que le goût n'existe pas, c'est-à-dire qu'il n'existe pas de jugement esthétique qui puisse légitimement revendiquer l'assentiment de tous.

Emmanuel Kant, « Analytique du Beau », *in Critique de la faculté de juger*, 1790, § 7, trad. J.-R. Ladmiral, M. de Launay et J. M. Vaysse, coll. Folio Essais, Gallimard, p. 140-141.

QUESTIONS

1• Opposez la logique de l'agréable et la logique du beau. Repérez les exemples donnés par Kant : en quoi nous aident-ils à comprendre l'opposition ?

2• En quelles occasions diriez-vous qu'une musique ou une chanson est agréable ? En quelles occasions diriez-vous qu'elle est belle ? La différence va-t-elle dans le sens de la réflexion kantienne ?

3• Pourquoi, dans le cas du jugement de beau, cherche-t-on l'assentiment des autres ?

Texte 2 La notion de beauté est-elle une imposture ?

Ce qui est étrange, c'est que depuis des siècles et des siècles (et aujourd'hui plus que jamais) l'Occidental dispute desquelles sont les choses belles ou les laides. Nul ne met en doute que la beauté existe mais on ne peut trouver deux personnes pour s'accorder sur les objets qui en sont ou non gratifiés. D'un siècle au suivant c'en sont d'autres. La culture d'Occident à chaque nouveau siècle proclame beau ce qui était proclamé laid au siècle précédent.

Une explication donnée à cette incertitude est que la beauté, tout en existant à coup sûr, est dérobée aux yeux de beaucoup de personnes. Le discernement de la beauté nécessiterait un sens spécial, dont beaucoup ne seraient pas dotés.

On croit aussi possible de développer ce sens, par le moyen d'exercices, et même de le faire naître chez des gens qui en sont privés. Il y a pour cela des écoles [...]. Je trouve cette idée de beauté une maigre et peu ingénieuse invention. Je la trouve médiocrement exaltante. On s'afflige à la pensée des gens à qui la beauté serait refusée parce qu'ils ont le nez de travers ou qu'ils sont trop gros ou vieux. Cette idée que notre monde serait constitué pour la plus grande part d'objets laids et d'endroits laids, tandis que les objets et endroits doués de beauté seraient des plus rares et difficiles à rencontrer, je n'arrive pas à la trouver très excitante. Il me semble que l'Occident, à perdre cette idée, ne ferait pas une grande perte. S'il prenait conscience que n'importe quel objet du monde est apte à constituer pour quiconque une base de fascination et d'illumination, il ferait là une meilleure prise.

Jean Dubuffet, *Positions anticulturelles*, 1951,
in Prospectus et tous écrits suivants, Gallimard, p. 905-906.

QUESTION › Au début du texte, l'auteur semble reprendre le thème de la relativité du beau : à chaque époque ses conceptions. Mais sa critique en reste-t-elle là ? En quoi est-elle plus radicale ?

Documents La métamorphose de la réalité

1. Maximilien Luce, *Vue de l'aciérie à Charleroi, Belgique*, 1897, huile sur toile (0,38 x 0,51 m), Paris, musée d'Orsay.

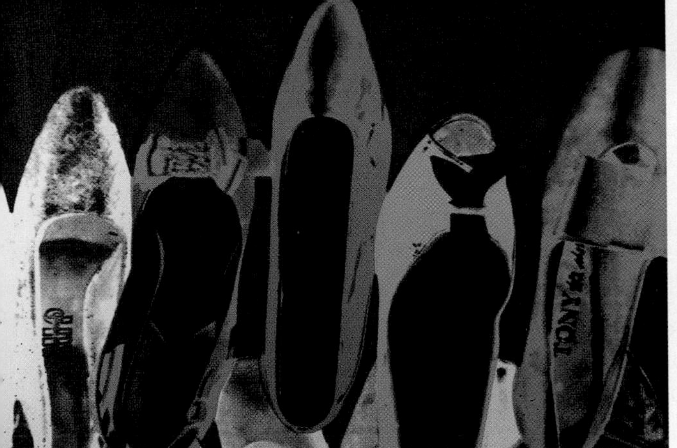

2. Andy Warhol, *Sans-titre (Diamond Dust Shoes)*, 1980, encre sérigraphique avec poussière de diamant sur papier, coll. privée.

QUESTION › En quoi ces deux tableaux montrent-ils la puissance de l'artiste à transfigurer la réalité ?

Réflexion 5

Peut-on séparer la forme et le fond ?

Certains artistes se sont mis au service d'une idéologie. Peut-on alors aborder leurs œuvres seulement d'un point de vue « esthétique » sans prendre en compte l'idéologie qu'ils servaient ? L'exemple de ces artistes invite à réfléchir sur la pertinence qu'il y aurait à dissocier forme et fond dans une œuvre d'art.

Texte 1 L'art nazi : un réalisme irréaliste

Un État qui à la même époque était technologiquement en mesure de précipiter la guerre la plus vaste avec des moyens techniques jamais égalés se représentait dans la peinture avec cheval et chariot, charrue, quenouille, avec des mères en train d'allaiter, avec l'enclume, le marteau et l'épée, c'est-à-dire tout ce qui était absolument préindustriel.

Berthold Hinz, « La peinture durant le IIIe Reich et l'antagonisme de ses origines », *in Les Réalismes 1919-1939*, 1980, Centre Georges-Pompidou, p. 124.

Oskar Martin-Amorbach, *Tagewerk*, 1941, huile sur toile (0,98 x 3,49 m), Berlin, Musée historique allemand.

QUESTIONS

1• Comment expliquez-vous le décalage entre la nature du régime nazi et l'« innocence » du tableau ?

2• Ce tableau est-il réellement innocent ? Pourquoi Hitler aimait-il ce genre de tableau ? Si on se réfère à l'époque, et à l'idéologie officielle, que dit-il ? Comparez ce tableau avec le tableau de la page suivante, exemple de ce que les nazis appelaient « art dégénéré ». Opposez point par point les signes iconographiques de ces deux « représentations ».

Texte 2 Profession de foi de l'art nazi

Ils [les artistes allemands] ne peignent plus de buveurs d'absinthe et de joueurs de roulette, ni de cavalières de cirque en proie au vertige, de ballerines semblables à des marionnettes, pas de masques vides en train de bâiller et pas de prostituées maquillées. Peu leur importe la mortelle monotonie des quartiers miséreux, des déserts et souricières de la grande ville. Ils ne se reconnaissent pas même le droit de représenter des scènes de misère sans espoir, avec l'accent discret d'une critique acerbe, de l'accusation silencieuse, de la chaleureuse compassion, et de faire ainsi appel à la conscience sociale. Ils veulent être les avocats de la vie positivement affirmée.

Fritz Alexander Kauffmann, *Traité de la nouvelle peinture allemande*, 1941, *in Les Réalismes 1919-1939*, 1980, Centre Georges-Pompidou, p. 124.

Otto Dix, *La grande ville*, 1927, huile et tempera sur bois (1,81 x 2,01 m), Stuttgart, musée d'art.

QUESTIONS

› **1•** Pouvez-vous identifier les mouvements artistiques visés au début du texte ?

› **2•** En quelle année ce texte a-t-il été publié ? Pourquoi est-il important de dater précisément cette « profession de foi » ?

› **3•** « Les avocats de la vie positivement affirmée » : quel sens peut avoir l'expression a) pour son auteur ? b) pour nous, rétrospectivement ?

Passerelle

› **Chapitre 14 : L'interprétation,** p. 352.

Dossier 3

L'artiste et les conditions sociales de la production artistique

Selon les époques, les conditions de la création artistique varient, l'artiste n'est pas toujours un créateur indépendant; pendant longtemps, il a dépendu de ses commanditaires. Ce n'est pas seulement le travail du peintre qui est ainsi prédéterminé, mais aussi la perception des contemporains, comme le montre l'exemple du bleu d'outremer.

DOCUMENT 1 Artiste et commanditaire

Domenico Ghirlandaio, *Adoration des Mages*, tempera sur bois (2,85 x 2,43 m), Florence, musée Ospedale degli Innocenti.

« Le bleu d'outremer était fabriqué à partir de poudre de lapis-lazuli. »

Une peinture du XVe siècle est le produit d'une relation sociale. D'un côté, un peintre a réalisé le tableau ou, au moins, en a supervisé l'exécution. De l'autre, quelqu'un lui en a passé commande, lui a fourni des fonds pour le réaliser et a prévu, après l'achèvement de l'œuvre, d'en user d'une façon ou d'une autre. Chacune des deux parties agissait dans le cadre d'institutions et de conventions – commerciales, religieuses, conceptuelles, sociales dans l'acception la plus large du terme – qui étaient différentes des nôtres et modelaient leur entreprise commune. [...]

Il n'existe pas de véritable contrat type, car il n'y avait pas de règle établie, même à l'intérieur d'une même ville. Un accord moins atypique que d'autres a néanmoins été conclu entre le peintre florentin Domenico Ghirlandaio et le prieur du Spedale degli Innocenti (l'hôpital des Innocents) à Florence; il s'agit du contrat concernant l'exécution de l'*Adoration des mages* (1488), tableau qui se trouve toujours dans ce même lieu:

« Qu'il soit connu et manifeste pour quiconque verra ou lira ce document que, à la requête du révérend Messer Francesco di Giovanni Tesori, présentement prieur du Spedale degli Innocenti à Florence, et de Domenico di Tomaso di Curado [Ghirlandaio], peintre, moi, Fra Bernardo di Francesco de Florence, frère de Jésus, ai rédigé de ma propre main ce document qui vaut contrat et commande d'un retable destiné à l'église du susdit Spedale degli Innocenti, avec les accords et stipulations établis comme suit:

Que ce jour, le 23 octobre 1485, ledit Francesco s'en remet au susdit Domenico et le charge de peindre un panneau que ledit Francesco a fait fabriquer et a fourni; lequel panneau ledit Domenico préparera à ses frais; et il doit peindre ledit tableau entièrement de sa propre main, selon le modèle dessiné sur le papier, avec les personnages et de la manière qui y sont indiqués, dans tous les détails selon ce que moi, Fra Bernardo, juge le mieux; et sans s'écarter de la manière et de la composition dudit dessin; et il doit peindre ledit tableau tout entier à ses propres frais avec des couleurs de bonne qualité et de la poudre d'or sur les ornements comme il se doit, et tous les autres frais encourus par ledit tableau; et le bleu doit être d'outremer, de la valeur de quatre florins l'once; et il [Ghirlandaio] doit avoir achevé et livré ledit tableau d'ici trente mois; il recevra pour prix de ce tableau tel qu'il est dit [c'est-à-dire aux frais entiers dudit Domenico] cent quinze gros florins, s'il me semble à moi, le susnommé Fra Bernardo [le garant], que le tableau les vaut; je peux consulter qui me semble le plus compétent pour juger de la valeur du tableau et du travail effectué, et s'il me semble ne pas valoir le prix indiqué, il [Ghirlandaio] recevra en moins autant que moi, Fra Bernardo, le jugerai bon; et il doit, selon les termes de l'accord, peindre la prédelle[1] dudit tableau selon ce que moi, Fra Bernardo, pense être le mieux; et il recevra son paiement comme il suit: ledit Messer Francesco doit donner au susnommé Domenico trois gros florins par mois, à dater du 1er novembre 1485, et ainsi chaque mois… Et si ledit Domenico n'a pas livré le tableau dans le temps prescrit, il sera astreint à une amende de quinze gros florins ; et de même, si ledit Messer Francesco n'effectue pas les paiements mensuels prévus, il sera astreint à une amende égale à ce qui restera dû, c'est-à-dire que, une fois que le tableau sera fini, il aura à payer complètement et en totalité le solde de la somme due. »

Les deux parties signent l'accord.

Ce contrat présente les trois principaux points des accords de ce type : 1. il spécifie ce que le peintre doit peindre, dans le cas présent au moyen d'un dessin auquel le peintre s'engage à se conformer ; 2. il indique clairement comment et quand le client doit payer et quand le peintre doit livrer son tableau ; 3. il insiste sur le fait que le peintre doit utiliser des couleurs de bonne qualité, spécialement l'or et le bleu d'outremer.

Michael Baxandall, *L'Œil du Quattrocento*, 1972, trad. Y. Delsaut, Gallimard, 1985, p. 9, 16-19.

1. « Frise inférieure d'un tableau d'autel ; elle est ordinairement divisée en trois compartiments, qui correspondent au sanctuaire, à l'épître et à l'évangile ; elle contient, en petites figures, des épisodes de la vie du Christ, ou de la Vierge, ou du saint sous l'invocation duquel l'église est placée » (Littré).

QUESTION

› Analysez les termes du contrat : qu'est-ce qui est laissé à l'artiste, qu'est-ce qui lui est imposé par le commanditaire ?

DOCUMENT 2 Usage et fonction des matières précieuses

Le contrat de Ghirlandaio insiste sur l'obligation pour le peintre d'utiliser des couleurs de bonne qualité, et surtout de l'outremer de qualité. L'inquiétude qu'expriment souvent les contrats à propos de la qualité du pigment bleu, aussi bien que de l'or, n'était pas sans fondement. Après l'or et l'argent, le bleu d'outremer était la couleur la plus précieuse et la plus difficile d'emploi. Il y avait des nuances chères et d'autres bon marché, et il existait même des substituts encore plus économiques qu'on appelait le bleu allemand. (Le bleu d'outremer était fabriqué à partir de poudre de lapis-lazuli importée à grands frais de l'Orient. On détrempait la poudre à plusieurs reprises pour en extraire la couleur, et le premier extrait obtenu – un bleu violet très intense – était le meilleur et le plus cher. Le bleu allemand n'était que du carbonate de cuivre, sa couleur était moins resplendissante et, ce qui était beaucoup plus grave, il se révélait instable à l'usage, particulièrement pour les fresques.) Pour éviter les désillusions, les clients précisaient que le bleu employé serait le bleu d'outremer ; les clients encore plus prudents stipulaient une nuance particulière – outremer à un ou deux ou quatre florins l'once. Les peintres et leur public accordaient la plus grande attention à tout cela, et les connotations d'exotisme et de danger qui s'associaient au bleu d'outremer étaient un moyen de mettre quelque chose en évidence, ce qui risque de nous échapper car le bleu foncé n'est pour nous guère plus frappant que l'écarlate ou le vermillon. Quand le bleu d'outremer est utilisé simplement pour faire ressortir le personnage principal du Christ ou de Marie dans une scène biblique, nous arrivons à comprendre ; mais les usages véritablement intéressants sont plus subtils. Dans le panneau de Sassetta, *Saint François donnant son manteau à un pauvre soldat*, le vêtement que saint François présente est bleu d'outremer. Dans la *Crucifixion* de Masaccio, aux couleurs très riches, le geste essentiel à la narration, celui du bras droit de saint Jean, est un geste bleu d'outremer. Et ainsi de suite. Mieux, les contrats se révèlent assez sophistiqués en ce qui concerne la couleur bleue, et témoignent d'une aptitude particulière à distinguer un bleu d'un autre dont notre propre culture ne nous a pas dotés.

Op. cit., p. 21-22.

QUESTIONS

› 1• Pourquoi l'insistance sur la valeur économique du bleu outremer peut-elle aujourd'hui nous être incompréhensible ? Le bleu d'outremer ne joue-t-il qu'un rôle ostentatoire ?

› 2• Quelle différence sépare le spectateur d'aujourd'hui et le spectateur italien du XVe siècle ?

Dossier 4

▶ L'art peut-il être indépendant de la morale ?

Ces deux tableaux ont été peints la même année. Le premier, *La Naissance de Vénus*, d'Alexandre Cabanel, exposé au Salon de 1863, connut un vif succès et fut acheté par Napoléon III. Le second, présenté au Salon de 1865, provoqua un rejet difficilement compréhensible aujourd'hui (« cette odalisque au ventre jaune » écrira Jules Claretie). Émile Zola défendra ce tableau avec passion.

DOCUMENTS 1

1. Alexandre Cabanel, *La Naissance de Vénus*, 1863, huile sur toile (1,3 x 2,25 m), Paris, musée d'Orsay.

2. Édouard Manet, *Olympia*, 1863, huile sur toile (1,30 x 1,90 m) Paris, musée d'Orsay. Si le tableau *Le Déjeuner sur l'herbe* fit scandale en 1863, le scandale fut plus grand encore en 1865, avec ce tableau, *Olympia*, jugé à la fois immoral et laid. Manet s'est inspiré d'une œuvre du Titien, *La Vénus d'Urbino*, mais c'est surtout l'influence de Goya, avec ses oppositions de couleurs et de lumières, qui donne à ce nu toute la brutalité de la réalité, en rupture avec les signes académiques de la représentation picturale. Cette rupture est d'autant plus violente qu'il ne s'agit pas d'une Vénus (thème mythologique) ni d'une odalisque (thème exotique) ; le modèle est une prostituée notoire. Son regard semble défier le spectateur, comme la femme nue du *Déjeuner sur l'herbe*.

QUESTION

› Pourquoi la laideur perçue par les contemporains de Manet est-elle étroitement liée au sentiment d'immoralité du tableau ? Quelles distinctions les spectateurs scandalisés de l'époque ne sont-ils pas prêts à faire ? Les référence au Titien, à Goya sont-elles suffisantes pour écarter le jugement immédiatement moralisateur ?

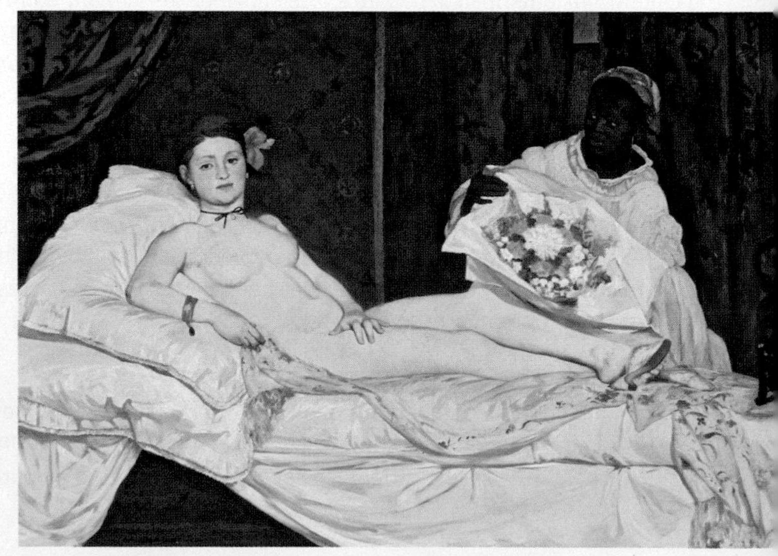

DOCUMENT 2 *Madame Bovary* et le scandale de l'adultère

Quelques années plus tôt (février 1857), la parution de Madame Bovary *de Gustave Flaubert cause un scandale qui donne lieu à un procès pour immoralité. Le texte suivant est la conclusion de l'accusation.*

Je soutiens que le roman de *Madame Bovary*, envisagé au point de vue philosophique, n'est point moral. Sans doute madame Bovary meurt empoisonnée ; elle a beaucoup souffert, c'est vrai ; mais elle meurt à son heure et à son jour, mais elle meurt, non parce qu'elle est adultère, mais parce qu'elle l'a voulu ; elle meurt dans tout le prestige de sa jeunesse et de sa beauté ; elle meurt après avoir eu deux amants, laissant un mari qui l'aime, qui l'adore, qui trouvera le portrait de Rodolphe, qui trouvera ses lettres et celles de Léon, qui lira les lettres d'une femme deux fois adultère, et qui, après cela, l'aimera encore davantage au-delà du tombeau. Qui peut condamner cette femme dans le livre ? Personne. Telle est la conclusion. Il n'y a pas dans le livre un personnage qui puisse la condamner. Si vous y trouvez un personnage sage, si vous y trouvez un seul principe en vertu duquel l'adultère soit stigmatisé, j'ai tort. Donc, si, dans tout le livre, il n'y a pas un personnage qui puisse lui faire courber la tête, s'il n'y a pas une idée, une ligne en vertu de laquelle l'adultère soit flétri, c'est moi qui ai raison, le livre est immoral !

Serait-ce au nom de l'honneur conjugal que le livre serait condamné ? Mais l'honneur conjugal est représenté par un mari béat, qui, après la mort de sa femme, rencontrant Rodolphe, cherche sur le visage de l'amant les traits de la femme qu'il aime. Je vous le demande, est ce au nom de l'honneur conjugal que vous pouvez stigmatiser cette femme, quand il n'y a pas dans le livre un seul mot où le mari ne s'incline devant l'adultère.

Serait-ce au nom de l'opinion publique ? Mais l'opinion publique est personnifiée dans un être grotesque, dans le pharmacien Homais, entouré de personnages ridicules que cette femme domine.

Le condamnerez-vous au nom du sentiment religieux ? Mais ce sentiment, vous l'avez personnifié dans le curé Bournisien, prêtre à peu près aussi grotesque que le pharmacien, ne croyant qu'aux souffrances physiques, jamais aux souffrances morales, à peu près matérialiste.

Le condamnerez-vous au nom de la conscience de l'auteur ? Je ne sais pas ce que pense la conscience de l'auteur ; mais, dans son chapitre X, le seul philosophique de l'œuvre, je lis la phrase suivante : « Il y a toujours après la mort de quelqu'un comme une stupéfaction qui se dégage, tant il est difficile de comprendre cette survenue du néant et de se résigner à y croire. »

Ce n'est pas un cri d'incrédulité, mais c'est du moins un cri de scepticisme. Sans doute il est difficile de le comprendre et d'y croire ; mais, enfin, pourquoi cette stupéfaction qui se manifeste à la mort ? Pourquoi ? Parce que cette survenue est quelque chose qui est un mystère, parce qu'il est difficile de le comprendre et de le juger, mais il faut s'y résigner. Et moi je dis que si la mort est la survenue du néant, que si le mari béat sent croître son amour en apprenant les adultères de sa femme, que si l'opinion est représentée par des êtres grotesques, que si le sentiment religieux est représenté par un prêtre ridicule, une seule personne a raison, règne, domine : c'est Emma Bovary. Messaline[1] a raison contre Juvénal[2].

Procès intenté à M. Gustave Flaubert devant le tribunal correctionnel de Paris (6e Chambre) sous la présidence de M. Dubarle, audiences des 31 janvier et 7 février 1857 : réquisitoire de M. l'avocat impérial, M. Ernest Pinard[3]. Collection électronique de la Bibliothèque Municipale de Lisieux.

1. Troisième épouse de l'empereur romain Claude, mère de Britannicus, elle est le symbole d'une conduite scandaleuse et dévergondée.
2. Poète latin de la fin du Ier s. apr. J.-C., dont les *Satires* sont une critique féroce des vices du monde romain.
3. Après avoir blâmé le roman de Flaubert (« Attendu qu'il n'est pas permis, sous prétexte de peinture de caractère ou de couleur locale, de reproduire dans leurs écarts les faits, dits et gestes des personnages qu'un écrivain s'est donné mission de peindre ; qu'un pareil système, appliqué aux œuvres de l'esprit aussi bien qu'aux productions des beaux-arts, conduirait à un réalisme qui serait la négation du beau et du bon et qui, enfantant des œuvres également offensantes pour les regards et pour l'esprit, commettrait de continuels outrages à la morale publique et aux bonnes mœurs »), le tribunal acquitte son auteur.

QUESTIONS

1• Relevez les arguments de l'avocat impérial contre le livre de Flaubert. Pourquoi la façon dont ils sont présentés conduit-elle à parler d'immoralité ?

2• Quels arguments l'écrivain peut-il faire valoir contre cette accusation d'immoralité ?

Faire de sa vie une œuvre d'art, c'est l'idéal du dandysme. Dans *Le Portrait de Dorian Gray*, Oscar Wilde écrit sur son personnage : « pour lui la Vie était le premier et le plus grand des arts, auquel tous les autres ne semblaient être qu'une préparation ». Baudelaire ne craint pas de voir une analogie fondamentale entre le dandysme et le stoïcisme. L'art serait-il un substitut moderne de la sagesse antique ?

DOCUMENT 3 Une « espèce de culte de soi-même »

Si je parle de l'amour à propos du dandysme, c'est que l'amour est l'occupation naturelle des oisifs. Mais le dandy ne vise pas l'amour comme but spécial. Si j'ai parlé d'argent, c'est parce que l'argent est indispensable aux gens qui se font un culte de leurs passions ; mais le dandy n'aspire pas à l'argent comme à une chose essentielle ; un crédit indéfini pourrait lui suffire ; il abandonne cette grossière passion aux mortels vulgaires. Le dandysme n'est même pas, comme beaucoup de personnes peu réfléchies paraissent le croire, un goût immodéré de la toilette et de l'élégance matérielles. Ces choses ne sont pour le parfait dandy qu'un symbole de la supériorité aristocratique de son esprit. Aussi, à ses yeux, épris avant tout de distinction, la perfection de la toilette consiste-t-elle dans la simplicité absolue, qui est, en effet, la meilleure manière de se distinguer.

Qu'est-ce donc que cette passion qui, devenue doctrine, a fait des adeptes dominateurs, cette institution non écrite qui a formé une caste si hautaine ? C'est avant tout le besoin ardent de se faire une originalité contenue dans les limites extérieures des convenances. C'est une espèce de culte de soi-même, qui peut survivre même à la recherche du bonheur à trouver dans autrui, dans la femme, par exemple ; qui peut survivre même à tout ce qu'on appelle les illusions. C'est le plaisir d'étonner et la satisfaction orgueilleuse de ne jamais être étonné. Un dandy peut être un homme blasé, peut être un homme souffrant ; mais, dans ce dernier cas, il sourira comme le Lacédémonien[1] sous la morsure du renard.

On voit que, par de certains côtés, le dandysme confine au spiritualisme et au stoïcisme. Mais un dandy ne peut jamais être un homme vulgaire. S'il commettait un crime, il ne serait pas déchu peut-être, mais si ce crime naissait d'une source triviale, le déshonneur serait irréparable.

Charles Baudelaire, *Le Peintre de la vie moderne*, 1863, IX, La Guilde du livre, p. 1259-1260.

1. Spartiate célèbre pour son sens de la discipline et de la frugalité.

Napoleon Sarony, portrait d'Oscar Wilde, 1882.

QUESTIONS

1• Expliquez et illustrez : « à ses yeux, épris avant tout de distinction », « culte de soi-même », « la satisfaction orgueilleuse de ne jamais être étonné ».

2• Qu'est-ce qui justifie le rapprochement opéré par Baudelaire entre le dandy et le sage stoïcien ?

DOCUMENT 4 Un culte rendu à la beauté

Dans Le Portrait de Dorian Gray, *Oscar Wilde dresse le portrait d'un dandy qui a décidé de faire de sa vie une œuvre d'art : cette éthique ne reconnaît comme principe de conduite morale que le beau. Ce culte de la beauté extérieure justifie toutes les dégradations intérieures de l'âme.*

En fait, surtout parmi les très jeunes gens, nombreux étaient ceux qui voyaient ou croyaient voir en Dorian Gray la réalisation effective d'un modèle dont ils avaient rêvé quand ils étaient à Eton ou Oxford[1], un modèle qui conjuguât un peu de la culture véritable de l'humaniste et toute la grâce, toute la distinction, toute la perfection de maintien d'un citoyen du monde. Il appartenait à leurs yeux à la cohorte de ceux que Dante[2] décrit comme ayant cherché à « se rendre eux-mêmes parfaits par le culte qu'ils rendent à la beauté ». Comme Gautier[3], il était quelqu'un pour qui « le monde visible existait ».

Et il est certain que pour lui la Vie était le premier et le plus grand des arts, auquel tous les autres ne semblaient être qu'une préparation. Bien entendu la mode, qui confère à ce qui est en réalité une fantaisie une valeur provisoirement universelle, et le dandysme qui, à sa façon, tente d'affirmer la modernité absolue de la beauté, le fascinaient. Sa façon de s'habiller et les styles particuliers qu'il affectait de temps à autre influaient fortement sur les jeunes élégants qu'on voyait aux bals de Mayfair[4] ou derrière les croisées des clubs de Pall Mall[5] ; ils copiaient tout ce qu'il faisait, et tentaient de reproduire le charme fortuit de ses gracieuses coquetteries de toilette, même si pour lui elles n'étaient qu'à demi sérieuses. [...]

Illustration du roman *Le portrait de Dorian Gray* d'Oscar Wilde, gravure d'Eugene Dele d'après un dessin de Paul Thiriat, 1910.

Le culte des sens a souvent été décrié, et à juste titre, car la nature de l'homme lui fait éprouver une terreur instinctive devant des passions et des sensations qui lui paraissent plus fortes que lui et qu'il a conscience de partager avec des êtres vivants moins supérieurement organisés. Mais Dorian Gray estimait que l'on n'avait jamais compris la vraie nature des sens, et qu'ils n'avaient conservé leur sauvagerie ou leur animalité que parce que le monde avait tenté de les soumettre par la faim ou de les tuer par la souffrance, au lieu de viser à en faire les éléments d'une spiritualité nouvelle, qui aurait pour trait dominant un sens instinctif et subtil de la beauté...

C'est ainsi qu'il s'adonna un temps à l'étude des parfums et des secrets de leur fabrication, distillant des huiles aux senteurs lourdes, et brûlant des gommes aromatiques venues d'Orient. Il s'aperçut qu'il n'y a pas d'état d'âme qui n'ait son pendant dans la vie des sens, et décida de découvrir leurs rapports véritables, se demandant pourquoi l'encens rend mystique, pourquoi l'ambre gris soulève les passions, pourquoi la violette réveille le souvenir d'amours mortes, pourquoi le musc trouble le cerveau et le champak l'imagination ; et maintes fois il tenta d'élaborer une véritable psychologie des parfums, d'évaluer les influences différentes des racines aux senteurs suaves, des fleurs embaumées chargées de pollen, des baumes aromatiques, des bois sombres et odorants, du nard indien qui donne la nausée, de l'hovenia qui affole les hommes, et de certains aloès[6] qui peuvent, dit-on, chasser de l'âme la mélancolie.

Oscar Wilde, *Le Portrait de Dorian Gray*, 1890, coll. Folio, Gallimard, p. 240 sq.

---

1. *Colleges* élitistes d'Angleterre.
2. Auteur italien (1265-1321) de *La Divine Comédie*.
3. Écrivain français, un des premiers à défendre l'idée de l'« art pour l'art ».
4. Quartier noble et prestigieux de Londres.
5. Rue prestigieuse de Londres, célèbre pour ses clubs très fermés de *gentlemen*.
6. Différents types de parfums.

QUESTIONS

1• Pensez-vous qu'on puisse faire de sa propre vie une œuvre d'art ?

2• Faire de la beauté le principe premier d'une morale présente quelques dangers. Lesquels ?

Dossier 5

▶ L'art peut-il survivre à son appropriation bourgeoise et à la culture de masse ?

« Seul ce qui dure à travers les siècles peut finalement revendiquer d'être un objet culturel », écrit Hannah Arendt. Elle refuse de faire de l'art un « objet de raffinement social et individuel ». Les œuvres ne sont pas des moyens accordés aux individus pour se « cultiver » ; elles ont une réalité objective ; « leur plus fondamentale qualité : ravir et émouvoir le lecteur ou le spectateur par-delà les siècles ».

DOCUMENT

Eve Arnold, *Visiteuse du musée d'Art moderne, New York*, 1959.

L'usage bourgeois de l'art

Le mot même de « culture » est devenu suspect justement parce qu'il désigna cette « poursuite de la perfection » qui pour Matthew Arnold[1] n'était autre que la « poursuite de la douceur et de la lumière ». On fait des grandes œuvres d'art un usage tout aussi déplacé quand elles servent les fins de l'éducation ou de la perfection personnelles, que lorsqu'elles servent quelque autre fin que ce soit. Ce peut être aussi utile, aussi légitime de regarder un tableau en vue de parfaire sa connaissance d'une période donnée, qu'il est utile et légitime d'utiliser une peinture pour boucher un trou dans un mur. Dans les deux cas, on utilise l'objet d'art à des fins secondes. Tout va bien tant qu'on demeure averti que ces utilisations, légitimes ou non, ne constituent pas la relation appropriée avec l'art. L'ennui avec le philistin[2] cultivé n'est pas qu'il lisait les classiques, mais qu'il le faisait poussé par le motif second de perfection personnelle, sans être conscient le moins du monde que Shakespeare ou Platon pourraient avoir à lui dire des choses d'une autre importance que comment s'éduquer lui-même. L'ennui, c'est qu'il s'enfuyait dans une région de « poésie pure », pour maintenir la réalité hors de sa vie – ainsi, une chose aussi « prosaïque » qu'une disette de pommes de terre –, ou pour la regarder à travers un voile « de douceur et de lumière ».

L'art bourgeois : un alibi pour cacher la réalité ?

Nous connaissons tous la production artistique assez déplorable qu'inspira cette façon de voir et dont elle se nourrit, en bref le kitsch[3] du XIXe siècle ; son manque, historiquement si significatif, du sens de la forme et du style est étroitement lié à la séparation des arts et de la réalité. La stupéfiante renaissance des arts créateurs à notre siècle, et une peut-être moins apparente, mais non moins réelle, renaissance de la grandeur du passé, commença de s'affirmer lorsque la bonne société eut perdu son monopole de l'emprise sur la culture, ainsi que sa position dominante dans la population comme totalité. Ce qui se produisit avant, et, jusqu'à un certain point, se poursuivit bien sûr après la première apparition de l'art moderne, fut en fait une désintégration de la culture dont les « durables monuments » étaient les structures néoclassiques, néogothique et néo-Renaissance qui parsemaient l'Europe. Dans cette désintégration, la culture, plus encore que les autres réalités, est devenue ce qu'alors seulement on se mit à nommer « valeur », c'est-à-dire marchandise sociale qu'on peut faire circuler et réaliser en échange de toutes sortes d'autres valeurs, sociales et individuelles.

Autrement dit, le philistin méprisa d'abord les objets culturels comme inutiles, jusqu'à ce que le philistin cultivé s'en saisisse comme d'une monnaie avec laquelle il s'acheta une position supérieure dans la société, ou acquit un niveau supérieur dans sa propre estime.

La société de masse, un danger pour la culture ?

La société de masse, en ce qu'elle ne veut pas la culture mais seulement les loisirs, est probablement une moindre menace pour la culture que le philistinisme de la bonne société. En dépit du malaise souvent décrit des artistes et des intellectuels – dû peut-être en partie à leur impuissance à pénétrer la bruyante futilité des loisirs de masse – ce sont précisément les arts et les sciences, par opposition à tous les intérêts politiques, qui demeurent florissants. Quoi qu'il arrive, tant que l'industrie des loisirs produit ses propres biens de consommation, nous ne pouvons pas plus lui faire reproche du caractère périssable de ses articles qu'à une boulangerie dont les produits doivent, pour ne pas être perdus, être consommés sitôt qu'ils sont faits. La caractéristique du philistinisme cultivé a toujours été le mépris des loisirs et du divertissement sous une forme ou une autre, parce qu'aucune « valeur » n'en pouvait être tirée. La vérité est que nous nous trouvons tous engagés dans le besoin de loisirs et de divertissement sous une forme ou une autre, parce que nous sommes tous assujettis au grand cycle de la vie ; et c'est pure hypocrisie ou snobisme social que de nier pour nous le pouvoir de divertissement et d'amusement des choses, exactement les mêmes, qui font le divertissement et le loisir de nos compagnons humains. Pour autant que la survie de la culture est en question, elle est certainement moins menacée par ceux qui remplissent leur temps vide au moyen des loisirs que par ceux qui le remplissent avec quelques gadgets éducatifs au bonheur la chance, en vue d'améliorer leur position sociale.

L'industrie des loisirs est le véritable danger

Malheureusement la question n'est pas si simple. L'industrie des loisirs est confrontée à des appétits gargantuesques, et puisque la consommation fait disparaître ses marchandises, elle doit sans cesse fournir de nouveaux articles. Dans cette situation, ceux qui produisent pour les mass media pillent le domaine entier de la culture passée et présente, dans l'espoir de trouver un matériau approprié. Ce matériau, qui plus est, ne peut être présenté tel quel ; il faut le modifier pour qu'il devienne loisir, il faut le préparer pour qu'il soit facile à consommer.

Visiteuse devant *Young Shopper, 1973* de Duane Hanson, FIAC, Paris, 2008.

La culture de masse apparaît quand la société de masse se saisit des objets culturels, et son danger est que le processus vital de la société (qui, comme tout processus biologique, attire insatiablement tout ce qui est accessible dans le cycle de son métabolisme) consommera littéralement les objets culturels, les engloutira et les détruira. Je ne fais pas allusion, bien sûr, à la diffusion de masse. Quand livres ou reproductions sont jetés sur le marché à bas prix, et sont vendus en nombre considérable, cela n'atteint pas la nature des objets en question. Mais leur nature est atteinte quand ces objets eux-mêmes sont modifiés – réécrits, condensés, digérés, réduits à l'état de pacotille pour la reproduction ou la mise en images. Cela ne veut pas dire que la culture se répande dans les masses, mais que la culture se trouve détruite pour engendrer le loisir. [...] Bien des grands auteurs du passé ont survécu à des siècles d'oubli et d'abandon, mais c'est encore une question pendante de savoir s'ils seront capables de survivre à une version divertissante de ce qu'ils ont à dire.

Hannah Arendt, *La Crise de la culture*, 1961, trad. P. Lévy, coll. Folio Essais, Gallimard, p. 259 sq.

1. Matthew Arnold (1822-1888), poète anglais, élégant et dandy.
2. Personne de goût vulgaire, fermée aux arts et aux lettres, aux nouveautés, béotien, bourgeois. (Vocabulaire d'origine estudiantine en Allemagne au début du XIXe siècle).
3. Se dit d'un style caractérisé par l'usage d'éléments démodés (« rétro »). Par extension, d'un mauvais goût baroque et provocant.

QUESTIONS

› **1•** Que reproche Arendt à la conception bourgeoise de l'art ?

› **2•** La critique d'Arendt ne porte pas sur la diffusion de masse, mais sur la culture de masse. Quelle est la différence ?

REPÈRES et DISTINCTIONS CONCEPTUELLES

L'art / la technique

À l'origine, les deux concepts sont confondus, ils ne se séparent que vers la fin du XVIIIe siècle. Dans son sens le plus large, l'art est tout ce qui s'ajoute ou modifie la nature (« artificiel »). Il désigne plus précisément les compétences techniques de l'artisan ou du technicien (« un homme de l'art »). L'art en ce sens se distingue tout autant de la science (il vise l'utilité et non la connaissance) que des pratiques routinières et mécaniques (il y a une part d'invention et de réflexion dans l'art). Ce n'est que récemment qu'on opposera l'**artisan** (qui agit selon des règles acquises dans un apprentissage, au service de l'utile) et l'**artiste** (qui crée lui-même ses règles, au service du beau).

Le jugement esthétique

L'apparition du domaine spécifique des beaux-arts et du personnage de l'artiste est contemporaine d'une analyse nouvelle, celle du **jugement esthétique**. L'expérience esthétique, telle qu'elle est définie à la fin du XVIIIe siècle, serait un regard désintéressé sur un objet, indépendamment de son utilité ou de son attraction sensuelle. L'émotion ressentie, bien qu'étant purement sensible, renvoie à une sorte de vérité qu'on cherche à partager avec tout le monde, sans qu'on puisse prouver la pertinence de son jugement. L'œuvre semble avoir une perfection interne, une réalité quasi objective, bien qu'elle se donne comme apparence sensible, comme surface.

Caspar David Friedrich, *Le Voyageur au-dessus de la mer de nuages*, vers 1817, huile sur toile (0,948 x 0,748 m), Hambourg, Kunsthalle.

Le beau / l'agréable / le sublime

Dans cette optique, le beau se distingue de l'agréable. Le **beau** apparaît comme une propriété de l'objet alors qu'il provient manifestement d'une impression subjective. Par cela même, nous attendons des autres qu'ils jugent belles les mêmes choses que nous. D'où la définition de Kant : « est beau ce qui plaît universellement sans concept » (*Critique de la faculté de juger*, § 9). « Universellement », c'est-à-dire à tous ; « sans concept » car le jugement de beau ne renvoie pas à une opération intellectuelle mais à une émotion.

Ce que je juge **agréable**, au contraire, n'est valable que pour moi. L'agréable renvoie à un plaisir des sens, conforme à mes désirs, à ma constitution, à mon histoire personnelle : ce qui est agréable pour moi ne l'est pas nécessairement pour les autres.

Kant place à part, à côté du beau, le **sublime** : « est sublime ce qui, du fait même qu'on le conçoit, est l'indice d'une faculté de l'âme qui surpasse toute la mesure des sens » (*Critique de la faculté de juger*, § 23). Caractéristique de l'art romantique, le sublime va au-delà du beau en mettant en scène les infinis, les extrêmes, les abîmes, en provoquant chez le spectateur des débordements de l'âme.

Zoom sur...

Histoire de la notion d'œuvre d'art

Vers la fin du XVIIIe siècle, et durant une grande partie du XIXe, une définition de l'œuvre d'art se met en place, qui semble cohérente. Mais à peine établie, cette définition de l'œuvre d'art est remise en question, par les artistes eux-mêmes. L'art contemporain la conteste.

Durant une grande partie de l'histoire, l'œuvre d'art n'est pas isolée des autres productions.	Spécificité de l'œuvre d'art au sens classique (fin XVIIIe, début XIXe siècle). La notion d'œuvre est la référence absolue de l'art.	Remise en cause du concept d'œuvre dans l'art contemporain. Contestation de la notion d'œuvre au nom de la création artistique.
Pas d'opposition tranchée entre objets esthétiques, objets sacrés, objets ornementaux, outils...	Spécificité de l'œuvre d'art, par opposition à la production en série des objets artisanaux ou industriels.	Répétitions (*Pop Art*) ; Séries ; Esthétique industrielle.
Modification permanente de la culture orale ; reprise-modification continuelle des œuvres ancestrales ; chaque artiste-artisan imite et modifie ses prédécesseurs. Absence de droits d'auteur.	Clôture, achèvement de l'œuvre. Perfection interne. Protection juridique de l'œuvre. Un artiste = une œuvre = une date.	*Non finito*, esquisse ; « Œuvre en progrès », l'inachèvement et la répétition comme vitalité interne ; l'œuvre dépendant de ses « lecteurs » ; l'œuvre et ses variantes infinies.
Fonctions religieuse, politique, magique de l'œuvre. L'œuvre est au service d'un but social. Elle n'existe pas pour elle-même ; elle est outil.	Finalité interne : l'œuvre n'a pas d'autre utilité qu'elle-même. L'art pour l'art. La beauté gratuite.	L'œuvre comme arme politique, transgression, subversion de l'ordre social (dadaïsme, surréalisme...).
Horizon restreint de la plupart des cultures : on veut marquer l'identité de son peuple, en produisant des objets durables ; mais parler au nom de l'humanité n'a pas de sens.	Permanence, intemporalité de l'œuvre. Elle est faite pour s'installer dans la durée. L'œuvre est marquée par la volonté de laisser une trace immortelle. Elle est censée parler au nom de l'humanité entière.	Œuvres éphémères : *body art, land art*, Christo... *Happenings*.
Production artisanale, ou technique ; reproduction d'éléments traditionnels. Le geste technique ne se sépare pas du sens esthétique.	« Création » ; Originalité, nouveauté ; Non reproduction.	Mise en scène : *ready made* (Duchamp), utilisation d'objets courants, détournement du quotidien. Reproduction (*Pop Art*).
Anonymat des concepteurs ; intervention des commanditaires.	Caractère individuel de l'œuvre : une œuvre = un artiste = un auteur.	Art populaire, art brut, expériences de productions collectives.
Caractère artisanal, technique de la production ; l'art n'est pas séparé du monde social.	Sérieux de la production. Sacralisation de l'art : l'art comme nouvelle religion d'un monde sans religion.	Autodérision, gags, provocation. Contestation des musées, des institutions...
Art et décoration ; art et tatouages ; art et mime.	Matérialité de l'œuvre ; Caractère objectivé : une matière, une toile...	*Concept art, land* art, happening, productions virtuelles...
Les matériaux sont utilisés pour leur valeur présumée intrinsèque : l'or est précieux, donc une statue ouvragée d'or ne peut être que belle.	Noblesse des matériaux en eux-mêmes (bois, pierre) : le sculpteur respecte la pierre ou le bois, comme le chasseur telle race de chien.	Usage de matériaux de récupération, de matériaux pauvres, de déchets. Idée de transfiguration : toute matière peut être anoblie par le geste qui l'utilise.
Intégration des productions dans la vie sociale, religieuse, politique.	Rapport distant objet/spectateur.	Relations physiques avec les spectateurs, intervention des spectateurs...
Caractère traditionnel de l'inspiration.	Caractère réfléchi, maîtrisé du processus créateur.	Rôle du hasard ; *action painting*, écriture automatique.

chapitre 9

La technique et le travail

Stéphane Couturier, *MELT-Toyota-08*, Série « Melting Point »,
Usine Toyota, Valenciennes, 2005.

Des mots...

Dans nos sociétés, le travail est d'abord une activité forcée qui permet à chaque salarié de gagner sa vie. Certes, on reconnaît d'autres formes de travail : le travail de la mère au foyer, le travail de l'élève en classe, le travail associatif, mais ce seraient des formes à part, en dehors du « monde du travail », comme si le labeur, la fatigue, la pénibilité ne suffisaient pas à définir le « vrai travail ». Dépense d'énergie ? Le sportif aussi dépense de l'énergie. Le caractère forcé ? Mais il y a des métiers où l'on peut s'épanouir. La transformation de la nature, la production ? Mais le jardinage, le bricolage transforment et produisent également.
Même incertitude pour la technique qui désigne aussi bien des capacités individuelles dont on peut être fier (une belle technique d'archet pour le musicien, de maniement du ballon pour le sportif) qu'un monde étranger qui s'impose à l'homme sans condition : « la technologie envahit notre vie ».

... aux concepts

D'un point de vue théorique, le travail comme la technique assurent la transformation de la nature en vue de la satisfaction des besoins humains. Ainsi le travail s'oppose au jeu et au loisir, la technique à la contemplation désintéressée de la nature (théorie) et à la création artistique. Nécessités vitales d'abord, ils deviennent source d'humanité : car en transformant la nature, l'homme se transforme lui-même ; en produisant des objets, il se produit comme sujet. Mais ni le travail ni la technique n'existent en dehors de formes concrètes, historiques. Ainsi le travail salarié (travailler pour gagner de l'argent) est une forme récente de travail.

Pistes de réflexion

Pourquoi travailler?

Il est nécessaire de travailler pour vivre. Mais en quel sens comprendre ici le terme « vivre »? En un sens purement physique, le travail étant le moyen par excellence d'acquérir les biens nécessaires à sa subsistance? En un sens social, le travail permettant de trouver sa place au sein de la société? En un sens psychologique, le travail offrant la possibilité d'un épanouissement personnel, d'une réalisation de soi?

Le travail est-il synonyme de libération ou d'aliénation?

Affirmer que le travail est aliénant suppose qu'il altère la nature de l'homme, qu'il le dégrade, le rende comme étranger à lui-même. Tout type de travail serait-il aliénant? Ou bien seulement certains? Et pourquoi? Que voudrait dire, au contraire, que le travail libère l'homme? De quoi devrait-il le libérer? Comment? À quelles conditions?

Le travail, cause ou effet des inégalités sociales?

Les inégalités sociales sont-elles justifiées par les inégalités dans le travail fourni par chacun (efficacité, compétence, expertise)? Ou bien leurs préexistent-elles, l'héritage social permettant aux uns de s'insérer au mieux dans les lieux de domination, obligeant les autres à accepter leur condition de dominés?

La technique construit-elle un monde humain?

Par la technique, l'homme apprivoise la nature, il la transforme à son avantage. Par la technique également, l'homme devient plus humain: l'invention et la fabrication d'outils le distinguent radicalement des animaux. Pourtant le monde technique ne constitue-t-il pas aujourd'hui un système clos, autonome, où l'homme est davantage dirigé que dirigeant, où il ne se sent plus vraiment à sa place?

Les craintes face aux nouvelles technologies sont-elles justifiées?

Les innovations techniques se contentent-elles d'ouvrir la porte à de nouvelles possibilités d'action? Toutes sont-elles acceptables? Est-il possible de distinguer la technique elle-même (qui serait neutre) et son utilisation par les hommes (dont il faudrait se méfier)?

Les innovations techniques impliquent-elle de nouvelles responsabilités?

Les innovations techniques imposent à l'homme de nouvelles responsabilités et l'invitent à réfléchir aux limites éventuelles à poser au développement technique. Doit-on effectivement réaliser toutes les inventions que l'on est techniquement capable de produire sous le prétexte que l'on est capable de les produire?

Quelles sont les répercussions des innovations techniques sur la relation de l'homme à son travail?

Moissonneuse-batteuse, machine à laver, ordinateur, satellite... les innovations techniques, en proposant de nouveaux outils, modifient sans cesse la façon de travailler des hommes. Mais peut-on aller jusqu'à dire qu'elles transforment radicalement l'essence du travail humain? L'image que le travailleur a de son travail? La manière de distinguer travail et temps libre?

Passerelles

› **Chapitre 21 : Le devoir**, p. 524.
› **Chapitre 17 : La société et les échanges**, p. 424.

Découvertes

DOCUMENT 1 Des robots bienveillants

La littérature de science-fiction, dans son effort pour imaginer un avenir lointain, exprime aussi les craintes et les espoirs de son présent. Ainsi en est-il du thème des robots : rebelles ou protecteurs, en quoi parlent-ils de notre époque actuelle ?

De tout temps les machines ont été soupçonnées par les ouvriers d'être la cause du chômage. Karel Capek, dans *R.U.R.* (*Robots universels de Rossum*, 1921), avance l'idée que lesdites machines, à leur tour, pourraient se révolter contre leur sort et exterminer l'espèce humaine : ultime application de la dialectique du maître et de l'esclave[1] et première utilisation littéraire du mot « robot » (du tchèque *robota* : « travail forcé »). Les histoires de robots menaçants, à sa suite, occupent la S.-F. de l'entre-deux-guerres, malgré la popularité des robots de démonstration dans les foires internationales.

Alors entre en scène Isaac Asimov, qui chante le dévouement des robots (*Robbie*, 1940), leur intelligence (dans *Raison*, 1941, un robot forme un raisonnement – « Je pense donc je suis » – et ne parvient pas à croire qu'une créature aussi intelligente que lui soit l'œuvre de personnages aussi débiles que les hommes) et leur faillibilité (*Menteur*, 1941). De là les « trois lois de la robotique » : « *Première loi.* Un robot ne peut nuire à un être humain ni laisser sans assistance un être humain en danger. *Deuxième loi.* Un robot doit obéir aux ordres qui lui sont donnés par les êtres humains sauf quand ces ordres sont incompatibles avec la première loi. *Troisième loi.* Un robot doit protéger sa propre existence tant que cette protection n'est pas incompatible avec la première ou la deuxième loi. »

On peut toujours imaginer des cerveaux « positroniques[2] » programmés pour obéir aux trois lois, mais leur application concrète pose de nombreux problèmes casuistiques[3] et l'on ne s'en plaindra pas car toute l'œuvre de fiction d'Asimov sort de là. À mesure que la complexité des robots augmente, le problème de la limite à assigner à leurs pouvoirs devient critique, et, dans *Les Robots et l'Empire* (1985), un robot nommé Giskard (*sic*) est amené à formuler une « loi zéro de la robotique » : « Un robot ne peut nuire à *l'humanité* ni laisser sans assistance *l'humanité* en danger. » Cette formulation autorise de nombreuses transgressions ; le dernier robot positronique survivant, R. Daneel Olivaw, se perd dans la foule et surveillera le destin de l'espèce humaine, comme un dieu bienveillant, jusqu'à la consommation des siècles. Un dieu : c'est toujours de cette façon que se termine la dialectique du maître et de l'esclave.

Jacques Goimard, *Critique de la science-fiction*, 2002, Pocket, p. 101-102.

---

1. › Hyppolite, *Genèse et structure de la phénoménologie de Hegel*, p. 101.
2. Entités fictives. « Mes robots possédaient des cerveaux faits d'une texture arborescente en alliage de platine-irridium, et les "empreintes cérébrales" étaient déterminées par la production et la destruction de positions. (Ne me demandez pas de vous expliquer le processus !) » (Isaac Asimov).
3. La casuistique est la partie de la théologie et de la morale qui cherche à résoudre les cas de conscience.

QUESTIONS

› **1•** Comment expliquer la peur envers les machines et les robots ?

› **2•** Étudiez les quatre lois de la robotique. Comment peuvent-elles être justifiées ?

› **3•** Pourquoi « à mesure que la complexité des robots augmente, le problème de la limite à assigner à leurs pouvoirs devient critique » ? Est-ce seulement un problème de « science-fiction » ?

DOCUMENT 2 Robotisation et compétence technique

QUESTION On a longtemps accusé les machines, puis les robots, de prendre la place des travailleurs et d'augmenter le chômage. Cette accusation est-elle justifiée ?

Robot dans une usine.

DOCUMENT 3 L'éclatement du salariat

Prenant appui sur un travail de J. Broda concernant la zone de Fos-sur-Mer au milieu des années 70, G. Caire distingue ainsi, en faisant varier la nature du lien salarial et la qualité de l'employeur : a) des travailleurs délégués en permanence par des entreprises de prestation de services ; b) des travailleurs délégués temporairement par un établissement sous-traitant dans un établissement donneur d'ordre ; c) des travailleurs temporaires délégués par des agences d'intérim ; d) des travailleurs sous contrat à durée limitée directement embauchés par l'établissement. J. Freyssinet montre que, sur ce même site de Solmer à Fos à la fin des années 70, on identifie pas moins de 223 entreprises distinctes (Caire, 1981). « L'extériorisation de l'emploi » fait ainsi « coexister au sein d'un même établissement une mosaïque de personnels auxquels s'applique autant de statuts qu'il y a de sociétés représentées dans ce lieu de travail » et cela « malgré l'identité des conditions de travail, malgré la similitude des qualifications professionnelles et des tâches exécutées et malgré l'unicité du pouvoir de direction réel » (de Maillard *et alii*, 1979). Peu à peu les statuts les plus favorables (CDI[1] dans la grande entreprise) semblent réservés aux salariés dotés d'une qualification relativement rare ou investis de responsabilités particulières. Aux autres catégories de salariés correspondra un statut plus précaire (intérim, CDD[2]) ou moins favorable (salariés d'entreprises sous-traitantes ou de filiales) (Broudic, Espinasse, 1980).

Luc Boltanski et Ève Chiapello, *Le Nouvel Esprit du capitalisme*, 1999, Gallimard, p. 308-309.

Usine de fabrication de vêtements en Chine, 2006.

1. Contrat à Durée Indéterminée.
2. Contrat à Durée Déterminée.

QUESTION Tous les individus travaillant dans une même société n'ont pas le même contrat de travail. Quelles peuvent être les conséquences d'une telle situation entre les employés ? Entre les employés et les différentes entreprises ?

Réflexion 1

L'homme se définit-il par l'outil ?

Le dispositif anatomique de l'homme semble peu fait pour l'adapter à son environnement (› Zoom sur… Anatomie humaine et culture, p. 155). En réalité, ses véritables instruments d'adaptation sont extérieurs à son corps ; ce sont les outils. Dans cette logique, la main joue un rôle primordial.

Texte 1 — Le fait anthropologique : la main

Ce n'est pas parce qu'il a des mains que l'homme est le plus intelligent des êtres, mais c'est parce qu'il est le plus intelligent qu'il a des mains[1]. En effet, l'être le plus intelligent est celui qui est capable de bien utiliser le plus grand nombre d'outils : or, la main semble bien être non pas un outil, mais plusieurs. Car elle est pour ainsi dire un outil qui tient lieu des autres. C'est donc à l'être capable d'acquérir le plus grand nombre de techniques que la nature a donné l'outil de loin le plus utile, la main. Aussi, ceux qui disent[2] que l'homme n'est pas bien constitué et qu'il est le moins bien partagé des animaux (parce que, dit-on, il est sans chaussures, il est nu et n'a pas d'armes pour combattre), sont dans l'erreur. Car les autres animaux n'ont chacun qu'un seul moyen de défense et il ne leur est pas possible de le changer pour un autre, mais ils sont forcés, pour ainsi dire, de garder leurs chaussures pour dormir et pour faire n'importe quoi d'autre, et ne doivent jamais déposer l'armure qu'ils ont autour de leur corps ni changer l'arme qu'ils ont reçue en partage. L'homme, au contraire, possède de nombreux moyens de défense, et il lui est toujours loisible d'en changer et même d'avoir l'arme qu'il veut et quand il le veut. Car la main devient griffe, serre, corne, ou lance ou épée ou toute autre arme ou outil. Elle peut être tout cela, parce qu'elle est capable de tout saisir et de tout tenir.

Aristote, *Les Parties des animaux*, IVe s. av. J.-C., trad. P. Louis, éd. Budé, p. 136-137.

1. Aristote critique la thèse d'un présocratique, Anaxagore, qui pense que l'homme est le plus raisonnable des animaux parce qu'il a des mains.
2. Allusion au mythe de Protagoras, › p. 232.

QUESTION

› Aristote soulève deux questions : 1) pourquoi les mains sont-elles caractéristiques de l'homme ? ; 2) des mains ou de l'intelligence, qui vient en premier ? Montrez en quoi ces deux questions sont différentes.

Texte 2 — Intelligence et fabrication

À quelle date faisons-nous remonter l'apparition de l'homme sur la Terre ? Au temps où se fabriquèrent les premières armes, les premiers outils. On n'a pas oublié la querelle mémorable qui s'éleva autour de la découverte de Boucher de Perthes[1] dans la carrière de Moulin-Quignon. La question était de savoir si l'on avait affaire à des haches véritables ou à des fragments de silex brisés accidentellement. Mais que, si c'étaient des hachettes, on fût bien en présence d'une intelligence, et plus particulièrement de l'intelligence humaine, personne un seul instant n'en douta. Ouvrons, d'autre part, un recueil d'anecdotes sur l'intelligence des animaux. Nous verrons qu'à côté de beaucoup d'actes explicables par l'imitation, ou par l'association automatique des images, il en est que nous n'hésitons pas à déclarer intelligents ; en première ligne figurent ceux qui témoignent d'une pensée de *fabrication*, soit que l'animal arrive à façonner lui-même un instrument grossier, soit qu'il utilise à son profit un objet fabriqué par l'homme. […] L'invention devient complète quand elle se matérialise en un instrument fabriqué. C'est là que tend l'intelligence des animaux, comme à un idéal. Et si, d'ordinaire, elle n'arrive pas encore à façonner des objets artificiels et à s'en servir, elle s'y prépare par les variations mêmes qu'elle exécute sur les instincts fournis par la nature.

Henri Bergson, *L'Évolution créatrice*, 1907, PUF, p. 138 sq., éd. du Centenaire, p. 611 sq.

1. Préhistorien français du XIXe siècle, considéré comme le fondateur de la préhistoire en tant que discipline scientifique.

QUESTION

› Qu'est-ce qui permet d'affirmer que l'homme est *Homo faber* avant d'être *Homo sapiens* ?

Texte 3 Les outils à faire des outils

En ce qui concerne l'intelligence humaine, on n'a pas assez remarqué que l'invention mécanique a d'abord été sa démarche essentielle, qu'aujourd'hui encore notre vie sociale gravite autour de la fabrication et de l'utilisation d'instruments artificiels, que les inventions qui jalonnent la route du progrès en ont aussi tracé la direction. [...] Dans des milliers d'années, quand le recul du passé n'en laissera plus apercevoir que les grandes lignes, nos guerres et nos révolutions compteront pour peu de chose, à supposer qu'on s'en souvienne encore ; mais de la machine à vapeur, avec les inventions de tout genre qui lui font cortège, on parlera peut-être comme nous parlons du bronze ou de la pierre taillée ; elle servira à définir un âge. Si nous pouvions nous dépouiller de tout orgueil, si, pour définir notre espèce, nous nous en tenions strictement à ce que l'histoire et la préhistoire nous présentent comme la caractéristique constante de l'homme et de l'intelligence, nous ne dirions peut-être pas *Homo sapiens*[1], mais *Homo faber*[2]. En définitive, l'intelligence, envisagée dans ce qui en paraît être la démarche originelle, est la faculté de fabriquer des objets artificiels, en particulier des outils à faire des outils, et d'en varier indéfiniment la fabrication.

Op. cit., p. 611 sq.

1. Être humain intelligent.
2. Être humain fabriquant.

QUESTION › Expliquez l'expression « outils à faire des outils » (dernière ligne). Quelle précision apporte-t-elle ?

Document Objet technique, objet d'art ?

Les formes les plus appropriées au geste technique sont aussi, très souvent, les formes les plus belles. Cet objet est un propulseur provenant de la grotte de Bruniquel, dans le Tarn-et-Garonne (16000-10000 av. J.-C.). Un propulseur sert à allonger le levier du bras afin de donner plus de force au lancer d'une sagaie. Ce propulseur en os est décoré par la figure d'un cheval qui saute.

QUESTION › Peut-on expliquer que le souci de l'efficacité technique d'un outil puisse rejoindre l'idéal d'une harmonie esthétique ?

Passerelles

› **Chapitre 6 : Nature et culture,** p. 150.
› **Chapitre 8 : L'art,** p. 194.

Cheval sautant, Bruniquel, Paléolithique supérieur, Magdalénien moyen, bois de renne (28 cm), musée de Saint-Germain-en-Laye.

Réflexion 2

▶ Peut-on penser l'origine de la technique ?

Imitation, hasard, invention réfléchie, voire intervention divine, nombreuses sont les tentatives d'explication des premières réalisations techniques. Mais elles se heurtent à des contradictions : la complexité du geste technique, l'enchevêtrement des conditions, la nouveauté radicale de ces objets contribuent à brouiller la question de l'origine.

Texte 1 Protagoras : l'origine de la technique

Le sophiste Protagoras raconte, à la manière des mythes, l'origine de la technique.

Il fut jadis un temps où les dieux existaient, mais non les espèces mortelles. Quand le temps que le destin avait assigné à leur création fut venu, les dieux les façonnèrent dans les entrailles de la terre d'un mélange de terre et de feu et des éléments qui s'allient au feu et à la terre. Quand le moment de les amener à la lumière approcha, ils chargèrent Prométhée et Épiméthée[1] de les pourvoir et d'attribuer à chacun des qualités appropriées. Mais Épiméthée demanda à Prométhée de lui laisser faire seul le partage. « Quand je l'aurai fini, dit-il, tu viendras l'examiner. » Sa demande accordée, il fit le partage, et, en le faisant, il attribua aux uns la force sans la vitesse, aux autres la vitesse sans la force ; il donna des armes à ceux-ci, les refusa à ceux-là, mais il imagina pour eux d'autres moyens de conservation ; car à ceux d'entre eux qu'il logeait dans un corps de petite taille, il donna des ailes pour fuir ou un refuge souterrain ; pour ceux qui avaient l'avantage d'une grande taille, leur grandeur suffit à les conserver, et il appliqua ce procédé de compensation à tous les animaux. Ces mesures de précaution étaient destinées à prévenir la disparition des races.

Mais quand il leur eut fourni les moyens d'échapper à une destruction mutuelle, il voulut les aider à supporter les saisons de Zeus ; il imagina pour cela de les revêtir de poils épais et de peaux serrées, suffisantes pour les garantir du froid, capables aussi de les protéger contre la chaleur et destinées enfin à servir, pour le temps du sommeil, de couvertures naturelles, propres à chacun d'eux ; il leur donna en outre comme chaussures, soit des sabots de corne, soit des peaux calleuses et dépourvues de sang ; ensuite il leur fournit des aliments variés suivant les espèces, aux uns l'herbe du sol, aux autres les fruits des arbres, aux autres des racines ; à quelques-uns même il donna d'autres animaux à manger ; mais il limita leur fécondité et multiplia celle de leurs victimes, pour assurer le salut de la race.

Cependant Épiméthée, qui n'était pas très réfléchi, avait, sans y prendre garde, dépensé pour les animaux toutes les facultés dont il disposait et il lui restait la race humaine à pourvoir, et il ne savait que faire. Dans cet embarras, Prométhée vient pour examiner le partage ; il voit les animaux bien pourvus, mais l'homme nu, sans chaussures, ni couverture, ni armes, et le jour fixé approchait où il fallait l'amener du sein de la terre à la lumière. Alors Prométhée, ne sachant qu'imaginer pour donner à l'homme le moyen de se conserver, vole à Héphaïstos et à Athéna la connaissance des arts[2] avec le feu ; car, sans le feu, la connaissance des arts était impossible et inutile ; et il en fait présent à l'homme.

[...] Dans la suite, Prométhée fut, dit-on, puni[3] du larcin qu'il avait commis par la faute d'Épiméthée.

Platon, *Protagoras*, IVe s. av. J.-C., 320c-323a, trad. É. Chambry, Garnier-Flammarion, p. 52-54.

1. Prométhée est le Prévoyant (celui qui réfléchit avant), Épiméthée l'Imprévoyant (celui qui réfléchit après coup). Ils sont des Titans, race intermédiaire entre hommes et dieux.
2. Au sens ici de techniques.
3. La mythologie raconte qu'il fut enchaîné sur le Caucase et qu'un aigle, tous les jours, venait déchirer ses entrailles.

QUESTIONS

❯ **1•** Que symbolise ici la nudité de l'espèce humaine ?

❯ **2•** Pourquoi le feu volé par Prométhée est-il symboliquement au cœur du monde technique ? Énumérez les grandes productions techniques où le feu joue un rôle primordial.

Texte 2 Les premiers pas de la technique sont-ils si simples ?

On lit dans des traités d'ethnologie – et non des moindres – que l'homme doit la connaissance du feu au hasard de la foudre ou d'un incendie de brousse ; que la trouvaille d'un gibier accidentellement rôti dans ces conditions lui a révélé la cuisson des aliments ; que l'invention de la poterie résulte de l'oubli d'une boulette d'argile au voisinage d'un foyer. On dirait que l'homme aurait d'abord vécu dans une sorte d'âge d'or technologique, où les inventions se cueillaient avec la même facilité que les fruits et les fleurs. À l'homme moderne seraient réservées les fatigues du labeur et les illuminations du génie.

Lame de la période acheuléenne (500 000-300 000 ans av. J.-C.), paléolithique inférieur, Amiens, musée de Picardie.

Cette vue naïve résulte d'une totale ignorance de la complexité et de la diversité des opérations impliquées dans les techniques les plus élémentaires. Pour fabriquer un outil de pierre taillée efficace, il ne suffit pas de frapper sur un caillou jusqu'à ce qu'il éclate : on s'en est bien aperçu le jour où l'on a essayé de reproduire les principaux types d'outils préhistoriques. Alors – et aussi en observant la même technique chez les indigènes qui la possèdent encore –, on a découvert la complication des procédés indispensables et qui vont, quelquefois, jusqu'à la fabrication préliminaire de véritables « appareils à tailler » : marteaux à contrepoids pour contrôler l'impact et sa direction ; dispositifs amortisseurs pour éviter que la vibration ne rompe l'éclat. Il faut aussi un vaste ensemble de notions sur l'origine locale, les procédés d'extraction, la résistance et la structure des matériaux utilisés, un entraînement musculaire approprié, la connaissance des « tours de main », etc. ; en un mot, une véritable « liturgie[1] » correspondant *mutatis mutandis*[2], aux divers chapitres de la métallurgie. [...]

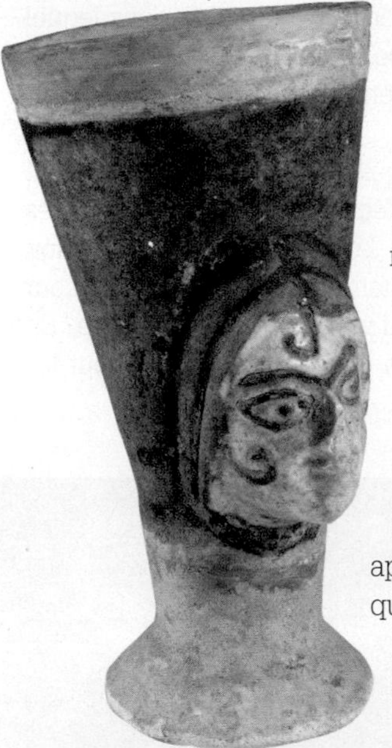

Vase en faïence vernissée en forme de tête de femme provenant de Syrie, XIIIe s. av. J.-C., Paris, musée du Louvre.

La poterie offre un excellent exemple parce qu'une croyance très répandue veut qu'il n'y ait rien de plus simple que de creuser une motte d'argile et la durcir au feu. Qu'on essaye. Il faut d'abord découvrir des argiles propres à la cuisson ; or, si un grand nombre de conditions naturelles sont nécessaires à cet effet, aucune n'est suffisante, car aucune argile non mêlée à un corps inerte, choisi en fonction de ses caractéristiques particulières, ne donnerait après cuisson un récipient utilisable. Il faut élaborer les techniques du modelage qui permettent de réaliser ce tour de force de maintenir en équilibre pendant un temps appréciable, et de modifier en même temps un corps plastique qui ne « tient » pas ; il faut enfin découvrir le combustible particulier, la forme du foyer, le type de chaleur et la durée de la cuisson, qui permettront de le rendre solide et imperméable, à travers tous les écueils des craquements, effritements et déformations.

Claude Lévi-Strauss, *Race et histoire*, 1952, coll. Médiations, Gonthier, p. 57 sq.

1. Ordonnancement des cérémonies d'un culte religieux.
2. En tenant compte des changements.

QUESTIONS

› **1•** Pourquoi le hasard est-il souvent invoqué pour comprendre l'origine des techniques ? Pourquoi, selon l'auteur, cette explication n'est-elle pas satisfaisante ? Aidez-vous des exemples du texte.

› **2•** L'hypothèse d'une réflexion consciente est-elle plus satisfaisante pour expliquer les découvertes techniques ?

Dossier

▶ Biotechnologies et bioéthique

La bioéthique cherche à réglementer, d'un point de vue moral et juridique, les pratiques scientifiques qui touchent aux êtres vivants en général, et à la vie humaine en particulier. On peut considérer le serment d'Hippocrate (IVe siècle av. J.-C.), prêté par tout médecin, comme un des textes fondateurs de la bioéthique. Certains des problèmes posés sont anciens : contraception, avortement, euthanasie... Mais la plupart des problèmes sont issus des nouvelles technologies qui, depuis un demi-siècle, visent à la maîtrise matérielle du vivant. Les biotechnologies ne renouvellent pas seulement notre vision de la biologie, elles remettent en cause des frontières naturelles qui semblaient immuables.

A. Les méthodes

1. Les techniques de procréation médicalement assistée (PMA)

▪ L'**insémination artificielle** est la méthode la plus ancienne. En 1781, l'abbé Spallanzani réalise la première insémination artificielle sur une chienne ; en 1791 a lieu la première insémination chez la femme. Le problème essentiel est de savoir si le donneur (le père génétique) doit être connu, identifié, ou bien s'il doit rester anonyme. Dans l'anonymat, le donneur donne la possibilité à une femme qu'il ne veut pas connaître d'avoir des enfants qu'il ne veut pas connaître. Si l'on supprime l'anonymat, on lui donne une responsabilité qui n'est pas celle pour laquelle il s'engage : un enfant à connaître.

▪ La fécondation *in vitro* avec transfert d'embryon (**FIV ou FIVETE**) est plus récente (1978, naissance de Louise Brown en Angleterre). L'ovocyte (gamète femelle, ou ovule) peut être mis en présence de milliers de spermatozoïdes dans une éprouvette. Ou bien, un seul spermatozoïde peut être directement injecté dans l'ovocyte pour le féconder (**ICSI** : injection intracytoplasmique de spermatozoïde). L'ovule fécondé en éprouvette est ensuite implanté dans l'utérus de la mère. Comme pour le don de sperme, le don d'ovocyte pose le problème de l'anonymat de la mère génétique.

2. Les techniques de dépistage prénatal

▪ Le diagnostic prénatal (**DPN**) cherche à repérer les anomalies du fœtus dans le ventre de la mère. Il existe deux techniques essentielles : l'échographie et l'amniocentèse (prélèvement du liquide dans lequel baigne le fœtus). La reconnaissance précoce du sexe peut permettre aux parents de choisir un garçon plutôt qu'une fille.

▪ Le diagnostic préimplantatoire (**DPI**) se fait dans le cadre de la fécondation *in vitro*, sur les embryons, donc avant la grossesse. Une sélection des embryons peut se faire avant implantation pour éliminer les porteurs d'une maladie génétique. En France, cette technique n'est autorisée que pour les couples à haut risque.

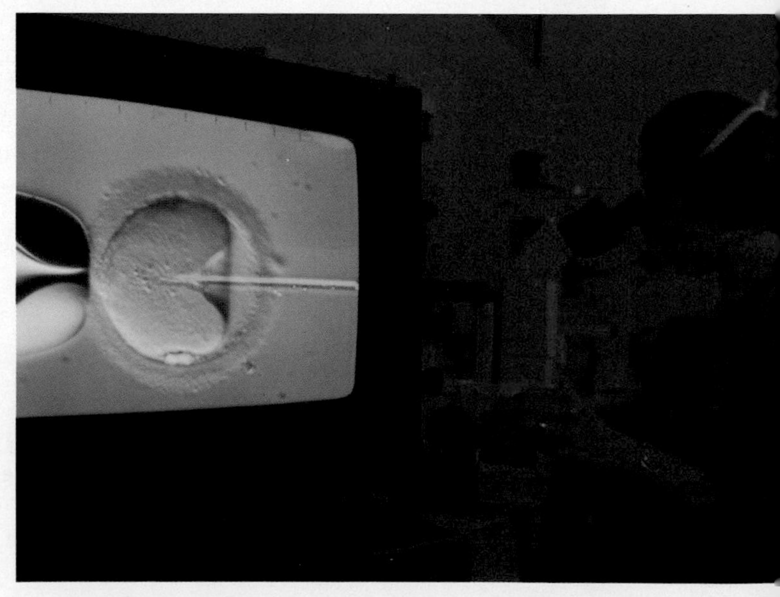

Réalisation d'une FIV.

3. Les techniques de clonage

Le terme est employé pour des techniques très différentes. En particulier, deux techniques doivent être différenciées.

- Le clonage d'embryon consiste à obtenir plusieurs œufs identiques à partir d'un seul, au tout début de sa division. On imite artificiellement le phénomène naturel des vrais jumeaux.
- Le clonage d'un individu adulte « à la Dolly » introduit un bouleversement beaucoup plus radical de l'ordre naturel : 1) on ne part pas ni de gamètes ni d'œufs, mais d'une cellule spécialisée, par exemple, une cellule de la peau qui, bien que porteuse de tous les gènes de l'individu, n'en exploite qu'une partie (moins de 10 %) ; 2) le patrimoine génétique transmis est celui **d'un seul individu**. La sexualité disparaît, non plus seulement au sens comportemental (l'acte sexuel), mais en un sens plus profond : cela remet en question l'obligation qui pèse sur la majorité des vivants de combiner leurs gènes pour créer un nouvel individu, totalement différent d'eux, puisque issu d'une combinaison aléatoire de deux séries de chromosomes. On distingue le clonage thérapeutique du clonage reproductif (▸ p. 239).

« La première fois que nous avons vu Dolly, nous avons ressenti une étrange impression. D'un côté, c'était une brebis parfaitement normale, un peu grosse ! De l'autre, c'était un être tout à fait nouveau, né sans père. C'est cela que nous avons voulu montrer : le monde est le même et, pourtant, quelque chose d'extraordinaire est arrivé. »

Rémi Benali et Stephen Ferry, *Dolly et son « créateur », le Pr Wilmut*, 1997, photographie assemblée digitalement par Steve Walkowiak.

4. Le séquençage du génome humain

En 2000, six pays associés pour séquencer le génome humain (États-Unis, Royaume-Uni, Allemagne, France, Chine, Japon), rendent public le résultat : au total trois milliards de « lettres » (l'équivalent d'un texte d'un million de pages) où sont inscrites les informations vitales de l'organisme. Le travail a consisté ensuite à repérer les « mots », c'est-à-dire les gènes eux-mêmes, il s'est achevé en 2003. 99 % des gènes sont aujourd'hui identifiés et accessibles au grand public sur Internet. Le nombre de gènes humains est d'environ 25 000, c'est-à-dire beaucoup moins que ce qui était initialement estimé.

5. Les techniques du génie génétique : la transgenèse

La transgenèse est le transfert d'un gène étranger (ou transgène) dans un organisme ou une cellule. L'organisme ainsi modifié est appelé OGM.

B. Un bouleversement des frontières naturelles et éthiques

1. Des frontières naturelles repoussées

- Frontières de l'**âge** : désir d'enfant pour une femme après la ménopause ;
- Frontière des **sexes** : droit pour les couples homosexuels d'avoir et d'élever des enfants (homoparentalité) ; choix, pour les transsexuels, de leur identité sexuelle, psychologique et sociale ;
- Frontières **vie/mort** : utilisation du clonage pour s'assurer une sorte d'immortalité ; paternité *post mortem* par insémination artificielle ou transfert d'embryon après la mort du père ;
- Frontières des **espèces** : introduction de gènes d'araignées dans le génomes de chèvres pour produire des fils textiles dans leur lait, etc.
- Frontières **êtres vivants/machines** : production de créatures bioniques, d'hybrides de vivants et de prothèses, de tissus organiques et de puces électroniques (nanotechnologie).

2. Des frontières conceptuelles remises en cause

- En premier lieu, l'opposition **chose/personne**, base du droit romain et de la morale, cesse d'être évidente. Qu'est-ce qu'un embryon, en effet ? Une chose ou une personne ? La décision d'en faire une « personne potentielle » montre l'embarras où nous sommes.
- L'opposition **découverte/invention** permettait d'accorder un droit de propriété à **l'inventeur** de nouvelles machines, ou de nouveaux produits, mais non au **découvreur** d'une plante, ou d'un animal, ou d'une théorie scientifique. Cette opposition est remise en cause par l'extension de la brevetabilité aux êtres vivants modifiés génétiquement. Car on peut considérer que, même si cela touche à des êtres vivants, il s'agit de manipulations techniques, donc d'inventions. Étendre les brevets aux êtres vivants, c'est donner un droit de propriété sur ce qui n'appartient à personne ; un pouvoir économique exclusif à des entreprises internationales, dont la logique privée est indépendante des États et des citoyens.
- Enfin, la différence entre cellules **germinales (ou sexuelles)** – responsables de la reproduction et de la transmission des gènes – et cellules **somatiques** – cellules constituant le corps d'un individu, et mourant avec lui semble perdre son caractère absolu, dès lors qu'on parvient à obtenir la reproduction d'un être vivant à partir d'une cellule ordinaire de son corps. Or cette distinction permettait de tracer des limites à l'intervention des thérapies géniques : autorisées pour modifier les cellules somatiques des individus, lesquelles ne sont pas transmissibles aux générations futures ; mais interdites pour les cellules germinales, lesquelles modifient de façon irréversible le patrimoine génétique de toute une descendance.

Planche de botanique : arbousier, 1760.

3. Des responsabilités juridiques et morales à redéfinir

En passant d'un pouvoir visible sur les individus à un pouvoir technique sur leur patrimoine biochimique (l'ADN), la recherche scientifique modifie l'échelle des responsabilités ainsi que la visibilité des problèmes. Par exemple, l'eugénisme (› p. 237) a été défini pendant longtemps comme étant une **politique** initiée par un État ou des institutions médicales, visant une amélioration de la race (contrôle des mariages, des grossesses, des naissances). Ici, les responsabilités sont explicitées ; les enjeux idéologiques sont clairement définis. Tout change quand l'eugénisme devient une **pratique** diffuse, non concertée, ne portant plus sur des individus, mais sur des cellules microscopiques, dans le milieu clos d'un laboratoire. Nulle politique centralisée ; nulle transgression spectaculaire. Faut-il exclure cet embryon ? Dans le souci d'écarter une tare lourde ou bien dans le désir d'un enfant parfait ? La banalité technologique efface le caractère inhumain de la transgression ; la complexité des situations réelles estompe les frontières entre le permis et l'interdit.

De la même façon, l'identification d'un individu par ses gènes (largement utilisée dans les enquêtes criminelles) peut faire l'objet d'une préoccupation individuelle (par exemple, une recherche en paternité : suis-je bien le père de cet enfant ?) Mais qui a la responsabilité de définir la paternité ? Qui peut avoir accès à des informations aussi « privées » ? En France, ce type de recherche est réservé au juge, dans le cadre d'une instruction. Elle n'est pas autorisée pour des personnes privées. Cependant, les tests génétiques sont permis dans d'autres pays, ils sont disponibles sur Internet. Ici, la transgression des frontières n'est plus une métaphore, c'est une réalité : Internet ne connaît pas les frontières des droits nationaux.

C. Les problèmes

1. L'eugénisme

Le terme « eugénisme » (de *eu*, bon et *genos*, naissance, race) a été créé en 1883, par l'anglais Galton, cousin de Darwin, pour fonder une « science des conditions favorables à la reproduction humaine ». Il renvoie à deux pratiques différentes :

- L'**eugénisme « positif »** consiste à favoriser la reproduction des sujets estimés les plus doués (c'est une idée qu'on trouve déjà dans la *République* de Platon, et que le IIIe Reich hitlérien a cherché à mettre en pratique. Plus récemment, aux États-Unis, l'idée de bébés Nobel – fabriquer des enfants à partir du sperme de « cerveaux » récompensés par un prix Nobel – a été sérieusement débattue, et... appliquée.
- L'**eugénisme « négatif »** consiste à limiter la reproduction d'individus jugés indésirables ou coûteux pour la société, soit handicapés, soit inadaptés.

L'étymologie du mot, partagée entre l'idée de bien naître, et l'idée d'être de bonne naissance, c'est-à-dire de bonne race, montre toute l'ambiguïté du terme.

L'eugénisme n'est pas seulement le fait de systèmes totalitaires. Dès la fin du XIXe siècle, il est une branche tout à fait honorable de la médecine occidentale. L'eugénisme est au carrefour de pensées qui ne semblent pas barbares à première vue : 1) l'idée que la science peut et doit prendre en charge le devenir de l'humanité, modeler l'homme en quelque sorte ; 2) l'idée d'une primauté des données biologiques sur les facteurs proprement culturels dans la formation d'une personnalité humaine ; 3) le sentiment que la société est en voie de décadence, de dégénérescence (l'incompréhension des évolutions sociales se traduisant par des fantasmes pseudo-scientifiques). Ces trois positions, qui fondent la doctrine eugénique, ne sont plus guère partagées aujourd'hui. Le problème actuel est moins celui d'une doctrine, que celui d'une pratique (diagnostic prénatal ou préimplantatoire) qui, pour être diffuse, non concertée, non doctrinale, n'en produit pas moins des effets.

Francis Galton (1822-1911), cousin de Darwin, est le fondateur de l'eugénisme. À la fin du XIXe siècle, un scientifique peut croire que la science – ici la génétique – gouverne le destin de l'humanité et qu'elle peut, et même qu'elle doit modeler l'espèce humaine en imposant des règles aux individus.

2. L'« indisponibilité » du corps humain

Notre corps est-il un « quelque chose » que nous possédons, qui serait disponible comme n'importe quel autre objet, que nous pourrions modifier, améliorer à notre gré ? Ou bien notre corps fait-il partie intégrante de notre personne (au sens moral et juridique du terme), dont il ne pourrait y avoir nulle propriété ? En termes juridiques, il serait alors **indisponible**, parce qu'il serait nous-même. Avant d'entrer à l'hôpital pour une intervention chirurgicale, on nous demande préalablement notre autorisation pour nous opérer ; car nul ne peut disposer de notre corps, même avec une bonne intention. Mais pas plus que quelqu'un d'extérieur ne peut s'approprier notre corps, y porter atteinte, nous ne pouvons nous-même nous en dire le propriétaire. Ainsi le **don d'organes**, quand il est possible, doit être encadré par la loi, pour éviter un commerce des organes. Autre exemple, une femme, dans le droit français, ne peut pas porter un enfant pour une autre femme, quel que soit son lien de parenté ou la générosité de son acte (**mère porteuse, ou mère de substitution**). Évidemment, ces choix éthiques sont discutables.

3. Les recherches sur l'embryon et les cellules souches

On appelle **cellules souches** des cellules indifférenciées qui peuvent se multiplier à l'identique en culture, dans un laboratoire, et produire des cellules différenciées (cellules osseuses, musculaires, nerveuses, sanguines, etc.). Les cellules souches peuvent se trouver dans l'embryon, dans le cordon ombilical, ou dans certains tissus chez l'adulte, mais elles n'ont pas toutes le même pouvoir de différenciation. L'intérêt des cellules souches serait de pallier des déficits cellulaires (maladie d'Alzheimer, de Parkinson) et de produire des tissus destinés à être greffés en remplacement de tissus endommagés. On peut aussi envisager la création d'organes entiers.

Ce sont les cellules de l'embryon qui ont le plus grand pouvoir de différenciation ; elles sont dites **totipotentes.** Or les techniques de fécondation *in vitro* conduisent à produire et à conserver des embryons surnuméraires. Qui en est propriétaire ? Peut-on les détruire ? Qui en décide ? Surtout, peut-on les utiliser à des fins de recherche ? On peut en effet les utiliser à des fins thérapeutiques : des cellules mises en culture en laboratoire seraient greffées sur un individu apparenté. Dans certains pays, ces recherches sont autorisées au nom du progrès médical ; dans d'autres, elles sont interdites au nom de la défense de la personne (potentiellement) humaine qu'est l'embryon.

4. Les thérapies géniques

Elles consistent à s'attaquer à la maladie non pas dans ses manifestations, mais à sa racine même, si cette racine est liée à la présence de tel ou tel gène. L'éthique distinguait deux types d'intervention : a) sur les cellules somatiques : celles du corps, dont la transformation n'est pas susceptible de se transmettre à une descendance ; b) sur les cellules germinales, ou sexuelles, qui, par l'intermédiaire des gamètes, transmettent l'hérédité. Dans ce dernier cas, la transmission est irréversible ; elle ne touche pas seulement un organisme, mais toute sa descendance, elle ne concerne pas seulement une guérison, mais la modification du génome humain. Tant que la différence entre cellules somatiques et cellules germinales est nette, une différenciation peut être faite : accepter d'intervenir sur les premières, refuser ou limiter les interventions sur les secondes. Car, dans le premier cas, on guérit des individus, dans le second, on modèle la descendance humaine, selon des critères dont on ne peut maîtriser les conséquences futures.

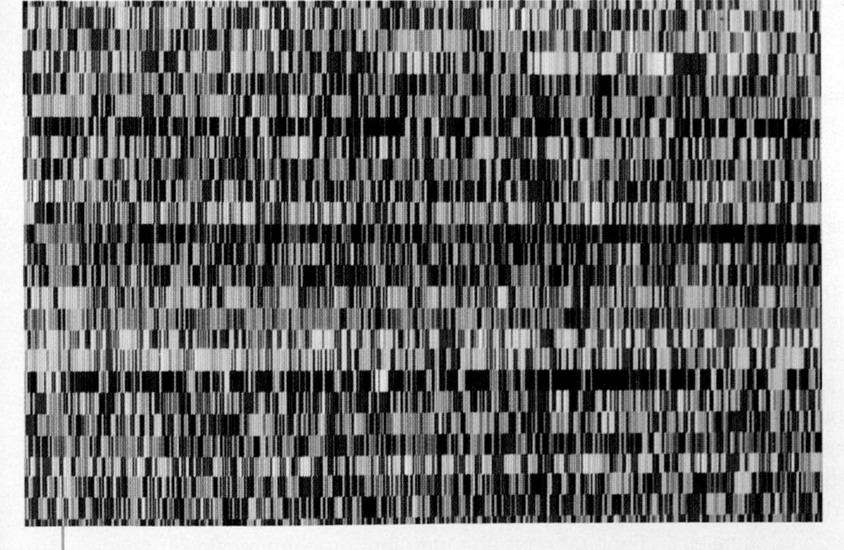

Gel de séquence d'ADN permettant de détecter des séquences d'ADN particulières.

5. Le clonage

Le **clonage reproductif** est universellement interdit, mais certaines sectes (le mouvement raélien, par exemple) ont proclamé leur intention d'en produire. L'idée d'une sorte d'immortalité par la reproduction d'un même individu n'est qu'un fantasme, puisque l'on sait, par l'examen des vrais jumeaux, que l'identité ne se résume pas à l'identité génétique.

Le **clonage thérapeutique** semble moins condamnable, il porte sur des embryons (huit cellules) et vise à produire des tissus susceptibles de guérir une personne vivante dont on aurait gardé le double original. Mais cela signifie qu'une « personne potentielle » (l'embryon) est utilisée au service d'une autre, ce qui est contraire au respect dû à la personne humaine (› l'impératif kantien, p. 547).

6. Les OGM

Les organismes génétiquement modifiés posent plusieurs problèmes. Le premier problème est au départ purement technique : peut-on assurer l'innocuité d'un gène modifié dans telle variété (un plant de maïs, par exemple) sur les espèces environnantes, végétales et animales ? Ce problème en pose d'autres : quelles compétences, quelles expertises décideront en dernière instance ? Jusqu'où doit-on faire jouer le principe de précaution ? Au-delà du problème de l'environnement, c'est un problème économique et juridique qui importe : les OGM sont des propriétés privées ; les plants fournis utilisent la plupart du temps des engrais, des pesticides, etc., spécifiques, livrés par les mêmes entreprises. La mainmise sur le vivant conduit à la mainmise sur le travail des hommes.

Travail en laboratoire sur des maïs OGM. Les pochettes en papier sont destinées à recueillir le pollen afin de maîtriser manuellement la fertilisation des épis.

C'est en 1914 que les frères Stark, pépiniéristes, lancent la pomme Golden. C'est grâce à la grande crise de 1929 qu'ils parviennent à faire adopter par le Sénat américain le *Plant Patent Act* (février 1930) qui permet, pour la première fois, de breveter des plantes.

7. La question des brevets

Dès lors que les biotechnologies permettent de transformer les vivants, et pour ainsi dire de les « inventer », la différence s'estompe entre découverte et invention, différence qui est à la base de l'idée de brevet, elle-même fondement juridique de la propriété industrielle. Si des brevets sont possibles juridiquement sur des êtres vivants modifiés génétiquement, alors un droit de propriété s'ensuit, qui risque d'accentuer la domination des pays riches (détenteurs des brevets) sur les pays pauvres, l'indépendance des multinationales par rapport aux États (au nom de la liberté de commerce). Peut-on aller jusqu'à breveter le génome humain, se déclarer propriétaire de l'usage qui sera fait de tel ou tel gène humain ?

Réflexion 3

▶ Quelles obligations avons-nous envers la nature ?

La Terre ne semble plus être aujourd'hui une réserve illimitée et indestructible. Quels devoirs les hommes ont-ils envers la nature et envers les générations futures qui devront cohabiter avec elle ?

Texte 1 — Les obligations envers la nature sont des devoirs envers nous-mêmes

Relativement au *Beau*, même inanimé, dans la nature, une propension[1] à la pure destruction (*spiritus destructionis*[2]) est contraire au devoir de l'homme envers lui-même. En effet, il affaiblit ou éteint en l'homme ce sentiment qui, à la vérité, sans être par lui seul déjà moral, prépare du moins ce climat de sensibilité qui favorise beaucoup la moralité, je veux dire celui qui permet d'aimer quelque chose indépendamment de tout dessein[3] utilitaire (par exemple les belles cristallisations, l'indescriptible beauté du règne végétal).

Relativement à cette partie de la création qui est vivante quoique dépourvue de raison, la violence assortie de cruauté dans la façon de traiter les animaux est encore plus profondément opposée au devoir de l'homme envers lui-même, parce que cela émousse en l'homme la sympathie à l'égard de leurs souffrances, affaiblit et anéantit peu à peu une disposition naturelle, très profitable à la moralité dans la relation avec les autres hommes – bien qu'il soit, entre autres, permis à l'homme de tuer les animaux d'une façon expéditive (sans torture), ou de leur imposer un travail (puisque aussi bien les hommes doivent eux-mêmes s'y soumettre) à condition qu'il n'excède pas leurs forces ; en revanche, il faut exécrer les expériences physiques au cours desquelles on les martyrise au seul profit de la spéculation, alors qu'on pourrait se passer d'elles pour atteindre le but visé. Mieux, la reconnaissance pour les services longtemps rendus par un vieux cheval ou un vieux chien (tout comme s'ils étaient des hôtes de la maison) *appartient indirectement* au devoir de l'homme, c'est-à-dire au devoir observé *en considération* de ces animaux, mais directement considérée, cette reconnaissance n'est jamais que devoir de l'homme envers lui-même.

Emmanuel Kant, *Métaphysique des mœurs, Doctrine du droit. Doctrine de la vertu*, 1797, II, § 17, *in Œuvres philosophiques*, t. III, coll. La Pléiade, Gallimard, p. 733-734.

1. Tendance.
2. Esprit de destruction.
3. But, projet.

QUESTIONS

› 1• Pourquoi est-ce un devoir envers soi-même de développer sa sensibilité à la beauté de la nature ?

› 2• Pour justifier les devoirs de l'homme envers les animaux, il faut faire le détour par les devoirs que l'homme se doit à lui-même. Comment peut-on expliquer ce détour ?

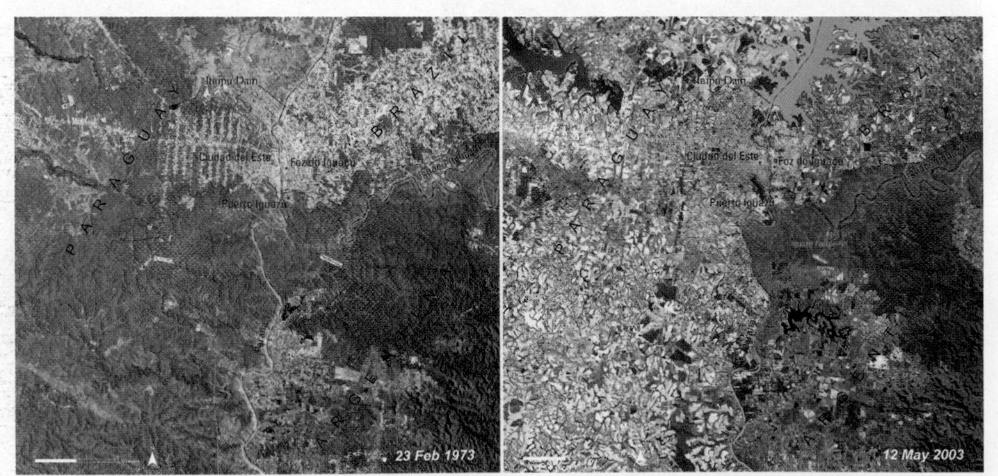

Vue satellite d'Iguazu au Brésil. À gauche, en 1973. À droite en 2003, sont visibles le barrage et les conséquences de la déforestation.

Texte 2 Avons-nous des devoirs envers les générations futures ?

Un impératif[1] adapté au nouveau type de l'agir humain et qui s'adresse au nouveau type de sujets de l'agir s'énoncerait à peu près ainsi : « Agis de façon que les effets de ton action soient compatibles avec la permanence d'une vie authentiquement humaine sur terre » ; ou pour l'exprimer négativement : « Agis de façon que les effets de ton action ne soient pas destructeurs pour la possibilité future d'une telle vie » ; ou simplement : « Ne compromets pas les conditions pour la survie indéfinie de l'humanité sur terre » ; ou encore, formulé de nouveau positivement : « Inclus dans ton choix actuel l'intégrité future de l'homme comme objet secondaire de ton vouloir ».

On voit sans peine que l'atteinte portée à ce type d'impératif n'inclut aucune contradiction d'ordre rationnel. Je *peux* vouloir le bien actuel en sacrifiant le bien futur. De même que je peux vouloir ma propre disparition, je peux aussi vouloir la disparition de l'humanité. Sans me contredire moi-même, je peux, dans mon cas personnel comme dans celui de l'humanité, préférer un bref feu d'artifice d'extrême accomplissement de soi-même à l'ennui d'une continuation indéfinie dans la médiocrité.

Or le nouvel impératif affirme précisément que nous avons bien le *droit* de risquer notre propre vie, mais non celle de l'humanité ; et qu'Achille avait certes le droit de choisir pour lui-même une vie brève, faite d'exploits glorieux, plutôt qu'une longue vie de sécurité sans gloire (sous la présupposition tacite qu'il y aurait une postérité qui saura raconter ses exploits), mais que nous n'avons pas le droit de choisir le non-être des générations futures à cause de l'être de la génération actuelle et que nous n'avons même pas le droit de le risquer. Ce n'est pas du tout facile, et peut-être impossible sans recours à la religion, de légitimer en théorie pourquoi nous n'avons pas ce droit, pourquoi au contraire nous avons une obligation à l'égard de ce qui n'existe même pas encore et ce qui « de soi » ne doit pas non plus être, ce qui du moins n'a pas *droit* à l'existence, puisque cela n'existe pas. Notre impératif le prend d'abord comme un axiome sans justification.

Hans Jonas, *Le Principe responsabilité*, 1979, trad. J. Greisch, coll. Champs, Flammarion, p. 40.

[1] Une obligation morale ; Jonas reprend ici la démarche kantienne (formulations de l'impératif catégorique kantien › p. 547).

QUESTIONS

› **1•** Quel nouvel impératif moral Jonas cherche-t-il à introduire ?

› **2•** À quelles difficultés ce nouvel impératif se heurte-t-il ? Expliquez : « l'atteinte portée à ce type d'impératif n'inclut aucune contradiction » (2e §) ; « peut-être impossible sans recours à la religion » (3e §) ; « une obligation à l'égard de ce qui n'existe même pas encore » (fin du texte).

› **3•** Jonas présente cet impératif comme « un axiome sans justification ». Expliquez cette expression. Qu'en pensez-vous ?

› **4•** Comparez l'impératif proposé par Jonas avec l'impératif catégorique de Kant (› p. 547), en particulier avec les deux premières formulations.

Passerelles

› **Chapitre 21 : Le devoir,** p. 524.
› **Zoom sur...** Kant, L'impératif catégorique, p. 547.

Une œuvre, une analyse

Présentation

Arendt : *Condition de l'homme moderne*, chapitre 4 (1958)

Hannah Arendt cherche à dégager les caractéristiques de la condition humaine : ce sont des structures qui varient historiquement, mais qui offrent des traits suffisamment stables à travers l'histoire pour donner lieu à des analyses anthropologiques, c'est-à-dire des analyses qui cherchent à dégager des traits propres à tous les hommes, contrairement à des analyses culturelles, sociologiques ou historiques, qui s'intéressent à des civilisations particulières. Ces analyses conduisent Hannah Arendt à critiquer certains aspects de notre modernité, et particulièrement le dévoiement de la logique technicienne. Quel est donc l'effet de la technique ? La construction d'un monde humain ou la perte de l'humanité de notre monde ?

1 Monde du travail et monde technique

La distinction entre le monde du travail (*labor*) et le monde technique de l'œuvre (*work*) est inhabituelle, Hannah Arendt en convient. En effet, le monde du travail n'est-il pas entièrement constitué d'objets techniques (outils, machines, technologies) ? Et n'est-ce pas le travail humain qui produit les objets, et donc le monde technique ? Consciente de cette proximité et de cet enchevêtrement, Hannah Arendt n'en reste pas moins convaincue, contrairement à la pensée de Marx, que ces deux dimensions de la condition humaine doivent être traitées séparément. Leur logique est, selon elle, tout à fait différente.

La logique du travail est celle, biologique, de la répétition et du cycle sans fin, où ce qui est produit doit être immédiatement consommé : « Tout ce que produit le travail est fait pour être absorbé presque immédiatement dans le processus vital, et cette consommation, régénérant le processus vital, produit – ou plutôt reproduit – une nouvelle "force de travail" nécessaire à l'entretien du corps » (coll. Agora, Pocket, 1958, p. 145).

Le geste technique, au contraire, fabrique des objets destinés à durer. Si le travail est le règne de l'éphémère, la technique est celui de la durabilité. Elle dispose autour de l'homme un monde stable qui deviendra le modèle de l'objectivité du monde. L'usage d'un objet technique n'est pas la consommation-destruction du monde du travail. Ce recommencement incessant, enchaînement du corps humain aux rythmes vitaux, est la marque du travail. L'œuvre technique, au contraire, grâce à sa permanence, toute relative il est vrai, échappe à cette fatalité.

Arendt critique la modernité, pour avoir brouillé ces distinctions : si la technique, essentiellement, est construction du monde humain, son assujettissement à la logique du travail conduit à la perte du monde (*world alienation*). « Avec le besoin que nous avons de remplacer de plus en plus vite les choses de-ce-monde qui nous entourent, nous ne pouvons plus nous permettre de les utiliser, de respecter et de préserver leur inhérente durabilité ; il nous faut consommer, dévorer, pour ainsi dire, nos maisons, nos meubles, nos voitures comme s'il s'agissait des "bonnes choses" de la nature qui se gâtent sans profit à moins d'entrer rapidement dans le cycle incessant du métabolisme humain » (*op. cit.*, p. 176).

2 Technique et technologie

Le grand renversement moderne de la technique apparaît lorsque la technique ne se contente plus d'imiter ou prolonger les phénomènes naturels et en vient à créer des phénomènes qui n'existent pas sur Terre, mais seulement dans l'univers, comme les explosions thermonucléaires.

Parallèlement, l'automatisation conduit à un renversement de la relation homme/machine. Ce n'est plus l'outil qui doit s'adapter à la main de l'homme, c'est le corps humain qui doit se plier aux rythmes de la machine (*op. cit.*, p. 199). Autre renversement essentiel : les machines ne sont plus construites afin de réaliser des normes humaines, ce sont les normes qui sont créées afin de justifier l'utilisation des machines existantes (*op. cit.*, p. 205). Laissé à sa logique propre, le monde technique, artificiel, semble imiter de plus en plus le fonctionnement aveugle des mécanismes naturels.

3 Technique et utilité

C'est la relation même de l'homme à son monde qui est changée radicalement. « L'homme, en tant qu'*homo faber*, instrumentalise, et son instrumentalisation signifie que tout se dégrade en moyens, tout perd sa valeur intrinsèque et indépendante » (*op. cit.*, p. 210). L'utilité devient le maître mot, elle correspond à une logique des moyens et des fins : des instruments *pour* produire des œuvres, des œuvres *pour* satisfaire des besoins. Mais la complexité du monde technique rend cette chaîne infinie : toute fin est à son tour moyen pour autre chose. L'utilité cesse d'avoir à se justifier elle-même : à quoi sert l'utile ? L'instrumentalisation du monde s'accompagne d'une « dévaluation sans limite de tout », « d'un processus de non-sens croissant » (*op. cit.*, p. 211).

Seule l'œuvre d'art peut échapper à ce renversement des valeurs. « En raison de leur éminente permanence, les œuvres d'art sont de tous les objets tangibles les plus intensément du monde » (*op. cit.*, p. 223).

Passerelle

❯ **Texte :** L'art peut-il survivre à son appropriation bourgeoise et à la culture de masse ?, Arendt, p. 222.

Arendt (1906-1975)

Née à Hanovre, Hannah Arendt suit les cours de Martin Heidegger en 1924, puis ceux de Edmund Husserl et de Karl Jaspers. Juive, elle doit quitter l'Allemagne en 1933 pour fuir le nazisme. Elle réside en France, jusqu'en 1941, puis s'exile aux États-Unis où elle restera jusqu'à sa mort, en 1975. Elle enseigne la philosophie et les sciences politiques à l'université de Chicago, puis à la New School for Social Research de New York. C'est l'analyse du totalitarisme qui fera connaître Hannah Arendt. Elle entend répondre aux trois questions essentielles : « Que s'est-il passé ? Pourquoi cela s'est-il passé ? Comment cela a-t-il été possible ? » (*Les Origines du totalitarisme*, 1951). Le phénomène totalitaire est analysé comme une conséquence de la dissolution des classes sociales, de la dépolitisation du monde moderne, de l'organisation de la société en masses d'individus atomisés et isolés. Si le ressort essentiel en est la terreur, cette terreur est fondée sur une vision historique monstrueuse : « tout est possible », il n'y a pas de limites à la volonté humaine de transformer l'espèce humaine. Une polémique violente accueillera la sortie de son livre *Eichmann à Jérusalem, rapport sur la banalité du Mal*, en 1963 (❯ p. 492).

Travail et technique : deux logiques séparables ?

En tant qu'*animal laborans*, l'homme est soumis aux cycles vitaux du travail par lesquels il doit sans cesse entretenir et renouveler sa vie. En tant qu'*Homo faber*, homme fabricant, il élabore des œuvres techniques qui construisent un monde stable et durable. En tant que *zoon politikon*, animal politique, il doit agir dans la cité, espace public, avec les autres hommes. Travail, œuvre, action sont les trois grandes dimensions de la « vie active ».

Texte 1 — L'objet technique, modèle d'une objectivité du monde ?

C'est cette durabilité qui donne aux objets du monde une relative indépendance par rapport aux hommes qui les ont produits et qui s'en servent, une « objectivité » qui les fait « s'opposer[1] », résister, au moins quelque temps, à la voracité de leurs auteurs et usagers vivants. À ce point de vue, les objets ont pour fonction de stabiliser la vie humaine, et – contre Héraclite[2] affirmant que l'on ne se baigne pas deux fois dans le même fleuve – leur objectivité tient au fait que les hommes, en dépit de leur nature changeante, peuvent recouvrer leur identité dans leurs rapports avec la même chaise, la même table. En d'autres termes, à la subjectivité des hommes s'oppose l'objectivité du monde fait de main d'homme bien plus que la sublime indifférence d'une nature vierge dont l'écrasante force élémentaire, au contraire, les oblige à tourner sans répit dans le cercle de leur biologie parfaitement ajustée au vaste cycle de l'économie de la nature. C'est seulement parce que nous avons fabriqué l'objectivité de notre monde avec ce que la nature nous donne, parce que nous l'avons bâtie en l'insérant dans l'environnement de la nature dont nous sommes ainsi protégés, que nous pouvons regarder la nature comme quelque chose d'« objectif ». À moins d'un monde entre les hommes et la nature, il y a mouvement éternel, il n'y a pas d'objectivité.

Hannah Arendt, *Condition de l'homme moderne*, 1958, chap. 4, « L'œuvre », trad. G. Fradler, coll. Agora, Pocket, p. 188-189, Éditions Calmann-Levy.

1. « Ceci est impliqué dans le verbe *objicere*, d'où dérive le mot "objet" [...] Objet signifie littéralement "jeté contre" ou "posé contre" » (note de H. Arendt).
2. Philosophe grec pour qui l'univers entier se trouve en continuel devenir.

QUESTIONS

1. Quels caractères le monde des objets fabriqués par l'homme présente-t-il, si on le compare : 1) au monde subjectif, vécu par l'homme ; 2) à la nature laissée à elle-même ?
2. Pourquoi Hannah Arendt oppose-t-elle la subjectivité des hommes à l'objectivité du monde fait de main d'homme ?
3. Expliquez la dernière phrase du texte.

Texte 2 — Les révolutions technologiques

Aujourd'hui nous avons commencé à « créer » en quelque sorte, c'est-à-dire à déclencher nous-mêmes des processus naturels qui ne se seraient pas produits sans nous. [...] Il ne s'agirait plus de déclencher, de déchaîner des processus naturels élémentaires, mais de manier sur la terre, dans la vie quotidienne, des énergies qui ne se manifestent qu'en dehors de la terre, dans l'univers ; cela se fait déjà, mais seulement dans les laboratoires des physiciens nucléaires. Si la technologie actuelle consiste à canaliser les forces naturelles dans le monde de l'artifice humain, la technologie future peut consister à canaliser les forces universelles du cosmos pour les introduire dans la nature terrestre.

Op. cit., p. 200-202.

QUESTIONS

1. Que faudrait-il ajouter aujourd'hui à ce texte écrit en 1958 ?
2. Expliquez la dernière phrase du texte.
3. Réfléchissez aux conséquences pour l'homme de cette évolution de la technologie.

Texte 3 L'utilité, une chaîne sans fin

Les outils de l'*homo faber*, qui ont donné lieu à l'expérience la plus fondamentale de l'instrumentalité, déterminent toute œuvre, toute fabrication. C'est ici que la fin justifie les moyens ; mieux encore, elle les produit et les organise. La fin justifie la violence faite à la nature pour obtenir le matériau, le bois justifie le massacre de l'arbre, la table justifie la destruction du bois. [...]

Les mêmes normes de moyens et de fin s'appliquent au produit. Bien qu'il soit une fin pour les moyens par lesquels on l'a produit, et la fin du processus de fabrication, il ne devient jamais, pour ainsi dire, une fin en soi, du moins tant qu'il demeure objet à utiliser. La chaise, qui est la fin de l'ouvrage de menuiserie, ne peut prouver son utilité qu'en devenant un moyen, soit comme objet que sa durabilité permet d'employer comme moyen de vie confortable, soit comme moyen d'échange. L'inconvénient de la norme d'utilité inhérente[1] à toute activité de fabrication est que le rapport entre les moyens et la fin sur lequel elle repose ressemble fort à une chaîne dont chaque fin peut servir de moyen dans un autre contexte. Autrement dit, dans un monde strictement utilitaire, toutes les fins seront de courte durée et se transformeront en moyens en vue de nouvelles fins.

Ainsi l'idéal utilitaire [...] défie qu'on l'interroge sur sa propre utilité. Il n'y a évidemment pas de réponse à la question que Lessing[2] posait aux philosophes utilitaristes de son temps : « Et à quoi sert l'utilité ? »

Op. cit., p. 206-208.

1. Qui appartient essentiellement à un être, à une chose ; qui fait corps avec eux.
2. Dramaturge et critique allemand (1729-1781), un des principaux représentants des Lumières en Allemagne.

QUESTIONS

1• Expliquez les termes « moyen » et « fin » à partir d'exemples. Pourquoi cette opposition est-elle essentielle dans la fabrication technique ?

2• Expliquez pourquoi, selon Arendt, la logique de l'utilité brouille la différence entre moyen et fin. Cherchez des exemples.

3• Comment comprenez-vous la question de Lessing : « Et à quoi sert l'utilité ? »

Texte 4 L'homme, mesure de l'univers ?

Il est bien évident que les Grecs redoutaient cette dévaluation du monde et de la nature, et l'anthropocentrisme[1] qui lui est inhérent [...]. À quel point ils se rendaient compte des risques qu'il y aurait à voir en l'*Homo faber* la plus haute possibilité humaine, on en a un exemple dans la célèbre attaque de Platon contre Protagoras[2] et sa maxime apparemment évidente, « l'homme est la mesure de tous les objets (*chrèmata*[3]), de l'existence de ceux qui existent, et de la non-existence de ceux qui ne sont pas ». (Protagoras n'a évidemment pas dit : « L'homme est la mesure de toutes choses », comme le veulent la tradition et les traductions courantes.) On doit le remarquer : Platon vit immédiatement que si l'on fait de l'homme la mesure de tous les objets d'usage, c'est avec l'homme usager et instrumentalisant que le monde est mis en rapport, et non pas avec l'homme parlant et agissant ni avec l'homme pensant. Et puisqu'il est dans la nature de l'homme usager et instrumentalisant de tout regarder comme moyen en vue d'une fin – tout arbre comme bois en puissance – il s'ensuivra éventuellement que l'homme sera la mesure non seulement des objets dont l'existence dépend de lui, mais littéralement de tout ce qui existe.

Op. cit., p. 211-213.

1. Préjugé selon lequel l'homme se croit le centre de l'univers.
2. › p. 232.
3. Les choses dont on fait usage, les biens qu'on possède de l'univers.

QUESTIONS

1• Quel est le danger de la maxime de Protagoras ?

2• Le problème serait-il le même si, au lieu de faire de l'*Homo faber* la mesure des objets d'usage, on prenait comme référence l'« homme parlant et agissant » ou l'« homme pensant » ?

Réflexion 4

▶ Le travail est-il nécessairement aliénant ?

L'homme se réalisant dans ce qu'il produit, le travail peut être perçu comme signe de liberté. Pourtant, il semble que les conditions concrètes du travail conduisent à l'aliénation du travailleur plutôt qu'à la réalisation de soi.

Texte 1 — L'aliénation de l'ouvrier

Marx cherche à dégager la nature du travail salarié. Le centre de l'aliénation consiste en ce que le produit du travail échappe au travailleur et contribue à l'appauvrir, économiquement et humainement.

Or, en quoi consiste la dépossession du travail ? D'abord dans le fait que le travail est extérieur à l'ouvrier, c'est-à-dire qu'il n'appartient pas à son être ; que, dans son travail, l'ouvrier ne s'affirme pas, mais se nie ; qu'il ne s'y sent pas satisfait, mais malheureux ; qu'il n'y déploie pas une libre énergie physique et intellectuelle, mais mortifie son corps et ruine son esprit. C'est pourquoi l'ouvrier n'a le sentiment d'être à soi qu'en dehors du travail ; dans le travail, il se sent extérieur à soi-même. Il est lui quand il ne travaille pas et, quand il travaille, il n'est pas lui. Son travail n'est pas volontaire, mais contraint. *Travail forcé*, il n'est pas la satisfaction d'un besoin, mais seulement un *moyen* de satisfaire des besoins en dehors du travail. La nature aliénée du travail apparaît nettement dans le fait que, dès qu'il n'existe pas de contrainte physique ou autre, on fuit le travail comme la peste. Le travail aliéné, le travail dans lequel l'homme se dépossède, est sacrifice de soi, mortification[1]. Enfin, l'ouvrier ressent la nature extérieure du travail par le fait qu'il n'est pas son bien propre, mais celui d'un autre, qu'il ne lui appartient pas ; que dans le travail l'ouvrier ne s'appartient pas à lui-même, mais à un autre. Dans la religion[2], l'activité propre à l'imagination, au cerveau, au cœur humain, opère sur l'individu indépendamment de lui, c'est-à-dire comme une activité étrangère, divine ou diabolique. De même l'activité de l'ouvrier n'est pas son activité propre ; elle appartient à un autre, elle est déperdition de soi-même. [...]

C'est précisément en façonnant le monde des objets que l'homme commence à s'affirmer comme un être générique. Cette production est sa vie générique créatrice. Grâce à cette production, la nature[3] apparaît comme son œuvre et sa réalité. L'objet du travail est donc la *réalisation de la vie générique de l'homme*[4]. L'homme ne se recrée pas seulement d'une façon intellectuelle, dans sa conscience, mais activement, réellement, et il se contemple lui-même dans un monde de sa création. En arrachant à l'homme l'objet de sa production, le travail aliéné lui arrache sa vie générique, sa véritable objectivité générique, et en lui dérobant son corps non organique, sa nature, il transforme en désavantage son avantage sur l'animal.

Karl Marx, *Manuscrits de 1844. Économie et philosophie*, 1932, trad. J. Malaquais et C. Orsoni, *in Œuvres*, t. II, coll. La Pléiade, Gallimard, p. 60-61, 64.

1. Souffrances qu'on inflige au corps, à la sensibilité, à l'amour-propre, pour les soumettre aux exigences d'une morale austère.
2. Marx reprend l'analyse du philosophe allemand Feuerbach, › p. 265.
3. Marx écrit plus haut (p. 62) : « la nature [...] est le corps non organique de l'homme ».
4. L'homme ne se réalise pas seulement en tant qu'individu, mais aussi en tant que membre conscient de l'espèce humaine. Cette conscience constitue l'être générique de l'homme, et le distingue de l'animal.

QUESTIONS

› **1•** Quelles sont les différentes causes de l'aliénation du travail ?

› **2•** Par contraste avec les caractéristiques négatives du salariat moderne, quel idéal du travail pourrait-on proposer ?

Passerelle

› **Texte :** Marx, La religion, opium du peuple ?, p. 266.

Texte 2 La machine est-elle responsable de l'aliénation dans le travail ?

Pour Gilbert Simondon, l'aliénation dans le travail n'est pas d'abord d'ordre économique: un travail plus libre exigerait une véritable « révolution culturelle » qui revaloriserait l'objet technique: « l'initiation aux techniques doit être placée sur le même plan que l'éducation scientifique; elle est aussi désintéressée que la pratique des arts ».

L'objet technique a fait son apparition dans un monde où les structures sociales et les contenus psychiques ont été formés par le travail: l'objet technique s'est donc introduit dans le monde du travail, au lieu de créer un monde technique ayant de nouvelles structures. La machine est alors connue et utilisée à travers le travail et non à travers le savoir technique; le rapport du travailleur à la machine est inadéquat, car le travailleur opère sur la machine sans que son geste prolonge l'activité d'invention. La *zone obscure centrale* caractéristique du travail s'est reportée sur l'utilisation de la machine: c'est maintenant le fonctionnement de la machine, la provenance de la machine, la signification de ce que fait la machine et la manière dont elle est faite qui est la zone obscure. [...] L'homme connaît ce qui entre dans la machine et ce qui en sort, mais non ce qui s'y fait: en présence même de l'ouvrier s'accomplit une opération à laquelle l'ouvrier ne participe pas même s'il la commande ou la sert. Commander est encore rester extérieur à ce que l'on commande, lorsque le fait de commander consiste à déclencher selon un montage préétabli, fait pour ce déclenchement, prévu pour opérer ce déclenchement dans le schéma de construction de l'objet technique. L'aliénation du travailleur se traduit par la rupture entre le savoir technique et l'exercice des conditions d'utilisation.

Cette rupture est si accusée que dans un grand nombre d'usines modernes la fonction de régleur est strictement distincte de celle d'utilisateur de la machine, c'est-à dire d'ouvrier, et qu'il est interdit aux ouvriers de régler eux-mêmes leur propre machine. Or, l'activité de réglage est celle qui prolonge le plus naturellement la fonction d'invention et de construction, le réglage est une invention perpétuée, quoique limitée. [...]

L'activité technique se distingue du simple travail, et du travail aliénant, en ce que l'activité technique comporte non seulement l'utilisation de la machine, mais aussi un certain coefficient d'attention au fonctionnement technique, entretien, réglage, amélioration de la machine, qui prolonge l'activité d'invention et de construction. L'aliénation fondamentale réside dans la rupture qui se produit entre l'ontogenèse[1] de l'objet technique et l'existence de cet objet technique. Il faut que la genèse de l'objet technique fasse effectivement partie de son existence, et que la relation de l'homme à l'objet technique comporte cette attention à la genèse continue de l'objet technique.

Gilbert Simondon, *Du mode d'existence des objets techniques*, 1958, Aubier (Flammarion), p. 249-250.

1. Ici, au sens de conception et de fabrication.

QUESTIONS

› **1•** En quoi la machine est-elle responsable de l'aliénation du travail ? Pourquoi le travail du régleur n'est-il pas aliénant ?

› **2•** Ce fait est-il inévitable ? Quels remèdes l'auteur propose-t-il ?

Réflexion 5

▶ La propriété est-elle fondée sur le travail ?

Comment justifier les inégalités sociales ? Est-il exact d'affirmer que celui qui travaille plus possède plus ? Si le travail donne accès à la propriété, comment expliquer que l'ouvrier possède seulement les moyens d'assurer sa subsistance ?

Texte 1 Le travail, origine de la propriété

Je suis propriétaire d'un bien parce que je l'ai échangé contre quelque chose d'équivalent. Mais comment échapper à la régression à l'infini : ce quelque chose d'équivalent, d'où venait-il ? Il faut trouver un point de départ absolu. Pour Locke, c'est le travail.

Bien que la terre et toutes les créatures inférieures appartiennent en commun à tous les hommes, chacun garde la propriété de sa propre personne. Sur celle-ci, nul n'a droit que lui-même. Le travail de son corps et l'ouvrage de ses mains, pouvons-nous dire, sont vraiment à lui. Toutes les fois qu'il fait sortir un objet de l'état où la Nature l'a mis et l'a laissé, il y mêle son travail, il y joint quelque chose qui lui appartient et de ce fait, il se l'approprie. Cet objet, soustrait par lui à l'état commun dans lequel la Nature l'avait placé, se voit adjoindre par ce travail quelque chose qui exclut le droit commun des autres hommes. Sans aucun doute, ce travail appartient à l'ouvrier ; nul autre que l'ouvrier ne saurait avoir de droit sur ce à quoi le travail s'attache, dès lors que ce qui reste suffit aux autres, en quantité et en qualité.

Quiconque s'est nourri des glands ramassés sous un chêne ou des fruits cueillis sur les arbres d'un bois se les est certainement appropriés. Nul ne saurait nier que les aliments ne soient à lui. Je pose donc la question : quand ont-ils commencé à lui appartenir ? quand il les a digérés ? quand il les a mangés ? quand il les a fait bouillir ? quand il les a rapportés chez lui ? ou quand il les a ramassés ? à l'évidence, si la première cueillette ne l'en a pas rendu propriétaire, rien d'autre ne le pouvait. Ce travail les a mis à part des biens communs. Il leur a adjoint quelque chose qui s'ajoutait à ce qu'avait fait la nature, la mère de tous les hommes, et par là ils sont devenus son bien propre.

Quelqu'un viendra-t-il prétendre qu'il n'avait aucun droit sur les glands ou les fruits qu'il s'est approprié de la sorte, faute du consentement de l'humanité entière pour les rendre siens ? Était-ce voler que prendre ainsi pour lui ce qui appartenait en commun à tous ? S'il avait fallu obtenir un consentement de ce genre, les hommes seraient morts de faim malgré l'abondance que Dieu leur avait donnée. Sur les terres communes, qui restent telles par convention, nous voyons que le fait générateur du droit de propriété, sans lequel ces terres ne servent à rien, c'est l'acte de prendre une partie quelconque des biens communs à tous et de la retirer de l'état où la Nature la laisse. Cependant, le fait qu'on se saisisse de ceci ou de cela ne dépend pas du consentement exprès de tous. Ainsi, l'herbe qu'a mangée mon cheval, la tourbe[1] qu'a fendue mon serviteur et le minerai que j'ai extrait, partout où j'y avais droit en commun avec d'autres, deviennent ma propriété sans la cession ni l'accord de quiconque. Le travail, qui m'appartenait, y a fixé mon droit de propriété, en retirant ces objets de l'état commun où ils se trouvaient.

John Locke, *Deuxième Traité du gouvernement civil*, 1690, trad. B. Gilson, Vrin, p. 91-92.

1. Matière végétale servant de combustible.

QUESTIONS

› 1• Détaillez l'argumentation de l'auteur. Qu'est-ce qui donne sa force à cette déduction ?

› 2• « La tourbe qu'a fendue mon serviteur » : quelles difficultés supplémentaires cet exemple introduit-il ?

Texte 2 La propriété, outil d'extorsion de travail

Selon le socialiste français Proudhon (1809-1865), la propriété privée des moyens de production est ce qui rend inégalitaire et donc injuste l'échange qui est à la base du salariat.

Le capitaliste, dit-on, a payé les journées des ouvriers ; pour être exact, il faut dire que le capitaliste a payé autant de fois une journée qu'il a employé d'ouvriers chaque jour, ce qui n'est point du tout la même chose. Car, cette force immense qui résulte de l'union et de l'harmonie des travailleurs, de la convergence et de la simultanéité de leurs efforts, il ne l'a point payée. Deux cents grenadiers ont en quelques heures dressé l'obélisque de Luqsor sur sa base ; suppose-t-on qu'un seul homme, en deux cents jours, en serait venu à bout ? Cependant, au compte du capitaliste, la somme des salaires eût été la même. Eh bien, un désert à mettre en culture, une maison à bâtir, une manufacture à exploiter, c'est l'obélisque à soulever, c'est une montagne à changer de place. La plus petite fortune, le plus mince établissement, la mise en train de la plus chétive industrie, exige un concours de travaux et de talents si divers, que le même homme n'y suffirait jamais. Il est étonnant que les économistes ne l'aient pas remarqué. Faisons donc la balance de ce que le capitaliste a reçu et de ce qu'il a payé.

Il faut au travailleur un salaire qui le fasse vivre pendant qu'il travaille, car il ne produit qu'en consommant. Quiconque occupe un homme lui doit nourriture et entretien, ou salaire équivalent. C'est la première part à faire dans toute production. J'accorde, pour le moment, qu'à cet égard le capitaliste se soit dûment acquitté.

Il faut que le travailleur, outre sa subsistance actuelle, trouve dans sa production une garantie de sa subsistance future, sous peine de voir la source du produit tarir, et sa capacité productive devenir nulle ; en d'autres termes il faut que le travail à faire renaisse perpétuellement du travail accompli : telle est la loi universelle de reproduction. C'est ainsi que le cultivateur propriétaire trouve : 1° dans ses récoltes, les moyens non seulement de vivre lui et sa famille, mais d'entretenir et d'améliorer son capital, d'élever des bestiaux, en un mot de travailler encore et de reproduire toujours ; 2° dans la propriété d'un instrument productif, l'assurance permanente d'un fonds d'exploitation[1] et de travail.

Quel est le fonds d'exploitation de celui qui loue ses services[2] ? le besoin présumé que le propriétaire a de lui, et la volonté qu'il lui suppose gratuitement de l'occuper. Comme autrefois le roturier[3] tenait sa terre de la munificence[4] et du bon plaisir du seigneur, de même aujourd'hui l'ouvrier tient son travail du bon plaisir et des besoins du maître et du propriétaire : c'est ce qu'on nomme posséder à titre précaire[5]. Mais cette condition précaire est une injustice, car elle implique inégalité dans le marché. Le salaire du travailleur ne dépasse guère sa consommation courante et ne lui assure pas le salaire du lendemain, tandis que le capitaliste trouve dans l'instrument produit par le travailleur un gage d'indépendance et de sécurité pour l'avenir. [...] C'est en cela surtout que consiste ce que l'on a si bien nommé exploitation de l'homme par l'homme.

Pierre-Joseph Proudhon, *Qu'est-ce que la propriété ?*, 1840, Garnier-Flammarion, p. 154-156.

1. C'est concrètement la propriété foncière exploitée par l'agriculteur. Plus abstraitement, en droit, c'est l'ensemble des droits et des biens qui permet à un commerçant ou à un industriel d'exercer sa profession.
2. C'est la définition même du salarié, qui ne dispose que de sa force de travail.
3. Qui n'est pas noble.
4. Largesse, générosité ; le terme est ici ironique.
5. « De *precor*, je prie : parce que l'acte de concession marquait expressément que le seigneur avait concédé aux prières de ses hommes ou serfs la permission de travailler » (note de Proudhon).

QUESTION

› Pourquoi, selon Proudhon, l'échange constitué par le salariat (un travail contre un salaire) est-il injuste ? Qu'est-ce qui est payé, qu'est-ce qui n'est pas payé dans le travail de l'ouvrier ?

Passerelles

› **Chapitre 18 : La justice et le droit**, p. 446.
› **Textes :** Rawls, *Théorie de la justice*, p. 456.
Locke, Le droit de propriété au-dessus du pouvoir de l'État, p. 478.

Réflexion 6

La division du travail : enrichissement ou appauvrissement ?

Il y a deux manières de considérer la division du travail : la division sociale distingue des métiers différents, spécialisés, effectués par des producteurs indépendants au sein d'une société ; la division technique du travail lie des ouvriers dépendants au sein d'une entreprise dans la réalisation d'une tâche dont ils n'ont pas le contrôle.

Texte 1 La division du travail à l'origine de la formation de l'État

Socrate s'adresse à Adimante. Il cherche à découvrir les fondements de l'État.

– Eh bien donc ! [...] jetons par la pensée les fondements d'un État ; ces fondements seront naturellement nos besoins.

– Sans doute.

– Mais le premier et le plus important de tous est la nourriture, d'où dépend la conservation de notre être et de notre vie.

– Assurément.

– Le deuxième est celui du logement, le troisième celui du vêtement et de ce qui s'y rapporte.

– C'est bien cela.

– Mais voyons, repris-je, comment l'État suffira-t-il à fournir tant de choses ? Ne faudra-t-il pas que l'un soit laboureur, un autre maçon, un autre tisserand ? Ajouterons-nous encore un cordonnier ou quelque autre artisan pour les besoins du corps ?

– Certainement.

– L'État est donc essentiellement composé de quatre ou cinq personnes ?

– Cela est évident.

– Mais quoi ? faut-il que chacune d'elles fasse le métier qui lui est propre pour toute la communauté, par exemple que le laboureur fournisse à lui seul les vivres pour quatre et mette quatre fois plus de temps et de peine à préparer le blé pour en faire part aux autres, ou bien que, sans s'inquiéter d'eux, il produise pour lui seul le quart seulement de ce blé dans un quart de son temps et consacre les trois autres quarts, l'un à se faire une maison, l'autre, un vêtement, l'autre, des chaussures, et qu'au lieu de se donner du mal pour la communauté, il fasse ses propres affaires lui-même pour lui seul ?

Adimante répondit : Peut-être, Socrate, le premier procédé serait-il plus commode.

– Par Zeus, je n'en suis pas surpris, repris-je ; ta réponse me suggère en effet une réflexion, c'est que tout d'abord la nature n'a pas précisément donné à chacun de nous les mêmes dispositions, mais qu'elle a différencié les caractères et fait l'un pour une chose, l'autre pour une autre. N'est-ce pas ton avis ? [...]

– Mais si je ne me trompe, il est évident aussi que, si on laisse passer le temps de faire une chose, on la manque.

– C'est évident en effet.

– C'est que, je pense, l'ouvrage n'attend pas la commodité de l'ouvrier, et l'ouvrier ne doit pas quitter son ouvrage, comme si c'était un simple passe-temps.

– Il ne le doit pas.

– Par suite on fait plus et mieux et plus aisément, lorsque chacun ne fait qu'une chose, celle à laquelle il est propre, dans le temps voulu, sans s'occuper des autres.

– Très certainement.

Platon, *République*, IVe s. av. J.-C., livre II, 369d-370c, trad. É. Chambry, Les Belles Lettres, p. 140-141.

Texte 2 La division manufacturière du travail

1. Bobine.
2. Aiguise la pointe.
3. Passer sur la meule.
4. Limer.
5. Mettre.

Adam Smith (1723-1790) note avec admiration comment la division technique du travail à l'intérieur d'une manufacture augmente considérablement la productivité. Mais il note également les risques pour l'ouvrier : la répétition de gestes simples conduit à une sorte d'abrutissement intellectuel du travailleur.

Prenons un exemple dans une manufacture de la plus petite importance, mais où la division du travail s'est fait souvent remarquer : une manufacture d'épingles.

Un homme qui ne serait pas façonné à ce genre d'ouvrage, dont la division du travail a fait un métier particulier, ni accoutumé à se servir des instruments qui y sont en usage, dont l'invention est probablement due encore à la division du travail, cet ouvrier, quelque adroit qu'il fût, pourrait peut-être à peine faire une épingle dans toute sa journée, et certainement il n'en ferait pas une vingtaine. Mais de la manière dont cette industrie est maintenant conduite, non seulement l'ouvrage entier forme un métier particulier, mais même cet ouvrage est divisé en un grand nombre de branches, dont la plupart constituent autant de métiers particuliers. Un ouvrier tire le *fil à la bobille*[1], un autre le *dresse*, un troisième *coupe la dressée*, un quatrième *empointe*[2], un cinquième est employé à *émoudre*[3] le bout qui doit recevoir *la tête*. Cette tête est elle-même l'objet de deux ou trois opérations séparées : la *frapper* est une besogne particulière ; *blanchir*[4] les épingles en est une autre ; c'est même un métier distinct et séparé que de *piquer* les papiers et d'y *bouter*[5] les épingles ; enfin l'important travail de faire une épingle est divisé en dix-huit opérations distinctes ou environ, lesquelles, dans certaines fabriques, sont remplies par autant de mains différentes, quoique dans d'autres le même ouvrier en remplisse deux ou trois.

J'ai vu une petite manufacture de ce genre qui n'employait que dix ouvriers, et où par conséquent quelques-uns d'eux étaient chargés de deux ou trois opérations. Mais, quoique la fabrique fût fort pauvre et, par cette raison, mal outillée, cependant, quand ils se mettaient en train, ils venaient à bout de faire entre eux environ douze livres d'épingles par jour ; or, chaque livre contient au-delà de quatre mille épingles de taille moyenne. Ainsi ces dix ouvriers pouvaient faire entre eux plus de quarante-huit milliers d'épingles dans une journée ; donc chaque ouvrier, faisant une dixième partie de ce produit, peut être considéré comme faisant dans sa journée quatre mille huit cents épingles. Mais s'ils avaient tous travaillé à part et indépendamment les uns des autres, et s'ils n'avaient pas été façonnés à cette besogne particulière, chacun d'eux assurément n'eût pas fait vingt épingles, peut-être pas une seule, dans sa journée, c'est-à-dire pas, à coup sûr, la deux cent quarantième partie, et pas peut-être la quatre mille huit centième partie de ce qu'ils sont maintenant en état de faire, en conséquence d'une division et d'une combinaison convenables de leurs différentes opérations.

Adam Smith, *Recherche sur la nature et les causes de la richesse des nations*, 1776, livre I, chap. 1, coll. Idées, Gallimard, p. 38-39.

QUESTIONS

Textes 1 et 2

1• Quelles différences essentielles y a-t-il entre la division sociale du travail, présentée par Platon, et la division manufacturière du travail, présentée par Adam Smith ?

2• Ces deux textes représentent deux mondes très différents. En quoi ?

Réflexion 7

▶ Le travail est-il une valeur universelle ?

Pour l'homme occidental, le travail est une nécessité : « gagner sa vie » ; une obligation : « avoir un statut dans la hiérarchie sociale » ; une exigence morale : « réaliser une vocation ». Le travail est pour lui une valeur. Mais est-ce une valeur universellement partageable ?

Texte 1 — Existe-t-il des peuples paresseux ?

Avant tout, il faut bien se dire qu'un Kiriwinien[1] est capable de travailler convenablement, efficacement et assidûment. Mais pour s'atteler à la tâche, il a besoin d'un motif réel : il doit être poussé par quelque obligation tribale ou encore par des ambitions et des considérations, elles aussi dictées par la coutume et la tradition. Le gain, stimulant du travail dans des communautés plus évoluées, ne joue jamais ce rôle dans le milieu indigène originel. Il se révèle donc peu efficace quand un Blanc tente de s'en servir comme encouragement pour faire travailler un autochtone[2].

C'est la raison pour laquelle l'accusation traditionnelle de paresse et d'indolence non seulement revient tel un leitmotiv chez le colon blanc moyen, mais trouve aussi sa place dans d'excellents comptes rendus de voyages, et même, dans de sérieux rapports ethnographiques. Chez nous, le travail est, ou était il y a peu de temps encore, une marchandise vendue au même titre qu'une autre, dans un marché de libre concurrence. Un homme habitué à penser en termes de théorie économique courante appliquera naturellement les conceptions de l'offre et de la demande au travail, et au travail de l'indigène tout autant. Les profanes[3] font de même, bien qu'en termes moins compliqués : comme ils constatent que, même avec la perspective d'être largement rétribué et fort bien traité, l'indigène demeure indifférent devant la tâche que lui propose le Blanc, ils en concluent qu'il a peu d'aptitude au travail. Cette erreur de jugement, tout comme nos idées fausses sur les peuples de cultures différentes, procède de la même cause : si l'on retire un individu de son milieu social, on lui coupe *eo ipso*[4] presque tous ses ressorts moraux, ses motifs de travailler et même sa raison d'être. Si donc on le juge d'après des critères moraux, légaux, économiques, qui lui sont foncièrement étrangers, l'image qu'on se crée de lui ne peut être que caricaturale.

Bronislaw Malinowski, *Les Argonautes du Pacifique occidental*, 1922, trad. A. et S. Devyver, Gallimard, p. 216 sq.

1. Kiriwina est l'île principale des îles Trobriand, situées au large de la Nouvelle-Guinée.
2. Originaire du pays qu'il habite.
3. Ici, non-spécialistes, qui ne sont pas initiés à la « théorie économique ».
4. Du même coup.

QUESTIONS

1• Pourquoi l'homme occidental, le « Blanc », comprend-il le travail dans une conception « de l'offre et de la demande » ? Concrètement, qu'est-ce que cela signifie ?

2• Pourquoi cette logique le conduit-il à percevoir comme paresseux d'autres hommes qui n'entrent pas dans cette logique ?

Texte 2 — Le temps de travail, une affaire de culture ?

Il était de bon ton de proposer les Bochimans[1] ou les aborigènes australiens[2] comme « illustrations classiques de peuples dont les ressources économiques sont des plus succinctes », dont l'environnement est si précaire que « la survie n'est possible qu'au prix d'une activité très soutenue ». Aujourd'hui, on en vient presque à inverser l'image « classique », et ce à partir de données émanant essentiellement de ces deux groupes. On est actuellement en mesure de prouver que les peuples de chasseurs-collecteurs travaillent moins que nous ; et que loin

1. Groupe de peuples vivant principalement dans le désert du Kalahari, au Botswana et en Namibie (Afrique australe).

2. Autochtones, les premiers installés sur un territoire, par opposition à ceux qui sont venus s'établir par la suite.
3. Qui est le fait du hasard.
4. Irrégulière, instable.

d'être un labeur continu, la quête de nourriture est, pour eux, une activité intermittente, qu'ils jouissent de loisirs surabondants et dorment plus dans la journée, par personne et par an, que dans tout autre type de société. [...] Quatre ou cinq heures représentent le temps moyen par personne et par jour consacré à l'acquisition et à la préparation de la nourriture. Au surplus, ils ne travaillent pas de manière soutenue. La quête de nourriture est une activité hautement discontinue. On s'arrête momentanément dès que l'on s'est procuré de quoi vivre momentanément, ce qui laisse beaucoup de temps libre. Dans le secteur de la subsistance comme dans les autres secteurs de production, nous avons affaire visiblement à une économie aux objectifs limités et bien définis. Dans la chasse et la cueillette, ces objectifs sont atteints de façon aléatoire[3], irrégulière, d'où une ordonnance du travail, elle aussi, irrégulière, erratique[4].

Marshall Sahlins, *Âge de pierre, âge d'abondance*, 1972, trad. T. Jolas, Gallimard, p. 53 sq.

QUESTION

› Quelle image nouvelle les enquêtes ethnographiques nous livrent-elles de ces sociétés de chasseurs-cueilleurs ?

Texte 3 Y a-t-il un droit à la paresse ?

1. Allusion au mythe biblique, concernant la malédiction du travail › p. 358.
2. Le degré extrême qu'on ne peut dépasser, ce qu'il y a de mieux.
3. Période post-révolutionnaire française marquée par la répression (1792-1794).
4. La classe laborieuse, par opposition à la bourgeoisie.

Une étrange folie possède les classes ouvrières des nations où règne la civilisation capitaliste. Cette folie traîne à sa suite des misères individuelles et sociales qui, depuis deux siècles, torturent la triste humanité. Cette folie est l'amour du travail, la passion moribonde du travail, poussée jusqu'à l'épuisement des forces vitales de l'individu et de sa progéniture. Au lieu de réagir contre cette aberration mentale, les prêtres, les économistes, les moralistes, ont sacro-sanctifié le travail. Hommes aveugles et bornés, ils ont voulu être plus sages que leur Dieu[1] ; hommes faibles et méprisables, ils ont voulu réhabiliter ce que leur Dieu avait maudit. Moi, qui ne professe d'être chrétien, économe et moral, j'en appelle de leur jugement à celui de leur Dieu ; des prédications de leur morale religieuse, économique, libre-penseuse, aux épouvantables conséquences du travail dans la société capitaliste.

Douze heures de travail par jour, voilà l'idéal des philanthropes et des moralistes du XVIIIe siècle. Que nous avons dépassé ce *nec plus ultra*[2] ! Les ateliers modernes sont devenus des maisons idéales de correction où l'on incarcère les masses ouvrières, où l'on condamne aux travaux forcés pendant 12 et 14 heures, non seulement les hommes, mais les femmes et les enfants ! Et dire que les fils des héros de la Terreur[3] se sont laissé dégrader par la religion du travail au point d'accepter après 1848, comme une conquête révolutionnaire, la loi qui limitait à douze heures le travail dans les fabriques ; ils proclamaient comme un principe révolutionnaire, le droit au travail. Honte au prolétariat[4] français ! Des esclaves seuls eussent été capables d'une telle bassesse. Il faudrait 20 ans de civilisation capitaliste à un Grec des temps héroïques pour concevoir un tel avilissement.

Paul Lafargue, *Le Droit à la paresse*, 1883, Maspero, p. 121 sq.

QUESTIONS

› 1• Pourquoi la revendication du « droit au travail » semble-t-elle dégradante à l'auteur ? Pourquoi, selon lui, seuls des « esclaves » auraient pu avoir une telle attitude ?

› 2• Les propos de ce texte ont-ils vieilli depuis sa parution ou sont-ils encore d'actualité ? Justifiez votre point de vue.

› **Texte :** Lévi-Strauss, L'ethnocentrisme, p. 158.

Une œuvre, une analyse

Présentation

Marx : *Le Capital*, livre I, « Le fétichisme de la marchandise » (1867)

Toute société se caractérise par l'échange, mais seules les sociétés capitalistes se caractérisent par l'échange généralisé de marchandises. Deux « mystères » intéressent Marx, à la suite des économistes classiques : 1) le problème de la valeur d'échange : selon quel critère une marchandise est-elle échangée contre une autre, par l'intermédiaire de l'argent (circuit M → A → M) ? ; 2) le problème de l'origine de la plus-value : comment l'argent, en produisant des marchandises, peut-il produire aussi du profit (circuit A → M → A') ?

1 La valeur d'échange

On appelle **valeur d'usage** d'une chose son utilité, ce pour quoi on en a besoin. La **valeur d'échange**, c'est la proportion par laquelle deux marchandises, totalement hétérogènes, s'échangent : 1 quarteron de froment = *x* kg de fer. Que peut vouloir dire cette égalité ? Elle n'a de sens, comme pour toute relation quantitative, que si une commune mesure relie le froment et le fer. Quelle peut être la propriété commune au froment et au fer ? Adam Smith avait déjà répondu : c'est le travail humain. La valeur d'échange d'une marchandise est proportionnelle à la « quantité de travail fourni ». Marx ajoute : « de travail socialement nécessaire, à une époque donnée ». C'est le temps moyen mis par l'ensemble des producteurs pour produire un même objet qui est pris en compte. Or ce temps moyen peut être modifié à chaque instant au gré des changements technologiques. « Après l'introduction en Angleterre du tissage à vapeur, il fallut peut-être moitié moins de travail qu'auparavant pour transformer en tissu une certaine quantité de fil. Le tisserand anglais, lui, eut toujours besoin du même temps pour opérer cette transformation ; mais dès lors, le produit de son heure de travail individuelle ne représenta plus que la moitié d'une heure sociale de travail. »

On voit donc que la valeur n'est pas dans l'objet même ; c'est une relation complexe au travail fourni et au contexte historique. On voit également que le travail présente la même dualité que la marchandise. En tant qu'il produit des objets, dont on juge la valeur d'usage, c'est une **capacité individuelle**, demandant des compétences spécifiques, un savoir-faire professionnel, une formation, des qualités morales... En tant qu'il produit des marchandises destinées à être échangées, le travail n'est plus qu'une **activité productrice en général**, dont on ne considère que l'aspect quantitatif.

2 Le monde des marchandises

Dans les sociétés où règne l'échange généralisé des marchandises, la richesse se réduit aux objets ou à leur forme monétaire. La richesse, ce ne sont plus les hommes (les soldats d'un monarque, les esclaves d'un maître, les serfs d'un seigneur), ni les femmes (échangées entre clans, dans les sociétés primitives), ni les services ou obligations politiques (la « fidélité » que le seigneur vassal doit à son suzerain, ou les corvées que les serfs doivent à leur seigneur)... Le capitalisme coupe tout lien entre la sphère économique, d'une part, et les sphères religieuse, sociologique, politique. La sphère matérielle de la production semble se résoudre en une circulation d'objets à travers le monde : **les marchandises**.

3 Le fétichisme de la marchandise

Or ce ne sont pas des objets, à proprement parler, qui s'échangent, c'est du travail, et du travail socialement organisé, puisque tout objet est produit, non plus pour lui-même, pour l'usage immédiat de celui qui le produit, mais pour être échangé en vue du profit. Il présuppose donc dès le départ l'horizon social de l'échange, fondé sur le calcul des quantités de travail nécessaire. Or le propre des marchandises, c'est de s'offrir au consommateur **comme si elles avaient en elles-mêmes leur valeur**; comme si leur « prix » les caractérisait objectivement, au même titre que leur masse ou leur composition chimique. Dans la production marchande, les relations d'échange entre les hommes et leur travail s'effacent au profit d'une relation d'échange entre les choses. Tel est ce que Marx appelle le fétichisme de la marchandise.

Pour montrer la nature de cette illusion, Marx propose trois contre-exemples:

1. Une fiction, celle de **Robinson sur son île**: Robinson sait bien qu'un objet lui est d'autant plus précieux qu'il lui faudrait plus de travail pour le produire; Robinson peut bien être seul sur son île, c'est encore l'échange qui dicte ses préférences, car il est bien obligé de partager son temps, qui n'est pas infini, entre des occupations différentes; et il est à même de comparer ces activités entre elles, de mesurer la valeur de ce qu'il produit d'après le temps qu'il a dépensé.
2. Une réalité historique: celle de l'**époque féodale**. Quand le serf est astreint à la corvée, il sait que ce sont des journées de travail, que c'est son temps qu'il donne au seigneur: les relations sociales sont visibles, elles n'ont pas besoin de se cacher derrière des objets.
3. Une réalité sociologique: **une famille paysanne, vivant en quasi autarcie**, distribue le travail à ses différents membres: les objets produits, blé, bétail, tissu, vêtement, apparaissent comme des formes sociales de distribution du travail en fonction des âges et des sexes, et comme des produits de ce travail. L'échange est perçu comme échange social de rôles et de pouvoirs, et non comme échange d'objets.

Marx (1818-1883)

Issu d'une famille bourgeoise, Karl Marx fait des études d'histoire, de droit et de philosophie à Bonn et à Berlin. Dès 1842, il collabore à la Gazette rhénane, de tendance démocratique révolutionnaire, dont il devient le rédacteur en chef. Ses critiques politiques le contraignent à un exil à Paris en 1843, où il revoit Engels, puis à Bruxelles où il organise un réseau de groupes révolutionnaires. En 1848 paraît le *Manifeste du Parti communiste*, premier écrit où est systématisée la nouvelle doctrine communiste, fondée sur une conception matérialiste de l'histoire, où le rôle essentiel est donné aux contradictions du développement économique et à la lutte des classes. Les différentes révolutions européennes de 1848 obligent Marx à de nouveaux exils. En 1849, il s'installe définitivement à Londres où, aidé par Engels, il bâtit son œuvre principale : *Le Capital*. Le premier volume paraît en 1867. Les deux autres volumes, édités par Engels, sont publiés après sa mort en 1885 et en 1894. Parallèlement, Marx poursuit ses efforts en vue d'unifier le mouvement ouvrier. À Londres, en 1864, est créée l'Association internationale des travailleurs (AIT), connue sous le nom de « Première Internationale », qui rassemble des organisations ouvrières européennes et américaines. Les dernières années de sa vie sont marquées par des conditions matérielles et physiques éprouvantes.

Extraits

Marx : *Le Capital*, livre I, « Le fétichisme de la marchandise » (1867)

Qu'est-ce qui s'échange derrière les marchandises ?

Comment peut-il y avoir une mesure commune entre des objets totalement disparates ? Il doit y en avoir une, puisque ces objets s'échangent les uns comme les autres, par l'intermédiaire de l'argent. Mais il est faux de croire que la valeur des marchandises appartient aux marchandises elles-mêmes.

Texte 1 D'où vient la valeur d'échange des marchandises ?

Marx montre ici comment Aristote a su poser le problème mais a échoué à le résoudre.

D'abord Aristote exprime clairement que la forme argent de la marchandise n'est que l'aspect développé de la forme valeur simple, c'est-à-dire de l'expression de la valeur d'une marchandise dans une autre marchandise quelconque, car il dit : « 5 lits = 1 maison » ne diffèrent pas de « 5 lits = tant et tant d'argent. »

Il voit de plus que le rapport de valeur qui contient cette expression de valeur suppose, de son côté, que la maison est déclarée égale au lit au point de vue de la qualité, et que ces objets, sensiblement différents, ne pourraient se comparer entre eux comme des grandeurs commensurables sans cette égalité d'essence. « L'échange, dit-il, ne peut avoir lieu sans l'égalité, ni l'égalité sans la commensurabilité[1]. »

Mais ici il hésite et renonce à l'analyse de la forme valeur. « Il est, ajoute-t-il, impossible en vérité que des choses si dissemblables soient commensurables entre elles », c'est-à-dire de qualité égale. L'affirmation de leur égalité ne peut être que contraire à la nature des choses ; « on y a seulement recours pour le besoin pratique. » [...]

Ce qui empêchait Aristote de lire dans la forme valeur des marchandises, que tous les travaux sont exprimés ici comme travail humain indistinct et par conséquent égaux, c'est que la société grecque reposait sur le travail des esclaves, et avait pour base naturelle l'inégalité des hommes et de leurs forces de travail.

Karl Marx, *Le Capital*, 1867, livre I, section I, chap. 1, trad. J. Roy, Garnier Flammarion, p. 59-60.

1. Le fait pour des objets différents d'avoir une commune mesure d'après laquelle on peut les comparer quantitativement.

Texte 2 Le fétichisme de la marchandise

Le caractère d'égalité des travaux humains acquiert la forme de valeur des produits du travail. [...] Voilà pourquoi ces produits se convertissent en marchandises, c'est-à-dire en choses qui tombent et ne tombent pas sous les sens, ou choses sociales. C'est ainsi que l'impression lumineuse d'un objet sur le nerf optique ne se présente pas comme une excitation subjective du nerf lui-même, mais comme la forme sensible de quelque chose qui existe en dehors de l'œil. Il faut ajouter que dans l'acte de la vision la lumière est réellement projetée d'un objet extérieur sur un autre objet, l'œil ; c'est un rapport physique entre des choses physiques. Mais la forme valeur et le rapport de valeur des produits du travail n'ont absolument rien à faire avec leur nature physique. C'est seulement un rapport social déterminé des hommes entre eux qui revêt ici pour eux la forme fantastique d'un rapport des choses entre elles. Pour trouver une analogie à ce phénomène, il faut la chercher dans la région nuageuse du monde religieux. Là les produits du cerveau humain ont l'aspect d'êtres indépendants, doués de corps particuliers, en communication avec les hommes et entre eux. Il en est de même des produits de la main de l'homme dans le monde marchand. C'est ce qu'on peut nommer le fétichisme attaché aux produits du travail, dès qu'ils se présentent comme des marchandises, fétichisme inséparable de ce mode de production.

Op. cit., p. 69.

Texte 3 La fiction des robinsonades

Puisque l'économie politique aime les robinsonades, visitons d'abord Robinson dans son île. Modeste, comme il l'est naturellement, il n'en a pas moins divers besoins à satisfaire, et il lui faut exécuter des travaux utiles de genre différent, fabriquer des meubles, par exemple, se faire des outils, apprivoiser des animaux, pêcher, chasser, etc. De ses prières, et autres bagatelles semblables nous n'avons rien à dire, puisque notre Robinson y trouve son plaisir et considère une activité de cette espèce comme une distraction fortifiante. Malgré la variété de ses fonctions productives, il sait qu'elles ne sont que les formes diverses par lesquelles s'affirme le même Robinson, c'est-à-dire tout simplement des modes divers de travail humain. La nécessité même le force à partager son temps entre ses occupations différentes. Que l'une prenne plus, l'autre moins de place dans l'ensemble de ses travaux, cela dépend de la plus ou moins grande difficulté qu'il a à vaincre pour obtenir l'effet utile qu'il a en vue. L'expérience lui apprend cela, et notre homme, qui a sauvé du naufrage montre, grand-livre, plume et encre, ne tarde pas, en bon Anglais qu'il est, à mettre en note tous ses actes quotidiens. Son inventaire contient le détail des objets utiles qu'il possède, des différents modes de travail exigés par leur production, et enfin du temps de travail que lui coûtent en moyenne des quantités déterminées de ces divers produits.

Op. cit., p. 72.

Texte 4 La réalité féodale

Transportons-nous maintenant de l'île lumineuse de Robinson dans le sombre Moyen Âge européen. Au lieu de l'homme indépendant nous trouvons ici tout le monde dépendant, serfs et seigneurs, vassaux et suzerains, laïques et clercs. Cette dépendance personnelle caractérise aussi bien les rapports sociaux de la production matérielle que toutes les autres sphères de la vie auxquelles elle sert de fondement. Et c'est précisément parce que la société est basée sur la dépendance personnelle que tous les rapports sociaux apparaissent comme des rapports entre les personnes. Les travaux divers et leurs produits n'ont en conséquence pas besoin de prendre une figure fantastique[1] distincte de leur réalité. Ils se présentent comme services, prestations et livraisons en nature. La forme naturelle du travail, sa particularité – et non sa généralité, son caractère abstrait, comme dans la production marchande – en est aussi la forme sociale. La corvée[2] est tout aussi bien mesurée par le temps que le travail qui produit des marchandises ; mais chaque corvéable sait fort bien, sans recourir à un Adam Smith[3], que c'est une quantité déterminée de sa force de travail personnelle qu'il dépense au service de son maître. [...] Les rapports sociaux des personnes dans leurs travaux respectifs s'affirment nettement comme leurs propres rapports personnels, au lieu de se déguiser en rapports sociaux des choses, des produits du travail.

Op. cit., p. 73.

1. Au sens d'imaginaire.
2. Travail gratuit que les serfs, les roturiers, c'est-à-dire les corvéables, devaient au seigneur.
3. Il est le premier économiste à avoir montré le rôle du travail dans la fixation de la valeur d'échange d'une marchandise.

QUESTIONS

Texte 1

› Qu'est-ce que la valeur d'échange d'une marchandise ? Pourquoi faut-il que deux marchandises différentes puissent être comparées d'après une commune mesure ?

Texte 2

› 1• Quelle est l'illusion générale propre au monde capitaliste que Marx cherche à démonter ?

› 2• Expliquez l'analogie de la vision et celle de la religion.

› 3• Que veut dire initialement « fétichisme » ? Le terme est-il ici approprié ? Proposez une définition de l'expression « fétichisme de la marchandise ».

Texte 3

› 1• Sur quels critères Robinson juge-t-il de la valeur des objets qu'il a retirés du naufrage ?

› 2• En quoi l'homme solitaire continue-t-il de se situer dans la logique de l'échange ?

Texte 4

› Que donne le serf à son seigneur ? Quelle différence visible le sépare du salarié moderne ? Qu'y a-t-il de commun entre les deux situations ?

REPÈRES et DISTINCTIONS CONCEPTUELLES

La technique

Elle est l'ensemble des moyens artificiels utilisés par l'homme pour produire des objets. La technique vise l'utilité et l'efficacité. **La technique se distingue premièrement de la nature** : elle désigne des procédés inventés par l'homme visant à produire des objets qui n'existent pas naturellement. La production d'outils a ainsi pour objectif d'augmenter la puissance de l'homme (hache, marteau, arc, épée…) ou de lui faciliter la vie (machine à laver…). **La technique se distingue deuxièmement de la science** : elle est un savoir-faire, tandis que la science est une connaissance pure, indépendante de ses applications éventuelles (l'ingénieur est l'homme de la technique, le chercheur l'homme de la science). Enfin **la technique se distingue de l'art** : elle vise à produire de façon efficace des objets utiles (ordinateurs, voitures…) tandis que la valeur d'une œuvre d'art ne se réduit pas à son utilité.

Outil / machine / robot

Les outils sont le prolongement du corps humain. Ils dépendent de gestes techniques qui supposent un apprentissage plus ou moins long (exemple : un marteau…).
La machine est indépendante des actions humaines et de l'énergie humaine, elle exécute des tâches que l'homme ne pourrait pas accomplir sans elles ou pas aussi vite ni aussi précisément. Elles restent cependant limitées à des tâches précises définies par les ingénieurs.

Les robots disposent de programmes informatiques souples et de sens artificiels, ils peuvent s'adapter à des déplacements, être programmés pour des tâches différentes, mais ils restent dépendants des programmateurs.

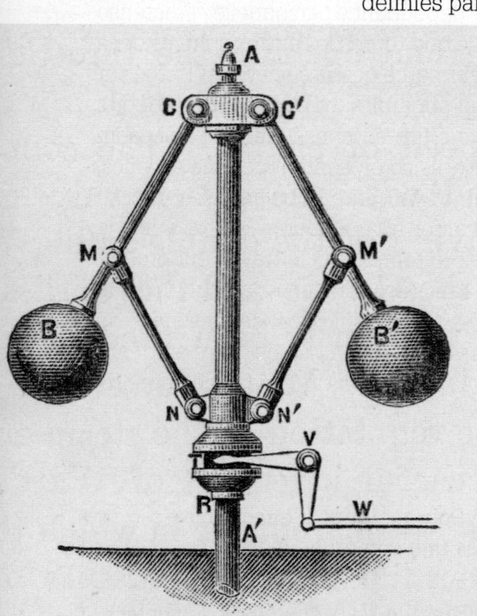

Le régulateur à boules de James Watt permet de réguler la vitesse de rotation d'une machine à vapeur. Les deux boules sont mises en rotation par le mouvement de la machine. Lorsque la vitesse est trop rapide les boules s'écartent sous l'action de la force centrifuge, ce qui commande le déplacement d'un levier (W) qui agit sur l'ouverture des soupapes d'admission de la vapeur. Le débit de la vapeur est ainsi régulé mécaniquement.

Technique et automatisation

L'automatisme définit, dès l'origine, la machine. Mais ce mot est ambigu et renvoie à des réalités, techniquement et historiquement, fort différentes :

- **l'indépendance énergétique** : une machine est automatique quand elle possède son propre moteur et ne dépend plus de l'énergie humaine : un moulin à vent, une roue à aube, une automobile…
- **l'indépendance opératoire** : une machine est automatique quand elle exécute une multitude de tâches, qui correspondrait à une multitude de gestes humains : une imprimerie moderne ne se contente pas d'imprimer, mais encore elle trie, assemble, relie, emballe, expédie…
- **l'indépendance régulatrice** : une machine peut contrôler, surveiller, réguler ses propres activités : James Watt, à la fin du XVIIIe siècle, invente un système d'autorégulation grâce auquel la machine à vapeur contrôle elle-même, sans intervention humaine, la quantité d'énergie optimale. Dans une maison, un thermostat maintient mécaniquement le niveau de température voulu.
- **l'indépendance organisatrice** : une machine pourrait-elle s'auto-organiser, c'est-à-dire modifier ses propres programmes de façon à s'adapter à des situations nouvelles, indépendamment de l'intervention d'un ingénieur ou d'un programmateur ? Telle est la question de l'intelligence artificielle.

Zoom sur...

Les différentes images du travail à travers l'histoire

▪ Dans la plupart des **civilisations antiques,** le travail exprime un rapport d'inégalité et d'exploitation : celui qui travaille est au mieux un serviteur, au pire un esclave. Pour les Grecs, le travail s'oppose à la liberté, seul l'artisanat est compatible avec l'exercice de la citoyenneté. Plus on est libéré des tâches du travail, grâce au travail des autres, plus on est susceptible d'exercer des fonctions libres, nobles : la science, la politique, les relations d'amitié...

▪ Issu du latin *tripalium* (instrument de torture), le travail est tourment, souffrance, torture. Il ne trouve une valeur morale au **Moyen Âge** que par son opposition à l'oisiveté, mère de tous les vices. En lui-même, il n'a pas de valeur, il est une protection contre la perdition.

▪ Il faut attendre la fin du XVIIIe siècle, le début de la **révolution industrielle**, pour que le travail soit mis au cœur de la société. Les économistes libéraux (Adam Smith, par exemple, dans *La Richesse des nations)* en font la source première de toute richesse produite par l'homme. En effet le travail est, en dernière instance, la source de toute valeur, comme le montre le personnage de Robinson Crusoé qui, dans son île, ne peut considérer la valeur de ce qu'il possède que par le temps et le travail qu'il a fallu pour l'obtenir.

▪ La jonction de l'impératif moral (« l'oisiveté est la mère de tous les vices ») et de l'impératif économique (« le travail est la source de toute richesse, et la matrice de tout mérite ») fait du travail une valeur dominante de l'**époque moderne**. L'homme occidental ne comprend plus que d'autres civilisations puissent ne pas vouloir travailler au-delà de la satisfaction des premiers besoins. Certains peuples colonisés seront alors perçus comme paresseux, et par conséquent vicieux.

▪ **Chez Marx**, l'opposition entre ces deux pôles, positif et négatif, du travail, atteint son point culminant. Car le travail est l'essence de l'homme, il est ce qui lui permet de se libérer de la nature et d'affirmer sa supériorité. Mais dans l'économie capitaliste, le travail devient synonyme d'aliénation, l'ouvrier ne maîtrise plus ni le début ni la fin de son travail, ni ses « tours de main » ni sa rémunération.

▪ En effet la **division technique du travail**, dès le XVIIIe siècle, vient mécaniser les tâches, et plus le travail se mécanise, plus l'ouvrier perd son âme. Au début du XXe siècle le **taylorisme** propose une « organisation scientifique du travail » en divisant les opérations, en décomposant chaque mouvement de façon à réduire les pertes de temps et d'efficacité. Des ingénieurs décident des gestes à effectuer, et l'« ouvrier spécialisé » n'a plus qu'à les effectuer. Le **fordisme** prolonge le taylorisme en introduisant le travail à la chaîne.

▪ **Aujourd'hui** encore, l'image du travail est tiraillée entre deux pôles. Plus le travail devient une denrée rare, plus il est valorisé : sans travail, pas d'intégration sociale. Pour les plus favorisés, un travail intéressant est une condition essentielle du bonheur. En revanche, les conditions réelles du travail n'ont guère changé malgré les perfectionnements technologiques. Dans sa réalité quotidienne, le travail reste pour beaucoup une source de souffrances et de conflits. La multiplication des contrats de travail (travail précaire, travail partiel contraint, travail à durée déterminée, travail par intérim, travail externalisé...) n'incite pas à la solidarité entre les travailleurs.

chapitre 10

La religion

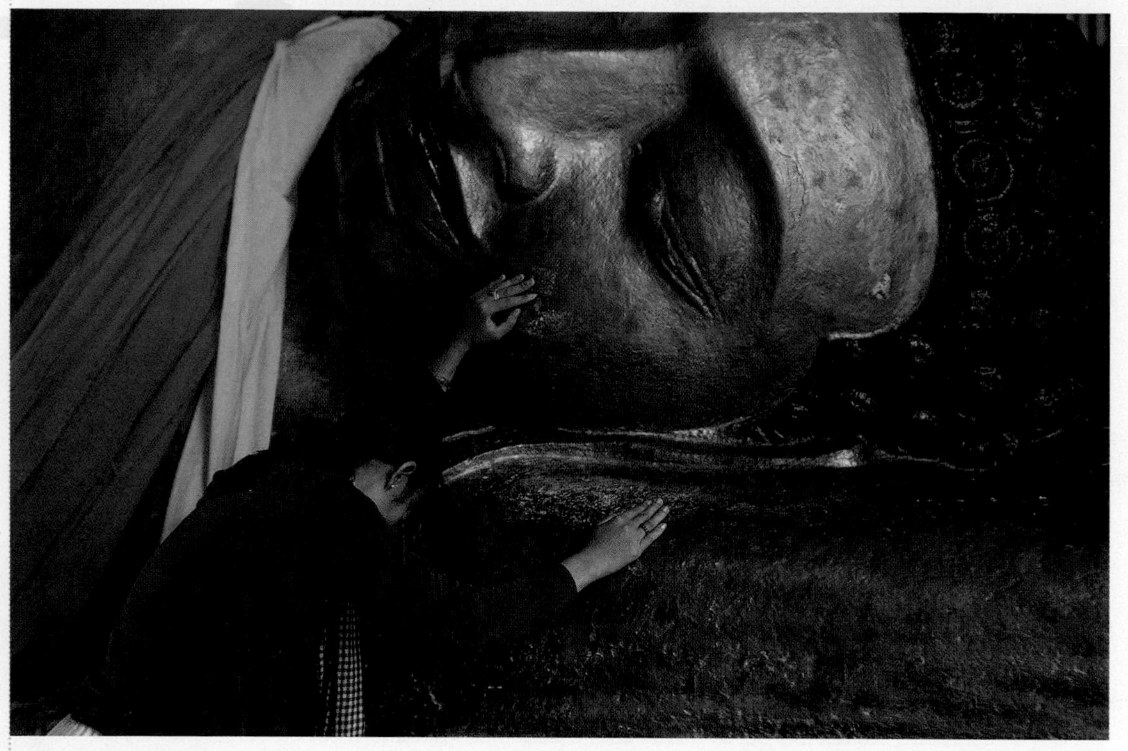

Femme en prière dans le temple d'Angkor Wat au Cambodge, 1998.

Du mot...

Dans le langage courant, la religion renvoie à deux sens différents. « Quelle est ta religion ? » peut signifier : « quelle est ta croyance ? ». Ici la religion renvoie a un ensemble de convictions auxquelles le croyant adhère. Mais la question : « de quelle religion es-tu ? » peut signifier : « à quelle communauté appartiens-tu ? ». Ici la religion désigne une identité culturelle. Ainsi beaucoup de personnes vont se proclamer de telle ou telle religion non pas parce qu'elles sont croyantes ou pratiquantes, mais parce que c'est la religion de leurs parents. Le mot a donc le double sens de croyances personnelles et de traditions sociales ; il renvoie d'un côté à l'intimité du sujet, de l'autre, à son inscription dans un groupe, une culture.

... au concept

En tant que croyance, la religion renvoie à la foi, à des vérités transcendantes, non démontrables. Mais il est impossible de définir un contenu commun de croyances, tant ce contenu diffère d'une religion à l'autre. Il existe par exemple des religions sans Dieu. De plus, toute croyance a-t-elle le statut de religion ? Peut-on appeler « religion » les croyances de la superstition, des sectes ? En tant que pratique sociale et culturelle, la religion renvoie à des cultes, à des rites traditionnels. Ces pratiques reposent sur la séparation entre domaine sacré et domaine profane. Mais elles sont extrêmement variables : usages quotidiens, réunions familiales ou communautaires, pratiques magiques, initiations secrètes, cérémonies de nature politique, fêtes traditionnelles... Enfin, comment définir la religion quand elle imprègne l'ensemble de la vie sociale, des gestes quotidiens jusqu'aux règles du droit et aux institutions politiques ?

Pistes de réflexion

Comment définir une religion?

Il ne suffit pas de dire qu'il s'agit d'une croyance en un ou des dieux, car il existe des religions sans dieu (par exemple, le bouddhisme). Comment différencier une religion et une secte? Comment distinguer croyances religieuses et pratiques magiques? Comment faire la différence entre une religion et une morale de vie?

La foi et la raison s'excluent-elles?

Est-il possible de fonder la religion seulement sur la raison, en exigeant des fidèles qu'ils ne croient que ce que leur raison leur présente comme vrai? Dans un tel cas, la religion n'en viendrait-elle pas à se confondre avec la sagesse ou la philosophie ? L'essence même de toute religion n'est-elle pas d'exiger le saut de la foi : croire l'incroyable, croire au-delà de la raison? Mais la foi s'oppose-t-elle radicalement à la raison de sorte qu'il serait impossible de les réconcilier?

Peut-on être croyant sans être pratiquant?

Si la foi religieuse ne consiste qu'en un lien entre l'homme et la divinité, elle peut être conçue comme purement individuelle. Or le plus souvent la foi religieuse est également un lien qui unit le croyant à une communauté de fidèles, ainsi qu'à des traditions collectives. Ces liens sont-ils extérieurs à la foi elle-même ou en font-ils intégralement partie? Dès lors, est-il possible d'avoir une foi religieuse en dehors d'une religion?

La religion n'est-elle qu'une superstition parmi d'autres?

Comment distinguer la religion de la superstition? Ne relèvent-elles pas toutes deux de l'irrationnel? Ne dépassent-elles pas toutes deux les bornes de la raison? Comment s'assurer que la religion n'est pas une invention humaine pour se rassurer, pour asservir les hommes... ?

Sur quels principes est fondée la laïcité?

Comment être intimement persuadé de la vérité de sa religion et accepter que d'autres n'y adhèrent pas, professent une autre croyance, ou encore ne croient en aucune religion? La tolérance et la laïcité soulèvent un problème politique : comment définir des valeurs pour une société, qui soient indépendantes de toute religion, mais respectueuses des différentes religions?

La religion est-elle au fondement de la morale?

Une religion prescrit à ces adeptes un certain nombre de devoirs moraux, enseigne une distinction entre le bien et le mal. Cette morale repose sur le désir de plaire à Dieu et sur l'espoir d'une récompense future. Les commandements religieux sont-ils à l'origine des devoirs moraux? Ceux-ci gardent-il encore tout leur poids en l'absence de conviction religieuse? Quel est le fondement de la morale pour un athée?

Passerelle

› **Dossier:** Le mythe d'Adam et Ève, p. 358.

Découvertes

DOCUMENT 1 Comment distinguer une secte d'une religion ?

La liberté de conscience, le principe de tolérance obligent-ils les sociétés démocratiques à laisser libre cours au développement des sectes ? Comment combattre l'endoctrinement sectaire sans renoncer aux principes démocratiques ?

Où s'arrête une religion – ce qui doit être respecté – et où commence une secte – ce qui doit être combattu ? La réponse ne va pas de soi et dépend des critères retenus. Le débat oppose deux grandes conceptions : l'approche doctrinale et l'approche comportementale.

Une première définition de ce qu'est une « secte » privilégie le contenu doctrinal, c'est-à-dire la nature du message, l'idéal proposé, la filiation spirituelle du « gourou » fondateur, les exigences demandées aux fidèles et les textes ou philosophies auxquelles se rattache le « maître ». Cette approche est héritée de la vision classique des sociologues du XIXe siècle. Pour Max Weber, par exemple, la secte se définit par rapport à l'Église : la première s'identifie à un groupe de salut « contractuel », la seconde à une institution de salut universel. Mais cette définition a vécu. [...] Au fond, se pencher sur la doctrine de telle ou telle secte pour définir sa nocivité par rapport à une ligne « officielle » ou « institutionnelle » conduit à une triple méprise.

Premièrement, on risque de ranger parmi les sectes des groupes qui sont en rupture avec les Églises tout en n'ayant d'autre corps de doctrine que le message évangélique lui-même. C'est le cas des quakers, des pentecôtistes ou des adventistes... Deuxièmement, en se penchant sur le message des sectes, on finit toujours par y trouver une intention généreuse qui les relie de près ou de loin aux valeurs chrétiennes et rend difficile une ferme condamnation. C'est la situation des Témoins de Jéhovah et des mormons... Enfin, lorsque la secte s'inspire d'une philosophie orientale étrangère au christianisme, on ne sait quelle attitude adopter et on perd tout repère. Sur quelle base contrer les Krishna ou la Sokka Gakkaï, qui font florès[1] en se réclamant de la liberté de pensée ?

Pour toutes ces raisons, l'approche doctrinale est notoirement insuffisante.

[...] D'où la seconde approche, dite comportementale, défendue depuis plus de quinze ans, de façon assez isolée, par le père Trouslard, ancien vicaire général de l'évêché de Soissons, devenu « chasseur de sectes ». Jacques Trouslard retient un seul critère, celui de la nocivité, qu'il décline selon trois caractéristiques aisément identifiables : le triple conditionnement des adeptes (par la technique du bourrage de crâne, de la soumission, de l'adhésion personnelle au « maître »), la triple destruction (d'eux-mêmes, de leur famille, de la société) et la triple escroquerie (intellectuelle, morale et financière). On peut ainsi apporter la preuve du caractère dangereux d'une secte sans préoccupation doctrinale mais par l'observation de faits précis, répétitifs, collectifs et coercitifs.

Christian Makarian, Sophie Bonis, « Sectes ou religions ? », *Le Point*, n° 1217, 13 janvier 1996, p. 68.

1. Qui obtiennent un succès éclatant.

QUESTIONS

1• Expliquez la définition de la secte selon Max Weber (deuxième paragraphe). Pourquoi les auteurs la jugent-ils insuffisante aujourd'hui ?

2• Êtes-vous d'accord pour juger difficile, voire impossible, de distinguer les sectes des religions en partant de leur contenu doctrinal ? Pourquoi ?

3• Expliquez les caractéristiques de l'approche comportementale (dernier paragraphe). Détaillez les neuf critères proposés. Permettent-ils de concilier condamnation des sectes et liberté de croyance ? En quoi ?

DOCUMENT 2 Sacré et sacrifice

Fresque grecque représentant le sacrifice d'un animal, VIe siècle avant J.-C., Athènes, musée national.

QUESTIONS

› 1• La croyance au sacré conduit souvent à des sacrifices, sous forme de rituels religieux. Quels types de sacrifices religieux connaissez-vous ? Quels sens peuvent-ils avoir ?

› 2• En quoi le sacrifice est-il une violence ? Son but est-il violent ? Quel est-il ?

› 3• Peut-on considérer le sacrifice comme un échange entre les hommes et les dieux ? Quels pourraient être les termes de cet échange ?

DOCUMENT 3 Que veut dire « croire » ?

Les théologies chrétiennes[1] ont toujours distingué ces trois sens du mot croire. Selon saint Thomas d'Aquin *credere Deum, credere Deo, credere in Deum*. « Croire Dieu » signifie qu'on donne le pas à la parole, qu'on privilégie l'obéissance à Dieu, qu'on reconnaît son autorité quand il parle. « Croire à Dieu » signifie que l'on adhère à sa parole et au discours qui peut en résulter ; la formule ici privilégie le contenu du message et sa compréhension. « Croire en Dieu », enfin, signifie que l'on met au centre de la croyance, plus que la parole et le discours de la divinité, son être même, sa personne ; croire en lui c'est être lié à lui, exister par lui.

Dans le christianisme, il y a tension permanente entre ces trois sens du mot *croire*, entre l'écoute d'une parole, l'adhésion à une doctrine et l'engagement envers une personne.

Jean-Pierre Sironneau, « La foi chrétienne et la science », *Sciences humaines*, n° 53, p. 25-26.

1. La théologie étudie des questions religieuses en se fondant principalement sur les textes sacrés, la tradition.

QUESTIONS

› 1• Quels sont les trois sens donnés par Thomas d'Aquin au verbe « croire » ? Pour chaque sens, trouvez des exemples.

› 2• En quoi ces trois sens correspondent-ils à trois attitudes religieuses ? Expliquez en particulier la différence entre foi et croyance.

Réflexion 1

La religion : tournée vers Dieu ou vers l'homme ?

Les religions, en se référant au divin, nous font entrer dans des mondes qui semblent totalement étrangers aux réalités humaines. Elles insistent sur la distance qui sépare les hommes et les dieux. Mais cette distance ne cache-t-elle pas en réalité la nature profondément humaine de la religion ?

Texte 1 La religion, une invention pour protéger les hommes contre eux-mêmes ?

Critias est un des rares Grecs de l'Antiquité à justifier l'athéisme, comme on le voit ici.

Et Critias, un de ceux qui furent tyrans à Athènes, semble appartenir au groupe des athées : il déclare que les anciens législateurs ont fabriqué la fiction de Dieu, définie comme une puissance qui porterait son regard sur les actions justes et les fautes des hommes, afin que personne ne portât tort en cachette à son prochain, ayant toujours à se garder du châtiment des dieux. Voici comment il formule cette idée :

« En ces temps-là, jadis, l'homme traînait une vie sans ordre, bestiale et soumise à la force, et jamais aucun prix ne revenait aux bons, ni jamais aux méchants aucune punition. Plus tard, les hommes ont, pour punir, inventé les lois, pour que régnât le droit et que la démesure fût maintenue asservie. Alors on put châtier ceux qui avaient fauté.

Mais, puisque par les lois ils étaient empêchés par la force, au grand jour, d'accomplir leurs forfaits, mais qu'ils les commettaient à l'abri de la nuit, alors un homme à la pensée astucieuse et sage inventa pour les mortels la crainte des dieux, afin que les méchants ne cessassent de craindre d'avoir des comptes à rendre de ce qu'ils auraient fait, dit, ou encore pensé, même dans le secret. Ainsi introduit-il la pensée du divin.

« C'était, leur disait-il, comme un démon vivant d'une vie éternelle. Son intelligence entend et voit en tout lieu. Il dirige les choses par sa volonté. Sa nature est divine. Par elle, il entendra toute parole d'homme, et par elle il verra tout ce qui se commet. Et si dans le secret, tu médites encore quelque mauvaise action, cela n'échappe point aux dieux, car c'est en eux qu'est logée la pensée. »

Et c'est par ces discours qu'il donna son crédit à cet enseignement paré du plus grand charme. Quant à la vérité, ainsi enveloppée, elle se réduisait à un discours menteur. Il racontait ainsi que les dieux habitaient un céleste séjour qui, par tous ses aspects, ne pouvait qu'effrayer les malheureux mortels. Car il savait fort bien d'où vient pour les humains la crainte, et ce qui peut secourir dans le malheur. Maux et biens provenaient de la sphère céleste, de cette voûte immense où brillent les éclairs, où éclatent les bruits effrayants du tonnerre ; mais où se trouvent aussi la figure étoilée de la voûte céleste, et la fresque sublime, le chef-d'œuvre du Temps, architecte savant, où l'astre de lumière, incandescent, s'avance, et d'où tombent les pluies sur la terre assoiffée.

Voilà les craintes dont il entoura les hommes, par lesquelles il sut, par l'art de la parole, fonder au mieux l'idée de Divinité ; et ainsi abolir, avec les lois, le temps de l'illégalité.

Puis, peu après, il conclut :

« C'est ainsi, je le crois, que quelqu'un, le premier, persuada les mortels de former la pensée qu'il existe des dieux. »

Sextus Empiricus, *Contre les mathématiciens*, IIe-IIIe s. apr. J.-C., IX, 54, *in Les Présocratiques*, éd. J.-P. Dumont, coll. La Pléiade, Gallimard, p. 1145.

QUESTION

› Quelles sont les trois étapes exposées dans ce texte selon le sophiste Critias (sur les sophistes › p. 406) ? D'où vient la nécessité de la religion ?

Texte 2 En Dieu, l'homme n'a-t-il affaire qu'à lui-même ?

Pour Feuerbach, le Dieu de l'homme, c'est l'homme lui-même. L'homme projette en Dieu les propriétés qu'il juge les plus humaines, mais sous une forme idéalisée. Aussi peut-il se retrouver en Dieu (il reconnaît dans l'Être suprême ses propres qualités), mais encore s'y perdre (ces perfections divines renvoient l'homme à ses imperfections d'être fini, à son incapacité à réaliser concrètement, à lui seul, l'essence de l'homme).

Ce qui prouve de la manière la plus claire et la plus irréfutable que dans la religion l'homme s'intuitionne comme *objet divin*, comme *fin divine*, et donc que dans la religion, il ne se rapporte qu'à sa propre essence[1], qu'à lui-même, c'est l'amour que Dieu porte à l'homme, amour qui est le *fondement* et le *centre* de la religion. Dieu aliène[2] sa divinité pour l'homme. C'est là que réside l'impression sublimante de l'incarnation[3] ; l'Être suprême, sans besoin, s'humilie, s'abaisse pour l'homme. C'est pourquoi ma propre essence se donne en Dieu comme objet de mon intuition ; j'ai une valeur pour Dieu ; la *signification divine* de mon être me devient manifeste. Comment peut-on exprimer avec plus de hauteur la valeur de l'homme, que là où Dieu devient homme à cause de l'homme, et là où l'homme est le but final, l'objet de l'amour divin ? L'amour de Dieu pour l'homme est une *détermination essentielle* de l'être divin : Dieu est un Dieu qui *m'aime*, qui *aime l'homme en général*. C'est là qu'est l'accent, c'est là l'émotion fondamentale de la religion. L'amour de Dieu me fait aimer. L'amour de Dieu pour l'homme est le *fondement* de l'amour de l'homme pour Dieu. L'amour de Dieu est la cause qui éveille l'amour humain : « Aimons-le puisqu'il nous a aimés le premier ». Qu'aimer en Dieu ? *L'amour*, mais l'amour pour l'homme ! Si j'aime et adore l'amour avec lequel Dieu aime l'homme, est-ce que je n'aime pas l'homme, *mon amour pour Dieu* n'est-il pas, même indirectement, *amour pour l'homme* ? L'homme n'est-il donc pas le *contenu de Dieu*, lorsque Dieu aime l'homme ? N'est-ce pas le plus profond de moi que j'aime ? […]

Si Dieu aime l'homme, alors *l'homme* est le *cœur* de Dieu – le bien de l'homme, son affaire la plus intime. Si l'homme est l'objet de Dieu, n'est-il pas alors en Dieu, lui-même à lui-même objet ? Le *contenu* de l'être divin n'est-il pas l'être de l'homme, si Dieu est amour, l'homme étant le contenu essentiel de cet amour ? Fondement et centre de la religion, *l'amour de Dieu pour l'homme* n'est-il point *l'amour de l'homme pour lui-même*, objectivé, intuitionné comme la vérité suprême, comme l'être suprême de l'homme ?

Ludwig Feuerbach, *L'Essence du christianisme*, 1841, trad. J.-P. Osier, Éd. F. Maspero, p. 181-182.

1. La conscience humaine ne renvoie pas seulement à l'individu (conscience de soi) ; elle est aussi conscience générique (conscience d'appartenir au genre humain, d'être solidaire de tout ce qui est universellement humain).
2. Aliéner, c'est rendre autre, étranger, c'est se déposséder de soi-même.
3. Pour la religion chrétienne, Dieu s'est « incarné », c'est-à-dire est devenu un homme en chair et en os, dans la personne de Jésus, afin de sauver les hommes.

QUESTIONS

› 1• « Dans la religion, l'homme s'intuitionne comme *objet divin* » : comment comprenez-vous cette affirmation ?

› 2• Ce texte concerne les trois principales religions monothéistes, mais le propos peut-il s'appliquer à des religions comme l'hindouisme, le bouddhisme ?

Réflexion 2

▶ Les religions sont-elles des illusions ?

Dès lors que l'on définit les religions non plus par leur fonction officielle (établir un lien entre l'homme et Dieu, ou les dieux), mais par des fonctions cachées (d'ordre politique, psychologique, sociologique...), le soupçon apparaît qu'elles pourraient servir d'autres causes que celles qu'elles invoquent, et n'être finalement que des illusions.

Texte 1 — La religion, opium du peuple

Voici le fondement de la critique irréligieuse : *c'est l'homme qui fait la religion*, et non la religion qui fait l'homme. À la vérité, la religion est la conscience de soi et le sentiment de soi de l'homme qui, ou bien ne s'est pas encore conquis, ou bien s'est déjà de nouveau perdu. Mais l'homme, ce n'est pas un être abstrait recroquevillé hors du monde. L'homme, c'est *le monde de l'homme*, c'est l'État, c'est la société. Cet État, cette société produisent la religion, *une conscience renversée du monde*, parce qu'ils sont eux-mêmes un *monde renversé*. La religion est la théorie générale de ce monde, son compendium[1] encyclopédique, sa logique sous une forme populaire, son *point d'honneur* spiritualiste, son enthousiasme, sa sanction morale, son complément cérémoniel, son universel motif de consolation et de justification. Elle est la *réalisation chimérique* de l'essence humaine, parce que l'essence humaine ne possède pas de réalité véritable. Lutter contre la religion, c'est donc, indirectement, lutter contre ce monde-là, dont la religion est l'arôme spirituel.

La misère religieuse est tout à la fois *l'expression* de la misère réelle et la *protestation* contre la misère réelle. La religion est le soupir de la créature accablée, l'âme d'un monde sans cœur, de même qu'elle est l'esprit d'un état de choses où il n'est point d'esprit. Elle est *l'opium* du peuple.

Nier la religion, ce bonheur *illusoire* du peuple, c'est exiger son bonheur *réel*. Exiger qu'il abandonne toute illusion sur son état, c'est exiger qu'il renonce à un état qui a besoin d'illusions. La critique de la religion contient en germe la *critique de la vallée de larmes* dont la religion est *l'auréole*. La critique de la religion détrompe l'homme, afin qu'il pense, qu'il agisse, qu'il forge sa réalité en homme détrompé et revenu à la raison, afin qu'il gravite autour de lui-même, c'est-à-dire autour de son véritable soleil. La religion n'est que le soleil illusoire, qui gravite autour de l'homme tant que l'homme ne gravite pas autour de lui-même.

C'est donc la tâche de l'histoire, une fois l'au-delà de la vérité disparu, d'établir la vérité de l'ici-bas. Et c'est tout d'abord la tâche de la philosophie, qui est au service de l'histoire, de démasquer l'aliénation de soi dans ses formes profanes, une fois démasquée la forme sacrée de l'aliénation de l'homme. La critique du ciel se transforme ainsi en critique de la terre, la critique de la religion en critique du droit, la critique de la théologie en critique de la politique.

Karl Marx, *Pour une critique de la philosophie du droit de Hegel*, 1843,
trad. M. Rubel, *in Œuvres*, t. III, coll. La Pléiade, Gallimard, p. 382-383.

1. Abrégé, résumé.

QUESTIONS

› 1• Quel double rôle la religion remplit-elle, pour Marx ?

› 2• L'opium peut être utilisé à deux fins différentes. Lesquelles ? Selon le sens que l'on donne au mot « opium », la fameuse formule « l'opium du peuple » peut être interprétée de deux manières différentes. Précisez ces deux interprétations.

› 3• Comment comprenez-vous la phrase : « Nier la religion, ce bonheur *illusoire* du peuple, c'est exiger son bonheur *réel* » ?

Texte 2 La religion, instrument d'unification sociale

1. Action de refaire, de remettre à neuf, de reconstruire.
2. Les Dix Commandements que, d'après la Bible, Dieu transmit à Moïse sur le Sinaï.

Il y a donc dans la religion quelque chose d'éternel qui est destiné à survivre à tous les symboles particuliers dans lesquels la pensée religieuse s'est successivement enveloppée. Il ne peut pas y avoir de société qui ne sente le besoin d'entretenir et de raffermir, à intervalles réguliers, les sentiments collectifs et les idées collectives qui font son unité et sa personnalité. Or, cette réfection[1] morale ne peut être obtenue qu'au moyen de réunions, d'assemblées, de congrégations où les individus, étroitement rapprochés les uns des autres, réaffirment en commun leurs communs sentiments; de là, des cérémonies qui, par leur objet, par les résultats qu'elles produisent, par les procédés qui y sont employés, ne diffèrent pas en nature des cérémonies proprement religieuses. Quelle différence essentielle y a-t-il entre une assemblée de chrétiens célébrant les principales dates de la vie du Christ, ou de juifs fêtant soit la sortie d'Égypte soit la promulgation du décalogue[2], et une réunion de citoyens commémorant l'institution d'une nouvelle charte morale ou quelque grand événement de la vie nationale?

Émile Durkheim, *Les Formes élémentaires de la vie religieuse*, 1912, PUF, p. 609-610.

QUESTIONS

› 1• Comment Durkheim définit-il la religion? Que juge-t-il essentiel et intemporel, que juge-t-il secondaire et variable?

› 2• Pour Durkheim, il n'y a pas de différence essentielle entre les cérémonies civiles et les cérémonies religieuses. Êtes-vous d'accord avec cette idée? Justifiez votre réponse.

Texte 3 La religion, réalisation de désirs inconscients

1. Vérités fondamentales d'une doctrine religieuse, considérées comme au-dessus de toute discussion.
2. Propositions servant de point de départ à un syllogisme, à une démonstration (› p. 421).
3. Allusion au complexe d'Œdipe (› p. 81).

Les idées religieuses qui professent d'être des dogmes[1], ne sont pas le résidu de l'expérience ou le résultat final de la réflexion: elles sont des illusions, la réalisation des désirs les plus anciens, les plus forts, les plus pressants de l'humanité; le secret de leur force est la force de ces désirs. Nous le savons déjà: l'impression terrifiante de la détresse infantile avait éveillé le besoin d'être protégé – protégé en étant aimé – besoin auquel le père a satisfait; la reconnaissance du fait que cette détresse dure toute la vie a fait que l'homme s'est cramponné à un père, à un père cette fois plus puissant. L'angoisse humaine en face des dangers de la vie s'apaise à la pensée du règne bienveillant de la Providence divine, l'institution d'un ordre moral de l'univers assure la réalisation des exigences de la justice, si souvent demeurées irréalisées dans les civilisations humaines, et la prolongation de l'existence terrestre par une vie future fournit les cadres du temps et le lieu où ces désirs se réaliseront. Des réponses aux questions que se pose la curiosité humaine touchant ces énigmes: la genèse de l'univers, le rapport entre le corporel et le spirituel, s'élaborent suivant les prémisses[2] du système religieux. Et c'est un formidable allégement pour l'âme individuelle que de voir les conflits de l'enfance émanés du complexe paternel[3] – conflits jamais entièrement résolus – lui être pour ainsi dire enlevés et recevoir une solution acceptée de tous.

Sigmund Freud, *L'Avenir d'une illusion*, 1927, trad. M. Bonaparte, PUF, p. 43.

QUESTIONS

› 1• Comment Freud explique-t-il la genèse du sentiment religieux? Comment comprenez-vous l'idée de « détresse infantile »?

› 2• L'image paternelle est-elle présente dans toutes les religions? Cherchez des éléments de croyance religieuse qui s'expliqueraient mal par un besoin d'assistance et de protection.

Réflexion 3

▶ Est-il possible de concilier foi et raison ?

La foi affirme : *Credo quia absurdum*, « Je crois parce que c'est absurde ». Avoir la foi, c'est mettre sa croyance là où la raison humaine interdit de croire. Pourtant, la foi n'est pas refus total de la raison. Pas plus que la raison (scientifique) n'est suppression totale de toute forme de croyance.

Texte 1 Foi et Raison : les deux ordres

Nous connaissons la vérité, non seulement par la raison, mais encore par le cœur[1], c'est de cette dernière sorte que nous connaissons les premiers principes et c'est en vain que le raisonnement, qui n'y a point de part, essaye de les combattre. Les pyrrhoniens[2], qui n'ont que cela pour objet, y travaillent inutilement. Nous savons que nous ne rêvons point ; quelque impuissance où nous soyons de le prouver par raison, cette impuissance ne conclut autre chose que la faiblesse de notre raison, mais non pas l'incertitude de toutes nos connaissances, comme ils le prétendent. Car la connaissance des premiers principes, comme qu'il y a espace, temps, mouvement, nombres, [est] aussi ferme qu'aucune de celles que nos raisonnements nous donnent.

Et c'est sur ces connaissances du cœur et de l'instinct qu'il faut que la raison s'appuie, et qu'elle y fonde tout son discours. (Le cœur sent qu'il y a trois dimensions dans l'espace, et que les nombres sont infinis ; et la raison démontre ensuite qu'il n'y a point deux nombres carrés dont l'un soit double de l'autre. Les principes se sentent, les propositions se concluent, et le tout avec certitude, quoique par différentes voies.) Et il est aussi inutile et aussi ridicule que la raison demande au cœur des preuves de ses premiers principes, pour vouloir y consentir, qu'il serait ridicule que le cœur demandât à la raison un sentiment de toutes les propositions qu'elle démontre, pour vouloir les recevoir.

Blaise Pascal, *Pensées*, posth. 1669, fr. 110/282, *in Œuvres complètes*, Seuil, p. 512.

1. Ce n'est ni le courage des Anciens, ni l'amour de nos contemporains ; c'est l'intuition évidente d'une vérité qui n'est ni démontrable, ni montrable.
2. C'est-à-dire les sceptiques (❱ p. 408).

QUESTIONS

❱ 1• Pourquoi les sciences ne peuvent-elles pas tout prouver ?

❱ 2• Quelles règles de « cohabitation » Pascal cherche-t-il à établir entre le cœur et la raison ?

Texte 2 Une religion révélée est-elle compatible avec les enseignements de la raison ?

Une religion révélée est transmise par des prophètes ou des messies, qui transmettent aux hommes les enseignements divins. La religion naturelle (❱ p. 270), pour les philosophes des Lumières, se revendique uniquement de la raison. Kant veut montrer ici que la religion chrétienne, par ses préceptes moraux, est tout à fait compatible avec les exigences d'une religion naturelle.

Le rationaliste, en vertu de ce titre qui est le sien, doit déjà se tenir de lui-même à l'intérieur des limites de l'intelligence humaine. C'est pourquoi il ne s'opposera jamais, tel un naturaliste[1], ni ne constestera la possibilité intrinsèque de la révélation en général, ni la nécessité de la révélation comme moyen divin pour introduire la vraie religion ; car en cette matière aucun homme ne peut rien décider par raison [...].

Il se peut par conséquent qu'une religion soit la religion *naturelle* tout en étant aussi *révélée*, si elle est constituée de telle sorte que les hommes *auraient pu* ou *dû* y parvenir par le seul usage de leur raison, bien qu'ils n'y *soient* pas parvenus aussi tôt ou en aussi grand nombre qu'il est souhaitable, de sorte qu'une révélation de cette religion, à un certain moment et en un certain lieu, pouvait paraître être sage et très utile au genre humain, à la condition toutefois

1. Scientifique qui étudie la nature.

voir : par un dispositif *aveugle*[4].

La pensée du politique impliquée alors n'est pas celle d'un rassemblement de communautés réelles, mais celle de la coexistence possible des libertés, le droit de l'individu ayant toujours priorité sur celui d'une communauté. Dans un État laïque, l'incroyant aurait sa liberté assurée *a priori*, même s'il était tout seul, même si tous avaient une seule et même religion. [...] Dans une cité laïque, la proposition « je ne suis pas comme le reste des hommes » non seulement est possible, mais il faut la placer au fondement de l'association. « En entrant dans l'association, je vous demande de m'assurer que je pourrai être comme ne sont pas les autres, pourvu que je respecte les lois, lesquelles ne peuvent avoir d'autre fin ultime que de m'assurer ce droit. » [...]

« Liberté des cultes ». Carte à jouer révolutionnaire, XIXe siècle.

La laïcité scolaire

On comprend aisément que le principe de réserve s'applique aux maîtres, personnels d'État. Mais le problème est bien posé lorsqu'on demande s'il doit être appliqué aux élèves. Cela revient à se demander si le rapport maître-élève est comparable au rapport employé-administré, policier-citoyen, etc., si l'école est un « service ».

Appliquer la laïcité à l'intégralité de l'espace scolaire (ce qui signifie que les élèves sont eux aussi tenus à la réserve), c'est soutenir que l'école ne relève pas de l'espace civil, que la relation entre maître et élève n'est pas comparable à celle de l'usager au prestataire de service. Toute l'argumentation revient à dire que *les élèves présents à l'école ne sont pas des libertés constituées* (comme c'est le cas des citoyens dans l'espace civil), mais *des libertés en voie de constitution* et que l'école est une institution productrice de la liberté : on n'y vient pas pour consommer, ni même pour jouir de son droit mais pour s'autoconstituer comme *sujet*.

On pourrait dire que l'école ainsi conçue fait partie de l'espace producteur du droit, non au sens d'un espace législateur, mais en un sens encore plus originaire : un espace fondateur rendant possible la pensée même du droit et la pensée même des sujets qui s'efforcent de faire coexister leurs libertés. En ce sens, l'école n'est pas seulement une institution de droit, mais une institution philosophique. On s'y instruit des éléments selon la raison et l'expérience, afin d'acquérir force et puissance, celles qui font qu'on devient l'auteur de ses pensées et de ses actions, qui permettent de se passer du recours à une autorité transcendante. Cette saisie critique du pouvoir que chacun détient s'effectue par un détour consistant à se soustraire aux forces qui font obstacle à la conquête de l'autonomie et qui s'imposent comme une évidence : l'opinion, la demande d'adaptation, les données sociales. Le détour n'est autre que celui des savoirs formant l'humaine encyclopédie – laquelle comprend sans doute les religions, mais en tant que *pensées et mythologies* et non en tant que croyances et ciments sociaux.

Le savoir dont on s'instruit à l'école ne s'acquiert pas comme on vient chercher un papier au guichet. Sa nature critique relève de l'autoconstruction de l'autorité. C'est une figure concrète de la liberté.

Catherine Kintzler, « Qu'est-ce que la laïcité ? », *in Archives de philosophie du droit*, n° 48, 2004, Dalloz, p. 43-56.

1. › p. 277.
2. › p. 276.
3. Qui relève de la maladie et de la violence, mais aussi de la contagion.
4. Comme exemple d'un tel « dispositif aveugle » › Rawls, p. 456.

QUESTIONS

› **1•** Relevez les trois principes énoncés au début de ce texte. Pourquoi s'agit-il de principes séparés ? Quelles différentes combinaisons peut-on faire de ces trois principes ? Pourquoi la laïcité réside-t-elle dans l'union de ces trois principes ?

› **2•** « Dispositif *aveugle* » : le terme « aveugle » est souvent pris dans un sens péjoratif quand il s'agit de principes. Quel sens positif lui est donné dans ce texte ?

› **3•** Pourquoi l'auteur refuse-t-elle de faire de l'école un simple « espace public » comme les autres (une rue, une gare, une administration, un théâtre, un supermarché...) ?

Car il n'y a personne qui puisse, quand il le voudrait, régler sa foi sur les préceptes d'un autre. Toute l'essence et la force de la vraie religion consiste dans la persuasion absolue et intérieure de l'esprit ; et la foi n'est plus foi, si l'on ne croit point. Quelques dogmes que l'on suive, à quelque culte extérieur que l'on se joigne, si l'on n'est pleinement convaincu que ces dogmes sont vrais, et que ce culte est agréable à Dieu, bien loin que ces dogmes et ces cultes contribuent à notre salut, ils y mettent de grands obstacles.

Locke, *Lettre sur la tolérance* (1689), trad. Jean Le Clerc, 1710, p. 169.

On déplorera les misères de l'esprit humain, et on connaîtra que le seul remède à de si grands maux est de savoir se détacher de son propre sens[1] ; car c'est ce qui fait la différence du catholique[2] et de l'hérétique. Le propre de l'hérétique, c'est-à-dire de celui qui a une opinion particulière, est de s'attacher à ses propres pensées ; et le propre du catholique, c'est-à-dire de l'universel, est de préférer à ses sentiments le sentiment commun de toute l'Église : c'est la grâce qu'on demandera pour les errants[3].

Bossuet, *Histoire des variations des Églises protestantes* (1688), t. 1, p. 20.

1. Bon sens.
2. Au sens étymologique, signifie « universel ».
3. Errer, ici, au sens d'être dans l'erreur.

Étude de chaque texte

Avant d'étudier l'opposition entre ces deux textes, il faut déjà s'assurer d'avoir bien compris la logique de la pensée de chaque auteur.

Comparer précisement deux textes philosophiques peut être utile pour nourrir le développement d'une dissertation ou pour approfondir la réflexion personnelle dans une explication de texte.

a. Texte de Locke

Question 1 Qu'est-ce qu'un dogme, une position dogmatique ?

Question 2 Comment Locke définit-il la vraie religion ? Est-ce celle qui est vraie absolument ou bien celle qui est vraie pour moi ? Réfléchissez aux conséquences de chacune de ces deux réponses.

Question 3 Pourquoi professer une religion à laquelle on ne croit pas est un péché selon Locke ?

Question 4 Pourquoi ne peut-on pas croire sur ordre d'autrui ?

b. Texte de Bossuet

Question 1 Qu'est-ce qu'une hérésie ? Comparez l'attitude de l'hérétique à celle du catholique selon Bossuet.

Question 2 Pourquoi « le sentiment commun de toute l'Église » a-t-il plus de chance d'être dans le vrai selon Bossuet ?

Question 3 « Qu'est-ce qu'une opinion ? C'est suivre sa propre pensée et son sentiment particulier. » (Bossuet). Pourquoi l'opinion personnelle doit-elle être exclue en matière de foi ? Quel danger potentiel représente-t-elle ?

Bilan synthétique

Locke et Bossuet représentent deux conceptions radicalement différentes de la religion.

a. Pour Locke, il est absurde et illégitime de vouloir imposer une croyance à un individu, d'une part parce que c'est impossible, d'autre part parce que ce qui compte est la conviction intérieure. Or on ne peut me forcer à croire. Ce qui a seul une valeur dans le domaine religieux, c'est la sincérité de la foi. Pour Bossuet, au contraire, en raison de la faiblesse de l'esprit humain, il faut s'en remettre à l'autorité de l'Église. C'est l'Église qui est garante de la vérité de la foi, et non pas le sentiment intérieur de chacun, dont il convient plutôt de se méfier.

b. Pour Locke, la conscience individuelle est le meilleur guide en matière de religion. C'est elle qui indique où se situe la vérité. Locke défend les droits de la conscience, même erronée, contre l'autorité d'autrui et contre celle de la raison. Pour Bossuet, il ne s'agit pas de forcer un autre à croire mais c'est à chacun de reconnaître son impuissance à déterminer, seul, la vérité religieuse, et d'accepter de s'en remettre à l'Église.

Développer sa réflexion

- S'il semble impossible de croire contre sa conscience (Locke), n'est-il pas cependant possible de remettre les choix de sa conscience entre les mains d'autrui (Bossuet)?
- Locke remplace la norme objective de la vérité par la norme subjective de la sincérité. Quelles sont les conséquences éventuelles de cette modification par rapport à la religion? À l'inverse, Bossuet défend le caractère universel de la vérité religieuse. Que cherche-t-il, à votre avis, à protéger?

Deux conceptions radicalement différentes

Bossuet - Une réalité objective *« le peuple de Dieu » et sa vocation*	**Locke - Une réalité subjective indépassable** *La conscience humaine et ses droits inaliénables*
Un fondement : la réalité historique du christianisme 1▪ La misère de l'homme est un fait essentiel qu'on la prenne au sens métaphysique (› Chapitre 22, Le bonheur : Pascal, p. 560-563) ou plus concret (ex : les sociétés paysannes sous Louis XIV). Une telle misère interdit à l'homme de se hausser à une vérité personnelle. 2▪ L'appartenance à une foi est aussi appartenance à une communauté (Saint Augustin, *La Cité de Dieu*), dont l'individu tire toute sa force. L'Église catholique n'est pas seulement une institution terrestre, c'est le prolongement de l'œuvre divine.	**Un fondement : l'adhésion libre de la conscience à sa croyance** 1▪ Toute vérité, quelle soit de raison ou de foi, dépend de l'acquiescement d'une subjectivité qui y adhère. 2▪ En matière de foi, cette adhésion est d'autant plus importante qu'elle est la seule marque, aux yeux de Dieu, de la sincérité de l'engagement. 3▪ L'acquiescement subjectif au vrai n'est pas une garantie de la vérité effective. Mais il n'y a pas d'autre accès à la vérité.
Une crainte majeure : l'hérésie Bossuet connaît les débats qu'ont provoqués les différentes hérésies qui ont marqué l'histoire du christianisme. Rien n'est plus facile que de discuter. Rien n'est plus difficile que l'assentiment à l'humilité et à la tradition.	**Une crainte majeure : le dogme imposé** ▪ Une vérité accoutumée tend à passer pour une vérité absolue, juge de l'erreur et de l'errance de ceux qui ne pensent pas pareillement ▪ Locke sait le danger de l'alliance d'une opinion religieuse majoritaire avec le pouvoir temporel, pour devenir « religion d'État ».

SUJET COMMENTÉ

DISSERTATION • Y a-t-il des critères permettant de distinguer foi religieuse et superstition ?

Analyser le sujet

Problématiser les concepts

La première difficulté du sujet est d'opposer deux concepts : foi religieuse et superstition, qu'il faut définir, tout en reconnaissant que les contours de ces définitions sont problématiques. En effet, si les deux concepts étaient clairement délimités, le problème ne se poserait pas. Il faut donc à la fois définir les contours des concepts, pour donner sens au problème ; à la fois ne pas les définir trop précisément, car ce serait répondre avant même d'analyser.

L'analyse du sujet est une étape délicate, car elle conditionne l'élaboration de la problématique et du plan du devoir. Deux difficultés courantes sont ici détaillées.

Le sujet peut sembler impliquer des convictions trop personnelles. Mais il s'agit d'une dissertation philosophique, et de réfléchir sur des convictions dans le respect de tous, mais pas de confesser ses croyances.

▪ **La superstition :**

On ne peut réduire la superstition à quelques croyances anecdotiques : un chat noir qui traverse la rue ou un miroir qui se brise porterait malheur ; ou bien : ne pas ouvrir un parapluie sous un toit. Ces sens courants restent à la surface. Pour la philosophie, la superstition est une attitude plus générale, qui va au-delà de ces caricatures. La superstition n'est pas seulement la négation de la pensée rationnelle, elle conduit à porter le doute sur la croyance religieuse elle-même. D'ailleurs, pour certains philosophes des Lumières, toute religion est par nature superstition.

▪ **La foi :**

La foi est une croyance d'un ordre particulier ; c'est une croyance en des réalités qui échappent par définition à toute vérification ou certitude objective : l'existence de Dieu, l'authenticité de textes sacrés, la réalité d'événements fondateurs. Plus profondément, la foi peut se définir par une croyance non seulement en ce qui **dépasse** la raison, mais encore en ce qui **va contre** la raison : par exemple, les miracles. En tant qu'engagement individuel, la foi ne s'identifie pas totalement aux religions institutionnelles. La religion s'adresse à une communauté de croyants; la foi met l'individu en face de lui-même.

Trouver des références

Une seconde difficulté tient aux références culturelles qui sont utiles, sinon nécessaires pour répondre au sujet.

Exemple 1 Les religions ont régulièrement condamné les pratiques occultes : magies, sorcellerie, dévotions superstitieuses, répandues à l'intérieur ou à l'extérieur de leur autorité. Pourquoi ?

Exemple 2 Les religions se sont souvent opposées entre elles au nom de la lutte contre la superstition ; ainsi le protestantisme est né d'une protestation contre la pratique des Indulgences. Qu'en penser ?

Exemple 3 Les philosophes des Lumières ont cherché à établir ce qu'ils appelaient une « religion naturelle », ou rationnelle, délivrée de tout élément de superstition. Est-ce qu'une telle entreprise peut encore être appelée *religion* ?

Des exemples tirés de la vie quotidienne pourraient suffire. Mais l'analyse gagnerait à être étoffée par des réalités historiques ou sociologiques.
Les cours d'histoire, de français peuvent être une aide pour étoffer ses références.
› **Fiche 3**, p. 576

Plan de la partie I : Jugement critique sur les superstitions

Pistes de plan :
- La superstition vise des fins égoïstes
- La superstition est nuisible
- Une image fausse de Dieu

Rédaction de la partie II : L'examen de la foi authentique

Sous-partie 1 - Penser l'infini

La foi repose sur l'impossibilité pour la raison de légiférer sur les choses qui la dépasse : l'origine du monde, le mystère de l'existence, de la mort. Car comme l'affirme Kant, si la raison scientifique n'a pas de limites, elle a des bornes, car elle ne peut atteindre que les phénomènes naturels, et non ce qui est situé au-delà. La foi s'appuie sur cette impuissance, aussi trouve-t-elle son origine dans la modestie de l'existence humaine.

Transition secondaire Mais le fait de se situer en dehors de la raison n'est-il pas un prétexte pour justifier l'irrationnel de la superstition ?

Sous-partie 2 - La raison, un partenaire de la foi

Accepter un commandement surnaturel ne va pas sans doute et inquiétude. En ce sens, la foi n'est pas la crédulité. Les religions se sont toujours méfiées des traditions magiques, qui se servent des symboles religieux pour les détourner. L'espérance de la foi religieuse n'est pas identique à l'acte magique qui cherche à imposer sa loi au surnaturel. Une prière n'est pas une exigence, et pour être valable, il ne faut pas qu'elle soit nuisible aux autres, ou être contraire aux préceptes moraux, sous peine de déplaire à la divinité. Même si la foi accepte une part d'irrationalité, elle ne nie pas la raison, comme le montre la position de Pascal, mathématicien et physicien.

Exemple Au Moyen Âge, la maxime « je crois pour comprendre », qui met la foi avant la raison, est accompagnée de : « la foi recherche la compréhension », qui fait de la raison une finalité de la foi, et non un adversaire.

› Repères et Distinctions conceptuelles, p. 284-285

Transition secondaire La foi n'est pas simplement une croyance, elle est aussi une pratique quotidienne, faisant référence à des valeurs le plus souvent altruistes. Cela ne suffit-il pas à la distinguer de la superstition ?

Sous-partie 3 - Les pratiques religieuses

La foi est portée par des valeurs non égoïstes, une transcendance. Elle n'est pas faite pour s'adapter à l'ordre naturel et social, mais pour le dépasser. Il semble qu'il appartient à l'essence de la foi religieuse de se relier à une communauté de fidèles ainsi qu'à un respect des traditions. Dans ce cas, on peut penser que le respect dû aux traditions, aux symboles, aux rites est une forme de soumission volontaire. Il ne s'agit pas de répéter mécaniquement, mais d'assimiler le sens profond d'un héritage.

Transition

Toute foi religieuse est faite de croyances et de pratiques. Des pratiques sociales et familiales peut naître une foi plus intérieure. Mais il semble qu'en retour la foi ait besoin de s'éprouver, de se matérialiser dans des pratiques traditionnelles. Ne devient-il pas alors difficile de discerner ce qui relève de la croyance intérieure et ce qui s'enracine dans des habitudes familiales, des préjugés sociaux ?

Plan de la partie III : Les difficultés d'une réponse tranchée

Pistes de plan :
- Les limites de la religion naturelle
- Les dangers du rite
- Les critiques de l'athée

REPÈRES et DISTINCTIONS CONCEPTUELLES

La religion

La religion est un enchevêtrement complexe d'**institutions**, de **pratiques** et de **croyances**. En tant que pratique sociale, elle renvoie à des cultes, à des rites traditionnels. Ces pratiques reposent sur la séparation entre domaine sacré et domaine profane, mais elles sont extrêmement variables : usages quotidiens, réunions familiales ou communautaires, initiations secrètes, cérémonies de nature politique, fêtes traditionnelles... Parfois, la religion imprègne l'ensemble de la vie sociale, des gestes quotidiens jusqu'aux règles du droit et aux institutions politiques.

Statuette de sorcellerie, terre et fer, Concressault, Musée de la sorcellerie dans le Berry.

Religion / magie / secte

On s'est souvent servi des origines incertaines de l'étymologie pour définir la religion. Selon Cicéron, le mot viendrait de *relegere*, « recueillir, rassembler » ; selon Lucrèce, de *religare*, « relier ».

Cette incertitude a le mérite de désigner les deux axes de la religion : celui, horizontal, qui unit les croyants dans une communauté de croyances ; celui, vertical, qui unit le croyant au divin. Au départ, la religion est un phénomène social, qui se définit par des croyances communes, des rites communs, une distinction du sacré et du profane.

Mais le contenu de ces croyances est très variable. Il existe des religions sans dieux, comme le bouddhisme ; il existe aussi des religions sans dogmes, comme les religions antiques des Grecs et des Romains, qui sont avant tout des manifestations politiques.

La religion se distingue de la **magie** par son caractère public et officiel. La magie est une pratique privée, souvent réalisée en secret, dans des buts intéressés. Le rite magique « est et on veut qu'il soit anti-religieux » (Marcel Mauss).

Il est plus difficile, juridiquement et philosophiquement, de distinguer religions et **sectes** (› p. 262).

On appelle **dogmes** les croyances fondamentales d'une religion, qu'il faut croire sans examen, sous peine d'hérésie. Les **hérésies** sont les formes déviantes des religions, combattues au nom de l'**orthodoxie**, qui est la doctrine considérée comme la seule vraie et authentique.

Foi / superstition

Dans son sens fort, la **foi** est l'action de croire ce qui dépasse la raison, contre toutes raisons ; c'est un engagement, un pari. « C'est le cœur qui sent Dieu, et non la raison ; voilà ce que c'est que la foi : Dieu sensible au cœur, non à la raison » (Pascal, *Pensées*, B278). Ce en quoi on a foi ne peut donc être démontrable (de ce point de vue, la foi est hors de la raison) ; mais l'engagement reste lucide (la foi connaît ses limites et en accepte les risques ; la foi n'est donc pas opposée à la raison).

Ces statuettes phéniciennes (bronze doré, 7 et 10 cm) sont des ex-votos (offrandes votives). Elles ont été enfouies par les prêtres phéniciens entre 2000 et 1500 avant J.-C. sous le temple des Obélisques à Byblos, Liban.

C'est pourquoi on peut l'opposer à la superstition. La **superstition** est un ensemble de croyances et de pratiques irrationnelles, en contradiction aussi bien avec l'ordre de la nature qu'avec l'essence de Dieu (› p. 274).

Religion et laïcité

La **laïcité** pose le principe de la séparation de la société civile et de la société religieuse. Du côté de l'État, la laïcité impose la neutralité envers les religions, la tolérance pour tous les cultes. Du côté des Églises, la laïcité impose leur soumission à la législation commune et le renoncement à exercer un pouvoir politique. La **laïcisation** des modes de vie ne signifie donc pas le fait que les croyances religieuses sont amenées à disparaître, mais le fait que les valeurs religieuses ne peuvent plus être utilisées comme guide moral valable pour tous : un espace public de valeurs peut être partagé, indépendamment de l'appartenance à une communauté religieuse.

Zoom sur...

Les attitudes face au fait religieux

▪ **L'athéisme** nie l'existence de Dieu. **L'agnosticisme** affirme qu'on ne peut rien connaître de Dieu, et que les spéculations à son sujet sont inutiles.

▪ **Le théisme** affirme l'existence d'un Dieu personnel, extérieur au monde, à partir d'une conviction rationnelle (la « Raison ») ou affective (le « Cœur »). **Le déisme** se borne à croire à l'existence d'un Dieu, sans rien affirmer d'autre à son sujet.

▪ **Le panthéisme** affirme que Dieu est en tout, ou que tout est Dieu.

▪ **L'animisme** est souvent présenté comme la forme primitive des religions ; il repose sur la croyance en des forces invisibles agissant derrière le monde visible. Ces forces invisibles peuvent être matérialisées dans des objets (fétichisme), ou organiser la vie sociale par le culte d'animaux, plus rarement de végétaux, considérés comme des ancêtres protecteurs d'un clan, objets de tabous (totémisme).

▪ **Le polythéisme** admet l'existence de plusieurs dieux, dont on peut raconter la naissance et les exploits (dans des « mythologies »). Majoritaire dans l'Antiquité, le polythéisme est aujourd'hui en voie d'extinction (mais on le trouve encore dans l'hindouisme).

▪ **Le monothéisme** repose sur l'existence d'un seul Dieu, qui est finalement pensé comme le Dieu de tous les hommes : les trois *religions du Livre* (la Bible), juive, chrétienne et musulmane, sont monothéistes. Des courants issus de ruptures historiques viennent scinder ces religions : ainsi, la religion chrétienne comprend les religions catholique, orthodoxe, protestante ; la religion musulmane comprend deux grands courants : sunnite et chiite.

Certaines religions orientales sont un peu à part car elles ne correspondent guère aux définitions de l'homme occidental. Ainsi, le bouddhisme, dans sa forme originelle, refuse l'idée de Dieu et d'âme immortelle ; le confucianisme paraît davantage être une éthique qu'une religion ; taoïsme et shintoïsme mêlent un fond ancien d'animisme à des sagesses de nature philosophique.

▪ **Les religions révélées** reposent sur une « révélation », c'est-à-dire une transmission surnaturelle d'un message, par la voix de prophètes ou d'envoyés de Dieu ; au sens du XVIIIe siècle, la **religion naturelle**, au contraire, naîtrait spontanément de la réflexion ou de la sensibilité, indépendamment d'une éducation religieuse (› théisme et déisme).

chapitre 11

L'histoire

Plongeurs mettant en place des repères sur un navire du XIe siècle échoué le long des côtes turques, 1977.

Du mot...

Au singulier, l'histoire, c'est l'histoire de son pays, de sa région, de son village : l'histoire de France, l'histoire de l'Alsace... Au pluriel, les histoires, ce sont des récits inventés, récits d'aventures, récits fabuleux, sens qu'on retrouve dans l'expression « raconter des histoires ». La différence entre ces deux sortes d'histoires est que la première est censée reconstituer la réalité des événements du passé, tandis que la seconde est le fruit de l'imagination.
Un sens ancien désignait aussi toutes les descriptions dignes de curiosité, dignes de rester en mémoire. C'est ainsi qu'on parle encore aujourd'hui d'histoire naturelle, pour désigner des sciences de la nature, comme la zoologie, la botanique. C'est revenir à l'étymologie puisque le mot grec *historia* signifie d'abord « recherche, enquête ».

... au concept

L'histoire, en tant que discipline scientifique, concerne le premier sens du mot. Comme le remarque Raymond Aron (*Dimensions de la conscience historique*, 1961), le concept « histoire », en français, en anglais, en allemand, s'applique à deux réalités différentes : 1) la réalité historique, le devenir objectif dans le temps ; 2) la connaissance scientifique que l'homme élabore à propos de ce devenir.
On ne parle pas seulement d'histoire des hommes, mais aussi de l'histoire des êtres vivants, de la Terre, de l'univers. Quand il s'agit de l'histoire de l'homme, ce double sens est compréhensible : car les hommes font l'histoire (sens 1) à partir de la connaissance qu'ils ont de leur passé (sens 2). L'aspect essentiel de la dimension historique de l'homme a conduit à utiliser un autre concept, celui d'historicité. L'homme n'aurait pas seulement une histoire ; il ne serait définissable que par cette histoire.

Pistes de réflexion

Pourquoi s'intéresser à son passé ?

Pourquoi se pencher sur le passé, étudier les époques antérieures, l'histoire de notre société et celle d'autres civilisations ? En quoi le passé concerne-t-il le présent ? S'agit-il d'un devoir de mémoire, telle la Journée de commémoration de l'abolition de l'esclavage, afin d'honorer ceux qui nous ont précédé ? Le passé permettrait-il de mieux comprendre le présent ? Existe-t-il des leçons de l'histoire, toujours valables, toujours d'actualité ?

L'homme se situe-t-il spontanément dans l'histoire ?

L'homme contemporain se situe dans une histoire, lui et toutes les choses qui l'entourent. Il sait qu'hier n'était pas comme aujourd'hui, et que demain sera encore différent. Il sait que les objets, les idées, les mœurs... sont le produit d'une histoire. C'est ce qu'on appelle sa « conscience historique ». Cette conscience a-t-elle toujours existé ? Tous les peuples se situent-ils nécessairement dans une histoire ? Comment se construit une « conscience historique » ?

N'y a-t-il qu'une seule image du temps historique ?

Notre conception de l'histoire est dépendante de notre façon d'envisager le temps. Ainsi, supposer une évolution historique continue exige une représentation linéaire du temps (la flèche du temps), mais d'autres représentations du temps ne sont-elles pas possibles ?

L'histoire humaine est-elle interprétable en termes de progrès ?

Spontanément, nous pensons l'histoire en termes de progrès, même si nous admettons dans le détail des phases de régression. Non seulement l'histoire humaine aurait un sens, mais encore elle progresserait vers un avenir toujours plus positif. Quel statut accorder à cette idée ? S'agit-il d'un fait ou d'une simple croyance ? Cette échelle du progrès serait-elle unique, valable pour toutes les cultures ? Cela ne reviendrait-il pas à classer, hiérarchiser les différentes sociétés ?

Qu'est-ce qu'un événement historique ?

Certains événements frappent les contemporains mais tombent rapidement dans l'oubli. D'autres passent inaperçus, et sont reconnus plus tard comme essentiels (la découverte de l'Amérique, par exemple). D'autres encore prennent d'emblée une valeur symbolique et la conservent avec les années (la prise de la Bastille, la chute du mur de Berlin). À quoi reconnaît-on qu'un événement est historique ?

Jusqu'à quel point les hommes maîtrisent-ils ou subissent-ils leur histoire ?

Les hommes sont-ils en état de diriger les grandes forces de l'histoire, ou bien sont-ils entraînés par elles ? Quelles seraient ces forces souterraines qui pousseraient les hommes malgré eux ? Quel est le rôle joué par les « grands hommes » (par exemple Napoléon, de Gaulle, Che Guevara...) ? Est-il aussi important que le pensaient les historiens d'autrefois ? Est-il négligeable ?

La violence est-elle le moteur de l'histoire ?

L'histoire est marquée par des guerres de conquêtes, des invasions, des guerres civiles, des révoltes et des révolutions. Toutes ces violences sont-elles des péripéties malheureuses, simplement destructrices, ou bien ont-elles façonné les civilisations et dirigé l'humanité ?

Passerelles

Textes : Veyne, *Comment on écrit l'histoire*, p. 370.
Jacob, L'historicité des êtres vivants, p. 384.

Dossier : L'origine des êtres vivants, Darwin, p. 382.

Découvertes

DOCUMENT 1 Réflexions sur Hiroshima

La bombe d'Hiroshima inaugure une ère nouvelle. La possibilité d'entrevoir une fin possible de l'humanité, au sens ici d'une disparition, ne remet-elle pas en cause la possibilité de penser une fin de l'histoire, au sens de but ? Quelle signification en effet pourrait avoir l'aventure humaine, si elle devait s'arrêter brutalement à la suite d'un conflit nucléaire ?

Cette petite bombe qui peut tuer cent mille hommes d'un coup et qui, demain, en tuera deux millions, elle nous met tout à coup en face de nos responsabilités. À la prochaine, la Terre peut sauter, cette fin absurde laisserait en suspens pour toujours les problèmes qui font depuis dix mille ans nos soucis. Personne ne saurait jamais si l'homme eût pu surmonter les haines de race, s'il eût trouvé une solution aux luttes de classe. Lorsqu'on y pense, tout semble vain.

Pourtant, il fallait bien qu'un jour l'humanité fût mise en possession de sa mort. Jusqu'ici, elle poursuivait une vie qui lui venait on ne sait d'où et n'avait même pas le pouvoir de refuser son propre suicide faute de disposer des moyens qui lui eussent permis de l'accomplir. Les guerres creusaient de petits trous en entonnoirs, vite comblés, dans cette masse compacte de vivants. Chaque homme était à l'abri dans la foule, protégé contre le néant antédiluvien[1] par les générations de ses pères, contre le néant futur par celles de ces neveux, toujours au milieu du temps, jamais aux extrémités. Nous voilà pourtant ramenés à l'An Mil[2], chaque matin nous serons à la veille de la fin des temps ; à la veille du jour où notre honnêteté, notre courage, notre bonne volonté n'auront plus de sens pour personne, s'abîmeront de pair avec la méchanceté, la mauvaise volonté, la peur dans une indistinction radicale. Après la mort de Dieu, voici qu'on annonce la mort de l'homme.

Désormais, ma liberté est plus pure. Cet acte que je fais aujourd'hui, ni Dieu ni homme n'en seront les témoins perpétuels. Il faut que je sois, en ce jour même et dans l'éternité, mon propre témoin. Moral parce que je veux l'être, sur cette terre minée. Et l'humanité tout entière, si elle continue de vivre, ce ne sera pas simplement parce qu'elle est née, mais parce qu'elle aura décidé de prolonger sa vie. Il n'y a plus d'« espèce humaine ». La communauté qui s'est faite gardienne de la bombe atomique est au-dessus du règne naturel car elle est responsable de sa vie et de sa mort : il faudra qu'à chaque jour, à chaque minute, elle consente à vivre…

Jean-Paul Sartre, *Les Temps modernes*, n° 1, 1er octobre 1945.

1. Littéralement, d'avant le Déluge ; très ancien.
2. Allusion aux peurs de la fin du monde qui ont précédé la venue de l'an Mil.

QUESTIONS

1• À quelles perspectives nouvelles conduit la possession de l'armement nucléaire? Qu'est-ce qui change radicalement pour l'homme?

2• Comment expliquer que Sartre en conclut que notre liberté est plus pure?

3• Expliquez : « La communauté qui s'est faite gardienne de la bombe atomique est au-dessus du règne naturel. »

DOCUMENT 2 Qu'est-ce qu'un événement ? L'exemple de la découverte de l'Amérique

Aujourd'hui, empreinte de l'intensité attribuée aux grands jours de l'histoire, l'expédition de Colomb, en 1492, ne paraît en rien exceptionnelle. Depuis le début du xve siècle et surtout depuis les années 1480, les Portugais ont entrepris toute une série de voyages de découverte le long des côtes d'Afrique. La seule originalité du dessein de Colomb est qu'il se propose d'atteindre l'Asie en naviguant vers l'ouest et non vers l'est.

Quant au « retentissement » du voyage de Colomb, il est alors très limité. Ses circonstances sont assez vite connues des hommes politiques, des savants, des marchands qui s'intéressent de près aux voyages de découverte. Mais ceux-ci commentent et analysent celui-ci ni plus, ni moins que tous les voyages du même genre. [...]

En fait, l'imprévisibilité est ailleurs : ce ne sont pas seulement des îles jusque-là inconnues des Européens que Colomb a abordées, c'est un Nouveau Monde, avec la révolution intellectuelle que cela représente. Mais nul alors ne pouvait l'imaginer.

C'est que les conséquences incalculables du débarquement de Colomb dans l'une des îles Bahamas ne se feront sentir qu'une trentaine d'années plus tard : début de la conquête et de l'exploitation du continent américain avec Fernand Cortez en 1519 ; appel de plus en plus massif aux esclaves noirs amenés d'Afrique ; ouverture de l'économie européenne vers les autres continents et mise en place pour trois siècles d'une économie à l'échelle du monde au seul bénéfice de l'Europe.

Au total, si le 12 octobre 1492 n'apparaît pas, sur le coup, comme un véritable « événement historique », il est pourtant le point de départ de réactions en chaîne, tardivement amorcées, mais qui, à partir des années 1520, allaient profondément bouleverser l'histoire de tous les continents.

François Lebrun, « Un nouveau continent, et alors ? », *L'Histoire*, n° 268, sept. 2002, p. 36.

QUESTION › Pourquoi l'importance historique d'un événement est-elle difficilement perceptible au moment où il se produit ? Quelle définition donneriez-vous d'un « événement historique » ?

DOCUMENT 3 Se rendre maître du passé ?

Lénine s'adresse à la foule, le 12 novembre 1919. Au centre de la première photo, Trotsky et Kamenev, qui ont disparu sur la seconde.

QUESTION › Peut-on imaginer une falsification définitive de documents historiques ?

Dossier 1

Les résistances à la mémoire historique : l'exemple des sociétés traditionnelles

La croyance au progrès présuppose la conscience de l'historicité : tout ce qui nous entoure – objets, idées, comportements… – n'existe que par une histoire : cela n'a pas toujours existé, et cela n'existera pas toujours de cette façon-là. Pendant des millénaires, l'homme a ignoré cette vision historique. Ainsi, dans de nombreuses cultures traditionnelles, le temps est pensé comme cyclique, articulé autour d'un centre qui ne bouge pas.

DOCUMENT

Le mythe cosmogonique[1] sert ainsi aux Polynésiens de modèle archétypal[2] pour toutes les « créations », sur quelque plan qu'elles se déroulent – biologique, psychologique, spirituel. En écoutant le récit de la naissance du Monde, on devient le contemporain de l'acte créateur par excellence, la cosmogonie. Il est significatif que chez les Navaho[3] le mythe cosmogonique est raconté surtout à l'occasion des guérisons. « Toutes les cérémonies gravitent autour d'un patient, Hatrali (celui au-dessus duquel on chante), qui peut être malade ou simplement atteint dans son esprit, c'est-à-dire effrayé par un rêve, ou qui peut avoir besoin d'une cérémonie dans le seul but de l'apprendre au cours de son initiation aux pleins pouvoirs d'officiant dans ce chant – car un *Medicine Man*[4] ne peut administrer une cérémonie de guérison avant que celle-ci ne lui ait été transmise ». La cérémonie comporte également l'exécution de complexes dessins sur sable (*sand paintings*), qui symbolisent les différentes étapes de la Création et l'histoire mythique des dieux, des ancêtres et de l'humanité. Ces dessins (qui ressemblent étrangement aux mandalas[5] indo-tibétains) réactualisent l'un après l'autre les événements qui ont eu lieu *in illo tempore*[6]. En écoutant le récit du mythe cosmogonique (suivi de la récitation des mythes d'origine) et en contemplant les dessins sur sable, le malade est projeté hors du temps profane et inséré dans la plénitude du Temps primordial – il est revenu « en arrière » jusqu'à l'origine du Monde et il assiste de la sorte à la cosmogonie. Très souvent, le patient prend un bain le jour même où commence la récitation du mythe ou l'exécution des *sand paintings* ; en effet, lui aussi *recommence* sa vie au sens propre du mot. […]

Le refus de l'histoire

Ce qui nous retient principalement dans ces systèmes archaïques est l'abolition du temps concret et, partant, leur intention anti-historique. Le refus de conserver la mémoire du passé, même immédiat, nous paraît être l'indice d'une anthropologie particulière. C'est, en un mot, le refus de l'homme archaïque de s'accepter comme être historique, son refus d'accorder une valeur à la « mémoire » et par suite aux événements inhabituels (c'est-à-dire : sans modèle archétypal) qui constituent, en fait, la durée concrète. En dernière instance, nous déchiffrons dans tous ces rites et toutes ces attitudes la *volonté de dévalorisation du temps*. Poussés à leurs limites extrêmes, tous les rites et tous les comportements que nous avons rappelés ci-dessus tiendraient dans l'énoncé suivant : si on ne lui accorde aucune attention, le temps n'existe pas ; de plus, là où il devient perceptible (du fait des « péchés » de l'homme, c'est-à-dire lorsque celui-ci s'éloigne de l'archétype et tombe dans la durée), le temps peut être annulé. Au fond, si on la regarde dans sa vraie perspective, la vie de l'homme archaïque (réduite à la répétition d'actes archétypaux, c'est-à-dire aux *catégories* et non aux *événements*, à l'incessante reprise des mêmes mythes primordiaux, etc.), bien qu'elle se déroule dans le temps, n'en porte pas le fardeau, n'en enregistre pas l'irréversibilité, en d'autres termes ne tient aucun compte de ce qui est précisément caractéristique et décisif dans la conscience du temps. Comme le mystique, comme l'homme religieux en général, le primitif vit dans un continuel présent. (Et c'est dans ce sens que l'on peut dire que l'homme religieux est un « primitif » ; il répète les gestes de quelqu'un d'autre, et par cette répétition vit sans cesse dans un présent atemporel.) […]

Pour les hommes primitifs, le réel est hors de l'histoire

Nous avons vu que pendant un temps assez considérable, l'humanité s'est opposée par tous les moyens à l'« histoire ». Pouvons-nous conclure de tout cela que pendant toute cette période l'humanité était demeurée dans la Nature, et ne s'en était pas encore détachée ? « Seul l'animal est véritablement innocent », écrivait Hegel au début de ses *Leçons sur la philosophie de l'histoire*. Les primitifs ne se sentaient pas toujours innocents, mais tentaient de le redevenir par la confession périodique de leurs fautes. Pouvons-nous voir, dans cette tendance vers la purification, la nostalgie du paradis perdu de l'animalité ? Ou bien, dans son désir de ne pas avoir de « mémoire », de ne pas enregistrer le temps et de se contenter seulement de le supporter comme une dimension de son existence, mais sans l'« intérioriser », sans le transformer en conscience, serions-nous conduits à y voir plutôt la soif du primitif pour l'« ontique[7] », sa volonté d'être, comme sont les êtres archétypaux dont il reproduit sans cesse les gestes ?

Le problème est capital et on ne peut pas prétendre le discuter en quelques lignes. Mais on a des motifs de croire que, chez les « primitifs », la nostalgie du paradis perdu exclut franchement le désir de réintégrer le « paradis de l'animalité ». Tout ce que nous savons des souvenirs mythiques du « Paradis » nous présente, par contre, l'image d'une humanité idéale, jouissant d'une béatitude et d'une plénitude spirituelle à jamais irréalisables dans la condition actuelle de l'« homme déchu ». En effet, les mythes de nombreux peuples font allusion à une époque très lointaine, où les hommes ne connaissaient ni mort, ni travail, ni souffrance, et trouvaient à portée de leur main une nourriture abondante. *In illo tempore*, les dieux descendaient sur la Terre et se mêlaient aux humains ; de leur côté, les hommes pouvaient facilement monter au Ciel. À la suite d'une faute rituelle, les communications entre le Ciel et la Terre ont été interrompues, et les Dieux se retirèrent aux plus hauts cieux. Depuis lors, les hommes doivent travailler pour se nourrir et ils ne sont plus immortels.

Par conséquent, il est plus probable que le désir qu'éprouve l'homme des sociétés traditionnelles de refuser l'« histoire », et de se tenir à une imitation indéfinie des archétypes, trahit sa soif du réel et sa terreur de se « perdre » en se laissant envahir par l'insignifiance de l'existence profane[8]. Peu importe si les formules et les images par lesquelles le « Primitif » exprime la réalité nous paraissent infantiles et même ridicules. C'est le sens profond du comportement primitif qui est révélateur, ce comportement est régi par la croyance dans une réalité absolue qui s'oppose au monde profane des « irréalités » ; en dernière instance ce dernier ne constitue pas à proprement parler un « monde » ; il est l'« irréel » par excellence, le non-créé, le non-existant : le néant.

Mircea Eliade, *Le Mythe de l'éternel retour*, 1949, coll. Idées, Gallimard, p. 101-103, 109.

Indien Navajo réalisant une peinture de sable.

1. La cosmogonie décrit le commencement du monde, essentiellement de manière mythique.
2. C'est un modèle originel et producteur à la fois : ce qui engendre et ce qui est imité.
3. Ou Navajo. Tribu indienne installée dans le sud-ouest des États-Unis actuels.
4. Homme-médecine, chaman, guérisseur.
5. Représentations symboliques de l'univers dans le brahmanisme et le bouddhisme.
6. En ce temps-là.
7. Qui a rapport à l'être véritable, par opposition au devenir, à l'apparence, à l'illusion.
8. S'oppose à sacré.

Passerelles

› **Chapitre 5 : Le temps, l'existence,** p. 120.
› **Chapitre 6 : Nature et culture,** p. 150.
› **Chapitre 14 : L'interprétation,** p. 352.

QUESTIONS

› **1•** Qu'est-ce qui montre que les sociétés archaïques refusent l'histoire ?
› **2•** Est-ce que cela signifie qu'elles n'ont pas d'idée du temps qui passe ?
› **3•** Comment perçoivent-elles le temps ? Lui attribuent-elles une valeur positive ou négative ?

Réflexion 1

Le « progrès » : une réalité historique ou une métaphore contestable ?

Le progrès est une idée potentiellement dangereuse, si elle est utilisée pour comparer et évaluer les sociétés entre elles. S'agit-il d'une simple image, d'une réalité, ou encore d'un préjugé ?

Texte 1 — Le progrès comme métaphore

N'est-ce pas indignement traiter[1] la raison de l'homme, et la mettre en parallèle avec l'instinct des animaux, puisqu'on en ôte la principale différence, qui consiste en ce que les effets du raisonnement augmentent sans cesse au lieu que l'instinct demeure toujours dans un état égal ? Les ruches des abeilles étaient aussi bien mesurées il y a mille ans qu'aujourd'hui, et chacune d'elles forme cet hexagone aussi exactement la première fois que la dernière. Il en est de même de tout ce que les animaux produisent par ce mouvement occulte. La nature les instruit à mesure que la nécessité les presse ; mais cette science fragile se perd avec les besoins qu'ils en ont : comme ils la reçoivent sans étude, ils n'ont pas le bonheur de la conserver ; et toutes les fois qu'elle leur est donnée, elle leur est nouvelle, puisque, la nature n'ayant pour objet que de maintenir les animaux dans un ordre de perfection bornée, elle leur inspire cette science nécessaire, toujours égale, de peur qu'ils ne tombent dans le dépérissement, et ne permet pas qu'ils y ajoutent, de peur qu'ils ne passent les limites qu'elle leur a prescrites. Il n'en est pas de même de l'homme, qui n'est produit que pour l'infinité. Il est dans l'ignorance au premier âge de sa vie ; mais il s'instruit sans cesse dans son progrès : car il tire avantage non seulement de sa propre expérience, mais encore de celle de ses prédécesseurs, parce qu'il garde toujours dans sa mémoire les connaissances qu'il s'est une fois acquises, et que celles des anciens lui sont toujours présentes dans les livres qu'ils en ont laissés. [...] De sorte que toute la suite des hommes, pendant le cours de tous les siècles, doit être considérée comme un même homme qui subsiste toujours et qui apprend continuellement.

Blaise Pascal, *Préface sur le Traité du vide*, 1647, *in Œuvres complètes*, coll. L'intégrale, Seuil, p. 231-232.

1. Pascal s'en prend à ceux qui prônent l'obéissance aux philosophes de l'Antiquité.

QUESTIONS

1• Quels critères objectifs permettent de différencier, d'après Pascal, l'instinct animal et l'intelligence humaine ?

2• Expliquez : « perfection bornée » ; « l'homme, qui n'est produit que pour l'infinité ».

Texte 2 — Le progrès comme réalisation de la Raison

Pour Hegel, la « Raison gouverne le monde » à travers les passions des hommes, qui ignorent vers quoi tendent leurs actions égoïstes. C'est la « Ruse de la Raison ».

Si nous comparons les modifications de l'Esprit et de la nature, nous voyons que, dans celle-ci, l'être singulier est soumis au changement tandis que les espèces demeurent immobiles. Ainsi la planète abandonne telle ou telle place, mais sa trajectoire est fixe. Il en est ainsi des espèces animales. Le changement est un mouvement circulaire, une répétition du même. Tout est constitué par des cycles, et c'est à l'intérieur de ces cycles, parmi les individus, que le changement a lieu. [...]

Il en est autrement avec les formes spirituelles. Ici, le changement ne s'opère pas à la surface mais dans le concept. C'est le concept[1] lui-même qui est rectifié. Dans la nature, l'espèce ne fait aucun progrès, mais dans l'Esprit, chaque changement est un progrès. Certes, la série

1. Le concept est au cœur même de la philosophie hégélienne : c'est le « moteur » qui fait passer d'un niveau logique à un niveau logique plus profond, par la négation des limites, des insuffisances du

premier niveau. Il faut noter que ces « niveaux logiques », pour Hegel, sont aussi des « niveaux de réalité ».

des formes naturelles détermine une progression graduelle depuis la lumière jusqu'à l'homme, si bien que chaque degré est une transformation du degré précédent, un principe supérieur issu du dépassement et du déclin du degré précédent. Mais, dans la nature, les moments de ce processus se séparent et tous les échelons singuliers coexistent l'un à côté de l'autre ; la transition n'apparaît qu'aux yeux de l'esprit pensant qui comprend cette connexion. La nature ne se comprend pas elle-même, et c'est pourquoi la négativité de ses formations n'existe pas pour elle.

En revanche dans la sphère spirituelle, il devient manifeste que les formations supérieures ont été produites par l'élaboration des formations antérieures, inférieures. C'est pour cela que ces dernières ont cessé d'exister. Ce qui se manifeste dans le monde de l'Esprit est que chaque forme est la transfiguration de la forme précédente : c'est pourquoi l'apparition des formes spirituelles se fait dans le temps. L'histoire universelle est donc en général l'explicitation de l'Esprit dans le temps de même que l'Idée s'explicite dans l'espace comme nature. [...]

La définition générale du progrès est que celui-ci constitue une succession d'étapes (*Stufenfolge*) de la conscience.

Friedrich Hegel, *La Raison dans l'histoire, Introduction à la Philosophie de l'histoire*, posth. 1837-1840, trad. K. Papaioannou, 10/18, p. 181-183.

QUESTIONS

1• Quelle différence Hegel établit-il entre l'ordre de la nature et l'histoire humaine ?

2• Expliquez la définition du progrès proposée par Hegel. Pourquoi insiste-t-il sur le lien entre progrès et conscience ?

Texte 3 Histoire cumulative, histoire non cumulative

Encore une fois, tout cela ne vise pas à nier la réalité d'un progrès de l'humanité, mais nous invite à le concevoir avec plus de prudence. Le développement des connaissances préhistoriques et archéologiques tend *à étaler dans l'espace* des formes de civilisation que nous étions portés à imaginer comme *échelonnées dans le temps*. Cela signifie deux choses : d'abord que le « progrès » (si ce terme convient encore pour désigner une réalité très différente de celle à laquelle on l'avait d'abord appliqué) n'est ni nécessaire, ni continu ; il procède par sauts, par bonds, ou, comme diraient les biologistes, par mutations[1]. Ces sauts et ces bonds ne consistent pas à aller toujours plus loin dans la même direction ; ils s'accompagnent de changements d'orientation, un peu à la manière du cavalier des échecs qui a toujours à sa disposition plusieurs progressions mais jamais dans le même sens. L'humanité en progrès ne ressemble guère à un personnage gravissant un escalier, ajoutant par chacun de ses mouvements une marche nouvelle à toutes celles dont la conquête lui est acquise ; elle évoque plutôt le joueur dont la chance est répartie sur plusieurs dés et qui, chaque fois qu'il les jette, les voit s'éparpiller sur le tapis, amenant autant de comptes différents. Ce que l'on gagne sur l'un, on est toujours exposé à le perdre sur l'autre, et c'est seulement de temps à autre que l'histoire est cumulative, c'est-à-dire que les comptes s'additionnent pour former une combinaison favorable.

Claude Lévi-Strauss, *Race et histoire*, 1952, chap. 5, coll. Médiations, Gonthier, p. 38-39.

1. En génétique, modification accidentelle d'un gène ; de manière générale : saut brusque, soudain, aléatoire.

QUESTIONS

1• « Étaler dans l'espace des formes de civilisation [...] échelonnées dans le temps. » Que signifie cette phrase ? Quelle confusion l'auteur dénonce-t-il ?

2• Quel sens l'auteur donne-t-il à l'expression « l'histoire est cumulative » ? Pourquoi ces moments sont-ils rares ? Trouvez des exemples d'époque cumulative.

3• Comment expliquez-vous sa comparaison avec un jeu de hasard ?

Une œuvre, une analyse

Présentation

Kant, *Idée d'une histoire universelle selon le point de vue cosmopolitique* (1784)

L'histoire de l'humanité se présente comme une « grande scène » où, « à côté de quelques manifestations de sagesse [...], on ne trouve pourtant dans l'ensemble, en dernière analyse, qu'un tissu de folie, de vanité puérile, souvent même de méchanceté et de soif de destruction ». Un point de vue cynique en resterait à ce constat : l'homme est par nature mauvais, il n'y a rien à espérer de l'espèce humaine. Un point de vue naïf refuserait les faits au nom d'idéaux légitimes, mais voués à l'échec. L'intérêt de Kant est de montrer que ces deux points de vue opposés sont également dangereux. Le cynique oublie le rôle des idéaux dans l'histoire ; le naïf, le rôle des passions.

1 Penser le progrès pour ne pas désespérer de l'homme

Peut-on croire au progrès de l'humanité, quand bien même on ne se ferait aucune illusion sur la nature humaine ? C'est possible, selon Kant, mais à deux conditions :

1. **Séparer le fait et la croyance :** si l'on doit admettre un progrès de l'humanité, ce n'est pas au nom d'un constat de fait, mais d'une croyance ; mieux, d'un postulat, c'est-à-dire d'un principe que l'on doit poser, mais qu'on ne pourra jamais prouver.

2. **Séparer l'échelle macroscopique** du devenir humain – l'histoire – **de l'échelle microscopique** des actions humaines. Ces dernières peuvent ne pas changer dans le détail, pourtant l'humanité peut évoluer dans son ensemble. Comment ? C'est précisément ce dessein global de la nature que Kant n'hésite pas à appeler « Providence », qu'il faut dégager : non pas comme une réalité de fait, mais comme une simple possibilité.

2 Le dessein secret de la nature

Tout se passe, en effet, comme si la nature avait produit l'homme à partir d'un projet secret (secret à l'homme lui-même) :
– à l'intérieur de l'être humain (dimension anthropologique) : la biologie de l'homme semble le destiner à une perfectibilité sans fin, non pas au niveau de l'individu, mais de l'espèce humaine [propositions 1, 2, 3] ;
– à l'intérieur de la société (dimension sociologique, économique) : l'homme semble voué à une sociabilité conflictuelle, l'« insociable sociabilité », qui le force à se développer malgré lui, sous l'effet de la concurrence et des passions [proposition 4] ;
– à l'intérieur de l'État (dimension politique) : la logique des sociétés humaines semble conduire à l'établissement progressif de constitutions démocratiques, seules aptes à équilibrer de manière efficace les libertés et les devoirs, les passions et les remèdes aux passions [propositions 5, 6] ;
– dans les rapports entre les États (politique internationale) : la logique purement réaliste des États (augmentation de la puissance de chacun au détriment de celle des autres) conduit paradoxalement à l'établissement progressif d'une législation internationale qui réglerait les conflits entre États en lieu et place des guerres [propositions 7, 8].

L'idée d'une ruse providentielle de la nature qui conduirait l'humanité, malgré elle, jusqu'à son plus haut degré de perfection n'est qu'une « Idée », au sens kantien ; c'est-à-dire un outil pour rassembler et comprendre un ensemble de faits disparates, mais non pour les expliquer réellement, empiriquement, au sens où l'historien professionnel explique les faits. Kant ne prétend nullement connaître l'avenir. Le sens de l'histoire est pour nous une exigence morale : afin de nous aider à agir en vue d'un progrès futur, il est de notre devoir de nous efforcer de croire que la vie n'est pas insensée. Mais ce n'est en rien une certitude, ni même une probabilité statistique.

3 L'insociable sociabilité

L'un des moyens dont se sert la nature est l'« insociable sociabilité ». D'une part, les hommes sont sociables, car leurs ambitions ne trouvent satisfaction que dans une société où chacun commande aux autres et tire profit de cette coopération. Mais, d'autre part, ils sont insociables : leur appétit de domination engendre une rivalité souvent impitoyable. Ils ne peuvent ni se passer les uns des autres (sociabilité), ni se supporter (insociabilité). C'est précisément le jeu de ces deux tendances opposées qui va contraindre les hommes à se cultiver et à se discipliner. Dans cette situation de concurrence, chacun doit, pour l'emporter sur les autres, surmonter son penchant naturel à la paresse, rivaliser d'astuce et d'ingéniosité, développer ses facultés. Paradoxalement, la force irrésistible des passions (asociales) fait de l'homme un être civilisé (et socialisé).

4 La paix universelle et la société des nations

La même logique devrait valoir pour les États. Un état de guerre généralisé règne entre eux. Mais quatre grandes tendances se dessinent dans le sens de la paix :

1. **Le commerce** devenant international, les hommes sont de moins en moins soumis aux règles particulières des États, de plus en plus sensibles aux normes internationales. Ils réclament des libertés privées de plus en plus élargies. C'est de l'intérêt des États, en vue de leur puissance économique, de satisfaire ces exigences. Ainsi un espace s'ouvre à l'opinion publique, la seule capable de s'opposer à la logique de guerre.

2. Pour leur puissance, les États doivent développer **l'instruction publique**. Ils ont un besoin vital de spécialistes, de techniciens, de scientifiques... Mais en améliorant l'éducation, les États développent en même temps l'esprit critique, la capacité de désobéissance civile.

3. **Les guerres** deviennent de plus en plus coûteuses et leurs issues sont de plus en plus incertaines. Le **bilan coût/profit** se révèle de moins en moins favorable aux États.

4. Enfin, l'enchaînement des nations les unes aux autres conduit à la **mondialisation des conflits**. Kant prévoit le caractère nécessairement mondial des guerres du futur. Cette idée n'arrête pas l'escalade belliqueuse, mais la rend plus risquée.

Tous ces constats forment des *indices* laissant espérer la paix universelle ; ce ne sont pas des *mécanismes nécessaires* permettant de la prophétiser à coup sûr. Dans son traité *De la paix perpétuelle*, Kant précise qu'un état de paix est assuré par une alliance, une libre fédération d'États où ceux-ci, sans renoncer à leur indépendance, s'engagent à « conserver et à assurer la liberté » de tous les États. Quant aux citoyens, le cosmopolitisme n'est pas l'état d'apatride, ni l'idéal stoïcien d'une citoyenneté du monde. Il caractérise une situation où « la communauté, s'étant de manière générale répandue parmi les peuples de la terre, est arrivée à un point tel que l'atteinte au droit en *un* seul lieu de la terre est ressentie en *tous* » (Flammarion, p. 96).

Passerelles

› **Biographie de Kant,** p. 533.
› **Chapitre 6 : Nature et culture,** p. 150.
› **Textes :** Veyne, *Comment on écrit l'histoire*, p. 370.
Comte, *Discours sur l'esprit positif*, p. 366.
Marx, *Critique de l'Économie politique*, p. 298.

Extraits

Kant : *Idée d'une histoire universelle selon le point de vue cosmopolitique* (1784)

Doit-on postuler un sens de l'histoire ?

Chercher les signes qui, malgré les réalités les plus sombres de l'histoire et des sociétés, indiqueraient une ouverture vers des mondes meilleurs, tel est le but de Kant. Le progrès n'est pas une réalité ; c'est une hypothèse dont le sujet moral a besoin. Mais qu'il en ait besoin n'est pas une raison suffisante pour que le progrès existe. La raison doit montrer que cette hypothèse, à défaut d'être confirmée, n'est pas impossible.

Texte 1 L'homme nu

La nature a voulu que l'homme tire entièrement de lui-même tout ce qui dépasse l'agencement mécanique de son existence animale[1], et qu'il ne participe à aucune autre félicité ou perfection que celle qu'il s'est créée lui-même, indépendamment de l'instinct, par sa propre raison. En effet la nature ne fait rien en vain[2], et elle n'est pas prodigue[3] dans l'emploi des moyens pour atteindre ses buts. En munissant l'homme de la raison et de la liberté du vouloir qui se fonde sur cette raison, elle indiquait déjà clairement son dessein en ce qui concerne la dotation de l'homme. Il ne devait pas être gouverné par l'instinct, ni secondé et informé par une connaissance innée ; il devait bien plutôt tirer tout de lui-même. Le soin d'inventer ses moyens d'existence, son habillement, sa sécurité et sa défense extérieure (pour lesquelles elle ne lui avait donné ni les cornes du taureau, ni les griffes du lion, ni les crocs du chien, mais seulement des mains), tous les divertissements qui peuvent rendre la vie agréable, son intelligence, sa sagesse même, et jusqu'à la bonté de son vouloir, devaient être entièrement son œuvre propre. La nature semble même s'être ici complu à sa plus grande économie, et avoir mesuré sa dotation animale au plus court et au plus juste en fonction des besoins les plus pressants d'une existence à ses débuts ; comme si elle voulait que l'homme, en s'efforçant un jour de sortir de la plus primitive grossièreté pour s'élever à la technique la plus poussée, à la perfection intérieure de ses pensées, et (dans la mesure où c'est chose possible sur terre) par là jusqu'à la félicité[4], en doive porter absolument seul tout le mérite, et n'en être redevable qu'à lui-même…

Emmanuel Kant, *Idée d'une Histoire universelle selon le point de vue cosmopolitique*, 1784, trad. S. Piobetta, *in Opuscules sur l'histoire*, Aubier (Flammarion), 1990, p. 72-73.

1. Les dispositifs biologiques vitaux : digestion, respiration, reproduction, etc.
2. Précepte aristotélicien. Kant reprend cette maxime en la relativisant : la raison n'est pas autorisée à en faire une loi de la nature, elle peut seulement l'utiliser comme idée directrice.
3. Dépensière.
4. Bonheur.

QUESTIONS

1• « La nature a voulu. » Comment Kant peut-il savoir ce que la nature veut ? À quelle condition une telle expression est-elle acceptable ?

2• Pourquoi est-il important, pour Kant, que l'homme ne doive ses progrès qu'à lui-même ?

Texte 2 L'insociable sociabilité

J'entends […] par antagonisme l'*insociable sociabilité* des hommes, c'est-à-dire leur inclination à entrer en société, inclination qui est cependant doublée d'une répulsion générale à le faire, menaçant constamment de désagréger cette société. L'homme a un penchant à s'associer, car dans un tel état, il se sent plus qu'homme par le développement de ses dispositions naturelles. Mais il manifeste aussi une grande propension[1] à se détacher (s'isoler), car il trouve en même temps en lui le caractère d'insociabilité qui le pousse à vouloir tout diriger dans son sens ; et, de ce fait, il s'attend à rencontrer des résistances de tous côtés, de même qu'il se sait par lui-même enclin à résister aux autres.

1. Tendance naturelle, inclination.
2. Désir immodéré, en particulier de l'argent et des richesses.
3. Lois morales.

C'est cette résistance qui éveille toutes les forces de l'homme, le porte à surmonter son inclination à la paresse, et, sous l'impulsion de l'ambition, de l'instinct de domination ou de cupidité[2], à se frayer une place parmi ses compagnons qu'il supporte de mauvais gré, mais dont il ne peut se passer. L'homme a alors parcouru les premiers pas, qui de la grossièreté le mènent à la culture dont le fondement véritable est la valeur sociale de l'homme ; c'est alors que se développent peu à peu tous les talents, que se forme le goût, et que même, cette évolution vers la clarté se poursuivant, commence à se fonder une forme de pensée qui peut avec le temps transformer la grossière disposition naturelle au discernement moral en principes pratiques[3] déterminés.

Op. cit., p. 74-75.

QUESTIONS

1• Pourquoi l'homme a-t-il besoin de la société ? Pourquoi, à l'inverse, a-t-il tendance à s'en écarter ?

2• Montrez que ces deux tendances procèdent des mêmes causes.

3• En quoi la contradiction est-elle source de changement, de progrès ?

Texte 3 L'homme, citoyen du monde

Aujourd'hui déjà, les États entretiennent des rapports mutuels si raffinés qu'aucun d'eux ne peut relâcher sa culture intérieure sans perdre à l'égard des autres de sa puissance et de son influence ; par conséquent, sinon le progrès, du moins la conservation de ce but naturel, est suffisamment garantie par les desseins ambitieux que ceux-ci nourrissent. Bien plus, la liberté du citoyen ne peut plus guère être attaquée sans que le préjudice s'en fasse sentir dans tous les métiers, et particulièrement dans le commerce ; mais aussi, du même coup, se manifeste l'affaiblissement des forces de l'État dans ses relations extérieures. Or cette liberté s'étend d'une manière continue. Quand on empêche le citoyen de chercher son bien-être par tous les moyens qu'il lui plaît avec la seule réserve que ces moyens soient compatibles avec la liberté d'autrui, on entrave le déploiement de l'activité générale, par suite, en retour, les forces de la collectivité. C'est pourquoi les restrictions apportées à la personne, dans ses faits et gestes, sont de plus en plus atténuées ; c'est pourquoi la liberté universelle de religion est reconnue ; ainsi perce peu à peu sous un arrière-fond d'illusions et de chimères, *l'ère des lumières* ; c'est là un grand bien dont le genre humain doit profiter en utilisant même la soif égoïste de grandeur de ses chefs, pour peu que ceux-ci comprennent leur propre intérêt. [...]

Et enfin la guerre ne se borne pas à être une entreprise aux rouages très subtils, très incertaine quant au dénouement pour les deux camps ; mais encore pour les fâcheuses conséquences dont se ressent l'État écrasé sous le poids d'une dette toujours croissante (c'est là une invention moderne), et, dont l'amortissement devient imprévisible, elle finit par devenir une affaire épineuse ; en même temps l'influence que le seul ébranlement d'un État fait subir à tous les autres finit par devenir si sensible (tant chacun d'eux est indissolublement lié aux autres sur notre continent par ses industries) que ceux-ci sont obligés par la crainte du danger qui les menace, et hors de toute considération législatrice, de s'offrir comme arbitres, et ainsi, longtemps à l'avance, de faire tous les préparatifs pour l'avènement d'un grand organisme politique futur dont le monde passé ne saurait produire aucun exemple.

Op. cit., p. 84-85.

QUESTION

Énumérez les différentes raisons qui peuvent contraindre progressivement les États modernes à préférer la paix à la guerre. Ces raisons sont-elles convaincantes ? Justifiez votre réponse.

Passerelles

Chapitre 6 : Nature et culture, p. 150.
Chapitre 17 : La société, les échanges, p. 424.
Texte : Platon, *Protagoras*, p. 232.

Réflexion 2

▶ L'histoire humaine a-t-elle une finalité ?

L'histoire humaine est-elle une aventure « sans queue ni tête », dirigée par des forces aveugles et imprévisibles ? Ou bien au contraire peut-on y lire une direction, une finalité, qui donnerait sens à l'existence de l'homme sur Terre ? Deux grandes options, schématiquement, s'opposent : celle exprimée par Kant (› p. 294), selon laquelle une concurrence entre individus égoïstes engendre un progrès général de l'humanité ; celle développée par Marx, selon laquelle des forces souterraines de nature économique mèneraient l'histoire vers une fin heureuse : une société sans classes.

Texte

Marx et le matérialisme historique

Pour Marx, l'histoire est marquée par l'influence de forces souterraines, de nature économique, aboutissant à une lutte entre les classes sociales. Cette logique aveugle et nécessaire mènerait cependant l'histoire vers une fin heureuse : une société sans classes.

Dans la production sociale de leur existence, les hommes nouent des rapports déterminés, nécessaires, indépendants de leur volonté ; ces rapports de production[1] correspondent à un degré donné du développement de leurs forces productives matérielles[2]. L'ensemble de ces rapports forme la structure économique[3] de la société, la fondation réelle sur laquelle s'élève un édifice juridique et politique, et à quoi répondent des formes déterminées de la conscience sociale. Le mode de production de la vie matérielle domine en général le développement de la vie sociale, politique et intellectuelle. Ce n'est pas la conscience des hommes qui détermine leur existence, c'est au contraire leur existence sociale qui détermine leur conscience. À un certain degré de leur développement, les forces productives matérielles de la société entrent en collision avec les rapports de production existants, ou avec les rapports de propriété au sein desquels elles s'étaient mues jusqu'alors, et qui n'en sont que l'expression juridique. Hier encore formes de développement des forces productives, ces conditions se changent en de lourdes entraves. Alors commence une ère de révolution sociale. Le changement dans les fondations économiques s'accompagne d'un bouleversement plus ou moins rapide dans tout cet énorme édifice.

Quand on considère ces bouleversements, il faut toujours distinguer deux ordres de choses. Il y a le bouleversement matériel des conditions de production économique. On doit le constater dans l'esprit de rigueur des sciences naturelles. Mais il y a aussi les formes juridiques, politiques, religieuses, artistiques, philosophiques, bref les formes idéologiques[4], dans lesquelles les hommes prennent conscience de ce conflit et le poussent jusqu'au bout. On ne juge pas un individu sur l'idée qu'il a de lui-même. On ne juge pas une époque de révolution d'après la conscience qu'elle a d'elle-même. Cette conscience s'expliquera plutôt par les contrariétés de la vie matérielle, par le conflit qui oppose les forces productives sociales et les rapports de production. Jamais une société n'expire avant que ne soient développées toutes les forces productives qu'elle est assez large pour contenir ; jamais des rapports supérieurs de production ne se mettent en place, avant que les conditions matérielles de leur existence ne soient écloses dans le sein même de la vieille société. C'est pourquoi l'humanité ne se propose jamais que les tâches qu'elle peut remplir : à mieux considérer les choses, on verra toujours que la tâche surgit là où les conditions matérielles de sa réalisation sont déjà formées, ou sont en voie de se créer.

Karl Marx, *Critique de l'économie politique*, 1859, avant-propos, trad. M. Rubel et L. Évrard, *in Œuvres*, t. I, coll. La Pléiade, Gallimard, p. 272 sq.

1. La manière dont les hommes entrent en relation entre eux, dans le cadre de l'activité productive : maître/esclave, serf/seigneur, prolétaire/bourgeois…
2. L'ensemble des moyens mis en œuvre, à une époque donnée, pour exploiter la nature : énergie, instruments, techniques, savoirs, capitaux…
3. Ou infrastructure : ce qui détermine le reste de l'activité sociale, ce qui en est le soubassement.
4. L'idéologie est l'ensemble des croyances communes à un groupe ou à une classe sociale.

QUESTIONS

› 1• Notez les phrases qui insistent sur le caractère inconscient des facteurs essentiels de l'histoire.

› 2• Quelles sont les véritables causes des révolutions sociales ?

Zoom sur...

La conception marxiste : le matérialisme historique

Selon Marx, c'est l'être social des hommes qui détermine leur être politique. Or cet être social est lui-même déterminé par les conditions matérielles et économiques de l'existence ; « Ce que les hommes sont coïncide avec ce qu'ils produisent et la manière dont ils le produisent. » (*L'Idéologie allemande*, 1845-1846). Historiquement, les infrastructures économiques déterminent les superstructures juridiques et politiques.

▪ **Les infrastructures économiques,** ce sont 1) les forces productives, lesquelles déterminent 2) les rapports sociaux de production.

▪ **Les forces productives** sont les moyens matériels par lesquels les hommes exploitent la nature et assurent les conditions matérielles de leur subsistance : les conditions matérielles de la production (la terre, le milieu naturel, le climat, les matières premières disponibles) ; les moyens technologiques (les outils, les instruments, les machines) ; les types d'énergie (l'eau, le vent, les animaux, la vapeur, l'électricité) ; les savoirs, les sciences ; l'organisation du travail (la coopération, la division du travail).

La nature de ces forces productives détermine les rapports sociaux de production.

▪ **Les rapports sociaux de production** représentent la manière dont les hommes entrent en relation dans le processus de production. Or, dans l'histoire, pour Marx, ces relations sont des relations d'exploitation. En effet, l'exploitation de la nature par les hommes s'accompagne de l'exploitation de l'homme par l'homme. Marx définit quatre modes de production :

– l'esclavage généralisé, ou mode de production asiatique : régime étatisé des premières civilisations (Égypte, Mésopotamie, Chine, Inde, Pérou...) ;
– l'esclavage privé, ou mode de production antique (monde gréco-romain) ;
– le servage, ou mode de production féodal (Moyen Âge) ;
– le salariat, ou mode de production bourgeois moderne (monde industriel).

Les infrastructures économiques de la société déterminent à leur tour les superstructures politiques.

▪ **Les superstructures juridiques et politiques** sont les formes d'organisation politique (États) auxquelles correspondent des systèmes de pensée (les idéologies).

▪ **Les formes d'organisation politique,** l'État, les systèmes juridiques, le Droit, sont conçus par Marx comme des instruments de domination d'une classe sociale sur une autre.

Ces structures politiques déterminent une certaine conscience sociale, ou idéologie.

▪ **Les idéologies** sont les manières de penser propres à une époque et à une classe sociale : croyances politiques, morales, religieuses, esthétiques. Pour Marx, ces idées sont les reflets déformés des conditions matérielles. C'est-à-dire qu'elles expriment des intérêts de classes, mais ces derniers se dissimulent derrière des principes généraux, ou universels.

Lorsque le développement des infrastructures trouve dans les formes politiques non plus une aide mais une entrave, un conflit s'instaure entre la société et l'État, conflit qui se traduit par une révolution.

Dossier 2

▶ Comment l'historien doit-il gérer à la fois la mémoire et l'oubli ?

« Les régimes totalitaires du xxe siècle ont révélé l'existence d'un danger insoupçonné auparavant : celui d'une mainmise complète sur la mémoire », écrit Todorov. Dans une démocratie, au contraire, le danger est celui d'une mémoire hypertrophiée, qui garderait tout sans trier, ce qui aurait les mêmes effets pervers que l'oubli. L'auteur propose trois étapes dans l'établissement d'une mémoire historienne.

DOCUMENT

Première étape : l'établissement des faits

C'est la base sur laquelle doivent reposer toutes les constructions ultérieures. Sans ce premier pas, on ne peut même pas parler d'un travail sur le passé. Avant de se poser d'autres questions, il faut savoir : d'où provient le bordereau de Dreyfus[1] et celui-ci a-t-il trahi ou non ? qui a ordonné la fusillade dans la forêt de Katyn[2], les Allemands ou les Russes ? qui était destiné aux chambres à gaz d'Auschwitz, les hommes ou les poux[3] ? C'est par là que passe la frontière, irréductible, entre historiens et fabulateurs. Mais il en va de même dans la vie quotidienne : nous ne manquons jamais de distinguer entre témoins fiables et mythomanes[4]. Dans la sphère privée comme dans la sphère publique, mensonges, falsifications, affabulations sont impitoyablement traqués dès qu'on tient à faire revivre le passé lui-même, et non seulement à conforter ses propres convictions.

Pour autant, il ne suffit pas de chercher ce passé pour qu'il s'inscrive mécaniquement dans le présent. De toutes les façons, seules subsistent quelques traces, matérielles et psychiques, de ce qui a été : entre les faits en eux-mêmes et les traces qu'ils laissent, un processus de sélection se déroule qui échappe à la volonté des individus. Maintenant s'y ajoute un deuxième processus de sélection, consciente et volontaire celle-ci : de toutes les traces laissées par le passé, nous choisirons de n'en retenir et de n'en consigner que certaines, les jugeant, pour une raison ou une autre, dignes d'être perpétuées. Ce travail de sélection est nécessairement secondé par un autre, de disposition et donc de hiérarchisation des faits ainsi établis : certains seront mis en lumière, d'autres repoussés à la périphérie.

Deuxième étape : la construction du sens

La différence entre la première et la seconde phase dans le travail d'appropriation du passé est celle entre la constitution des archives et l'écriture de l'histoire proprement dite. Une fois les faits établis, il faut en effet les interpréter, c'est-à-dire, essentiellement, les mettre en relation les uns avec les autres, reconnaître les causes et les effets, établir des ressemblances, des gradations, des oppositions. Se retrouvent ici, une fois de plus, les processus de sélection et de combinaison. Mais le critère qui permet de juger ce travail a changé. Alors que l'épreuve de vérité (ces faits ont-ils eu lieu ?) permettait de séparer les historiens des fabulateurs, les témoins des mythomanes, une nouvelle épreuve permet maintenant de distinguer les bons historiens des mauvais, les témoins remarquables des médiocres. Le terme de « vérité » peut resservir ici, mais à condition qu'on lui donne un sens nouveau : non plus une vérité d'*adéquation*[5], de correspondance exacte entre le discours présent et les faits passés (« 4 400 officiers polonais fusillés par les troupes du NKVD[6] dans la forêt de Katyn en 1940 »), mais une vérité de *dévoilement*, qui permet de saisir le sens d'un événement. Un grand livre d'histoire ne contient pas seulement des informations exactes, il nous apprend aussi quels sont les ressorts de la psychologie individuelle et de la vie sociale. De toute évidence, vérité d'adéquation et vérité de dévoilement ne se contredisent pas mais se complètent.

On ne saurait mesurer de la même manière cette nouvelle forme de vérité. L'établissement des faits peut être définitif, alors que leur signification est construite par le sujet du discours, elle est donc susceptible de changer.

Troisième étape : l'utilisation du passé

On pourrait désigner par cette expression un peu irrévérencieuse un troisième stade de la vie du passé dans le présent, qui est son instrumentalisation en vue d'objectifs actuels. Après avoir été *reconnu* et *interprété*, le passé sera maintenant *utilisé*. C'est ainsi que procèdent les personnes privées qui mettent le passé au service de leurs besoins présents, mais aussi les politiciens, qui rappellent des faits passés pour atteindre des objectifs nouveaux.

Les historiens professionnels répugnent en général à admettre qu'ils participent de ce troisième stade ; ils préfèrent considérer leur mission terminée, dès lors qu'ils ont fait revivre les événements dans leur matérialité et leur sens. Un tel refus de tout usage est bien sûr possible, mais je le crois exceptionnel. Le travail de l'historien est inconcevable sans une référence à des valeurs. Ce sont celles-ci qui lui dictent sa conduite : s'il formule certaines questions, cerne certains sujets, c'est qu'il les juge utiles, importants, exigeant même un examen urgent. Ensuite, en fonction de son objectif, il sélectionne – parmi toutes les données que lui livrent archives, témoignages et œuvres – celles qui lui paraissent les plus révélatrices et les agence après dans un ordre qu'il juge propice à sa démonstration. Enfin, il suggère l'enseignement qu'on peut tirer de ce fragment d'histoire, même si sa « moralité » à lui n'est pas aussi explicite que celle du fabuliste. Les valeurs sont partout ; et cela ne choque personne. Or qui dit valeurs dit aussi désir d'agir dans le présent, de changer le monde, et non seulement de le connaître.

Tzvetan Todorov, *Mémoire du mal. Tentation du bien*, 2000, Robert Laffont, p. 133-134, 140-141.

Archives de la Stasi, la police politique du régime communiste de la RDA.

1. En septembre 1894, fut découvert aux services de renseignement français un bordereau anonyme contenant une liste de documents confidentiels destinée à l'ambassade d'Allemagne. Ce fut le début de l'« affaire Dreyfus ».
2. En 1943, sont découvertes par les Allemands, dans les forêts de Katyn, près de Smolensk (Pologne), des fosses remplies de cadavres d'officiers polonais. La responsabilité des Soviétiques dans le massacre a été reconnue officiellement par l'URSS en 1990.
3. Allusion aux thèses négationnistes qui nient l'utilisation des chambres à gaz à des fins d'extermination.
4. Qui ont une tendance pathologique à l'affabulation.
5. Allusion à la définition scolastique de la vérité comme adéquation entre la chose et l'entendement, entre les faits et l'exposition des faits.
6. Commissariat du peuple aux affaires intérieures, police politique soviétique.

Passerelles

› **Chapitre 14 : L'interprétation**, p. 352.

› **Textes :** Veyne, *Comment on écrit l'histoire*, p. 370.
Russell, Vérité et croyance, p. 405.

QUESTIONS

› **1•** Quelles sont les deux sortes de sélections opérées sur les faits du passé ? Expliquez-les. Pourquoi l'une est-elle volontaire, l'autre non ?

› **2•** Ce processus de sélection remet-il en cause l'objectivité du travail de l'historien ? Justifiez votre réponse.

› **3•** Expliquez la différence entre vérité d'adéquation et vérité de dévoilement.

› **4•** Pourquoi ne peut-on pas mesurer de la même manière la vérité d'un fait et la vérité d'une interprétation ?

› **5•** Pourquoi « le travail de l'historien est[-il] inconcevable sans une référence à des valeurs » ?

› **6•** « Moralité de l'historien », « moralité du fabuliste » : expliquez le rapprochement que l'auteur fait entre l'histoire et la fable. Pourquoi l'historien refuse-t-il ce rapprochement ?

Aujourd'hui déjà, les États entretiennent des rapports mutuels si raffinés qu'aucun d'eux ne peut relâcher sa culture intérieure sans perdre à l'égard des autres de sa puissance et de son influence ; par conséquent, sinon le progrès, du moins la conservation de ce but naturel, est suffisamment garantie par les desseins ambitieux que ceux-ci nourrissent. Bien plus, la liberté du citoyen ne peut plus guère être attaquée sans que le préjudice s'en fasse sentir dans tous les métiers, et particulièrement dans le commerce ; mais aussi, du même coup, se manifeste l'affaiblissement des forces de l'État dans ses relations extérieures. Or cette liberté s'étend d'une manière continue. Quand on empêche le citoyen de chercher son bien-être par tous les moyens qu'il lui plaît avec la seule réserve que ces moyens soient compatibles avec la liberté d'autrui, on entrave le déploiement de l'activité générale, par suite, en retour, les forces de la collectivité. C'est pourquoi les restrictions apportées à la personne, dans ses faits et gestes, sont de plus en plus atténuées ; c'est pourquoi la liberté universelle de religion est reconnue ; ainsi perce peu à peu sous un arrière-fond d'illusions et de chimères, *l'ère des lumières*; c'est là un grand bien dont le genre humain doit profiter en utilisant même la soif égoïste de grandeur de ses chefs, pour peu que ceux-ci comprennent leur propre intérêt.

Kant, *Idée d'une histoire universelle selon le point de vue cosmopolitique* (1784), trad. S. Piobetta, in *Opuscules sur l'histoire*, © Garnier Flammarion, 1990.

La connaissance de la doctrine de l'auteur n'est pas requise. Il faut et il suffit que l'explication rende compte, par la compréhension précise du texte, du problème dont il est question.

Repérer l'originalité de la pensée de l'auteur

Le titre et la date indiquent une époque : la fin du XVIIIe siècle, quelques années avant la Révolution française. L'allusion en fin de texte aux Lumières donne une indication précieuse. Ce texte est daté historiquement et, comme il donne une sorte de prévision sur les temps à venir, il est intéressant d'établir un bilan entre cette prévision et ce qu'il en est réellement advenu.

Cela veut-il dire que l'explication se transforme en analyse historique de la situation au Siècle des Lumières ? Non, ce n'est pas le but d'une explication philosophique. Le texte fait une analyse de l'essence du pouvoir politique, elle doit par conséquent être valable non seulement pour l'époque de Kant, mais aussi pour la nôtre.

Interpréter les références qui permettent de replacer le texte dans son contexte peut être utile, mais pas toujours nécessaire, comme l'indique la formule officielle : *La connaissance de la doctrine de l'auteur n'est pas requise.*

› Une œuvre, une analyse : **Kant**, *Idée d'une histoire universelle selon le point de vue cosmopolitique*, p.294-297.

› **Fiche 9**, p. 588

Repérer le plan et l'idée principale du texte

Kant organise sa réflexion selon le mouvement suivant :

1re partie : (l. 1-5) Kant constate une interdépendance croissante entre les États et le désir de puissance de chacun d'entre eux ;

2e partie : (l. 5-13) Il démontre que la puissance d'un État est corrélée à la liberté des individus ;

3e partie : (l. 13-18) Il en conclut l'idée d'un développement commun de la puissance des États et du respect des libertés individuelles.

Le texte reconnaît l'interdépendance de plus en plus poussée des États, et il cherche les conséquences de ce fait sur le rapport entre les États et les citoyens. Il confronte les intérêts des uns et des autres.
1) Ces intérêts au départ sont opposés.
2) Mais pour l'auteur, à l'arrivée, ces intérêts contradictoires finissent par se concilier.

1) Il conviendrait de faire la liste de ces intérêts ;
2) Il conviendrait de trouver les mécanismes de cet ajustement.

La **thèse** de l'auteur est alors que les intérêts opposés des États et des citoyens devraient se rejoindre dans une même évolution historique.
Le **problème** est donc celui de savoir si la logique des États, tournée vers la puissance, est compatible avec celle des citoyens, tournée vers la garantie des libertés privées ? L'histoire de l'humanité peut-elle être perçue comme une progressive conciliation de ces deux logiques ?

Rédiger une introduction

› **Fiche 2**, p. 574

La logique des États modernes va-t-elle dans le sens des libertés individuelles ? L'expérience des systèmes totalitaires au XXe siècle montre que rien n'est moins certain. Les États recherchent d'abord à développer leur puissance. Ils sont poussés en ce sens par les autres États, qui sont soit des rivaux, soit des ennemis. Ne pas augmenter sa puissance pour un État, c'est prendre le risque d'être demain à la merci d'un voisin plus puissant. Dans ce texte écrit à la fin du XVIIIe siècle, Kant veut montrer cependant que cette logique impérialiste des États n'est pas nécessairement contraire aux aspirations des citoyens à la liberté. L'intérêt des États (accroître leur puissance vis-à-vis des autres États) va dans le même sens que l'intérêt des citoyens (accroître leur bien-être et leurs libertés privées). Kant pense donc avec optimisme que, dans l'avenir, les libertés individuelles seront de mieux en mieux protégées, non pas parce qu'elles sont une préoccupation première des États, mais parce que c'est seulement grâce à elles que ceux-ci peuvent espérer gagner en puissance. Cet optimisme s'est-il vérifié au cours de l'histoire récente ?

Rédiger l'explication de texte

L'auteur part du fait que les États modernes deviennent de plus en plus dépendants et concurrents les uns par rapport aux autres. Chacun veut dominer les autres, ou en tout cas ne pas être dominé. Or la puissance des États dépend du développement de leur « culture intérieure ». Ce développement, en particulier au niveau du commerce (puissance économique), est proportionnel à la liberté des individus. Dès que celle-ci est entravée, les « forces de la collectivité » diminuent. Ainsi peut-on espérer que les États, et les chefs qui les gouvernent, seront contraints dans l'avenir à accorder de plus en plus de libertés aux citoyens.

Présentation de la démarche globale du texte. Cette partie n'est pas impérative. Mais il est souvent bon, avant d'entrer dans le détail d'une explication, de prendre une vue d'ensemble de l'argumentation afin de disposer d'un fil directeur.

Partie I - Constat : l'interdépendance des États

Le point de départ de ce raisonnement est l'interdépendance de plus en plus grande des États modernes, ainsi que leur concurrence accrue. À la fin du XVIIIe siècle, l'auteur peut donc apercevoir une tendance de fond, qui est aujourd'hui devenue une réalité avec la mondialisation. L'interdépendance prend des formes multiples. Les relations économiques (le commerce), militaires (la course aux armements), culturelles (le tourisme, les médias, les activités artistiques), intellectuelles (les recherches technologiques, scientifiques) sont de plus en plus poussées. On peut remarquer que cette interdépendance pousse aussi bien à la coopération entre les États qu'à la rivalité et à la guerre. La logique de l'État est en effet de devenir plus puissant que ses voisins, de ne rien perdre « de sa puissance et de son influence ». C'est une logique de rapports de force, aussi bien en temps de guerre qu'en temps de paix. La lutte pour la puissance (impérialisme) ne se gagne pas seulement par l'accroissement des forces militaires, elle s'appuie aussi sur l'influence culturelle : on peut penser au développement des arts, des lettres, de la musique, des manières de vivre qui jouent un rôle important, comme on le constate avec l'influence de la civilisation française en Europe, au XVIIIe siècle, ou plus tard, au XXe siècle, celle du mode de vie américain.

Début de l'analyse détaillée.

Pour éviter la paraphrase, chercher des exemples, énumérer des faits. Ces allusions pourraient être illustrées à partir des cours de français (les Lumières, les encyclopédistes...) ou d'histoire (le rôle du cinéma, de la musique, de l'habillement comme vitrine du mode de vie américain pendant la Guerre Froide).

Partie II - Culture intérieure du pays et liberté des citoyens

Or pour qu'un État soit puissant, il doit étendre sa « culture intérieure ». Que peut signifier ce terme de « culture » quand il s'agit non d'individus, mais d'États ? On peut penser qu'il s'agit de faciliter l'éducation de tous par la scolarisation, le développement des instituts techniques, des universités ; de favoriser la recherche scientifique pour profiter des technologies nouvelles ; de promouvoir la presse, les médias, la communication afin de faire circuler rapidement les idées ; de favoriser les entreprises individuelles pour développer le commerce et l'économie ; d'encourager l'artisanat et la création artistique pour entretenir son prestige à l'étranger. Cette culture intérieure est nécessaire pour accroître les forces collectives et donc la puissance de l'État. C'est surtout vrai, aux yeux de Kant, dans le domaine économique : les « métiers » et le « commerce ». La richesse économique, le développement scientifique et technique concernent aussi la puissance militaire qui intéresse les États en premier lieu.

Le style interrogatif est intéressant lorsqu'il s'agit de proposer des hypothèses interprétatives.

Mais pour Kant, cette « culture intérieure » a comme conséquence inévitable de développer des esprits libres, des citoyens qui veulent chercher leur bien-être, « par tous les moyens qu'il [leur] plaît avec la seule réserve que ces moyens soient compatibles avec la liberté d'autrui ». C'est l'idée de démocratie et de libéralisme qui est ici sous-entendue : laisser le plus de libertés possible aux individus, dans le cadre de lois qui garantissent la compatibilité de ces libertés. Ces libertés multiplient les échanges entre les peuples, et les échanges en retour favorisent l'esprit de tolérance, en particulier au niveau religieux. En effet, à l'époque de Kant, la question de la liberté de culte reste encore une question centrale. Mais on peut penser qu'il en va de même pour la liberté des mœurs et des idées politiques.

Lorsqu'on modifie une citation pour des raisons syntaxiques, on utilise des crochets : [...].

Partie III - Liberté des citoyens et soif égoïste des gouvernants

› Repères et distinctions conceptuelles, p. 522

Kant peut donc conclure que, petit à petit, les libertés individuelles s'accroîtront car ce sont elles qui favorisent, de la façon la plus efficace, la puissance de l'État. Cela ne provient pas d'une générosité des États, mais de la « soif égoïste » des gouvernants. Ceux-ci en effet ne se soucient guère des libertés des individus, ils ne pensent qu'à leur puissance. Mais s'ils « comprennent leur propre intérêt », ils seront obligés d'admettre que, pour devenir plus puissants, ils devront accorder de plus en plus de libertés aux citoyens. Selon Kant, le progrès, « *l'ère des Lumières* » est extorqué aux hommes par le moyen de leurs passions égoïstes, « d'illusions et de chimères ».

L'intérêt est de montrer que des idéaux (les libertés) peuvent s'accomplir à partir de mécanismes réalistes (l'égoïsme des passions humaines).

Kant considère que l'histoire n'est donc pas seulement commandée par une vision rationnelle des hommes. Pour que les idéaux démocratiques se mettent en place, il faut compter aussi sur la logique de forces moins rationnelles, comme celles qui poussent les États à la guerre, ou à la domination. C'est pourquoi l'auteur espère que dans l'avenir les « restrictions apportées à la personne [seront] de plus en plus atténuées » ; que l'intérêt des États (renforcer leur puissance par rapport aux autres États) ira dans le même sens que l'intérêt des citoyens (renforcer leur liberté dans la construction de leur bien-être).

Rédiger une conclusion

› **Fiche 5,** p. 580

Kant propose une vision optimiste de l'histoire fondée sur des bases réalistes, puisqu'il part du constat de la nature impérialiste des États, qui veulent étendre leur puissance, et de la « soif égoïste de grandeur » des gouvernants. États et gouvernants sont contraints par la force des choses à favoriser les libertés individuelles. On reconnaît l'optimisme des Lumières quant à l'importance de l'éducation et de la circulation des idées (la « culture intérieure ») et également l'optimisme des nouvelles idées libérales en matière d'économie : c'est en laissant le maximum de libertés aux individus que la société peut s'enrichir. Kant avait-il raison d'être optimiste ? En un sens oui, puisque, aujourd'hui, la mondialisation confirme la tendance historique globale dont il part. La poussée de l'éducation, le développement des sciences, le progrès des libertés individuelles accordées au citoyen sont des faits indéniables. Mais en même temps, l'histoire a montré que ce progrès n'était ni continu ni nécessaire. Les deux guerres mondiales ont été des guerres de destruction totale ; l'expérience totalitaire a marqué le XXe siècle et montré que la montée en puissance des États pouvait se faire contre les droits des individus. Aujourd'hui, des inégalités économiques entre les individus et entre les peuples entraînent la montée des intolérances. Des problèmes qui semblaient sur le point de se résoudre au temps de Kant, comme la tolérance religieuse, continuent de se poser aujourd'hui. La mondialisation de la « culture intérieure » par le biais d'Internet est-elle une garantie pour les libertés individuelles ?

REPÈRES et DISTINCTIONS CONCEPTUELLES

Les deux sens du mot « histoire »

L'histoire est à la fois **le devenir objectif dans le temps** et **la science de ce devenir**. Pour Raymond Aron, cette dualité de signification est fondée : « La conscience du passé est constitutive de l'existence historique » (*Dimensions de la conscience historique*, 1961). En d'autres termes, l'homme agit dans l'histoire à partir de la connaissance qu'il a de son passé. « L'homme n'a vraiment un passé que s'il a conscience d'en avoir un, car seule cette conscience introduit la possibilité du dialogue et du choix » (*op. cit.*). Les plantes, les animaux ont également une histoire (l'évolution darwinienne), mais cette histoire n'existe pas pour eux. Au contraire, l'homme est l'être pour qui ce passé existe et qui se détermine en fonction de ce passé. « L'homme est donc à la fois le sujet et l'objet de la connaissance historique » (*op. cit.*).

Les formes de la conscience historique

Encore faut-il que l'homme acquière cette **conscience historique**. Or de nombreux peuples n'ont pas de mémoire historique, leur mémoire s'arrête à un passé récent ; au-delà, c'est le temps des mythes. Quand les peuples se forgent cette mémoire, elle prend souvent des formes légendaires : invention ou réécriture des origines (par exemple : Remus et Romulus, Vercingétorix, Jeanne d'Arc). L'idée d'une science historique est récente.

Le sentiment d'**historicité** de la réalité humaine est une dimension plus profonde encore : il ne s'agit plus seulement de dire que l'homme a une histoire, mais qu'il ne peut se définir que par cette histoire. On peut penser cette historicité dans la logique d'un développement nécessaire (Kant, Hegel). Mais on peut aussi la penser comme radicalement contingente : ni données naturelles, ni lois de l'histoire, ni nécessités providentielles ne détermineraient le développement de l'homme, il aurait pu être totalement autre et il ne serait assuré d'aucune fin « heureuse ».

Le sens de l'histoire n'est donc pas constaté par l'homme moderne ; il est présupposé. Contestable au niveau des faits, cette idée n'est-elle pas en outre dangereuse dans son principe même ? L'image d'une échelle unique conduit à hiérarchiser les cultures, elle justifie la différence entre sociétés « supérieures » et sociétés « inférieures ». L'idée d'une nécessité propre à l'histoire qui gouvernerait les hommes plus que les hommes ne la gouverneraient engendre l'apparence de fatalité, qui rendrait inutiles les prises de position, les critiques, les refus des individus. La certitude d'un sens inéluctable encouragerait des utopies meurtrières, d'autant plus violentes qu'elles « auraient l'Histoire de leur côté ».

La croyance au **progrès** est assez récente. On en voit les germes à la Renaissance, elle s'épanouit au Siècle des lumières. Elle suppose que l'histoire a un but, qui n'est pas seulement le développement matériel et économique, mais aussi et surtout un développement moral, intellectuel et politique, vers un ordre de paix, de liberté et de justice (par exemple la croyance dans un développement mondial de la démocratie). Elle suppose aussi qu'une nécessité interne de l'histoire mène à cette fin, quand bien même le chemin serait long et sinueux.

Les différentes représentations d'un personnage historique : Jeanne d'Arc.
1. Portrait anonyme de 1591. **2.** Tableau de 1863 de Rossetti.
3. Affiche de 1890 de la comédienne Sarah Bernhardt.

Zoom sur…

Les différentes représentations du temps historique

Très tôt, à l'école, l'enfant apprend à se représenter le temps de l'histoire sous la forme d'une frise qui se déroule le long d'un axe continu. Plus tard, l'image d'une droite infinie dans les deux sens, coupée par un point zéro (dans les civilisations occidentales, la naissance du Christ) devient un schéma dominant. Pourtant, rien n'est moins évident que cette représentation du temps, qui oriente en grande partie notre façon de voir l'histoire de l'humanité. D'autres schémas ont été dominants, ou sont possibles.

▪ **1. Le temps cyclique** est le schéma le plus fréquent dans les sociétés traditionnelles. Les temps et les événements reviennent à peu près identiquement.

▪ **2.** L'image plus pessimiste d'une **chute continue** se trouve dans certaines explications mythiques. Les récits mythiques d'Hésiode décrivent une descente continue, de l'Âge d'Or jusqu'à l'Âge de Fer, des Dieux et des Hommes. C'est le schéma d'une dégénérescence.

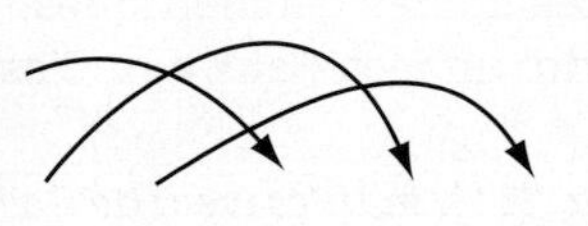

▪ **3.** Cet enchevêtrement de **trajectoires paraboliques** illustre l'idée d'une multiplicité de civilisations allant dans des sens différents, naissant et mourant comme des organismes, chacune à côté des autres, sans que l'on puisse tracer une direction d'ensemble. On retrouve ce schéma dans l'ouvrage fameux d'Oswald Spengler[1], *Le Déclin de l'Occident*: «les cultures sont des organismes [...] Il y a une croissance et une vieillesse des cultures, des peuples, des langues, des vérités, des dieux, des paysages, [...] mais il n'y a pas d'"humanité vieillissante".»

▪ **4. Le schéma chrétien** introduit la linéarité, mais sous une forme finie. L'histoire est délimitée par deux points extrêmes: la Création et le Jugement dernier. Au milieu, comme l'axe d'une balance, la venue du Christ.

▪ **5.** L'image d'une **droite horizontale, orientée à l'infini**, est la forme la plus courante aujourd'hui, pour ainsi dire mathématique – «neutre» – de la représentation du temps. Mais ce schéma n'est pas si neutre. D'une part, il laisse imaginer une progression infinie, que rien ne garantit pour l'histoire des hommes. D'autre part, une droite unique induit une vision unitaire de l'histoire. Enfin, ce schéma s'accompagne, souvent inconsciemment, d'autres repères: Antiquité, Moyen Âge, Renaissance, Modernité… qui rythment non pas l'histoire de l'humanité, mais celle, approximative, d'une seule civilisation, la nôtre.

▪ **6. L'Échelle des Êtres** est une vision d'abord biologique, fréquente au XVIIIe siècle: une continuité graduelle conduit des formes les plus simples d'êtres vivants jusqu'aux formes les plus complexes, l'homme étant au sommet de l'échelle. Appliqué à l'histoire humaine, ce schéma montre une évolution progressive et continue de l'homme, qui est le propre de toutes les théories du progrès. Elle implique une idée d'avancement ou de retard, d'infériorité ou de supériorité, à la manière d'un cursus scolaire.

▪ **7. La structure arborescente** est le schéma biologique contemporain, issu de la révolution darwinienne. L'histoire n'est pas une, mais multiple; elle n'est pas nécessaire, mais contingente – d'où le paradoxe d'un arbre «généalogique» où des branches importantes s'achèvent brusquement, où des brindilles font naître des troncs.

1. Philosophe allemand (1880-1936), théoricien de l'historicisme.

La raison et le réel

Chapitre 12 **Théorie et expérience**
Chapitre 13 **La démonstration**
Chapitre 14 **L'interprétation**
Chapitre 15 **Le vivant, la matière et l'esprit**
Chapitre 16 **La vérité**

La philosophie est écrite dans cet immense livre qui se tient toujours ouvert devant nos yeux, je veux dire l'Univers, mais on ne peut le comprendre si l'on ne s'applique d'abord à en comprendre la langue et à connaître les caractères avec lesquels il est écrit. Il est écrit dans la langue mathématique et ses caractères sont des triangles, des cercles et autres figures géométriques, sans le moyen desquels il est humainement impossible d'en comprendre un mot. Sans eux, c'est une errance vaine dans un labyrinthe obscur.

Galileo Galilei, dit Galilée, *L'Essayeur*, 1623, *in L'Essayeur de Galilée*, trad. Ch. Chauviré, Les Belles Lettres, p. 141.

Il me semble que, dans les discussions concernant les questions naturelles[1], on ne devrait pas faire prévaloir d'abord l'autorité des passages des Écritures[2], mais les expériences des sens et les démonstrations nécessaires. Car, puisque l'Écriture sainte et la nature procèdent également du Verbe divin[3], la première en tant que dictée par l'Esprit saint[4], la seconde en tant qu'exécutrice très fidèle des ordres de Dieu ; puisque, de plus, il a paru approprié que dans les Écritures saintes beaucoup de choses soient dites de façon différente, en apparence et quant à la signification nue des mots, de la vérité absolue, afin de s'adapter à la compréhension du commun des hommes[5] ; et puisque, au contraire, la nature est inexorable et immuable, et ne transgresse jamais les limites des lois qui lui sont imposées, comme si elle ne se souciait point que ses raisons cachées et ses façons d'agir soient ou non accessibles à la compréhension des hommes ; il paraît raisonnable de conclure que les effets naturels qui nous sont manifestés clairement par l'expérience des sens ou que l'on peut déduire de démonstrations nécessaires, ne doivent en aucune façon être mis en doute ni condamnés au nom de passages dans l'Écriture qui, dans les mots, leur sembleraient contraires. Toutes les affirmations contenues dans l'Écriture ne sont pas soumise à des contraintes aussi sévères que ne le sont les effets de la nature ; et Dieu ne se révèle pas moins dans les effets de la nature que dans les sentences sacrées de l'Écriture.

Galileo Galilei, dit Galilée, *Lettre à Christine de Lorraine*, 1615, trad. P. Hamou et M. Spranzi, *in Écrits coperniciens*, Livre de Poche, 2004.

---

1. C'est-à-dire les questions scientifiques touchant la nature : l'astronomie et la physique.
2. Les textes bibliques.
3. Le *Logos*, Dieu en tant que créateur de l'ordre rationnel de l'univers.
4. C'est une autre face du Dieu chrétien, inspiratrice de la foi chez les hommes.
5. Dieu ne parle pas aux hommes le langage de la vérité absolue, mais un langage imagé, adapté à leur faculté de compréhension.

Mesure d'astres à l'aide d'un bâton de Jacob, vers 1530, gravure sur bois colorisée (détail). ›››

chapitre 12

Théorie et expérience

Galilée et l'expérience du plan incliné par Giuseppe Bezzuoli, XIXe siècle, fresque, Florence, tribune de Galilée.

Des mots...

L'expérience, dans l'usage courant du mot, est d'abord quelque chose qu'on possède : avoir de l'expérience, c'est posséder des compétences à la suite de l'exercice d'un métier ou d'une fonction, c'est le résultat d'habitudes et de techniques. Ces compétences semblent mêler de façon positive savoir et savoir-faire. On opposera l'expérience aux savoirs scolaires, livresques, théoriques, dans lesquels la théorie est souvent comprise comme une spéculation abstraite éloignée de la réalité. L'expérience est aussi de l'ordre du vécu, de ce qu'on subit : « À chacun de faire l'expérience de la vie. » L'expérience semble alors davantage liée aux épreuves de l'existence qu'à ses joies et ses plaisirs.

... aux concepts

Le sens premier du concept philosophique d'expérience n'apparaît pas dans l'usage ordinaire du mot, parce qu'il résulte d'une analyse abstraite des conditions humaines du savoir. On appelle en effet expérience les données sensibles élémentaires, issues de notre perception, qui orientent notre contact avec le monde : le feu brûle, le soleil chauffe, l'eau gèle en hiver. Pour la philosophie empiriste, c'est à partir de ces données élémentaires, reliées, comparées, testées, que se bâtissent nos explications du monde. Rien ne permettrait de penser que l'eau peut être dure comme de la pierre, si nous ne l'avions pas vue se transformer en glace. À ces données brutes (le monde empirique) on opposera l'expérience artificiellement provoquée à partir d'hypothèses et de théories : l'expérimentation. Bien loin de s'opposer à la théorie, l'expérimentation en dépend entièrement.
Une théorie est une construction de l'esprit humain qui s'inscrit toujours dans un système de pensée. Il s'agit d'un ensemble de concepts, d'hypothèses, de lois qui permet d'expliquer la réalité. Bien loin de nous en éloigner, comme incite à le croire le langage ordinaire, la théorie est orientée vers la réalité, dont elle cherche à rendre compte.

Pistes de réflexion

Suffit-il d'observer attentivement la nature pour en avoir une connaissance scientifique ?

Quelles sont les limites des méthodes empiriques? En se contentant d'observer, on accumule les observations sans pouvoir les comprendre et les ordonner dans une explication cohérente. De plus, les expériences immédiates sont souvent trompeuses (par exemple, le Soleil semble tourner autour de la Terre). Dans la méthode expérimentale, il faut d'abord formuler des hypothèses pour interroger la nature. Pourquoi l'utilisation d'hypothèses est-elle fondamentale dans la démarche scientifique?

Quels sont les obstacles qui s'interposent entre la connaissance humaine et la nature ?

Historiquement, les sciences expérimentales naissent longtemps après les mathématiques. C'est que la nature ne se laisse pas connaître aussi facilement que les nombres et les figures. Quels sont les obstacles qui viennent de la nature elle-même ? Quels sont ceux qui viennent de la pensée humaine et de ses préjugés inévitables?

Quelle est la valeur de vérité des théories scientifiques ?

Si les théories scientifiques sont des « créations libres de l'esprit humain » (Einstein), comment expliquent-elles la réalité? Les théories scientifiques doivent être testées, c'est-à-dire expérimentées. Mais une expérience particulière peut-elle prouver une théorie générale? Peut-on demander autre chose à une expérience que de prouver qu'une hypothèse est fausse?

Les théories scientifiques sont-elles exemptes de présupposés et de préjugés ?

Les scientifiques étudient la nature en lui posant des questions, ces questions correspondant à des hypothèses préalables. Ils n'observent donc pas la nature de façon neutre. Mais un présupposé n'est pas un préjugé : un présupposé est une idée que l'on pose sans l'avoir démontrée, mais en ayant conscience de cette lacune, tandis qu'un préjugé est par définition inconscient de lui-même. Mais le scientifique ne dépend-il pas lui aussi de sa culture, n'a-t-il pas lui aussi des croyances dont il n'a pas l'entière maîtrise?

L'expérience scientifique est-elle dépendante des évolutions technologiques ?

Comment peut-on dire que les instruments scientifiques (par exemple un accélérateur de particules) sont des « théories matérialisées » ? Que devient le statut du scientifique dès lors qu'il dépend d'un environnement technique coûteux?

Est-il possible de réaliser des expériences en sciences humaines ?

Les sciences humaines (histoire, économie, psychologie...) prétendent au statut de sciences, comme les sciences de la nature. Mais peuvent-elles comme celles-ci expérimenter? Comment? Quelles difficultés rencontrent-elles? Doivent-elles faire face aux mêmes problèmes que les sciences de la nature?

Passerelle

› Chapitre 16 : La vérité, p. 398.

Découvertes

DOCUMENT 1 La vérité des théories scientifiques

Il nous est impossible de confronter directement les théories que nous bâtissons avec la réalité elle-même. Dès lors, par quels moyens pouvons-nous décider qu'une théorie est plus juste qu'une autre ?

C'est en réalité tout notre système de conjectures[1] qui doit être prouvé ou réfuté par l'expérience. Aucune de ces suppositions ne peut être isolée pour être examinée séparément. Dans le cas des planètes qui se meuvent autour du soleil, on trouve que le système de la mécanique[2] est remarquablement opérant. Nous pouvons néanmoins imaginer un autre système, basé sur des suppositions différentes, qui soit opérant au même degré.

Les concepts physiques sont des créations libres de l'esprit humain et ne sont pas, comme on pourrait le croire, uniquement déterminés par le monde extérieur. Dans l'effort que nous faisons pour comprendre le monde, nous ressemblons quelque peu à l'homme qui essaie de comprendre le mécanisme d'une montre fermée. Il voit le cadran et les aiguilles en mouvement, il entend le tic-tac, mais il n'a aucun moyen d'ouvrir le boîtier. S'il est ingénieux il pourra se former quelque image du mécanisme, qu'il rendra responsable de tout ce qu'il observe, mais il ne sera jamais sûr que son image soit la seule capable d'expliquer ses observations. Il ne sera jamais en état de comparer son image avec le mécanisme réel, et il ne peut même pas se représenter la possibilité ou la signification d'une telle comparaison. Mais le chercheur croit certainement qu'à mesure que ses connaissances s'accroîtront, son image de la réalité deviendra de plus en plus simple et expliquera des domaines de plus en plus étendus de ses impressions sensibles. Il pourra aussi croire à l'existence d'une limite idéale de la connaissance que l'esprit humain peut atteindre. Il pourra appeler cette limite idéale la vérité objective.

Albert Einstein et Leopold Infeld, *L'Évolution des idées en physique*, 1938, coll. Petite bibliothèque Payot, Payot, 1963, p. 34-35.

1. Suppositions.
2. De la mécanique classique, fondée sur le modèle newtonien. La mécanique est l'étude du mouvement.

QUESTIONS

1• Développez l'analogie de la montre. En quoi illustre-t-elle la situation des sciences de la nature ?

2• Pourquoi aucune hypothèse scientifique « ne peut être isolée pour être examinée séparément » ?

3• Quel est, selon Einstein, l'espoir du scientifique ? Cet espoir vous semble-t-il réaliste ?

4• Étudiez la définition de la vérité objective proposée à la fin du texte. Qu'en pensez-vous ?

Passerelles

Textes : Bernard, La méthode hypothético-déductive, p. 326.
Popper, La science procède par rejet d'hypothèses, p. 327.

DOCUMENT 2 Comment comprendre le monde qui nous entoure ?

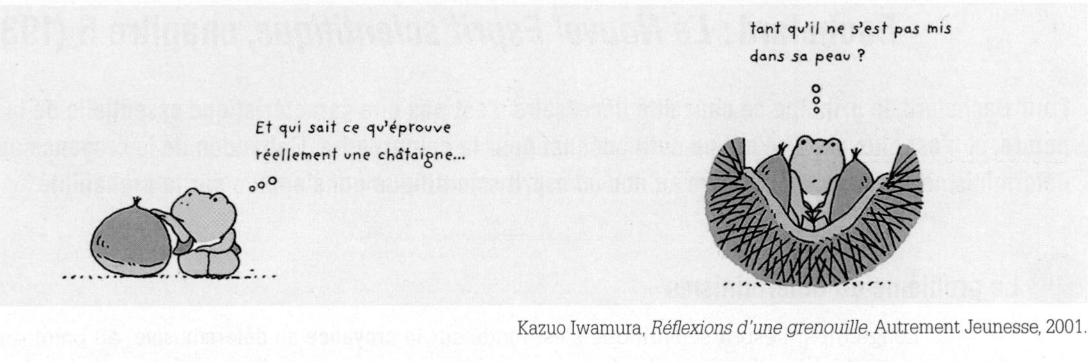

Kazuo Iwamura, *Réflexions d'une grenouille*, Autrement Jeunesse, 2001.

QUESTIONS

1• Peut-on se mettre « à la place » de la nature ? Peut-on entrer « à l'intérieur » des phénomènes naturels ?

2• La nature se prête-t-elle facilement à notre désir de la connaître ? Quelles résistances oppose-t-elle ?

DOCUMENT 3 *A priori* et *a posteriori* dans l'expérience

Le physicien britannique James P. Joule (1818-1889) découvrit qu'il existe une équivalence entre l'énergie mécanique et la chaleur, donc que l'une peut être transformée en l'autre et vice-versa *dans la proportion de 4,18 J (mesure de la quantité de travail) pour 1 calorie (quantité de chaleur).*

Joule semble, à première vue procéder par induction[1]. « Ayant démontré que la chaleur est engendrée par la machine [...], il devient très intéressant de rechercher si un rapport constant existe entre cette chaleur et la force (*power*) mécanique gagnée ou perdue. » Rien, semble-t-il, de plus correct, au point de vue des principes du raisonnement *a posteriori*, que de poser le problème de cette manière. Seulement, une fois ces expériences instituées, comme leurs résultats étaient, nous l'avons vu, fort divergents, Joule, au lieu d'en conclure que ce rapport n'était pas constant, mais variable, a tiré une moyenne du tout et l'a proclamée comme la valeur réelle dudit rapport ; c'est donc qu'il était convaincu d'avance de sa constance.

D'ailleurs Joule a eu bien soin d'indiquer quelles étaient les sources de cette conviction. « Nous pourrions déduire *a priori*, dit-il, dans un travail un peu postérieur, qu'une telle destruction absolue de la force vive ne saurait avoir lieu, car il est manifestement *absurde* de supposer que les forces (*powers*) dont Dieu a doué la matière, puissent être détruites par l'action de l'homme ou créées par celle-ci ; mais nous ne sommes pas réduits à cet argument seul, quelque décisif qu'il doive paraître à tout esprit dénué de préjugé. » [...] Le Dieu dont parle Joule n'a rien de commun avec la théologie : il est, comme celui de Descartes et de Leibniz [...] un symbole de l'ordre général de la nature, et, dans le cas particulier, de l'immutabilité essentielle des choses c'est-à-dire du principe causal.

Émile Meyerson, *Identité et réalité*, 1908, Vrin, p. 221-222.

1. Repères, p. 335.

QUESTIONS

1• La constante de Joule est établie par l'expérience (*a posteriori*). L'auteur montre qu'elle repose également sur un présupposé, posé *a priori*. Lequel ?

2• L'allusion à Dieu, concernant une loi scientifique, peut sembler incongrue. S'agit-il du Dieu de la religion ? De quel Dieu s'agit-il ? Quel rôle joue-t-il ?

Présentation

Bachelard : *Le Nouvel Esprit scientifique*, chapitre 5 (1934)

Pour Bachelard, le principe de causalité nécessaire n'est pas une caractéristique essentielle de la nature, et n'est plus aujourd'hui un outil adéquat pour la comprendre. L'abandon de la croyance au déterminisme laisse le champ libre au nouvel esprit scientifique qui s'appuie sur la probabilité.

1 Le problème du déterminisme

Longtemps, l'esprit scientifique s'est fondé sur la **croyance au déterminisme**, au point qu'on a pu identifier l'un à l'autre. Ce principe repose sur trois données :

1. la possibilité d'isoler, d'individualiser deux états, initial et final, d'un phénomène ;
2. la connaissance de la loi qui permet d'aller de l'un à l'autre ;
3. une mise en équation mathématique des paramètres en jeu.

Le déterminisme fonde la possibilité d'une prévision : l'état futur d'un phénomène est rigoureusement déterminé par son état présent.

Pour Bachelard, le principe du déterminisme n'est qu'une généralisation philosophique d'une pratique donnée, à un moment donné. Issu de l'astronomie, il atteint son âge d'or dans la mécanique classique. Encore n'est-il établi qu'au prix de « véritables restrictions expérimentales » : des choix d'objets d'étude privilégiant les solides, des simplifications, y compris en astronomie, l'oubli ou la « mise à l'écart des phénomènes perturbants ou insignifiants » (PUF, p. 108). Certes, le principe du déterminisme a été un outil efficace, mais l'erreur serait de l'identifier à la nature elle-même.

Dans ce chapitre 5, Bachelard ne se contente pas de montrer comment la physique atomique a été contrainte d'abandonner ce principe au profit de calculs probabilistes. Il veut analyser une **révolution intellectuelle**, qu'il appelle le nouvel esprit scientifique.

2 Quatre thèses fondamentales

1. Il n'y a pas de raison immuable qui gouvernerait la marche de notre connaissance et produirait des « vérités éternelles ». La réalité dément cette croyance : les oppositions espace et temps, chose et mouvement, masse et énergie, individu et groupe, sont des « évidences » qui deviennent vite des obstacles à la compréhension de la réalité.

2. Il n'y a pas un réel séparable de l'activité matérielle de l'expérimentation. Plus l'activité scientifique se complique, plus le réel intègre les instruments scientifiques qui le construisent, les théories, les concepts et équations mathématiques. De sorte qu'il devient impossible de séparer, même idéalement, ce qui vient de la nature et ce qui vient de l'homme. La réalité, pour le scientifique, est une totalité construite.

3. Dans cette construction, les mathématiques jouent un rôle fondamental. Non pas simplement en tant qu'instruments de calculs qui viendraient apporter, de l'extérieur, de la rigueur et de la précision, mais en tant que facteurs de découverte et de définition : elles découvrent et elles définissent des réalités qui, sans elles, ne seraient ni remarquées ni compréhensibles. La plupart des réalités scientifiques contemporaines, en effet, ne se saisissent que par leur définition mathématique. Les paradoxes de l'espace-temps, des ondes-corpuscules, ne se laissent pas imaginer.

4. La raison scientifique est ainsi avant tout « polémique », c'est-à-dire en combat permanent contre cette inertie qui la fait revenir à des images ou à des schémas déjà établis, donc trompeurs.

3 Le nouvel esprit scientifique

« Le Déterminisme est descendu du Ciel sur la Terre », écrit Bachelard. Les phénomènes célestes ont une allure de simplicité et de régularité qui s'oppose à la complexité et au désordre régnant sur la terre. Aristote, déjà, opposait la régularité des planètes à la contingence du monde sublunaire. C'est en faisant redescendre le ciel sur terre que Galilée pouvait se mettre en tête de calculer les mouvements, de retrouver la nécessité derrière le désordre apparent. Pourtant, cette image de rigueur n'est pas si strictement établie qu'on le pense. Le déterminisme, même dans la physique classique, ne fonctionne que si l'on met à l'écart certaines perturbations.

La théorie cinétique des gaz, qui explique les propriétés macroscopiques des gaz par le mouvement microscopique des molécules, introduit au XIXe siècle le **calcul probabiliste**. Elle pose que les molécules se choquent entre elles au hasard. L'augmentation de la pression augmente la probabilité des chocs. La température est proportionnelle à l'énergie cinétique des molécules. Or la température est une qualité du gaz, mais non des particules qui le composent. « Une qualité n'appartenant pas aux composants appartient cependant au composé » (*op. cit.*, p. 117). L'indéterminisme au niveau des molécules devient déterminisme à l'échelle supérieure, puisque la température augmente continûment en fonction de la pression du gaz. La réalité n'est donc pas homogène. En fonction de l'échelle où on l'étudie, les méthodes changent, la raison doit transformer totalement ses cadres d'analyse. Notons enfin que l'indéterminisme n'est plus un état provisoire, il ne dépend pas d'une limitation de nos connaissances que des progrès ultérieurs pourraient lever. L'objectivité de l'indéterminisme est plus nette encore avec le **principe d'incertitude de Heisenberg**. Peut-on localiser rigoureusement un électron autour du noyau ? Non, car l'expérimentation suppose l'utilisation d'un photon dont le choc fait changer l'électron de place. Le principe d'incertitude de Heisenberg s'exprime dans la formule : $\Delta x \, . \, \Delta p \geq h$; h étant la constante de Planck, Δx l'erreur sur la place, Δp l'erreur sur le moment, ou quantité de mouvement ($p = mv$). On voit que si l'on diminue Δp, Δx augmente et inversement. Ici l'incertitude est objective.

Bachelard (1884-1962)

Il est né à Bar-sur-Aube dans une famille modeste. Au terme de ses études secondaires, il doit travailler comme employé des Postes. En 1912, il obtient une licence en mathématiques, puis, après avoir servi dans l'armée durant la Première Guerre mondiale, il est nommé professeur de physique et de chimie. Bouleversé par la théorie de la relativité, il se tourne vers la philosophie. Il obtient son doctorat en 1927 avec une thèse intitulée *Essai sur la connaissance approchée*. En 1930, Bachelard entame une carrière universitaire : il enseigne la philosophie des sciences, à Dijon, puis à la Sorbonne jusqu'en 1954. Son œuvre est marquée par une double curiosité : d'une part la nature des sciences, et en particulier des sciences contemporaines, d'autre part la nature de l'imaginaire, la vie des images. En 1934, il publie *Le Nouvel Esprit scientifique* et, en 1938, *La Formation de l'esprit scientifique*. Ses analyses de l'imaginaire reposent sur une « psychanalyse » poétique des quatre éléments : *La Psychanalyse du feu* (1938), *L'Eau et les rêves* (1942), *L'Air et les songes* (1943), *La Terre et les rêveries de la volonté* (1948).

Bachelard : *Le Nouvel Esprit scientifique*, chapitre 5 (1934)

L'expérience peut-elle se passer des présupposés de la raison ?

Bachelard montre que le déterminisme est un présupposé philosophique adapté à une étape des sciences. L'obligation pour la physique contemporaine de renoncer à ce principe implique de nouveaux instruments conceptuels (le probabilisme mathématique), mais aussi une nouvelle définition de l'objet scientifique.

Texte 1 — L'histoire du déterminisme

Si l'on voulait retracer l'histoire du Déterminisme, il faudrait reprendre toute l'histoire de l'Astronomie. C'est dans la profondeur des Cieux que se dessine l'Objectif pur qui correspond à un Visuel pur. C'est sur le mouvement régulier des astres que se règle le Destin. Si quelque chose est fatal dans notre vie, c'est d'abord qu'une étoile nous domine et nous entraîne. Il y a donc une philosophie du Ciel étoilé. Elle enseigne à l'homme la loi physique dans ses caractères d'objectivité et de déterminisme absolus. Sans cette grande leçon de mathématique astronomique, la géométrie et le nombre ne seraient probablement pas aussi étroitement associés à la pensée expérimentale ; le phénomène terrestre a une diversité et une mobilité immédiates trop manifestes pour qu'on puisse y trouver, sans préparation psychologique, une doctrine de l'Objectif et du Déterminisme. Le Déterminisme est descendu du Ciel sur la Terre. [...]

À suivre le développement de l'astronomie jusqu'au siècle dernier, on peut se rendre compte du double sens que comporte le Déterminisme, pris tantôt comme un caractère fondamental du phénomène, tantôt comme la forme *a priori*[1] de la connaissance objective. Souvent, c'est le passage subreptice d'un sens à l'autre qui apporte une confusion dans les discussions philosophiques.

Gaston Bachelard, *Le Nouvel Esprit scientifique*, 1934, coll. Quadrige, PUF, 6e éd. 1999, p. 103-105.

1. Qui ne découle pas d'une observation empirique, mais est présupposé par la Raison avant toute expérience.

QUESTIONS

1• L'origine de l'idée de déterminisme est équivoque : repérez comment l'auteur mêle astrologie (destin, fatalité) et astronomie (déterminisme, calcul).

2• Pourquoi est-ce en observant le ciel que les hommes ont appris à comprendre les phénomènes terrestres ?

Texte 2 — Le calcul probabiliste

Essayons donc de circonscrire l'indéterminisme. On suppose à la base de la construction des comportements imprévisibles. On ne sait rien par exemple sur l'atome qui n'est pris que comme le sujet du verbe rebondir dans la théorie cinétique des gaz[1]. On ne sait rien sur le temps où s'accomplit le phénomène du choc ; comment le phénomène élémentaire serait-il prévisible alors qu'il n'est pas « visible » c'est-à-dire susceptible d'une description précise ? La théorie cinétique des gaz part donc d'un phénomène élémentaire indéfinissable, indéterminable. Certes *indéterminable* n'est point synonyme d'*indéterminé*. Mais quand un esprit scientifique a fait la preuve qu'un phénomène est indéterminable, il se fait un devoir de méthode de le tenir pour indéterminé. Il apprend l'indéterminisme sur l'indéterminable.

Or mettre en œuvre une méthode de détermination à propos d'un phénomène, c'est supposer que ce phénomène est sous la dépendance d'autres phénomènes qui le déterminent. D'une manière parallèle, si l'on suppose l'indétermination d'un phénomène, on suppose du même coup son indépendance. L'énorme pluralité que représentent les phénomènes de choc entre les molécules d'un gaz se révèle donc comme une sorte de phénomène général

1. Cette théorie pense le gaz comme un ensemble de molécules en mouvement, indépendamment les unes des autres. Les chocs, aléatoires dans leur détail, peuvent être calculés dans leur ensemble.

pulvérisé où les phénomènes élémentaires sont strictement indépendants les uns des autres.

C'est alors que peut intervenir le calcul des probabilités. Sous sa forme la plus simple, ce calcul est fondé sur l'indépendance absolue des éléments. S'il y avait la moindre dépendance, il y aurait un trouble dans l'information probabilitaire et il faudrait un effort toujours difficile pour tenir compte d'une interférence entre les liaisons de dépendance réelle et les lois de stricte probabilité.

Op. cit., p. 118-119.

Ludwig Boltzmann (1844-1906) est le père de la mécanique statistique, le premier à émettre l'hypothèse qu'un gaz est fait d'une multitude de molécules dont les mouvements et les chocs sont aléatoires. Cette supposition de l'existence de particules invisibles fut critiquée par ses collègues.

QUESTIONS

1• Quelle différence y a-t-il entre « indéterminable » et « indéterminé » ?

2• Que ne pouvons-nous pas déterminer dans les chocs des molécules ? Pourquoi le hasard est-il paradoxalement le garant de la rigueur des calculs probabilistes ?

Texte 3 Le principe d'incertitude de Heisenberg

Le conflit entre le déterminisme et l'indéterminisme scientifiques était en quelque manière assoupi quand la révolution de Heisenberg est venue remettre tout en cause. Cette révolution ne tend à rien moins qu'à établir une indétermination objective. Jusqu'à Heisenberg, les erreurs sur les variables indépendantes étaient postulées comme indépendantes. Chaque variable pouvait donner lieu séparément à une étude de plus en plus précise ; l'expérimentateur se croyait toujours capable d'isoler les variables, d'en perfectionner l'étude individuelle ; il avait foi en une expérience abstraite où la mesure ne rencontrait d'obstacle que dans l'insuffisance des moyens de mesure. Or avec le principe d'incertitude de Heisenberg[1], il s'agit d'une corrélation objective des erreurs. Pour trouver la place d'un électron, il faut l'éclairer par un photon. La rencontre du photon et de l'électron modifie la place de l'électron ; elle modifie d'ailleurs la fréquence du photon. En microphysique, il n'y a donc pas de méthode d'observation sans action des procédés de la méthode sur l'objet observé. Il y a donc une interférence essentielle de la méthode et de l'objet. [...]

Prétendre dépasser les bornes des relations d'incertitude, c'est employer les mots position et vitesse en dehors du domaine où ils ont été définis, où ils sont définissables. En vain on objectera que des notions si fondamentales ont un sens universel ; il faudra toujours convenir que les qualités géométriques n'ont aucun droit à être appelées des qualités premières[2]. Il n'y a que des qualités secondes puisque toute qualité est solidaire d'une relation[3].

Op. cit., p. 126, 130.

1. › p. 315.
2. Allusion à la distinction opérée à l'âge classique entre les qualités « vraies » des corps, essentiellement mathématiques (forme, taille, masse, vitesse...) et les qualités secondes, subjectives (couleurs, saveurs, goût...) › p. 71.
3. Relation à un observateur, à une méthode d'observation, à un type de calcul.

QUESTIONS

1• Quel rapport nouveau le principe de Heisenberg introduit-il entre l'observateur et son objet ?

2• Quelle était auparavant l'attitude du chercheur devant son objet ?

3• Pourquoi ne peut-il plus y avoir de propriétés, ni donc de définitions absolues de la réalité ?

Dossier 1

▶ L'analyse galiléenne : qu'est-ce que le mouvement ?

Physicien et astronome italien, Galilée (1564-1642) formule la loi de la chute des corps dans le vide et énonce partiellement le principe d'inertie. Il étudie les lois de la pesanteur à partir de l'expérience du plan incliné et trouve les relations entre l'espace et le temps dans le mouvement accéléré. Galilée introduit les mathématiques dans la description des phénomènes naturels. Il est condamné par le tribunal de l'Inquisition en 1633 pour avoir repris la thèse de Copernic sur le mouvement de la Terre dans un livre écrit en langue vulgaire, *L'Essayeur* (1623).

1. Les obstacles épistémologiques

On ne réfléchit jamais à partir de rien : 1) l'expérience quotidienne accumule de fausses évidences ; 2) une tradition intellectuelle oriente les questions : ici, la physique d'Aristote enseignée dans les « Écoles » (d'où l'appellation de « scolastique »). Avant la nature, c'est la pensée elle-même qui fait obstacle à la pensée.

Aristote : présupposés scolastiques et obstacles internes	Intuitions galiléennes
Il faut, à chaque instant, qu'une force s'exerce pour que le corps continue son mouvement. L'état de mouvement et l'état de repos sont manifestement deux réalités totalement différentes. Ce n'est pas la même chose de marcher et de dormir !	Lorsqu'un corps est mis en mouvement, il le prolonge indéfiniment sans qu'il soit besoin d'imaginer aucun moteur interne ou externe. Repos et mouvement ne sont pas essentiellement différents. Tout dépend du repère que l'observateur se donne.
Un mouvement « violent » (une pierre qu'on lance) est fondamentalement différent d'un mouvement « naturel » (une pierre qui tombe). Dans le premier cas, la pierre qu'on lance est forcée d'aller vers un lieu (le haut) qui n'est pas « son » lieu ; dans l'autre, elle va *spontanément* rejoindre le lieu qui est le sien (le bas).	Il n'y a pas de différence entre mouvement naturel et artificiel. Les lois de la nature sont partout identiques. Un boulet de canon décrit une parabole : il n'y a pas un temps pour le mouvement contraint (montée) et un temps pour le mouvement naturel (chute). Dès le début, il y a composition de deux mouvements non visibles mais agissants : un mouvement en ligne droite et un mouvement de chute. L'addition de ces deux mouvements donne une parabole.
Dans la chute d'un corps, le corps est d'abord accéléré, puis très vite, il prend sa « vitesse de croisière », c'est-à-dire une vitesse constante. Il est en effet inimaginable pour Aristote qu'il puisse accélérer à l'infini.	L'accélération est constante et continue. Tant que rien ne l'arrête, tant qu'aucune résistance ne le freine, le corps accélère. Rien n'empêche de penser une vitesse allant à l'infini.
Les corps tombent vers leur lieu naturel, qui est géométriquement le centre de la Terre, et physiquement la surface de la Terre. Si la Terre bougeait (autour du Soleil, et sur elle-même), il ne pourrait y avoir une chute verticale, puisque, entre le départ de la chute et son arrivée, la Terre aurait bougé, à une vitesse extrêmement rapide.	Le principe d'inertie et la composition du mouvement permettent de comprendre la relativité du mouvement. Sur une péniche qui descend une rivière, les corps peuvent être immobiles, mais ils sont mobiles par rapport à un observateur sur la rive.
Les corps tombent à une vitesse qui est proportionnelle à leur poids. Chacun voit bien qu'une pomme tombe plus rapidement qu'une feuille d'arbre. Plus un corps est lourd, plus vite il descend, c'est l'« évidence ».	Les corps tombent à la même vitesse. La loi de la chute des corps fait abstraction du poids ou de la masse (Galilée ne fait pas la distinction, c'est Newton qui la fera). Les différences observables sur Terre sont dues à la résistance de l'air.
La vitesse de chute est d'autant plus rapide que le milieu traversé est de faible densité. Si la densité était nulle (dans le vide, par exemple), la vitesse serait infinie. C'est-à-dire que le corps serait *en même temps ici et là*. L'absurdité de la conclusion montre que le vide ne peut exister. « La nature a horreur du vide. »	Le vide existe ou n'existe pas, *en fait*, sur la Terre, c'est à l'expérience d'en décider. Ce qui est sûr, c'est que le vide peut être pensé à des fins théoriques. Aucune raison n'interdit de penser un espace vide de matière.

2. Les difficultés théoriques

Les objections à la thèse de Galilée sont nombreuses et très fortes. Elles ne viennent pas seulement de préjugés anciens, mais des « évidences » du bon sens et de l'observation.

Les objections du bon sens	Leur reformulation théorique
Si on est en mouvement à très grande vitesse, par exemple sur un cheval au galop ou, aujourd'hui, à l'intérieur d'une voiture de sport décapotable, qu'est-ce qu'on observe ?	La vitesse à laquelle la Terre tourne autour du Soleil avoisine les 30 km/s. Calculez la vitesse d'un point en rotation sur la Terre. Ces vitesses excèdent toutes les vitesses que l'homme peut expérimenter sur Terre. Si la Terre est en mouvement, pourquoi rien ne bouge, pourquoi est-on si tranquille ?
Un corps en mouvement continue son mouvement indéfiniment si aucun obstacle ne s'y oppose. Pourtant, au supermarché, si je veux que mon caddie avance, je dois le pousser. Si je cesse de le pousser, il s'arrêtera...	Comment expliquer que, sur Terre, les mouvements s'arrêtent dès que la force ne s'exerce plus. Comment faire comprendre le principe d'inertie, à ce point contraire aux apparences de notre monde ?
Ma perception montre à l'évidence qu'une feuille d'arbre ne tombe pas de la branche à la même vitesse que la pomme ou la prune. Mon imagination ne me permet pas de comprendre un monde où une plume tomberait à la même vitesse qu'une boule de plomb.	Comment expliquer que la chute des corps est indépendante de la masse du corps ? Comment expliquer que des corps de masses très différentes puissent tomber à la même vitesse ?

3. Les difficultés matérielles

Des obstacles concrets	Comment les résoudre ?
Comment mesurer la chute d'un corps ?	Calculez, d'après vos connaissances de physique, l'espace parcouru par un corps en chute libre au bout d'une seconde, de deux secondes... Peut-on observer à l'œil nu un tel mouvement ?
Comment savoir si le mouvement s'accélère toujours, ou seulement au début de la chute ?	Pour s'assurer qu'un corps qui tombe accélère toujours son mouvement, quelle distance de chute faudrait-il observer au minimum ?
Peut-on voir la trajectoire d'un boulet de canon ? Peut-on constater qu'elle est approximativement parabolique ?	« En réalité, à l'observation d'un tel mouvement, nos rétines et nos cerveaux recueillent des impressions qui ne concluent aucunement à l'existence de telles paraboles. Si bien qu'il est nécessaire de faire appel à des photographies pour montrer que la trajectoire d'une balle de ping-pong ou de tennis est vraiment une parabole » (Enrico Bellone, *Pour la science*, nov. 1999, p. 41).
Dispose-t-on d'un instrument de mesure du temps précis ?	Il n'existe pas de chronomètre. Galilée utilise son pouls, ou un dispositif rempli d'eau, qu'on ouvre et qu'on ferme. La quantité d'eau mesure le temps.
Peut-on trouver un espace vide, où la résistance de l'air serait annihilée ?	Cet espace n'existe pas à la surface de la Terre. Otto von Guericke (1602-1686), physicien allemand, inventa la première pompe à vide en 1650. En 1654, il effectua la célèbre démonstration des hémisphères de Magdebourg.

QUESTIONS

› **1•** Montrez en quoi les présupposés « scolastiques » issus de la physique d'Aristote sont confortés par notre expérience quotidienne. Pourquoi le premier contact spontané avec la nature nous trompe-t-il ?

› **2•** Pourquoi les « intuitions » de Galilée sont-elles difficiles à admettre spontanément ? Pourquoi ne peut-il pas apporter de preuves « tangibles » ?

▶ Les solutions de Galilée

1. Pour ralentir le mouvement, pour le « voir au ralenti », Galilée utilise un plan incliné. Mais il faut avoir montré au préalable que la vitesse acquise par un corps ne dépend pas de la longueur du plan incliné, mais de la seule hauteur de la chute. On peut alors considérer que, pour des hauteurs égales, les différentes vitesses atteintes sur un plan incliné sont les images fidèles des vitesses en chute libre.

2. Pour comprendre le mouvement, il faut le décomposer. Le mouvement visible d'un corps peut être l'effet d'une composition de plusieurs mouvements, non visibles, mais reconstituables par la raison.

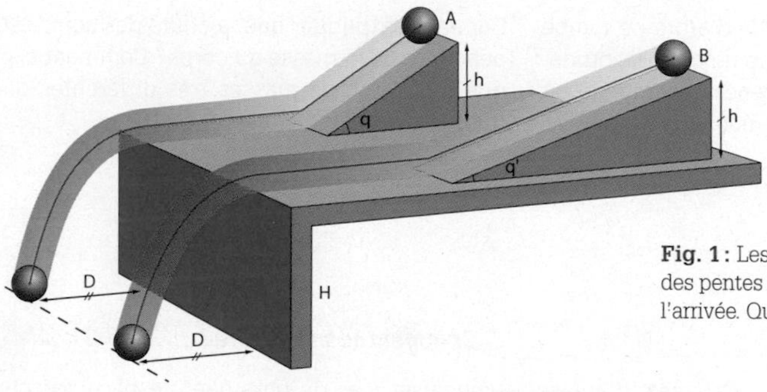

Fig. 1 : Les deux boules partent d'une même hauteur, mais sur des pentes différentes ; pourtant la vitesse acquise est la même à l'arrivée. Qu'en conclure ?

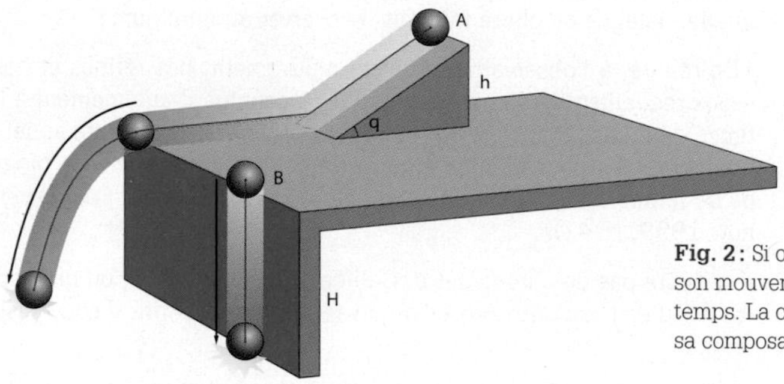

Fig. 2 : Si on lâche la boule B au moment où la boule A entame son mouvement de chute, les deux boules touchent le sol en même temps. La composante verticale de la chute n'est pas modifiée par sa composante horizontale (mouvement d'inertie). Qu'en conclure ?

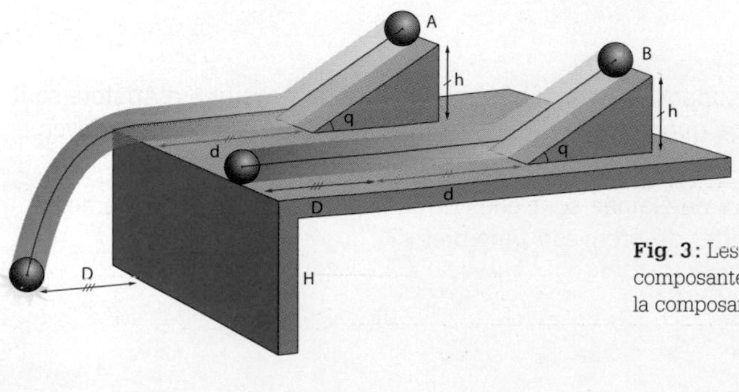

Fig. 3 : Les deux boules parcourent d + *D* dans le même temps. La composante horizontale de la première boule n'est pas modifiée par la composante verticale (chute). Qu'en conclure ?

3. Pour penser le mouvement de la terre, il faut faire abstraction des lieux naturels absolus.

Selon Aristote, le mouvement de chute naturel d'une pierre tend vers un point *absolu* : le centre de la Terre. C'est donc un mouvement *absolument* vertical (Fig. 4). Donc, si le bateau se déplace assez vite, la pierre devrait tomber derrière. Selon Galilée, la pierre tombe toujours au pied du mât (Fig. 5) car le mouvement de chute proprement dit doit se composer avec le mouvement acquis au départ de la chute, c'est-à-dire celui du bateau. La trajectoire observée est donc relative : pour le marin, la chute est verticale ; mais pour un observateur immobile sur la rive, c'est une parabole.

D'après « Galilée », *Cahiers de Science et Vie*, n° 2, avril 1991, p. 65.

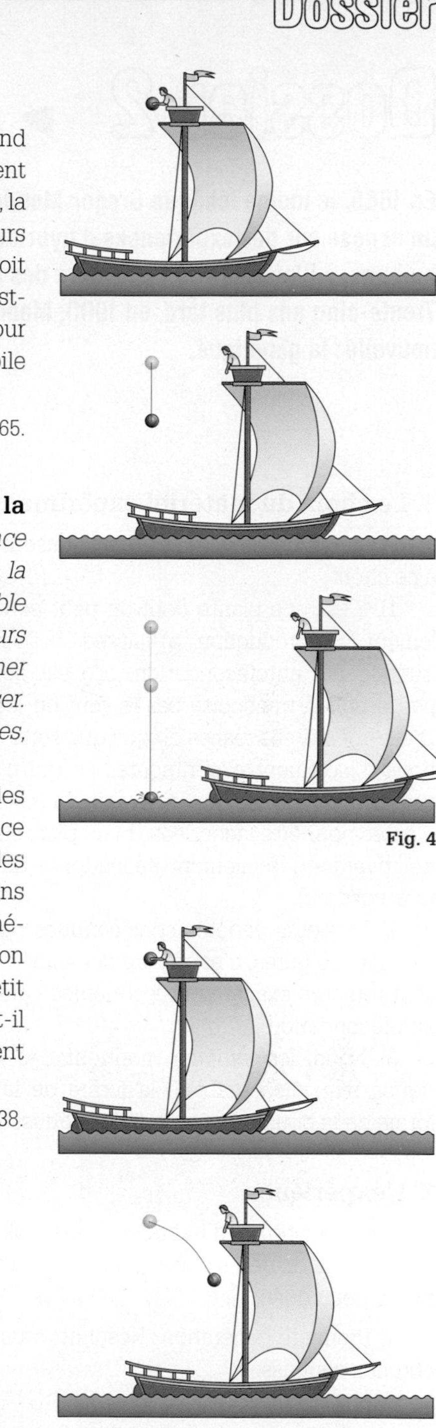

Fig. 4

4. Pour penser la chute, il faut faire abstraction de la différence des masses : *si l'on fait abstraction de la résistance de l'air, une plume d'oiseau et une boule de plomb tombent à la même vitesse. Comment le penser avec certitude, s'il est impossible de l'expérimenter sur terre dans un espace vide ? Il est toujours possible de faire une « expérience de pensée », c'est-à-dire d'imaginer l'expérience, puisqu'on n'a pas les moyens matériels de la réaliser. À partir d'expérience sur les milieux de moins en moins denses, imaginons ce qui se passerait dans un milieu de densité = 0.*

« Nous nous proposons de rechercher ce qui arriverait à des mobiles de poids très différents dans un milieu dont la résistance serait nulle [...]. Et si nous trouvons qu'effectivement des mobiles de poids spécifiques variables ont des vitesses de moins en moins différentes selon que les milieux sont de plus en plus aisés à pénétrer, et qu'en fin de compte, dans le milieu le plus ténu bien que non vide, et pour des poids très inégaux, l'écart des vitesses est très petit et presque insensible, alors nous pourrons admettre, me semble-t-il avec une très grande probabilité, que dans le vide les vitesses seraient toutes égales. »

Galileo Galilei dit Galilée, *Discours sur deux sciences nouvelles*, 1638.

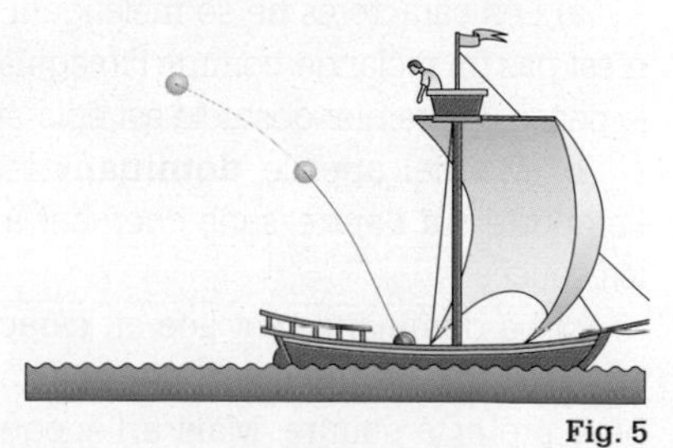

Fig. 5

QUESTIONS

› **1•** Pourquoi aucune expérience n'est possible dans le cas présent sans une mise au point préalable par la raison ?

› **2•** Le texte nous présente « une expérience de pensée ». Que peut-on conclure sur sa validité ?

› **3•** Expliquez pourquoi toute expérience est par définition artificielle.

▶ Mendel et la découverte des lois de l'hérédité

En 1865, le moine tchèque Gregor Mendel présente, devant la Société de Sciences naturelles de Brno, un exposé sur des expériences d'hybridation du petit pois (*pisum sativum*) qu'il a menées pendant huit ans, à l'intérieur du monastère des Augustins de Brünn. L'exposé passe pratiquement inaperçu. Trente-cinq ans plus tard, en 1900, Mendel est redécouvert et cité comme précurseur d'une science nouvelle : la génétique.

1. Le choix du matériel expérimental

Pourquoi des petits pois ? Trois raisons président à ce choix :

1) C'est une plante dont on peut contrôler facilement la reproduction : a) laissée à elle-même, elle fructifie par autofécondation, elle est peu affectée par le pollen transporté par le vent ou les insectes. D'elle-même, elle réalise en quelque sorte des conditions d'isolement expérimental, ce qui n'est pas le cas pour les plantes qui ont besoin du pollen d'autres plantes pour être fécondées ; b) de plus, elle se laisse (relativement) facilement féconder artificiellement (voir schéma).

2) Plusieurs variétés sont connues pour donner des lignées pures, c'est-à-dire des lignées reproduisant toujours exactement les mêmes caractères par autofécondation.

3) Enfin, les variétés montrent des caractéristiques bien discernables : la forme de la graine, la forme de la gousse, la couleur de la gousse, etc.

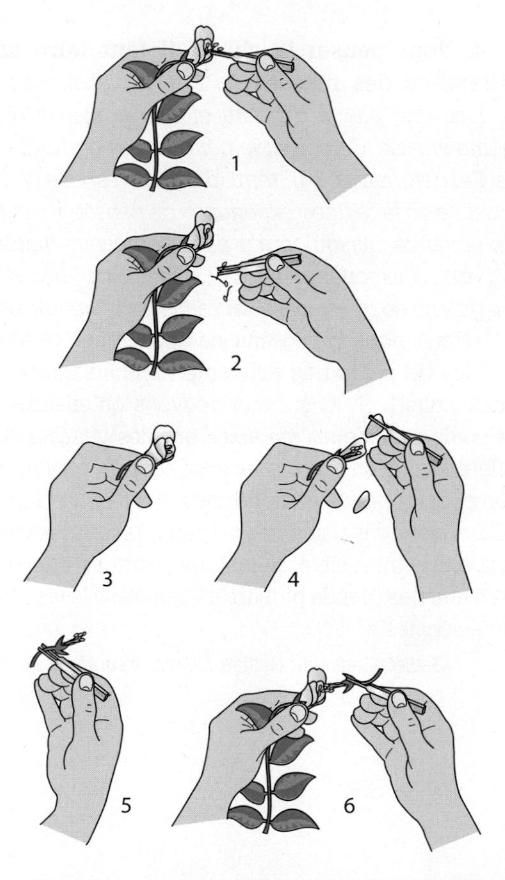

Technique de croisement de deux variétés différentes : sur une fleur de la première variété, on extrait les étamines porteuses de pollen (fig. 1 et 2). Sur un plant de la seconde variété, on extrait le pistil qui a déjà reçu le pollen (fig. 3, 4, 5). On s'en sert alors comme d'un pinceau pour transférer le pollen sur la première fleur. (fig. 6) Les graines obtenues sont hybrides.

2. L'expérience

Mendel choisit d'hybrider (c'est-à-dire croiser) des variétés de petits pois à peau lisse avec des petis pois à peau ridée.

1) Première génération : Résultat : tous les grains obtenus sont lisses.

2) Premières conclusions

a) Les caractères ne se mélangent pas : l'hérédité n'est pas un mélange, comme l'imagination commune le pense (le premier obstacle est épistémologique).

b) Mendel appelle **dominant** le caractère qui l'emporte sur l'autre, sans chercher à en interpréter les causes.

c) La dominance est liée au caractère, mais non au sexe qui le transmet. Ce constat, aujourd'hui, peut prêter à sourire. Mais à l'époque, le problème était encore en discussion : on pensait que, si le mâle dominait naturellement la femelle, les caractères qu'il transmettait devaient pouvoir l'emporter sur ceux transmis par la femelle (le deuxième obstacle est le préjugé sociologique).

3) Deuxième génération: cette fois-ci, les hybrides de la première génération sont laissés à eux-mêmes et s'autofécondent.

Résultat:

a) À côté des graines lisses, majoritaires, on trouve des graines ridées. Le caractère «disparu» à la première génération «réapparaît» à la deuxième génération, dans toute son intégrité.

b) Mendel ne se contente pas de ce constat, qui n'est pas nouveau. Son projet novateur consiste à utiliser le calcul. C'est une arithmétique toute simple, mais qui présuppose une vision résolument **statistique**. La répartition, à la deuxième génération, est la suivante:

Petits pois à peau lisse: 5474
Petits pois à peau ridée: 1850
Total: 7324
Soit un rapport de: 2,96 pour 1.

3. Spéculation théorique: création d'un modèle explicatif

1) Première idée: Mendel sépare la manifestation des caractères (ce qu'on voit) et leurs causes, (qu'on ne voit pas) qu'il appelle «déterminants», que nous nommerions aujourd'hui **gènes**. Cela renvoie à la distinction actuelle entre «phénotype» (les caractères résultant de l'expression des gènes) et le «génotype» (l'ensemble des gènes).

2) Deuxième idée: attribuer pour cause de chaque caractère non pas **un facteur**, ou déterminant, mais **deux**: un pour chaque parent.

3) Troisième idée: chaque facteur est **dominant ou récessif**: le facteur dominant l'emporte sur le facteur récessif, sans qu'il y ait mélange; ainsi le gène «peau lisse» dominant, uni au gène «peau ridée», récessif, donne un petit pois à peau lisse.

4) Quatrième idée: **ces facteurs se combinent mais ne se mélangent pas**; à chaque génération, ils sont remis «dans le paquet», c'est-à-dire qu'on les retrouvera, inchangés, dans le pollen et les ovules des hybrides qu'ils auront produits.

4. Un modèle arithmétique élémentaire

2,96 pour 1 revient à une proportion 3 pour 1. Elle peut s'expliquer de la manière suivante:

- Un quart de lisses purs: nous dirions aujourd'hui qu'ils sont homozygotes (qui possèdent deux allèles identiques d'un même gène. Ces allèles occupent deux chromosomes d'une même paire);
- Deux quarts de lisses «impurs»: nous dirions aujourd'hui qu'ils sont hétérozygotes (qui possèdent deux allèles différents d'un même gène) où le gène dominant l'emporte sur le gène récessif;

→ total: 3 hybrides sur 4 ont la peau lisse.

- Un quart de ridés purs: ils sont homozygotes.

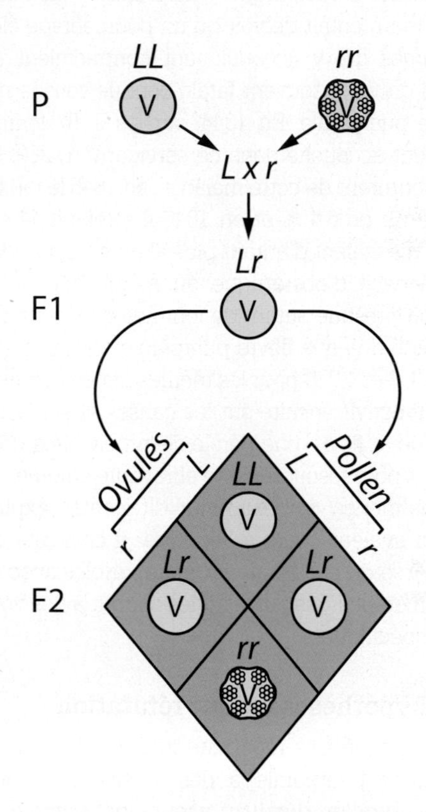

LL donne un pois lisse homozygote, Lr donne un pois lisse hétérozygote, rr donne un poids ridé homozygote.

QUESTIONS

› 1• Quels soucis méthodologiques sont à l'origine du choix des petits pois comme matériel expérimental?

› 2• Quel rôle l'instrument mathématique joue-t-il?

› 3• Peut-on dire que les faits observés par Mendel prouvent son explication théorique?

Dossier 3 ▶ Semmelweis et la fièvre puerpérale

DOCUMENT

1. Le mystère d'une mortalité inexpliquée

Pour illustrer de façon simple certains aspects importants de la recherche dans les sciences, prenons les travaux de Semmelweis[1] sur la fièvre puerpérale[2]. Ignace Semmelweis, médecin d'origine hongroise, réalisa ses travaux à l'hôpital général de Vienne de 1844 à 1848. Comme médecin attaché à l'un des deux services d'obstétrique[3] – le premier – de l'hôpital, il se tourmentait de voir qu'un pourcentage élevé des femmes qui y accouchaient contractaient une affection grave et souvent fatale connue sous le nom de fièvre puerpérale. En 1844, sur les 3157 femmes qui avaient accouché dans ce service n° 1, 260, soit 8,2 %, moururent de cette maladie; en 1845 le taux de mortalité fut de 6,4 % et en 1846 il atteignit 11,4 %. Ces chiffres étaient d'autant plus alarmants que, dans l'autre service d'obstétrique du même hôpital, qui accueillait presque autant de femmes que le premier, la mortalité due à la fièvre puerpérale était bien plus faible: 2,3, 2 et 1,7 % pour les mêmes années. Dans un livre qu'il écrivit ensuite sur les causes et sur la prévention de la fièvre puerpérale, Semmelweis a décrit ses efforts pour résoudre cette effrayante énigme.

Il commença par examiner différentes explications qui avaient cours à l'époque: il en rejeta certaines parce qu'elles étaient incompatibles avec des faits bien établis; les autres, il les soumit à des vérifications spécifiques.

2. Les hypothèses et leur réfutation

Une opinion très répandue imputait les ravages de la fièvre puerpérale à des « influences épidémiques », que l'on décrivait vaguement comme des « changements atmosphériques, cosmiques et telluriques[4] » qui atteignaient toute une zone déterminée et causaient la fièvre puerpérale chez les femmes en couches. Mais, se disait Semmelweis, comment de telles influences peuvent-elles atteindre depuis des années l'un des services et épargner l'autre? Et, comment concilier cette opinion avec le fait que, tandis que cette maladie sévissait dans l'hôpital, on en constatait à peine quelques cas dans Vienne et ses environs? Une véritable épidémie comme le choléra ne serait pas aussi sélective. Enfin, Semmelweis remarque que certaines des femmes admises dans le premier service, habitant loin de l'hôpital, avaient accouché en chemin: pourtant, malgré ces conditions défavorables, le pourcentage de cas mortels de fièvre puerpérale étaient moins élevé dans le cas de ces « naissances en cours de route » que ne l'était la moyenne dans le premier service.

Selon une autre hypothèse, l'entassement était une cause de décès dans le premier service. Semmelweis remarque cependant que l'entassement était plus grand dans le second service, en partie parce que les patients s'efforçaient désespérément d'éviter d'être envoyées dans le premier. Il écarte aussi deux hypothèses du même genre, qui avaient cours alors, remarquant qu'entre les deux services il n'y avait aucune différence de régime alimentaire, ni de soins.

En 1846, une commission d'enquête attribua la cause du plus grand nombre des cas de cette maladie survenue dans le premier service aux blessures que les étudiants en médecine, qui tous y faisaient leur stage pratique d'obstétrique, auraient infligées aux jeunes femmes en les examinant maladroitement. Semmelweis réfute cette thèse en remarquant ceci: a) les lésions occasionnées par l'accouchement lui-même sont bien plus fortes que celles qu'un examen maladroit peut causer; b) les sages-femmes, qui recevaient leur formation pratique dans le second service, examinaient de la même façon leurs patientes sans qu'il en résultât les mêmes effets néfastes; c) quand, à la suite du rapport de la Commission, on diminua de moitié le nombre des étudiants en médecine et qu'on réduisit au minimum les examens qu'ils faisaient sur les femmes, la mortalité, après une brève chute, atteignit des proportions jusqu'alors inconnues.

On échafauda diverses explications psychologiques. Ainsi, on remarqua que le premier service était disposé de telle façon qu'un prêtre apportant les derniers sacrements à une mourante devait traverser cinq salles avant d'atteindre la pièce réservée aux malades: la vue du prêtre, précédé d'un servant agitant une clochette, devait avoir un effet terrifiant et décourageant sur les patientes des cinq salles et les rendre ainsi plus vulnérables à la fièvre puerpérale. Dans le second service, ce facteur défavorable ne jouait pas, car le prêtre pouvait aller directement dans la pièce réservée aux malades. Semmelweis décida de tester la valeur de cette conjecture[5]. Il convainquit le prêtre de faire un détour, de supprimer la clochette, pour se rendre discrètement et sans être vu dans la salle des malades. Mais la mortalité dans le premier service ne diminua pas.

En observant que dans le premier service les femmes accouchaient sur le dos, et dans le second sur le côté, Semmelweis eut une nouvelle idée : il décida « comme un homme à la dérive qui se raccroche à un brin de paille » de vérifier, bien que cette supposition lui parût invraisemblable, si cette différence de méthode avait un effet. Il introduisit dans le premier service l'utilisation de la position latérale, mais, là encore, la mortalité n'en fut pas modifiée.

3. Une hypothèse provisoirement non réfutée

Finalement, au début de 1847, un accident fournit à Semmelweis l'indice décisif pour résoudre son problème. Un de ses confrères, Kolletschka, lors d'une autopsie qu'il pratiquait avec un étudiant, eut le doigt profondément entaillé par le scalpel de ce dernier, et il mourut après une maladie très douloureuse, au cours de laquelle il eut les symptômes mêmes que Semmelweis avait observés sur les femmes atteintes de la fièvre puerpérale. Bien que le rôle des micro-organismes[6] dans les affections de ce genre ne fût pas encore connu à cette époque[7], Semmelweis comprit que la « matière cadavérique » que le scalpel de l'étudiant avait introduite dans le sang de Kolletschka avait causé la maladie fatale de son confrère. La maladie de Kolletschka et celle des femmes de son service évoluant de la même façon, Semmelweis arriva à la conclusion que ses patientes étaient mortes du même genre d'empoisonnement du sang : lui, ses confrères et les étudiants en médecine avaient été les vecteurs de l'élément responsable de l'infection. Car lui et ses assistants avaient l'habitude d'entrer dans les salles d'accouchement après avoir fait des dissections dans l'amphithéâtre d'anatomie et d'examiner les femmes en travail en ne s'étant lavé que superficiellement les mains, si bien qu'elles gardaient souvent une odeur caractéristique.

Semmelweis mit alors son idée à l'épreuve. Il raisonna ainsi : s'il avait raison, la fièvre puerpérale pourrait alors être évitée en détruisant chimiquement l'élément infectieux qui adhérait aux mains. Il prescrivit donc à tous les étudiants en médecine de laver leurs mains dans une solution de chlorure de chaux avant d'examiner une patiente. La mortalité due à la fièvre puerpérale commença rapidement à baisser et, en 1848, elle tomba à 1,27 % dans ce premier service contre 1,33 dans le second.

Comme confirmation supplémentaire de son idée, ou de son hypothèse, comme nous dirons aussi, Semmelweis remarque qu'elle rend compte du fait que la mortalité dans le second service avait toujours été nettement inférieure : les patientes étaient entre les mains de sages-femmes dont la formation ne comportait pas, en anatomie, de dissections de cadavres.

L'hypothèse expliquait aussi la mortalité plus faible lors des « naissances en cours de route » : les femmes qui arrivaient avec leur bébé dans les bras étaient rarement examinées après leur admission et avaient par là même plus de chances d'éviter l'infection.

Carl Hempel, *Éléments d'épistémologie*, trad. B. Saint Sernin, Armand Colin, p. 5-9.

---

1. Semmelweis (1818-1865) découvrit la nécessité de l'asepsie ; il milita contre les processus infectieux responsables de maladie en milieu hospitalier.
2. La fièvre puerpérale est le signe d'une grave infection de l'utérus au moment de l'accouchement.
3. Branche de la médecine relative à la grossesse, à l'accouchement, et aux suites de l'accouchement.
4. Qui concerne les mouvements profonds de la Terre.
5. Supposition.
6. Microbes, organismes vivants invisibles à l'œil nu, qu'on ne peut observer qu'au microscope.
7. Il faut attendre Pasteur, à la fin du XIXe siècle, pour que soit prouvée l'action de micro-organismes.

QUESTIONS

1• Faites la liste des différentes hypothèses émises par Semmelweis. Certaines sont écartées à la suite *d'observation* ; d'autres après modification d'une donnée de la situation (on peut parler alors *d'expérimentation*). Classez chaque hypothèse dans l'une ces deux catégories (ou dans les deux à la fois).

2• Le travail de Semmelweis semble davantage consister à réfuter des hypothèses qu'à chercher à les vérifier. En quoi est-ce caractéristique de la méthode scientifique ?

3• Le fait que l'hypothèse finale soit confirmée par différentes observations suffit-il à la rendre certaine ?

Réflexion 1

Peut-on vérifier une hypothèse scientifique ?

Si la réalité se montrait à nous telle qu'elle est, il suffirait d'accumuler les observations pour la comprendre. Mais la réalité ne nous est pas donnée, nous devons la construire à partir d'hypothèses et d'instruments théoriques. Dès lors se pose le problème de l'adéquation de nos théories à la réalité.

Texte 1 — La méthode hypothético-déductive

Claude Bernard[1] décrit ici les trois temps de la démarche expérimentale.

Nous avons dit plus haut que la méthode expérimentale s'appuie successivement sur le sentiment, la raison et l'expérience.

Le sentiment engendre l'idée ou l'hypothèse expérimentale, c'est-à-dire l'interprétation anticipée des phénomènes de la nature. Toute l'initiative expérimentale est dans l'idée, car c'est elle qui provoque l'expérience. La raison ou le raisonnement ne servent qu'à déduire les conséquences de cette idée et à les soumettre à l'expérience. Une idée anticipée ou une hypothèse est donc le point de départ nécessaire de tout raisonnement expérimental. Sans cela on ne saurait faire aucune investigation ni s'instruire ; on ne pourrait qu'entasser des observations stériles. Si l'on expérimentait sans idée préconçue, on irait à l'aventure ; mais d'un autre côté, ainsi que nous l'avons dit ailleurs, si l'on observait avec des idées préconçues, on ferait de mauvaises observations et l'on serait exposé à prendre les conceptions de son esprit pour la réalité.

Les idées expérimentales ne sont point innées. Elles ne surgissent point spontanément, il leur faut une occasion ou un excitant extérieur, comme cela a lieu dans toutes les fonctions physiologiques. Pour avoir une première idée des choses, il faut voir ces choses ; pour avoir une idée sur un phénomène de la nature, il faut d'abord l'observer. L'esprit de l'homme ne peut concevoir un effet sans cause, de telle sorte que la vue d'un phénomène éveille toujours en lui une idée de causalité. Toute la connaissance humaine se borne à remonter des effets observés à leur cause. À la suite d'une observation, une idée relative à la cause du phénomène observé se présente à l'esprit ; puis on introduit cette idée anticipée dans un raisonnement en vertu duquel on fait des expériences pour la contrôler.

Claude Bernard, *Introduction à l'étude de la médecine expérimentale*, 1865, Flammarion, p. 65-66.

1. Claude Bernard (1813-1878), physiologiste français. Il a beaucoup contribué au développement de la physiologie expérimentale, c'est-à-dire à l'étude en laboratoire des fonctions vitales de l'organisme.

QUESTION

› Précisez les différentes étapes de la méthode expérimentale selon Claude Bernard (› p. 334).

Texte 2 — Un exemple : comment un herbivore à jeun devient carnivore

On apporta un jour dans mon laboratoire des lapins venant du marché. On les plaça sur une table où ils urinèrent et j'observai par hasard que leur urine était claire et acide. Ce fait me frappa, parce que les lapins ont ordinairement l'urine trouble et alcaline[1] en leur qualité d'herbivores, tandis que les carnivores, ainsi qu'on le sait, ont, au contraire, les urines claires et acides. Cette observation d'acidité de l'urine chez les lapins me fit venir la pensée que ces animaux devaient être dans la condition alimentaire des carnivores. Je supposai qu'ils n'avaient probablement pas mangé depuis longtemps et qu'ils se trouvaient ainsi transformés par l'abstinence en véritables animaux carnivores vivant de leur propre sang. Rien n'était plus facile que de vérifier par l'expérience cette idée préconçue ou cette hypothèse. Je donnai à manger de l'herbe aux lapins, et quelques heures après, leurs urines étaient devenues troubles

1. En chimie, les corps alcalins, ou basiques, s'opposent aux corps acides.

Zoom sur…

La notion de paradigme

Le paradigme représente « l'ensemble de croyances, de valeurs reconnues et de techniques qui sont communes aux membres d'un groupe donné ». Ces « habitudes » intellectuelles ne sont jamais totalement explicites ; c'est pourquoi, selon Kuhn, le questionnement scientifique n'est jamais neutre.

La notion de paradigme désigne 1) une **manière d'être et de penser** propre à une communauté scientifique ; 2) la **matrice disciplinaire** de cette communauté ; 3) au sens strict, les **exemples communs** utilisés fréquemment et qui dirigent la pensée et la pratique du groupe.

▪ 1 Une manière d'être et de penser

a) Un même cursus de formation ; dans les matières scientifiques, cette « initiation professionnelle est semblable, à un degré inégalé dans la plupart des autres disciplines » : même enseignement, même littérature technique, mêmes exemples, etc. ;

b) Des réseaux spécifiques de circulation d'informations : périodiques, conférences spécialisées, articles, correspondances…

▪ 2 La matrice disciplinaire

a) Des généralisations symboliques : ce sont les éléments formalisables (symboles, concepts, principes, équations de base…) couramment utilisés. Certaines équations fonctionnent à la fois comme lois de la nature et comme définitions conceptuelles. Par exemple, la formule newtonienne : « la force est le produit de la masse par l'accélération », est à la fois une loi de la nature et une définition de la force.

b) Des croyances en des métaphores, des analogies fonctionnant comme modèles heuristiques (= qui aident à la découverte). Par exemple, l'analogie entre le courant électrique et le modèle hydraulique.

c) Des valeurs générales : exactitude des calculs, cohérence interne, simplicité, « beauté » d'une démonstration, efficacité des théories…

▪ 3 Les exemples communs

Ces exemples fonctionnent comme :

a) Outils d'initiation pédagogique : « en l'absence de tels exemples, les lois et les théories que [l'étudiant] a déjà apprises auraient peu de contenu empirique. »

b) Outils d'initiation intellectuelle : l'exemple permet de « voir » les ressemblances mathématiques ou de structures, entre problèmes différents. Le chercheur incorpore des règles méthodologiques à partir de ces exemples, sans même s'en rendre compte.

3) Outils d'initiation sociologique : « dans l'intervalle, [l'étudiant] a assimilé une manière de voir autorisée par le groupe et éprouvée par le temps. »

D'après Thomas Kuhn, *La Structure des révolutions scientifiques*, postface, 1962.

‹‹‹‹ **QUESTIONS**

› **1•** Comment le même phénomène naturel est-il perçu par Aristote et par Galilée ? Cette manière de voir est-elle issue de l'expérience ? D'où vient-elle ?

› **2•** Qu'apporte de décisif, pour la mécanique classique, l'expérience du pendule telle qu'elle est comprise par Galilée ?

› **3•** Faut-il parler, à propos de la démarche scientifique, de préjugés nécessaires ? (Sur le rapport Aristote/Galilée › p. 318.)

> Déjà l'observation a besoin d'un corps de précautions qui conduisent à réfléchir avant de regarder, qui réforment du moins la première vision, de sorte que ce n'est jamais la première observation qui est la bonne. L'observation scientifique est toujours une observation polémique ; elle confirme ou infirme une thèse antérieure, un schéma préalable, un plan d'observation ; elle montre en démontrant ; elle hiérarchise les apparences ; elle transcende l'immédiat ; elle reconstruit le réel après avoir reconstruit ses schémas. Naturellement, dès qu'on passe de l'observation à l'expérimentation, le caractère polémique de la connaissance devient plus net encore. Alors il faut que le phénomène soit trié, filtré, épuré, coulé dans le moule des instruments, produit sur le plan des instruments. Or les instruments ne sont que des théories matérialisées. Il en sort des phénomènes qui portent de toutes parts la marque théorique.
>
> Gaston Bachelard, *Le Nouvel Esprit scientifique*, 1934, © PUF, p. 16.

La connaissance de la doctrine de l'auteur n'est pas requise. Il faut et il suffit que l'explication rende compte, par la compréhension précise du texte, du problème dont il est question.

Rédiger l'introduction

› **Fiche 2**, p. 574

L'observation et l'expérimentation sont les deux grands outils du travail scientifique.
C'est en observant la nature qu'on peut espérer la comprendre. L'expérimentation, quant à elle, recrée artificiellement des conditions d'expériences afin de tester des hypothèses. On pourrait penser que la science devrait se borner à constater ou établir des faits, en laissant parler les phénomènes. Bachelard s'oppose à cette idée : face à la nature, la raison ne saurait rester passive ; elle doit se méfier. Ce ne sont jamais les réponses les plus immédiates qui sont les bonnes. La pensée est une sorte de combat, contre les apparences, contre les données immédiates, contre les premières « évidences ». Et cela est vrai aussi bien pour l'observation que pour l'expérimentation. Pourquoi la nature oblige-t-elle la pensée à cette activité polémique ? Quels sont les « adversaires » de l'activité scientifique ?

La thèse n'est pas facile à dégager. On retiendra la répétition de l'adjectif « polémique », qui s'adresse à la fois à l'observation et à l'expérimentation. La pensée scientifique serait un combat.

Rédiger l'explication

Partie I - L'observation

L'observation, qui semble la démarche la plus simple de l'activité scientifique, ne peut se résumer à une contemplation passive.

› Sous partie 1 – L'interprétation spontanée est fautive

Il faut « réfléchir avant de regarder ». En effet, ce n'est jamais la première observation qui est la bonne. L'expérience quotidienne nous livre une multitude d'observations qui conduisent à des erreurs.

Référence 1 Ainsi nous voyons la fumée monter vers le ciel ; nous pouvons en conclure, comme Aristote, que la fumée est un corps léger, et qu'un corps léger doit monter alors qu'un corps lourd doit tomber.

Le texte traite du travail scientifique, sous ses deux formes : l'observation (début du texte), l'expérimentation (fin du texte). Une des premières questions porterait sur la validité de cette distinction ; est-elle aussi nette qu'il n'y paraît ?

Nous ne sommes pas prêts à admettre spontanément que la fumée a un poids. De même, nous observons une pomme tomber plus vite de la branche d'un pommier qu'une feuille. Là encore, comme Aristote, nous avons tendance à penser que la chute d'un corps dépend de son poids.

> Dossier 1 « L'analyse galiléenne : qu'est-ce que le mouvement ? » : **Galilée**, *Discours sur deux sciences nouvelles*, p. 318-321

Référence 2 L'idée que deux corps de poids différents tombent à la même vitesse heurte l'évidence et ce que nous croyons observer. Il faut tout un raisonnement à Galilée pour décrire la chute des corps indépendamment du poids des objets.

Les observations les plus simples nous trompent, ce qui rend difficile la compréhension de la réalité. Lorsqu'on enfonce un ballon de plastique dans l'eau, il résiste, c'est lui qui semble refuser de s'enfoncer. Il est difficile d'imputer la résistance à l'eau. De même nous voyons qu'un petit objet en métal coule si on le laisse à la surface de l'eau. Comment expliquer alors qu'un corps aussi lourd qu'un porte-avions puisse flotter sur l'eau ? Derrière son apparente simplicité, le principe d'Archimède semble contredire l'observation. Comme le remarque Bachelard à propos de l'enseignement des sciences, il faut apprendre à contredire l'expérience courante si l'on veut comprendre les lois de la nature.

Remarque : le texte manque d'exemple. L'essentiel du travail d'explication consistera donc à donner les références les plus précises possibles à l'appui de l'analyse.

> Une œuvre, une analyse : **Bachelard**, *Le Nouvel Esprit scientifique*, p. 314-317

› Sous partie 2 – Les précautions à prendre

Pour éviter d'être pris au piège de l'observation, il faut d'une part prendre des « précautions », et d'autre part poser clairement les questions auxquelles on demandera à l'observation de répondre. Sans questions claires, il n'y a pas d'observation claire.

Argument 1 En premier lieu, « l'observation a besoin d'un corps de précautions ». On le comprend quand on cherche à examiner une cellule au microscope. Comme l'écrit Ian Hacking, « un philosophe ne verra certainement pas au microscope tant qu'il n'aura pas appris à en utiliser plusieurs. Si on lui demande de dessiner ce qu'il voit, il peut… dessiner le reflet de son œil ou ne voir qu'une tache de couleur qui se glisse dans son champ de vision comme une ombre sur le mur. Il ne sera certainement pas capable de faire la différence entre un grain de poussière et une glande salivaire de mouche à fruits tant qu'il n'aura pas disséqué une de ces mouches sous un microscope à faible grossissement.

> **Ian Hacking**, *Concevoir et expérimenter* (1989)

Argument 2 L'observation répond toujours à une question ; sans schéma préalable, l'observation n'apprend rien.

> Observer, c'est répondre à une question posée.

Référence Ainsi quand Mendel fait ses expériences d'hybridation sur les petits pois, il sait quel but il poursuit : comprendre comment les supports de l'hérédité, dont il ne connait pas la nature, se transmettent, se combinent ou se mélangent. Pour cela il doit utiliser des variétés différentes de petits pois dont il a vérifié d'abord qu'elles produisent des lignées pures, c'est-à-dire montrant toujours les mêmes caractères. Dans ces différentes observations, il peut répondre aux questions qu'ils se posent : les caractères se mélangent-ils ? Non, c'est donc qu'ils se combinent. Ce n'est pas la même chose. À partir de là, Mendel peut imaginer différentes sortes de combinatoires, et voir quelle est celle qu'il constate effectivement. C'est ainsi qu'il parvient à dégager un « schéma » explicatif qu'il n'attendait pas.

> Dossier 2 « Mendel et la découverte des lois de l'hérédité », p 322-323

› Sous partie 3 – L'observation reconstruit le réel

Comme l'écrit Bachelard, « l'observation reconstruit le réel ». Et de fait, si l'observation conduit à des schémas nouveaux, c'est quelle commence avec des schémas préalables. On n'observe jamais sans présupposés.

Référence Kuhn montre bien comment un même fait observé peut être vu de façon totalement différente en fonction des schémas implicites de l'observateur. Quand Galilée réfléchit sur le phénomène du pendule, il y voit un mouvement qui est idéalement infini. Sans les frottements et la résistance de l'air, le pendule devrait indéfiniment poursuivre sa course. Pour Aristote, au contraire, le pendule est un mouvement contraint, l'objet est empêché d'aller vers son lieu naturel par la corde qui le retient. Il atteint son lieu naturel quand il ne bouge plus. Cet état de repos lui est naturel, le mouvement artificiel.

› sur l'exemple du pendule, p. 318-321

Une même observation reconstruit la nature de deux manières totalement opposées. Galilée ne doit pas se contenter d'observer le pendule, il doit détruire le schéma que lui a légué la théorie aristotélicienne. À la place il reconstruit un schéma mathématiquement plus simple en supprimant par la pensée les résistances. Ainsi, si la connaissance scientifique est « polémique » comme l'écrit Bachelard, c'est qu'elle doit non seulement se battre contre les apparences de la nature, mais aussi contre les fausses explications, les faux schémas, bref contre soi-même.

› Sous partie 4 – L'observation montre en démontrant

L'auteur peut conclure ce premier examen en disant que l'observation montre en démontrant. Par exemple, l'observation des chromosomes dans le noyau des cellules ne peut en aucun cas indiquer au départ qu'ils sont porteurs des gènes. Or on constate que certains gènes sont liés entre eux, et apparaissent (presque) toujours ensemble (*linkage*). On constate également que le nombre de ces groupements de gènes correspond au nombre de paires de chromosomes observés au microscope. On peut en conclure que les gênes ont probablement leur lieu sur les chromosomes. On voit ici que l'observation fonctionne comme une déduction que d'autres observations viendront confirmer.

Conclusion de la première partie
› **Fiche 6**, p. 582

Partie II - L'expérimentation

Le caractère actif et polémique de la connaissance est encore plus nettement visible avec l'expérimentation. « Dès qu'on passe de l'observation à l'expérimentation, le caractère polémique de la connaissance devient plus net encore ».

› Sous partie 1– La recherche d'hypothèses

Car il est clair dans ce cas, que la raison ne peut expérimenter sans idée préalables, sans hypothèses.

Référence 1 On retrouve ici l'idée que défendait Kant dans la Préface de la seconde édition de la *Critique de la raison pure* (1787) lorsqu'il décrit la révolution galiléenne : « [Les physiciens] comprirent que la raison ne voit que ce qu'elle produit elle-même d'après ses propres plans, et qu'elle doit prendre les devants avec les principes qui déterminent ses jugements, suivant des lois immuables, qu'elle doit obliger la nature à répondre à ses questions et ne pas se laisser conduire pour ainsi dire en laisse par elle. ».

Référence 2 De même Claude Bernard montre qu'il est stérile d'observer la nature sans hypothèse de départ. Si le chercheur observe sans idée préconçue, il va à l'aventure, il n'observera pas ce qu'il y a à observer.

› Réflexion 1 « Peut-on vérifier une hypothèse scientifique ? » : **Bernard**, *Introduction à l'étude de la médecine expérimentale*, p. 326-327.

› Sous partie 2 – Une réalité reconstruite par la science

La raison doit simplifier les données pour pouvoir dégager des lois. « Il faut que le phénomène soit trié, filtré, épuré, coulé dans le moule des instruments. ». En effet, la réalité est toujours trop complexe pour être étudiée telle quelle, directement.

› Dossier 1 « L'analyse galiléenne : qu'est-ce que le mouvement ? », p. 320.

Référence Pour étudier le mouvement, Galilée utilise des plans inclinés. Or même s'il s'agit d'instrument extrêmement simples, ils sont déjà imprégnés de théorie. En effet, pour utiliser ces plans inclinés, il faut d'abord montrer que la vitesse de chute d'un corps dépend uniquement de la hauteur d'où part le mobile, de sorte que sur un plan incliné, l'accélération sera moindre que dans une chute libre, mais les vitesses acquises aux hauteurs équivalentes seront égales, de sorte que le plan incliné donne une vision ralentie d'une chute des corps.
De même, l'instrument le plus simple suppose qu'on en maîtrise la théorie : quand Galilée utilise la lunette astronomique et découvre les satellites de Jupiter, ses adversaires contestent ses observations en faisant remarquer que les lentilles composant la lunette produisent des aberrations optiques et des halos fictifs. Ce n'est que lorsque les lois de la dioptrique et le fonctionnement de la lunette seront clairement comprises, que la lunette pourra être utilisée comme un outil neutre, objectif.
Ainsi, comme l'écrit Bachelard, « les instruments ne sont que des théories matérialisées. Il en sort des phénomènes qui portent de toutes parts la marque théorique. ». Si les instruments aident à développer des théories, c'est qu'ils sont déjà eux-mêmes des théories matérialisées. C'est évident pour les instruments de la physique contemporaines, les accélérateurs de particules, les synchrotrons, par exemple.

Conclusion

Pour Bachelard, l'activité scientifique ressemble à un combat ; il faut se battre pour ne pas tomber dans l'erreur et les apparences. Il ne s'agit pas seulement des phénomènes eux-mêmes, qui nous tromperaient en ne donnant que des aspects déformés et partiels de la réalité. Il s'agit surtout de la pensée du chercheur lui-même, qui devance toujours l'observation par des pensées et des schémas. Quand cette activité est consciente, on l'appelle démarche hypothétique : elle consiste à poser des questions et à proposer des réponses à tester. Mais cette activité peut échapper au chercheur : ce sont alors des cadres, des schémas, des éléments théoriques (qui lui sont familiers parce qu'il les a appris depuis longtemps) qui peuvent l'empêcher de voir ou de poser les bonnes questions. Ainsi le chercheur n'a-t-il pas seulement la nature comme adversaire, mais encore sa propre pensée.

REPÈRES et DISTINCTIONS CONCEPTUELLES

Théorie / expérience : en théorie / en pratique

D'après son étymologie (le grec *theoria* veut dire « contemplation »), la théorie est un ensemble de connaissances abstraites, apparemment détachées de la réalité, vouées à la spéculation, par opposition à l'action. C'est ainsi qu'on distingue ce qu'on apprend **en théorie**, et ce qu'on applique **en pratique**. Cette distinction est pourtant contestable, car sans connaissances théoriques, la plupart des pratiques technologiques contemporaines disparaîtraient.

Une théorie est un système de pensées, un ensemble complexe de concepts, de principes, d'hypothèses, de lois, de calculs… qui permet de rendre compte de la réalité. Les frontières d'une théorie sont mal délimitées, car toute théorie dépend d'autres théories. Comme pour un château de cartes, si une théorie s'effondre, les autres s'effondreront en même temps. Ce qui est important, c'est que s'il n'y avait pas de théorie – création intellectuelle de l'esprit humain –, il n'y aurait pas d'expérience.

Expérience / observation / expérimentation ; empirique / expérimental

On peut distinguer : a) l'expérience comme assimilation des données qui nous entourent ; b) l'expérience, au sens scientifique, comme observation provoquée à partir d'une démarche théorique et instrumentale (on parle alors d'expérimentation).

Dans le premier sens, on parlera de données **empiriques,** on distinguera :

1) l'expérience vécue (en allemand : *Erlebniss*) ;

2) l'expérience comme acquisition de connaissances, de savoir-faire ;

3) l'expérience comme enregistrement des données sensibles. Par exemple : « toute connaissance commence avec l'expérience » (Kant). Ces données empiriques sont des éléments de base comme : l'eau coule, le feu brûle, la neige est froide, le métal en fusion change de couleur… C'est ce dernier sens qui est le plus couramment utilisé dans l'analyse philosophique.

On oppose couramment l'**observation** qui étudie une réalité sans la modifier, et l'**expérimentation** qui agit sur un phénomène à partir d'hypothèses pour en étudier les résultats (**démarche hypothético-déductive**). Mais cette opposition peut être contestée, car l'observation suppose également des hypothèses : « L'observation scientifique est toujours une observation polémique ; elle confirme ou infirme une thèse antérieure, un schéma préalable, un plan d'observation ; elle montre en démontrant » (Bachelard).

Détecteur de particules. Ce détecteur est une partie du grand collisionneur de hadrons (*Large Hadron Collider*) du CERN, Genève. Le LHC est un accélérateur de particules long de 27 km, qui permet d'examiner la structure interne de la matière pour tenter d'expliquer l'origine de la matière et les mystères de l'univers primordial.

La méthode hypothético-déductive

Contrairement aux observations empiriques, la démarche **expérimentale** suppose des théories, des hypothèses et des instruments artificiels.
Dès lors que l'homme ne peut accéder directement à la réalité, toute explication de la nature doit commencer par des inventions, par des hypothèses. Et comme une infinité d'explications sont également cohérentes, il faut effectuer une sélection parmi ces hypothèses. Tel est le principe de base de la **méthode hypothético-déductive**, dont le schéma ternaire a été explicité par Claude Bernard :
1) forger une hypothèse à partir d'observations multiples ;
2) déduire les conséquences nécessaires de cette hypothèse ;
3) trouver un dispositif expérimental susceptible de confirmer ou d'infirmer ces déductions à partir d'une confrontation avec la réalité.
Le scientifique ne se contente pas d'observer passivement les faits, il les observe à partir d'un cadre théorique. On parle de méthode hypothético-déductive, pour bien montrer qu'aucune déduction ne peut partir de vérités absolues, mais seulement d'hypothèses. Or, une hypothèse ne peut être pertinente que si elle permet de construire, par le biais d'une déduction, les conditions expérimentales de sa remise en cause.

Zoom sur...

L'induction et le problème de la vérité scientifique selon Karl Popper

L'induction est le problème central des sciences de la nature. À partir de constatations singulières, tirées de l'observation, comment parvenir à des propositions générales susceptibles de former une théorie ? Si j'ai vu des milliers de fois des corbeaux noirs, puis-je inférer que tous les corbeaux sont noirs ?

Pour Popper, l'induction, ainsi définie, ne peut fonder la vérité d'un énoncé ou d'une théorie. Il est logiquement impossible de prouver que « tous les corbeaux sont noirs », car il faudrait recenser la totalité des corbeaux. En revanche, il est logiquement possible de prouver la fausseté de la proposition : il suffit de montrer un seul corbeau blanc pour réfuter la proposition. D'un point de vue strictement logique, dès qu'il s'agit d'une induction, donc de faits d'expérience : **on peut prouver le faux, on ne peut pas prouver le vrai.**

La démarche scientifique consiste donc pour Popper à tester une théorie, c'est-à-dire à trouver les moyens de la **réfuter**. Il suit : 1) qu'une théorie non réfutable n'est pas une théorie scientifique ; 2) qu'une théorie non encore réfutée peut toujours être démentie par les faits ; elle est **provisoirement vraie**.

Cela ne conduit pas Popper à un scepticisme généralisé. Si aucune théorie ne peut prétendre à la vérité absolue, elle peut prétendre à ce qu'il appelle la **vérisimilitude**, fondée sur le fait qu'on peut toujours montrer qu'une théorie est meilleure qu'une autre : par exemple, la théorie de la relativité englobe la théorie newtonienne, alors que l'inverse n'est pas vrai. On peut donc prouver qu'une théorie s'approche davantage du vrai qu'une autre. Popper utilise une analogie : supposons des alpinistes perdus dans le brouillard, ils ne peuvent pas savoir si la cime qu'ils ont atteinte est le sommet de la montagne, mais ils peuvent savoir que telle cime est plus élevée que telle autre, donc qu'ils sont plus près du sommet.

chapitre 13

La démonstration

Jeu de labyrinthe.

Du mot...

Démontrer, c'est faire voir de la façon la plus manifeste possible : on parle de démonstrations d'amitié, de joie. On dira de quelqu'un qu'il est très démonstratif. Dans les foires, les démonstrateurs livrent le fonctionnement des appareils qu'ils vendent pour convaincre les passants de leur efficacité. En droit, une démonstration est une expression claire de la volonté.
Mais le mot a rapidement pris le sens que nous lui connaissons aujourd'hui : démontrer, c'est donner des preuves dans le but d'établir la vérité avec certitude. Ce sens n'est pas très éloigné des procédures judiciaires, où l'on doit apporter les preuves en public, les exposer aux yeux de tous afin de garantir un jugement équitable.

... au concept

Le concept philosophique reprend le sens courant du mot. La démonstration vise à prouver une conclusion à partir de propositions déjà démontrées (les prémisses, dans le langage de la logique). Elle fait partie des raisonnements déductifs. Surtout utilisée par la logique et les mathématiques, elle s'oppose aux raisonnements inductifs, où la démonstration ne suffit pas, où il faut faire appel à l'observation et à l'expérimentation. Les méthodes démonstratives sont des moyens de parvenir à des vérités nécessaires et universelles : raisonnement par récurrence, démonstration par l'absurde, syllogismes. Démontrer, ce n'est donc pas seulement prouver, car on n'utilisera pas de preuves matérielles, issues de l'expérience. Démontrer, c'est prouver en se pliant à des formes rigoureuses de raisonnement, qui interdisent la possibilité même d'un doute, d'une exception.

Pistes de réflexion

La cohérence logique est-elle une condition suffisante de la démonstration?

Pour bien penser, suffit-il de suivre mécaniquement une méthode? La pensée peut-elle se réduire à la logique? La logique s'intéresse seulement à la forme du raisonnement (la validité), mais pas à son contenu. Il est donc possible de construire un raisonnement logiquement valide, mais ayant un contenu absurde. À l'inverse, quelle peut être la valeur d'une pensée formellement incohérente?

La méthode démonstrative peut-elle s'appuyer sur ses seules évidences?

L'idéal de la démonstration veut qu'on s'appuie sur des propositions elles-mêmes déjà démontrées. Comme on ne peut pas revenir indéfiniment en arrière (régression à l'infini), comme on ne peut pas tout prouver, il faut envisager au départ des principes non démontrés, mais admis comme vrais: des axiomes ou des postulats. De tels principes sont-ils des évidences absolues, ou des hypothèses posées provisoirement et à tout moment réfutables?

Faut-il choisir entre déduction et induction?

Pour le rationalisme, la cohérence logique des mathématiques est le modèle de la pensée. Pour l'empirisme le modèle mathématique ne peut pas être exporté dans les sciences de la nature, où la connaissance ne peut provenir que de l'expérience. La démarche expérimentale tente de concilier ces deux tendances. Quelle place joue la démonstration dans la pratique expérimentale?

Quelle attitude adopter devant ce qui résiste à la logique?

Le monde réel n'est pas toujours conforme aux règles logiques posées par l'esprit humain. Faut-il s'interdire de penser l'illogique, l'irrationnel? Cela signifierait que la logique définit les limites du pensable. N'y a-t-il pas d'autres vérités que démontrées? Par exemple, si on ne peut pas démontrer l'existence de la liberté, l'hypothèse doit-elle écartée? N'y a-t-il pas d'autres formes d'argumentation, moins assurées, mais tout aussi légitimes que la démonstration?

Suffit-il d'avoir raison pour persuader?

Produire des preuves démonstratives permet de *convaincre*. Mais depuis Pascal, on sait que la conviction n'est pas suffisante. Aussi forte soit-elle pour la raison, elle peut s'effacer au profit d'opinions plus contestables mais plus puissantes pour l'imagination. Il ne suffit donc pas de convaincre, il faut aussi *persuader*, c'est-à-dire enraciner la vérité définitivement dans un esprit, par des moyens non démonstratifs.

L'esprit démonstratif est-il à l'abri de croyances irrationnelles?

La croyance désigne une conviction intime. Celui qui croit est persuadé de la vérité de ses croyances. À l'inverse, la démonstration s'appuie sur un raisonnement rationnel pour poser une conclusion. Mais l'opposition n'est peut-être pas si simple. La volonté de démontrer ne peut-elle pas conduire au danger de vouloir démontrer l'impossible, c'est-à-dire aller au-delà de la raison humaine, comme vouloir fournir des preuves rationnelles de l'existence de Dieu?

Passerelle

› **Chapitre 16: La vérité**, p. 398.

Découvertes

DOCUMENT 1 Un abus de logique

Le Vieux Monsieur et le Logicien vont s'asseoir à l'une des tables de la terrasse, un peu à droite et derrière Jean et Bérenger.

LE LOGICIEN, *au Vieux Monsieur* : Voici donc un syllogisme exemplaire. Le chat a quatre pattes. Isidore et Fricot ont chacun quatre pattes. Donc Isidore et Fricot sont chats.

LE VIEUX MONSIEUR, *au Logicien* : Mon chien aussi a quatre pattes.

LE LOGICIEN, *au Vieux Monsieur* : Alors, c'est un chat.

BÉRENGER, *à Jean* : Moi, j'ai à peine la force de vivre. Je n'en ai plus envie peut-être.

LE VIEUX MONSIEUR, *au Logicien, après avoir longuement réfléchi* : Donc, logiquement, mon chien serait un chat.

LE LOGICIEN, *au Vieux Monsieur* : Logiquement, oui. Mais le contraire est aussi vrai.

BÉRENGER, *à Jean* : La solitude me pèse. La société aussi.

JEAN, *à Bérenger* : Vous vous contredisez. Est-ce la solitude qui pèse, ou est-ce la multitude ? Vous vous prenez pour un penseur et vous n'avez aucune logique.

LE VIEUX MONSIEUR, *au Logicien* : C'est très beau, la logique.

LE LOGICIEN, *au Vieux Monsieur* : À condition de ne pas en abuser.

BÉRENGER, *à Jean* : C'est une chose anormale de vivre.

JEAN : Au contraire. Rien de plus naturel. La preuve : tout le monde vit.

BÉRENGER : Les morts sont plus nombreux que les vivants. Leur nombre augmente. Les vivants sont rares.

JEAN : Les morts, ça n'existe pas, c'est le cas de le dire !... Ah ! ah !... *(Gros rire.)* Ceux-là aussi vous pèsent ? Comment peuvent peser des choses qui n'existent pas ?

BÉRENGER : Je me demande moi-même si j'existe !

JEAN, *à Bérenger* : Vous n'existez pas, mon cher, parce que vous ne pensez pas ! Pensez, et vous serez.

LE LOGICIEN, *au Vieux Monsieur* : Autre syllogisme : tous les chats sont mortels. Socrate est mortel. Donc Socrate est un chat.

LE VIEUX MONSIEUR : Et il a quatre pattes. C'est vrai, j'ai un chat qui s'appelle Socrate.

LE LOGICIEN : Vous voyez...

Eugène Ionesco, *Rhinocéros*, 1963, coll. Folio, Gallimard, p. 44.

Lionel Penrose, *Triangle impossible*, années 1950.

QUESTIONS

1• Deux dialogues différents sont présentés simultanément. Quel est l'intérêt de cette mise en scène ? Qu'est-ce que l'auteur cherche à mettre en relief ?

2• Examinez le dialogue entre Bérenger et Jean. Leurs raisonnements vous semblent-ils corrects ?

3• « Vous vous prenez pour un penseur et vous n'avez aucune logique. » La logique est-elle nécessaire à la pensée ? Pourquoi ?

DOCUMENT 2 La première démonstration : la légende

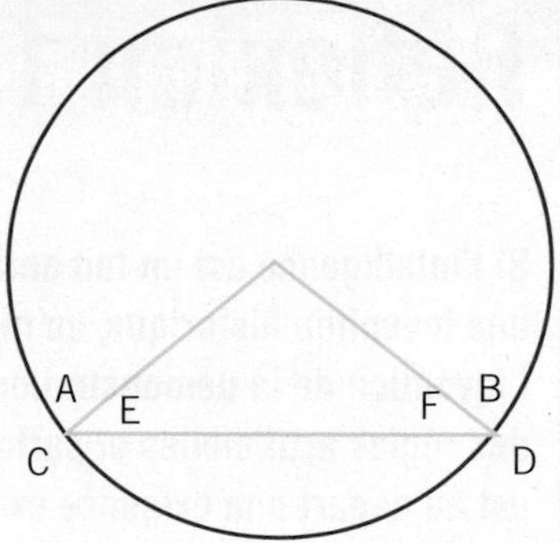

Le même Proclus écrit à propos du triangle isocèle : « Grâces soient donc rendues à Thalès, tant pour son invention de beaucoup d'autres théorèmes que de celui-ci ; car on dit qu'il fut le premier à penser et à affirmer que les angles situés à la base de tout triangle isocèle, sont égaux, et à exprimer d'une manière plus surannée que les angles égaux sont semblables. »

[...] Pour entrevoir comment [Thalès] pouvait étudier les angles à la base d'un triangle isocèle, le mieux est de montrer comment Aristote lui-même, au IVe siècle, en traitait. Il considère le cercle centré au sommet du triangle isocèle et de rayon A = B, côtés du triangle.

L'angle A C est égal à l'angle B D comme angles du demi-cercle. L'angle C égale l'angle D comme angles du même segment de cercle. Si des touts égaux, on enlève des parties égales, les restes sont égaux, donc E = F.

Au début du livre III, Euclide a conservé ces notions d'angles mixtes, formés par une ligne droite et un arc de cercle. Sa définition 7 déclare : « L'angle du segment est celui qui est compris par une droite et par une circonférence de cercle. »

Pierre Dedron et Jean Itard, *Mathématiques et mathématiciens*, 1959, Magnard, p. 27.

QUESTIONS

› **1•** Quel intérêt y a-t-il à revenir sur ce premier geste légendaire ? (› Kant, p. 340).

› **2•** Quel est l'objet de la démonstration de Thalès ? S'agit-il de découvrir quelque chose de nouveau ? S'agit-il d'établir un fait ? Qu'est-ce qui est véritablement recherché ?

DOCUMENT 3 Les limites de la logique démonstrative

La logique démonstrative suppose qu'on utilise des propositions et des concepts clairement définis, qui se différencient du langage courant, flou et polysémique. Or on peut contester cette possibilité.

Ce qui nous égare, il est vrai, est l'uniformité de l'apparence des mots lorsque nous les entendons prononcer ou que nous les rencontrons écrits ou imprimés. Car leur *emploi* ne nous apparaît pas si nettement. Surtout pas quand nous philosophons.

C'est comme lorsque nous regardons le tableau de bord d'une locomotive. Il s'y trouve des manettes qui se ressemblent toutes plus ou moins. (Ce qui est compréhensible, puisqu'elles doivent toutes pouvoir être actionnées à la main.) Mais l'une est la commande d'une manivelle que l'on peut faire tourner de façon continue (elle règle l'ouverture d'une soupape), une autre celle d'un interrupteur qui n'a que deux positions – marche ou arrêt –, une troisième est la commande d'un frein – plus on la tire, plus elle freine –, une quatrième celle d'une pompe – elle ne fonctionne que quand on la fait aller et venir. [...]

Imagine que quelqu'un dise : « *Tous* les outils servent à modifier quelque chose : le marteau, la position du clou ; la scie, la forme de la planche, etc. » – Et que modifient la règle graduée, le pot de colle, les clous ? – « Notre connaissance de la longueur d'une chose, la température de la colle et la solidité de la caisse. » – Qu'aurait-on gagné à assimiler ces expressions ?

Ludwig Wittgenstein, *Recherches philosophiques*, 1945-1946, § 11-12, 14, trad. F. Dastur, M. Élie, J.-L. Gautero, D. Janicaud et É. Rigal, Gallimard, 2004, p. 33.

QUESTION

› Comment expliquez-vous l'analogie que fait Wittgenstein entre l'emploi des mots et l'emploi de manettes dans une locomotive ? En quoi cette pensée remet-elle en question l'idéal d'une logique purement démonstrative ?

Réflexion 1

▶ Qu'est-ce que démontrer ?

Si l'intelligence est un fait anthropologique qui caractérise tous les hommes, la rationalité est une invention historique, au même titre que la roue ou l'écriture. Au cœur de cette découverte réside l'invention de la démonstration. La rationalité consiste à contraindre l'intelligence à se plier à des règles artificielles et parfois contraires au sens commun. Prouver à tout prix et en toute rigueur est au départ une exigence excessive, voire « maladive ». C'est pourtant le fondement de l'idéal scientifique.

Texte 1 — La révolution mathématique

Les techniques de calcul, d'arpentage, de construction de figures géométriques, etc. sont connues des plus anciennes civilisations. Mais, pour Kant, les mathématiques proprement dites ne commencent qu'avec l'usage de la démonstration. Celle-ci lui apparaît comme une véritable révolution intellectuelle, liée à une nouvelle conception de l'objet mathématique.

La Mathématique, depuis les temps les plus reculés où s'étende l'histoire de la raison humaine, est entrée, chez l'admirable peuple grec, dans la voie sûre d'une science. Mais il ne faut pas croire qu'il lui ait été plus facile qu'à la Logique, où la raison n'a affaire qu'à elle-même, de trouver ce chemin royal, ou plutôt de se le tracer à elle-même. Je crois plutôt que (principalement chez les Égyptiens) elle est restée longtemps à tâtonner et que ce changement définitif doit être attribué à une révolution qu'opéra l'heureuse idée d'un seul homme, dans une tentative à partir de laquelle la voie que l'on devait suivre ne pouvait plus rester cachée et par laquelle était ouverte et tracée, pour tous les temps et à des distances infinies, la sûre voie scientifique. L'histoire de cette révolution dans la méthode, qui fut plus importante que la découverte du chemin du fameux cap, et celle de l'heureux mortel qui l'accomplit, ne nous sont point parvenues. Cependant la tradition que nous rapporte Diogène Laërce[1], qui nomme le prétendu inventeur des plus petits éléments des démonstrations géométriques, de ceux qui, de l'avis général, n'ont jamais besoin de démonstration, prouve que le souvenir de la révolution qui fut opérée par le premier pas fait dans cette voie récemment découverte a dû paraître extraordinairement important aux mathématiciens et est devenu par là même inoubliable. Le premier qui démontra le triangle isocèle (qu'il s'appelât Thalès[2] ou comme l'on voudra) eut une révélation ; car il trouva qu'il ne devait pas suivre pas à pas ce qu'il voyait dans la figure, ni s'attacher au simple concept de cette figure comme si cela devait lui en apprendre les propriétés, mais qu'il lui fallait réaliser (ou construire) cette figure, au moyen de ce qu'il y pensait et s'y représentait lui-même *a priori*[3] par concepts (c'est-à-dire par construction), et que, pour savoir sûrement quoi que ce soit *a priori*, il ne devait attribuer aux choses que ce qui résulterait nécessairement de ce que lui-même y avait mis, conformément à son concept.

Emmanuel Kant, *Critique de la raison pure*, 1781, préface de la deuxième édition, 1787, trad. A. Tremesaygues et B. Pacaud, PUF, 1971, p. 16-17.

1. Compilateur grec du IIIe siècle apr. J.-C.
2. Il serait l'inventeur du théorème qui porte aujourd'hui son nom et qui démontre que si un triangle a deux côtés égaux, alors les deux angles de la base sont égaux.
3. Qui ne provient pas de l'expérience.

QUESTIONS

› **1•** Qu'est-ce qui distingue, pour Kant, les pratiques empiriques de calcul et la science mathématique ?

› **2•** Définissez le terme « *a priori* ». Quelle est la place de l'*a priori* dans la révolution mathématique ?

Texte 2 Raisonner sur l'irrationnel : la diagonale du carré

Dans le Ménon, *Socrate fait résoudre par un petit esclave analphabète un problème de mathématique : à partir d'un carré donné, comment construire un deuxième carré qui ait une surface double ? Il faut construire ce carré sur la diagonale du premier (**➧ p. 342**). Or cette diagonale, si elle est facilement traçable sur une figure sensible, n'est pas à proprement parler calculable à partir des nombres connus : c'est un irrationnel. Cela est prouvé par une démonstration par l'absurde.*

Cette impossibilité est établie par la célèbre démonstration du caractère irrationnel de la diagonale, c'est-à-dire de la racine carrée de 2, que l'on suppose bien connue de Platon et d'Aristote. Cela consiste à montrer que l'hypothèse

(1) $\sqrt{2} = n/m$

c'est-à-dire l'hypothèse selon laquelle $\sqrt{2}$ est égal au rapport de deux nombres entiers quelconques, n et m, conduit à une absurdité.

Or nous pouvons supposer que :

(2) des deux nombres, n et m, pas plus d'un n'est pair.

Car si les deux étaient pairs, nous pourrions supprimer le facteur 2 afin d'obtenir deux autres nombres naturels, n' et m', tels que n/m = n'/m' et qu'au plus un seul des deux nombres n' et m' soit pair. Or en élevant (1) au carré, nous obtenons :

(3) $2 = n^2/m^2$;

puis :

(4) $2m^2 = n^2$;

et donc :

(5) n est pair[1].

Il doit donc y avoir un nombre naturel a tel que :

(6) $n = 2a$;

et de (3) et (6) nous tirons :

(7) $2m^2 = n^2 = 4a^2$;

et donc :

(8) $m^2 = 2a^2$.

Mais cela implique :

(9) m est pair.

Il est manifeste que (5) et (9) contredisent (2). Donc l'hypothèse selon laquelle il existe deux nombres naturels n et m dont le rapport est égal à $\sqrt{2}$ conduit à une conclusion absurde. Par conséquent, $\sqrt{2}$ n'est pas une *ratio*[2], c'est un nombre « irrationnel ».

[...] La tradition rapportant que cette démonstration avait été faite au sein même de l'école[3] mais tenue secrète me paraît fort plausible. On peut en donner pour preuve que l'ancien terme employé pour exprimer l'« irrationnel » – « arrhètos », « indicible » ou « inavouable » – peut fort bien avoir renvoyé à un secret qu'il fallait garder. La tradition rapporte d'ailleurs que le disciple qui avait dévoilé ce secret fut mis à mort pour cet acte de trahison.

Karl Popper, « La nature des problèmes philosophiques et leurs racines scientifiques », 1952, *in Conjectures et réfutations*, 1963, Payot, 1979, p. 134-135.

1. En effet, seuls les carrés des nombres pairs sont pairs.
2. Le mot latin *ratio* signifie à la fois la raison, la mesure, la proportion, le rapport calculable entre deux nombres naturels.
3. Il s'agit de l'école pythagoricienne.

QUESTIONS

➧ **1•** Comment la raison parvient-elle à prouver ce qui, par définition, échappe aux sens ?

➧ **2•** Comment s'assurer alors de la vérité des démonstrations ?

Réflexion 2

▶ La démonstration mathématique conduit-elle à une révolution morale ?

L'exigence démonstrative constitue une révolution intellectuelle, fondatrice de l'idée de science. Mais cette révolution intellectuelle accomplie par les Grecs s'est aussi accompagnée d'une révolution morale, origine lointaine de la libre-pensée. L'aurait-on oublié aujourd'hui ?

Texte 1 Une nécessité aux antipodes de la fatalité…

1. › p. 22.
2. Meurtre d'un proche parent.

Qu'est-ce, en effet, que démontrer ? C'est d'abord rendre nécessaire. La nécessité […] est, primitivement, la fatalité aveugle qui sort des choses et qui entraîne les hommes à leur perte, qui conduit perfidement Œdipe[1] à l'inceste et au parricide[2]. Idée de primitif. Grâce à la démonstration mathématique, l'idée, sans changer de nom, passe de l'extérieur à l'intérieur, des choses à l'esprit, du domaine mystique au domaine rationnel. Elle était ce qui contraint l'homme contre toute raison. Elle devient ce que l'homme, par raison, se contraint à suivre. Elle constitue une obligation de l'esprit, une valeur intellectuelle, la valeur même.

Paul Mouy, « Les mathématiques et l'idéalisme philosophique », *in Les Grands Courants de la pensée mathématique*, présentés par F. Le Lionnais, 1948, Librairie scientifique et technique, A. Blanchard, p. 370-371.

QUESTION

› Ce texte oppose deux conceptions de la nécessité. Lesquelles ? Quelles valeurs morales leur sont attachées ?

Texte 2 La vérité ne peut venir que de nous-mêmes

1. › p. 341.

En l'interrogeant, Socrate réussit à faire résoudre par un petit esclave analphabète un problème mathématique, la duplication du carré : comment construire un carré dont la surface sera le double de celle d'un autre carré[1] ?

SOCRATE. – Que t'en semble, Ménon ? A-t-il exprimé une seule opinion qu'il n'ait tirée de lui-même ?

MÉNON. – Aucune, il a tout tiré de son propres fonds.

SOCRATE. – Et cependant, il ne savait pas, nous l'avons reconnu tout à l'heure.

MÉNON. – C'est vrai.

SOCRATE. – C'est donc que ces opinions se trouvaient déjà en lui. N'est-ce pas vrai ?

MÉNON. – Oui.

SOCRATE. – Ainsi, sur les choses mêmes qu'on ignore, on peut avoir en soi des opinions vraies ?

MÉNON. – Cela paraît évident.

SOCRATE. – Pour le moment, ces opinions vraies ont surgi en lui comme dans un songe. Mais si on l'interroge souvent et de diverses manières sur les mêmes sujets, tu peux être certain qu'il finira par en avoir une science aussi exacte qu'homme du monde.

MÉNON. – C'est probable.

SOCRATE. – Il saura donc sans avoir eu de maître, grâce à de simples interrogations, ayant retrouvé de lui-même en lui sa science.

MÉNON. – Oui.

SOCRATE. – Mais retrouver de soi-même en soi sa science, n'est-ce pas précisément se ressouvenir ?

MÉNON. – Sans doute […]

Texte 4 Supposer pour vrai ce qui est en question

C'est ce qu'Aristote appelle *pétition de principe*; ce qu'on voit assez être entièrement contraire à la vraie raison : puisque dans tout raisonnement ce qui sert de preuve doit être plus clair et plus connu que ce que l'on veut prouver.

Cependant, Galilée l'accuse, et avec justice, d'être tombé lui-même dans ce défaut, lorsqu'il veut prouver par cet argument, que la Terre est au centre du monde. *La nature des choses pesantes est de tendre au centre du monde, et des choses légères de s'en éloigner ; Or l'expérience nous fait voir, que les choses pesantes tendent au centre de la Terre, et que les choses légères s'en éloignent : Donc le centre de la Terre est le même que le centre du monde.* Il est clair qu'il y a, dans la majeure[1] de cet argument, une manifeste pétition de principe. Car nous voyons bien que les choses pesantes tendent au centre de la Terre ; mais d'où Aristote a-t-il appris qu'elles tendent au centre du monde, s'il ne suppose que le centre de la Terre est le même que le centre du monde ? Ce qui est la conclusion même qu'il veut prouver par cet argument.

Op. cit., p. 304-322.

1. Il s'agit de la première proposition du syllogisme ; la seconde étant la mineure.

Texte 5 Juger d'une chose par ses accidents

Ce sophisme est appelé dans l'École, *fallacia accidentis*; qui est lorsque l'on tire une conclusion absolue, simple et sans restriction de ce qui n'est vrai que par accident[1]. C'est ce que font tant de gens qui déclament contre l'antimoine[2], parce qu'étant mal appliqué il produit de mauvais effets. Et d'autres qui attribuent à l'éloquence tous les mauvais effets qu'elle produit quand on en abuse ; ou à la médecine, les fautes de quelques Médecins ignorants. [...]

On voit aussi un exemple considérable de ce sophisme dans le raisonnement ridicule des Épicuriens, qui concluaient que les Dieux devaient avoir une forme humaine, parce que dans toutes les choses du monde, il n'y avait que l'homme qui eût l'usage de la raison. *Les Dieux, disaient-ils, sont très heureux ; Nul ne peut être heureux sans la vertu ; Il n'y a point de vertu sans la raison ; Et la raison ne se trouve nulle part ailleurs qu'en ce qui a la forme humaine ; Il faut donc avouer que les Dieux sont en forme humaine.*

Mais ils étaient bien aveugles de ne pas voir que, quoique dans l'homme la substance qui pense et qui raisonne soit jointe à un corps humain, ce n'est pas néanmoins la figure humaine qui fait que l'homme pense et raisonne, étant ridicule de s'imaginer que la raison et la pensée dépendent de ce qu'il a un nez, une bouche, des joues, deux bras, deux mains, deux pieds ; et ainsi, c'était un sophisme puéril à ces philosophes de conclure qu'il ne pouvait y avoir de raison que dans la forme humaine, parce que dans l'homme elle se trouvait jointe par accident à la forme humaine.

Op. cit., p. 304-322.

1. L'accident est une propriété qui n'appartient pas à l'essence d'une chose et peut être modifiée ou supprimée sans l'altérer. « Par accident » : de manière non essentielle.
2. Ce métal fut utilisé comme thérapeutique à la fin du XVIe siècle ; son abus causa des accidents mortels à l'origine d'une querelle entre les facultés de Montpellier et de Paris.

QUESTIONS Textes 1 à 5

1• Pour chaque cas de raisonnement sophistique, expliquez la faute logique.

2• Montrez comment les auteurs, par les exemples qu'ils utilisent, s'engagent dans les débats de leur époque : contre les philosophies anciennes et pour la religion chrétienne.

Passerelle

Réflexion : Faut-il négliger les erreurs ?, p. 414.

Réflexion 3

▶ Faut-il choisir entre déduction et induction ?

On a longtemps opposé le modèle cartésien, dit rationaliste, fondé sur la déduction de type mathématique, au modèle empiriste fondé sur l'induction, qui part de faits particuliers pour trouver des lois générales.

Texte 1 Les mathématiques montrent le droit chemin de la vérité

Par là on voit clairement pourquoi l'arithmétique et la géométrie sont beaucoup plus certaines que les autres sciences : c'est que seules elles traitent d'un objet assez pur et simple pour n'admettre absolument rien que l'expérience ait rendu incertain, et qu'elles consistent tout entières en une suite de conséquences déduites par raisonnement. Elles sont donc les plus faciles et les plus claires de toutes, et leur objet est tel que nous le désirons, puisque, sauf par inattention, il semble impossible à l'homme d'y commettre des erreurs. Et cependant il ne faut pas s'étonner si spontanément beaucoup d'esprits s'appliquent plutôt à d'autres études ou à la philosophie : cela vient, en effet, de ce que chacun se donne plus hardiment la liberté d'affirmer des choses par divination dans une question obscure que dans une question évidente, et qu'il est bien plus facile de faire des conjectures sur une question quelconque que de parvenir à la vérité même sur une question, si facile qu'elle soit.

De tout cela on doit conclure, non pas, en vérité, qu'il ne faut apprendre que l'arithmétique et la géométrie, mais seulement que ceux qui cherchent le droit chemin de la vérité ne doivent s'occuper d'aucun objet, dont ils ne puissent avoir une certitude égale à celle des démonstrations de l'arithmétique et de la géométrie.

René Descartes, *Règles pour la direction de l'esprit*, vers 1628, règle II, trad. G. Le Roy, *in Œuvres*, coll. La Pléiade, Gallimard, p. 41-42.

QUESTION › D'où vient la rigueur propre aux mathématiques ? Quelle est la seule source d'erreur ?

Texte 2 Vérités mathématiques et vérités empiriques

Tous les objets de la raison humaine ou de nos recherches peuvent se diviser en deux genres, à savoir *les relations d'idées et les faits*. Du premier genre sont les sciences de la géométrie, de l'algèbre et de l'arithmétique et, en bref, toute affirmation qui est intuitivement[1] ou démonstrativement certaine. *Le carré de l'hypoténuse est égal au carré de deux côtés*, cette proposition exprime une relation entre ces figures. *Trois fois cinq est égal à la moitié de trente* exprime une relation entre ces nombres. Les propositions de ce genre, on peut les découvrir par la seule opération de la pensée, sans dépendre de rien de ce qui existe dans l'univers. Même s'il n'y avait jamais eu de cercle ou de triangle dans la nature, les vérités démontrées par Euclide[2] conserveraient pour toujours leur certitude et leur évidence.

Les faits, qui sont les seconds objets de la raison humaine, on ne les établit pas de la même manière ; et l'évidence de leur vérité, aussi grande qu'elle soit, n'est pas d'une nature semblable à la précédente. Le contraire d'un fait quelconque est toujours possible, car il n'implique pas contradiction et l'esprit le conçoit aussi facilement et aussi distinctement que s'il concordait pleinement avec la réalité. *Le soleil ne se lèvera pas demain*, cette proposition n'est pas moins intelligible et elle n'implique pas plus la contradiction que l'affirmation : *il se lèvera*. Nous tenterions donc en vain d'en démontrer la fausseté. Si elle était démonstrativement fausse, elle impliquerait contradiction et l'esprit ne pourrait jamais la concevoir distinctement.

David Hume, *Enquête sur l'entendement humain*, 1748, trad. A. Leroy, Aubier (Flammarion), p. 70-71.

1. Il s'agit ici de l'intuition au sens philosophique : l'appréhension d'une vérité par une perception intellectuelle immédiate et instantanée.
2. Euclide (IIIe s. av. J.-C.), mathématicien grec, auteur des *Éléments*, synthèse des connaissances mathématiques de son temps.

Texte 3 L'expérience, condition nécessaire mais non suffisante

Contrairement à l'idéalisme cartésien, Kant montre qu'il ne peut y avoir de connaissance réelle sans recours à l'expérience. Mais, contrairement à l'empirisme humien, il montre que si l'expérience est une condition nécessaire, elle n'est pas une condition suffisante.

Si toute notre connaissance débute avec l'expérience, cela ne prouve pas qu'elle dérive toute de l'expérience, car il se pourrait bien que même notre connaissance par expérience fût un composé de ce que nous recevons des impressions sensibles et de ce que notre propre pouvoir de connaître (simplement excité par des impressions sensibles) produit de lui-même. [...]

Par connaissance *a priori* nous entendrons désormais non point celles qui ne dérivent pas de telle ou telle expérience, mais bien celles qui sont *absolument* indépendantes de toute expérience. À ces connaissances *a priori* sont opposées les connaissances empiriques ou celles qui ne sont possibles qu'*a posteriori*, c'est-à-dire par expérience. Mais parmi les connaissances *a priori*, celles-là sont appelées pures auxquelles n'est mêlé absolument rien d'empirique. Par exemple, cette proposition :

Tout changement a une cause, est bien *a priori*, mais n'est point pure cependant, puisque le changement est un concept qu'on ne peut tirer que de l'expérience. Il nous faut maintenant un critérium[1] qui permette de distinguer sûrement une connaissance pure de la connaissance empirique. L'expérience nous apprend bien que quelque chose est de telle ou telle manière, mais non point que cela ne peut être autrement. Si donc, premièrement, on trouve une proposition dont la pensée implique la nécessité, on a un jugement *a priori* ; si cette proposition n'est, en outre, dérivée d'aucune autre qui vaut elle-même, à son tour, à titre de proposition nécessaire, elle est absolument *a priori*. Secondement, l'expérience ne donne jamais à ses jugements une véritable et stricte universalité, mais seulement une universalité supposée et relative (par induction), qui n'a pas d'autre sens que celui-ci : nos observations, pour nombreuses qu'elles aient été jusqu'ici, n'ont jamais trouvé d'exception à telle ou telle règle. Par conséquent, un jugement pensé avec une stricte universalité, c'est-à dire de telle sorte qu'aucune exception n'est admise comme possible, ne dérive point de l'expérience, mais est valable absolument *a priori*.

Emmanuel Kant, *Critique de la raison pure*, 1781, introduction à la deuxième édition, 1787, trad. A. Tremesaygues et B. Pacaud, coll. Quadrige, 5e éd., 1997, PUF, p. 31-33.

1. Critère.

QUESTIONS

Texte 2

› Quelle est la difficulté propre à la connaissance des faits ?

Texte 3

› 1• Quels critères nous permettent de savoir qu'un principe ne vient pas de l'expérience, mais de nous-mêmes ?

› 2• Pourquoi l'expérience ne peut-elle pas nous fournir des connaissances absolument universelles ?

Passerelles

› **Chapitre 12 : Théorie et expérience,** p. 310.
› **Chapitre 16 : La vérité,** p. 398.

REPÈRES et DISTINCTIONS CONCEPTUELLES

Page d'un manuscrit représentant les allégories de l'Arithmétique et de la Géométrie ; en dessous Pythagore et Euclide ; XIVe s., Florence, bibliothèque nationale.

La démonstration

L'idéal démonstratif naît du refus d'en rester au simple constat des faits. Quand un fait se présente, on veut saisir pourquoi il en est ainsi, et s'il y a nécessité qu'il en soit ainsi. Démontrer c'est **prouver la vérité** d'une proposition en indiquant sa nécessité par le raisonnement lui-même.

Le raisonnement démonstratif est une **déduction**. Il se distingue de l'induction en ce sens qu'il ne fait pas appel à l'expérience.

La déduction et le modèle mathématique

Au XVIIe siècle, les sciences nouvelles se caractérisent par une mathématisation de la nature. Il est alors tentant d'appliquer l'idéal démonstratif des mathématiques à l'explication de la nature elle-même. Les quatre règles de la méthode de Descartes illustrent cette nouvelle ambition. À la place de la multitude des combinaisons syllogistiques, quatre règles suffisent :

- Règle de l'**évidence** : « ne recevoir jamais aucune chose pour vraie que je ne la connusse évidemment être telle. »
- Règle de l'**analyse** : « diviser chacune des difficultés que j'examinerais en autant de parcelles qu'il se pourrait et qu'il serait requis pour les mieux résoudre. »
- Règle de l'**ordre** : « conduire par ordre mes pensées en commençant par les objets les plus simples et les plus aisés à connaître. »
- Règle du **dénombrement** : « faire partout des dénombrements si entiers [...] que je fusse assuré de ne rien omettre » (Descartes, *Discours de la Méthode*, 2e partie).

Les propositions et les démonstrations

Un **théorème** est une proposition démontrée à partir d'autres propositions. On appelle **corollaire** un théorème qui se conclut directement d'un autre.

Un **principe** est une proposition de base, qui sert de point de départ à une déduction. Euclide distinguait différents principes : les définitions, les axiomes, les postulats. Un **axiome** est une proposition évidente par elle-même, qui n'a pas besoin d'être démontrée. Par exemple, deux quantités égales à une même troisième sont égales entre elles ; le tout est plus grand que la partie. Un **postulat** est un principe fondamental d'une théorie, qui demanderait à être démontré. Mais cette démonstration n'a pas été faite, ou n'est pas possible. Aussi demande-t-on d'admettre comme vrai le principe.

Le raisonnement démonstratif peut prendre plusieurs formes. Par exemple, le **raisonnement par récurrence**. Il consiste à démontrer : 1) que si une formule mathématique est vraie pour un rang n, elle est vraie pour un rang $n + 1$; 2) que la formule est vraie pour un rang $n = 1$.

La **démonstration par l'absurde** consiste à admettre comme vraie une proposition qu'on veut démontrer fausse, puis à en déduire une conclusion manifestement contradictoire. La contradiction de la conclusion prouve la fausseté de la proposition de départ.

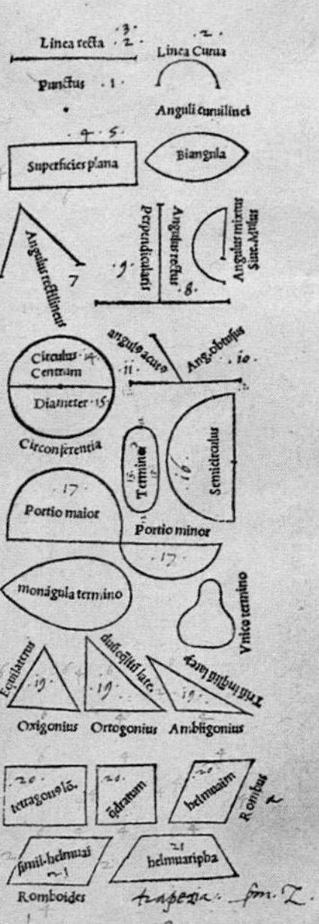

Page imprimée du premier livre du mathématicien de la Grèce antique Euclide, *Eléments*, 1491.

Validité et vérité d'un raisonnement

› Repères et distinctions conceptuelles, p. 421.

A priori / a posteriori

Une proposition est ***a priori*** quand elle ne vient pas de l'expérience ; elle est ***a posteriori*** si elle vient de l'expérience. Ainsi, si je parle de « cercles carrés », je sais *a priori* que rien n'existe de tel ; je n'ai pas besoin de vérifier dans l'expérience. On dit que les objets mathématiques sont *a priori*, au sens où ce sont des réalités idéales : dans l'expérience quotidienne, il n'y a pas de droites au sens mathématique, c'est-à-dire infinies et sans épaisseur.

Démonstration et axiomatisation

À partir du XIXe siècle, la découverte des géométries non-euclidiennes montre que l'on peut bâtir des **systèmes démonstratifs** cohérents qui, partant de postulats différents, aboutissent à des résultats différents. Dans la géométrie euclidienne, la somme des angles d'un triangle est égale à 180 ° ; dans la géométrie de Lobatchevski, la somme est inférieure à 180 ° ; dans celle de Riemann, elle est supérieure. Les résultats diffèrent et pourtant ils sont tous démontrables avec la même rigueur. La validité dépend d'un système d'axiomes définis au départ dont on demande simplement qu'ils conduisent à des résultats non contradictoires.
On appelle **axiomatique** un ensemble d'axiomes posés au départ et conduisant à ces déductions (provisoirement) non contradictoires.

Persuader / convaincre

Depuis Pascal, on distingue l'action de **convaincre**, qui consiste à produire des preuves, des démonstrations de façon qu'il n'y ait rien à objecter (on est convaincu par des raisons, grâce à la Raison), et l'action de **persuader**, qui consiste à gagner l'adhésion complète des autres, aussi bien affective, sentimentale qu'intellectuelle, par toutes sortes de moyen. En effet, on peut être convaincu par des arguments logiques, sans être persuadé au fond de soi-même.

Abstrait / concret

L'**abstraction** consiste à ne retenir d'une réalité complète et complexe (= concrète) que les caractères généraux, qui forment des **concepts.** En un sens, la plupart de nos mots renvoient à des abstractions. Par exemple, le mot « chien » renvoie à l'ensemble des chiens, lesquels ne se ressemblent pas du tout, pris individuellement. Il n'existe donc pas de chiens concrets qui correspondraient véritablement à l'abstraction « chien ». Sans l'abstraction, aucun langage articulé ne serait possible.
Mais l'abstraction se fait à un second niveau : lorsqu'on passe des mots du langage courant aux termes techniques d'une discipline scientifique. La nécessité de l'abstraction est ici encore plus évidente, car chaque science exige des définitions précises, qui ne peuvent être que des abstractions (pour le physicien, le « poids » est une abstraction). Par exemple, en économie, la « productivité » est un concept abstrait. On peut visiter une usine, on peut examiner comment se produisent les marchandises, mais on ne pourra jamais voir la productivité. Pourtant, la productivité est une réalité : elle commande le prix des objets, la compétitivité d'un pays, le pouvoir d'achat de ses habitants. L'abstrait ne s'oppose donc pas au réel, c'est un instrument d'action sur le réel.

chapitre 14

L'interprétation

Joan Miró, *Oiseau dans un Paysage*, 1974, Fondation Pilar et Joan Miró, Mallorca.

Du mot...

On dit d'un musicien qu'il interprète une partition, d'un acteur qu'il interprète un rôle. Cela signifie que la partition, la pièce de théâtre ou le scénario ne peuvent pas tout dire, tout exprimer. En même temps, le sens n'est pas totalement absent puisqu'on parle de bonne ou de mauvaise interprétation. Il ne s'agit donc ni de simplement reproduire ni de totalement inventer. L'interprétation se situe dans cette marge : elle n'est ni mécanique ni arbitraire.

... au concept

L'interprétation se distingue de l'explication et de la traduction. Expliquer, c'est dégager les causes, les lois de fonctionnement, qu'il s'agisse d'un phénomène naturel, sociologique ou psychologique. La vérité d'une explication renvoie a sa correspondance avec la réalité. Elle est donc vérifiable. Traduire, c'est décoder un message, le faire passer d'un code à un autre. Dans la traduction, le message est déjà explicitement donné, rien n'est rajouté. L'interprétation ne s'arrête pas à la recherche des causes, elle s'intéresse à la signification. Pour bien interpréter, il ne faut pas seulement être capable d'expliquer mais aussi de comprendre. Interpréter, ce n'est pas non plus traduire car le message n'est pas entièrement donné, son sens est à reconstruire. Ainsi, si toutes les interprétations ne sont pas acceptables, on ne peut pas dire qu'une seule soit valable; à la différence des vérités scientifiques, la subjectivité de l'interprète est en jeu.

Pistes de réflexion

Quand, pourquoi devons-nous interpréter ?

Les discours humains génèrent souvent un sens implicite : équivoques, non-dits, allusions, ironie, jeux de mots… qu'il nous faut retrouver. Or, là où il y a du sens, il n'y a pas toujours un « sens premier ». Que serait en effet le sens premier, ou littéral, d'une œuvre d'art, d'une poésie, d'un mythe, d'un rituel religieux ? S'il y avait un «texte» préexistant en dessous de ces productions de sens, nous n'aurions qu'à traduire. C'est parce que ce « texte » n'existe pas qu'il nous faut interpréter, comprendre le sens.

Pourquoi l'herméneutique est-elle fondamentale pour les textes sacrés des grandes religions ?

L'herméneutique est née de la lecture des textes religieux. Pourquoi les religions fondées sur des textes sacrés (les religions du Livre : judaïsme, christianisme, islam) ont-elles besoin d'une lecture interprétative ? Pourquoi est-il important qu'elles dissocient la « lettre » et l'« esprit » des textes ? Quels risques de conflits et de polémiques peuvent s'ensuivre ?

Pourquoi les sciences humaines ne peuvent-elles pas se passer d'un travail d'interprétation ?

Les sciences de la nature expliquent les causes des phénomènes. Les sciences humaines (histoire, sociologie, psychologie, économie…) ont également comme tâche d'expliquer les faits. Mais comme elles ont affaire à des hommes, elles doivent aussi comprendre leurs motivations, leurs intentions. Il s'agit d'un travail d'interprétation. Ce travail particulier remet-il en cause leur scientificité ?

L'herméneutique comme méthode d'interprétation peut-elle être objective ?

Comment comprendre les domaines qui résistent à une démonstration rationnelle (conduites humaines, œuvres d'art…) ? Quelle méthode adopter pour proposer une interprétation valable ? Comment savoir si le sens proposé est pertinent ou fantaisiste ? Pour interpréter une poésie, par exemple, peut-on s'appuyer sur des preuves incontestables ? Dans le cas contraire, qu'est-ce qui empêche l'interprétation de tomber dans l'arbitraire et le relativisme ?

Y a-t-il une fin au travail d'interprétation ?

En l'absence d'une vérité définitivement établie, le travail d'interprétation ne doit-il pas être sans cesse reconduit ? Par exemple, si les faits de la Révolution française sont bien établis, sommes-nous en état d'établir définitivement la signification historique de cet événement ?

L'interprétation des faits humains doit-elle nous conduire à la méfiance et au soupçon ?

L'inconscient historique, selon Marx, ou psychologique, selon Freud, nous obligerait à nous méfier des significations conscientes que les hommes donnent à leurs actes. Interpréter les significations apparentes, c'est démystifier. Mais à trop vouloir interpréter, ne pourrait-on pas tomber dans la maladie du soupçon ?

Passerelles

- **Chapitre 8 : L'art**, p. 194.
- **Chapitre 10 : La religion**, p. 260.
- **Chapitre 11 : L'histoire**, p. 286.
- **Texte :** Renan, Comment écrire en historien la vie de Jésus ?, p. 269.

Découvertes

DOCUMENT 1 La boîte de Pandore

Odilon Redon, *Pandore*, vers 1914, huile sur toile (1,435 x 0,622 m), New-York, Metropolitan Museum of Art.

Prométhée[1] a trompé Zeus en réservant aux humains les meilleures parties des animaux offerts en sacrifice pour laisser aux dieux les moins bonnes.

Cependant le Père des Hommes et des Dieux n'était pas de ceux qui se résignent à un pareil traitement. Il jura de se venger sur l'espèce humaine d'abord, puis sur l'ami de cette espèce. Il fit forger par Vulcain[2] ce qui devait être une calamité pour l'homme, une créature douce et ravissante ayant l'apparence d'une vierge timide, et tous les dieux, remplis d'admiration, la comblèrent de cadeaux: une robe d'une blancheur éblouissante, un voile brodé, des guirlandes de fleurs, le tout surmonté d'une couronne d'or, bref, une apparition de toute beauté. Enfin, lui ayant fait tant de présents, ils l'appelèrent Pandore, ce qui signifie « don de tout ». Zeus la leur présenta solennellement, et dieux et hommes furent saisis d'admiration à sa vue. De cette première femme naquit l'espèce féminine, qui est néfaste à l'homme et dont la nature est portée au mal.

Selon une autre légende, la source de tous les maux serait non pas la mauvaise nature de Pandore mais sa seule curiosité. Les dieux lui ayant offert une boîte dans laquelle chacun d'eux avait mis une chose nuisible, ils lui recommandèrent de ne l'ouvrir sous aucun prétexte. Puis ils envoyèrent Pandore à Épiméthée[3] qui l'accueillit avec joie bien que Prométhée lui eût conseillé de ne jamais rien accepter de Zeus. Épiméthée reçut donc Pandore et lorsque cette chose dangereuse – une femme – fut devenue sienne, il comprit, mais trop tard, toute la valeur du conseil que lui avait donné son frère. Car Pandore, comme toutes les femmes, était dévorée par la curiosité. Il fallait qu'elle sût ce que contenait la boîte. Un jour, n'y tenant plus, elle souleva le couvercle et tous les maux, crimes et chagrins qui depuis affligent l'humanité s'en échappèrent. Terrorisée, Pandore rabattit le couvercle. Hélas, tous les maux s'étaient envolés. Seule restait – unique don heureux parmi tant d'autres néfastes – l'Espérance...

Edith Hamilton, *La Mythologie*, 1940, Marabout, p. 78-79.

---

1. Le Prévoyant, Titan qui vola le feu aux dieux pour l'offrir aux hommes (› *Protagoras*, p. 232).
2. En grec, Héphaïstos. Dieu du feu et des forgerons.
3. Celui qui réfléchit après coup, l'Imprévoyant.

QUESTIONS

› **1•** Étudiez les deux versions de l'histoire de Pandore. Sont-elles équivalentes?

› **2•** Quelle question le mythe cherche-t-il à élucider? De quelle nature est la réponse qu'il propose? Comment l'interpréter?

› **3•** Comparez ce mythe avec le mythe biblique d'Adam et Ève (› p. 358). Quels sont les points communs? Quelles sont les différences? Peut-on interpréter ces deux mythes sans les replacer dans leur contexte: le polythéisme pour le premier, le monothéisme pour le second?

DOCUMENT 2 Code humain, code canin : le malentendu

Chez le chien, le rituel de l'agression comprend trois phases : la menace, la morsure et l'apaisement. Les observations éthologiques montrent que c'est presque toujours le vainqueur du combat qui revient vers le vaincu et le lèche. [...] En acceptant cette marque d'intérêt, le vaincu reconnaît en quelque sorte la suprématie de son vis-à-vis. Si l'on a été menacé, voire mordu par son chien, on ne doit donc en aucun cas accepter qu'il prenne l'initiative du rituel d'apaisement et vienne nous lécher. Nous entendons souvent nos clients nous dire : « Mon chien revient chaque fois me lécher, il sait qu'il a mal fait et demande ainsi pardon. » Or le chien n'a pas la notion de pardon ; pourquoi l'aurait-il d'ailleurs ? S'il a mordu son maître, c'est que, en fonction des codes canins, ce dernier l'a bien mérité.

Évelyne Teroni et Jennifer Cattet, *Le Chien, un loup civilisé*, 2000, Éd. de l'Homme.

QUESTION › Pourquoi les humains font-ils des contresens sur le comportement de leur chien ? Comment peut-on passer d'une interprétation fautive à une interprétation correcte du comportement animal ?

DOCUMENT 3 « On ne sait pas ce que cela signifie »

En voyage au Mexique, Monsieur Palomar visite les ruines de Tula[1]*, en compagnie d'un ami mexicain, passionné des civilisations précolombiennes, qui lui explique la signification des différents bas-reliefs. Durant leur visite, ils croisent un instituteur avec sa classe.*

Détail d'une mosaïque de Coatepantli, Mexique.

Derrière la pyramide, passe un couloir ou un boyau entre deux murs, l'un de terre battue, l'autre en pierre sculptée : le Mur des serpents. C'est peut-être la plus belle pièce de Tula : sur la frise en relief se succèdent des serpents dont chacun tient dans sa gueule ouverte un crâne humain, comme s'il allait le dévorer.

Les enfants passent. Et l'instituteur : « Voici le Mur des serpents. Chaque serpent a dans sa gueule un crâne. On ne sait pas ce que cela signifie. »

L'ami de Palomar ne peut plus se maîtriser : « Mais si, qu'on le sait ! C'est la continuité de la vie et de la mort, les serpents sont la vie, les crânes sont la mort ; la vie qui est vie puisqu'elle porte avec elle la mort, et la mort qui est mort parce que sans mort il n'y aurait pas de vie... »

Les garçons écoutent bouche bée, leurs yeux noirs stupéfaits. Monsieur Palomar pense que toute traduction requiert une autre traduction et ainsi de suite. Il se demande : « Que voulaient dire la mort, la vie, la continuité, le passage, pour les anciens Toltèques ? Et qu'est-ce que cela peut signifier pour ces enfants ? Et pour moi ? » Il sait pourtant qu'il ne pourra jamais étouffer en lui le besoin de traduire, de passer d'un langage à l'autre, des figures concrètes à des paroles abstraites, des symboles abstraits à des expériences concrètes, de tisser et de retisser un réseau d'analogies. Ne pas interpréter est impossible, tout comme il est impossible de se retenir de penser.

Dès que les élèves ont disparu à un tournant, la voix obstinée du petit instituteur reprend : « No es verdad : ce n'est pas vrai ce que vous a dit le señor. On ne sait rien de ce que cela signifie. »

Italo Calvino, *Palomar*, 1983, trad. J.-P. Manganaro, coll. Points, Seuil, The Estate of Italo Calvino, p. 98-99.

1. Site archéologique près de Tula de Allende (Mexique), identifié à Tollán, l'ancienne capitale des Toltèques, un peuple précolombien qui construisit une civilisation très développée vers le xe siècle.

QUESTION › Comparez l'attitude de l'instituteur avec celle de l'ami de Palomar. Doit-on refuser toute interprétation en l'absence de savoirs suffisants, ou bien le désir d'interpréter ne naît-il pas précisément lorsque le savoir est lacunaire ?

Réflexion 1

▶ Qu'est-ce qu'interpréter ?

Indépendamment de la valeur qu'on peut attribuer à sa théorie des rêves, Freud donne un modèle de travail d'interprétation intéressant pour d'autres disciplines que la psychanalyse. Interpréter, ce n'est pas simplement décoder, c'est s'engager dans un chemin qui n'est jamais fini, ni assuré d'être le bon.

Texte 1

Y a-t-il une clé des songes ?

L'humanité s'est de tout temps efforcée d'« interpréter » les rêves et a utilisé pour cela deux méthodes essentiellement différentes. Le premier procédé considère le contenu du rêve comme un tout et cherche à lui substituer un contenu intelligible et en quelque sorte analogue. C'est l'interprétation *symbolique*. Elle échoue devant les rêves qui ne sont pas seulement incompréhensibles, mais encore confus. L'explication que, dans la Bible, Joseph[1] donne du songe de Pharaon est un bon exemple de ce procédé : les sept vaches maigres dévorant les sept vaches grasses sont une prédiction symbolique des sept années de famine en Égypte qui dévoreront tout ce que les années d'abondance auront accumulé de réserves. La plupart des rêves artificiels créés par les poètes sont destinés à être ainsi interprétés symboliquement : ils rendent la pensée de l'auteur sous un déguisement où notre expérience découvre les caractères de nos propres rêves. […]

Le second procédé populaire d'analyse des rêves n'a pas de telles prétentions. On pourrait l'appeler *méthode de déchiffrage*, car il traite le rêve comme un écrit chiffré où chaque signe est traduit par un signe au sens connu, grâce à une clef fixe. Je suppose que j'ai rêvé d'une lettre, puis d'un enterrement, etc. ; j'ouvre une « clef des songes », et je trouve qu'il faut traduire lettre par dépit, et enterrement par fiançailles. Il me reste alors à construire, en partant de ces mots essentiels, une relation que de nouveau je considérerai comme future. […] La caractéristique de ce procédé est que l'interprétation ne porte pas sur l'ensemble du rêve, mais sur chacun de ses éléments, comme si le rêve était un conglomérat où chaque fragment doit être déterminé à part.

Sigmund Freud, *L'Interprétation des rêves*, 1900, trad. I. Meyerson, PUF, p. 91-92.

1. L'histoire de Joseph le Patriarche, fils de Jacob et de Rachel, est racontée dans le livre de la Genèse (XXX-L). Joseph est vendu comme esclave, par ses frères jaloux, à des marchands qui se rendent en Égypte. Le pharaon fait appel à lui pour interpréter ses rêves.

QUESTIONS

› **1•** Expliquez les deux méthodes populaires d'interprétation.

› **2•** Quels sont leurs intérêts ? Quelles sont leurs limites ?

Passerelles

› **Chapitre 1 : La conscience**, p. 24.

› **Chapitre 3 : L'inconscient**, p. 72.

Texte 2 L'interprétation comme travail herméneutique

*L'herméneutique (**› p. 372**) moderne se distingue des techniques anciennes par le fait qu'elle ne prétend pas livrer un message définitif : c'est un travail sans fin.*

Le rêve est un acte psychique complet ; sa force pulsionnelle est toujours un désir à accomplir ; sa non-reconnaissance en tant que désir, ses bizarreries et ses absurdités multiples proviennent de la censure psychique qu'il a subie lors de sa formation. En dehors de l'obligation d'échapper à cette censure, ont encore contribué à sa formation l'obligation de condenser le matériel psychique, une considération de sa figurabilité par des images sensorielles et – bien qu'irrégulièrement – la préoccupation de donner à l'ensemble un aspect rationnel et intelligible. [...]

Le plus difficile est de convaincre le débutant que sa tâche n'est pas achevée quand il est parvenu à une interprétation complète, sensée, cohérente et qui explique tous les éléments du contenu du rêve. Il se peut qu'il y en ait encore une autre, une surinterprétation du même rêve, et qu'elle lui ait échappé : on se représente malaisément d'une part la quantité prodigieuse d'associations d'idées inconscientes qui se pressent en nous et veulent être exprimées, et de l'autre la dextérité du rêve qui s'efforce par des expressions à sens multiple, comme le petit tailleur du conte, de tuer sept mouches à la fois. Le lecteur est toujours tenté au début de dire que l'auteur a vraiment trop d'esprit ; quand il aura lui-même un peu d'expérience, il en jugera autrement et mieux.

Op. cit., p. 445-446, 453.

QUESTION › Le travail d'interprétation peut-il être achevé, vérifié ? Cela peut-il remettre en cause sa validité ?

Texte 3 Une histoire de table

Un patient fait un rêve assez long : *plusieurs membres de sa famille sont assis autour d'une table ayant une forme particulière*, etc. À propos de cette table, il se rappelle avoir vu un meuble tout pareil lors d'une visite qu'il fit à une famille. Puis ses idées se suivent : dans cette famille, les rapports entre le père et le fils n'étaient pas d'une extrême cordialité ; et il ajoute aussitôt que des rapports analogues existent entre son père et lui. C'est donc pour désigner ce parallèle que la table se trouve introduite dans le rêve.

Ce rêveur était depuis longtemps familiarisé avec les exigences de l'interprétation des rêves. Un autre eût trouvé étonnant qu'on fît d'un détail aussi insignifiant que la forme d'une table l'objet d'une investigation. Et, en effet, pour nous il n'y a rien dans le rêve qui soit accidentel ou indifférent, et c'est précisément de l'élucidation de détails aussi insignifiants et non motivés que nous attendons les renseignements qui nous intéressent. Ce qui vous étonne peut-être encore, c'est que le travail qui s'est accompli dans le rêve dont nous nous occupons ait exprimé l'idée : *chez nous les choses se passent comme dans cette famille*, par le choix de la table. Mais vous aurez également l'explication de cette particularité, quand je vous aurai dit que la famille dont il s'agit s'appelait *Tischler*[1]. En rangeant les membres de sa propre famille autour de cette table, le rêveur agit comme si eux aussi s'appelaient *Tischler*. [...] Nous appellerons *contenu manifeste du* rêve ce que le rêve nous raconte, et *idées latentes du rêve* ce qui est caché et que nous voulons rendre accessible par l'analyse des idées venant à propos des rêves.

Sigmund Freud, *Introduction à la psychanalyse*, 1916,
trad. S. Jankélévitch, coll. Petite bibliothèque Payot, Payot, p. 105-106.

1. Nom propre dérivé de *Tisch*, « table » en allemand.

QUESTION › D'après cet exemple, en quoi l'interprétation des rêves se différencie-t-elle d'un simple exercice de traduction ou d'analyse symbolique ?

Dossier 1

▶ Peut-on penser l'origine du mal ? Le mythe d'Adam et Ève

DOCUMENT 1

Ce texte célèbre a donné lieu à une multitude d'interprétations. Il ne s'agit ni d'un récit gratuit, dénué de sens, ni d'une allégorie qu'on pourrait décoder image par image. À quelle question répond-il ? Quelle est l'originalité de sa réponse ?

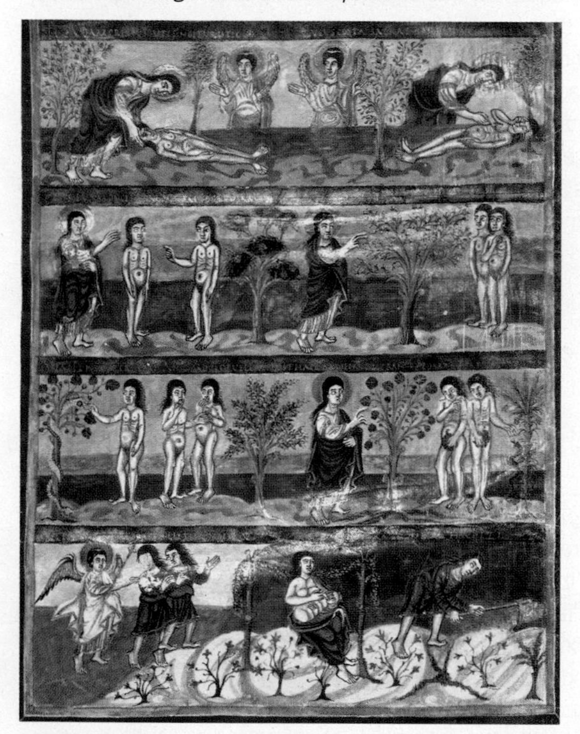

L'histoire d'Adam et Ève, scènes tirées de la Genèse, d'après la bible de Moutier-Grandval, Londres, British Library.

Or, tous les deux étaient nus, l'Homme et sa femme ; mais ils n'(en) avaient mutuellement pas la moindre honte.

Mais le Serpent, le plus rusé de tous les animaux sauvages que Yahvé[1] avait faits, s'adressa à la Femme. « Élohim[2] a bien dit : Vous ne mangerez d'aucun des arbres du Jardin ? » Et la Femme répondit au Serpent : « Des fruits de tous les arbres du Jardin nous pouvons manger ; c'est seulement du fruit de l'Arbre qui est au milieu du jardin qu'Élohim a dit : Vous n'en mangerez pas ! Vous n'y toucherez pas ! Autrement, vous mourrez ! » Et le Serpent de répondre à la Femme : « Mais non ! Vous ne mourrez pas du tout ! Seulement, Élohim sait bien que lorsque vous en mangerez, vos yeux s'ouvriront et vous serez comme Élohim, capables de discerner Bien et Mal ! »

Et la Femme, voyant que (cet) arbre était agréable à manger et appétissant au regard, et qu'il était avantageux, ce même arbre, pour devenir (plus) intelligent, prit donc de ses fruits, et en mangea ; elle en donna aussi à son homme, auprès d'elle, lequel (en) mangea.

Dès lors, leurs yeux s'ouvrirent, et ils comprirent qu'ils étaient nus : aussi attachèrent-ils des feuilles de figuier pour se faire des pagnes. Ils entendirent alors le bruit (des pas) de Yahvé-Élohim, qui Se promenait dans le jardin, à la brise du jour ; et, devant Yahvé-Élohim, l'Homme et sa femme se cachèrent entre les arbres du jardin. Mais Yahvé-Élohim interpella l'Homme : « Où es-tu ? » lui dit-Il. Et lui de répondre : « J'ai entendu le bruit (de) Tes (pas) dans le jardin, et j'ai eu peur, parce que je suis nu. Aussi me suis-je caché ! » « Mais, (lui) répondit-Il, qui donc t'a expliqué que tu étais nu ? Aurais-tu mangé de (cet) Arbre dont je t'avais interdit de manger ? » Et l'Homme répondit : « La Femme que Tu avais mise auprès de moi, (c'est) elle (qui) m'a donné de l'Arbre, (dont) j'ai mangé. » Yahvé-Élohim dit alors à la Femme : « Qu'as-tu fait là ? » Mais la Femme. « C'est le Serpent (qui) m'a appâtée, dit-elle, et j'ai mangé ! »

Et Yahvé-Élohim dit au Serpent :

« Puisque tu as fait cela :
Sois maudit entre tous les animaux et bêtes sauvages !
Sur ton ventre tu marcheras !
Et de terre te nourriras,
Tous les jours de ta vie !
J'établis une hostilité entre toi et la femme,
Entre ta descendance et la sienne :
Elle te visera à la tête,
Et toi, tu la viseras au talon ! »
Puis à la Femme, Il dit :
« Je multiplierai considérablement les peines de tes grossesses :
Dans la douleur tu mettras tes enfants au monde !
Ton élan te portera vers ton homme,
Mais lui te tyrannisera ! »
Puis Il dit à l'Homme. – « Puisque tu as écouté l'appel de ta femme et que tu as mangé de l'Arbre dont Je t'avais ordonné : "N'en mange pas !",

Soit maudite la terre à cause de toi:
(Ce n'est que) dans le travail pénible (que) tu en tireras subsistance,
Tous les jours de ta vie.
Elle te produira seulement des ronces et des épines
Et tu (n') auras à manger (que) l'herbe de la lande.
Tu (ne) mangeras de pain (qu') à la sueur de ton visage,
Jusqu'à ton retour à la Terre.
Puisque (c'est) d'elle (que) tu as été tiré! Oui!
Tu es argile, et argile tu redeviendras! »

L'Homme donna alors à sa femme le nom de Hawwa – car c'est la Mère de tous les Vivants (*Haw*)! Et Yahvé-Élohim fit à l'Homme et à sa femme des tuniques de peau et les en revêtit.

Yahvé-Élohim (Se) dit alors: «Voici (donc) l'Homme devenu comme l'un d'entre Nous en matière de Discernement du Bien et du Mal. Pourvu que désormais il n'aille pas plus loin, ne prenne, en sus, de l'Arbre-de-Vie, n'en mange et ne vive à jamais! » Aussi le chassa-t-Il du jardin d'Éden, pour travailler la terre dont il avait été tiré. Et ayant expulsé l'Homme, Il établit, à l'Orient du jardin d'Éden, les Kerûbim et la Flamme-du-Glaive-flamboyant pour garder le chemin de l'Arbre-de-Vie...

La Bible, Genèse, III 1-24, *in Jean Bottéro, Naissance de Dieu, la Bible et l'historien*, 1986, coll. Bibliothèque des histoires, Gallimard, p. 270 sq.

1. et 2. Yahvé et Élohim sont les noms de Dieu dans la Bible hébraïque.

QUESTIONS

1• Ce texte est étroitement lié au monothéisme. Pour s'en rendre compte, il suffit de le comparer avec le mythe grec de Pandore (p. 354). Quel problème cherchent-ils tous les deux à résoudre? Quelles grandes différences peut-on trouver dans leur réponse?

2• Un discours philosophique peut-il se substituer à ce récit? En quoi les deux différeraient-ils?

DOCUMENT 2 La feuille de figuier

«Ils comprirent qu'ils étaient nus.» Après leur désobéissance, le premier symptôme de leur «chute», pour Adam comme pour Ève, est la honte d'eux-mêmes et de leur corps. «Aussi attachèrent-ils des feuilles de figuier pour se faire des pagnes.» Cette séparation entre soi et son apparence charnelle, entre soi et son être naturel, est interprétée par Kant d'un point de vue anthropologique: au-delà de la condamnation, c'est un moment décisif et positif de l'histoire de l'humanité, le passage du besoin animal au désir humain.

Juste après l'instinct de nutrition, par lequel la nature conserve chaque individu, le plus important est *l'instinct sexuel* grâce auquel la nature pourvoit à la conservation de chaque espèce. Or la raison, une fois éveillée, ne tarda pas non plus à manifester, ici aussi, son influence. Un homme ne tarda pas à comprendre que l'excitation sexuelle, qui chez les animaux repose seulement sur une impulsion passagère et le plus souvent périodique, était susceptible chez lui d'être prolongée et même augmentée sous l'effet de l'imagination qui exerce son action, avec d'autant plus de mesure sans doute, mais aussi de façon d'autant plus durable et d'autant plus uniforme, que l'objet est davantage *soustrait aux sens*; et il comprit également que cela préservait de la satiété qu'entraîne avec soi la satisfaction d'un désir purement animal.

La feuille de figuier fut donc le résultat d'une manifestation de la raison bien plus importante que celle dont elle avait fait preuve lors de la première étape[1] de son développement. Car rendre une inclination plus intense et plus durable du fait que l'on soustrait son objet au sens manifeste déjà la conscience d'une domination de la raison à l'égard des impulsions, et non plus seulement, comme à la première étape, un pouvoir de les servir à plus ou moins grande échelle. Le *refus* fut l'artifice qui conduisit l'homme des attraits simplement sensuels aux attraits idéaux, et, peu à peu, du désir simplement animal à l'amour.

Emmanuel Kant, *Conjectures sur le début de l'histoire humaine*, 1786, *in Philosophie de l'histoire*, trad. S. Piobetta, Aubier-Montaigne, p. 159-160.

1. La première étape anthropologique est celle qui, par l'invention de la technique, permet à l'homme d'augmenter ses moyens d'assouvir ses besoins naturels.

D'autres interprétations du mythe d'Adam et Ève:
- Saint Augustin, *La Cité de Dieu*, livre XII.
- Pascal, *Écrits sur la grâce*, deuxième récit.
- Hegel, *Encyclopédie des sciences philosophiques*, t. I, *La Science de la logique*.
- Sœren Kierkegaard, *Le Concept de l'angoisse*.
- Paul Ricœur, *Philosophie de la volonté*, t. II.

Réflexion 2

▶ Peut-on penser l'origine du mal ? L'interprétation philosophique

Kierkegaard met bien en valeur les contradictions logiques cachées derrière le mythe d'Adam et Ève : comment l'homme et la femme peuvent-ils vouloir le mal puisqu'ils ne le connaissent pas encore ? Si c'est l'existence d'un interdit qui les pousse à désobéir, à enfreindre l'interdit, qui en est responsable ? Et comment peut-il y avoir interdit dans un état d'innocence ?

Texte 1 — L'angoisse dans l'innocence : une « pré-histoire » de la liberté

Pour résoudre les contradictions du mythe d'Adam et Ève, Kierkegaard invoque l'angoisse comme premier fondement de l'humanité. L'angoisse, c'est-à-dire la prescience d'un pouvoir à exercer, d'une individualité à bâtir, d'un avenir qui s'ouvre, d'un vide à remplir…

L'innocence est ignorance. […] Dans cet état il y a calme et repos ; mais en même temps il y a autre chose qui n'est cependant pas trouble et lutte ; car il n'y a rien contre quoi lutter. Mais qu'est-ce alors ? Rien. Mais l'effet de ce rien ? Il enfante l'angoisse. C'est là le mystère profond de l'innocence d'être en même temps de l'angoisse.

Rêveur, l'esprit projette sa propre réalité qui n'est rien, mais ce rien voit toujours l'innocence hors de lui-même.

L'angoisse posée dans l'innocence n'est donc premièrement pas une faute, ni ensuite un fardeau qui vous pèse, ni une souffrance qui jurerait avec la béatitude de l'innocence. Observez l'enfance : vous y trouverez cette angoisse d'un dessin plus précis comme une quête d'aventure, de monstrueux, de mystère. Qu'il y ait des enfants chez qui elle n'existe pas, cela ne prouve rien, car elle n'existe pas non plus chez l'animal, et moins il y a d'esprit, en effet moins il y a d'angoisse. Cette angoisse appartient si essentiellement à l'enfant qu'il ne veut s'en passer ; même si elle l'inquiète, elle l'enchante pourtant par sa douce inquiétude. Chez tous les peuples, où l'enfance se conserve comme une rêverie de l'esprit, cette angoisse existe, et sa profondeur même mesure la profondeur des peuples.

Sœren Kierkegaard, *Le Concept de l'angoisse*, 1844, trad. K. Ferlov et J.-J. Gateau, coll. Idées, Gallimard, p. 45 sq.

Texte 2 — L'angoissante possibilité de pouvoir

À l'origine du péché, il y a une angoissante prescience de la liberté : « l'angoissante possibilité de pouvoir. » C'est un appel obscur à exister, car, dans l'état d'innocence, l'homme n'« existe » pas encore réellement.

À ce moment encore l'homme est dans l'innocence, mais il suffit d'un mot, pour que l'ignorance déjà soit concentrée. Mot incompréhensible naturellement pour l'innocence, mais l'angoisse a comme reçu sa première proie, au lieu de néant elle a eu un mot énigmatique. Ainsi quand, dans la Genèse[1], Dieu dit à Adam : « Mais tu ne mangeras pas des fruits de l'arbre du bien et du mal », il est clair qu'au fond Adam ne comprenait pas ce mot ; car comment comprendrait-il la différence du bien et du mal, puisque la distinction ne se fit qu'avec la jouissance ?

Si l'on admet que la défense éveille le désir, on a alors, au lieu d'ignorance, un savoir, car il faut en ce cas qu'Adam ait eu une connaissance de la liberté, son désir étant de s'en servir. C'est là une explication après coup. La défense inquiète Adam, parce qu'elle éveille en lui la possibilité de la liberté. Ce qui s'offrait à l'innocence comme le néant de l'angoisse

1. Premier Livre de la Bible, ▸ p. 358.

est maintenant entré en elle-même, et ici encore reste un néant : l'angoissante possibilité de pouvoir. Quant à ce qu'il peut, il n'en a nulle idée ; autrement en effet ce serait – ce qui arrive d'ordinaire – présupposer la suite, c'est-à-dire la différence du bien et du mal. Il n'y a dans Adam que la possibilité de pouvoir, comme une forme supérieure d'ignorance, comme une expression supérieure d'angoisse, parce qu'ainsi à ce degré plus élevé elle est et n'est pas, il l'aime et il la fuit.

Après les termes de la défense suivent ceux du jugement : « tu mourras certainement ». Ce que veut dire mourir, Adam naturellement ne le comprend point, tandis que rien n'empêche, si l'on admet que ces paroles s'adressaient à lui, qu'il se soit fait une idée de leur horreur. Même l'animal peut à cet égard comprendre l'expression mimique et le mouvement d'une voix qui lui parle, sans comprendre le mot. Si de la défense on fait naître le désir, il faut aussi que les mots du châtiment fassent naître une idée de terreur. Mais voilà qui égare. L'épouvante ici ne peut devenir que de l'angoisse ; car ce qui a été prononcé, Adam ne l'a pas compris, et ici encore nous n'avons donc que l'équivoque de l'angoisse. La possibilité infinie de pouvoir, qu'éveillait la défense a grandi du fait que cette possibilité en évoque une autre comme sa conséquence.

Op. cit., p. 48 sq.

Texte 3 Le péché ne se laisse pas expliquer rationnellement

Reste maintenant le serpent. Je n'aime guère à faire de l'esprit, et *volante deo*[1] je résisterai aux tentations de celui qui, comme il fit au début des temps avec Adam et Ève, n'a pas cessé depuis de tenter les auteurs… de faire de l'esprit. J'aime mieux avouer tout net que je n'arrive pas à accrocher une idée bien précise à son sujet. La difficulté avec le serpent est d'ailleurs tout autre ; dans ce récit en effet la tentation vient du dehors, ce qui est contraire à la doctrine de la Bible, à ce passage classique chez saint Jacques[2] que Dieu ne tente personne et ne l'est non plus par personne ; et qu'au contraire, chacun l'est par soi-même. Si l'on croit maintenant avoir sauvé Dieu en faisant tenter l'homme par le serpent et qu'on se flatte par là de rester d'accord avec saint Jacques « que Dieu ne tente personne », on se heurte à sa seconde affirmation que Dieu n'est tenté par personne, l'attentat en effet du serpent contre l'homme étant en même temps une tentation indirecte contre Dieu du fait de se mêler du rapport entre Dieu et l'homme ; et on se heurte finalement au troisième point, que tout homme est tenté par lui-même. […]

Vouloir expliquer l'entrée du péché dans le monde logiquement est une sottise qui ne peut venir qu'aux gens ridiculement soucieux de trouver coûte que coûte une explication.

Op. cit., p. 52.

1. À Dieu ne plaise.
2. Saint Jacques, apôtre responsable de l'Église judéo-chrétienne de Jérusalem. Dans une lettre, il écrit : « Que nul quand il est tenté ne dise : "Ma tentation vient de Dieu." Car Dieu ne peut être tenté de faire le mal et ne tente personne. »

QUESTIONS **Textes 1, 2 et 3**

› 1• Quelles sont les différentes contradictions que Kierkegaard analyse dans l'« explication mythique » de l'origine du Mal ? Comment y répond-il ? Parvient-il à lever tout à fait les contradictions ?

› 2• Expliquez le sens de la notion d'angoisse pour Kierkegaard.

Passerelles

› **Chapitre 5 : Le temps, l'existence,** p. 120.
› **Chapitre 20 : La liberté,** p. 502.

Réflexion 3

Peut-on penser l'origine du monde ? L'interprétation métaphysique

Pour Leibniz, le monde ne se laisse pas expliquer seulement par une succession d'états. Il ne suffit pas de dire pourquoi le monde est nécessairement ce qu'il est, il faut chercher un principe qui suffise à expliquer pourquoi le monde devait nécessairement être ce qu'il est.

Texte 1 — La recherche de la raison suffisante de l'univers

Le principe de raison suffisante pose qu'« aucun fait ne saurait se trouver vrai, ou existant, aucune énonciation véritable, sans qu'il y ait une raison suffisante, pourquoi il en soit ainsi et non pas autrement » (*Monadologie, § 32*).

Outre le monde ou agrégat des choses finies[1], il existe quelque Unité dominante qui est à ce monde non seulement ce que l'âme est à moi-même, ou plutôt ce que moi-même suis à mon corps, mais qui entretient avec ce monde une relation beaucoup plus élevée[2]. Car cette unité dominante dans l'univers ne régit pas seulement le monde, mais elle le construit, elle le fait ; elle est supérieure au monde et, pour ainsi dire, au delà du monde ; et, par conséquent, elle est la raison dernière des choses. En effet, la raison suffisante de l'existence des choses ne saurait être trouvée ni dans aucune des choses singulières, ni dans tout l'agrégat, ou la série des choses.

Supposons que le livre des éléments de la géométrie[3] ait existé de tout temps et que les exemplaires en aient toujours été copiés l'un sur l'autre : il est évident, bien qu'on puisse expliquer l'exemplaire présent par l'exemplaire antérieur sur lequel il a été copié, qu'on n'arrivera jamais, en remontant en arrière à autant de livres qu'on voudra, à la raison complète de l'existence de ce livre, puisqu'on pourra toujours se demander, pourquoi de tels livres ont existé de tout temps, c'est-à-dire pourquoi il y a eu des livres et pourquoi des livres ainsi rédigés. Ce qui est vrai des livres, est aussi vrai des différents états du monde, dont le suivant est en quelque sorte copié sur le précédent, bien que selon certaines lois de changement. Aussi loin qu'on remonte en arrière à des états antérieurs, on ne trouvera jamais dans ces états la raison complète, pour laquelle il existe un monde et qui est tel.

Gottfried Leibniz, *De la production originelle des choses prise à sa racine*, 1697, trad. P. Schrecker, *in Opuscules philosophiques choisis*, Vrin, p. 83 sq.

1. Les parties en tant que dispersées.
2. Un principe qui n'est pas immanent mais transcendant.
3. Il s'agit du livre d'Euclide, qui réunit sous une forme systématique les principales découvertes arithmétiques et géométriques des mathématiciens grecs.

QUESTIONS

› **1•** Expliquez l'analogie faite entre les états successifs de l'univers et les copies du livre d'Euclide.

› **2•** Leibniz cherche à répondre à la question de l'origine du monde. La science peut-elle répondre à une telle question ? Pourquoi ? Quelles sont les différences entre la réflexion de Leibniz et la pensée mythique ?

Passerelles

› **Chapitre 5 : L'existence, le temps,** p. 120.
› **Textes :** Saint Augustin, *Les Confessions*, p. 126.
Hume, *Dialogues sur la religion naturelle*, p. 270.

Texte 2 Nécessité physique, nécessité métaphysique

1. ❯ note 1 du texte 1.

Les raisons du monde se trouvent donc cachées dans quelque être en dehors du monde, distinct de la chaîne ou série des choses dont l'agrégat[1] constitue le monde. Et ainsi il faut passer de la nécessité physique ou hypothétique qui détermine les états postérieurs du monde par les états antérieurs, à quelque chose qui soit pourvu de nécessité absolue ou métaphysique et dont on ne puisse rendre raison. Car le monde actuel est nécessaire physiquement ou hypothétiquement, mais non pas absolument ou métaphysiquement. Supposé, en effet, qu'il soit dans un certain état déterminé, d'autres états déterminés en naîtront. Mais puisque la racine dernière du monde doit se trouver dans quelque chose de métaphysiquement nécessaire et que la raison d'une chose existante ne peut se trouver que dans une autre chose existante, il s'ensuit qu'il existe un Être unique, métaphysiquement nécessaire, c'est-à-dire dont l'essence implique l'existence, et qu'ainsi il existe un Être différent de la pluralité des êtres, ou du monde, lequel, nous l'avons reconnu et montré, n'est pas métaphysiquement nécessaire.

Op. cit., p. 83 sq.

QUESTION

❯ Expliquez la différence que fait l'auteur entre nécessité physique et nécessité métaphysique. Pourquoi l'une est-elle hypothétique, l'autre absolue?

Texte 3 Du possible à l'existant

Pour Leibniz, l'existence de Dieu expliquerait pourquoi (raison suffisante), parmi l'infinité des mondes possibles, notre monde est venu à l'existence comme monde réel. Dieu utiliserait un calcul d'optimum (faire le plus avec le moins) pour bâtir le meilleur monde.

Mais pour expliquer un peu plus distinctement, comment, des vérités éternelles ou essentielles et métaphysiques, naissent des vérités temporaires, contingentes ou physiques, il faut reconnaître d'abord, du fait qu'il existe quelque chose plutôt que rien, qu'il y a, dans les choses possibles ou dans la possibilité même, c'est-à-dire dans l'essence, une certaine exigence d'existence, ou bien, pour ainsi dire, une prétention à l'existence, en un mot, que l'essence tend par elle-même à l'existence. D'où il suit encore que tous les possibles, c'est-à-dire tout ce qui exprime une essence ou réalité possibles, tendent d'un droit égal à l'existence, en proportion de la quantité d'essence ou de réalité, c'est-à-dire du degré de perfection qu'ils impliquent. Car la perfection n'est autre chose que la quantité d'essence.

Par là, on comprend de la manière la plus évidente que, parmi l'infinité des combinaisons et des séries possibles, celle qui existe est celle par laquelle le maximum d'essence ou de possibilité est amené à exister. Il y a toujours, dans les choses, un principe de détermination, qu'il faut tirer de la considération d'un maximum et d'un minimum, à savoir que le maximum d'effet soit fourni avec un minimum de dépense. Dans le cas actuel, le temps et le lieu ou, en un mot, la réceptivité ou capacité du monde peut être considérée comme la dépense, c'est-à-dire le terrain sur lequel il s'agit de construire le plus avantageusement, et les variétés des formes dans le monde correspondent à la commodité de l'édifice, à la multitude et à la beauté des chambres.

Op. cit., p. 83 sq.

QUESTIONS

❯ **1•** Expliquez la combinaison « par laquelle le maximum d'essence ou de possibilités est amené à exister » (§ 2).

❯ **2•** Comparez ce texte avec celui qui porte sur l'origine du monde proposée par Diderot (❯ texte 3, p. 57). Est-il possible de trancher entre ces deux hypothèses? Pourquoi?

Réflexion 4

▶ Peut-on penser l'origine du vivant ? L'interprétation scientifique

François Jacob note que les scientifiques ont renoncé à l'idée de découvrir une (la) vérité ultime et intangible ; « ils savent maintenant devoir se contenter du partiel et du provisoire ». Mais ce renoncement va contre la pente naturelle de l'esprit qui réclame unité et cohérence. Ainsi la tentation est encore grande pour les sciences de faire resurgir les mythes, et pour les mythes d'utiliser les sciences.

Texte 1 — Science et mythe : deux démarches divergentes

C'est probablement une exigence de l'esprit humain d'avoir une représentation du monde qui soit unifiée et cohérente. Faute de quoi apparaissent anxiété et schizophrénie[1]. Et il faut bien reconnaître qu'en matière d'unité et de cohérence, l'explication mythique l'emporte de loin sur la scientifique. Car la science ne vise pas d'emblée à une explication complète et définitive de l'univers. Elle n'opère que localement. Elle procède par une expérimentation détaillée sur des phénomènes qu'elle parvient à circonscrire et définir. Elle se contente de réponses partielles et provisoires. Qu'ils soient magiques, mythiques ou religieux, au contraire, les autres systèmes d'explication englobent tout. Ils s'appliquent à tous les domaines. Ils répondent à toutes les questions. Ils rendent compte de l'origine, du présent et même du devenir de l'Univers. On peut refuser le type d'explication offert par les mythes ou la magie. Mais on ne peut leur dénier unité et cohérence car, sans la moindre hésitation, ils répondent à toute question et résolvent toute difficulté par un simple et unique argument *a priori*.

À première vue, la science paraît moins ambitieuse que le mythe par les questions qu'elle pose et les réponses qu'elle cherche. De fait, le début de la science moderne date du moment où aux questions générales se sont substituées des questions limitées ; où au lieu de se demander : « Comment l'univers a-t-il été créé ? De quoi est faite la matière ? Quelle est l'essence de la vie ? », on a commencé à se demander : « Comment tombe une pierre ? Comment l'eau coule-t-elle dans un tube ? Quel est le cours du sang dans le corps ? » Ce changement a eu un résultat surprenant. Alors que les questions générales ne recevaient que des réponses limitées, les questions limitées se trouvèrent conduire à des réponses de plus en plus générales. Cela s'applique encore à la science d'aujourd'hui.

François Jacob[2], *Le Jeu des possibles*, 1981, Librairie Arthème Fayard, p. 26-28.

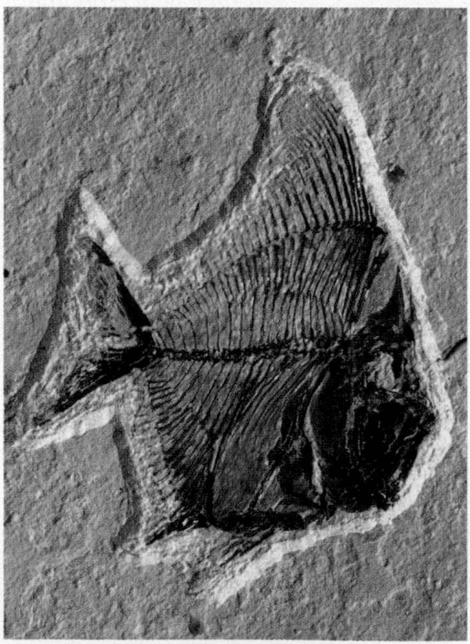

Diplomystus birdi fossile, crétacé supérieur (vers. –100 millions d'années).

1. Psychose caractérisée par une dissociation de la personnalité.
2. François Jacob, né en 1920, a été professeur de génétique cellulaire au Collège de France. Il fut prix Nobel de médecine en 1965, avec André Lwoff et Jacques Monod.

QUESTIONS

› **1•** Comparez les questions que pose le mythe à celles que pose la science. Pourquoi celles du mythe ne peuvent pas être des questions scientifiques ?

› **2•** D'où vient l'exigence de l'esprit humain d'avoir une représentation cohérente du monde ? La science peut-elle satisfaire ce besoin ? Pourquoi ?

Texte 2 Le statut particulier de la théorie de l'évolution

1. La théorie de Darwin (› p. 382).

Parmi les théories scientifiques, la théorie de l'évolution[1] possède un statut particulier ; non seulement parce que, dans certains aspects, elle reste difficile à étudier expérimentalement et donne encore lieu à des interprétations diverses ; mais aussi parce qu'elle rend compte de l'origine du monde vivant, de son histoire, de son état présent. En ce sens, la théorie de l'évolution est souvent traitée comme un mythe, c'est-à-dire comme une histoire qui raconte les origines et par là même explique le monde vivant et la place qu'y tient l'homme. Comme on l'a déjà vu, cette exigence de mythes, y compris de mythes cosmologiques, semble bien être un trait commun à toute culture, à toute société. Il se pourrait que les mythes contribuent à la cohésion d'un groupe humain en liant ses membres par une croyance en une origine et une ascendance communes. C'est vraisemblablement cette croyance qui permet au groupe de se distinguer des « autres » et de définir sa propre identité. Quoique l'évolution humaine soit souvent racontée de manière à opposer populations « civilisées » et « primitives », l'unité de l'humanité en tant qu'espèce empêche la théorie de l'évolution de jouer un tel rôle – sauf peut-être si les humains voulaient un jour se différencier des Martiens ! En outre, un mythe contient une sorte d'explication universelle qui donne à la vie humaine un sens et des valeurs morales. Rien n'indique que la théorie de l'évolution puisse jouer un tel rôle malgré de nombreuses tentatives.

Op. cit., p. 50-51.

QUESTION

› Pourquoi la théorie de l'évolution, plus que toute autre, court-elle le risque d'être traitée comme un récit mythique ?

Texte 3 La confusion entre science et philosophie morale

1. Prétention de la science à résoudre tous les problèmes philosophiques et sociaux.
2. La sociobiologie veut expliquer les phénomènes sociaux à partir de la biologie et des théories de l'évolution.
3. Généralisations à partir de données incomplètes.

En fait, vouloir fondre l'éthique dans les sciences de la nature, c'est confondre ce que Kant considérait comme deux catégories bien distinctes. Cette « biologisation », si l'on peut dire, relève idéologiquement du scientisme[1], de la croyance que les méthodes et concepts de cette science pourront un jour rendre compte des activités humaines dans leurs moindres aspects. C'est une telle croyance qui transparaît derrière la terminologie quelque peu équivoque utilisée par beaucoup de sociobiologistes[2], derrière certaines de leurs suppositions que rien ne justifie, ou derrière leurs extrapolations[3] de l'animal à l'homme. La même confusion entre science et éthique se retrouve par ailleurs dans l'attitude opposée qui conduit des scientifiques à rejeter certains aspects bien fondés de la sociobiologie, sous le prétexte que de tels arguments pourraient un jour être utilisés à l'appui d'une politique sociale qu'ils réprouvent. Comme si la théorie de l'évolution n'était pas simplement une hypothèse qu'il faut sans cesse mettre à l'épreuve et ajuster. Comme si elle symbolisait toute une série de préjugés, de craintes et d'espoirs concernant notre société.

Op. cit., p. 52-53.

QUESTIONS

› 1• Relevez la définition que donne l'auteur du scientisme. Pourquoi le scientisme est-il particulièrement dangereux ?

› 2• Pourquoi la biologie se prête-t-elle à une confusion entre science et éthique ? Donnez des exemples.

Passerelles

› **Chapitre 15 : Le vivant, la matière et l'esprit**, p. 374.
› **Zoom sur...** Le darwinisme, p. 397.

Une œuvre, une analyse

Présentation

Comte : *Discours sur l'esprit positif*, première partie (1844)

Le *Discours sur l'esprit positif*, publié en 1844, constitue le préambule d'un cours d'astronomie, donné gratuitement par Comte à l'intention des travailleurs, le dimanche après-midi, dans une salle de la mairie du 3e arrondissement. Comte considère cette introduction, publiée à part, comme « le manifeste systématique de la nouvelle école » (le positivisme).

Le texte s'ouvre sur l'exposé de la loi des trois états. L'histoire de l'humanité, comme du reste celle de tout individu, passe nécessairement par trois phases : théologique, métaphysique, positive. Ainsi l'explication scientifique rend-elle progressivement inutiles les interprétations mythiques et métaphysiques. La troisième phase refuse toutes les croyances en l'absolu. Ce dernier point permet de distinguer le positivisme du scientisme, telle que le XIXe siècle le développera, c'est-à-dire la science substitut de la religion. Pour Comte, la science n'est pas une nouvelle religion, ce n'est qu'un instrument au service de la vraie foi : la foi en l'humanité.

1 L'état théologique

C'est le stade le plus primitif : le monde y est interprété par la fiction d'agents doués de volonté qui seraient à l'œuvre derrière les phénomènes. La tendance spontanée de l'esprit humain est en effet de chercher les **causes absolues** des phénomènes, soit premières (c'est-à-dire des causes qui n'ont pas elles-mêmes de cause), soit finales (c'est-à-dire le but dernier d'un acte).

Trois moments caractérisent ce premier état :

Le fétichisme : c'est la phase par laquelle commence tout enfant. Les objets matériels sont considérés comme l'incarnation d'esprits, donc comme possédant un pouvoir magique, bon ou mauvais.

Le polythéisme : c'est l'imagination qui domine ici. « La vie y est retirée aux objets matériels pour y être mystérieusement transportée à divers êtres fictifs, habituellement invisibles, dont l'active intervention continue devient désormais la source directe de tous les phénomènes extérieurs, et même ensuite des phénomènes humains. »

Le monothéisme : dans cette phase finale, la raison limite l'imagination. L'idée d'un seul Dieu conduit progressivement à l'idée d'un mécanisme unique et invariable derrière les phénomènes naturels.

Bien qu'étant illusoire, la recherche des causes premières du monde est le moteur indispensable du progrès de l'intelligence humaine. Celle-ci en effet, au tout début de l'humanité, est enfermée dans un **cercle vicieux** : pour expliquer le monde, il faut l'observer ; mais pour l'observer, il « faut être dirigé par quelques vues spéculatives préalablement établies », c'est-à-dire posséder déjà des explications. L'esprit humain brise le cercle vicieux en inventant des explications erronées, qui l'enferment longtemps dans la superstition, mais grâce auxquelles il est poussé à observer le monde. Ainsi n'y aurait-il jamais eu d'astronomie s'il n'y avait pas eu d'abord les recherches illusoires de l'astrologie.

2 L'état métaphysique

C'est un stade essentiellement transitoire et ambigu : de l'état théologique il conserve le désir de découvrir les causes absolues du monde ; de l'état positif il anticipe le souci de l'argumentation rationnelle. « Au lieu d'employer les agents surnaturels proprement dits, [la métaphysique] les remplace de plus en plus par ces entités ou abstractions personnifiées dont l'usage, vraiment caractéristiques, a souvent permis de la désigner sous le nom d'« ontologie », c'est-à-dire science de l'être.

L'esprit métaphysique est essentiellement **critique** ou, comme le dit Comte, **dissolvant**, c'est-à-dire qu'il est plus apte à détruire qu'à organiser. Il est à l'origine de la disparition de l'ordre médiéval. L'humanisme et le protestantisme à la Renaissance, la philosophie moderne (Hobbes et Descartes) conduisent à une entreprise de destruction des valeurs théologiques qui culmine au XVIIIe siècle avec le mouvement des Lumières et sa critique des superstitions et des pouvoirs.

3 L'état positif

C'est l'état final de l'intelligence humaine. L'esprit positif se caractérise par le renoncement à toute recherche sur les causes absolues (le pourquoi) au profit de l'**établissement de lois** partielles et locales (le comment). Le concept de cause doit être écarté du vrai langage philosophique au profit de celui de loi. La loi met en relation des phénomènes sans se prononcer sur ses causes ultimes. Ainsi, la loi de la gravitation permet d'expliquer le système planétaire sans qu'on ait besoin de savoir ce qu'est la gravitation. Les lois qui mettent en relation des phénomènes coexistants sont dites « statiques » (essentiellement les lois physiques), celles qui mettent en relation des phénomènes successifs sont dites « dynamiques » (les lois de l'histoire).

Pour Comte, ces deux pôles caractérisent l'esprit positif lui-même qui, seul, peut assurer à la fois l'**ordre** du monde et de la société (statique) et le **progrès** (dynamique).

Le positivisme insiste sur la **relativité** de notre connaissance. Nous ne pouvons connaître qu'en fonction de notre constitution biologique et des conditions matérielles. Cependant, cette relativité ne conduit pas au scepticisme, car elle n'empêche pas d'approcher de plus en plus le vrai.

Le positivisme fonde également le rapprochement entre théorie et pratique. Les sciences ont comme vocation d'aider à la maîtrise pratique de l'univers.

Comte résume l'esprit positif en six points : il s'attache au réel ; il est utile ; il est certain ; il est précis ; il est constructeur, selon les deux principes d'ordre et de progrès ; enfin, il est relatif et refuse toutes les croyances en l'absolu.

Comte (1798-1857)

Né en 1798, à Montpellier, de famille bourgeoise et catholique, le jeune Auguste Comte rompt avec les idées religieuses de ses parents et, en 1814, il entre à l'École Polytechnique. En 1816, il en est exclu avec ses camarades pour avoir manifesté contre un professeur. Dès lors, il n'eut jamais de fonction stable et dut vivre de cours particuliers, de suppléances, de travaux faiblement rétribués. Sa vie est entièrement consacrée à la poursuite d'un projet unique : réorganiser la vie sociale et politique, en se fondant sur une analyse systématique des idées et des sciences. Ainsi laissera-t-il à la fin de sa vie deux grands monuments : le *Cours de philosophie positive* (1830-1842) et le *Système de politique positive* (1851-1854). 1826 est l'année de la première leçon de philosophie positive en même temps qu'une grave crise dépressive, qui ne l'empêche pas de mener à bien son entreprise. À partir de 1846, il infléchit sa pensée dans le sens d'une religion laïque, dans laquelle le dieu serait l'humanité.

Comte : *Discours sur l'esprit positif,* première partie (1844)

L'explication scientifique rend-elle inutiles les interprétations mythique et métaphysique ?

Pour Comte, l'humanité a connu une enfance, l'état théologique, et une adolescence, l'état métaphysique. Il faut reconnaître la nécessité logique de ces étapes, mais aussi considérer qu'elles sont définitivement dépassées à l'âge adulte, auquel correspond l'état positif. Telle est la loi des trois états.

Texte 1 L'état théologique : une interprétation anthropomorphique

Suivant cette doctrine fondamentale, toutes nos spéculations quelconques sont inévitablement assujetties, soit chez l'individu, soit chez l'espèce, à passer successivement par trois états théoriques différents, que les dénominations habituelles de théologique, métaphysique et positif pourront ici qualifier suffisamment, pour ceux, du moins, qui en auront bien compris le vrai sens général. Quoique d'abord indispensable, à tous égards, le premier état doit désormais être toujours conçu comme purement provisoire et préparatoire ; le second, qui n'en constitue réellement qu'une modification dissolvante, ne comporte jamais qu'une simple destination transitoire, afin de conduire graduellement au troisième ; c'est en celui-ci, seul pleinement normal, que consiste, en tous genres, le régime définitif de la raison humaine.

Dans leur premier essor, nécessairement théologique, toutes nos spéculations manifestent spontanément une prédilection caractéristique pour les questions les plus insolubles, sur les sujets les plus radicalement inaccessibles à toute investigation décisive. Par un contraste qui, de nos jours, doit d'abord paraître inexplicable, mais qui, au fond, est alors en pleine harmonie avec la vraie situation initiale de notre intelligence, en un temps où l'esprit humain est encore au-dessous des plus simples problèmes scientifiques, il recherche avidement, et d'une manière presque exclusive, l'origine de toutes choses, les causes essentielles, soit premières, soit finales, des divers phénomènes qui le frappent, et leur mode fondamental de production, en un mot les connaissances absolues.

Ce besoin primitif se trouve naturellement satisfait, autant que l'exige une telle situation, et même, en effet, autant qu'il puisse jamais l'être, par notre tendance initiale à transporter partout le type humain, en assimilant tous les phénomènes quelconques à ceux que nous produisons nous-mêmes, et qui, à ce titre, commencent par nous sembler assez connus, d'après l'intuition immédiate qui les accompagne.

Auguste Comte, *Discours sur l'esprit positif,* 1844, Éd. Ch. Le Verrier, Classiques Garnier, p. 4-5.

QUESTIONS

1• Qu'est-ce qui caractérise l'âge théologique ? Pourquoi est-il paradoxal ?

2• Expliquez le dernier paragraphe du texte. Comment ce « besoin primitif » est-il satisfait ?

3• Que pensez-vous de cette compréhension de la religion proposée par Comte ?

Passerelles

› **Chapitre 10 : La religion,** p. 260.
› **Chapitre 11 : L'histoire,** p. 286.
› **Chapitre 12 : Théorie et expérience,** p. 310.

Texte 2 L'état métaphysique : une interprétation critique

1. Il s'agit de l'esprit métaphysique : bien que nécessaire lui aussi au développement de l'humanité, il est souvent décrit par Comte de manière négative.
2. Privée de nerf, affaiblie.
3. Qui concerne l'étude de l'être.

Radicalement inconséquent, cet esprit équivoque[1] conserve tous les principes fondamentaux du système théologique, mais en leur ôtant de plus en plus cette vigueur et cette fixité indispensables à leur autorité effective ; et c'est dans une semblable altération que consiste, en effet, à tous égards, sa principale utilité passagère, quand le régime antique, longtemps progressif pour l'ensemble de l'évolution humaine, se trouve inévitablement parvenu à ce degré de prolongation abusive où il tend à perpétuer indéfiniment l'état d'enfance qu'il avait d'abord si heureusement dirigé.

La métaphysique n'est donc réellement, au fond, qu'une sorte de théologie graduellement énervée[2] par des simplifications dissolvantes, qui lui ôtent spontanément le pouvoir direct d'empêcher l'essor spécial des conceptions positives, tout en lui conservant néanmoins l'aptitude provisoire à entretenir un certain exercice indispensable de l'esprit de généralisation, jusqu'à ce qu'il puisse enfin recevoir une meilleure alimentation. D'après son caractère contradictoire, le régime métaphysique ou ontologique[3] est toujours placé dans cette inévitable alternative de tendre à une vaine restauration de l'état théologique pour satisfaire aux conditions d'ordre, ou de pousser à une situation purement négative afin d'échapper à l'empire oppressif de la théologie. [...]

On peut donc finalement envisager l'état métaphysique comme une sorte de maladie chronique naturellement inhérente à notre évolution mentale, individuelle ou collective, entre l'enfance et la virilité.

Op. cit., p. 23-26.

QUESTION Décrivez l'état métaphysique. Quelle différence présente-t-il avec l'esprit théologique ?

Texte 3 L'état positif : le refus de toute interprétation

En un mot, la révolution fondamentale qui caractérise la virilité de notre intelligence consiste essentiellement à substituer partout, à l'inaccessible détermination des causes proprement dites, la simple recherche des lois, c'est-à-dire des relations constantes qui existent entre les phénomènes observés. Qu'il s'agisse des moindres ou des plus sublimes effets, de choc et de pesanteur comme de pensée et de moralité, nous n'y pouvons vraiment connaître que les diverses liaisons mutuelles propres à leur accomplissement, sans jamais pénétrer le mystère de leur production.

Non seulement nos recherches positives doivent essentiellement se réduire, en tous genres, à l'appréciation systématique de ce qui est, en renonçant à en découvrir la première origine et la destination finale ; mais il importe, en outre, de sentir que cette étude des phénomènes, au lieu de pouvoir devenir aucunement absolue, doit toujours rester relative à notre organisation et à notre situation.

En reconnaissant, sous ce double aspect, l'imperfection nécessaire de nos divers moyens spéculatifs, on voit que, loin de pouvoir étudier complètement aucune existence effective, nous ne saurions garantir nullement la possibilité de constater ainsi, même très superficiellement, toutes les existences réelles, dont la majeure partie peut-être doit nous échapper totalement. Si la perte d'un sens important suffit pour nous cacher radicalement un ordre entier de phénomènes naturels, il y a tout lieu de penser, réciproquement, que l'acquisition d'un sens nouveau nous dévoilerait une classe de faits dont nous n'avons maintenant aucune idée [...]. Il ne saurait exister aucune astronomie chez une espèce aveugle, quelque intelligente qu'on la supposât, ni envers des astres obscurs, qui sont peut-être les plus nombreux, ni même si seulement l'atmosphère à travers laquelle nous observons les corps célestes restait toujours et partout nébuleuse.

Op. cit., p. 33-37.

QUESTION Qu'est-ce qui caractérise l'esprit positif ? Pourquoi est-il essentiellement relatif ?

Dossier 2

▶ Histoire : que signifie interpréter un événement ?

L'historien, pour interpréter un événement, ne doit pas se contenter de le décrire : il doit en dégager les causes et en comprendre le sens. Mais ce travail est problématique, car les causes ne sont pas directement données dans les documents, ni les significations dans les témoignages. L'interprétation suppose de tester des hypothèses interprétatives.

DOCUMENT

La recherche des causes

Partons de la proposition historique la plus simple : « Louis XIV devint impopulaire parce que les impôts étaient trop lourds. » Il faut savoir que, dans la pratique du métier d'historien, une phrase de ce genre peut avoir été écrite avec deux significations très différentes (il est curieux que, sauf erreur, on ne l'ait jamais dit : aurait-on oublié que l'histoire est connaissance par documents, donc connaissance lacunaire ?) ; les historiens passent sans cesse d'une de ces significations à l'autre sans crier gare et même sans bien s'en rendre compte, et la reconstitution du passé se trame précisément par ces allées et venues. Écrite dans sa première signification, la proposition veut dire que l'historien sait par des documents que les impôts ont bien été la cause de l'impopularité du roi ; il l'a, pour ainsi dire, entendu de ses oreilles. Dans la seconde signification, l'historien sait seulement que les impôts étaient lourds et que, par ailleurs, le roi est devenu impopulaire à la fin de son règne ; il suppose alors ou croit évident que l'explication la plus obvie[1] de cette impopularité est le poids des impôts. Dans le premier cas, il nous raconte une intrigue[2] qu'il a lue dans des documents : la fiscalité a rendu le roi impopulaire ; dans le second, il fait une rétrodiction[3], il remonte, de l'impopularité, à une cause présumée, à une hypothèse explicative.

La fragilité de l'explication causale

Savoir pertinemment que la fiscalité a rendu le roi impopulaire veut dire, par exemple, avoir parcouru des mémoires manuscrits du temps de Louis XIV où des curés de village ont noté que le pauvre peuple gémissait à cause de la taille[4] et maudissait le roi en secret. Le processus causal est alors immédiatement compris : s'il n'en était pas ainsi, le déchiffrement du monde ne pourrait même pas être entamé. [...]

Avoir constaté une fois que la fiscalité a rendu un roi impopulaire, c'est s'attendre à voir le processus se répéter : par nature, la relation causale déborde le cas individuel, est autre chose qu'une coïncidence fortuite, sous-entend quelque régularité dans les choses. Mais cela ne veut pas du tout dire qu'elle va jusqu'à la constance : c'est bien pourquoi nous ne savons jamais de quoi demain sera fait. La causalité est nécessaire et irrégulière ; les futurs sont contingents[5], la fiscalité peut rendre un gouvernement impopulaire, mais peut-être aussi n'aura-t-elle pas cet effet. Si l'effet se produit, rien ne nous paraîtra plus naturel que ce rapport causal, mais nous ne serons pas exagérément surpris de ne pas le voir se produire.

La reconstruction hypothétique de mécanismes cachés

Seulement, comme notre connaissance du passé est lacunaire, il arrive très souvent que l'historien se trouve devant un problème très différent : il constate l'impopularité d'un roi et aucun document ne lui en fait savoir la raison ; il lui faut alors remonter par rétrodiction de l'effet, à sa cause hypothétique. S'il décide que cette cause doit être la fiscalité, la phrase « Louis XIV devint impopulaire à cause des impôts » se trouvera écrite par lui dans la deuxième signification que nous avons vue ; l'incertitude est alors celle-ci : nous sommes assurés de l'effet, mais sommes-nous remontés à la bonne explication ? La cause est-elle la fiscalité, les défaites du roi ou encore une troisième chose à laquelle nous n'avons pas songé ? La statistique des messes que les fidèles faisaient dire pour la santé du roi montre clairement la désaffection des esprits à la fin du règne ; par ailleurs, nous savons que les impôts étaient devenus plus lourds et nous avons dans l'esprit que les gens n'aiment pas les impôts. Les gens, c'est-à-dire l'homme éternel, autrement dit nous-mêmes et nos préjugés ; mieux vaudrait une psychologie d'époque. Or nous savons qu'au XVIIe siècle beaucoup d'émeutes étaient causées par les impôts nouveaux, les mutations monétaires et la cherté des grains ; cette connaissance n'est pas innée en nous et nous n'avons pas non plus l'occasion, au XXe siècle, de voir beaucoup d'émeutes de ce genre : les grèves ont d'autres raisons. Mais nous avons lu l'histoire de la Fronde ; la liaison de l'impôt et de l'émeute nous y a été immédiatement perceptible et la connaissance globale du rapport causal nous est restée. L'impôt est donc une cause vraisemblable du mécontentement, mais d'autres ne le seraient-elles pas tout autant ? Quelle était la force du patriotisme dans l'âme paysanne ? Les défaites n'auraient-elles pas fait autant que la fiscalité pour l'impopularité du roi ? Il faudra bien connaître la mentalité de l'époque pour rétrodire à coup sûr ; on se demandera peut-être si d'autres cas de mécontentement ont d'autres causes que l'impôt ; plus probablement, on ne raisonnera pas par une induction aussi caricaturale, mais on se demandera si, d'après tout ce qu'on sait du climat de cette époque, il existait une opinion publique, si le peuple considérait la guerre étrangère comme autre chose qu'une affaire glorieuse et privée que le roi conduisait avec des spécialistes et qui ne concernait pas les sujets, sauf quand ils avaient à en souffrir matériellement.

On parvient ainsi à des conclusions plus ou moins vraisemblables. « Les causes de cette émeute, qui sont mal connues, étaient probablement l'impôt, comme toujours à cette époque, en de telles circonstances. » Sous-entendu : si les choses se sont passées régulièrement ; la rétrodiction s'apparente par là au raisonnement par analogie ou à cette forme de prophétie raisonnable, car conditionnelle, qu'on appelle une prédiction.

Paul Veyne, *Comment on écrit l'histoire*, 1971, coll. Points histoire, Seuil, 1991, p. 98 sq.

1. Évidente.
2. L'historien sélectionne et combine les faits selon une trame qui n'est pas essentiellement différente de celle du romancier, même si des garanties factuelles et une méthodologie critique donnent une valeur objective à son travail.
3. C'est l'équivalent de la prédiction, mais pour le passé. Car pour Veyne, la reconstitution du passé repose sur des probabilités semblables à l'anticipation du futur.
4. Impôt royal direct, payé principalement par les roturiers.
5. Non nécessaire ; ce qui peut être ou ne pas être.

Hyacinthe Rigaud, *Portrait du roi de France Louis XIV en armure*, XVIIIe s., huile sur toile (2,21 x 1,30 m) Versailles, musée du château.

QUESTIONS

1• Quelles sont les deux manières de rechercher des causes en histoire ? Comment expliquer que l'on passe facilement de l'une à l'autre ? En quoi cela peut-il poser problème ?

2• La recherche des causes, dans les sciences de la nature, doit pouvoir conduire à une généralisation. Pourquoi, selon l'auteur, est-ce plus difficile, voire impossible, en histoire ?

3• Comment l'auteur propose-t-il de concevoir la causalité en histoire ?

Passerelle

Chapitre 11 : L'histoire, p. 286.

REPÈRES et DISTINCTIONS CONCEPTUELLES

Interpréter

Interpréter, c'est dégager le sens d'un phénomène, d'un comportement, d'un écrit, d'une œuvre, lorsque ce sens n'est pas immédiatement explicite et traduisible.
On appelle **herméneutique** le travail d'interprétation qui, au-delà de l'explication des causes et des contextes, cherche à comprendre le sens.

Les formes historiques de l'herméneutique

À l'origine, tout l'univers est objet d'interprétation pour l'homme : l'ensemble des phénomènes naturels (un tremblement de terre, une éruption volcanique, une épidémie, la foudre, le tonnerre...) est interprété comme signifiant quelque chose. Tel est, en grande partie, le rôle des **mythes** : interpréter ce que la nature « veut dire ».

Tests de Rorschach. Étude de la personnalité en se basant sur l'interprétation d'un dessin obtenu à l'aide d'une tache d'encre.

Les pratiques interprétatives touchent également l'avenir, le futur que l'homme ne peut pas connaître, mais seulement deviner. **La divination, la chiromancie, l'astrologie**... font partie de ces pratiques.
Avec les religions révélées (❱ p. 285), l'étude des textes sacrés impose une compréhension de la volonté divine à travers des paroles ou des événements en eux-mêmes obscurs. On appelle **exégèse** ce travail d'interprétation de la parole divine qui vise à séparer l'« esprit » de la « lettre » des textes sacrés (❱ Galilée, p. 308).
À la fin de l'âge classique, la production d'œuvres d'art cesse d'obéir à des critères ou à des symboles censés être lisibles par tous ; les œuvres poétiques, musicales, picturales... sont pensées comme des œuvres originales, qui livrent leur propre clé de lecture. À la notion de création, du côté de l'artiste, fait pendant, du côté du spectateur, celle de **jugement esthétique** (❱ p. 224).
L'apparition des **sciences humaines** au XIXe siècle (histoire, sociologie, psychologie...) donne à l'interprétation une nouvelle carrière. Certes, comme les sciences de la nature, les sciences humaines doivent expliquer. Mais elles doivent aussi **comprendre le sens**, c'est à dire interpréter. Un événement historique (la découverte de l'Amérique, 1492 ; la chute du Mur de Berlin, 1989) doit être expliqué par des causes, mais on veut aussi comprendre son sens à l'intérieur de l'histoire de l'humanité.
Le XXe siècle voit se multiplier des **techniques d'interprétation** (entretiens d'embauche, méthodes de vente, criminologie...) comme la graphologie (interprétation de l'écriture), la caractérologie (interprétation des traits du caractère), l'étude des postures, de l'habillement, des gestes, des comportements (*profiling*).

Les difficultés du travail d'interprétation

L'**obscurité** est la première difficulté : si le message était clair, si un code précis était à disposition, il n'y aurait plus interprétation, mais seulement traduction. De même, l'**absence d'un message explicite** derrière la chose à interpréter interdit de confirmer, donc de prouver la validité d'une interprétation.
Mais c'est la démarche même de l'herméneutique qui fait difficulté, car il semble que toute interprétation implique des « cercles » logiques qui interdisent des méthodes rigoureuses dans l'absolu. On parlera de « **cercles herméneutiques** ».

- Premier cercle logique : **le tout et la partie.** Pour bien comprendre un roman ou un film, il faut attendre la fin, car la fin éclaire les différentes péripéties et leur donne sens. Mais cette fin, à son tour, ne se comprend que par les péripéties qui la précèdent. Aussi arrive-t-il souvent qu'on soit obligé de relire un livre, ou de revoir un film plusieurs fois, pour bien le comprendre.

▪ Deuxième cercle logique : **compréhension et précompréhension.** Comment comprendre des codes sociaux ou une sensibilité artistique nouvelle sans y être déjà initié ? Pour comprendre, il faudrait déjà être initié, mais pour être initié, il faudrait déjà comprendre. Par exemple, pour essayer de comprendre le rap, il faut d'abord avoir une curiosité, c'est-à-dire une sensibilité, c'est-à-dire une précompréhension pour cette musique.

▪ Troisième cercle logique : **interprétation et auto-interprétation** : celui qui veut interpréter un monde différent du sien (l'historien, le sociologue, le critique musical…) fait partie lui-même d'un monde susceptible à son tour d'être interprété. Ainsi, l'historien ne risque-t-il pas d'interpréter le passé à travers les cadres culturels de son présent ?

Expliquer / comprendre

Un autre obstacle concerne tout particulièrement les sciences qui étudient l'homme : les sciences humaines (histoire, économie, psychologie, sociologie, linguistique…) : elles ne peuvent pas se contenter d'**expliquer** l'homme comme un simple objet naturel. En effet, l'homme n'agit pas seulement comme une mécanique poussée par des causes ; il agit aussi pour des raisons, des significations, il donne du sens à son action, autant de réalité subjective qu'il faut **comprendre**. On explique les causes ; on cherche à comprendre le sens.

Zoom sur…

Les obstacles spécifiques de l'interprétation dans les sciences humaines

▪ **La globalité du fait humain :** l'être biologique de l'homme est difficilement compréhensible sans sa dimension culturelle, son être sociologique sans sa dimension historique, son être psychologique sans sa dimension neurologique, etc. Or chacune de ces données fait l'objet d'études et de méthodes différentes, parfois opposées. Si on utilise des méthodes partielles, on risque d'avoir un point de vue réductionniste. Si on tente de prendre un point de vue global sur l'homme, on risque de faire intervenir des *a priori* idéologiques.

▪ **La subjectivité du fait humain :** la dimension objective de l'homme inclut sa subjectivité. En tant qu'objet d'étude, l'homme est conduit en partie par des décisions rationnelles, en partie par des passions irrationnelles qui interdisent à l'observateur une généralisation des comportements humains sous forme de lois naturelles. En tant que sujet de l'étude, l'observateur ou le chercheur humain n'est pas neutre. Il intervient personnellement par des jugements de valeur, des préjugés idéologiques.

▪ **La contingence du fait humain :** l'homme prend des décisions qui, à supposer qu'elles ne soient jamais totalement libres, ne sont jamais totalement déterminées. Aussi ses actions sont-elles contingentes ; elles ne se répètent pas, elles sont marquées par l'événementiel. L'absence de répétabilité interdit l'expérimentation. La mémoire du passé empêche une répétition à l'identique ; la prévision du futur permet de modifier les événements prévus.

chapitre 15

Le vivant, la matière et l'esprit

Laurence Folie, *Newton et Fleming*, 2012, technique mixte.

Des mots...

Vivant, matière et esprit sont ordinairement considérés comme des catégories bien distinctes. La matière renvoie à quelque chose d'informe, comme de l'argile que le potier doit travailler pour lui donner une forme ; la vie renvoie à ce qui est « animé », à ce qui se développe entre une naissance et une mort. Quant à l'esprit, sa réalité est plus floue : primitivement, le mot désigne l'âme (pour l'être humain), ou des puissances invisibles (les esprits), ou encore une activité intellectuelle : « faire de l'esprit, avoir de l'esprit ».

... aux concepts

La science moderne oppose deux mondes radicalement distincts : celui de la matière, soumis à l'entropie, c'est-à-dire au passage inéluctable de l'ordre au désordre ; et celui de la vie, exception très localisée, qui va du désordre à l'ordre. Un être vivant crée de l'ordre, car c'est un être qui s'auto-organise. Végétal et animal se retrouvent ainsi très proches l'un de l'autre, ce que la découverte des bases matérielles de l'hérédité (l'ADN) vient confirmer. En revanche, les définitions de la matière et de l'esprit restent problématiques : la première parce que les recherches de la physique contemporaine dressent un tableau de plus en plus complexe de la matière ; la seconde parce qu'elle n'échappe pas aux débats idéologiques.

Pistes de réflexion

Matière, vivant, esprit : cloisonnement ou continuité ?

La matière, le vivant et l'esprit appartiennent-ils à trois ordres différents, incomparables, ayant chacun une logique propre ? Ou bien correspondent-ils à des niveaux différents d'une seule et même réalité ? La première hypothèse présente l'inconvénient d'introduire des principes non observables et complexes (par exemple la Vie, l'Esprit, principes par définition non scientifiques). La seconde hypothèse permet de comprendre des évolutions, mais a plus de difficultés à rendre compte des passages d'une complexité à l'autre : la matière suffit-elle à expliquer la finalité présente au sein du vivant, le cerveau suffit-il à expliquer la liberté de l'esprit ?

La Vie existe-t-elle ?

La question ne veut pas dire : existe-t-il des êtres vivants ? Mais : faut-il, pour expliquer l'organisation, la finalité des êtres vivants, invoquer un principe particulier, au-delà des logiques de la physique et de la chimie : la Vie, une Force Vitale... ?

Entre l'imaginaire et l'abstraction, quelle réalité attribuer à la matière ?

L'imaginaire de la matière est bien représentée par la croyance ancienne dans les « quatre éléments » : la terre, l'eau, l'air, le feu. Chacun de ces « éléments » présente un imaginaire différent autour de la matière. L'histoire des sciences est une lutte contre ces images. Mais c'est pour aboutir aujourd'hui à des théories d'une extrême complexité, où la matière s'explique par des concepts éloignés du sens commun. Ne parle-t-on pas d'anti-matière, par exemple ? Comment dès lors construire une représentation exacte de la matière ?

Qu'est-ce que l'esprit ?

Comment définir l'esprit et comprendre sa nature et ses lois de fonctionnement ? L'esprit est-il comparable à un programme informatique ? Son activité consiste-t-elle seulement en des calculs logiques ? Ou bien, pour l'expliquer faut-il aussi faire appel au langage, à la culture ? Et peut-on séparer le domaine intellectuel du domaine émotionnel ?

Peut-on penser l'union de l'esprit et du cerveau ?

Est-il possible de localiser l'esprit, de considérer le cerveau comme le lieu physique de l'esprit ? Assimiler l'esprit au cerveau, n'est-ce pas se condamner à passer à côté de la spécificité de l'esprit, qui est de l'ordre du sens, de la signification, qui ne se réduit pas au déterminisme biologique ?

L'esprit : espace privé, espace public ?

On imagine spontanément l'esprit comme un espace privé, où chaque individu pense, réfléchit, invente « dans sa tête ». Mais ne faut-il pas se parler, suivre des règles, accepter des schémas préexistants, des codes universels, toute une série d'outils et de procédures qui appartiennent à l'espace public, celui d'une culture particulière, ou plus largement celui de l'humanité ? Plus qu'une faculté individuelle, l'esprit ne pourrait-il pas être envisagé comme la mémoire de l'humanité ?

Découvertes

DOCUMENT 1 Qu'est-ce qu'un être vivant ?

Puisque, pour Lamarck[1], les êtres vivants comme les objets inanimés sont de pures productions de la nature, il convient de commencer par les comparer les uns aux autres, afin d'établir ce qui les différencie. C'est ce dont traite le début de la deuxième partie de la *Philosophie zoologique*, partie plus particulièrement consacrée à l'étude de la spécificité des êtres vivants. Par rapport aux objets inanimés, ces caractères des êtres vivants sont : 1. L'individualité ; 2. L'hétérogénéité de composition ; 3. L'impossibilité d'être parfaitement solide ; 4. La forme ; 5. L'interdépendance des parties ; 6. Le « mouvement » des parties les unes par rapport aux autres ; 7. Une croissance par assimilation, et non par simple juxtaposition ; 8. La nutrition ; 9. La naissance, et non une apparition « accidentelle » ; 10. La mort.

André Pichot, *Histoire de la notion de vie*, 1993, coll. Tel, Gallimard, p. 594.

1. Biologiste français, promoteur de la première théorie moderne de l'évolution. Il crée le terme « biologie » (1802). Sa *Philosophie zoologique* paraît en 1809.

QUESTIONS

› 1• Expliquez les propriétés données par Lamarck pour définir un être vivant. Donnez des exemples. Quelle définition pourriez-vous proposer de l'être vivant ?

› 2• Cette analyse date du début du XIXe siècle. Y a-t-il des caractéristiques que nous devrions ajouter aujourd'hui ? Lesquelles ?

DOCUMENT 2 Quel effet cela fait d'être chauve-souris ?

Que perçoit exactement, de l'intérieur, une chauve-souris ?

Une autre objection au point de vue « froid » de la science a été proposée par le philosophe Thomas Nagel. Elle part de l'idée que même si nous connaissons bien le fonctionnement des ultrasons que les chauves-souris utilisent pour se repérer dans l'espace, nous ne pouvons pas pour autant décrire ce que c'est que de vivre dans un « paysage ultrasonore ». L'expérience subjective de l'écholocalisation nous échappe, et nous échappera toujours : nous ne savons pas, écrit Nagel, « ce que c'est que d'être une chauve-souris », même si nous sommes capables de décrire le fonctionnement de son système de perception jusque dans ses moindres détails. Pour Nagel, la connaissance scientifique est foncièrement incapable de rendre compte de ce qu'est la subjectivité, et il est vain de vouloir élaborer une théorie objective de l'esprit. Dire : « Un état mental est un état du cerveau » est selon Nagel aussi peu pertinent que de dire « la racine carrée de 2 est… la mer ». (Thomas Nagel, « Quel effet cela fait d'être une chauve-souris », Questions mortelles, PUF, 1984.)

Extrait de *Sciences humaines* n° 62, p. 19.

Roussette d'Edwards, 1808.

QUESTION

› Pourquoi la science refuse-t-elle les questions du type : que perçoit, de l'intérieur, une chauve-souris ?

DOCUMENT 3 « Puisque vous savez si bien ce qui est hors de vous... »

Voltaire imagine le voyage d'un géant mesurant 32 km, Micromégas, venu d'une planète lointaine, autour de l'étoile Sirius. En compagnie d'un savant de Saturne, mesurant 2 km, il visite la Terre, dont les habitants, trop petits, échappent d'abord à leur perception. Grâce à un microscope improvisé, ils arrivent à communiquer avec ces « atomes intelligents ».

Il prit aussitôt fantaisie au Sirien et au Saturnien d'interroger ces atomes pensants pour savoir les choses dont ils convenaient.

« Combien comptez-vous, dit-il, de l'étoile de la Canicule à la grande étoile des Gémeaux ? » Ils répondirent tous à la fois : « Trente-deux degrés et demi. – Combien comptez-vous d'ici à la lune ? – Soixante demi-diamètres de la terre en nombre rond. – Combien pèse votre air ? » Il croyait les attraper, mais tous lui dirent que l'air pèse environ neuf cents fois moins qu'un pareil volume de l'eau la plus légère, et dix-neuf cents fois moins que l'or de ducat. Le petit nain de Saturne, étonné de leurs réponses, fut tenté de prendre pour des sorciers ces mêmes gens auxquels il avait refusé une âme un quart d'heure auparavant.

Enfin Micromégas leur dit : « Puisque vous savez si bien ce qui est hors de vous, sans doute vous savez encore mieux ce qui est en dedans. Dites-moi ce que c'est que votre âme, et comment vous formez vos idées. » Les philosophes parlèrent tous à la fois comme auparavant ; mais ils furent tous de différents avis. Le plus vieux citait Aristote, l'autre prononçait le nom de Descartes, celui-ci de Malebranche, cet autre de Leibniz, cet autre de Locke. Un vieux péripatéticien[1] dit tout haut avec confiance : « L'âme est une *entéléchie*[2], et une raison par qui elle a la puissance d'être ce qu'elle est. C'est ce que déclare expressément Aristote, page 633 de l'édition du Louvre : *Entelecheia esti*, etc.

– Je n'entends pas trop bien le grec, dit le géant. – Ni moi, non plus, dit la mite philosophique. – Pourquoi donc, reprit le Sirien, citez-vous un certain Aristote en grec ? – C'est, répliqua le savant, qu'il faut bien citer ce qu'on ne comprend point du tout dans la langue qu'on entend le moins. »

Le cartésien prit la parole, et dit : « L'âme est un esprit pur, qui a reçu dans le ventre de sa mère toutes les idées métaphysiques[3], et qui, en sortant de là, est obligée d'aller à l'école, et d'apprendre tout de nouveau ce qu'elle a si bien su et qu'elle ne saura plus. – Ce n'était donc pas la peine, répondit l'animal de huit lieues[4], que ton âme fût si savante dans le ventre de ta mère, pour être si ignorante quand tu aurais de la barbe au menton. Mais qu'entends-tu par esprit ? – Que me demandez-vous là ? dit le raisonneur, je n'en ai point d'idée : on dit que ce n'est pas de la matière. – Mais sais-tu au moins ce que c'est que de la matière ? – Très bien, répondit l'homme. Par exemple, cette pierre est grise et d'une telle forme, elle a ses trois dimensions, elle est pesante et divisible. – Eh bien ! dit le Sirien, cette chose qui te paraît être divisible, pesante et grise, me dirais-tu bien ce que c'est ? Tu vois quelques attributs[5] mais le fond de la chose, le connais-tu ? – Non, dit l'autre. – Tu ne sais donc point ce que c'est que la matière. »

François-Marie Arouet, dit Voltaire, *Micromégas*, chap. 7, 1752, coll. Libretti, Livre de poche, p. 55-57.

---

1. Partisan de la philosophie d'Aristote.
2. Chez Aristote, l'entéléchie est l'état accompli d'un être, sa perfection conforme à sa nature, par opposition à son état potentiel, inachevé ; c'est ici l'âme qui conduit à cet état d'achèvement.
3. C'est une référence caricaturale à la thèse cartésienne des idées innées, c'est-à-dire extérieures à toute expérience et donc inhérentes à l'esprit humain.
4. C'est la taille de Micromégas (1 lieue valant à peu près 4 000 mètres).
5. Propriétés caractéristiques qui distinguent une chose d'une autre.

QUESTION

› Comment expliquer que les habitants de la Terre soient tous d'accord concernant les mesures des poids et des distances et qu'ils soient tous en désaccord concernant la nature de l'âme et la façon dont ils forment leurs idées ?

Réflexion 1

▶ La matière suffit-elle à expliquer la vie ?

En affirmant que les couleurs, les saveurs, la chaleur... sont des effets des atomes, réalité matérielle ultime, mais que les atomes eux-mêmes ne peuvent être ni colorés, ni salés, ni chauds, Démocrite inaugure la grande coupure entre réalité objective et apparence subjective qui est au fondement de la science. Mais, dans le même temps, en creusant le fossé entre objectivité et subjectivité, matière et esprit, il inaugure également le problème de leur relation.

Texte 1 Un matérialisme antique : Démocrite

*Démocrite est considéré comme l'initiateur de la thèse matérialiste dans l'Antiquité. La philosophie épicurienne (**➚ p. 554**) s'inspirera de sa doctrine.*

En effet la couleur est par convention, par convention le doux, par convention l'amer et, en réalité, il n'y a que des atomes et le vide, assure Démocrite, à la pensée que c'est à partir de la rencontre des atomes que sont produites toutes les qualités sensibles pour nous qui les sentons, et que d'un autre côté par nature rien n'est blanc, noir, jaune, rouge, amer ou doux. Car par le terme de *convention* il veut dire « relatif à la coutume » et « relatif à nous », et non pas selon la nature des choses elles-mêmes, ce qu'il désigne aussi par *en réalité*, en forgeant ce terme sur le terme « réel », qui désigne le vrai. Et le sens complet de cette formule est le suivant : les gens croient qu'il existe un blanc, un noir, un doux, un amer et d'autres qualités semblables ; mais en réalité toutes les choses sont < faites d'> étant et < de > néant. Ce sont là ses propres termes : *étant* est le nom donné aux atomes, *néant* celui donné au vide. Les atomes, qui sont tous des corps petits, sont sans qualités, et le vide est cette sorte de lieu dans lequel tous ces corps, allant et venant éternellement, s'entrechoquent, s'entrelacent, se heurtent ou se font rebondir, se dissocient et s'associent de nouveau par l'effet de ces rencontres et produisent ainsi toutes les autres combinaisons, y compris nos propres corps, ainsi que leurs affections et leurs sensations. < Les atomistes > formulent l'hypothèse de l'absence de qualité des corps primordiaux [...] et supposent qu'ils ne sont pas susceptibles de connaître les altérations auxquelles tout le monde a cru en se fiant à l'enseignement des sens ; par exemple, ils assurent qu'aucun atome ne s'échauffe ni ne se refroidit, et pareillement ne se dessèche ni ne s'humidifie, et à plus forte raison encore ne blanchit ni ne noircit, ni n'admet, en un mot, de qualités consécutives à un quelconque changement.

Démocrite, v^e-ive s. av. J.-C., Diels A XLIX, *in Les Présocratiques*, éd. J.-P. Dumont, Gallimard, p. 774-775.

QUESTION

› À partir de la définition du matérialisme, comment Démocrite peut-il penser que les atomes ne possèdent pas les qualités sensibles qui nous sont familières : couleurs, saveurs, chaleur, etc. ?

Passerelles

› **Textes :** Épicure, *Lettre à Ménécée*, p. 554.
Descartes, *Méditations métaphysiques*, p. 28.
Diderot, *Lettre sur les aveugles*, p. 54.

Texte 2 Comment la matière peut-elle s'organiser ?

Pour Aristote, la matière ne saurait définir à elle seule l'être vivant. Il faut lui ajouter un principe organisateur, qu'il appelle « âme ». Il existe une hiérarchie d'âmes, parallèle à la hiérarchie des êtres vivants.

Disons donc – et tel est le principe de notre recherche – que ce qui distingue l'animé de l'inanimé, c'est la vie. Or il y a plusieurs manières d'entendre la vie, et il suffit qu'une seule d'entre elles se trouve réalisée dans un sujet pour qu'on le dise vivant : que ce soit l'intellect, la sensation, le mouvement et le repos selon le lieu, ou encore le mouvement qu'implique la nutrition, enfin le dépérissement et la croissance. C'est pour cette raison que toutes les plantes mêmes sont considérées comme des vivants : on constate en effet qu'elles possèdent un pouvoir et un principe interne qui les rend capables de croître et de décroître [...]. Pour le moment contentons-nous de dire que l'âme est le principe des facultés susdites et se définit par elles, à savoir : les facultés nutritive, sensitive, pensante et le mouvement.

Aristote, *De l'âme*, IVe s. av. J.-C., II, 2, 413a-b, trad. E. Barbotin, Les Belles Lettres.

QUESTION

› Pourquoi, selon Aristote, l'âme est-elle ce qui distingue l'être vivant de la matière ? Quel rôle l'âme remplit-elle ? Comment Aristote la définit-il ?

Texte 3 Une hiérarchie d'âmes ?

Quant aux puissances de l'âme susdites, certains vivants les possèdent toutes, nous l'avons dit, d'autres n'en ont que quelques-unes, d'autres enfin une seulement. Ces puissances, disions-nous, sont les facultés nutritive, désirante, sensitive, locomotrice, pensante. Les plantes n'ont que la faculté nutritive, d'autres vivants possèdent, outre celle-ci, la faculté sensitive. Mais avec la faculté sensitive, ils ont aussi la faculté désirante. En effet, le désir comprend à la fois l'appétit, le courage, la volonté. Or tous les animaux possèdent l'un des sens : le toucher, et celui qui a la sensation ressent par là-même le plaisir et la douleur, l'agréable et le douloureux ; les êtres doués de la sorte possèdent aussi l'appétit, puisque celui-là est le désir de l'agréable. [...] Quant à savoir s'ils possèdent l'imagination, c'est une question douteuse à examiner ultérieurement. Outre ces facultés, certains êtres jouissent de la locomotion, d'autres enfin possèdent la faculté pensante et l'intellect : tel l'homme et tout autre être, s'il en est de condition analogue ou supérieure. [...]

Il faut donc pour chaque type d'êtres vivants se demander quelle sorte d'âme lui appartient en propre : ainsi quelle est l'âme propre à la plante, à l'homme, à la bête. Pour quelle raison les différentes âmes sont-elles ainsi disposées en série, nous devrons l'examiner. En effet, sans la faculté nutritive, la faculté sensitive n'est jamais donnée ; par contre la faculté nutritive se trouve séparée de la faculté sensitive chez les plantes. De même encore, sans le toucher n'existe aucun autre sens, mais le toucher existe séparément des autres : beaucoup d'animaux, en effet, sont dépourvus de la vision, de l'ouïe et de l'odorat. En outre, parmi les animaux doués de sensibilité, les uns ont le mouvement local, les autres non. Enfin certains animaux, et c'est le petit nombre, ont le raisonnement et la pensée. En effet les êtres périssables doués du raisonnement jouissent aussi de toutes les autres facultés mais ceux qui n'ont que l'une ou l'autre de ces dernières ne possèdent pas tous le raisonnement.

Op. cit., II, 3, 414a-415a.

QUESTION

› Quel ordre hiérarchique Aristote introduit-il parmi les êtres vivants ? Quel argument utilise-t-il pour justifier cette hiérarchie ?

Réflexion 2

Peut-on réduire l'être vivant à une machine ?

Afin d'expliquer rationnellement la nature et de débarrasser la science des finalités cachées, des forces occultes, Descartes propose une compréhension purement mécaniste des êtres vivants. Mais réduire le corps à une machine, n'est-ce pas passer à côté de la spécificité du vivant ?

Texte 1 La thèse du corps-machine

Je ne reconnais aucune différence entre les machines que font les artisans et les divers corps que la nature seule compose, sinon que les effets des machines ne dépendent que de l'agencement de certains tuyaux, ou ressorts, ou autres instruments, qui, devant avoir quelque proportion avec les mains de ceux qui les font, sont toujours si grands que leurs figures et mouvements se peuvent voir, au lieu que les tuyaux ou ressorts qui causent les effets des corps naturels sont ordinairement trop petits pour être aperçus de nos sens. Et il est certain que toutes les règles des mécaniques appartiennent à la physique, en sorte que toutes les choses qui sont artificielles, sont avec cela naturelles. Car, par exemple, lorsqu'une montre marque les heures par le moyen des roues dont elle est faite, cela ne lui est pas moins naturel qu'il est à un arbre de produire ses fruits. C'est pourquoi, en même façon qu'un horloger, en voyant une montre qu'il n'a point faite, peut ordinairement juger, de quelques-unes de ses parties qu'il regarde, quelles sont toutes les autres qu'il ne voit pas : ainsi, en considérant les effets et les parties sensibles des corps naturels, j'ai tâché de connaître quelles doivent être celles de leurs parties qui sont insensibles.

René Descartes, *Principes de la philosophie*, 1644, 4e partie, art. 203.

Jacques de Vaucanson, coupe de l'automate du canard digérant, 1739, gravure.

QUESTIONS

1• « Toutes les choses qui sont artificielles, sont avec cela naturelles » : comment Descartes justifie-t-il cette thèse ?

2• Quel peut être l'intérêt de considérer le corps comme une machine ? Quelles sont les limites de cette conception ?

Texte 2 Une structure mécanique suffit-elle à expliquer une organisation vivante ?

Dans un tel produit de la nature, chaque partie, de même qu'elle n'existe que *par* toutes les autres, est également pensée comme existant *pour* les autres et *pour* le tout, c'est-à-dire comme instrument (organe) ; mais cela ne suffit pas (car elle pourrait être aussi un instrument de l'art et n'être ainsi représentée comme possible qu'en tant que fin en général), et c'est pourquoi on la conçoit comme un organe *produisant* les autres parties (chacune produisant donc les autres et réciproquement), ne ressemblant à aucun instrument de l'art, mais seulement à ceux de la nature, qui fournit toute la matière nécessaire aux instruments (même à ceux de l'art) ; et ce n'est qu'alors et pour cette seule raison qu'un tel produit, en tant qu'être *organisé* et *s'organisant lui-même*, peut être appelé une *fin naturelle*.

1. C'est la cause qui agit directement pour produire son effet ; Aristote l'oppose à la cause finale (ce en vue de quoi quelque chose existe) ; à la cause matérielle

(la matière grâce à quoi la chose existe ; à la cause formelle (l'idée qui forme ou transforme la chose).

Dans une montre, une partie est l'instrument du mouvement des autres, mais un rouage n'est pas la cause efficiente[1] de la production d'un autre rouage ; une partie est certes là pour l'autre, mais elle n'est pas là par cette autre partie. C'est pour cette raison que la cause qui produit celles-ci et leur forme n'est pas contenue dans la nature (de cette matière), mais hors d'elle, dans un être qui, d'après des Idées, peut produire un tout possible par sa causalité. C'est la raison pour laquelle également, dans une montre, un rouage ne peut en produire un autre, pas plus qu'une montre ne peut produire d'autres montres, en utilisant (en organisant) pour cela d'autres matières ; c'est aussi la raison pour laquelle elle ne remplace pas non plus d'elle-même les parties qui lui ont été enlevées, ni ne compense leur défaut dans la première formation en faisant intervenir les autres parties, ni ne se répare elle-même lorsqu'elle est déréglée : or, tout cela, nous pouvons l'attendre en revanche de la nature organisée. Un être organisé n'est donc pas une simple machine, car celle-ci dispose exclusivement d'une *force motrice* ; mais l'être organisé possède en soi une *force formatrice* qu'il communique aux matériaux qui n'en disposent pas (il les organise), force motrice qui se transmet donc et qui n'est pas explicable par le simple pouvoir du mouvement (le mécanisme).

Emmanuel Kant, *Critique de la faculté de juger*, II, § 65, 1790, trad. J.-R. Ladmiral, M. de Launay et J.-M. Vaysse, coll. Folio Essais, Gallimard, p. 337-338.

QUESTIONS

1• « Une chose peut exister par une autre, ou pour une autre » (premier paragraphe). Expliquez la différence.

2• Quelle différence Kant voit-il entre un mécanisme fabriqué par l'homme (une montre) et un organisme produit par la nature ?

Texte 3 Qu'est-ce que cet œuf ?

1. Absence de mouvement.

Qu'est-ce que cet œuf ? une masse insensible avant que le germe y soit introduit ; et après que le germe y est introduit, qu'est-ce encore ? [...] Prétendrez-vous, avec Descartes, que c'est une pure machine imitative ? Mais les petits enfants se moqueront de vous, et les philosophes vous répliqueront que si c'est là une machine, vous en êtes une autre. [...] Il ne vous reste qu'un de ces deux partis à prendre ; c'est d'imaginer dans la masse inerte de l'œuf un élément caché qui en attendait le développement pour manifester sa présence, ou de supposer que cet élément imperceptible s'y est insinué à travers la coque dans un instant déterminé du développement. Mais qu'est-ce que cet élément ? Occupait-il de l'espace, ou n'en occupait-il point ? Comment est-il venu, ou s'est-il échappé, sans se mouvoir ? Où était-il ? Que faisait-il là ou ailleurs ? A-t-il été créé à l'instant du besoin ? Existait-il ? Attendait-il un domicile ? Était-il homogène ou hétérogène à ce domicile ? Homogène, il était matériel ; hétérogène, on ne conçoit ni son inertie[1] avant le développement, ni son énergie dans l'animal développé. Écoutez-vous, et vous aurez pitié de vous-même ; vous sentirez que, pour ne pas admettre une supposition simple qui explique tout, la sensibilité, propriété générale de la matière, ou produit de l'organisation, vous renoncez au sens commun, et vous précipitez dans un abîme de mystères, de contradictions et d'absurdités.

Denis Diderot, *Entretien entre d'Alembert et Diderot*, 1769, *in Œuvres philosophiques*, Garnier, p. 274 sq.

QUESTIONS

1• Pourquoi le problème de l'œuf renvoie-t-il au problème essentiel de la vie ?

2• L'auteur pose une alternative (« Il ne vous reste qu'un de ces deux partis à prendre »). Quelle est-elle ? Quelle solution a la faveur de l'auteur ?

Dossier 1

L'origine des êtres vivants

En 1859, Darwin fait paraître *L'Origine des espèces*. Le livre ne prétend pas retracer l'histoire des êtres vivants, mais, en s'appuyant sur l'observation des faits présents, il cherche à reconstituer les causes de l'évolution passée. Dès sa parution, le livre a fait scandale, en particulier du fait de l'application de la théorie de l'évolution à l'homme.

DOCUMENT

La notion de « lutte pour l'existence » est une métaphore

Je dois prévenir que j'emploie l'expression de *lutte pour l'existence* dans le sens métaphorique le plus large, comprenant soit les relations de dépendance qui existent entre un être et un autre, soit, ce qui est plus important, non seulement la vie de l'individu mais aussi la réussite de sa descendance. Deux animaux carnassiers, dans une période de disette, sont réellement en lutte réciproque pour qui se procurera la nourriture qui le fera vivre. Mais une plante située sur les bords d'un désert lutte pour la vie contre la sécheresse, bien qu'il fût plus exact de dire que son existence dépend de l'humidité. Une plante produisant annuellement un millier de graines, dont une seule en moyenne atteint sa maturité, peut mieux être dite en lutte avec celle, du même et autres genres, qui occupent déjà le terrain. Le gui dépend du pommier et de quelques autres arbres, mais ce n'est qu'en forçant le sens de l'expression qu'on peut le dire en lutte avec ces arbres ; car si ces parasites sont trop nombreux à la fois sur un même arbre, celui-ci s'épuisera et périra. On peut mieux considérer comme luttant pour l'existence plusieurs jeunes plantes de gui, croissant près les unes des autres sur une même branche. Le gui étant disséminé par les oiseaux, son existence dépend de ces derniers ; on peut donc dire par métaphore qu'il lutte avec d'autres plantes portant des fruits, de manière que les oiseaux tentés de manger ses graines, les disséminent de préférence à celles d'autres plantes. Ce sont ces diverses idées, qui d'ailleurs sont connexes, que je comprends pour plus de commodité sous l'expression générale de lutte pour l'existence.

La lutte pour l'existence est la conséquence inévitable du taux élevé suivant lequel tous les êtres organisés tendent à s'accroître. [...] C'est la doctrine de Malthus[1] appliquée aux règnes animal et végétal. [...]

Esquisse de Charles Darwin tirée de son premier carnet *Transmutation of Species*, 1837. Ce schéma est la première trace d'une compréhension des mécanismes de la spéciation, avec une logique arborescente.

Un exemple d'interconnexion des êtres vivants : la notion de milieu

Encore un exemple pour faire comprendre comment des plantes et des animaux, des plus éloignés dans l'échelle de la nature, sont liés les uns aux autres par un enchevêtrement de rapports complexes. [...] J'ai reconnu par l'expérience que le bourdon joue un rôle indispensable dans la fécondation de la pensée (*Viola tricolor*), fleur que les autres insectes du genre abeille ne visitent pas. J'ai reconnu également que les abeilles sont nécessaires à la fécondation de quelques sortes de trèfles ; ainsi vingt pieds de trèfle de Hollande (*Trifolium repens*) ont fourni 2290 graines, tandis que vingt autres, protégées contre l'accès des abeilles, n'en ont pas donné une seule. De même cent têtes de trèfle rouge (*T pratense*) ayant produit 2700 graines, un nombre égal de têtes abritées contre les insectes n'en ont pas produit une seule. Le bourdon seul visite le trèfle rouge, les autres abeilles ne pouvant en atteindre le nectar. [...] La quantité de bourdons dans une localité donnée dépend elle-même à un assez haut degré de l'abondance de la souris des champs, qui détruit leurs nids et leurs rayons de miel; aussi le colonel Newman, qui a longtemps observé les mœurs des bourdons, croit que plus des deux tiers de ces insectes sont en Angleterre, annuellement détruits de cette manière. Maintenant, chacun sait que le nombre des souris dépend essentiellement de celui des chats; et le colonel Newman dit à ce sujet: « J'ai toujours remarqué que les nids de bourdons sont plus abondants autour des villages et des petites villes qu'ailleurs; et je crois qu'on peut attribuer le fait au plus grand nombre des chats qui détruisent les souris. » Il est donc parfaitement établi que l'abondance d'un animal félin dans une localité puisse déterminer la fréquence de certaines plantes dans cette même localité, par l'intermédiaire des souris et des abeilles. [...]

Résumé synthétique de la théorie darwinienne

Si, au milieu des conditions changeantes de la vie, les êtres organisés offrent, dans toutes les parties de leur conformation, des différences individuelles, fait qu'on ne saurait contester; si la raison géométrique de son augmentation[2] expose chaque espèce à une lutte sévère pour l'existence, à un âge, une saison, ou une période quelconque de sa vie, point qui n'est pas moins certainement incontestable; alors, en tenant compte de la complexité infinie des relations réciproques qu'ont entre eux et avec leurs conditions d'existence tous les êtres organisés, causes déterminantes d'une diversité infinie de constitutions, de conformations et de mœurs qui peuvent leur être avantageuses, il serait extraordinaire qu'il ne dût jamais survenir de variations utiles à leur prospérité, comme il s'en est tant présenté que l'homme a utilisées[3]. Si des variations utiles à un être organisé apparaissent, les individus affectés doivent assurément avoir une meilleure chance de l'emporter dans la lutte pour l'existence, de survivre et, en vertu de l'hérédité, de produire des descendants semblablement caractérisés. C'est ce principe de conservation, de survivance du mieux adapté, que j'appelle sélection naturelle. Il conduit à l'amélioration de chaque être dans ses rapports avec les conditions organiques et inorganiques dans lesquelles il vit et, par conséquent, vers ce qu'on peut, dans la majorité des cas, considérer comme un état progressif d'organisation. Néanmoins, des formes inférieures et simples pourront durer longtemps, lorsqu'elles seront bien adaptées aux conditions peu complexes de leur existence...

Charles Darwin, *L'Origine des espèces au moyen de la sélection naturelle, ou la Lutte pour l'existence dans la nature*, 1859, Marabout Université, p. 75-76, 84-85, 148.

En explorant les îles Galapagos, Darwin découvre des espèces multiples de pinsons, à la fois parentes, mais différentes dans leur capacité adaptative. La séparation géographique des îles lui permet de comprendre le processus de spéciation (production d'espèces nouvelles).

1. Thomas Malthus (1766-1834), économiste anglais. Il défend l'idée que la population augmente plus vite que les moyens nécessaires à sa subsistance, ce qui provoque immanquablement la famine. Il est donc partisan d'une limitation volontaire des naissances.
2. Ou accroissement géométrique : procédant par multiplication à chaque génération (par opposition à accroissement arithmétique, procédant par simple addition). Darwin s'inspire ici de Malthus, *Essai sur le principe de la population* (1798).
3. Par la sélection artificielle, l'homme produit des variétés nouvelles de plantes, ou des races nouvelles d'animaux.

QUESTIONS

› **1•** Darwin nous dit que l'expression « lutte pour l'existence » est une métaphore. Quel est son sens exact? N'y a-t-il pas un danger à l'utiliser sans précaution?

› **2•** Un être vivant n'est pas une entité close sur elle-même. Quel est le rôle joué par le milieu?

› **3•** Dégagez les mécanismes de l'hypothèse darwinienne de la sélection naturelle.

Réflexion 3

▶ Qu'implique l'historicité des êtres vivants ?

Si le schéma darwinien de l'évolution (› p. 382) est parfois remis en question, un fait est aujourd'hui admis : les êtres vivants ont une histoire. Quelles sont les répercussions de ce simple fait ?

Texte 1 L'historicité des êtres vivants

On ne rencontre, sur cette terre, aucun organisme, fût-ce le plus humble, le plus rudimentaire, qui ne constitue l'extrémité d'une série d'êtres ayant vécu au cours des deux derniers milliards d'années ou plus. [...] À l'idée de temps sont indissolublement liées celles d'origine, de continuité, d'instabilité et de contingence. Origine, parce qu'on considère l'apparition de la vie comme un événement survenu, sinon une fois depuis la formation de la terre, du moins très rarement : tous les êtres vivant actuellement descendent donc d'un seul et même ancêtre, ou d'un très petit nombre de formes primitives. Continuité parce que, depuis l'apparition du premier organisme, le vivant est regardé comme ne pouvant naître que du vivant : c'est donc par le seul effet de reproductions successives que la terre est aujourd'hui peuplée d'organismes variés. Instabilité, parce que si la fidélité de la reproduction conduit presque toujours à la formation de l'identique, il lui arrive, rarement mais sûrement, de donner naissance au différent : cette étroite marge de flexibilité suffit à assurer la variation nécessaire à l'évolution. Contingence, enfin, parce qu'on ne décèle aucune intention d'aucune sorte dans la nature, aucune action concertée du milieu sur l'hérédité, capable d'orienter la variation dans un sens prémédité : il n'y a donc aucune nécessité *a priori* à l'existence d'un monde vivant tel qu'il est aujourd'hui. Tout organisme, quel qu'il soit, se trouve alors indissolublement lié, non seulement à l'espace qui l'entoure, mais encore au temps qui l'a conduit là et lui donne comme une quatrième dimension.

François Jacob, *La Logique du vivant*, 1970, Gallimard, p. 146-147.

QUESTIONS

› 1• Relevez et détaillez les quatre dimensions liées, chez l'être vivant, à son historicité.

› 2• Expliquez : « il n'y a donc aucune nécessité *a priori* à l'existence d'un monde vivant tel qu'il est aujourd'hui » (fin du texte).

Texte 2 Évolution et hasard : les mutations génétiques

Supposons par exemple que le Dr Dupont soit appelé d'urgence à visiter un nouveau malade, tandis que le plombier Dubois travaille à la réparation urgente de la toiture d'un immeuble voisin. Lorsque le Dr Dupont passe au pied de l'immeuble, le plombier lâche par inadvertance son marteau, dont la trajectoire (déterministe) se trouve intercepter celle du médecin, qui en meurt le crâne fracassé. Nous disons qu'il n'a pas eu de chance. Quel autre terme employer pour un tel événement, imprévisible par sa nature même ? Le hasard ici doit évidemment être considéré comme essentiel, inhérent à l'indépendance totale des deux séries d'événements[1] dont la rencontre produit l'accident.

Or entre les événements qui peuvent provoquer ou permettre une erreur dans la *réplication* du message génétique[2] et ses conséquences fonctionnelles, il y a également indépendance totale. L'effet fonctionnel dépend de la structure, du rôle actuel de la protéine modifiée, des interactions qu'elle assure, des réactions qu'elle catalyse. Toutes choses qui n'ont rien à voir avec l'événement mutationnel lui-même, comme avec ses causes immédiates ou lointaines, et quelle que soit d'ailleurs la nature, déterministe ou non, de ces « causes ».

Jacques Monod, *Le Hasard et la nécessité*, 1970, Seuil, p. 128-129.

1. C'est la thèse d'Antoine-Augustin Cournot (1801-1877) : le hasard est la rencontre de deux séries causales indépendantes.
2. C'est un des mécanismes de la mutation génétique.

QUESTION

› Qu'est-ce qu'une mutation ? Pourquoi est-elle l'effet du hasard ? Quel rôle les mutations jouent-elles dans l'évolution ?

Texte 3 Évolution, reproduction sexuée et mort

La sexualité semble être survenue tôt dans l'évolution. Elle représente d'abord une sorte d'auxiliaire de la reproduction, un superflu : rien n'oblige une bactérie à l'exercice de la sexualité pour se multiplier. C'est la nécessité de recourir au sexe pour se reproduire qui transforme radicalement le système génétique et les possibilités de variations. Dès lors que la sexualité est obligatoire, chaque programme génétique est formé, non plus par copie exacte d'un seul programme, mais par réassortiment de deux différents. Un programme génétique n'est plus alors la propriété exclusive d'une lignée. Il appartient à la collectivité, à l'ensemble des individus qui communiquent entre eux par le moyen du sexe. Ainsi se constitue une sorte de fonds génétique commun où, à chaque génération, est puisé de quoi faire de nouveaux programmes. C'est alors ce fonds commun, cette population unie par la sexualité, qui constitue l'unité d'évolution. À l'identité que commande la reproduction stricte du programme, la sexualité oppose la diversité qu'apporte un réassortiment des programmes à chaque génération. Diversité si grande qu'à la seule exception des vrais jumeaux, aucun individu n'est exactement identique à son frère. La sexualité oblige les programmes à parcourir les possibilités de la combinatoire génétique. Elle contraint donc au changement. [...]

L'autre condition nécessaire à la possibilité même d'une évolution, c'est la mort. Non pas la mort venue du dehors, comme conséquence de quelque accident. Mais la mort imposée du dedans, comme une nécessité prescrite, dès l'œuf, par le programme génétique même. Car l'évolution, c'est le résultat d'une lutte entre ce qui était et ce qui sera, entre le conservateur et le révolutionnaire, entre l'identité de la reproduction et la nouveauté de la variation. Chez les organismes se reproduisant par fission[1], la dilution de l'individu qu'entraîne la rapidité de la croissance suffit à effacer le passé. Avec les organismes pluricellulaires, avec la différenciation en lignées somatiques et germinales[2], avec la reproduction par sexualité, il faut au contraire que disparaissent les individus. Cela devient la résultante de deux forces contraires. Un équilibre entre, d'un côté, l'efficacité sexuelle avec son cortège de gestations, de soins, d'éducation ; de l'autre, la disparition de la génération qui a fini de jouer son rôle dans la reproduction. C'est l'ajustement de ces deux paramètres sous l'effet de la sélection naturelle qui détermine la durée maximum de vie d'une espèce.

François Jacob, *La Logique du vivant*, 1970, Gallimard, p. 330-332.

1. Scission, division : mode de reproduction essentiellement des êtres unicellulaires.
2. Les cellules germinales sont les cellules reproductrices qui transmettent les caractères héréditaires (en formant les gamètes).

QUESTIONS

› 1• Pour le biologiste, quel est le rôle de la reproduction sexuée ? En quoi est-elle un moteur essentiel de l'évolution du vivant ?

› 2• Chez les organismes supérieurs, montrez comment la reproduction sexuée est l'objet d'une compétition. Quelle en est la fonction, du point de vue de l'évolution ?

› 3• Pourquoi la mort est-elle une condition nécessaire à l'évolution ?

› 4• Comment l'auteur décrit-il la mort programmée de l'intérieur ?

Passerelles

› **Chapitre 11 : L'histoire**, p. 286.
› **Dossier :** Biotechnologies et bioéthique, Les techniques de clonage, p. 235.

Une œuvre, une analyse

Présentation

Bergson : *L'Âme et le corps* (1912)

Depuis Descartes, on oppose la matière, définie par l'étendue, à la pensée, inétendue par essence (› p. 28). Beaucoup de faits viennent conforter ce dualisme, mais il conduit aussi à des problèmes redoutables : comment comprendre la relation entre deux mondes aussi radicalement séparés ? Dans cette conférence prononcée en 1912, Bergson entend reprendre sur de nouvelles bases le problème classique de la relation entre l'âme et le corps, l'esprit et la matière.

1 Le sens commun et la science

L'expérience naïve du sens commun conduit, elle aussi, à un dualisme qui opposerait le corps, soumis aux mêmes lois de la nature que tous les autres corps, et le « moi » qui semblerait s'étendre très loin dans l'espace et dans le temps grâce à la perception et à la mémoire, et qui surtout créerait des actions sans cesse nouvelles, fondement de l'expérience intérieure de liberté.

La pratique scientifique, de son côté, semble tendre vers une **conception matérialiste** : l'esprit y est réduit à des mouvements cérébraux ; on suppose une correspondance point par point du cérébral et du mental ; l'expérience de la liberté ne serait qu'un effet de surface, une « phosphorescence » (PUF, 1912, p. 33). La conscience s'éclairant elle-même s'imaginerait produire, diriger des mouvements, dont elle ne serait en réalité que le résultat. La croyance en une volonté libre ne serait qu'une « illusion d'optique intérieure ».

2 Esprit et cerveau : solidarité ou équivalence ?

Pour Bergson, il n'est pas question de nier la solidarité de l'esprit et du cerveau : les faits pathologiques montrent assez les conséquences sur la conscience des dysfonctionnements cérébraux. Mais **solidarité ne veut pas dire équivalence** : si le vêtement est solidaire du clou auquel il est accroché, il ne s'ensuit pas que le vêtement et le clou soient la même chose. Le projet de Bergson est donc de critiquer la thèse sous-jacente à la démarche scientifique : celle du parallélisme rigoureux entre l'âme et le corps, dans laquelle l'âme ne ferait que traduire « en langage de pensée et de sentiments » les mécanismes du corps. Le savant, en empruntant spontanément cette hypothèse, fait de la philosophie sans le savoir. « Ce n'est plus le savant en vous qui parle, c'est le métaphysicien » (*op. cit.*, p. 41).

C'est l'action de l'être vivant dans son milieu qui permet le mieux d'expliquer la fonction du cerveau. L'être vivant, en effet, doit réagir par des réponses motrices aux excitations venant du monde extérieur. Toute perception s'accompagne de réactions possibles, virtuelles. Ce sont même ces réactions virtuelles qui commandent en grande partie ce que la perception retient, sélectionne du monde environnant. Tel serait le rôle du cerveau : un centre de tri ou un « poste d'aiguillage ». L'action possible indique à la perception ce qu'elle doit sélectionner en priorité ; la perception indique en retour à l'action les réponses effectives à choisir. Pour Bergson, le cerveau est responsable de cette face agissante de la perception, mais non de la perception pure elle-même.

De la même façon, le cerveau explique les mouvements nécessaires à l'articulation effective des pensées, mais non la pensée elle-même dans son unité vivante. Lorsque nous pensons, nous nous parlons à nous-même, nous esquissons des mouvements d'articulations, « mouvements naissants qui indiquent les directions successives de l'esprit » (*op. cit.*, p. 44), toute une « chorégraphie du discours » (*op. cit.*, p. 46). « C'est cet accompagnement moteur de la pensée que nous apercevrions sans doute si nous pouvions pénétrer dans un cerveau qui travaille et non pas dans la pensée même » (*op. cit.*, p. 47). Le cerveau est donc le « point d'insertion de l'esprit dans la matière » ; il est « l'organe de l'attention à la vie » (*op. cit.*, p. 47).

3 Fonction et pathologie du cerveau

Un dysfonctionnement du cerveau provoque un dysfonctionnement dans l'esprit. Mais cela ne signifie pas que le second s'identifie au premier. On peut en effet expliquer qu'une atteinte au cerveau puisse provoquer de graves troubles mentaux sans supposer que les états mentaux se réduisent aux états cérébraux. Bergson appuie sa thèse sur des faits tirés de la pathologie. Ainsi, dans l'aphasie progressive, trouble de la mémoire des mots qui va en s'aggravant, les mots disparaissent dans un ordre déterminé : noms propres d'abord, puis noms communs, adjectifs, verbes enfin. Les mots qui résistent le mieux sont ceux qui sont les plus proches de l'action, les plus faciles à mimer : les verbes. Cela indiquerait que le cerveau n'est pas tant un lieu de conservation des souvenirs (les mots disparaîtraient tous en même temps) qu'un organe de tri au profit de l'action immédiate. Il peut alors être légitime de concevoir l'esprit, dans sa pureté, c'est-à-dire hors de l'action vitale, comme une réalité autonome. On parlera de **spiritualisme**. Bergson formule la thèse d'une **conservation intégrale** (et non matérielle) des souvenirs qui, telle une phrase qui se déroule dans la durée, n'aurait pas besoin d'un « lieu » spatial pour « se sauvegarder ».

Bergson en déduit une survie possible de l'esprit après la mort, hypothèse considérée comme « si vraisemblable que l'obligation de la preuve incombera à celui qui nie, bien plutôt qu'à celui qui affirme » (*op. cit.*, p. 59).

L'intérêt de la thèse de Bergson est de renverser l'image courante de la mémoire : bien loin de servir à la conservation des souvenirs, la mémoire quotidienne aurait comme fonction de trier les souvenirs, d'« inhiber », d'empêcher les souvenirs inutiles, pour ne garder que les souvenirs « utiles », ceux qui sont au service de l'action.

Bergson (1859-1941)

Né à Paris, Bergson cherche à dépasser dans son œuvre philosophique le positivisme régnant à son époque. Il prétend fonder un type de connaissance nouveau, métaphysique, permettant d'accéder à la réalité même, tant de la conscience que de la vie. Pour cela il faut écarter les découpages opérés par l'intelligence abstraite, par les mots du langage, pour revenir à une intuition vivante de l'expérience immédiate : la durée vécue, qu'il oppose au temps abstrait de la science (*Essai sur les données immédiates de la conscience*, 1889) ; les souvenirs purs, qu'il oppose à la mémoire-habitude (*Matière et mémoire*, 1896) ; l'élan vital, qu'il oppose à l'évolutionnisme darwinien (*L'Évolution créatrice*, 1907) ; le mysticisme, qu'il oppose aux formes sclérosées des religions statiques (*Les Deux Sources de la morale et de la religion*, 1932). Ces travaux lui valent très vite honneurs et notoriété. En 1900, il est professeur au Collège de France ; en 1914, il est élu à l'Académie française ; en 1927, il reçoit le prix Nobel de littérature. D'origine juive, il est attiré par le christianisme, mais se refuse à se convertir par solidarité avec sa communauté, persécutée par les nazis. Il meurt en 1941, sous l'occupation allemande.

Extraits

Bergson : *L'Âme et le corps* (1912)

▶ Peut-on réduire l'esprit à un mécanisme cérébral ?

Le cerveau est au cœur de la relation matière/esprit. Or, entre la matière et l'esprit, il y a la vie, et l'obligation pour l'être vivant de s'adapter aux sollicitations de son milieu.

Texte 1 L'âme et le corps : la position du sens commun

Chacun de nous est un corps, soumis aux mêmes lois que toutes les autres portions de matière. Si on le pousse, il avance ; si on le tire, il recule ; si on le soulève et qu'on l'abandonne, il retombe. Mais, à côté de ces mouvements qui sont provoqués mécaniquement par une cause extérieure, il en est d'autres qui semblent venir du dedans et qui tranchent sur les précédents par leur caractère imprévu : on les appelle « volontaires ». Quelle en est la cause ? C'est ce que chacun de nous désigne par les mots « je » ou « moi ». Et qu'est-ce que le moi ? Quelque chose qui paraît, à tort ou à raison, déborder de toutes parts le corps qui y est joint, le dépasser dans l'espace aussi bien que dans le temps. Dans l'espace d'abord, car le corps de chacun de nous s'arrête aux contours précis qui le limitent, tandis que par notre faculté de percevoir, et plus particulièrement de voir, nous rayonnons bien au-delà de notre corps : nous allons jusqu'aux étoiles. Dans le temps ensuite, car le corps est matière, la matière est dans le présent, et, s'il est vrai que le passé y laisse des traces, ce ne sont des traces de passé que pour une conscience qui les aperçoit et qui interprète ce qu'elle aperçoit à la lumière de ce qu'elle se remémore : la conscience, elle, retient ce passé, l'enroule sur lui-même au fur et à mesure que le temps se déroule, et prépare avec lui un avenir qu'elle contribuera à créer. [...] Cette chose, qui déborde le corps de tous côtés et qui crée des actes en se créant à nouveau elle-même, c'est le « moi », c'est l'« âme », c'est l'esprit, – l'esprit étant précisément une force qui peut tirer d'elle-même plus qu'elle ne contient, rendre plus qu'elle ne reçoit, donner plus qu'elle n'a. Voilà ce que nous croyons voir. Telle est l'apparence.

Henri Bergson, *L'Âme et le corps*, 1912, *in L'Énergie spirituelle*, PUF, p. 30-31.

Texte 2 L'âme et le corps : la position de la science

Vous prétendez que l'esprit embrasse le passé, tandis que le corps est confiné dans un présent qui recommence sans cesse. Mais nous ne nous rappelons le passé que parce que notre corps en conserve la trace encore présente. Les impressions faites par les objets sur le cerveau y demeurent, comme des images sur une plaque sensibilisée ou des phonogrammes sur des disques phonographiques ; de même que le disque répète la mélodie quand on fait fonctionner l'appareil, ainsi le cerveau ressuscite le souvenir quand l'ébranlement voulu se produit au point où l'impression est déposée. Donc, pas plus dans le temps que dans l'espace, l'« âme » ne déborde le corps... Mais y a-t-il réellement une âme distincte du corps ? Nous venons de voir que des changements se produisent sans cesse dans le cerveau, ou, pour parler plus précisément, des déplacements et des groupements nouveaux de molécules et d'atomes. Il en est qui se traduisent par ce que nous appelons des sensations, d'autres par des souvenirs ; il en est, sans aucun doute, qui correspondent à tous les faits intellectuels, sensibles et volontaires : la conscience s'y surajoute comme une phosphorescence ; elle est semblable à la trace lumineuse qui suit et dessine le mouvement de l'allumette qu'on frotte, dans l'obscurité, le long d'un mur. Cette phosphorescence, s'éclairant pour ainsi dire elle-même, crée de singulières illusions d'optique intérieure ; c'est ainsi que la conscience s'imagine modifier, diriger, produire les mouvements dont elle n'est que le résultat ; en cela consiste la croyance à une volonté libre.

Op. cit., p. 32-33.

Texte 3 Bergson : relation ne veut pas dire équivalence

Que nous dit en effet l'expérience ? Elle nous montre que la vie de l'âme ou, si vous aimez mieux, la vie de la conscience, est liée à la vie du corps, qu'il y a solidarité entre elles, rien de plus. Mais ce point n'a jamais été contesté par personne, et il y a loin de là à soutenir que le cérébral est l'équivalent du mental, qu'on pourrait lire dans un cerveau tout ce qui se passe dans la conscience correspondante. Un vêtement est solidaire du clou auquel il est accroché ; il tombe si l'on arrache le clou ; il oscille si le clou remue ; il se troue, il se déchire si la tête du clou est trop pointue ; il ne s'ensuit pas que chaque détail du clou corresponde à un détail du vêtement, ni que le clou soit l'équivalent du vêtement ; encore moins s'ensuit-il que le clou et le vêtement soient la même chose. Ainsi, la conscience est incontestablement accrochée à un cerveau mais il ne résulte nullement de là que le cerveau dessine tout le détail de la conscience, ni que la conscience soit une fonction du cerveau. Tout ce que l'observation, l'expérience, et par conséquent la science nous permettent d'affirmer, c'est l'existence d'une certaine relation entre le cerveau et la conscience.

Op. cit., p. 36-37.

Texte 4 Le rôle véritable du cerveau

Je crois bien que notre vie intérieure tout entière est quelque chose comme une phrase unique entamée dès le premier éveil de la conscience, phrase semée de virgules, mais nulle part coupée par des points. Et je crois par conséquent aussi que notre passé tout entier est là, subconscient, – je veux dire présent à nous de telle manière que notre conscience, pour en avoir la révélation, n'ait pas besoin de sortir d'elle-même ni de rien s'adjoindre d'étranger : elle n'a, pour apercevoir distinctement tout ce qu'elle renferme ou plutôt tout ce qu'elle est, qu'à écarter un obstacle, à soulever un voile. Heureux obstacle, d'ailleurs ! voile infiniment précieux ! C'est le cerveau qui nous rend le service de maintenir notre attention fixée sur la vie ; et la vie, elle, regarde en avant ; elle ne se retourne en arrière que dans la mesure où le passé peut l'aider à éclairer et à préparer l'avenir. Vivre, pour l'esprit, c'est essentiellement se concentrer sur l'acte à accomplir. C'est donc s'insérer dans les choses par l'intermédiaire d'un mécanisme qui extraira de la conscience tout ce qui est utilisable pour l'action, quitte à obscurcir la plus grande partie du reste. Tel est le rôle du cerveau dans l'opération de la mémoire : il ne sert pas à conserver le passé, mais à le masquer d'abord, puis à en laisser transparaître ce qui est pratiquement utile. Et tel est aussi le rôle du cerveau vis-à-vis de l'esprit en général. Dégageant de l'esprit ce qui est extériorisable en mouvement, insérant l'esprit dans ce cadre moteur, il l'amène à limiter le plus souvent sa vision, mais aussi à rendre son action efficace. C'est dire que l'esprit déborde le cerveau de toutes parts, et que l'activité cérébrale ne répond qu'à une infime partie de l'activité mentale.

Op. cit., p. 56-57.

QUESTIONS

Texte 1

› Pour l'expérience commune, qu'est-ce qui distingue le corps, ou la matière, d'une part, et la conscience, ou l'esprit, d'autre part ?

Texte 2

› Opposez point par point la position scientifique (texte 2) et celle du sens commun (texte 1).

Texte 3

› 1• Explicitez les deux thèses présentées : il y a relation entre le cérébral et le mental ; il y équivalence entre le cérébral et le mental.

› 2• Étudiez l'analogie avec le clou et le vêtement. Quels faits pourraient illustrer cette analogie ?

Texte 4

› Quelle est, pour Bergson, la fonction du cerveau ? Quel est son rôle vis-à-vis de l'esprit ?

Réflexion 4

▶ Pouvons-nous appréhender la nature spécifique de l'esprit ?

Sommes-nous condamnés à percevoir l'esprit seulement par analogie ? Soit par opposition : il est le contraire d'une machine ; soit par assimilation : il est comme une machine, hier une horloge, aujourd'hui un programme d'ordinateur.

Texte 1 L'esprit n'est-il qu'un « fantôme dans la machine » ?

Selon Ryle, l'erreur de Descartes, serait de concevoir le monde spirituel comme un « lieu », un « espace ». En voulant opposer radicalement esprit et corps, il ne ferait que calquer l'un sur l'autre, au risque de faire de l'esprit un simple fantôme, mimant les mécanismes du corps.

Assez naturellement, mais à tort, Descartes et ses successeurs ont adopté une échappatoire. Puisqu'il fallait se garder d'interpréter les termes de la conduite mentale comme désignant le déroulement de processus mécaniques, il fallait les interpréter comme rapportant des processus non mécaniques. Puisque les lois de la mécanique expliquaient les mouvements dans l'espace comme des effets d'autres mouvements dans l'espace, il fallait d'autres lois pour expliquer certains fonctionnements non spatiaux de l'esprit comme des effets d'autres fonctionnements non spatiaux de l'esprit. [...]

Les différences entre le physique et le mental étaient donc placées à l'intérieur du schéma commun des catégories de « chose », de « substance », d'« attribut », d'« état », de « processus », de « changement », de « cause » et d'« effet ». L'esprit était considéré comme une « chose » différente du corps ; les processus mentaux étaient des causes et des effets bien que d'un genre différent des mouvements corporels et ainsi de suite. [...]

Que cette hypothèse soit au cœur de la doctrine est rendu manifeste par le fait que, dès le début, ses adhérents se sont rendu compte d'une difficulté théorique majeure : comment l'esprit peut-il influencer le corps et être influencé par lui ? Comment un processus mental tel que le vouloir peut-il être la cause de mouvements spatiaux tels que ceux de la langue ? Comment un changement physique dans le nerf optique peut-il avoir, parmi ses effets, la perception par l'esprit d'un trait de lumière ? Cette célèbre difficulté suffit à montrer le moule logique dans lequel Descartes a coulé sa doctrine de l'esprit. Il s'agissait en fait d'un moule identique à celui dans lequel lui-même et Galilée avaient élaboré leur mécanique. Adhérant encore, sans le savoir, à la grammaire de la mécanique, il a tenté d'éviter le désastre en décrivant l'esprit dans un vocabulaire qui n'était que l'inverse du précédent. Il s'est vu dans l'obligation de décrire le fonctionnement de l'esprit comme la simple négation de la description spécifique du corps ; l'esprit n'est pas dans l'espace, ne se meut pas, n'est pas une modification de la matière et n'est pas accessible à l'observation publique. L'esprit n'est pas un rouage d'une horloge, mais il est un rouage de quelque chose qui n'est pas une horloge.

Vu de la sorte, l'esprit n'est pas seulement un fantôme attelé à une machine ; il est lui-même une machine fantomatique.

Gilbert Ryle, *La Notion d'esprit*, 1949, trad. S. Stern-Gillet, Payot, 1978.

QUESTION

› Selon l'auteur, en séparant radicalement le corps – étendu – et l'esprit – inétendu –, Descartes n'aurait pas rompu avec le préjugé qui fait de l'esprit une « chose » : pourquoi ? Comment peut-on dire que Descartes en serait resté « sans le savoir, à la grammaire de la mécanique » ?

Texte 2
Pensons-nous « dans notre tête » ?

« Une des choses les plus dangereuses pour nos considérations, écrit Wittgenstein, c'est l'idée que nous pensons dans la tête, avec la tête. » Réduire l'esprit à une âme intime ou bien aux mécanismes d'un cerveau, c'est, dans les deux cas, en faire un lieu privé, où se dérouleraient des jeux mystérieux. Mais si l'esprit n'était qu'un ensemble de jeux très divers, supposant un espace public de règles du jeu ?

C'est donc une source d'erreurs que de parler d'*activité mentale* à propos de la pensée. Nous dirons que la caractéristique essentielle de la pensée, c'est qu'elle est une activité qui utilise des signes. Quand nous écrivons, la main est l'agent opératoire, quand nous parlons, la pensée s'exprime par la gorge ou le larynx, et quand nous ne faisons qu'imaginer des signes ou des images, il n'y a pas de mécanisme intermédiaire de la pensée. Et si vous me dites alors que c'est l'esprit qui pense, je répondrai qu'il s'agit là d'une métaphore, et que l'esprit ne peut agir de façon identique à celle de la main rédigeant la pensée écrite.

Si l'on nous demande encore de localiser la pensée, nous ne verrons pas d'autre lieu à désigner que le papier sur lequel nous écrivons, ou la bouche qui est en train de parler. Et s'il nous arrive de désigner la tête ou le cerveau comme le « siège de la pensée », cette localisation prend pour nous un sens tout différent. Essayons de voir pourquoi la tête passe pour être le siège de la pensée. […] La raison principale qui nous incline à localiser la pensée dans le cerveau est sans doute que nous utilisons, concurremment avec les termes « pensée » ou « penser », les termes « parler », « écrire » qui décrivent une activité corporelle, ce qui nous amène à considérer la pensée comme une activité analogue. Lorsque des termes du langage courant présentent au premier abord une certaine analogie dans leur fonction grammaticale, nous avons tendance à les comprendre dans un même système d'interprétation ; autrement dit, nous nous efforçons à tout prix de maintenir l'analogie. « La pensée, disons-nous, est autre chose que la phrase, car une même pensée s'exprimera en français et en anglais dans des termes tout différents. » Toutefois, du fait que nous pouvons voir où se trouvent des phrases, nous cherchons un lieu où se trouverait la pensée. […]

Serait-il donc absurde de parler d'un lieu où se situerait la pensée ? Nullement. Mais l'expression n'a d'autre sens que celui que nous entendons lui attribuer. Quand nous disons : « Le cerveau est le lieu où se situe la pensée », qu'est-ce donc que cela signifie ? Simplement que des processus physiologiques sont en corrélation avec la pensée, et que nous supposons que leur observation pourra nous permettre de découvrir des pensées. Mais quel sens pouvons-nous donner à cette corrélation, et en quel sens peut-on dire que l'observation du cerveau permettra d'atteindre des pensées ?

Ludwig Wittgenstein, *Le Cahier bleu*, 1933-1934,
trad. G. Durand, coll. Tel, Gallimard, 1958, p. 53-54.

QUESTIONS

› **1•** D'où vient l'idée courante que nous pensons « dans notre tête » ? Quelle expérience concrète aurions-nous à l'appui de cette idée ? Est-ce un fait, une hypothèse, une croyance, une superstition ?

› **2•** Comment l'auteur propose-t-il de définir la pensée ? Que pensez-vous de cette définition ?

Dossier 2

▶ La machine, rivale de la conscience ?

L'usage d'ordinateurs nous conduit à projeter sur la machine nos états d'âmes : « elle veut, elle oublie… ». C'est sans doute la même tendance qui pousse certains neurologues à réduire les données vécues de notre conscience à de simples mécanismes cérébraux. En prenant l'exemple de la perception d'une couleur, l'auteur veut montrer, au contraire, le caractère spécifique de la subjectivité.

DOCUMENT

Le seul point qu'on voudrait illustrer ici est le suivant : ni l'homme, ni le psychisme humain, ni la cognition ne peuvent se réduire à des systèmes de traitement de l'information et donc à des mécanismes […]. On choisira donc de se concentrer sur la perception, et en particulier la perception des couleurs.

Voir et reconnaître

Le nerf de notre argument est la distinction entre vision et reconnaissance de forme. Un système de traitement de l'information, muni de capteurs sensibles aux différences de longueur d'onde et d'intensité du flux lumineux, est capable d'imprimer la phrase « *je vois du rouge* », ou de faire apparaître sur un écran une couleur que nous percevons comme rouge, ou de se comporter comme le prévoit son programme quand son capteur détecte une tache rouge. En revanche, un système de traitement de l'information est-il capable d'avoir la sensation du rouge, de la goûter dans ce qu'elle a de spécifique ? Il peut *reconnaître* le rouge ou le bleu, cela ne prouve pas qu'il les *voit*.

Dans la quasi-totalité des situations dont le contexte est opératoire, ou s'il s'agit de transmettre des informations (ce qui revient au même), la différence entre vision et reconnaissance de forme n'est absolument pas pertinente. Si un daltonien total avait la possibilité de lire le nom des couleurs sur les surfaces ou de les déduire d'indices divers, nous ne nous en apercevrions sans doute jamais et ses performances n'en souffriraient pas : il serait capable de reconnaître un feu rouge, de distinguer des autres un tournevis rouge, un drapeau rouge, etc. Seulement voilà, il n'aurait jamais vu de couleurs. Sachant reconnaître la couleur des objets, il vivrait cependant dans un monde incolore. On conviendra que l'identité des comportements apparents ne constitue pas la preuve d'une similitude de sensation. […]

Le niveau neuronal

Examinons pour commencer le niveau neuronal. John von Neumann[1] fut le premier à dresser l'inventaire systématique des différences entre les calculatrices fabriquées de main d'homme et la machine naturelle du système nerveux : dimensions analogiques[2] du fonctionnement du cerveau, logique probabiliste nécessairement à l'œuvre pour compenser la faible fiabilité des neurones, redondance des connexions, délocalisation des fonctions, parallélisme des calculs, etc. Bien que n'appartenant pas au même genre que l'ordinateur, le cerveau est cependant un automate. […] Comment un tel système de traitement de l'information peut-il percevoir des couleurs ?

1. La deutéranopie est la forme la plus commune de daltonisme, ou dyschromatopsie.

2. Vision normale des couleurs d'affiches lumineuses dans le quartier de Shinjuku, Tokyo.

On sait que les signaux transmis à l'intérieur du système nerveux, les impulsions électriques qui franchissent les synapses[3], sont relativement homogènes. Les signaux en provenance des oreilles ou des yeux sont semblables, bien que le son et la couleur soient dissemblables. Les éléments de base, les neurones, sont également des reproductions, à de petites variations près, de quelques modèles fondamentaux. Nous sommes donc en présence de messages codés dans un alphabet restreint qui transitent dans un réseau dont les nœuds sont des opérateurs de même nature. Il n'y a évidemment pas d'impulsions jaunes ou vertes ni de neurones du bleu ou du rouge.

Pour reconnaître la *même couleur* à partir d'états d'excitation totalement *différents* des cent millions de capteurs sensoriels de la rétine, le cortex visuel doit se livrer, sur l'énorme quantité d'information qui lui parvient des cônes et des bâtonnets[4], à des calculs d'une extraordinaire complexité. L'essence de la reconnaissance de forme est le calcul d'invariant. Identifier la couleur rouge dans des conditions changeantes de localisation et d'éclairage demande à notre cerveau d'abstraire le noyau invariant de la rougeur d'un flux de messages en perpétuelle mutation qui, comme le fleuve d'Héraclite[5], n'est jamais deux fois identique. La reconnaissance d'une couleur n'est pas un processus immédiat, directement fonction de la longueur d'onde moyenne du flux lumineux qui vient frapper la rétine, mais résulte au contraire d'un calcul sophistiqué effectué sur l'équivalent d'une matrice de cent millions de chiffres. Pourtant, si la reconnaissance de forme par un système de traitement de l'information est ainsi concevable, il en est tout autrement de la vision proprement dite.

En effet, qui *voit* la couleur du rubis dans ce système ? Ce n'est certes pas un neurone : un neurone est dans certains états d'excitation électrique et il est connecté à d'autres neurones, c'est tout ce que nous pouvons en dire à l'échelle où nous nous sommes placés. [...]

La couleur n'est pas dans le cerveau

Admettons par hypothèse qu'une assemblée de neurones se trouve dans un certain état lorsque l'œil est frappé par la limite visible du spectre de décomposition de la lumière solaire correspondant aux plus grandes longueurs d'ondes.

On constatera dans ce cas la concomitance de deux phénomènes physiques : un faisceau lumineux dont la longueur d'onde moyenne se situe autour de 630 nanomètres[6] frappe la rétine ; après un processus de calcul neuronal compliqué, une certaine assemblée de neurones se trouve dans un état X. On ne comprend pas, dans cet enchaînement physique, d'où peuvent sortir l'écarlate et le vermillon. *La couleur n'est pas dans le monde extérieur qui ne connaît que des différences de longueur d'ondes, elle n'est pas dans la machine neuronale qui ne connaît que des graphes de connexion ou des états d'excitation incolores.*

Pierre Lévy, « L'univers du calcul : calculer, percevoir, penser » *in Intelligence des mécanismes, mécanismes de l'intelligence*, coord. J.-L. Le Moigne, 1986, Librairie Arthème Fayard, p. 283 sq.

---

1. John von Neumann (1903-1957), mathématicien américain d'origine hongroise qui, dès 1926, a posé les bases de la théorie des jeux. En 1952, il conçoit le premier ordinateur utilisant un programme mémorisé.
2. S'oppose à la dimension digitale, binaire, des machines informatiques.
3. Point de contact entre deux neurones.
4. Cellules réceptives de la rétine.
5. Héraclite, penseur grec du VIe siècle av. J.-C., est l'auteur de la formule célèbre : « on ne peut entrer deux fois dans le même fleuve » (Diels, B XCI). Selon lui, tout s'écoule dans le monde des phénomènes, rien ne demeure jamais identique, rien ne subsiste.
6. Milliardièmes de mètre (1×10^{-9} m).

Échiquier d'Adelson : illusion d'optique de Ted Adelson, 1995. Comparez les cases A et B ; à l'aide d'un cache, isolez les deux cases du restant de la figure. Que constatez-vous ?

QUESTIONS

1• Concernant la reconnaissance des couleurs, que peut faire une machine ? Que ne peut-elle pas faire ? Pourquoi avons-nous tendance à confondre ces deux performances ? Pourquoi les distinguer est-il essentiel ?

2• Pourquoi, selon l'auteur, la couleur vue ne peut être ni dans la machine, ni dans le cerveau ?

Réflexion 5

▶ Y a-t-il une réalité spirituelle irréductible ?

Les productions spirituelles – une peinture, un théorème mathématique, un mouvement de générosité, une révolte contre l'injustice – sont dépendantes de conditions matérielles : corps vivants, cerveaux et neurones, infrastructures sociales et économiques. Mais peut-on les réduire à cela ?

Texte 1 Les trois ordres

La distance infinie des corps aux esprits figure la distance infiniment plus infinie des esprits à la charité ; car elle est surnaturelle.

Tout l'éclat des grandeurs n'a point de lustre pour les gens qui sont dans les recherches de l'esprit.

La grandeur des gens d'esprit est invisible aux rois, aux riches, aux capitaines, à tous ces grands de chair.

La grandeur de la sagesse, qui n'est nulle sinon de Dieu, est invisible aux charnels et aux gens d'esprit. Ce sont trois ordres différents de genre. [...]

Tous les corps, le firmament, les étoiles, la terre et ses royaumes, ne valent pas le moindre des esprits ; car il connaît tout cela, et soi ; et les corps, rien.

Tous les corps ensemble, et tous les esprits ensemble, et toutes leurs productions, ne valent pas le moindre mouvement de charité. Cela est d'un ordre infiniment plus élevé.

De tous les corps ensemble, on ne saurait en faire réussir une petite pensée : cela est impossible, et d'un autre ordre. De tous les corps et esprits, on n'en saurait tirer un mouvement de vraie charité, cela est impossible, d'un autre ordre, surnaturel.

Blaise Pascal, *Pensées*, posth. 1669, fr. 308/793, *in Œuvres complètes*, Seuil, p. 540.

QUESTIONS

› 1• Repérez les trois « ordres » de réalité distingués par Pascal. Donnez des exemples. Pourquoi, selon Pascal, un saut est-il nécessaire pour passer de l'un à l'autre ?

› 2• Cherchez la définition du mot « incommensurable ». En quoi ce mot s'applique-t-il aux trois ordres décrits par Pascal ?

Texte 2 Peut-il y avoir un « dedans » de l'esprit ?

On est obligé d'ailleurs de confesser que la *Perception* et ce qui en dépend, est *inexplicable par des raisons mécaniques*, c'est-à-dire par les figures et par les mouvements. Et feignant qu'il y ait une Machine, dont la structure fasse penser, sentir, avoir perception ; on pourra la concevoir agrandie en conservant les mêmes proportions, en sorte qu'on y puisse entrer, comme dans un moulin. Et cela posé, on ne trouvera en la visitant au dedans, que des pièces, qui poussent les unes les autres, et jamais de quoi expliquer une perception. Ainsi c'est dans la substance simple, et non dans le composé, ou dans la machine qu'il la faut chercher.

Gottfried Leibniz, *Monadologie*, 1714, § 17, Éd. É. Boutroux, Delagrave, p. 149-150.

QUESTIONS

› 1• À quoi l'image du moulin renvoie-t-elle ? Quelle réalité désigne-t-elle ?

› 2• Qu'est-ce qui, pour l'auteur, interdit de concevoir la perception comme un simple mécanisme ? Comparez le fonctionnement d'un appareil photo et la perception humaine. En quoi cette comparaison permet-elle d'éclairer la thèse de l'auteur ?

Texte 3 L'être de l'esprit serait-il un os ?

Au début du XIXe siècle, Franz Joseph Gall (1757-1829) fait l'hypothèse d'une pluralité d'organes cérébraux dont il croit découvrir l'expression dans les protubérances du crâne (d'où vient l'expression encore en vigueur : « la bosse des maths »). Hegel voit dans cette théorie alors à la mode, appelée phrénologie, un contresens complet sur la nature de l'esprit.

Il faut considérer comme un reniement complet de la raison la tentative de faire passer un os pour l'*être-là effectif de la conscience* ; et c'est pourtant ce qu'on fait quand on considère le crâne comme l'extérieur de l'esprit ; car l'extérieur est justement la réalité effective dans l'élément de l'être. Il ne sert à rien de dire que de cet extérieur on *infère seulement* l'intérieur qui est *quelque chose d'autre* et que l'extérieur n'est pas l'intérieur même, mais seulement son expression. En effet, dans leur relation mutuelle, du côté de l'intérieur tombe la détermination de la *réalité effective qui se pense et qui est pensée*, mais du côté de l'extérieur tombe la détermination de la *réalité effective dans l'élément de l'être*[1]. Si donc on dit à un homme : « Tu (ton intérieur) es ceci *parce que* ton os est ainsi constitué », cela ne signifie rien d'autre que : « Je prends un os pour ta *réalité effective*. »

Friedrich Hegel, *Phénoménologie de l'esprit, C : La Raison observante*, 1807, trad. J. Hyppolite, Aubier (Flammarion), t. 1, p. 280-281.

1. L'esprit n'est ni un intérieur ni un extérieur, mais un mouvement incessant de l'un à l'autre. Pour devenir effectif, « réel », il doit se réaliser à l'extérieur de lui-même (« dans l'élément de l'être ») : dans l'art, la religion, la science, l'histoire, la politique…

QUESTION

› Pourquoi, pour Hegel, est-ce un « reniement complet de la raison » de prendre un os pour la réalité de la conscience ?

Document Notre esprit exprimé sur notre crâne ?

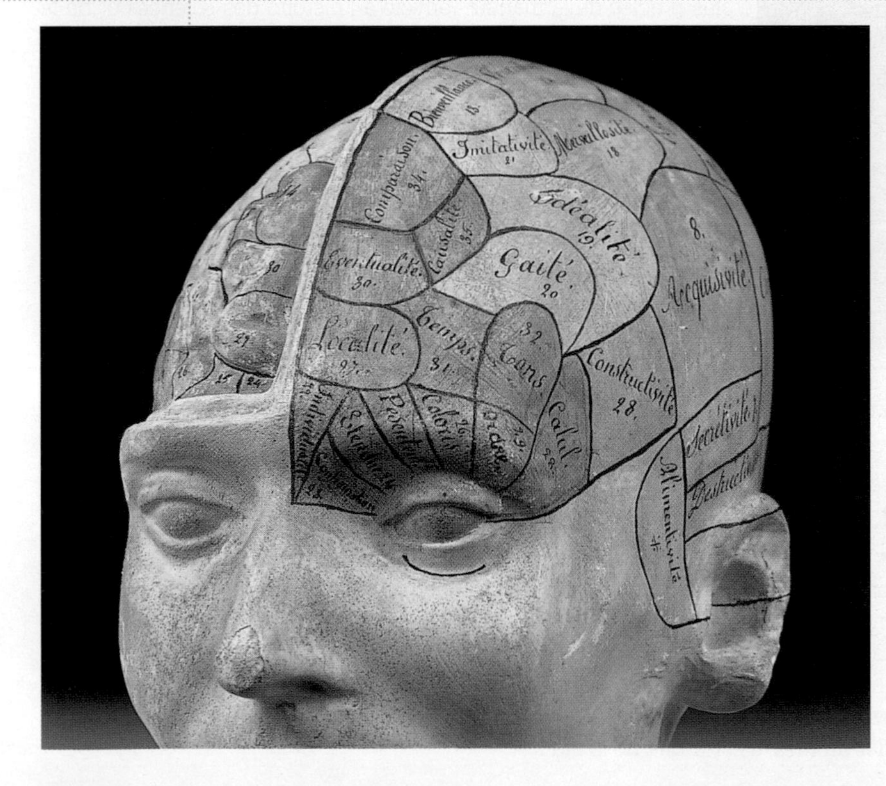

Le neurologue allemand Franz Joseph Gall (1757-1828) pense pouvoir localiser les fonctions cérébrales dans le cerveau, et en retrouver l'expression dans la forme du crâne. Ainsi, même des qualités morales, comme la gaieté, la bienveillance, etc., pourraient s'exprimer sur notre crâne, devenu cartographie.

QUESTION

› La phrénologie de Gall peut-elle être rapprochée de certaines interprétations des « neurosciences » ?

REPÈRES et DISTINCTIONS CONCEPTUELLES

Vivant / matière / esprit

Ces trois concepts ne permettent pas des distinctions conceptuelles homogènes. Le concept de matière est en perpétuelle redéfinition par la physique contemporaine. Son approche devient extrêmement compliquée. Le concept d'esprit reste sujet à des discussions philosophiques et ne peut pas aboutir à une définition neutre. Le concept de vivant semble se prêter à une définition un peu plus consensuelle.

▪ **Un être vivant est un être organisé,** c'est-à-dire formé de parties hétérogènes qui fonctionnent les unes pour les autres et au profit du tout. Contrairement à une machine fabriquée par l'homme, cette organisation n'est pas imposée de l'extérieur par un artisan, mais se constitue de l'intérieur, à partir d'un germe ou d'un œuf. De cette définition découle toute une série de caractéristiques : l'individualité, la croissance, la nutrition, la génération, la mort… (➧ p. 376).

Cette définition n'échappe pas aux problèmes des frontières. Par exemple, un virus est-il un être vivant ? La communauté scientifique répond généralement par la négative : si le virus dispose d'un code ADN proche des autres êtres vivants, il ne peut se reproduire que dans et en se servant d'autres êtres vivants. Il manque au virus l'**autonomie**.

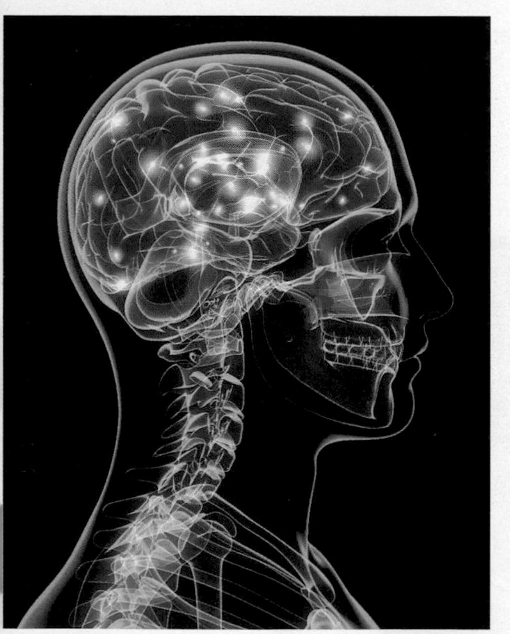

Activité cérébrale, image de synthèse.

▪ **La matière** est le constituant ultime de la nature. Elle est souvent pensée comme **substance**, c'est-à-dire comme ce qui subsiste à travers les changements (ainsi la célèbre formule de Lavoisier : « rien ne se crée, rien ne se perd, tout se transforme »). Une définition plus précise de la matière renvoie à l'histoire des sciences et de la philosophie. Aujourd'hui, la physique moderne étudie les particules élémentaires qui composent les atomes et donne une image de plus en plus abstraite et théorique de la matière.

▪ **L'esprit** désigne la **faculté de penser**, laquelle s'oppose au corps, à la sensibilité, à la volonté. Le plus souvent, l'esprit (l'intellect) s'oppose à l'âme, principe d'animation du corps.

Chez Hegel, l'esprit est un principe impersonnel qui se déploie à travers l'histoire, selon des lois rationnelles mais qui dépassent la conscience des hommes ; il se réalise dans des formes concrètes ; l'histoire des hommes, des religions, des arts, de la philosophie.

Aujourd'hui, certains courants des neurosciences nient purement et simplement l'existence de l'esprit, en renvoyant les phénomènes dits spirituels à des mécanismes neuronaux.

Les débats philosophiques

▪ **Dualisme / monisme** : on appelle dualisme une doctrine qui admet, comme principes explicatifs de la nature ou de l'homme, deux principes fondamentaux, indépendants, irréductibles l'un à l'autre. Descartes, par exemple, oppose la substance étendue (la matière) à la substance pensante (la pensée, l'esprit). On appelle monisme au contraire toute théorie où un seul principe explicatif suffit : l'épicurisme est un monisme, car, pour Épicure, toute chose doit pouvoir s'expliquer par la nature des atomes, c'est-à-dire de la matière.

▪ **Matérialisme/spiritualisme** : le matérialisme est un monisme qui met en avant la seule matière et les lois qui en découlent. En général, le matérialisme affirme à la fois la **nécessité** des lois de la nature, et le **hasard** des rencontres des atomes, des corps, des événements. Le spiritualisme pose le rôle indépendant d'une force spirituelle, à côté ou bien contre les lois de la matière. Pour le spiritualisme, l'esprit ne se réduit ni à la nécessité de la matière, ni à la contingence de la vie (› Bergson, p. 386).
▪ **Créationnisme/évolutionnisme** : le créationnisme pense que le monde a été créé par un dieu créateur, selon le témoignage de la Bible ; l'évolutionnisme pense que le monde est le fruit d'une histoire continue et dépendante des lois de la nature. Aujourd'hui, le créationnisme emprunte des formes plus subtiles : à défaut d'avoir été créé, le monde peut être le fruit d'un **dessein créateur.**
▪ **Finalisme/mécanisme :** l'être vivant se caractérise par une finalité interne : chaque partie d'un organisme fonctionne au service du tout de l'organisme. Le problème est de savoir si cette originalité peut s'expliquer **mécaniquement**, ou bien si elle suppose l'intervention d'une cause finale, c'est-à-dire d'une **intention**.

Zoom sur...

L'explication darwinienne de l'origine des espèces

▪ La **sélection naturelle** est, pour Darwin, le moteur de l'évolution des espèces vivantes. Ce moteur trouve une analogie essentielle dans la **sélection artificielle**, pratique humaine qui a modifié en quelques millénaires un grand nombre d'espèces animales ou végétales (nos animaux domestiques, les plantes de nos jardins, nos fleurs...). Les hommes ont tiré parti des variations aléatoires des êtres vivants, ils les ont sélectionnés, isolés, pour créer des **variétés** (plantes) ou des **races** (animaux) nouvelles.

▪ Laissée à elle-même, la reproduction des êtres vivants conduit en effet à un accroissement à l'infini qui interdit à tous les vivants de survivre (**lutte pour l'existence**). Une élimination mécanique doit s'opérer. Les nécessités adaptatives (conditions physiques, chimiques, climatiques, écologiques, etc.) opèrent ce tri parmi les individus (**sélection naturelle**). Car, dans chaque espèce, la **diversité génétique** est la règle ; les individus sont tous différents, surtout dans la logique de la reproduction sexuée. Celle-ci, en effet, combinant les gènes des deux parents pour produire un troisième individu, est une « machine à faire du différent ». La variabilité des populations est un réservoir d'adaptation face aux circonstances changeantes de l'environnement. Les individus les mieux adaptés survivront statistiquement, sur le long terme (**survivance du plus apte**).

▪ Ces adaptations sont **contingentes** : aucune nécessité, aucun « élan vital » ne conduit apparemment les êtres vivants à évoluer dans une voie tracée à l'avance. Les lois de la nature peuvent ainsi conduire à des **impasses évolutives**. L'histoire du vivant est marquée par plus d'échecs que de réussites.

chapitre 16

La vérité

Liu Bolin, *Hide in the City*, Italie, 2010.

Des mots...

Les mots vrai et vérité sont souvent attribués aux objets, aux personnes, ou à des comportements. On peut ainsi parler d'un vrai diamant, d'un vrai ami, d'une vraie amitié. On parle également de la vérité d'une interprétation, au théâtre ou au cinéma. Dans un sens moral, le vrai est relié à la sincérité : « un accent de vérité qui ne trompe pas ». On confond parfois la vérité avec la réalité comme dans l'expression « chercher à rendre le vrai ». Bien que ces expressions soient fortement ancrées dans notre langage, et que leur usage ait certainement leur raison d'être, il faut commencer par s'en débarrasser pour comprendre le concept philosophique.

... au concept

Au sens strict, le vrai ne peut pas s'appliquer à des réalités, mais seulement à des discours humains. Des discours, c'est-à-dire des **récits** : « le témoin a-t-il dit la vérité ? » Ou **des systèmes de croyances, des théories** : « le géocentrisme est une théorie fausse ». Ou plus simplement des **affirmations,** soit singulières : « aujourd'hui le ciel est bleu » ; soit universelles : « la Terre est un ovoïde légèrement aplati aux pôles ». Le vrai n'est ni le sincère, ni le réel, c'est la correspondance d'un discours avec une réalité extérieure. En effet la réalité n'est en elle-même ni vraie ni fausse, elle est simplement ce qu'elle est. La conformité à la réalité pose deux problèmes très différents selon qu'on l'oppose à l'erreur ou bien au mensonge. Le premier problème est un problème logique et épistémologique. Le second problème est d'ordre moral.

Pistes de réflexion

Pourquoi rechercher la vérité ?

Pourquoi serait-il si important de découvrir le vrai ? Pourquoi faudrait-il toujours préférer le vrai au faux ? Il arrive que révéler la vérité engendre des conséquences désastreuses. La vérité aurait-elle une valeur autre qu'intellectuelle ? Une valeur morale ? Une valeur pragmatique ?

L'homme a-t-il les moyens de distinguer avec certitude le vrai du faux ?

Croire que l'homme peut accéder à la vérité, n'est-ce pas avoir une confiance trop optimiste dans les capacités humaines ? Ne faudrait-il pas être plus modeste, et reconnaître que nous n'avons accès qu'à l'apparence de la réalité, non à la réalité elle-même ? La vérité serait-elle alors toujours relative : au contexte, à l'observateur, aux instruments d'observations, aux théories en vigueur ?

Peut-on prouver le vrai ?

En logique ou en mathématique, le raisonnement démonstratif peut prouver la vérité d'une proposition, car il s'agit de vérités construites pas l'esprit humain. Le problème est plus complexe dans les sciences expérimentales et humaines, dans les procédures judiciaires (reconstituer la scène d'un meurtre, par exemple). Ici, la vérité concerne des réalités extérieures auxquelles on ne peut accéder directement, mais toujours par des intermédiaires (instruments de mesure, traces fossiles, témoignages...). Il est alors plus facile de réfuter (prouver le faux) que de vérifier (prouver le vrai).

Peut-on juger toutes nos idées en termes de vérité ou de fausseté ?

Toutes nos idées peuvent-elles être jugées comme vraies ou fausses ? Certaines de nos idées peuvent concerner le juste, le bien, le beau... ce que nous appelons des jugements de valeurs. Ces idées-là peuvent-elles être jugées selon le vrai et le faux ? Si tel n'est pas le cas, chacun est-il libre de penser ce qu'il veut ?

Savoir la vérité, dire la vérité : est-ce la même chose ?

À la différence de celui qui se trompe, le menteur connaît la vérité mais il refuse de la révéler. Le problème est ici moral : suis-je tenu de dire toujours, et partout, toute la vérité que je connais ? Certes, le devoir de vérité s'impose le plus souvent, mais n'y a-t-il pas des exceptions légitimes ? Par exemple, est-ce que je dois dire la vérité si j'ai la conviction qu'il en sera fait un mauvais usage ? Ou encore dois-je dire la vérité à quelqu'un qui n'est pas en état de l'entendre ?

Entre l'erreur et le mensonge, quelle place faire à l'illusion ?

Entre l'erreur – involontaire et ignorante – et le mensonge – volontaire – se situe une zone obscure : celle de l'illusion. Comme l'erreur, l'illusion est en grande partie involontaire : quand on se « fait des illusions », on ne le fait pas exprès. Mais, comme dans le mensonge, l'homme entretient ses propres illusions ; il n'est pas totalement innocent de ses idées fausses. Dans l'illusion, on se ment à soi-même. Comment l'expliquer ?

Passerelles

› **Chapitre 12 : Théorie et expérience,** p. 310.
› **Chapitre 13 : La démonstration,** p. 336.
› **Chapitre 21 : Le devoir,** p. 524.

Découvertes

DOCUMENT 1 Un fantôme encombrant

La vérité, c'est d'abord ce en quoi on veut croire. Il y a dans la croyance quelque chose comme une autoconviction, un mécanisme qui s'entretient lui-même, qui rend la volonté de croire de plus en plus nécessaire à mesure qu'elle s'éloigne de la réalité. Comment sortir du cercle vicieux ?

Une jeune femme qui allait mourir dit à son mari :

– Je t'aime tant que je ne veux pas te perdre. Ne me trompe pas avec une autre femme. Si tu le fais, mon fantôme viendra te hanter et ne te laissera jamais en paix.

Lorsqu'elle fut morte, son mari respecta son souhait pendant trois mois, mais ensuite il s'éprit d'une autre femme et se fiança avec elle. Dès ce jour-là, un fantôme lui apparut chaque nuit, lui reprochant de n'avoir pas tenu sa promesse. Ce fantôme savait beaucoup de choses : il disait à l'homme tout ce qui se passait entre sa fiancée et lui. Chaque fois que l'homme offrait un présent à sa fiancée, le fantôme le décrivait en détail, et il répétait chacune de leurs conversations. L'homme en était à ce point agacé qu'il en perdit le sommeil. C'est alors que quelqu'un lui conseilla de soumettre son problème à un Maître du Zen[1] qui vivait près du village.

– Ton ancienne femme est donc devenue un fantôme, et elle sait tout ce que tu fais, tout ce que tu dis ou offres à ta bien-aimée ? dit le Maître. Ce doit être un fantôme très instruit, et que tu devrais admirer. La prochaine fois que tu le verras, propose-lui un marché. Dis-lui que, puisque tu ne peux rien lui cacher, tu rompras tes fiançailles s'il veut répondre à la question que tu lui poseras. Sur quoi tu prendras une grosse poignée de baies de soja et tu lui demanderas combien de baies tu as dans ta main. S'il ne peut te répondre, tu sauras que ce fantôme n'est que le fruit de ton imagination, et il ne viendra plus t'ennuyer.

La nuit suivante, lorsque le fantôme apparut, l'homme le flatta, comme l'avait dit le Maître, de son savoir.

– En effet, répliqua le fantôme. Je sais même que tu es allé voir le Maître du Zen aujourd'hui.

– Puisque tu sais tant de choses, dit l'homme, dis-moi combien de baies de soja j'ai dans cette main.

Il n'y eut plus aucun fantôme pour répondre à sa question.

Nancy Wilson Ross, *Le Monde du Zen*, 1960, Stock, 1968.

1. Forme du bouddhisme installée principalement au Japon, à partir du XIIIe siècle. Un rôle primordial est attribué à la méditation et à la recherche de la beauté.

QUESTIONS

1• Qu'est-ce que ce récit, derrière sa forme plaisante, nous apprend sur les mécanismes de la croyance ?

2• Pourquoi la question « combien y a-t-il de baies ? » fait-elle fuir le fantôme ?

3• À partir de ce texte, expliquez la différence entre croire et connaître.

DOCUMENT 2 Distinguer le merveilleux du réel

Les Habitants du royaume de Erginul, extrait du *Livre des Merveilles* de Marco Polo, vers 1412, enluminure, Paris, Bibliothèque nationale de France.

QUESTION

› De nombreux auteurs médiévaux croient en l'existence de « monstres » situés dans un Orient lointain et décrits par des « témoignages » de voyageurs ou d'auteurs antiques. Ces croyances révèlent-elles une simple crédulité ? Que manquait-il aux « érudits » de cette époque qui rapportaient de tels faits sans les mettre en doute ? La possibilité de vérifier les témoignages ? une culture scientifique ? l'habitude de distinguer entre savoirs et croyances ?

DOCUMENT 3 Les tables de vérité

On peut définir les opérations logiques à partir de ce qu'on appelle des tables de vérité. Elles décrivent les transformations produites par les connecteurs logiques. Les trois opérations les plus connues – mais ce ne sont pas les seules – sont la **conjonction** (notée « et », « & », « ∧ », « . »), la **disjonction** (notée « ou », « ∨ »), l'**implication** (« si..., alors... », « → », « ⊃ »).

La conjonction : « et »

p	q	p ∧ q
V	V	V
V	F	F
F	V	F
F	F	F

Par exemple : pour voter en France, il faut être de nationalité française, **et** avoir la majorité, **et** être inscrit sur les listes électorales. Les trois conditions doivent être remplies en même temps ; si une seule des conditions est fausse, la proposition « M. X peut voter » est fausse.

La disjonction : « ou »

p	q	p ∨ q
V	V	V
V	F	V
F	V	V
F	F	F

Par exemple : pour réussir, il faut avoir de l'intelligence, ou des relations, ou de la chance. On pose ici qu'une seule de ces trois conditions suffit. Mais évidemment, elles peuvent se cumuler. C'est cette disjonction dite **inclusive** qu'on note parfois par la formule « **et/ou** ». Elle se distingue de la disjonction **exclusive** : **ou bien... ou bien...** où les conditions s'excluent mutuellement.

L'implication : « si... alors... »

p	q	p → q
V	V	V
V	F	F
F	V	V
F	F	V

L'**implication logique** est plus difficile à comprendre intuitivement, car elle n'est pas un rapport de causalité, ou de dépendance entre des faits réels, mais une opération sur des valeurs de vérité des propositions (V et F), opération dont la définition n'est rien d'autre que la table de vérité ci-dessus. De cette définition découlent des règles paradoxales : du faux suit n'importe quoi ; une proposition vraie est impliquée par n'importe quelle proposition.

QUESTIONS

› 1• En quoi la mise en forme logique de la vérité ressemble-t-elle à un calcul arithmétique ?

› 2• Ce calcul s'occupe-t-il de la vérité du contenu des propositions ? De quoi s'occupe-t-il exclusivement ?

Réflexion 1

▶ Vérité et mensonge : toute vérité est-elle bonne à dire ?

Si un principe souffre des exceptions, toutes les occasions seront bonnes pour ne pas l'appliquer. Par ailleurs, nul ne peut décider pour un autre la vérité qui lui convient. Aussi Kant tient-il pour absolu le devoir de dire la vérité. Dans une célèbre dispute, Benjamin Constant oppose à Kant les conséquences néfastes de son intransigeance et propose, non pas de renoncer aux principes moraux, mais de les concilier.

Texte 1 — La véracité, comme devoir absolu

La véracité dans les déclarations que l'on ne peut éviter est le devoir formel de l'homme envers chacun, quelque grave inconvénient qu'il puisse en résulter pour lui ou pour un autre [...]. Il suffit donc de définir le mensonge comme une déclaration volontairement fausse faite à une autre homme, et il n'y a pas besoin d'ajouter cette condition, exigée par la définition des jurisconsultes[1], que la déclaration soit nuisible à autrui. Car en rendant inutile la source du droit, elle est toujours nuisible à autrui, sinon à un autre homme, du moins à l'humanité en général.

Le mensonge bien intentionné, dont il est question ici, *peut* d'ailleurs, par l'effet du *hasard*, devenir punissable aux yeux des lois civiles. [...] Avez-vous arrêté *par un mensonge* quelqu'un qui méditait alors un meurtre, vous êtes juridiquement responsable de toutes les conséquences qui pourront en résulter ; mais êtes-vous resté dans la stricte vérité, la justice ne saurait s'en prendre à vous, quelles que puissent être les conséquences imprévues qui en résultent. Il est possible qu'après que vous avez loyalement répondu oui au meurtrier qui vous demandait si son ennemi était dans la maison, celui-ci en sorte inaperçu et échappe ainsi aux mains de l'assassin, de telle sorte que le crime n'ait pas lieu ; mais si vous avez menti en disant qu'il n'était pas à la maison et qu'étant réellement sorti (à votre insu), il soit rencontré par le meurtrier, qui commette son crime sur lui, alors vous pouvez justement être accusé d'avoir causé sa mort. En effet, si vous aviez dit la vérité, comme vous la saviez, peut-être le meurtrier, en cherchant son ennemi dans la maison, eût-il été saisi par ses voisins accourus à temps, et le crime n'aurait-il pas eu lieu. Celui donc qui *ment*, quelque généreuse que puisse être son intention, doit, même devant le tribunal civil, encourir la responsabilité de son mensonge et porter la peine des conséquences, si imprévues qu'elles puissent être. C'est que la véracité est un devoir qui doit être regardé comme la base de tous les devoirs fondés sur un contrat, et que, si l'on admet la moindre exception dans la loi de ces devoirs, on la rend chancelante et inutile.

Emmanuel Kant, *D'un prétendu droit de mentir par humanité*, 1797, *in Le Droit de mentir*, coll. Mille et une nuits, Librairie Arthème Fayard, p. 44-49.

1. Théoriciens du droit, qui donnent leur avis sur les principes fondamentaux du droit.

QUESTIONS

1• Par quel argument Kant justifie-t-il le caractère absolu du devoir de dire la vérité, y compris dans des situations où cette vérité peut sembler conduire à des conséquences injustes ?

2• Le texte ne cesse d'aller de la logique du droit (les « jurisconsultes ») à la logique morale (« l'humanité en général »). Repérez ce double registre. Comment l'auteur s'en sert-il, tantôt pour les opposer, tantôt pour les relier ?

Texte 2 — Le devoir de vérité trouve ses limites dans nos autres devoirs

Le principe moral que dire la vérité est un devoir, s'il était pris d'une manière absolue et isolée rendrait toute société impossible. Nous en avons la preuve dans les conséquences très directes qu'a tirées de ce principe un philosophe allemand[1] qui va jusqu'à prétendre qu'envers des assassins qui vous demanderaient si votre ami qu'ils poursuivent n'est pas réfugié dans votre maison, le mensonge serait un crime. […]

Je prends pour exemple le principe moral que je viens de citer, que dire la vérité est un devoir.

Ce principe isolé est inapplicable. Il détruirait la société. Mais si vous le rejetez[2], la société n'en sera pas moins détruite, car toutes les bases de la morale seront renversées.

Il faut donc chercher le moyen d'application, et pour cet effet, il faut, comme nous venons de le dire, définir le principe.

Dire la vérité est un devoir. Qu'est-ce qu'un devoir ? L'idée de devoir est inséparable de celle de droits : un devoir est ce qui, dans un être, correspond aux droits d'un autre. Là où il n'y a pas de droits, il n'y a pas de devoirs.

Dire la vérité n'est donc un devoir qu'envers ceux qui ont droit à la vérité. Or nul homme n'a droit à la vérité qui nuit à autrui.

Voilà, ce me semble, le principe devenu applicable. En le définissant, nous avons découvert le lien qui l'unissait à un autre principe, et la réunion des deux principes nous a fourni la solution à la difficulté qui nous arrêtait.

Benjamin Constant, *Des réactions politiques*, 1796, chap. 7, *in Le Droit de mentir*, coll. Mille et une nuits, Librairie Arthème Fayard, 2003, p. 31.

1. Allusion à Kant › texte 1, p. 402.
2. C'est-à-dire, si vous admettez qu'on peut mentir en toutes circonstances…

QUESTION

› Quelle difficulté Constant repère-t-il ? L'auteur résout la difficulté posée par un principe en lui ajoutant un second principe. Lequel ?

Texte 3 — Les devoirs de la vérité

Toute vérité n'est pas bonne à dire ; on ne répond pas à toutes les questions, du moins, on ne dit pas n'importe quoi à n'importe qui ; il y a des vérités qu'il faut manier avec des précautions infinies, à travers toutes sortes d'euphémismes[1] et d'astucieuses périphrases[2] ; l'esprit ne se pose sur elles qu'en décrivant de grands cercles, comme un oiseau. Mais cela est encore peu dire : il y a un temps pour chaque vérité, une loi d'opportunité qui est au principe même de l'initiation ; avant il est trop tôt, après il est trop tard. Est-ce la vérité qui s'insère dans l'histoire ? ou la conscience qui se développe selon la durée ? La chose certaine est qu'il y a toute une déontologie[3] du vrai qui repose sur la saisie irrationnelle de l'occasion opportune et, comme nous dirions volontiers, de la flagrante conjoncture[4]. […]

Ce n'est pas tout de dire la vérité, « toute la vérité », n'importe quand, comme une brute : l'articulation de la vérité veut être graduée ; on l'administre comme un élixir puissant et qui peut être mortel, en augmentant la dose chaque jour, pour laisser à l'esprit le temps de s'habituer. La première fois, par exemple, on racontera une histoire ; plus tard, on dévoilera le sens ésotérique[5] de l'allégorie. C'est ainsi qu'il y a une histoire de Saint Louis pour les enfants, une autre pour les adolescents et une troisième pour les chartistes[6] ; à chaque âge sa version ; car la pensée, en mûrissant, va de la lettre à l'esprit et traverse successivement des plans de vérité de plus en plus ésotériques.

Vladimir Jankélévitch, *L'Ironie*, 1936, coll. Champs, Flammarion, 1979, p. 51.

1. Atténuations des choses brutales ou déplaisantes.
2. Manières de s'exprimer par des détours et des allusions.
3. Ici, le mot désigne le problème de l'application des devoirs dans des situations complexes.
4. Situation, occasion, circonstance.
5. Réservées à un petit nombre d'initiés.
6. Élèves de l'École nationale des chartes.

QUESTION

› Quelles précisions l'auteur ajoute-t-il au devoir de vérité ? Ces restrictions conduisent-elles à relativiser ce devoir ?

Réflexion 2

▶ Comment définir la vérité ?

La vérité est souvent confondue avec la réalité. Or, d'un point de vue logique, il ne peut y avoir de vrai que là où il peut aussi y avoir du faux, c'est-à-dire dans les jugements des hommes. Comment définir un jugement vrai ?

Texte 1 L'élaboration de l'idée de vrai

1. Choses non vivantes, non parlantes.

La première signification de *Vrai* et de *Faux* semble avoir son origine dans les récits ; et l'on a dit *vrai* un récit quand le fait raconté était réellement arrivé ; *faux*, quand le fait raconté n'était arrivé nulle part. Plus tard, les philosophes ont employé le mot pour désigner l'accord d'une idée avec son objet ; ainsi, l'on appelle l'idée vraie celle qui montre une chose telle qu'elle est en elle-même ; fausse, celle qui montre une chose telle qu'elle est autrement qu'en réalité. Les idées ne sont autre chose, en effet, que des récits ou des histoires de la Nature dans l'esprit. Et de là, on en est venu à désigner de la même façon, par métaphore, des choses inertes[1] ; ainsi, quand nous disons *de l'or vrai*, ou *de l'or faux*, comme si l'or qui nous est présenté racontait quelque chose sur lui-même, ce qui est ou qui n'est pas en lui.

Baruch Spinoza, *Pensées métaphysiques*, 1663, trad. R. Caillois, coll. La Pléiade, Gallimard, p. 260-261.

QUESTION

› Quelles sont les trois étapes qui correspondent aux trois définitions de l'idée de « vrai » ? Pourquoi la troisième définition est-elle contestable ?

Texte 2 Vérité et fausseté

1. Non nécéssaires.
2. C'est-à-dire des choses nécessaires.

Ce n'est pas parce que nous pensons d'une manière vraie que tu es blanc que tu es blanc, mais c'est parce que tu es blanc, qu'en disant cela, nous disons la vérité. [...] Cela étant, quand il s'agit de choses contingentes[1], la même opinion ou la même proposition devient vraie et fausse, et il est possible qu'elle dise le vrai à un moment donné, et le faux à un autre moment ; s'il s'agit, au contraire, des choses qui ne sauraient être autres qu'elles ne sont[2], la même opinion ne devient pas tantôt vraie et tantôt fausse, mais les mêmes opinions sont éternellement vraies ou fausses.

Aristote, *Métaphysique*, IVe s. av. J.-C., livre thêta, 1051 b, 1-18, t. II, trad. J. Tricot, Vrin, p. 521-522.

QUESTIONS

› 1• Le texte d'Aristote souligne la difficulté de définir le vrai et le faux par le constat que tout n'est pas susceptible, *de la même manière*, d'être dit vrai ou faux. Relevez ces distinctions.

› 2• Peut-on utiliser les mêmes procédures pour juger des faits uniques (un crime, un événement historique), des faits variables (la météo, le caractère d'une personne), des faits universels (les lois de la nature, les vérités mathématiques) ?

› 3• Pourquoi est-il difficile de donner une définition générale du vrai ?

Texte 3 Vérité et croyance

1. Qui est dans un rapport de dépendance logique.
2. Ce roi d'Angleterre (1600-1649) est mort sur l'échafaud à la suite d'un soulèvement populaire.
3. Propriété *intérieure* à la chose, appartenant à son être profond.

Il semble assez évident que, s'il n'y avait pas de croyance, il ne pourrait y avoir rien de faux ni rien de vrai, dans le sens où le vrai est un corrélatif[1] du faux. Si nous imaginons un monde uniquement matériel, il n'y aurait là aucune place pour le faux, et bien qu'il dût contenir ce qu'on peut appeler « des faits », il ne contiendrait pas de vérités dans le sens où le vrai est une entité du même ordre que le faux. En réalité, le vrai et le faux sont des propriétés que possèdent les croyances et les affirmations ; par conséquent, dans un monde purement matériel qui ne contiendrait ni croyances, ni affirmations, il n'y aurait place ni pour le vrai, ni pour le faux.

Mais, comme nous venons de le remarquer, on peut observer que la conformité ou la non-conformité d'une croyance à la vérité dépend toujours de quelque chose qui est extérieur à la croyance même. Si je crois que Charles Ier d'Angleterre[2] est mort sur l'échafaud, je crois à quelque chose de vrai, non par suite d'une qualité intrinsèque[3] de ma croyance, qualité qui pourrait être découverte simplement en analysant ma croyance, mais à cause d'un événement historique qui s'est passé il y a plus de trois siècles. Si je crois que Charles Ier est mort dans son lit, l'objet de ma croyance est faux ; la force d'une telle croyance, ou le soin pris pour la former, ne peuvent empêcher l'objet d'être faux, encore une fois à cause de ce qui s'est passé en 1649 et non à cause d'une qualité intrinsèque de ma croyance. Ainsi, bien que la vérité ou la fausseté soient des propriétés de la croyance, ces propriétés dépendent des rapports existant entre les croyances et les autres choses, et non d'une qualité intérieure des croyances.

Bertrand Russell, *Problèmes de philosophie*, 1912, trad. F. Rivenc, Payot, p. 144-145.

QUESTIONS

1• Pourquoi « un monde purement matériel » ne connaît-il ni vrai ni faux ?

2• Deux critères logiques sont nécessaires pour définir le vrai et le faux : précisez-les.

Passerelles

Dossier : Comment l'historien doit-il gérer à la fois la mémoire et l'oubli ?, Todorov, p. 300.

Dossier : Histoire : que signifie interpréter un évènement ?, Veyne, p. 370.

Texte 4 Vérité et apparence

1. Grossièreté, manque de délicatesse.
2. En peinture, caractère plus ou moins foncé, ou plus ou moins intense, d'une couleur.

C'est un simple préjugé moral que de croire que la vérité vaille mieux que l'apparence ; c'est même l'hypothèse la plus mal fondée qui soit. Il faut bien l'avouer, la vie ne serait pas possible sans toute une perspective d'estimation et d'apparences, et si l'on voulait supprimer totalement le « monde apparent », avec toute l'indignation et la rusticité[1] vertueuse qu'y apportent certains philosophes, à supposer que ce fût possible, il ne resterait rien non plus de votre « vérité ». En effet, qu'est-ce qui nous force à admettre qu'il y ait opposition radicale entre le « vrai » et le « faux » ? Ne suffit-il pas d'admettre des degrés dans l'apparence, comme qui dirait des nuances et des harmonies plus ou moins claires, plus ou moins sombres, des *valeurs*[2] diverses, pour user du langage des peintres ? Pourquoi le monde *qui nous concerne* ne serait-il pas fictif ? Et si l'on objecte alors que toute fiction doit avoir un auteur, ne pourrait-on pas répondre en toute franchise : « *Pourquoi ?* Ces mots "doit avoir" ne font-ils pas partie eux aussi de la fiction ? »

Friedrich Nietzsche, *Par-delà le bien et le mal*, 1886, § 34, trad. C. Heim, 10/18, p. 61.

QUESTION

Pour Nietzsche, la vérité dépend de l'apparence. Expliquez sa position à l'aide du texte. Comment la justifier ?

Dossier

Surgissement et succès des sophistes

Apparus à la fin du ve siècle av. J.-C. à Athènes, les sophistes ont eu très vite mauvaise réputation. Leur enseignement non traditionnel a été considéré comme une des causes de la défaite d'Athènes contre Sparte (guerre du Péloponnèse), puis de sa décadence. Les attaques de Platon ont laissé d'eux une image négative. Il leur est principalement reproché d'avoir abandonné la recherche de la vérité au profit de la manipulation des opinions. Mais on peut aussi les considérer comme les Voltaire ou les Diderot de l'Antiquité.

DOCUMENT

Qui étaient donc ces gens, que nous appelons encore aujourd'hui les sophistes ?

Le mot même désigne des professionnels de l'intelligence. Et ils entendaient bel et bien enseigner à s'en servir. Ce n'étaient pas des « sages », ou *sophoi*, mot qui ne désigne pas une profession, mais un état. Ce n'étaient pas non plus des « philosophes », mot qui suggère une patiente aspiration au vrai, plutôt qu'une optimiste confiance en sa propre compétence. Ils connaissaient les procédés et pouvaient les transmettre. Ils étaient des maîtres à penser, des maîtres à parler. [...]

Le pouvoir d'enseigner

Ces professeurs surgirent de tous les coins de la Grèce, à peu près à la même époque. Et tous enseignèrent un temps à Athènes : c'est là seulement que nous les rencontrons et les connaissons. Les plus grands furent Protagoras qui venait d'Abdère, dans le Nord, en bordure de la Thrace, Gorgias qui venait de Sicile, Prodicos, qui venait de la petite île de Céos, Hippias, qui venait d'Élis, dans le Péloponnèse, Thrasymaque qui venait de Chalcédoine, en Asie Mineure. [...]

Jusque-là, l'éducation avait été celle d'une cité aristocratique où les vertus se transmettaient par l'hérédité et par l'exemple : les sophistes apportaient une éducation intellectuelle, qui devait permettre à chacun, pourvu qu'il pût payer, de se distinguer dans la Cité.

Ils étaient en effet si sûrs de l'efficacité de leurs leçons qu'ils se faisaient payer. Quand nous signalons le fait de nos jours, cela paraît une banalité. Or ce fut un petit scandale. Ils vendaient la compétence intellectuelle. Ils la vendaient même fort cher.

Le principe paraissait étonnant : dès l'*Apologie*, le Socrate de Platon ironise sur cet aspect et, faussement admiratif pour Gorgias, Prodicos et Hippias, il s'écrie : « Quels maîtres que ceux-là, juges, qui vont de ville en ville, et savent attirer maints jeunes gens, quand ceux-ci pourraient, sans rien payer, s'attacher à tel ou tel de leurs concitoyens qu'ils auraient choisi ! » (1-9e).

De plus, les prix étaient élevés. Si Socrate parle, pour Prodicos, d'une modeste leçon à une drachme, il en signale de plus importantes à cinquante drachmes, et cela paraissait énorme. On se rappellera que la fameuse indemnité journalière pour les citoyens servant comme juges – indemnité qui parut si démagogique à l'époque et eut tant de répercussions – était de deux, puis de trois oboles, c'est-à-dire une demi-drachme.

Le pouvoir de parler

Que voulaient-ils faire ? D'abord, ils voulaient enseigner à parler en public, à défendre ses idées à l'assemblée du peuple au tribunal ; ils étaient donc en premier ressort des maîtres de rhétorique. Car, à un moment où tout, les procès, l'influence politique et les décisions de l'État, dépendait du peuple, qui lui-même dépendait de la parole, il devenait essentiel de savoir parler en public, argumenter, et conseiller ses concitoyens dans le domaine de la politique. Cela faisait un tout et fournissait la clef d'une action efficace. Ainsi s'expliquent des divergences dans les définitions, qui sont surtout affaire de nuances : il se trouve en effet que Gorgias se définit, dans Platon, comme un maître de rhétorique et Protagoras comme quelqu'un qui enseigne la politique. L'un parle (dans le *Gorgias* de Platon, 449a) de l'art rhétorique (*rhetorikè technè*), tout en admettant qu'il s'agit en fin de compte des débats des tribunaux et de l'Assemblée. L'autre admet qu'il enseigne l'art politique (*politikè technè*) : c'est dans le *Protagoras* de Platon (319a) ; il précise même qu'il s'agit de savoir bien administrer ses affaires et celles de la Cité, mais l'art de se décider soi-même et de conseiller autrui repose sur la compétence à argumenter ; et

Protagoras a beaucoup écrit sur l'argumentation. Il est donc certain que la différence de définition exprime une orientation diverse chez les deux hommes ; mais il est également certain que rhétorique et politique sont liées de façon étroite [...].

Pourtant, ce but éminemment pratique n'était point le seul, ni cette double discipline la seule perspective neuve qu'apportaient ces personnages. En parlant de bien administrer ses affaires et celles de l'État, la définition de Protagoras suppose un contenu intellectuel, une sagesse et une expérience nées de l'art de bien mener ses idées. Ce contenu intellectuel est, en fait, inséparable de la rhétorique même, et cela pour deux raisons.

Le pouvoir d'argumenter

D'abord il est clair que savoir, à coups d'arguments, analyser une situation peut servir aussi bien à prendre parti soi-même qu'à convaincre les autres. Protagoras semble tenir l'idée pour évidente ; un peu plus tard Isocrate devait l'énoncer en toutes lettres et non sans noblesse, dans l'éloge de la parole qui est répété à deux reprises dans son œuvre (dans le *Nicoclès*, 5-9, et dans le discours *Sur l'échange*, 253-257) : « Les motifs de croyance par lesquels, en parlant, nous persuadons les autres sont les mêmes qui nous servent dans nos réflexions personnelles : nous appelons bons orateurs les hommes capables de s'adresser à la masse, mais hommes de bon conseil ceux qui savent le mieux débattre des questions en eux-mêmes. »

De plus, cette possibilité d'analyser une situation suppose un certain nombre d'observations et de connaissances, résumées dans des lieux communs susceptibles de s'appliquer en diverses circonstances. Toute argumentation repose en effet sur des vraisemblances, ce qui implique, tout ensemble, une logique et des vues claires sur les conduites humaines habituelles, acceptées et raisonnables. Toute démonstration, de droit ou de politique, se fonde sur l'idée de telles vraisemblances. Était-il normal, dans telle situation, de choisir le parti que l'on a choisi ? Était-il normal, sous telle pression, de commettre la faute que l'on a commise ? Est-il normal, si l'on adopte telle solution, de s'attendre à un succès ? Tels étaient les types de raisonnement qu'il fallait toujours apprendre à pratiquer. Et toute une science des comportements humains – une *technè*, cette fois encore – se glisse ainsi dans le sillage de la rhétorique et de la politique. [...]

On peut penser que, dans ces débats au cours desquels on retournait les responsabilités, les arguments et les critiques, l'habitude se formait de toujours considérer la possibilité d'une thèse contraire, et par suite de tout critiquer, de tout remettre en question. Cette habitude lançait l'esprit sur des voies nouvelles : au principe du respect des règles succédait leur contestation. Et le fait est que, dans le monde intellectuel des sophistes où rien n'était plus accepté *a priori*, le seul critère sûr devint donc l'expérience humaine, immédiate et concrète. Les dieux, les traditions, les souvenirs mythiques ne comptaient plus : nos jugements, nos sensations, nos intérêts constituaient désormais le seul critère certain. « L'homme, disait Protagoras, est la mesure de toutes choses. »

Jacqueline de Romilly, *Les Grands Sophistes dans l'Athènes de Périclès*, 1988, Éd. de Fallois, p. 17 sq.

Eugène Delacroix, *Démosthène harangue les flots de la mer*, 1843, coupole de la bibliothèque du Palais Bourbon.

QUESTIONS

› **1•** Énumérez les caractéristiques qui définissent les sophistes.

› **2•** Depuis Platon, qui les a combattus, les sophistes ont mauvaise réputation. Pourquoi ce jugement est-il en partie justifié ? Pourquoi est-il injuste ?

› **3•** D'après le texte, pouvez-vous préciser en quoi philosophie et sophistique se ressemblent ? En quoi s'opposent-elles ?

Passerelles

› **Chapitre 7 : Le langage,** p. 166.
› **Textes :** Protagoras, p. 232 ; Gorgias et Calliclès, p. 98, p. 450 ; Critias, p. 264.

Une œuvre, une analyse

Présentation

Les sceptiques : les dix tropes d'Énésidème

Le scepticisme est une position philosophique qui s'interroge sur les capacités humaines à atteindre la vérité avec certitude, du fait de l'impossiblité de parvenir à la réalité absolue des choses. Les dix tropes d'Énésidème en présentent une synthèse au Ier s. av. J.-C. Sextus Empiricus les a repris en détail dans *Les Esquisses pyrrhoniennes* (livre I).

1 La critique du dogmatisme

La philosophie sceptique s'attaque aux **positions dogmatiques**. Est dogmatique celui qui affirme détenir une opinion vraie sur ce qu'il pense être le réel (*dogma* signifie « opinion »). Le terme, tel que l'utilise Sextus Empiricus, est donc moins péjoratif que le sens que nous lui donnons aujourd'hui en français. Pour nous est dogmatique celui qui exprime ses opinions d'une manière péremptoire, autoritaire, sans admettre la contestation. Pour Sextus Empiricus, est dogmatique tout homme qui croit pouvoir trancher en matière de vrai et de faux.

2 Définition du scepticisme

« C'est la faculté de mettre face à face les choses qui apparaissent aussi bien que celles qui sont pensées, de quelque manière que ce soit, capacité par laquelle, du fait de la force égale qu'il y a dans les objets et les raisonnements opposés, nous arrivons d'abord à la suspension de l'assentiment, et après cela à la tranquillité » (Sextus Empiricus, *Esquisses pyrrhoniennes,* IIe-IIIe s. apr. J.-C., I, 4, § 8). Cette définition donne à la fois le but et la méthode du scepticisme.

3 Le but est double : épistémologique et éthique

Sur le plan de la connaissance, le but est la **suspension du jugement** (*époché*), c'est-à-dire le refus d'affirmer ou de nier quelque chose à propos de la réalité.

Le but éthique est l'**ataraxie**, c'est-à-dire l'absence de trouble. Une anecdote amusante illustre le lien entre ce but moral et la suspension du jugement. « En fait, il est arrivé au sceptique ce qu'on raconte du peintre Apelle. On dit que celui-ci, alors qu'il peignait un cheval et voulait imiter dans sa peinture l'écume de l'animal, était si loin du but qu'il renonça et lança sur la peinture l'éponge à laquelle il essuyait les couleurs de son pinceau ; or quand elle l'atteignit, elle produisit une imitation de l'écume du cheval. Les sceptiques, donc, espéraient aussi acquérir la tranquillité en tranchant face à l'irrégularité des choses qui apparaissent et qui sont pensées, et, étant incapables de faire cela, ils suspendirent leur assentiment. Mais quand ils eurent suspendu leur assentiment, la tranquillité s'ensuivit fortuitement, comme l'ombre suit un corps » (*op. cit.*, I, 12, § 27).

4 La méthode

La méthode sceptique consiste à mettre face à chaque thèse la thèse opposée, tout aussi légitime et convaincante. « Quant au principe par excellence de la construction sceptique, c'est qu'à tout argument s'oppose un argument égal ; en effet il nous semble que c'est à partir de cela que nous cessons de dogmatiser » (*op. cit.*, I, 7, § 12). La méthode est aporétique. L'aporie est l'absence d'issue. Mais cette absence n'est pas vécue comme un manque, elle conduit au contraire à la tranquillité de l'âme.

Peut-on réellement ne rien affirmer? En réalité, le sceptique consent tout à fait à proposer des affirmations sur ce qui lui apparaît; s'il refuse d'affirmer, c'est à propos de l'être qui serait derrière cet apparaître. « Quand nous cherchons si la réalité est telle qu'elle nous apparaît, nous accordons qu'elle apparaît, et notre recherche ne porte pas sur ce qui apparaît, mais sur ce qui est dit de ce qui apparaît » (*op. cit.*, I, 10, § 19).

5 Le scepticisme dans la vie quotidienne

C'est ainsi que tombe l'objection souvent faite aux sceptiques : si rien n'est vrai, pourquoi ne pas sortir par la fenêtre au risque de se tuer, plutôt que par la porte? Comme tout homme, le sceptique est affecté par l'apparence : il a faim, il a chaud, et il ne nie pas l'existence de ces affects qui s'imposent à lui. Aussi peut-il se proposer une conduite sociale et morale sans pour autant dogmatiser. « Donc, en nous attachant aux choses apparentes, nous vivons en observant les règles de la vie quotidienne sans soutenir d'opinions, puisque nous ne sommes pas capables d'être complètement inactifs » (*op. cit.*, I, 11, § 23).

Quatre règles dirigent la vie de l'homme sceptique.

1. **La conduite de la nature** fait admettre le gouvernement des sensations et pensées apparentes.
2. **La nécessité des affects** fait accepter les injonctions des forces biologiques : la faim, la soif.
3. **La tradition des lois** et des coutumes fait considérer que, dans la vie quotidienne, la piété est bonne et l'impiété mauvaise.
4. **L'apprentissage des arts** suppose la soumission aux règles techniques.

6 Les tropes, modes ou manières d'argumenter

La méthode est détaillée dans l'énoncé des modes (ou tropes). Un trope est un schéma argumentatif, une tactique générale de réfutation de l'adversaire, ici le dogmatisme. Aux dix tropes d'Énésidème (▸ p. 410) font suite les cinq tropes d'Agrippa.

1. **Le désaccord** : contre chaque thèse, montrer qu'il existe une thèse opposée.
2. **La régression à l'infini** : montrer qu'une preuve à l'appui d'une thèse suppose elle-même une preuve, laquelle à son tour devra être prouvée, et ceci à l'infini.
3. **Le relatif** : montrer que toute réalité ne peut apparaître que relativement à un observateur.
4. **Le caractère hypothétique** : montrer que, pour éviter la régression à l'infini, le dogmatique est obligé de recourir à des propositions non démontrées, mais seulement admises.
5. **Le diallèle**, ou cercle vicieux : montrer que la thèse A suppose la thèse B démontrée, et que la thèse B suppose la thèse A démontrée.

Les sceptiques (IVe s. av. J.-C. - IVe s. ap. J.-C.)

Le fondateur de l'École sceptique est Pyrrhon d'Élis (d'où le nom de pyrrhonisme donné parfois au scepticisme). Contemporain d'Aristote, Pyrrhon, qui n'a laissé aucun écrit philosophique, reprend l'intuition du sophiste Protagoras : « L'homme est la mesure de toutes choses », pour nier non pas la science ou la recherche, mais la possibilité de parvenir à l'essence des choses. Nous ne pouvons pas sortir des phénomènes, c'est-à-dire de l'apparaître, inséparable du point de vue de celui à qui cela apparaît, donc toujours relatif à lui. Après une éclipse, le scepticisme renaît avec **Énésidème** (ou Aenésidème), sans doute au Ier s. av. J.-C.

Plus tard, **Sextus Empiricus** (IIe ou IIIe s. apr. J.-C.) écrit les textes les plus importants de cette école qui nous soient parvenus : *Esquisses pyrrhoniennes, Contre les dogmatiques, Contre les savants.*

Si, aujourd'hui, le scepticisme peut apparaître comme un refus de penser, comme une sorte de paresse intellectuelle, le pyrrhonisme au contraire se veut une école de recherche. *Skepsis* signifie « examen », les sceptiques se nomment eux-mêmes des zététiques, c'est-à-dire des chercheurs. La suspension du jugement (*épochè*) n'est pas le refus de la vérité ; refuser de se prononcer sur elle (je n'affirme ni ne nie) laisse à l'esprit toute sa curiosité et son aspiration au savoir.

▶ Peut-on atteindre le vrai ?

Un partisan du scepticisme, Énésidème (Ier s. av. J.-C.), a proposé dix tropes, ou manières d'argumenter, pour défendre la position sceptique. Ceux-ci ont été résumés dans le texte présenté ici, écrit par Diogène Laërce (IIIe s. apr. J.-C.), premier historien de la philosophie grecque. Sextus Empiricus les a longuement détaillés dans les *Esquisses pyrrhoniennes*.

Texte

Premier trope : différence entre les animaux

Le premier d'entre eux est celui qui prend appui sur les différences des animaux par rapport au plaisir, à la douleur, au nuisible et à l'utile. Grâce à lui, l'on conclut que ce ne sont pas les mêmes impressions qui surviennent à partir des mêmes choses, et que la suspension du jugement résulte des conflits de ce genre. [...] Par exemple les faucons ont une vue très perçante, les chiens un odorat très développé. Il est donc vraisemblable qu'aux animaux qui ont des yeux différents surviennent aussi des impressions visuelles différentes. Les feuilles de l'olivier sont comestibles pour la chèvre, elles sont amères pour l'homme ; la ciguë est une nourriture pour la caille, elle est mortelle pour l'homme ; le fumier est comestible pour le porc, non pour le cheval.

Deuxième trope : différence entre les hommes

Le second est celui qui prend appui sur les diverses natures des hommes et sur leurs idiosyncrasies[1]. En tout cas, Démophon, le maître d'hôtel d'Alexandre, avait chaud à l'ombre et froid au soleil. Andron d'Argos, à ce que dit Aristote, traversa le désert de Libye sans boire. L'un se passionne pour la médecine, l'autre pour l'agriculture, l'autre pour le commerce ; et les mêmes choses sont nuisibles aux uns, profitables aux autres. C'est pourquoi il faut suspendre son jugement.

1. Particularités propres à chaque individu.

Troisième trope : différence entre les sens

Le troisième est celui qui prend appui sur les différences des canaux sensoriels. En tout cas, une pomme fait à la vue une impression de jaune, au goût une impression de douceur, à l'odorat une impression d'odeur agréable. La même forme se voit changée selon les différences des miroirs. Il s'ensuit donc que ce qui apparaît n'est pas davantage tel plutôt qu'autrement.

Quatrième trope : les circonstances

Le quatrième est celui qui prend appui sur les dispositions et plus généralement sur les écarts, par exemple santé et maladie, sommeil et veille, joie et peine, jeunesse et vieillesse, hardiesse et crainte, manque et plénitude, haine et amour, échauffement et refroidissement, selon aussi que l'on respire facilement ou que les canaux respiratoires sont obstrués. Les impressions qui surviennent paraissent donc différentes selon que les dispositions du sujet sont telles ou telles. Il n'y a même pas lieu d'objecter que les fous sont dans un état contre nature : car pourquoi davantage eux que nous ? Nous-mêmes, en effet, nous voyons le soleil comme immobile. Le Stoïcien Théon de Tithoréa se promenait endormi, pendant son sommeil, et l'esclave de Périclès marchait sur le bord du toit.

Cinquième trope : les coutumes, la diversité des cultures

Le cinquième est celui qui prend appui sur les modes de vie, les coutumes, les croyances mythologiques, les conventions propres à chaque peuple, les présupposés dogmatiques. On y voit incluses les considérations sur ce qui est beau et laid, vrai et faux, bon et mauvais, sur les dieux, sur la naissance et sur la disparition de tout ce qui apparaît. En tout cas, la même chose est juste chez les uns et injuste chez les autres, bonne pour les uns et mauvaise pour les autres. Les Perses ne jugent pas incongru de coucher avec leurs filles, les Grecs le jugent sacrilège. Les Massagètes ont leurs femmes en commun, d'après ce que dit Eudoxe dans le livre I de son *Voyage autour du monde*, les Grecs non. Les Ciliciens se plaisaient à la piraterie, non les Grecs. Les uns croient en tels dieux, les autres en tels autres ; certains pensent que ces dieux exercent une providence, d'autres non. Les Égyptiens embaument leurs morts, les Romains les brûlent, les Péoniens les jettent dans les lacs. De là la suspension du jugement quant à ce qui est vrai.

Sixième trope : les mélanges, influence des milieux

Le sixième est celui qui prend appui sur les mélanges et sur les combinaisons ; d'après lui, rien ne se manifeste purement par soi-même, mais toujours en combinaison avec l'air, avec la lumière, avec un liquide, avec un solide, la chaleur, le froid, le mouvement, les émanations, les autres forces. En tout cas, la pourpre revêt une couleur différente à la lumière du soleil, à celle de la lune ou à celle d'une lampe. Notre propre teint paraît différent à la lumière de midi et quand le soleil se couche. Une pierre qu'il faut deux hommes pour élever dans l'air est facilement déplacée dans l'eau (soit que, lourde, elle soit allégée par l'eau, soit que, légère, elle soit alourdie par l'air). Nous ignorons donc ce qu'il en est isolément de ces choses, comme nous ignorons l'huile dans un parfum.

Septième trope : distances, lieux, positions

Le septième est celui qui prend appui sur les distances, les positions de tel ou tel type, les localisations et les choses localisées. D'après ce trope, les choses que l'on pense être grandes apparaissent petites, les carrées, rondes, les lisses, pourvues d'aspérités, les droites, brisées, les pâles, d'une autre couleur. En tout cas, le soleil, en raison de la distance, paraît petit. Les montagnes, vues de loin, ont un aspect nuageux et lisse ; vues de près, elles apparaissent rocailleuses. [...]

Huitième trope : la quantité, le trop ou le trop peu

Le huitième est celui qui prend appui sur leurs quantités, chaleurs ou froideurs, vitesses ou lenteurs, pâleurs ou autres colorations. En tout cas, le vin consommé avec modération donne des forces, pris en plus grande quantité il abat ; et de même pour la nourriture et choses semblables.

Neuvième trope : la fréquence, le rare ou le familier

Le neuvième est celui qui prend appui sur ce qui est continuel, ou étrange ou rare. En tout cas, les tremblements de terre n'apparaissent pas comme étonnants dans les endroits où il s'en produit constamment ; et l'on ne s'étonne pas non plus du soleil, parce qu'on le voit chaque jour [...].

Dixième trope : le relatif dans l'objet et dans la relation objet/sujet

Le dixième est celui qui repose sur la comparaison des choses avec d'autres choses, comme le léger avec le lourd, le fort avec le faible, le plus grand avec le plus petit, le haut avec le bas. En tout cas, ce qui est à droite n'est pas à droite par nature, il se conçoit selon la relation qu'il entretient avec quelque chose d'autre ; et en tout cas, ce dernier est déplacé, le premier ne sera plus à droite. De même « père » et « frère » sont des relatifs ; le jour est relatif au soleil ; et toutes choses sont relatives à la pensée. Les relatifs sont donc inconnaissables en eux-mêmes.

Diogène Laërce, *Vies et doctrines des philosophes illustres*, IIIe s. apr. J.-C., livre IX, Pyrrhon, § 79-88, trad. J. Brunschwig, coll. La pochothèque, Livre de poche, p. 1116 sq.

QUESTIONS

1• Reprenez les dix arguments et expliquez-les. Pourquoi confirment-ils la thèse sceptique : on ne peut pas atteindre le vrai, il faut donc suspendre son jugement ?

2• Parmi tous les arguments du sceptique, lesquels vous semblent aujourd'hui encore utilisables ? Lesquels vous semblent dépassés par les acquis scientifiques ?

3• Le scepticisme conduit-il au relativisme ? Justifiez votre réponse.

Réflexion 3

La vérité, idéal moral ou nécessité pragmatique ?

On oppose souvent l'intelligence à la morale. Or la véritable liberté de penser, selon Kant, suppose un certain nombre de règles intériorisées sans lesquelles la pensée ne serait pas la pensée. Ces règles sont de nature morale. À cette thèse, on peut opposer la nécessité pragmatique, caricaturée par la formule : « c'est vrai, parce que ça marche. » Mais même ainsi formulée, la vérité ne repose-t-elle pas sur une confiance tacite en une communauté qui a vérifié à l'avance pour vous ce que vous ne pourrez jamais individuellement vérifier ?

Texte 1 — Les conditions morales de la liberté de penser

Les maximes suivantes du sens commun [...] peuvent nous être utiles. [...] Voilà quelles sont ces maximes : 1. penser par soi-même ; 2. penser en se mettant à la place de tout autre être humain ; 3. penser toujours en accord avec soi-même.

La première est la maxime de la pensée *sans préjugé*, la deuxième celle de la pensée ouverte, la troisième celle de la pensée *conséquente*.

La première est la maxime d'une raison qui n'est jamais *passive*. Le *préjugé* est la tendance à la passivité, donc à l'hétéronomie[1] de la raison ; et le plus grand préjugé consiste à se représenter la nature comme n'étant pas soumise aux règles que l'entendement de par sa propre loi essentielle met au principe de la nature – c'est la *superstition*. L'*Aufklärung*[2], c'est se libérer de la superstition. [...]

En ce qui concerne la deuxième maxime, nous sommes habitués à qualifier d'*étroit* (*borné*, le contraire d'*ouvert*) celui dont les talents ne peuvent être employés à de grandes choses (particulièrement à ce qui exige qu'il en fasse un usage intensif). Il n'est pas question ici de connaissance mais de *manière de penser*, et de faire de la pensée un usage conforme à une fin ; c'est ce qui révèle l'*ouverture d'esprit* d'un homme – si limités que soient l'ampleur et le degré propres à nos dons naturels – lorsqu'il est à même de s'élever au-delà des conditions subjectives, d'ordre privé, du jugement, dont restent en quelque sorte prisonniers tant d'autres, et lorsqu'il réfléchit sur son propre jugement à partir d'*un point de vue universel* (qu'il ne peut déterminer qu'en se mettant à la place des autres).

La troisième maxime, celle de la pensée *conséquente*[3], est celle à laquelle il est le plus difficile d'obéir ; on ne peut y parvenir qu'en liant les deux premières et après les avoir pratiquées assez souvent pour en avoir acquis la maîtrise.

Emmanuel Kant, *Critique de la faculté de juger*, 1790, § 40, trad. J.-R. Ladmiral, M. de Launay et J.-M. Vaysse, coll. Folio Essais, Gallimard, p. 245-246.

1. Contraire d'autonomie (› Chapitre 21 : Le devoir, p. 524).
2. Équivalent allemand du mouvement des Lumières, XVIIIe siècle.
3. En cohérence avec elle-même.

QUESTIONS

› **1•** Pourquoi la liberté de penser est-elle à la fois un droit et un devoir ?

› **2•** Expliquez les trois maximes. En quoi sont-elles d'ordre aussi bien moral qu'intellectuel ?

Texte 2 — La conception pragmatique : la vérité comme instrument d'action

L'opinion courante, là-dessus, c'est qu'une idée vraie doit être la copie de la réalité correspondante. [...] Fermez les yeux, et pensez à cette horloge, là-bas, sur le mur : vous avez bien une copie ou reproduction vraie du cadran. Mais l'idée que vous avez du « mouvement d'horlogerie », à moins que vous ne soyez un horloger, n'est plus, à beaucoup près au même degré, une copie, bien que vous l'acceptiez comme telle, parce qu'elle ne reçoit de la réalité aucun

1. Confirmer, renforcer.

démenti. Se réduisît-elle à ces simples mots, « mouvement d'horlogerie », ces mots font pour vous l'office de mots vrais. Enfin, quand vous parlez de l'horloge comme ayant pour « fonction » de « marquer l'heure », ou quand vous parlez de « l'élasticité » du ressort, il est difficile de voir au juste de quoi vos idées peuvent bien être la copie !

Vous voyez qu'il y a ici un problème. Quand nos idées ne peuvent pas positivement copier leur objet, qu'est-ce qu'on entend par leur « accord » avec cet objet ? [...] En posant cette question, le pragmatisme voit aussitôt la réponse qu'elle comporte : *les idées vraies sont celles que nous pouvons nous assimiler, que nous pouvons valider, que nous pouvons corroborer*[1] *de notre adhésion et que nous pouvons vérifier. Sont fausses les idées pour lesquelles nous ne pouvons pas faire cela.*

William James, *Le Pragmatisme*, 1906-1907, trad. É. Le Brun, Flammarion, p. 143 sq.

QUESTION

› Pourquoi n'est-il pas satisfaisant pour James de concevoir la vérité comme une copie de la réalité ? Expliquez l'exemple de l'horloge.

Texte 3 La vérité « vit à crédit », la plupart du temps

Prenons, par exemple, cet objet, là-bas, sur le mur. Pour vous et pour moi, c'est une horloge et pourtant aucun de nous n'a vu le mécanisme caché qui fait que c'est bien une horloge. Nous acceptons cette idée comme vraie, sans rien faire pour la vérifier. Si la vérité est essentiellement un processus de vérification, ne devrions-nous pas regarder comme nées avant terme des vérités non vérifiées comme celle-ci ? Non, car elles forment l'écrasante majorité des vérités qui nous font vivre. Tout « passe », tout compte également, en fait de vérification, qu'elle soit directe ou qu'elle ne soit qu'indirecte. Que le témoignage des circonstances soit suffisant, et nous marchons sans avoir besoin du témoignage de nos yeux. Quoique n'ayant jamais vu le Japon, nous admettons tous qu'il existe, parce que cela nous réussit d'y croire, tout ce que nous savons se mettant d'accord avec cette croyance, sans que rien se jette à la traverse ; de même, nous admettons que l'objet en question est une horloge. Nous nous en servons comme d'une horloge, puisque nous réglons sur lui la durée de cette Leçon. Dire que notre croyance est vérifiée, c'est dire, ici, qu'elle ne nous conduit à aucune déception, à rien qui nous donne un démenti. Que l'existence des rouages, des poids et du pendule soit *vérifiable*, c'est comme si elle était *vérifiée*. Pour un cas où le processus de la vérité va jusqu'au bout, il y en a un million dans notre vie où ce processus ne fonctionne qu'ainsi, à l'état naissant. Il nous oriente vers ce qui serait une vérification ; nous mène dans ce qui est l'*entourage* de l'objet ; alors, si tout concorde parfaitement, nous sommes tellement certains de pouvoir vérifier, que nous nous en dispensons ; et les événements, d'ordinaire, nous donnent complètement raison.

En fait, la vérité vit à crédit, la plupart du temps. Nos pensées et nos croyances « passent » comme monnaie ayant cours, tant que rien ne les fait refuser, exactement comme les billets de banque tant que personne ne les refuse. Mais tout ceci sous-entend des vérifications, expressément faites quelque part, des confrontations directes avec les faits – sans quoi tout notre édifice de vérités s'écroule, comme s'écroulerait un système financier à la base duquel manquerait toute réserve métallique.

Op. cit., p. 147-148.

QUESTION

› Expliquez l'analogie que fait l'auteur entre la circulation de la vérité et la circulation de la monnaie. Comment peut-on dire que la vérité « vit à crédit » ?

Réflexion 4

Faut-il négliger les erreurs ?

On dit que l'erreur est humaine et on est prêt à en reconnaître la nécessité dans toute investigation humaine. Mais il n'est pas facile d'aller jusqu'au bout de cette logique : faut-il reconnaître une manière d'intelligence derrière l'erreur, qui expliquerait sa force et son obstination ? Faut-il donner droit à l'erreur pour mieux comprendre le vrai ?

Texte 1

La nécessité de désapprendre pour apprendre

Pour Bachelard, l'histoire des sciences montre que les obstacles les plus difficiles à vaincre ne sont pas les obstacles externes, objectifs, mais les obstacles internes à la pensée elle-même, laquelle sécrète des images, des schémas qui interdisent la juste compréhension de la réalité : ce sont les obstacles épistémologiques. Cette difficulté concerne autant l'histoire des sciences que l'enseignement des sciences.

Dans l'éducation, la notion d'obstacle pédagogique est également méconnue. J'ai souvent été frappé du fait que les professeurs de sciences, plus encore que les autres si c'est possible, ne comprennent pas qu'on ne comprenne pas. Peu nombreux sont ceux qui ont creusé la psychologie de l'erreur, de l'ignorance et de l'irréflexion. [...] Les professeurs de sciences imaginent que l'esprit commence comme une leçon, qu'on peut toujours refaire une culture nonchalante en redoublant une classe, qu'on peut faire comprendre une démonstration en la répétant point pour point. Ils n'ont pas réfléchi au fait que l'adolescent arrive dans la classe de Physique avec des connaissances empiriques déjà constituées : il s'agit alors, non pas d'acquérir une culture expérimentale, mais bien de changer de culture expérimentale, de renverser les obstacles déjà amoncelés par la vie quotidienne.

Archimède détermine le poids de la couronne de Hiéron par l'immersion dans l'eau, 1630, gravure, Milan, bibliothèque Trivulziana.

Un seul exemple : l'équilibre des corps flottants fait l'objet d'une intuition familière qui est un tissu d'erreurs. D'une manière plus ou moins nette, on attribue une activité au corps qui flotte, mieux au corps qui nage. Si l'on essaie avec la main d'enfoncer un morceau de bois dans l'eau, il résiste. On n'attribue pas facilement la résistance à l'eau. Il est dès lors assez difficile de faire comprendre le principe d'Archimède dans son étonnante simplicité mathématique si l'on n'a pas d'abord critiqué et désorganisé le complexe impur des intuitions premières. En particulier sans cette psychanalyse des erreurs initiales, on ne fera jamais comprendre que le corps qui émerge et le corps complètement immergé obéissent à la même loi.

Ainsi toute culture scientifique doit commencer, comme nous l'expliquerons longuement, par une *catharsis*[1] intellectuelle et affective.

Gaston Bachelard, *La Formation de l'esprit scientifique*, 1938, Vrin, p. 18 sq.

1. Le mot grec veut dire à la fois purification et purgation. Il est utilisé par Freud pour désigner sa première méthode (par hypnose) destinée à faire remonter les souvenirs refoulés. Le mot en vient à désigner parfois la psychanalyse elle-même.

QUESTIONS

1• Quelle difficulté objective est au cœur de la relation pédagogique ?

2• Analysez l'exemple des corps flottants. Quelles sont les « intuitions premières » qui posent un problème ?

3• Expliquez la différence que fait Bachelard entre « connaissances empiriques » et « culture expérimentale » ?

4• Montrez que l'erreur n'est pas due uniquement à l'ignorance ou à la bêtise.

Texte 2 Donner droit à l'erreur, c'est l'analyser

Dans le domaine pédagogique, l'erreur n'est pas seulement inévitable, elle peut devenir une force dynamique d'apprentissage. Encore faut-il la comprendre et analyser sa logique.

L'attitude indulgente, libérale a peu cours, mais elle a cours. Quand elle s'explicite en « droit à l'erreur », ça peut donner ceci : on demande à un enfant combien de droites passent par 2 points ; s'il répond 2, ou 3 ou plus selon la grosseur des points et la finesse des droites qu'il aura dessinées, on lui répondra : « Très bien, tu as le droit de penser ça, mais nous, en mathématiques, on dit que par 2 points il ne passe qu'une seule droite. »

Et hop ! Évité le face-à-face avec les questions embarrassantes, sur la « grosseur » des points, l'« épaisseur » des droites, le statut des êtres mathématiques, celui de leur représentation. Évitées, la nécessité d'en passer par la notion d'idéalité[1], la notion d'axiome[2], et l'occasion, très simplement, d'un exercice mathématique de la pensée.

Soit, et pourrait-on penser, tant pis. Mais cette occasion perdue de rencontrer le mathématique est hélas une occasion gagnée de faire fausse route en mathématiques, et d'amener l'élève en ce lieu extravagant où il pourra dire : « Oh, ici, vous savez… » Être libéral de cette façon avec l'erreur, c'est encore la nier, et éviter de répondre aux questions qu'elle pose ici sur la relation, bien complexe en géométrie, entre voir et savoir : puisqu'il faut parfois voir pour savoir, parfois le contraire, parfois ne rien vouloir savoir de ce qu'on va voir, parfois ne rien pouvoir voir de ce qu'on va savoir.

Ainsi, en raison d'erreurs qui auront été niées, pour avoir été traitées de façon répressive ou libérale, la relation ne pourra se faire entre voir et savoir. On verra donc en géométrie scolaire ce qui ne se voit nulle part ailleurs : un parallélogramme sans parallèles… et autres chimères à la réalité desquelles on n'a pas voulu croire au moment où elles furent enfantées, et qui envahiront le lieu de la géométrie pour y régner définitivement.

Tout le monde se trompe, en mathématiques, mathématiciens, professeurs et élèves, mais il n'y a que ces derniers à ne pouvoir s'en cacher. On leur cachera donc que l'erreur est un mouvement normal de l'esprit et, au contraire, on leur « injectera » une vision, une idée d'eux-mêmes, destinée à justifier les erreurs qu'ils font. La plus bénigne[3] est celle qui consiste à se dire étourdi(e). J'ai donc ainsi des élèves qui sont l'attention même, qui se sont longuement concentrés avant de répondre, et qui, lorsqu'ils découvrent qu'ils ont fait une erreur, brusquement affirment sur un tout autre ton : « Oh, je ne voulais pas dire ça, c'est une étourderie. » […]

L'étourderie n'existe pas, l'erreur n'est pas le fait du hasard.

Stella Baruk, *L'Âge du capitaine. De l'erreur en mathématiques*, 1985, Seuil, p. 49-50.

1. Caractère idéal de l'objet mathématique, qui existe dans la pensée (l'idée de droite) et non matériellement (le dessin de la droite sur le cahier).
2. Dans les mathématiques classiques, l'axiome est une proposition évidente en elle-même ; dans les axiomatiques modernes, l'axiome est ce qu'on pose au départ comme base d'un système de déductions (axiomatique).
3. Sans caractère de gravité.

QUESTIONS

› 1• Pourquoi les deux attitudes, répressive et libérale, vis-à-vis de l'erreur peuvent-elles conduire aux mêmes conséquences ? Quelles sont ces conséquences ?

› 2• Quelle est la manière légitime de traiter l'erreur ? Pourquoi cette démarche est-elle difficile ?

Passerelle

› **Réflexion :** La démonstration mathématique conduit-elle à une révolution morale ?, p. 342.

Comprendre le problème

Tout le monde comprend le sujet. Pourtant, il s'en faut de beaucoup que la problématique soit aussi simple que la question.

› Sur la distinction question/problème/problématique, **Fiche 1**, p. 572

1 ▪ Une définition minimale

Une opinion est dans le langage courant un jugement non fondé par la raison, un avis personnel et subjectif. Et dans un sens philosophique, l'opinion renvoie à un jugement qui n'est pas un savoir, et ne peut donc être établi avec certitude.

Le savoir est établi : 1) par démonstration ; 2) par observation ; 3) par expérimentation.

On peut toujours douter de la certitude des savoirs, car la science n'est jamais à l'abri d'erreurs. De même, une opinion n'est pas nécessairement fausse, mais elle n'est jamais assurément vraie.

2 ▪ Les domaines de l'opinion

Les opinions concernent également des domaines où l'on peut raisonnablement penser qu'il n'y aura jamais de savoirs clairs et définitifs : domaines politique, moral, religieux, éducatif, esthétique...

3 ▪ Le fond du problème - la notion de valeur

On peut distinguer dans l'histoire deux valeurs différentes accordées à l'opinion :

- **la valeur-liberté**, qui correspond à la liberté d'opinion, c'est un droit inaliénable ; l'opinion a ici un sens positif, elle est au cœur des démocraties sous la forme de l'« opinion publique ».
- **la valeur-vérité**, qui correspond à la liberté de penser, l'autonomie intellectuelle ; c'est un travail sur soi toujours à refaire : on pense contre les opinions, y compris les siennes. Ici, l'opinion prend un sens négatif et se rapproche de l'idée de « préjugé ».

4 ▪ Les enjeux

Deux dangers symétriques : si on privilégie la valeur-vérité au détriment de la liberté, en faisant la chasse aux opinions fausses, on risque la censure, l'intolérance, le dogmatisme. Si on privilégie la valeur-liberté au détriment de la vérité, en laissant libre cours à toutes les opinions indistinctement, on remet en cause l'idée d'objectivité, d'expertise, on tombe dans le relativisme, et le nihilisme.

› **Relativisme :** à chacun ses idées, il n'y a rien de vrai.
› **Nihilisme :** tout se vaut, donc plus rien n'a de valeur.

5 ▪ Trois questions, esquisse d'un plan

1. Toutes les opinions se valent-elles en droit ?

En principe oui, mais la loi peut-elle limiter ce droit ?

2. Les opinions ont-elles la même valeur que des savoirs ?

Non. Mais pour le citoyen, comment garantir le statut du savoir ?

3. Que faire des opinions qui ne seront jamais des savoirs, mais toujours des opinions ?

S'il n'y a pas de critères incontestables, ne peut-on pas trouver des critères partageables ?

Rédiger une introduction

Une opinion est une croyance qui ne peut se justifier, se prouver, mais qui se donne comme une vérité. Ce n'est pas un savoir sur lequel on peut raisonnablement s'appuyer avec certitude. Lorsqu'on hésite et qu'on doute, c'est une croyance plus ou moins probable qui nous servira de guide dans la plupart des situations de notre vie. Car l'opinion concerne les questions morales, politiques, religieuses, éducatives, c'est-à-dire la majeure partie de notre existence.

Définition de **la croyance** ; ses différentes formes.

Or accorder de la valeur à une opinion, c'est se situer à deux niveaux différents. Ai-je autant de droit que mon voisin d'exprimer mon opinion ? C'est là un problème de droit. Mais puis-je exprimer n'importe quelle opinion, sans y avoir réfléchi, sans être compétent ? C'est là un problème de vérité. Si dans le premier cas, je peux admettre que toutes les opinions se valent, dans le second cas, je vois bien que toutes les opinions ne se valent pas, car des opinions contraires ne peuvent pas être vraies en même temps, et la vérité ne change pas au gré des opinions.

Présentation du problème ; les deux sens du mot ***valeur***.

Le « je » ici est un « je » impersonnel ; à la place, on pourrait mettre un « nous » ou bien un « on », ou bien « l'homme ».

Deux dangers se présentent alors. Si je privilégie ce que je pense être la vérité, en excluant l'opinion des autres, je tombe dans l'intolérance, le dogmatisme, la censure. Mais si je défends la liberté à tout prix, sans m'occuper de la vérité des opinions, je risque de tolérer des pensées intolérables. Penser n'importe quoi, ce n'est plus penser. L'individu comme la société a besoin de repères. Que se passerait-il si toutes les opinions avaient réellement la même valeur ?

1) L'enjeu : les deux dangers ;

2) Le requestionnement.

Rédiger le développement

Partie I

› Sous-partie 1 - La liberté d'opinion

Toute personne ou tout citoyen a un droit égal à la liberté d'opinion et d'expression. Cette liberté défendue par les philosophes des Lumières posent que toutes les opinions sont égales, qu'aucun pouvoir ne peut, ni en droit ni en fait, interdire la liberté privée de penser ce qu'on veut. Sur quoi s'appuie cette liberté d'opinion ? Pourquoi est-elle importante ?

Référence 1 Le siècle des Lumières (XVIIIe siècle) : on ne peut penser seul, on doit penser avec les autres (liberté d'expression).

Référence 2 Le principe de laïcité (XIXe siècle) : la paix civile suppose la séparation de la sphère privée et de la sphère publique.

Transition secondaire La censure des idées, sous quelque forme qu'elle se donne, est une atteinte fondamentale à la liberté. Il est intolérable que quelqu'un décide à notre place qu'une vérité n'est pas bonne pour nous, sous le prétexte que nous ne serions pas capables de la comprendre. Cependant, s'il s'agit d'un espace public : peut-on réellement exprimer n'importe quelle opinion dès lors qu'elle peut toucher d'autres personnes ?

Première partie : on abordera le problème par son côté le plus facile en apparence : tout le monde a le droit d'avoir et d'exprimer ses opinions. Donc, en ce sens, toutes les opinions se valent. Pour donner corps à l'argumentation (› **Fiche 3**, p. 576) on insiste ici sur la question de l'origine et du pourquoi ?

› Chapitre 11, Explication de texte : **Kant,** *Idée d'une histoire universelle*, p. 302-305.
› Chapitre 10, La religion : **Dossier** « La laïcité se réduit-elle à la tolérance religieuse ? », p. 278-279.

› Sous-partie 2 - Les limites de la liberté d'opinion

En réalité, au regard de la loi, toutes les opinions ne se valent pas. Certaines sont légitimes, d'autres illégitimes. En effet l'opinion trouve ses limites dans le respect des autres. On peut penser ce qu'on veut d'un homme

politique, parce que son activité est publique et se prête à une critique publique. Mais on doit respecter la vie privée des autres, leur dignité, leur honneur. La loi interdit les allégations calomnieuses, la diffamation.
Transition secondaire De manière générale, ne peut-on pas aller jusqu'à penser qu'une démocratie est en droit d'interdire des opinions qui la mettent en danger ?

› Sous-partie 3 - Discussion sur la nature des limites de la liberté d'opinion

On pourrait penser qu'une logique d'auto-défense permet d'interdire ce qui détruit la liberté au nom de la liberté. Mais les effets d'une telle interdiction peuvent se révéler dangereux : c'est accorder de l'importance à des idées extrémistes, leur donner une valeur qu'elles n'ont peut-être pas ; c'est pour une démocratie renoncer à ses propres principes.

Référence La conception française de ces limites n'est pas la même que la conception américaine. Le premier amendement de la constitution américaine fait de la liberté d'opinion un droit absolu. D'où une différence dans la conception de la laïcité.

Premier amendement voté par le Congrès américain le 15 Décembre 1791 : « Le Congrès ne fera aucune loi pour conférer un statut institutionnel à une religion, ou qui interdise le libre exercice d'une religion, ou qui restreigne la liberté d'expression, ni la liberté de la presse, ni le droit des citoyens de se réunir pacifiquement et d'adresser à l'État des pétitions pour obtenir réparation de torts subis »

Transition

Toutes les opinions se valent dans une démocratie, dès lors qu'elles ne portent pas atteinte à la dignité d'autrui. Pourtant il est plus difficile de s'accorder sur l'attitude à avoir vis-à-vis d'opinions dangereuses ou nuisibles : les préjugés, les superstitions, les croyances non réfléchies doivent-ils être mis sur le même pied d'égalité que des savoirs réfléchis et établis, sous le prétexte que chacun est libre de penser ce qu'il veut ?

Rappel : la transition (› **Fiche 6**, p. 582) résume la partie précédente et introduit à la partie suivante, par une articulation logique, ici une opposition : *pourtant...* (passage de la valeur-liberté à la valeur-vérité).

Partie II

› Sous-partie 1 - L'histoire des sciences et de la philosophie contre les préjugés

L'histoire des sciences et de la philosophie montre une lutte contre l'opinion ; contre les préjugés, la superstition, les croyances fausses.
Transition secondaire Mais il ne suffit pas d'invoquer le savoir scientifique pour hiérarchiser les opinions. Le savoir scientifique lui-même ne doit-il pas se justifier, et non s'imposer comme un pouvoir absolu ?

Point de vue de la véracité de l'opinion : toutes les opinions ne sont pas valables, parce qu'elles n'ont pas le même contenu de vérité.

› Sous-partie 2 - Qu'est-ce qui justifie la valeur de vérité accordée à certains savoirs ?

Comment opérer la distinction, dans les domaines où des faits et des théories peuvent trancher ?

Idée 1 Les institutions scientifiques : par nécessité la science suppose la circulation des idées (revues, compte rendu, conférences...). Et une expérience ne peut être validée que si elle peut être refaite dans plusieurs lieux indépendants.

Idée 2 Pour modifier les opinions, les savoirs scientifiques devraient se répandre dans le public, d'où la nécessité d'une « culture scientifique ».

Transition

Le problème n'est-il pas encore plus difficile lorsqu'on a affaire à des opinions pour lesquelles aucune science ne peut venir trancher ?

Partie III

Sous le prétexte qu'à ce niveau aucune preuve ne peut être fournie, faut-il renoncer à hiérarchiser les opinions? Mais alors toute la lutte historique contre les préjugés, la superstition, l'intolérance serait remise en cause. Il faudrait considérer qu'il n'y a aucune vérité morale supérieure aux autres.

On aborde ici le problème de la vérité dans les domaines où ni la science ni les faits ne peuvent répondre : domaines moral, éthique, politique, religieux...

› Sous-partie 1 - La majorité a-t-elle raison?

L'idée de majorité n'est pas un critère de vérité : ce n'est pas parce que le plus grand nombre pense quelque chose que c'est vrai.

Références Socrate, Galilée ont été condamnés en leur temps pour des opinions qui étaient minoritaires. Cela ne remet pas en cause la valeur de leurs idées.

› Chapitre 21, Le devoir : Dossier « La conscience morale, une invention?», p. 528-529
› Chapitre 12, Dossier 1 « L'analyse galiléenne : qu'est-ce que le mouvement?», p. 318-321

En revanche, le fait que certaines valeurs traversent les civilisations (préférer la sincérité au mensonge, la fidélité à la trahison...) peut être un critère. Certes, ces opinions ne sont pas absolument universelles, on trouvera beaucoup d'exceptions, mais, si on ne peut avoir la certitude qu'une opinion est plus valable qu'une autre, un consensus venant d'horizons variés peut lui donner une valeur supérieure.

Propositions de critères : non pas des critères absolus, mais des critères plausibles.

› Sous-partie 2 - Une certaine neutralité, objectivité

Toutes les opinions ont-elles la même objectivité? Certaines sont plus objectives par rapport à des opinions subjectives fondées sur des intérêts égoïstes, des passions, des haines. Cette plus grande objectivité est un critère couramment utilisé. Une opinion qui privilégie l'intérêt général par rapport à l'intérêt particulier, aura plus de valeur. De même, certaines opinions restent indépendantes et parviennent à s'extraire de la pression des traditions sociales, familiales, éducatives. Elles ont été arrachées à certains préjugés, ainsi elles ont plus de valeur. Elles sont par exemple issues de l'expérience, de la confrontation de multiples points de vue, de réflexions diverses qui président et dirigent le choix d'une opinion.

Référence Ainsi à propos du bonheur, Mill écrit : « Il vaut mieux être un homme insatisfait qu'un porc satisfait ; il vaut mieux être Socrate insatisfait qu'un imbécile satisfait. Et si l'imbécile ou le porc sont d'un avis différent, c'est qu'ils ne connaissent qu'un côté de la question : le leur. L'autre partie, pour faire la comparaison, connaît les deux côtés ».

› Chapitre 22, Le bonheur : **Mill**, *L' Utilitarisme*, p. 558

› Sous-partie 3 - Le critère de cohérence

Même si une opinion n'est jamais certaine, elle porte en elle une plus ou moins grande cohérence. Une opinion n'est jamais isolée. Il faut la considérer dans un ensemble, et tester si elle ne comporte pas de contradiction. Les opinions font système, elles ont une histoire, et cette histoire doit conduire à la vigilance.

› Sous-partie 4 - Des situations de dialogue

Dans le domaine de l'éthique, des opinions peuvent venir de groupes d'individus, ayant des compétences différentes et qui échangent leur point de vue contradictoire. La communication de groupe ne supprime pas le risque d'erreur, mais le diminue. L'opinion aura plus de valeur si elle vient d'un groupe de personnes, ayant chacune une vision professionnelle différente, que d'une seule personne. Le risque d'erreur n'est pas écarté, il est minimisé.

REPÈRES et DISTINCTIONS CONCEPTUELLES

René Magritte, *La Trahison des images*, 1929, huile sur toile (60 x 81 cm), Los Angeles, County Museum of Art.

Vérité et jugement

Il n'y a de vérité que si on porte un jugement sur quelque chose. Seul le jugement porté par un homme peut-être dit vrai ou faux. La proposition « la terre est ronde » est ou vraie ou fausse. La logique classique écarte l'idée qu'il pourrait y avoir un intermédiaire entre le vrai et le faux. C'est le principe du tiers exclu. Ce principe logique n'empêche pas, en certaines circonstances, que l'on puisse refuser de répondre par oui ou par non, si l'on n'est pas sûr de sa réponse. Cela s'appelle suspendre son jugement : « je ne veux pas choisir pour l'instant. Je ne dis pas que c'est vrai, je ne dis pas que c'est faux. » La suspension du jugement est l'arme du sceptique (❱ p. 408).

L'évidence

C'est ce qui s'impose à l'esprit immédiatement, avec une telle force que l'on n'a pas besoin de preuve pour en reconnaître la vérité. Mais comment distinguer ce qui *paraît* certain de ce qui *est réellement* certain ? Pour Descartes, l'évidence prend la forme d'une « intuition » de type mathématique : le tout est plus grand que la partie. Mais la philosophie se méfie des évidences, si l'on entend par là des choses qu'on admet sans preuve, parce que « ça va de soi ».

Vérité et système

Il convient de remarquer **qu'une proposition isolée est rarement décidable** (« décidable » signifie ici : dont on peut déclarer le caractère vrai ou faux). En effet, une proposition ne prend sens que dans un contexte précis. Ainsi, la proposition : « la terre est ronde » peut s'opposer à la proposition : « la terre est un disque plat. » Depuis les Grecs (vᵉ siècle avant J.-C.), on peut dire que c'est la première proposition qui est vraie. Mais la même proposition peut vouloir dire : « la terre est une sphère parfaite » ; or on sait depuis Newton (fin du XVIIᵉ siècle) que la terre, du fait de sa rotation, est légèrement aplatie aux pôles. Elle n'est donc pas parfaitement ronde. Prise en ce sens, la proposition « la terre est ronde » est fausse.

Vérités logiques et vérités scientifiques

Dans sa forme la plus simple, la vérité est l'**adéquation entre un jugement,** posé par l'esprit, **et la réalité**, objet de ce jugement. Si je dis : « la porte est fermée » (jugement), et si je peux constater que la porte est effectivement fermée, alors la proposition est vraie. Dans la réalité des sciences, la difficulté est double : 1) il est très difficile de former des propositions aussi simples que « la porte est fermée » ; il faut inventer des concepts, créer des unités de mesure, imaginer des dispositifs expérimentaux, construire des théories... ; 2) on ne peut pas aller dans « les choses mêmes » pour vérifier si les jugements sont vrais. Il est facile de vérifier si une porte est fermée ; mais personne ne peut aller se « promener » du côté d'un atome ou d'un gène pour vérifier si la « réalité » est conforme à la théorie qu'on s'en fait. C'est pourquoi les sciences procèdent par hypothèses et réfutations d'hypothèses (❱ p. 334).

Les obstacles à la recherche de la vérité

Georges Rousse, Abbaye de Fontevraud, 1985, photographie.

Les **obstacles** sont d'abord **externes** : comment accéder à des réalités trop éloignées ou trop petites, trop lentes ou trop rapides par rapport à notre perception ? L'invention d'instruments d'observation et d'expérimentation s'avère nécessaire.
Mais il existe aussi des **obstacles internes** à la connaissance elle-même, que Bachelard appelle **obstacles épistémologiques**. Notre contact premier avec le monde, bien loin d'être un guide pour la connaissance, constitue un réseau d'obstacles dont toute l'histoire des sciences a dû s'affranchir, et ces obstacles viennent de l'esprit lui-même. En effet, nos images spontanées, nos interprétations immédiates du monde non seulement sont fausses, mais encore conduisent vers des modèles explicatifs et des recherches illusoires. Il est difficile de croire que la fumée est pesante quand je la vois monter d'un feu de bois. Or, si toute matière est pesante, si la fumée est matière, alors la fumée doit être pesante. Comment expliquer que la fumée monte toujours vers le ciel ?

Le syllogisme : un modèle de raisonnement

Le syllogisme relie deux prémisses (la majeure et la mineure) pour aboutir à la conclusion.
➜ 1) Les hommes sont mortels ;
Prémisse 1 La majeure
➜ 2) Les philosophes sont des hommes :
Prémisse 2 La mineure
Donc
➜ 3) Les philosophes sont mortels.
La conclusion

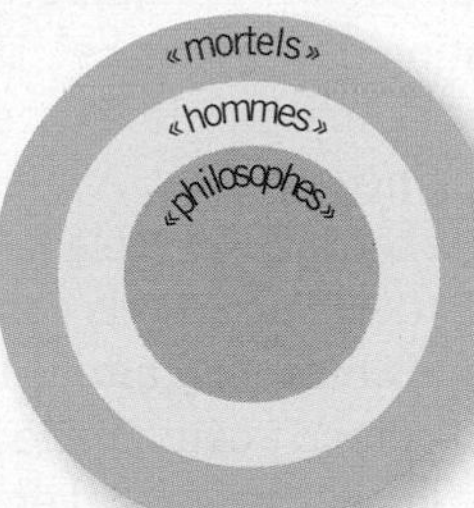

La classe la plus large est celle des « mortels » ; elle contient la classe des « hommes », qui contient à son tour la classe des « philosophes ».
La première proposition est appelée « majeure », parce qu'elle contient la classe la plus large (« mortels ») ; la deuxième proposition est appelée « mineure » parce qu'elle contient la classe la plus réduite (« philosophes »).

Validité / vérité ; formel / matériel

Le syllogisme ne s'intéresse qu'à la forme d'un raisonnement.
Ici la forme désigne la démarche elle-même, qui vise la cohérence logique. Elle ne tient pas compte du contenu matériel des idées, qui vise la correspondance avec la réalité. Aussi une démarche peut-elle être **valide** dans sa forme et aboutir à une conclusion **fausse** dans son contenu matériel.
Par exemple : « tout ce qui nage est un poisson ; les baleines nagent ; donc les baleines sont des poissons. » Dans ce syllogisme, la forme du raisonnement est respectée, c'est une démonstration valide, mais la conclusion est fausse car le contenu de la première prémisse est faux.
La **validité** d'un raisonnement dépend de sa cohérence formelle ; la **vérité** d'un raisonnement dépend de sa cohérence et de la vérité matérielle de ses prémisses.

La politique

Chapitre 17 **La société, les échanges**
Chapitre 18 **La justice et le droit**
Chapitre 19 **L'État**

À l'instant même où les deux frères s'apprêtaient à bâtir la ville, il s'éleva entre eux une contestation, au sujet de l'emplacement. [...] Ils convinrent de s'en remettre de leur litige au présage des oiseaux favorables et il allèrent se poster chacun de leur côté. Il apparut, dit-on, six vautours à Rémus et douze à Romulus. D'autres prétendent que Rémus vit véritablement les siens, mais que Romulus trompa son frère, et qu'il ne vit les douze vautours qu'après que Rémus se fut approché de lui.
Rémus, en apprenant qu'il avait été trompé, ressentit un violent chagrin ; aussi, pendant que Romulus faisait creuser le fossé qui devait entourer les murailles, il le raillait sur son ouvrage et il en entravait l'exécution ; et il en vint jusqu'à sauter le fossé. Il fut tué sur le champ, par Romulus en personne, disent les uns, et, selon d'autres, par Celer, un des amis de Romulus [...].
Romulus après avoir enterré Rémus, s'occupa de fonder la ville. Il avait fait venir d'Étrurie[1] des hommes qui lui apprirent et lui expliquèrent certaines cérémonies et formules qu'il fallait observer, comme pour la célébration des mystères[2]. Un fossé fut creusé autour du lieu qui est aujourd'hui le Comice ; et on y jeta les prémices[3] de toutes les choses dont on use légitimement comme bonnes, et naturellement comme nécessaires. A la fin, chacun apporta une poignée de la terre du pays d'où il était venu : on y jeta la terre et on mêla le tout ensemble. Ils appellent ce fossé comme l'univers même : un monde. Puis, de ce point pris comme centre, on décrivit l'enceinte de la ville. Le fondateur met un soc d'airain à une charrue, y attelle un bœuf et une vache, et trace lui-même, sur la ligne qu'on a tirée, un sillon profond ; ceux qui le suivent ont la charge de rejeter en dedans de l'enceinte les mottes de terre que la charrue fait lever, et de n'en laisser aucune dehors. La ligne tracée marque le contour des murailles. On la nomme, par syncope[4], Pomœrium, comme qui dirait derrière ou après le mur. À l'endroit où l'on veut marquer une porte, on retire le soc de terre, on porte la charrue et l'on interrompt le sillon. Voilà pourquoi les Romains regardent les murailles comme sacrées, excepté les portes. Si les portes étaient sacrées, on ne pourrait, sans blesser la religion, y faire passer ni les choses nécessaires qui doivent entrer dans la ville, ni les choses impures qu'il faut en faire sortir.
Rome fut fondée le onzième jour avant les calendes de mai[5] ; c'est là un point hors de discussion. Les Romains fêtent encore à présent cet anniversaire ou, comme il l'appelle, le jour natal de leur patrie.

Plutarque, *Vie de Romulus*, § 14-17, *in Vies des Hommes Illustres*, trad. A. Pierron, 1853.

---

1. L'Étrurie était un territoire plus large que l'actuelle Toscane. Les Étrusques forment une civilisation originale, dont l'apogée est comprise entre 600 et 400 ans av. J.-C.
2. Cérémonies religieuses secrètes, réservées à des initiés.
3. Premiers fruits ou animaux offerts à la divinité.
4. Raccourcissement d'un mot par suppression de phonèmes : *Pomœrium* = *post-murum*
5. En 753 av. J.-C.

Scène de construction d'une ville, page du manuscrit *Vaticanus Latinus* 3225, IVe siècle ap. J.-C., bibliothèque apostolique du Vatican. ››

chapitre 17

La société, les échanges

James Ensor, *Autoportrait entouré de masques*, 1899 (120 x 180 cm), coll. privée.

Des mots...

Longtemps, les mots société et État ont été considérés comme interchangeables. Le grec *polis*, le latin *civitas* désigne tout à la fois la communauté sociale et sa forme politique. C'est seulement au XVIIIe siècle que le mot prend le sens qui nous intéresse ici : le milieu humain dans lequel chaque être humain se développe, dont il reçoit l'aide et subit les règles. En ce sens, le terme de société est souvent compris de façon péjorative : la société contraint, oblige, asservit, conditionne... On confond souvent les manières d'agir qui viennent de l'environnement social (les mœurs, les modes, les habitudes, les convenances, les « mentalités »... ce qu'on appelle les « phénomènes de société ») avec les lois issues du travail politique du législateur.

... aux concepts

Pour le sociologue et l'économiste, la société est un ensemble spécifique, elle n'est pas la somme des individus, mais un tout qui préexiste aux individus. Elle a ses propres lois, qui ne se réduisent pas à des motivations psychologiques individuelles. Souvent inconscientes, ces lois sociologiques s'imposent aux individus à leur insu, d'autant plus facilement que chacun croit agir spontanément (les phénomènes de mode, par exemple). Ces lois sociologiques ne doivent pas être confondues avec les lois instituées par l'État, obligations conscientes et volontaires qui forment le Droit.

Pistes de réflexion

Quelles sont les spécificités des sociétés humaines ?

Beaucoup d'animaux vivent en « société ». Certaines de ces sociétés sont très rigides (celles des fourmis, des abeilles...), d'autres sont plus souples (celles des castors, des loups, des primates...). Mais qu'est-ce qui distingue ces sociétés animales des sociétés humaines ? N'y a-t-il qu'une différence de degrés entre ces organisations sociales, ou bien les sociétés humaines marquent-elles une rupture dans l'évolution du vivant ? Et s'il y a rupture, en quoi consiste-t-elle ?

Peut-on étudier la société indépendamment des individus qui la composent ?

Le sociologue Durkheim pose comme principe méthodologique de base qu'il faut traiter les faits sociaux comme des choses. Cela signifie que les sociétés obéissent à des lois spécifiques qui sont indépendantes des lois conventionnelles des hommes (lois juridiques et morales), et que le sociologue doit les découvrir, comme le physicien découvre les lois de la nature. Quelles sont ces lois ? Les individus sont-ils condamnés à les subir, sans pouvoir les modifier ?

Société et État s'opposent-ils ?

Comment envisager les relations entre État et société lorsqu'ils sont considérés comme deux réalités distinctes ? Sont-elles harmonieuses, l'État n'étant qu'une émanation de la société ? Ou bien sont-elles potentiellement conflictuelles, l'État et la société ayant des intérêts différents, voire opposés ? L'État est-il le garant de la société, le protecteur de ses intérêts, ou bien représente-t-il un pouvoir dont la société doit se méfier ?

L'échange est-il au cœur de la société ?

Une société peut-elle exister sans échanges ? Échanges entre les membres de la société, échanges entre différentes sociétés ? Quels sont ces différents types d'échanges et quel est leur rôle ? Est-il seulement économique ? Pourquoi le sociologue insiste-t-il sur les règles de mariage dans les sociétés dites primitives ? Comment des guerres entre tribus ennemies peuvent-elles être parfois considérées comme des formes d'échange ?

L'échange se réduit-il à l'échange économique ?

Spontanément, nous avons tendance à n'envisager l'échange que dans son aspect économique et commercial. Mais l'échange ne concerne-t-il pas en réalité tous les aspects de la vie humaine ?

Le don est-il une forme d'échange comme les autres ?

Doit-on considérer qu'un cadeau, un don sont aussi des formes d'échange ? Ou bien doivent-ils être mis à part, du fait de leur caractère unilatéral et gratuit ? Le don dans sa pureté existe-t-il vraiment ?

Passerelles

- **Chapitre 6 : Nature et culture,** p. 150.
- **Chapitre 18 : La justice et le droit,** p. 446.
- **Chapitre 19 : L'État,** p. 466.

Découvertes

DOCUMENT 1 Société et pouvoir : l'exemple de l'écriture

On se doute que les Nambikwara[1] ne savent pas écrire ; mais ils ne dessinent pas davantage, à l'exception de quelques pointillés ou zigzags sur leurs calebasses. Comme chez les Caduveo, je distribuai pourtant des feuilles de papier et des crayons dont ils ne firent rien au début ; puis un jour je les vis tous occupés à tracer sur le papier des lignes horizontales ondulées. Que voulaient-ils donc faire ? Je dus me rendre à l'évidence : ils écrivaient ou, plus exactement, cherchaient à faire de leur crayon le même usage que moi, le seul qu'ils pussent alors concevoir, car je n'avais pas encore essayé de les distraire par mes dessins. Pour la plupart, l'effort s'arrêtait là ; mais le chef de bande voyait plus loin. Seul, sans doute, il avait compris la fonction de l'écriture. Aussi m'a-t-il réclamé un bloc-notes et nous sommes pareillement équipés quand nous travaillons ensemble. Il ne me communique pas verbalement les informations que je lui demande, mais trace sur son papier des lignes sinueuses et me les présente, comme si je devais lire sa réponse. Lui-même est à moitié dupe de sa comédie ; chaque fois que sa main achève une ligne, il l'examine anxieusement comme si la signification devait en jaillir, et la même désillusion se peint sur son visage. Mais il n'en convient pas ; et il est tacitement entendu entre nous que son grimoire possède un sens que je feins de déchiffrer ; le commentaire verbal suit presque aussitôt et me dispense de réclamer les éclaircissements nécessaires.

Or, à peine avait-il rassemblé tout son monde qu'il tira d'une hotte un papier couvert de lignes tortillées qu'il fit semblant de lire et où il cherchait, avec une hésitation affectée, la liste des objets que je devais donner en retour des cadeaux offerts : à celui-ci, contre un arc et des flèches, un sabre d'abatis ! à tel autre, des perles ! pour ses colliers... Cette comédie se prolongea pendant deux heures. Qu'espérait-il ? Se tromper lui-même, peut-être ; mais plutôt étonner ses compagnons, les persuader que les marchandises passaient par son intermédiaire, qu'il avait obtenu l'alliance du Blanc et qu'il participait à ses secrets.

[...] L'écriture avait donc fait son apparition chez les Nambikwara ; mais non point, comme on aurait pu l'imaginer, au terme d'un apprentissage laborieux. Son symbole avait été emprunté tandis que sa réalité demeurait étrangère. Et cela, en vue d'une fin sociologique plutôt qu'intellectuelle. Il ne s'agissait pas de connaître, de retenir ou de comprendre, mais d'accroître le prestige et l'autorité d'un individu – ou d'une fonction – aux dépens d'autrui. Un indigène encore à l'âge de pierre avait deviné que le grand moyen de comprendre, à défaut de le comprendre, pouvait au moins servir à d'autres fins.

Claude Lévi-Strauss, *Tristes Tropiques*, 1955, Plon, p. 339-342.

Claude Lévi-Strauss observe une carte d'Amérique du sud dans son bureau du Collège de France, mars 1967.

1. Peuple vivant dans le nord de l'État du Mato Grosso, au Brésil.

QUESTIONS

1• « Seul, sans doute, il avait compris la fonction de l'écriture. » Quel sens donner à l'attitude du chef devant l'écriture ? À quelle fin l'utilise-t-il ?

2• Pourquoi est-il important qu'il fasse croire aux autres qu'il maîtrise l'écriture ? Qu'est-ce que la « comédie » qu'il joue nous révèle sur la nature du pouvoir en général ?

3• Quelle est l'importance de l'image du pouvoir, la façon dont il est perçu, pour l'exercice même du pouvoir ?

DOCUMENT 2 Faire la coutume : un échange symbolique

Dans la culture mélanésienne, quand on est invité chez quelqu'un ou bien quand on se rend chez quelqu'un (pour se promener, se baigner), on fait « la coutume » : on offre un morceau de tissu (manu), du tabac, un billet. Les objets offerts sont codifiés. Ils ne sont pas destinés à être utilisés, le même morceau de tissu, le même billet peuvent servir plusieurs fois.

QUESTION

› Quels sont, à votre avis, le sens et la fonction de cet échange ?

Cérémonie coutumière pour autoriser la construction d'une nouvelle usine de nickel SMSP Falconbridge, 1998.

DOCUMENT 3 Cadeaux de mariage

L'auteur vient de décrire la suite de cadeaux et de contre-cadeaux qui précède le mariage chez les indigènes des îles Trobriand (Nouvelle-Guinée). « La nature et la quantité de chaque cadeau sont réglées à l'avance. »

À première vue, cet échange de cadeaux apparaît d'une complication inutile. Mais, en l'étudiant de près, on constate qu'il représente une chaîne continue et non un simple assemblage d'incidents, sans lien entre eux. En premier lieu, il exprime le principe fondamental des rapports économiques qui prévaudront pendant toute la durée du mariage : à savoir que la famille de la jeune fille doit ravitailler le nouveau ménage, en recevant parfois en échange des objets précieux. Les petits cadeaux du début expriment le consentement de la famille de la jeune fille et constituent une sorte de promesse de contributions futures, plus importantes. Le contre-présent en denrées alimentaires, fait immédiatement après par la famille du jeune homme, constitue, chez nos indigènes, une réponse caractéristique à un compliment. Seuls les présents vraiment substantiels offerts par la famille du jeune homme à celle de la jeune fille engagent définitivement l'époux, car en cas de dissolution du mariage celui-ci ne les récupère pas, sauf dans les circonstances exceptionnelles. Leur valeur équivaut à peu près à celle de tous les présents de la première année réunis. On aurait cependant tort de les considérer comme représentant le prix payé par le jeune homme pour entrer en possession de la jeune fille. La notion de l'achat d'une femme est en opposition aussi bien avec la mentalité des indigènes qu'avec les faits. Il est admis que le mariage procure à l'homme des avantages matériels considérables. À titre de réciprocité, il offre, de son côté, à de rares intervalles, des présents en objets précieux. C'est un présent de ce genre qu'il doit offrir au moment du mariage ; ce présent constitue une anticipation des avantages à venir[1] et nullement le prix payé pour la possession de la fiancée.

Bronislaw Malinowski[2], *La Vie sexuelle des sauvages du nord-ouest de la Mélanésie*, 1929, trad. S. Jankélévitch, coll. Petite bibliothèque Payot, Payot, p. 80-81.

1. La famille de la femme doit verser tous les ans un tribut en denrées alimentaires.
2. Bronislaw Malinowski (1884-1942), anthropologue britannique d'origine polonaise. Il introduisit une nouvelle méthode d'enquête de terrain : celle de l'observateur participant.

QUESTIONS

› 1• Quelle fonction cette succession compliquée de présents et de contre-présents remplit-elle ? En quels sens peut-on dire que ces échanges sont libres ? qu'ils sont obligatoires ?

› 2• L'échange a-t-il un rôle seulement économique ? Quels sont ses autres rôles ?

› 3• Pourquoi l'auteur rejette-t-il l'idée que la femme est achetée ?

Réflexion 1

▶ Qu'est-ce qu'une société ?

Pour Durkheim, la société n'est pas une somme d'individus, qui établissent un contrat entre eux (› p. 143). Elle est la réalité première : c'est elle qui forme les individus, et non les individus qui la forment. En conséquence, « la cause déterminante d'un fait social doit être cherchée parmi les faits sociaux antécédents, et non parmi les états de la conscience. »

Texte 1 Le refus des interprétations psychologiques

Une explication purement psychologique des faits sociaux ne peut donc manquer de laisser échapper tout ce qu'ils ont de spécifique, c'est-à-dire de social.

Ce qui a masqué aux yeux de tant de sociologues l'insuffisance de cette méthode, c'est que, prenant l'effet pour la cause, il leur est arrivé très souvent d'assigner comme conditions déterminantes aux phénomènes sociaux certains états psychiques, relativement définis et spéciaux, mais qui, en fait, en sont la conséquence. C'est ainsi qu'on a considéré comme inné à l'homme un certain sentiment de religiosité, un certain minimum de jalousie sexuelle, de piété filiale, d'amour paternel, etc., et c'est par là qu'on a voulu expliquer la religion, le mariage, la famille. Mais l'histoire montre que ces inclinations, bien loin d'être inhérentes[1] à la nature humaine, ou bien font totalement défaut dans certaines circonstances sociales, ou bien, d'une société à l'autre, présentent de telles variations que le résidu qu'on obtient en éliminant toutes ces différences, et qui seul peut être considéré comme d'origine psychologique, se réduit à quelque chose de vague et de schématique qui laisse à une distance infinie les faits qu'il s'agit d'expliquer. C'est donc que ces sentiments résultent de l'organisation collective, loin d'en être la base.

Émile Durkheim, *Les Règles de la méthode sociologique*, chap. 5, 1894, PUF, p. 107-108.

1. Qui appartient essentiellement à.

QUESTIONS

› **1•** Montrez la nature du débat entre psychologie et sociologie. Pourquoi sont-elles en concurrence ?

› **2•** Faites l'inventaire des exemples donnés par Durkheim. Quels sont les arguments qui justifient la primauté du déterminisme social ?

Texte 2 Deux conceptions du fait social

Deux théories contraires se partagent sur ce point les esprits.

Pour les uns, comme Hobbes[1], Rousseau[2], il y a solution de continuité[3] entre l'individu et la société. L'homme est donc naturellement réfractaire à la vie commune, il ne peut s'y résigner que forcé. Les fins sociales ne sont pas simplement le point de rencontre des fins individuelles, elles leur sont plutôt contraires. Aussi, pour amener l'individu à les poursuivre, est-il nécessaire d'exercer sur lui une contrainte, et c'est dans l'institution et l'organisation de cette contrainte que consiste, par excellence, l'œuvre sociale. Seulement, parce que l'individu est regardé comme la seule et unique réalité du règne humain, cette organisation qui a pour objet de le gêner et de le contenir, ne peut être conçue que comme artificielle. Elle n'est pas fondée dans la nature, puisqu'elle est destinée à lui faire violence en l'empêchant de produire ses conséquences anti-sociales. C'est une œuvre d'art[4], une machine construite tout entière de la main des hommes. [...]

1. Hobbes › p. 470.
2. Rousseau › p. 474.
3. Rupture, hiatus, fossé.
4. Ici, au sens d'œuvre artificielle.
5. Référence peu claire, car Hobbes et Rousseau appartiennent aussi à l'école du Droit naturel.

Durkheim pense sans doute aux théories qui font de la société un fait inné, naturel.
6. Philosophe anglais qui s'inspire des théories de Darwin.

C'est de l'idée contraire que se sont inspirés et les théoriciens du droit naturel[5] et les économistes et, plus récemment, M. Spencer[6]. Pour eux, la vie sociale est essentiellement spontanée et la société une chose naturelle. Mais, s'ils lui confèrent ce caractère, ce n'est pas qu'ils lui reconnaissent une nature spécifique ; c'est qu'ils lui trouvent une base dans la nature de l'individu. [...] L'homme serait naturellement enclin à la vie politique, domestique, religieuse, aux échanges, etc., et c'est de ces penchants naturels que dériverait l'organisation sociale.

Op. cit., chap. 5.

QUESTION

› Quelles sont les deux conceptions qui s'opposent traditionnellement concernant la nature et l'origine de la société ?

Texte 3 Le fait social dépasse l'individu

1. Sous une forme imagée.
2. Qui n'appartient qu'à une espèce, qu'à une chose.

Ni l'une ni l'autre de ces doctrines n'est la nôtre.

Sans doute, nous faisons de la contrainte la caractéristique de tout fait social. Seulement, cette contrainte ne résulte pas d'une machinerie plus ou moins savante, destinée à masquer aux hommes les pièges dans lesquels ils se sont pris eux-mêmes. Elle est simplement due à ce que l'individu se trouve en présence d'une force qui le domine, devant laquelle il s'incline ; mais cette force est naturelle. Elle ne dérive pas d'un arrangement conventionnel que la volonté humaine a surajouté de toutes pièces au réel ; elle sort des entrailles mêmes de la réalité, elle est le produit nécessaire de causes données. Ainsi, pour amener l'individu à s'y soumettre de son plein gré, n'est-il pas nécessaire de recourir à aucun artifice ; il suffit de lui faire prendre conscience de son état de dépendance et d'infériorité naturelles – qu'il s'en fasse par la religion une représentation sensible[1] et symbolique, ou qu'il arrive à s'en former par la science une représentation adéquate et définie. Comme la supériorité que la société a sur lui n'est pas simplement physique, mais intellectuelle et morale, elle n'a rien à craindre du libre examen, pourvu qu'il en soit fait un juste emploi. Mais si, contrairement à ces philosophes, nous disons que la vie sociale est naturelle, ce n'est pas que nous en trouvions la source dans la nature de l'individu ; c'est qu'elle dérive directement de l'être collectif qui est, par lui-même, une nature *sui generis*[2] ; c'est qu'elle résulte de cette élaboration spéciale à laquelle sont soumises les consciences particulières, par le fait de leur association et d'où se dégage une nouvelle forme d'existence. Si donc nous reconnaissons avec les uns qu'elle se présente à l'individu sous l'aspect de la contrainte, nous admettons avec les autres qu'elle est un produit spontané de la réalité. Et ce qui relie ces deux éléments, contradictoires en apparence, c'est que cette réalité d'où elle émane dépasse l'individu.

Op. cit., chap. 5.

QUESTIONS

› 1• Pour quelles raisons Durkheim réfute-t-il les deux conceptions présentées dans le texte précédent (texte 2) ?

› 2• En quoi consiste, pour Durkheim, une conception réellement sociologique de la société ?

Passerelles

› **Chapitre 6 : Nature et culture,** p. 150.
› **Chapitre 20 : La liberté,** p. 502.
› **Textes :** Durkheim, La religion, instrument d'unification sociale, p. 267.
Durkheim, L'origine de la morale, p. 543.

Réflexion 2

L'échange imposé, fondement des sociétés humaines ?

Les deux textes suivants présentent des tabous : un tabou sexuel et un tabou alimentaire. Ces deux interdits génèrent des échanges créateurs de liens sociaux : le partage de nourriture, le partage des femmes. L'obligation de l'échange fait la nécessité du lien social.

Texte 1 — L'interdit de l'inceste, un fondement universel pour toute société ?

Lévi-Strauss propose un critère purement théorique pour séparer l'ordre de la nature et l'ordre de la culture, l'animalité et l'humanité. Là où des comportements sont universels, on parlera de nature ; là où ils sont définis par des règles particulières, on parlera de culture. Or la prohibition de l'inceste est à la fois universelle et culturelle.

Partout où la règle se manifeste, nous savons avec certitude être à l'étage de la culture. Symétriquement il est aisé de reconnaître dans l'universel le critère de la nature. Car ce qui est constant chez tous les hommes échappe nécessairement au domaine des coutumes, des techniques et des institutions par lesquelles leurs groupes se différencient et s'opposent. À défaut d'analyse réelle le double critère de la norme et de l'universalité apporte le principe d'une analyse idéale[1] qui peut permettre (au moins dans certains cas et dans certaines limites) d'isoler les éléments naturels des éléments culturels qui interviennent dans les synthèses de l'ordre le plus complexe. Posons donc que tout ce qui est universel chez l'homme relève de l'ordre de la nature et se caractérise par la spontanéité, que tout ce qui est astreint à une norme appartient à la culture et présente les attributs du relatif et du particulier.

Nous nous trouvons alors confrontés avec un fait qui n'est pas loin à la lumière des définitions précédentes d'apparaître comme un scandale, nous voulons dire cet ensemble complexe de croyances, de coutumes, de stipulations[2] et d'institutions que l'on désigne sommairement sous le nom de la prohibition de l'inceste. Car la prohibition de l'inceste présente sans la moindre équivoque et indissolublement réunit les deux caractères par où nous avons reconnu les attributs contradictoires de deux ordres exclusifs ; elle constitue une règle, mais une règle qui, seule entre toutes les règles sociales, possède en même temps un caractère d'universalité. Que la prohibition de l'inceste constitue une règle n'a guère besoin d'être démontré ; il suffira de rappeler que l'interdiction du mariage entre proches parents peut avoir un champ d'application variable selon la façon dont chaque groupe définit ce qu'il entend par proche parent. Mais cette interdiction sanctionnée par des pénalités sans doute variables et pouvant aller de l'exclusion immédiate des coupables à la réprobation diffuse, parfois seulement à la moquerie, est toujours présente dans n'importe quel groupe social.

Claude Lévi-Strauss, *Les Structures élémentaires de la parenté*, 1947, Mouton, PUF, p. 9-10.

1. Analyse purement théorique.
2. Clauses de contrats.

QUESTIONS

› **1•** Quels critères Lévi-Strauss utilise-t-il pour séparer nature et culture ? Donnez des exemples.

› **2•** Quel est le statut particulier de la prohibition de l'inceste ? Que peut-on en conclure quant à son rôle dans l'histoire humaine ?

Texte 2 L'interdit, moteur de l'échange

1. Par le fait même, automatiquement.
2. Malchance.

Aché est le nom que les indiens Guayaki se donnent. Ils vivent en nomades dans la forêt amazonienne. Leur société est fondée sur un paradoxe : il est interdit à celui qui chasse de consommer sa propre production. Or la chasse est leur principale source de nourriture. Une première explication est fournie par les Guayaki eux-mêmes. Une seconde explication, de l'extérieur, est donnée par l'ethnologue.

Il y a pour le chasseur Aché un tabou alimentaire qui lui interdit formellement de consommer la viande de ses propres prises : *baï jyvombré ja uéméré* : « Les animaux qu'on a tués, on ne doit pas les manger soi-même. » De sorte que lorsqu'un homme arrive au campement, il partage le produit de la chasse entre sa famille (femme et enfants) et les autres membres de la bande ; naturellement, il ne goûtera pas à la viande préparée par son épouse. Or, comme on a vu, le gibier occupe la place la plus importante dans l'alimentation des Guayaki. Il en résulte que chaque homme passe sa vie à chasser pour les autres et à recevoir d'eux sa propre nourriture. Cette prohibition est strictement respectée, même par les garçons non initiés lorsqu'ils tuent des oiseaux. Une de ses conséquences les plus importantes est qu'elle empêche *ipso facto*[1] la dispersion des Indiens en familles élémentaires : l'homme mourrait de faim, à moins de renoncer au tabou. Il faut donc se déplacer en groupe. Les Guayaki, pour en rendre compte, affirment que manger les animaux qu'on tue soi-même, c'est le moyen le plus sûr de s'attirer le *pané*[2]. Cette crainte majeure des chasseurs suffit à imposer le respect de la prohibition qu'elle fonde : si l'on veut continuer à tuer des animaux, il ne faut pas les manger. La théorie indigène s'appuie simplement sur l'idée que la conjonction entre le chasseur et les animaux morts, sur le plan de la consommation, entraînerait une disjonction entre le chasseur et les animaux vivants, sur le plan de la production. Elle a donc une portée explicite surtout négative puisqu'elle se résout en l'interdiction de cette conjonction.

En réalité, cette prohibition alimentaire possède aussi une valeur positive, en ce qu'elle opère comme un principe structurant qui fonde comme telle la société guayaki. En établissant une relation négative entre chaque chasseur et le produit de sa chasse, elle place tous les hommes dans la même position l'un par rapport à l'autre, et la réciprocité du don de nourriture se révèle dès lors non seulement possible, mais nécessaire : tout chasseur est à la fois un donneur et un preneur de viande. Le tabou sur le gibier apparaît donc comme l'acte fondateur de l'échange de nourriture chez les Guayaki, c'est-à-dire comme un fondement de leur société elle-même. [...] En contraignant l'individu à se séparer de son gibier, il l'oblige à faire confiance aux autres, permettant ainsi au lien social de se nouer de manière définitive, l'interdépendance des chasseurs garantit la solidité et la permanence de ce lien, et la société gagne en force ce que les individus perdent en autonomie.

Pierre Clastres, *La Société contre l'État*, 1974, Éd. de Minuit, p. 99-100.

QUESTIONS

› 1• Qu'est-ce qu'un tabou, au sens fort du terme ? Quel tabou caractérise la société guayaki ? Pourquoi est-il paradoxal ?

› 2• Quelle explication en donnent les Guayaki eux-mêmes ? Quelle est celle de l'ethnologue ?

Passerelles

› **Chapitre 6 : Nature et culture,** p. 150.

› **Chapitre 7 : Le langage,** p. 166.

› **Chapitre 14 : L'interprétation,** p. 352.

› **Chapitre 20 : La liberté,** p. 502.

Réflexion 3

▶ Le don est-il nécessairement libre et gratuit ?

Spontanément, on oppose le don à l'échange : le don serait unilatéral, non codifié, sans réciprocité ; l'échange serait réciproque, intéressé et codifié. Mais le don échappe-t-il vraiment aux obligations sociales ?

Texte 1 — Les systèmes de prestations totales

1. Sous peine de.

Dans les économies et dans les droits qui ont précédé les nôtres, on ne constate pour ainsi dire jamais de simples échanges de biens, de richesses et de produits au cours d'un marché passé entre les individus. D'abord, ce ne sont pas des individus, ce sont des collectivités qui s'obligent mutuellement, échangent et contractent ; les personnes présentes au contrat sont des personnes morales : clans, tribus, familles, qui s'affrontent et s'opposent soit en groupes se faisant face sur le terrain même, soit par l'intermédiaire de leurs chefs, soit de ces deux façons à la fois. De plus, ce qu'ils échangent, ce n'est pas exclusivement des biens et des richesses, des meubles et des immeubles, des choses utiles économiquement. Ce sont avant tout des politesses, des festins, des rites, des services militaires, des femmes, des enfants, des danses, des fêtes, des foires dont le marché n'est qu'un des moments et où la circulation des richesses n'est qu'un des termes d'un contrat beaucoup plus général et beaucoup plus permanent. Enfin, ces prestations et contre-prestations s'engagent sous une forme plutôt volontaire, par des présents, des cadeaux, bien qu'elles soient au fond rigoureusement obligatoires, à peine[1] de guerre privée ou publique. Nous avons proposé d'appeler tout ceci le système des prestations totales.

Marcel Mauss, *Essai sur le don*, 1925, *in Sociologie et anthropologie*, PUF, 1950, p. 150 sq.

QUESTIONS

› 1• En quoi les échanges, dans les sociétés traditionnelles, se distinguent-ils des rapports marchands ? Faites l'inventaire de tous les traits caractéristiques des échanges primitifs.

› 2• Que veut dire le sociologue quand il parle de « système des prestations totales » ?

Texte 2 — Les résidus de la logique du don dans les sociétés marchandes

1. Qui peut s'obtenir par de l'argent.
2. *Dons et présents.*
3. Note de Mauss : « Coran, Sourate II, 265 » › texte 3, p. 433.
4. Don ou destruction, à caractère sacré, constituant un défi équivalent pour le donataire.
5. Rivalité.

Il est possible d'étendre ces observations à nos propres sociétés.

Une partie considérable de notre morale et de notre vie elle-même stationne toujours dans cette même atmosphère du don, de l'obligation et de la liberté mêlés. Heureusement, tout n'est pas encore classé exclusivement en termes d'achat et de vente. Les choses ont encore une valeur de sentiment en plus de leur valeur vénale[1], si tant est qu'il y ait des valeurs qui soient seulement de ce genre. Nous n'avons pas qu'une morale de marchands. Il nous reste des gens et des classes qui ont encore les mœurs d'autrefois et nous nous y plions presque tous, au moins à certaines époques de l'année ou à certaines occasions.

Le don non rendu rend encore inférieur celui qui l'a accepté, surtout quand il est reçu sans esprit de retour. Ce n'est pas sortir du domaine germanique que de rappeler le curieux essai d'Emerson, *On Gifts and Presents*[2]. La charité est encore blessante[3] pour celui qui l'accepte, et tout l'effort de notre morale tend à supprimer le patronage inconscient et injurieux du riche « aumônier ».

L'invitation doit être rendue, tout comme la « politesse ». On voit ici, sur le fait, la trace du vieux fond traditionnel, celle des vieux potlatch[4] nobles, et aussi on voit affleurer ces motifs fondamentaux de l'activité humaine : l'émulation[5] entre les individus du même sexe, cet

« impérialisme foncier » des hommes –, fond social d'une part, fond animal et psychologique de l'autre, voilà ce qui apparaît. Dans cette vie à part qu'est notre vie sociale, nous-mêmes, nous ne pouvons « rester en reste », comme on dit encore chez nous. Il faut rendre plus qu'on a reçu. La « tournée » est toujours plus chère et plus grande. Ainsi telle famille villageoise de notre enfance, en Lorraine, qui se restreignait à la vie la plus modeste en temps courant, se ruinait pour ses hôtes, à l'occasion de fêtes patronales, de mariage, de communion ou d'enterrement. Il faut être « grand seigneur » dans ces occasions. On peut même dire qu'une partie de notre peuple se conduit constamment et dépense sans compter quand il s'agit de ses hôtes, de ses fêtes, de ses « étrennes ».

L'invitation doit être faite et elle doit être acceptée.

Op. cit., p. 258 sq.

QUESTIONS

› **1•** Quelle est la vraie nature du don, en tant que phénomène social ? Pouvez-vous prolonger les exemples donnés ?

› **2•** D'où vient que le don peut obliger ou blesser ?

Texte 3 L'enseignement du Coran : que le don ne soit pas un fardeau

Comment faire pour que l'obligation morale de donner ne devienne pas un acte vide de sens, ni un fardeau pour celui à qui il est donné ?

Une parole convenable et un pardon
sont meilleurs qu'une aumône suivie d'un tort.
– Dieu se suffit à lui-même,
et il est plein de mansuétude –
Ô vous qui croyez !
Ne rendez pas vaines vos aumônes
en y joignant un reproche ou un tort,
comme celui qui dépense son bien
pour être vu des hommes,
et qui ne croit ni en Dieu ni au Jour dernier.
Il ressemble à un rocher recouvert de terre :
une forte pluie l'atteindra et le laissera dénudé.
Ces gens-là ne peuvent rien retirer de ce qu'ils ont acquis.
– Dieu ne dirige pas le peuple incrédule –
[…] Quant aux aumônes que vous donnez aux pauvres,
Qui ont été réduits à la misère dans le chemin de Dieu
Et qui ne peuvent plus parcourir la terre ;
– l'ignorant les croit riches,
à cause de leur attitude réservée[1].
Tu les reconnais à leur aspect :
ils ne demandent pas l'aumône avec importunité –
Dieu sait parfaitement
Ce que vous dépensez pour eux en bonnes œuvres.

Le Coran, sourate II, versets 263, 264, 273, trad. D. Masson, coll. La Pléiade, Gallimard, p. 53-55.

1. Abstinence, retenue : désigne l'attitude de ceux qui ne réclament pas, par pudeur.

QUESTION

› Pourquoi la générosité est-elle difficile à exercer ?

Dossier

▶ Une société sans foi, sans loi, sans roi ?

« Sans foi, sans loi, sans roi », telle était l'appréciation des premiers Européens devant les sociétés amérindiennes. En réalité, ces civilisations possèdent des règles dont la fonction est d'empêcher la société égalitaire de se transformer, par le développement des richesses et des pouvoirs, en État inégalitaire. D'où le statut paradoxal des chefs, à la fois privilégiés et prisonniers du groupe.

DOCUMENT

Car, ce qu'il s'agit de comprendre, c'est la bizarre persistance d'un « Pouvoir » à peu près impuissant, d'une chefferie sans autorité, d'une fonction qui fonctionne à vide.

En un texte de 1948, R. Lowie[1], analysant les traits distinctifs du type de chef ci-dessus évoqué, par lui nommé *titular chief*, isole trois propriétés essentielles du leader indien, que leur récurrence[2] au long des deux Amériques permet de saisir comme condition nécessaire du pouvoir dans ces régions.

1. Le chef est un « faiseur de paix » ; il est l'instance modératrice du groupe, ainsi que l'atteste la division fréquente du pouvoir en civil et militaire.
2. Il doit être généreux de ses biens, et ne peut se permettre, sans se déjuger, de repousser les incessantes demandes de ses « administrés ».
3. Seul un bon orateur peut accéder à la chefferie.

Chef de guerre et chef de paix

Ce schéma de la triple qualification nécessaire au détenteur de la fonction politique est certainement aussi pertinent pour les sociétés sud- que nord-américaines. Tout d'abord, en effet, il est remarquable que les traits de la chefferie soient fort opposés en temps de guerre et en temps de paix et que très souvent, la direction du groupe soit assumée par deux individus différents, chez les Cubeo par exemple, ou chez les tribus de l'Orénoque : il existe un pouvoir civil et un pouvoir militaire. Pendant l'expédition guerrière, le chef dispose d'un pouvoir considérable, parfois même absolu, sur l'ensemble des guerriers. Mais, la paix revenue, le chef de guerre perd toute sa puissance. Le modèle du pouvoir coercitif[3] n'est donc accepté qu'en des occasions exceptionnelles, lorsque le groupe est confronté à une menace extérieure. Mais la conjonction du pouvoir et de la coercition cesse dès que le groupe n'a rapport qu'à soi-même. Ainsi, l'autorité des chefs tupinamba, incontestée pendant les expéditions guerrières, se trouvait étroitement soumise au contrôle du conseil des anciens en temps de paix. De même, les Jivaro n'auraient de chef qu'en temps de guerre. Le pouvoir normal, civil, fondé sur le *consensus omnium*[4] et non sur la contrainte, est ainsi de nature profondément pacifique ; sa fonction est également « pacifiante » – le chef a la charge du maintien de la paix et de l'harmonie dans le groupe. Aussi doit-il apaiser les querelles, régler les différends, non en usant d'une force qu'il ne possède pas et qui ne serait pas reconnue, mais en se fiant aux seules vertus de son prestige, de son équité et de sa parole. Plus qu'un juge qui sanctionne, il est un arbitre qui cherche à réconcilier. [...]

Une générosité obligée

Le second trait caractéristique de la chefferie indienne, la générosité, paraît être plus qu'un devoir : une servitude. Les ethnologues ont en effet noté chez les populations les plus diverses d'Amérique du Sud que cette obligation de donner, à quoi est tenu le chef, est en fait vécue par les Indiens comme une sorte de droit de le soumettre à un pillage permanent. Et si le malheureux leader cherche à freiner cette fuite de cadeaux, tout prestige, tout pouvoir lui sont immédiatement déniés. Francis Huxley écrit à propos des Urubu : « C'est le rôle du chef d'être généreux et de donner tout ce qu'on lui demande : dans certaines tribus indiennes, on peut toujours reconnaître le chef à ce qu'il possède moins que les autres et porte les ornements les plus minables. Le reste est parti en cadeaux. » La situation est tout à fait analogue chez les Nambikwara, décrits par Claude Lévi-Strauss : « La générosité joue un rôle fondamental pour déterminer le degré de popularité dont jouira le nouveau chef. » Parfois, le chef, excédé des demandes répétées, s'écrie : « Emporté ! c'est fini de donner ! Qu'un autre soit généreux à ma place ! » Il est inutile de multiplier les exemples, car cette relation des Indiens à leur chef est constante à travers tout le continent (Guyane, Haut-Xingu, etc.). Avarice et pouvoir ne sont pas compatibles ; pour être chef il faut être généreux.

Chef Outina (Caroline), d'après une gravure de De Bry, 1564.

rapport au pouvoir se fait jour, comme subrepticement, un contrôle, plus profond d'être moins apparent, du chef sur la communauté. Car, en certaines circonstances, singulièrement en période de disette, le groupe s'en remet totalement au chef ; lorsque menace la famine, les communautés de l'Orénoque s'installent dans la maison du chef, aux dépens de qui, désormais, elles décident de vivre, jusqu'à des jours meilleurs. De même, la bande Nambikwara à court de nourriture après une dure étape attend du chef et non de soi que la situation s'améliore. Il semble en ce cas que le groupe, ne pouvant se passer du chef, dépende intégralement de lui. Mais cette subordination n'est qu'apparente : elle masque en fait une sorte de chantage que le groupe exerce sur le chef. Car, si ce dernier ne fait pas ce qu'on attend de lui, son village ou sa bande tout simplement l'abandonne pour rejoindre un leader plus fidèle à ses devoirs. C'est seulement moyennant cette dépendance réelle que le chef peut maintenir son statut. Cela apparaît très nettement dans la relation du pouvoir et de la parole : car, si le langage est l'opposé même de la violence, la parole doit s'interpréter, plus que comme privilège du chef, comme le moyen que se donne le groupe de maintenir le pouvoir à l'extérieur de la violence coercitive, comme la garantie chaque jour répétée que cette menace est écartée. La parole du leader recèle en elle l'ambiguïté d'être détournée de la fonction de communication immanente au langage. Il est si peu nécessaire au discours du chef d'être écouté, que les Indiens ne lui prêtent souvent aucune attention.

Pierre Clastres, « Philosophie de la chefferie indienne », 1962, in *La Société contre l'État*, Éd. de Minuit, 1974, p. 27.

Pouvoir et parole

Outre ce goût si vif pour les possessions du chef, les Indiens apprécient fortement ses paroles : le talent oratoire est une condition et aussi un moyen du pouvoir politique. Nombreuses sont les tribus où le chef doit tous les jours, soit à l'aube, soit au crépuscule, gratifier d'un discours édifiant les gens de son groupe : les chefs pilaga, sherenté, tupinamba, exhortent chaque jour leur peuple à vivre selon la tradition. Car la thématique de leur discours est étroitement reliée à leur fonction de « faiseur de paix ». « Le thème habituel de ces harangues est la paix, l'harmonie et l'honnêteté, vertus recommandées à tous les gens de la tribu. » Sans doute le chef prêche-t-il parfois dans le désert : les Toba du Chaco ou les Trumai du Haut-Xingu ne prêtent souvent pas la moindre attention au discours de leur leader, qui parle ainsi dans l'indifférence générale. Cela ne doit cependant pas nous masquer l'amour des Indiens pour la parole : un Chiriguano n'expliquait-il pas l'accession d'une femme à la chefferie en disant : « Son père lui avait appris à parler » ? [...]

Un pouvoir sous dépendance

En tant que débiteur de richesse et de messages, le chef ne traduit pas autre chose que sa dépendance par rapport au groupe, et l'obligation où il se trouve de manifester à chaque instant l'innocence de sa fonction. On pourrait en effet penser, à mesurer la confiance dont le groupe crédite son chef, qu'au travers de cette liberté vécue par le groupe dans son

1. Robert Harry Lowie (1883-1957), anthropologue américain.
2. Phénomène qui se répète, qu'on retrouve régulièrement.
3. Qui fonctionne par la contrainte.
4. L'accord de tous.

QUESTIONS

› **1•** Comment les sociétés primitives se protègent-elles contre les risques d'abus de pouvoir ?

› **2•** À propos de l'institution de la chefferie, peut-on vraiment parler de pouvoir impuissant ?

Une œuvre, une analyse

Présentation

Aristote, *La Politique*, livre I (vers 335 av. J.-C.)

Hegel remarquait, dans les *Principes de la philosophie du droit*, que la « philosophie vient toujours trop tard lorsque la réalité a accompli et terminé son processus de formation ». La remarque s'applique entièrement à la pensée politique d'Aristote : théoricien de la *polis* grecque (la cité-État), il en fait une forme politique indépassable, au moment même où celle-ci est en train de disparaître. La Grèce conquise par la Macédoine devient une petite partie de l'empire immense d'Alexandre le Grand. L'effort d'Aristote consiste à penser l'articulation de l'homme à la société-État. Aristote ne se contente pas de dire que l'homme est un animal social, il dit bien plus : l'homme est l'animal politique par excellence et l'État est le développement naturel de la société.

Ce livre peut sembler l'abécédaire de tous les préjugés de son temps : justification de l'esclavage, des inégalités homme/femme, Grec/barbare. On peut y lire aussi une tentative rétrograde de sauver un monde ancien, qui n'a sans doute jamais existé sous cette forme idéalisée : repli sur une cité en autarcie, refus de l'ouverture aux échanges économiques Pourtant, on peut déjà remarquer que l'analyse d'Aristote sur l'esclavage est le seul document significatif parvenu jusqu'à nous qui propose une réflexion sur l'esclavage dans l'Antiquité.

1 La genèse de l'État selon l'ordre naturel

L'État, la Cité, n'est pas pour Aristote une construction artificielle, venant en quelque sorte prendre le relais d'un ordre naturel insuffisant, ou même y remédier. La Cité, l'État, est au contraire la fin dernière de la Nature. L'État est naturel à l'homme, au même titre, et sans doute plus, que ses yeux ou ses mains. La Cité est le résultat d'une genèse naturelle qui va de l'individu à la famille, nécessaire pour la reproduction de l'espèce ; de la famille à la « société », ici sous la forme de villages, nécessaires à la survie matérielle et économique ; des villages à la Cité, non plus indispensable au « vivre », mais au « bien-vivre », c'est-à-dire au « vivre » conforme à la destination finale de l'homme. Ce « bien-vivre » suppose des condi-

« Philippe confie le jeune Alexandre le Grand à Aristote », manuscrit *Historia de Proeliis* par Alexandri Magni de Callisthènes, XIIIe s., Paris, Bibliothèque Nationale.

tions économiques, capables de décharger certains hommes des tâches de la vie matérielle, au profit de tâches spécifiquement humaines : la vie politique ainsi que la spéculation philosophique et scientifique.

La Cité vient en dernier dans l'ordre chronologique, mais elle est première dans l'ordre logique. Cela signifie qu'elle est la raison première, « ce vers quoi », dès le début, tendait la nature. Conception finaliste, qui fait de l'homme adulte la finalité de l'enfant, ce pour quoi l'enfant existe. « La Cité est antérieure à la famille et à chacun d'entre nous. Car le tout est nécessairement antérieur à la partie. » De même, notre corps est logiquement antérieur à nos mains, ou à nos pieds, car c'est l'existence de l'organisme entier qui peut expliquer l'existence des organes.

2 Une conception non universaliste de l'homme

Cette perception finaliste de la Cité explique en grande partie pourquoi l'analyse aristotélicienne se distingue de notre vision moderne de la politique : si l'homme est un animal politique (c'est-à-dire non pas seulement vivant en société, mais participant à la vie de l'État), cela ne veut pas dire que tous les hommes pourront réaliser cette essence. Il suffit qu'un petit nombre la réalise, grâce au « loisir » laissé par le travail servile. Ainsi se justifie l'inégalité entre Grecs et barbares, entre hommes et femmes, entre maîtres et esclaves.

Le livre I de *La Politique* est consacré à défendre cet ordre naturel :

1. Il faut d'abord montrer que le gouvernement d'une cité n'est pas de même nature que le commandement d'un village, ou que la responsabilité d'un chef de famille. Si tous ces pouvoirs sont également naturels, ils ne se déduisent pas les uns des autres. La différence d'échelle implique un changement dans la nature du pouvoir : on ne commande pas une cité comme on dirige une communauté familiale (chap. 1-3, et 12-13).

2. L'inégalité naturelle entre les hommes est ce par quoi un espace de liberté s'ouvre pour un petit nombre d'hommes. Aristote justifie l'esclavage à partir des « lois » de la nature (chap. 4-7).

3. Enfin, la Cité étant la fin du développement humain, cela implique qu'elle soit autarcique, qu'elle puisse vivre économiquement sur elle-même. Aussi Aristote critique-t-il sévèrement la logique économique qui fait de l'accumulation sans limites des richesses une fin en soi. On a pu relever une contradiction entre la volonté aristotélicienne d'ouverture politique (les cités doivent conclure des alliances pour résister à des adversaires puissants) et de fermeture économique (la Cité doit être autosuffisante économiquement) (chap. 8-11).

Aristote (384-322 av. J.-C.)

Il naît à Stagire, en Macédoine, qui, à l'époque, ne fait pas partie de la Grèce. C'est une puissance politique et militaire « montante » qui, avec Philippe de Macédoine et, surtout, Alexandre le Grand, va conquérir la Grèce, puis une partie du Bassin méditerranéen et de l'Asie Mineure, mettant fin à l'autonomie des cités grecques. Aristote est un témoin de premier plan de ce bouleversement « géopolitique » ; pourtant, il se fera le théoricien de la Cité-État classique (la *polis*), celle qui a fait la grandeur de la Grèce mais qui est justement en train de disparaître sous ses yeux. Aristote vient à Athènes et suit des cours à l'Académie de Platon. En 343 av. J.-C., il est choisi par Philippe de Macédoine comme précepteur de son fils Alexandre, âgé de 13 ans. À la fin de ce préceptorat, Aristote participe à la reconstruction de sa ville natale, détruite par les Macédoniens, et lui donne une Constitution. Revenu à Athènes, il fonde une école, concurrente de celle de Platon, le Lycée. La tâche qui lui est assignée est encyclopédique. Tout le savoir humain y est représenté : logique, mathématique, physique, cosmologie, politique, rhétorique, musique ; contrairement à ce que prétend la légende, il ne s'agit pas seulement d'un enseignement théorique. L'observation et la classification des êtres vivants, par exemple, y jouent un grand rôle. L'ensemble des Constitutions politiques connues à l'époque dans le « monde » est collecté.

Aristote : *La Politique*, livre I (vers 335 av. J.-C.)

L'État, développement naturel de la société ?

Comment inscrire la cité-État dans l'ordre naturel des choses, tout en marquant la spécificité de l'ordre politique vis-à-vis de l'ordre social ? Telle est la difficulté qu'Aristote tente de résoudre.

Texte 1 Genèse de la société, selon la nature

La première union nécessaire est celle de deux êtres qui sont incapables d'exister l'un sans l'autre : c'est le cas pour le mâle et la femelle en vue de la procréation (et cette union n'a rien d'arbitraire, mais comme dans les autres espèces animales et chez les plantes, il s'agit d'une tendance naturelle à laisser après soi un autre être semblable à soi) ; c'est encore l'union de celui dont la nature est de commander avec celui dont la nature est d'être commandé, en vue de leur conservation commune. En effet, pour ce dernier cas, l'être qui, par son intelligence, a la faculté de prévoir, est par nature un chef et un maître, tandis que celui qui, au moyen de son corps, est seulement capable d'exécuter les ordres de l'autre, est par sa nature même un subordonné et un esclave : de là vient que l'intérêt du maître et celui de l'esclave se confondent. […] D'autre part, la première communauté formée de plusieurs familles en vue de la satisfaction de besoins qui ne sont plus purement quotidiens, c'est le village. Par sa forme la plus naturelle, le village paraît être une extension de la famille.

Aristote, *La Politique*, vers 335 av. J.-C., livre I, chap. 2, trad. J. Tricot, Vrin, p. 24 sq.

QUESTIONS

1• Quelle est, selon l'auteur, l'origine de la société ?

2• Comment Aristote justifie-t-il l'esclavage ?

Texte 2 Genèse de la Cité, selon la nature

Enfin, la communauté formée de plusieurs villages est la cité[1], au plein sens du mot ; elle atteint dès lors, pour ainsi parler, la limite de l'indépendance économique[2] : ainsi, formée au début pour satisfaire les seuls besoins vitaux, elle existe pour permettre de bien vivre.

C'est pourquoi toute cité est un fait de nature, s'il est vrai que les premières communautés le sont elles-mêmes. Car la cité est la fin de celles-ci, et la nature d'une chose est sa fin, puisque ce qu'est chaque chose une fois qu'elle a atteint son complet développement, nous disons que c'est là la nature de la chose, aussi bien pour un homme, un cheval ou une famille. En outre, la cause finale, la fin d'une chose, est son bien le meilleur, et la pleine suffisance est à la fois une fin et un bien par excellence.

Ces considérations montrent donc que la cité est au nombre des réalités qui existent naturellement, et que l'homme est par nature un animal politique. Et celui qui est sans cité naturellement, et non par suite des circonstances, est ou un être dégradé ou au-dessus de l'humanité. Il est comparable à l'homme traité ignominieusement par Homère de *Sans famille, sans loi, sans foyer*, car, en même temps que naturellement apatride, il est aussi un brandon de discorde, et on peut le comparer à une pièce isolée au jeu de trictrac.

Mais que l'homme soit un animal politique à un plus haut degré qu'une abeille quelconque ou tout autre animal vivant à l'état grégaire, cela est évident. La nature, en effet, selon nous, ne fait rien en vain ; et l'homme, seul de tous les animaux, possède la parole.

Op. cit., livre I, chap. 2, p. 27 sq.

1. La *polis*, c'est d'abord la ville par opposition à la campagne. Puis c'est le territoire arraché à la nature, et cultivé, c'est-à-dire civilisé. C'est enfin l'unité de gouvernement.
2. L'autarcie. Pour Aristote, la *polis* doit avoir une taille suffisamment grande pour assumer l'ensemble de ses besoins.

QUESTIONS

1• Comment Aristote prouve-t-il l'origine naturelle de la cité ?

2• Comment Aristote passe-t-il des « seuls besoins vitaux » au « bien-vivre » ? Quelle est la différence ?

Texte 3 L'esclavage est conforme à l'ordre naturel

Pour nous en tenir à l'être vivant, rappelons d'abord qu'il est composé d'une âme et d'un corps, et que de ces deux facteurs le premier est par nature celui qui commande, et l'autre celui qui est commandé. [...]

Envisage-t-on les rapports entre l'homme et les autres animaux, on aboutit à la même constatation – les animaux domestiques sont d'un naturel meilleur que les animaux sauvages, et il est toujours plus expédient pour eux d'être gouvernés par l'homme, car leur conservation se trouve ainsi assurée.

En outre, dans les rapports du mâle et de la femelle, le mâle est par nature supérieur, et la femelle inférieure, et le premier est l'élément dominateur et la seconde l'élément subordonné.

C'est nécessairement la même règle qu'il convient d'appliquer à l'ensemble de l'espèce humaine ; par suite, quand des hommes diffèrent entre eux autant qu'une âme diffère d'un corps et un homme d'une brute (et cette condition inférieure est celle de ceux chez qui tout travail consiste dans l'emploi de la force corporelle, et c'est là d'ailleurs le meilleur parti qu'on peut tirer d'eux), ceux-là sont par nature des esclaves pour qui il est préférable de subir l'autorité d'un maître. [...] La nature tend assurément aussi à faire les corps d'esclaves différents de ceux des hommes libres, accordant aux uns la vigueur requise pour les gros travaux, et donnant aux autres la station droite et les rendant impropres aux besognes de ce genre, mais utilement adaptés à la vie de citoyen (qui se partage elle-même entre les occupations de la guerre et celles de la paix).

Op. cit., livre I, chap. 5, p. 39.

QUESTION

› Pour Aristote, l'esclavage est un fait naturel. Quelles comparaisons propose-t-il ? Qu'en pensez-vous ?

Texte 4 La chrématistique[1] est contre nature

1. Au sens large, l'art d'acquérir. On distingue l'art de gérer des richesses par les échanges grâce à l'utilisation de son patrimoine familial de l'art d'accumuler indéfiniment la monnaie. Sur la chrématistique › p. 445.

De là vient que, à un certain point de vue, il apparaît que toute richesse a nécessairement une limite, et pourtant, d'un autre côté, l'expérience de chaque jour nous montre que c'est le contraire qui a lieu : car tous les trafiquants accroissent indéfiniment leur réserve monétaire. [...] La raison de cette attitude, c'est qu'ils s'appliquent uniquement à vivre, et non à bien vivre, et comme l'appétit de vivre est illimité, ils désirent des moyens de le satisfaire également illimités. Et même ceux qui s'efforcent de bien vivre recherchent les moyens de se livrer aux jouissances corporelles, de sorte que, comme ces moyens paraissent aussi consister dans la possession de la richesse, tout leur temps se passe à amasser de l'argent, et c'est ainsi qu'on en est arrivé à la seconde forme de la chrématistique. Toute jouissance, en effet, résidant dans un excès, ils se mettent en quête de l'art capable de produire cet excès dans la jouissance, et s'ils sont incapables de se le procurer par le jeu ordinaire de la chrématistique, ils tentent d'y parvenir par d'autres moyens, employant toutes leurs facultés d'une façon que réprouve la nature. Le rôle du courage n'est pas, en effet, de gagner de l'argent, mais de donner de la résolution ; pas davantage ce n'est le rôle de l'art stratégique ou de l'art médical, mais ces arts doivent nous apporter victoire ou santé. Cependant on fait de toutes ces activités une affaire d'argent, dans l'idée que gagner de l'argent est leur fin et que tout doit conspirer pour atteindre ce but.

Op. cit., livre I, chap. 9, p. 61 sq.

QUESTIONS

› 1• Qu'est-ce qu'Aristote reproche à la chrématistique ?

› 2• Pourquoi ne peut-elle pas correspondre au souci du « bien-vivre », donc à une logique politique ?

SUJET COMMENTÉ

DISSERTATION • Le don n'est-il qu'une forme d'échange parmi d'autres ?

Comprendre le sujet

Le sujet présuppose que le don est une forme d'échange, un échange comme les autres. Or spontanément, on oppose plutôt échange et don, du moins on ne considère pas le don comme un échange ordinaire. Il faut donc, dans un premier temps, énumérer les caractéristiques qui distinguent ordinairement ces deux concepts :

- Le don ne demande pas de retour ; il n'est pas une relation réciproque ;
- Le don renvoie à des valeurs morales (générosité, gratuité, plaisir désintéressé) ; il n'est pas un simple troc ou un rapport marchand.

Mais, à la réflexion, la question indique que cette différence n'est peut-être pas aussi claire et que le don est peut-être idéalisé ordinairement. Il faut donc, dans un deuxième temps, recenser ces raisons de douter :

- Raisons psychologiques : un acte véritablement désintéressé est-il possible ?
- Raisons sociologiques : derrière la gratuité apparente, la société n'impose-t-elle pas la réciprocité ?

› **Fiche 1**, p. 572

Première remarque : les deux concepts se définissent l'un par l'autre, l'un par opposition à l'autre. Il ne faut donc absolument pas traiter les deux notions en deux parties séparées.

› **Fiches 7 et 8**, p. 584-586

Deuxième remarque : des références sont ici bienvenues, surtout issues de l'ethnologie. Le célèbre texte de **Marcel Mauss** a contribué à faire du mot « don » un concept ; cette référence aidera beaucoup à traiter la question.

› Réflexion 3 « Le don est-il nécessairement libre et gratuit ? », p.432

Rédiger l'introduction

Nous vivons dans une époque fondée sur des échanges généralisés qui impliquent une logique du donnant-donnant : dans notre système économique, échanges de marchandises contre argent ; dans notre système juridique, échanges contractuels d'engagements, par exemple, contrat de travail ou de location. Or nous continuons d'espérer d'autres formes de relations humaines, plus authentiques, qui ne seraient pas seulement faites d'échanges mais aussi de quelque chose de plus spontané, gratuit, désintéressé : le don.
Nous donnons de l'argent pour certaines actions humanitaires ; nous donnons aussi notre sang à l'occasion ; et nous donnons notre temps ; dans quelques cas extrêmes, nous pouvons donner notre vie. Donner, c'est offrir sans espoir de retour, sans attendre de contrepartie. Apparemment, le don est donc tout le contraire d'un échange.
Mais pouvons-nous véritablement donner ? Notre société ne nous oblige-t-elle pas à rester dans la logique de l'échange économique alors même que nous croyons en sortir ? Notre égoïsme naturel nous permet-il de donner sans l'espérance – ne serait-ce qu'inconsciente – de recevoir en retour ? À l'inverse la tradition, les coutumes, la fierté ne nous obligent-elles pas à rendre lorsqu'on nous a donné ?
Dans une première partie, nous étudierons donc les différences entre le don et l'échange, puis nous analyserons la logique commune à l'œuvre dans le don et l'échange, et enfin, nous insisterons sur l'importance de l'idéal du don dans les relations humaines.

› **Fiche 2**, p. 574

Constats de départ :
a) Le donnant-donnant est généralisé.

b) L'idéal du don subsiste :
– Définition provisoire du *don*.

– Retour au problème : *mais...*

Reformulation de questions qui concrétisent différents aspects du problème posé.

Annonce du plan : cette annonce du plan peut être remplacée par un jeu de questions judicieux.

Amorces pour rédiger les parties I et II

Partie I – Donner, par définition, ce n'est pas échanger

Cette première partie vise : 1) à illustrer l'opposition courante entre don et échange, 2) afin d'en donner une définition.
Dans une première sous-partie, des exemples et des descriptions sont proposés. Il est intéressant d'aller du plus superficiel au plus complexe.
› **Fiche 3**, p. 576

› **Sous-partie 1:** Ce qu'on donne aujourd'hui, ce sont surtout des cadeaux, à Noël ou pour un anniversaire. Mais ces cadeaux entrent souvent dans une logique marchande, entretenue par la publicité et la pression sociale. Pour éviter cette logique marchande, le cadeau doit avoir une valeur symbolique.

Exemple 1 Il doit chercher à être original, à surprendre, il doit être choisi en fonction des goûts de la personne à qui on l'offre. Le don a donc une valeur affective ; derrière l'objet, quelque chose d'autre est offert.

Exemple 2 On peut également donner de l'argent pour aider une association, une action humanitaire.

Exemple 3 On peut donner davantage que de l'argent : une partie de soi-même (son sang, son sperme, sa moelle épinière). L'anonymat semble ici un aspect important : par définition, cet anonymat interdit toute volonté de tirer de cet acte un « profit d'image ». On ne peut être suspecté de chercher une emprise sur quiconque.

Exemple 4 Enfin, on peut simplement donner de son temps : pour parler, pour distraire, pour encourager... C'est s'engager soi-même dans ce qu'on donne, au risque de ne plus avoir de temps pour soi.

Dans cette deuxième sous-partie, on fera le bilan des exemples en proposant une distinction conceptuelle.

› **Sous-partie 2 :** Quelles différences entre donner et échanger?
L'échange, c'est donc [...]
À l'inverse, le don lorsqu'il essaie d'échapper à la pression de la société de consommation, c'est [...]

Transition

Que le don soit *souhaitable*, qu'il fasse partie de nos valeurs, cela ne signifie pas qu'il soit *possible*. Entre l'idéal et le réel, n'y a-t-il pas la distance précisément de ces pressions et de ces inclinations, lesquelles, lorsqu'elles disparaissent de la volonté consciente, peuvent ressurgir dans nos motivations inconscientes?

Partie II - Derrière le don, on peut apercevoir la même logique que celle de l'échange

Cette deuxième partie remet en cause la distinction courante, par des analyses critiques.
Ici l'analyse s'appuie sur des références sociologiques.
› **Fiche 7**, p. 584
› **Fiche 8**, p. 586
› Dossier « Une société sans foi, sans loi, sans roi ? » : **Clastres**, *La Société contre l'État*, p. 434-435

› **Sous-partie 1 :** Dans les sociétés primitives, le don est un échange contraint.

Référence Dans les sociétés traditionnelles, la logique de l'échange, c'est le don apparemment spontané. Un don qui, en réalité, cache un échange : celui qui donne, donne non seulement pour avoir en retour, mais encore pour mesurer ce retour ; celui qui reçoit perdrait la face s'il ne surenchérissait pas. Le don cache la contrainte, les codes de l'honneur ne laissent pas le choix, la crédibilité aux yeux des autres fait pression.

› Sous-partie 2: Pour les religions monothéistes, le don est une valeur morale, mais c'est aussi une forme d'organisation sociale.

Référence Les religions monothéistes (le judaïsme, le christianisme, l'islam) font du don (générosité, charité) le fondement de la vertu religieuse, en particulier par rapport au pauvre, même anonyme, qui se présente à la porte de la maison. Ce devoir d'aider les pauvres est fondamental.

Ici, l'analyse peut s'appuyer soit sur des textes religieux ou philosophiques, soit sur des réflexions personnelles.

› Sous-partie 3: Ces logiques sont loin d'avoir disparues; on les retrouve encore sous d'autres formes. On fait encore beaucoup appel au don. Mais cela échappe-t-il à la logique de la société de consommation? La publicité autour du don n'est-elle pas destinée à l'échange économique?

Utiliser les analyses précédentes pour prendre du recul par rapport à notre monde ; l'expérience quotidienne devrait suffire pour cette analyse.

Transition

Le don est primitivement une forme d'échange contraignant. Cet aspect n'a pas disparu aujourd'hui. La société continue de peser sur l'individu pour qu'il ne perde pas la face, qu'il ne soit pas déconsidéré. La fierté d'une part, la mauvaise conscience d'autre part semble nous contraindre à transformer la logique du don gratuit en logique d'échanges contraints. Cela rend-il le don impossible, cela lui fait-il perdre toute valeur?

Rédiger le développement d'une partie

Partie III

Le don reste une valeur, mais il est difficile d'en évaluer l'authenticité. C'est pourquoi la première précaution serait de ne pas s'aveugler sur la pureté de ses intentions. La meilleure façon de croire au don, c'est peut-être d'être lucide sur sa difficulté. Car même si un don absolu était impossible, la recherche d'un tel idéal resterait un but suffisant.

Cette troisième partie fait un bilan: il faut certes se méfier d'une naïveté trop grande (bilan de la Partie II) mais l'idéal du don (bilan de la Partie III) doit continuer à nous conduire.

› Sous-partie 1: Il ne faut pas s'aveugler sur la pureté des dons.

Idée 1 - Les labyrinthes de l'âme humaine

Si le don n'est pas « pur », ce n'est pas seulement à cause des pressions sociales. C'est peut-être aussi à cause de cheminements psychologiques inconscients dont il faut apprendre à se méfier.

Derrière un sentiment de pitié, qu'y a-t-il réellement? Quelles arrière-pensées inconscientes? Celui qui donne par pitié pour un autre ne veut-il pas échapper à une mauvaise conscience qui le gêne? Ne se croit-il pas supérieur à l'autre et ne prend-il pas le risque de l'humilier, même involontairement? La pitié peut être lourde à porter pour celui qui la reçoit.

› Chapitre 7, Le langage : **Dossier** « Le langage est-il responsable des ratés de la communication », p. 184

Référence C'est pourquoi le Coran conseille: « Ne rendez pas vaines vos aumônes en y joignant un reproche ou un tort, comme celui qui dépense son bien pour être vu des hommes. ».

› Réflexion 3 « L'enseignement du **Coran** : que le don ne soit pas un fardeau », p. 433

Idée 2 - Le chantage affectif

À vouloir trop aimer, ne risquons-nous pas d'attendre, voire d'exiger de l'autre, qu'il se voue corps et âme? N'est-ce pas emprisonner que de trop aimer? Il est des dons qui peuvent être des pièges ou des poisons,

› Chapitre 4 « Les contradictions du désir » : **Sartre**, *L'Être et le néant*, p. 103

qui enferment l'enfant dans le désir de sa mère, ou l'être aimé dans les contradictions de l'attente amoureuse.

› **Sous-partie 2 :** Pourtant cette lucidité et ces doutes sur tous ces mouvements souterrains de l'âme ne semblent pas un argument décisif contre le don. Je peux au contraire les utiliser pour améliorer ma façon de donner. La prise de conscience d'un sentiment éventuel de supériorité oblige à prendre des précautions pour ne pas blesser ou humilier. Je vais donner en veillant à respecter la fierté d'autrui. Les scrupules de conscience protègent contre les tactiques hypocrites de la bonne conscience.
Les avantages attendus du don (le plaisir, l'estime de soi...) peuvent rendre le don plus léger et moins pervers. Ainsi, le plaisir égoïste que je prends à donner diminue le danger d'une emprise affective sur celui à qui je donne, car celui-ci se sent moins redevable à mon égard.
L'adhésion rationnelle à des règles de réciprocité, si elle semble contredire le caractère unilatéral du don, ne détruit pas son caractère volontaire et éthique.

Exemple Le fait de donner son sang dans l'espoir de recevoir le sang d'un autre en cas d'accident est un choix rationnel, un calcul. Mais ce calcul détruit-il l'idée de don? Si je suis sûr de donner mon sang, je ne le suis pas d'en recevoir en retour ; le don sait qu'il n'est pas une garantie absolue ; il se fait dans un anonymat qui interdit de réclamer. Enfin, tout le monde ne donne pas son sang, le donner reste une preuve de solidarité.

Donner un exemple.
› **Fiche 3**, p.576

Rédiger la conclusion

› **Fiche 5**, p. 580

Est-il possible de donner de façon authentique? Deux dangers symétriques nous guettent. Le premier est de faire croire que le don n'existe pas, que tout se règle par l'argent ou le donnant-donnant. Le deuxième danger est de croire que des bons sentiments suffisent à garantir la pureté du don. Ce serait ignorer que le don a souvent des effets pervers : prise de pouvoir, chantage, humiliation, hypocrisie, bonne conscience... On parlera de « don pervers » chaque fois que le don, au lieu d'être une aide, est une charge pour celui qui reçoit. Et parfois même un piège. Car on peut être prisonnier d'un don. Pour éviter ces pièges, peut-être faut-il simplement s'avouer que le don n'est pas aussi facile qu'il n'y paraît. Le don n'est pas tout à fait contraire à l'échange : si je donne sincèrement, j'en reçois en retour du plaisir. Il n'est pas tout à fait contraire à la réciprocité : si j'ai donné, j'attends un peu de reconnaissance. Il n'est pas tout à fait contraire à l'égoïsme : si j'aime donner, c'est aussi pour me prouver quelque chose à moi-même. Enfin, il n'est pas tout à fait contraire à l'intérêt : qui sait si ce don ne sera pas récompensé un jour, « dans cette vie ou dans une autre » ? Aussi ne peut-on pas certifier la pureté du don. Mais c'est peut-être en ne l'opposant pas radicalement à l'échange que l'on pourra en sauvegarder l'esprit.

REPÈRES et DISTINCTIONS CONCEPTUELLES

La société

Tout groupement d'individus organisés selon des liens de dépendance peut être appelé société. C'est ainsi qu'on peut parler de **société animale**. Les sociétés humaines se caractérisent par leur diversité (tailles, productions économiques, institutions, idéologies) et leur capacité à se transformer. Pour le sociologue, la société est une totalité autonome et ne se réduit pas à la somme des individus qui la composent. Elle a des propriétés spécifiques, elle obéit à des lois comme n'importe quel phénomène naturel. Ces lois sont des nécessités qui agissent sur les individus de façon souvent inconsciente (traditions, habitudes, préjugés, stratégies de pouvoir…) ; elles ne doivent pas être confondues avec les obligations juridiques, les lois de l'État. Les lois sociales semblent s'imposer aux individus, mais elles constituent le milieu nécessaire au développement de chaque être humain.

Société / État, société civile / nation

› Repères et distinctions conceptuelles p. 498.

Société primitive, société de subsistance

Toute société n'est pas de type étatique. Les sociétés dites **primitives** ou, mieux, à **économie de subsistance**, ne connaissent pas l'État, sous la forme d'un pouvoir séparé.

Une société de subsistance est une société qui consomme au fur à mesure qu'elle produit (chasse, pêche, cueillette). Elle ne vise pas l'accumulation, le stockage de richesses. Quand ces richesses existent, elles sont détruites régulièrement dans des fêtes ostentatoires. On appelle **potlatch** (d'un terme venant d'une langue indienne du Nord-Ouest de l'Amérique) une cérémonie durant laquelle des clans rivalisent en dépenses, en dons, en démonstrations de richesses, danses et fêtes. L'enjeu de ces fêtes, où chacun s'efforce de donner plus qu'il n'a reçu, est le prestige.

› Texte : Mauss, *Sociologie et anthropologie*, p. 432.

Figurine de potlatch, bois peint, Amérique du Nord.

Danseurs en costumes traditionnels de cérémonie durant un potlatch en Alaska, 1895. Le potlatch était une cérémonie coutumière des peuples indiens de la côte nord-ouest des États-Unis.

Société et échanges

Selon Lévi-Strauss, **trois grandes formes d'échanges** irriguent toutes les sociétés : l'échange de femmes ; l'échange de biens et de services ; l'échange de messages et de signes. Le premier fonde les **systèmes de parenté** ; le deuxième, les **systèmes économiques** ; le troisième, les **systèmes symboliques**.

Les systèmes de parenté

Si on parle d'échanges de femmes, ce n'est pas que les femmes soient des marchandises. Ce sont les femmes qui portent les enfants, ce sont donc elles qui assurent le passage d'une génération à une autre. Les femmes perpétuent le tissu social. Or la **prohibition de l'inceste**, universelle, oblige tout homme à se marier dans une famille différente de la sienne. C'est ce que l'on appelle l'**exogamie**. Lier les familles dans un **système de parenté**, assurer la liaison des générations, c'est le premier problème que les sociétés humaines doivent résoudre.

Les échanges économiques

▪ **Valeur d'usage / valeur d'échange**

Dans une logique d'échange, on distingue, pour chaque marchandise, sa valeur d'usage de sa valeur d'échange : la **valeur d'usage** renvoie à l'utilité de l'objet, au fait qu'il puisse satisfaire un besoin matériel, mais aussi intellectuel ou affectif ; la **valeur d'échange** désigne le fait que l'objet puisse être échangé contre autre chose. La valeur d'échange est établie en partie en fonction de la rareté de l'objet, en partie en fonction du temps socialement nécessaire pour le produire. La monnaie servira ici de référence pour définir la valeur d'échange des produits.

▪ **La chrématistique**

Le circuit Marchandise → Argent → Marchandise est la forme première du commerce. Mais la croissance de ce dernier fait apparaître une autre logique économique, qu'Aristote appelle **chrématistique** (du grec *ta khrèmata*, les richesses) : l'argent devient le « début et la fin » de l'échange. Certains individus, avec de l'argent, achète des marchandises pour les revendre plus cher afin de faire du profit. Le nouveau schéma est : Argent → Marchandise → Argent. Dans ce circuit, l'intérêt est évidemment de recevoir plus d'argent à la fin qu'il n'en a été dépensé au début. L'argent, dans cette **économie spéculative**, accumule l'argent. Il n'est plus un moyen, il devient une fin.

Les échanges symboliques

Les échanges économiques n'ont jamais été séparés des échanges symboliques. En plus des biens matériels, les sociétés anciennes échangeaient des danses, des chants, des récits, des parures… Aujourd'hui, le rôle du cinéma, de la musique, des modes vestimentaires, culinaires ou comportementales est essentiel dans la mondialisation des échanges. Ces échanges symboliques précèdent, et souvent conditionnent l'échange des idées.

Échange et don

L'échange se caractérise par la réciprocité et par l'intérêt respectif de chaque partie. Une forme de contrat, implicite ou non, le gouverne. En revanche, le don est défini par son caractère désintéressé et par l'asymétrie qui semble gouverner le rapport donateur/donataire. Mais on a pu remettre en cause ce critère, au motif que le don n'était jamais parfaitement gratuit. Le don serait un échange masqué, puisqu'il engage le donataire dans le sentiment qu'il a de contracter une dette, tandis que le donateur jouit de sa puissance sur le donataire. Ce que le donateur perd matériellement, il le compenserait par ce triomphe symbolique.

chapitre 18

La justice et le droit

Ambrogio Lorenzetti, *Effets du bon et du mauvais gouvernement à la ville et à la campagne*, détail représentant le Bon gouvernement (allégorie de la Justice), 1338-1340, fresque, Salle des Neufs, Palazzo Pubblico, Sienne.

Du mot...

Concernant la justice, on souligne souvent sa relativité, son absence ou son manque de réalité. Pourtant, l'expérience de l'injustice ne semble pas si relative ni si arbitraire. La première difficulté est de voir dans la justice autre chose qu'un mot ou qu'un rêve. Si l'on parle de justice effective, on pense aussitôt à l'institution judiciaire, aux tribunaux, aux juges, aux avocats : « avoir affaire à la justice ». S'il est important d'étudier les méthodes, les rouages du pouvoir judiciaire, la deuxième difficulté consiste à ne pas s'en tenir à cette seule réalité. La justice, c'est aussi l'équilibre des pouvoirs au sein de l'État, les principes de distribution des droits et des richesses.

... au concept

La difficulté d'une définition de la justice ne vient pas seulement des oppositions morales et politiques qui divisent les hommes sur cette question, elle vient encore des différents niveaux de réalité auxquels renvoie le concept.

1) La justice est d'abord un sentiment subjectif dans le cœur de l'homme, et une disposition de l'âme, une vertu.

2) C'est aussi une institution : le pouvoir judiciaire. Son idéal est l'équité.

3) C'est encore un principe politique qui régit les pouvoirs et les responsabilités politiques, et fonde leur légitimité.

4) C'est enfin une mesure qui distribue les richesses d'une nation, et garantit à tous un minimum d'égalité réelle et matérielle : la justice sociale.

Pistes de réflexion

La force et le droit sont-ils deux principes contradictoires ?

L'expression « le droit du plus fort » signifie seulement que le plus fort impose sa loi, mais non pas qu'il est juste qu'il le fasse. L'instauration de règles juridiques n'a-t-elle pas précisément pour objectif d'éviter l'usage de la force, de régler les conflits par un autre biais ? Mais si le droit semble exclure la force, peut-il réellement s'en passer ?

Y a-t-il un droit de se venger ?

Longtemps, la vengeance a été tenue comme la base naturelle de la justice. Les États, anciens ou modernes, ont toujours lutté contre cette tentation pour les individus de se faire justice eux-mêmes. Pourquoi ? La vengeance, même sous la forme de la loi du talion, est-elle contradictoire avec l'idée même de Droit ?

La légalité définit-elle tout le Droit ?

La légalité renvoie au système judiciaire d'une société donnée. Il suffit d'obéir aux lois pour être dans la légalité. Mais la légalité suffit-elle à épuiser le sens de la justice ? Suffit-il qu'une loi soit légale pour être juste ?

L'idéal de légitimité peut-il fonder un droit de résistance ?

La légitimité désigne un second sens fondamental de la justice. Non pas la loi, mais la justification de la loi. Mais sur quoi fonder cette légitimité ? Sur un sentiment de justice, par définition variable et relatif ? En cas de désaccord entre légalité et légitimité, le citoyen peut-il légitimement résister à l'ordre légal ? Quelle forme devrait prendre cette résistance pour ne pas se confondre avec une simple désobéissance ?

Les droits de l'homme sont-ils des valeurs universelles ?

Les droits de l'homme offrent un contenu à l'idée de légitimité. Pour qu'ils puissent servir de référence, ils doivent être universels, indépendants des époques et des idéologies. Comment s'assurer de cette indépendance ?

Les droits de l'homme sont-ils des données immuables ou leur contenu doivent-ils être redéfinis en permanence ?

Les juristes qui ont écrit la *Déclaration d'indépendance des États-Unis* (1776), ou de la *Déclaration des droits de l'homme et du citoyen* (1789) pensaient fonder des droits fondamentaux définitifs. Or, depuis, d'autres « droits fondamentaux » sont apparus, qui ne figuraient pas dans ces textes fondateurs. Lesquels ? Pourquoi l'idée de « droit fondamental » change-t-elle au cours de l'histoire ?

Liberté et égalité sont-elles des principes compatibles ?

Une justice qui se contente d'affirmer l'égalité entre les hommes sans chercher à la réaliser concrètement semble inutile ou hypocrite. Mais comment concilier l'égalité juridique des individus avec les inégalités sociales et économiques ? Faut-il, au nom du principe d'égalité, décider de redistribuer toutes les richesses ? Faut-il au nom du principe de liberté renoncer à toute redistribution ? Comment accepter l'existence d'inégalités sans les tempérer par le principe de l'égalité des chances et par un système d'aides sociales ?

Passerelles

› Chapitre 17 : La société, les échanges, p. 424.
› Chapitre 19 : L'État, p. 466.
› Chapitre 21 : Le devoir, p. 524.

Découvertes

DOCUMENT 1 Un cas de conscience

Javert est un inspecteur de police. Il cherche à arrêter Jean Valjean, un ancien forçat accusé de vol. Mais ce dernier vient de lui sauver la vie. Javert ne sait plus quelle attitude est juste : laisser Jean Valjean libre ou bien le livrer à la justice. Finalement il choisira de démissionner de son poste et se suicidera.

Javert souffrait affreusement.

Depuis quelques heures Javert avait cessé d'être simple. Il était troublé ; ce cerveau, si limpide dans sa cécité, avait perdu sa transparence ; il y avait un nuage dans ce cristal. Javert sentait dans sa conscience le devoir se dédoubler, et il ne pouvait se le dissimuler. Quand il avait rencontré si inopinément Jean Valjean sur la berge de la Seine, il y avait eu en lui quelque chose du loup qui ressaisit sa proie et du chien qui retrouve son maître.

Il voyait devant lui deux routes également droites toutes deux, mais il en voyait deux ; et cela le terrifiait, lui qui n'avait jamais connu dans sa vie qu'une ligne droite. Et, angoisse poignante, ces deux routes étaient contraires. L'une de ces deux lignes droites excluait l'autre. Laquelle des deux était la vraie ? Sa situation était inexprimable. Devoir la vie à un malfaiteur, accepter cette dette et la rembourser, être, en dépit de soi-même, de plain-pied avec un repris de justice, et lui payer un service avec un autre service ; se laisser dire : Va-t'en, et lui dire à son tour : Sois libre ; sacrifier à des motifs personnels le devoir, cette obligation générale, et sentir

Javert, illustration pour *Les Misérables* de Victor Hugo, XIXe s.

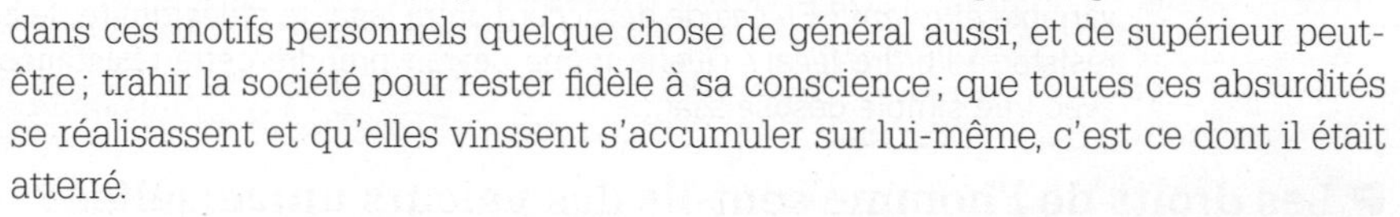

dans ces motifs personnels quelque chose de général aussi, et de supérieur peut-être ; trahir la société pour rester fidèle à sa conscience ; que toutes ces absurdités se réalisassent et qu'elles vinssent s'accumuler sur lui-même, c'est ce dont il était atterré.

Une chose l'avait étonné, c'était que Jean Valjean lui eût fait grâce, et une chose l'avait pétrifié, c'était que, lui Javert, il eût fait grâce à Jean Valjean. Où en était-il ? Il se cherchait et ne se trouvait plus. Que faire maintenant ? Livrer Jean Valjean, c'était mal ; laisser Jean Valjean libre, c'était mal. Dans le premier cas, l'homme de l'autorité tombait plus bas que l'homme du bagne ; dans le second, un forçat montait plus haut que la loi et mettait le pied dessus. Dans les deux cas, déshonneur pour lui Javert. Dans tous les partis qu'on pouvait prendre, il y avait de la chute. La destinée a de certaines extrémités à pic sur l'impossible, et au-delà desquelles la vie n'est plus qu'un précipice. Javert était à une de ces extrémités-là.

Une de ses anxiétés, c'était d'être contraint de penser. La violence même de toutes ces émotions contradictoires l'y obligeait. La pensée, chose inusitée pour lui, et singulièrement douloureuse. Il y a toujours dans la pensée une certaine quantité de rébellion intérieure ; et il s'irritait d'avoir cela en lui. La pensée, sur n'importe quel sujet en dehors du cercle étroit de ses fonctions, eût été pour lui, dans tous les cas, une inutilité et une fatigue ; mais la pensée sur la journée qui venait de s'écouler était une torture. Il fallait bien cependant regarder dans sa conscience après de telles secousses, et se rendre compte de soi-même à soi-même.

Victor Hugo, *Les Misérables*, 1862, 5e partie, livre IV, coll. Folio classiques, Gallimard, p. 719.

QUESTIONS

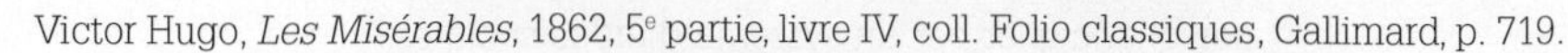

› **1•** Les deux décisions qui se présentent à Javert sont toutes les deux à la fois justes et injustes. Expliquez pourquoi.

› **2•** Ces deux décisions sont contraires. En quel sens ?

DOCUMENT 2 Les définitions du droit

I. NOTION DE DROIT ET DROIT SUBJECTIF

1. Ce qui doit être, par opposition à ce qui est, c'est-à-dire au fait, au réel ; ce qui est légitime du point de vue moral, juridique ou logique : *En droit comme en fait. En droit, sinon en fait. Nécessaire en droit.* [...] // **2.** Faculté ou pouvoir moral d'accomplir tel ou tel acte, de posséder telle ou telle chose, d'exiger telle ou telle chose d'une autre personne ou de la collectivité, et qui, considéré indépendamment de son objet, constitue le fondement des règles régissant les rapports des hommes entre eux (on dit plus précisément DROIT SUBJECTIF) : *Le droit est ce que l'on peut exiger d'autrui ; le devoir, ce qu'autrui peut exiger de nous.* / *À bon droit*, d'une façon juste, légitime. / *Faire droit à une demande, à une requête*, lui donner satisfaction. // 3. Par extens. Faculté d'agir selon les principes que l'on se donne : *Le droit du plus fort. Le droit du vainqueur. Rome est dessous des lois par le droit de la guerre (Corneille).*

II. DROIT OBJECTIF

1. Ensemble des règles qui régissent les rapports des hommes entre eux : Droit interne ou national. *Droit international.* // *Droit naturel, ou droit moral, idéal, rationnel*, conception idéale du droit qui découle de la nature de l'homme et de ses aspirations, et à laquelle le législateur se réfère pour élaborer ou critiquer la loi positive. // *Droit des gens*, droit fondé sur l'équité et que l'État romain appliquait aux hommes libres qui n'étaient pas citoyens romains ; ensemble des règles de droit qui se retrouvent dans tous les pays ; droit international public. // *Droit divin*, doctrine élaborée au XVIIe siècle, et selon laquelle le roi tenait son autorité souveraine directement de Dieu. // **2.** Ensemble des règles juridiques en vigueur dans une société, et que ses membres doivent appliquer ou respecter sous peine de sanctions (on dit plus précisément DROIT POSITIF ; s'oppose au droit Naturel [v. ci-dessus n° 1]) : *Le droit romain. Le droit français. Droit public, droit privé.* // **3.** Obligation résultant des règles juridiques en vigueur (dans des locutions). // *De droit*, en vertu de la loi : *Possesseur de droit.* // *De droit, de plein droit*, de façon absolument légale, sans discussion possible : *L'héritage lui revient de plein droit* ; par extens. de façon légitime. // *Qui de droit*, la personne compétente, ou celle qui a l'autorité requise dans un cas donné : *S'adresser à qui de droit pour obtenir un renseignement.*

III. BRANCHES DU DROIT

1. *Droit public*, ensemble des règles juridiques relatives à l'organisation de l'État. // *Droit constitutionnel*, partie du droit public relative à l'organisation et aux rapports des pouvoirs publics entre eux ainsi qu'à la façon dont les citoyens participent à l'exercice de la puissance publique. // *Droit administratif*, partie du droit public relative à l'organisation et au fonctionnement des services publics, ainsi qu'à leurs rapports avec les particuliers. // *Droit pénal ou criminel*, partie du droit (rattachée traditionnellement au droit privé, mais qui, par sa nature, appartient au droit public) ayant pour objet la prévention et la répression des faits susceptibles de porter atteinte à l'ordre social. // *Droit international public*, ensemble des règles applicables aux relations des États entre eux et avec les organismes internationaux. **2.** *Droit privé*, ensemble des règles juridiques relatives aux rapports des personnes – individuelles ou collectives – non publiques. // *Droit civil*, partie du droit privé relative à l'état et à la capacité des personnes, à la famille, au patrimoine, et à sa transmission, aux contrats et aux obligations. // *Droit commercial*, partie du droit privé relative à l'accomplissement des actes de commerce et à l'organisation des sociétés et des professions commerciales. // *Droit international privé*, ensemble des règles qui servent à trancher les conflits entre personnes de nationalités différentes. **3.** *Droit social*, branche du droit qui a pour objet d'organiser l'intervention de la collectivité en vue d'assurer une certaine sécurité économique aux individus et d'établir un minimum de solidarité entre les foyers et les individus. // *Droit du travail*, ensemble de la législation qui régit les rapports entre employeurs et salariés. // *Droit professionnel*, ensemble des règles juridiques relatives à l'organisation des professions. 4. *Droit canon ou droit canonique*, ensemble des règles juridiques édictées par l'Église catholique (réunies dans le *Codex juris canonici* de 1917).

IV. LE DROIT EN TANT QUE SCIENCE JURIDIQUE

Science qui a pour objet l'étude des lois et des institutions juridiques ; *Faculté de droit. Professeur de droit. Étudiant en droit. Licencié, docteur en droit.*

Article « Droit », extraits, *Grand Larousse de la langue française, 7 vol.*, t. II.

QUESTION › Dans ces multiples définitions, relevez celles qui vous semblent les plus importantes en vue d'une réflexion philosophique.

Réflexion 1

Le droit n'est-il que l'arme des faibles ?

Les sophistes aimaient opposer la nature (*phusis*) et la loi, la convention (*nomos*). Selon eux, la loi est artificielle, non fondée en nature, donc juste seulement en apparence et par contrainte. La vraie justice se situerait du côté de la nature, et non de la loi humaine.

Texte 1 La force est-elle le fondement du droit ?

Calliclès défend l'idée que le droit est fondé sur la force.

Selon la nature, en effet, ce qui est le plus laid, c'est toujours le plus désavantageux, subir l'injustice ; selon la loi, c'est de la commettre. La subir n'est même pas le fait d'un homme – c'est bon pour un esclave, à qui la mort est plus avantageuse que la vie, et qui, contre l'injustice et les mauvais traitements, est sans défense à la fois pour lui-même et pour ceux qu'il aime. La loi, au contraire, est faite par les faibles et par le grand nombre. C'est donc par rapport à eux-mêmes et en vue de leur intérêt personnel qu'ils font la loi et qu'ils décident de l'éloge et du blâme. Pour effrayer les plus forts, les plus capables de l'emporter sur eux, et pour les empêcher de l'emporter en effet, ils racontent que toute supériorité est laide et injuste, et que l'injustice consiste essentiellement à vouloir s'élever au-dessus des autres : quant à eux, il leur suffit, j'imagine, d'être au niveau des autres, sans les valoir.

Voilà pourquoi la loi déclare injuste et laide toute tentative pour dépasser le niveau commun, et c'est cela qu'on appelle l'injustice. Mais la nature elle-même, selon moi, nous prouve qu'en bonne justice celui qui vaut plus doit l'emporter sur celui qui vaut moins, le capable sur l'incapable. Elle nous montre partout, chez les animaux et chez l'homme, dans les cités et les familles, qu'il en est bien ainsi, que la marque du juste, c'est la domination du puissant sur le faible et sa supériorité admise. De quel droit, en effet, Xerxès vint-il porter la guerre dans la Grèce, ou son père chez les Scythes ? et combien de cas semblables on pourrait citer ? Mais tous ces gens-là agissent, à mon avis, selon la vraie nature du droit, et, par Zeus, selon la loi de la nature, bien que ce soit peut-être contraire à celle que nous établissons, nous, et selon laquelle nous façonnons les meilleurs et les plus vigoureux d'entre nous, les prenant en bas âge, comme des lionceaux, pour nous les asservir à force d'incantations et de mômeries, en leur disant qu'il ne faut pas avoir plus que les autres et qu'en cela consiste le juste et le beau. Mais qu'il se rencontre un homme assez heureusement doué pour secouer, briser, rejeter toutes ces chaînes, je suis sûr que, foulant aux pieds nos écrits, nos sortilèges, nos incantations, nos lois toutes contraires à la nature, il se révolterait, se dresserait en maître devant nous, lui qui était notre esclave, et qu'alors brillerait de tout son éclat le droit de la nature.

Platon, *Gorgias*, IVe s. av. J.-C., 483a-484a, trad. A. Croiset, Les Belles Lettres, p. 162-163.

QUESTIONS

› **1•** Pour Calliclès, la vraie nature du droit, c'est le droit de la nature. Pourquoi celui-ci conduit-il au droit du plus fort ?

› **2•** Quel reproche adresse-t-il à la loi humaine ?

Passerelles

› **Chapitre 6 : Nature et culture,** p. 150.

› **Textes :** Romilly, *Les Grands Sophistes dans l'Athènes de Périclès,* p. 414.
Nietzsche, *Généalogie de la morale,* p. 538.

› **Dossier :** La conscience morale, une invention ?, p. 528.

Texte 2 La réponse de Socrate

SOCRATE. – N'est-il pas conforme à la nature que le grand nombre soit plus puissant que l'homme isolé ? Le fait est que c'est le nombre qui impose les lois à l'individu, comme tu le disais tout à l'heure.

CALLICLÈS. – Évidemment.

SOCRATE. – Ainsi, les lois du grand nombre sont les lois des plus puissants ?

CALLICLÈS. – Sans doute.

SOCRATE. – Donc, aussi des meilleurs ? car les plus puissants sont, n'est-ce pas, d'après toi, les meilleurs ?

CALLICLÈS. – Oui.

SOCRATE. – Et leurs lois sont belles selon la nature, puisqu'elles sont les lois des plus puissants ?

CALLICLÈS. – Oui.

SOCRATE. – Mais le grand nombre n'est-il pas d'avis, comme tu le disais encore, que la justice consiste dans l'égalité et qu'il est plus laid de commettre l'injustice que de la subir ? Est-ce vrai, oui ou non ? Et ne va pas céder maintenant, toi aussi, à un mouvement de fausse honte : le grand nombre pense-t-il, oui ou non, que la justice réside dans l'égalité et non dans l'inégalité, qu'il soit plus laid de commettre une injustice que d'en être victime ? Ne refuse pas de me répondre, Calliclès ; car, si tu penses comme moi, ce sera pour mon opinion une confirmation décisive, venant d'un homme qui sait discerner le vrai du faux.

CALLICLÈS. – Eh bien, oui, c'est là en effet ce que pense la foule.

SOCRATE. – Ainsi donc, ce n'est pas seulement selon la loi qu'il est plus honteux de commettre une injustice que de la subir, et que la justice est dans l'égalité : c'est aussi selon la nature. De sorte que tu sembles bien avoir dit précédemment une chose inexacte et m'avoir adressé un reproche immérité quand tu déclarais que la loi et la nature se contredisaient, que je le savais parfaitement et que je discutais sans bonne foi, ramenant à la loi ceux qui parlaient de la nature, et à la nature ceux qui parlaient de la loi.

CALLICLÈS. – Cet homme ne cessera jamais de dire des niaiseries ! Voyons, Socrate, tu n'as pas honte, à ton âge, de faire la chasse aux mots, et s'il arrive qu'on en prenne un pour un autre, tu chantes victoire ! T'imagines-tu par hasard que je distingue entre les plus puissants et les meilleurs ? Ne t'ai-je pas répété maintes fois que meilleur et plus puissant sont pour moi des termes synonymes ? Ou bien crois-tu qu'à mes yeux, parce qu'un ramassis d'esclaves et de gens de toute provenance, des hommes sans valeur, sinon peut-être par la vigueur de leurs muscles, se seront réunis et auront prononcé certaines paroles, ces paroles seront des lois ?

SOCRATE. – Soit, très savant Calliclès. Ainsi c'est là ce que tu voulais dire ?

CALLICLÈS. – Absolument.

SOCRATE. – Eh bien, mon très cher, depuis longtemps, de mon côté, je supposais que tel était, dans ta pensée, le sens de l'expression « le plus puissant », et mon insistance à t'interroger venait de mon vif désir de savoir sans équivoque ce que tu pensais. Évidemment, en effet, tu ne juges pas que deux hommes soient meilleurs qu'un seul, ni que tes esclaves soient meilleurs que toi pour être plus forts. Mais, puisque « meilleur » n'est pas pour toi synonyme de « plus fort », reprends les choses de plus haut et dis-moi ce que tu entends par « meilleur ».

Op. cit., p. 168 sq.

QUESTIONS

› **1•** Comment Socrate s'y prend-il pour mettre Calliclès en contradiction avec lui-même ? Relevez les remarques ironiques.

› **2•** Si « meilleur » n'est pas synonyme de « plus fort », comment définir ce terme ? Imaginez la suite du dialogue.

Réflexion 2

▶ La force peut-elle fonder le droit ?

L'expression « droit du plus fort » est étrange. En effet, ceux qui appliquent ce droit, par définition, ne le revendiquent pas comme tel.

Texte 1 *Le Loup et l'Agneau* : le sens de la fable

« La raison du plus fort est toujours la meilleure. » Ainsi commence la fable de la Fontaine, qui est aussi un texte politique.

La force semble l'injustice même ; mais on parlerait mieux en disant que la force est étrangère à la justice ; car on ne dit pas qu'un loup est injuste. Toutefois le loup de la fable est injuste, car il veut être approuvé ; ici se montre l'injustice, qui serait donc une prétention d'esprit. Le loup voudrait que le mouton n'ait rien à répondre, ou tout au moins rien qu'un arbitre permette ; et l'arbitre, c'est le loup lui-même. Ici les mots nous avertissent assez : il est clair que la justice relève du jugement et que le succès n'y fait rien. Rendre justice, c'est juger. Peser des raisons, non des forces. La première justice est donc une investigation d'esprit et un examen des raisons. Le parti pris est par lui-même injustice ; et même celui qui se trouve favorisé, et qui de plus croit avoir raison, ne croira jamais qu'on lui a rendu bonne justice à lui tant qu'on n'a pas fait justice à l'autre, en examinant aussi ses raisons de bonne foi ; de bonne foi, j'entends en leur cherchant toute la force possible, ce que l'institution des avocats réalise passablement.

Émile-Auguste Chartier, dit Alain, *Quatre-Vingt-Un Chapitres*, 1917, *in Les Passions et la sagesse*, coll. La Pléiade, Gallimard, p. 1228.

Le loup et l'agneau, illustration de Gustave Doré pour la fable de Jean de La Fontaine, gravure de 1861-1868.

QUESTIONS

› 1• Pourquoi le vrai loup, le loup de la nature, ne peut-il pas être injuste ?

› 2• L'injustice du loup de la fable, c'est de vouloir jouer sur deux logiques contradictoires : pourquoi a-t-il besoin de ces deux logiques ? Pourquoi se contredisent-elles ?

Texte 2 Du prétendu droit du plus fort

Le plus fort n'est jamais assez fort pour être toujours le maître, s'il ne transforme sa force en droit et l'obéissance en devoir. De là le droit du plus fort ; droit pris ironiquement en apparence, et réellement établi en principe. Mais ne nous expliquera-t-on jamais ce mot ? La force est une puissance physique ; je ne vois point quelle moralité peut résulter de ses effets. Céder à la force est un acte de nécessité, non de volonté ; c'est tout au plus un acte de prudence. En quel sens pourra-ce être un devoir ?

Supposons un moment ce prétendu droit. Je dis qu'il n'en résulte qu'un galimatias inexplicable. Car sitôt que c'est la force qui fait le droit, l'effet change avec la cause, toute force qui surmonte la première succède à son droit. Sitôt qu'on peut désobéir impunément, on le peut légitimement, et puisque le plus fort a toujours raison, il ne s'agit que de faire en sorte qu'on soit le plus fort. Or qu'est-ce qu'un droit qui périt quand la force cesse ? S'il faut obéir par force, on n'a pas besoin d'obéir par devoir ; et si l'on n'est pas forcé d'obéir, on n'y est plus obligé. On voit donc que ce mot de droit n'ajoute rien à la force ; il ne signifie rien du tout [...].

Convenons donc que force ne fait pas droit, et qu'on n'est obligé d'obéir qu'aux puissances légitimes.

Jean-Jacques Rousseau, *Du contrat social*, 1762, livre I, chap. 3, Garnier-Flammarion, p. 49.

QUESTIONS

1• Pourquoi le plus fort, dans une société humaine, n'est-il jamais assez fort ?

2• Quelle distinction essentielle Rousseau veut-il établir entre être « le plus fort » et être « le maître » ?

3• Pourquoi le droit exclut-il la force ?

Texte 3 La vengeance est-elle un droit ?

La force et la violence sont d'autant plus menaçantes qu'elles s'appuient sur la passion spontanée de justice. Tel est le cas du sentiment de vengeance qui, même quand il se donne l'allure de la justice (œil pour œil, dent pour dent) est, dans sa logique, négation de la justice.

Dans cette sphère de l'immédiateté du droit, la suppression du crime est sous sa forme primitive vengeance. Selon son contenu, la vengeance est juste, dans la mesure où elle est la loi du talion[1]. Mais, selon sa forme, elle est l'action d'une volonté subjective, qui peut placer son infinité dans toute violation de son droit[2] et qui, par suite, n'est juste que d'une manière contingente[3], de même que, pour autrui, elle n'est qu'une volonté particulière. Du fait même qu'elle est l'action positive d'une volonté particulière, la vengeance devient une nouvelle violation du droit : par cette contradiction, elle s'engage dans un processus qui se poursuit indéfiniment et se transmet de génération en génération, et cela, sans limite. [...]

Addition : Le châtiment prend toujours la forme de la vengeance dans un état de la société où n'existent encore ni juges ni lois. La vengeance reste insuffisante, car elle est l'action d'une volonté subjective et, de ce fait, n'est pas conforme à son contenu. Les personnes qui composent un tribunal sont certes encore des personnes, mais leur volonté est la volonté universelle de la loi, et elles ne veulent rien introduire dans la peine, qui ne soit pas dans la nature de la chose. Pour celui qui a été victime d'un crime ou d'un délit, par contre, la violation du droit n'apparaît pas dans ses limites quantitatives et qualitatives, mais elle apparaît comme une violation du droit en général. C'est pourquoi celui qui a été ainsi lésé peut être sans mesure quand il use de représailles, ce qui peut conduire à une nouvelle violation du droit. La vengeance est perpétuelle et sans fin chez les peuples non civilisés.

Friedrich Hegel, *Principes de la philosophie du droit*, 1821, § 102, trad. R. Dérathé, Vrin, p. 116.

1. Châtiment qui consiste à infliger au coupable le traitement qu'il a fait subir à sa victime ; *cf.* « œil pour œil, dent pour dent ».
2. L'injustice est une atteinte portée à la personne elle-même. La victime vise spontanément l'infini de la punition.
3. Non nécessaire.

QUESTIONS

1• Qu'est-ce que la loi du talion ? Pourquoi a-t-elle l'apparence de la justice ? Pourquoi est-elle fondamentalement injuste, selon l'auteur ?

2• Comparez la logique du tribunal et la logique de la victime. Pourquoi cette dernière aura-t-elle tendance à se comporter « sans mesure » ?

Réflexion 3

▶ Droit du citoyen, droit de l'homme : lequel protège l'autre ?

La Révolution française a été marquée par un retour symbolique à la République romaine. Les auteurs politiques des Lumières ont puisé leur inspiration dans les modèles de la Grèce et de la Rome antiques. Or, pour Benjamin Constant, toute réelle comparaison entre les deux époques est impossible : leurs conceptions du droit obéissent à des logiques opposées.

Texte 1 La liberté des Modernes

Demandez-vous d'abord, Messieurs, ce que de nos jours un Anglais, un Français, un habitant des États-Unis de l'Amérique, entendent par le mot de liberté ? C'est pour chacun le droit de n'être soumis qu'aux lois, de ne pouvoir ni être arrêté, ni détenu, ni mis à mort, ni maltraité d'aucune manière, par l'effet de la volonté arbitraire d'un ou de plusieurs individus. C'est pour chacun le droit de dire son opinion, de choisir son industrie et de l'exercer ; de disposer de sa propriété, d'en abuser même ; d'aller, de venir, sans en obtenir la permission, et sans rendre compte de ses motifs ou de ses démarches. C'est, pour chacun, le droit de se réunir à d'autres individus, soit pour conférer[1] sur ses intérêts, soit pour professer le culte que lui et ses associés préfèrent, soit simplement pour remplir ses jours et ses heures d'une manière plus conforme à ses inclinations, à ses fantaisies. Enfin, c'est le droit, pour chacun, d'influer sur l'administration du gouvernement, soit par la nomination de tous ou de certains fonctionnaires, soit par des représentations, des pétitions, des demandes, que l'autorité est plus ou moins obligée de prendre en considération.

Benjamin Constant, *De la liberté des Anciens comparée à celle des Modernes*, discours prononcé en 1819, *in De la liberté chez les Modernes*, coll. Pluriel, Livre de poche, p. 494-496.

1. Discuter en public.

Texte 2 Libertés et servitudes des Anciens

Comparez maintenant à cette liberté celle des Anciens.

Celle-ci consistait à exercer collectivement, mais directement, plusieurs parties de la souveraineté tout entière, à délibérer, sur la place publique, de la guerre et de la paix, à conclure avec les étrangers des traités d'alliance, à voter les lois, à prononcer les jugements, à examiner les comptes, les actes, la gestion des magistrats, à les faire comparaître devant tout un peuple, à les mettre en accusation, à les condamner ou à les absoudre ; mais en même temps que c'était là ce que les anciens nommaient liberté, ils admettaient, comme compatible avec cette liberté collective, l'assujettissement complet de l'individu à l'autorité de l'ensemble. Vous ne trouverez chez eux presque aucune des jouissances que nous venons de voir faisant partie de la liberté chez les modernes. Toutes les actions privées sont soumises à une surveillance sévère. Rien n'est accordé à l'indépendance individuelle, ni sous le rapport des opinions, ni sous celui de l'industrie, ni surtout sous le rapport de la religion. La faculté de choisir son culte, faculté que nous regardons comme l'un de nos droits les plus précieux, aurait paru aux anciens un crime et un sacrilège. Dans les choses qui nous semblent les plus futiles, l'autorité du corps social s'interpose et gêne la volonté des individus. Terpandre[1] ne peut chez les Spartiates ajouter une corde à sa lyre sans que les éphores[2] ne s'offensent. Dans les relations les plus domestiques, l'autorité intervient encore. Le jeune Lacédémonien[3] ne peut visiter librement sa jeune épouse. À Rome, les censeurs[4] portent un œil scrutateur dans l'intérieur des familles.

1. Poète et musicien grec.
2. Les cinq magistrats de Sparte, dont le pouvoir équilibrait celui du roi et du sénat.
3. Citoyen de Sparte.
4. Magistrats romains de l'Antiquité chargés d'établir le cens – évaluation des fortunes en vue de l'impôt –, et qui avaient le droit de contrôler les mœurs des citoyens.

5. Qui est laissé à la discrétion de quelqu'un, arbitraire.

Les lois règlent les mœurs, et comme les mœurs tiennent à tout, il n'y a rien que les lois ne règlent. Ainsi chez les anciens, l'individu, souverain presque habituellement dans les affaires publiques, est esclave dans tous ses rapports privés. Comme citoyen, il décide de la paix et de la guerre ; comme particulier, il est circonscrit, observé, réprimé dans tous ses mouvements ; comme portion du corps collectif, il interroge, destitue, condamne, dépouille, exile, frappe de mort ses magistrats ou ses supérieurs, comme soumis au corps collectif, il peut à son tour être privé de son état, dépouillé de ses dignités, banni, mis à mort, par la volonté discrétionnaire[5] de l'ensemble dont il fait partie.

Op. cit., p. 494-496.

QUESTIONS

Textes 1 et 2

1• En quoi le citoyen de l'Antiquité ne concevait-il pas ses droits de la même façon que le citoyen moderne ? Proposez une définition des droits et des libertés selon les deux logiques.

2• Pourquoi la conception antique de la liberté peut-elle se concilier avec une conception que nous jugerions tyrannique de la société ?

Texte 3 Des menaces différentes...

De même, les peuples, qui dans le but de jouir de la liberté qui leur convient, recourent au système représentatif, doivent exercer une surveillance active et constante sur leurs représentants, et se réserver à des époques, qui ne soient pas séparées par de trop longs intervalles, le droit de les écarter s'ils ont trompé leurs vœux, et de révoquer les pouvoirs dont ils auraient abusé.

Car, de ce que la liberté moderne diffère de la liberté antique, il s'ensuit qu'elle est aussi menacée d'un danger d'espèce différente.

Le danger de la liberté antique était qu'attentifs uniquement à s'assurer le partage du pouvoir social, les hommes ne fissent trop bon marché des droits et des jouissances individuelles.

Le danger de la liberté moderne, c'est qu'absorbés dans la jouissance de notre indépendance privée, et dans la poursuite de nos intérêts particuliers, nous ne renoncions trop facilement à notre droit de partage dans le pouvoir politique.

Les dépositaires de l'autorité ne manquent pas de nous y exhorter. Ils sont si disposés à nous épargner toute espèce de peine, excepté celle d'obéir et de payer ! Ils nous diront : « Quel est au fond le but de tous vos efforts, le motif de vos travaux, l'objet de vos espérances ? N'est-ce pas le bonheur ? Eh bien, ce bonheur, laissez-nous faire, et nous vous le donnerons. » Non, Messieurs, ne laissons pas faire. Quelque touchant que soit un intérêt si tendre, prions l'autorité de rester dans ses limites. Qu'elle se borne à être juste ; nous nous chargerons d'être heureux.

Op. cit., p. 512-513.

QUESTION

Quel danger particulier menace les démocraties modernes ? En quoi est-il lié à la conception moderne de la liberté ?

Passerelle...

Chapitre 20 : La liberté, p. 502.

Une œuvre, une analyse

Présentation

Rawls : *Théorie de la justice,* chapitres 1 et 2 (1971)

Établir des critères objectifs de la justice est difficile. En premier lieu, chaque personne qui émet une opinion aura tendance à favoriser sa situation personnelle, en fonction du rang social dont elle a hérité. En second lieu, la justice exige de concilier égalité et liberté. Or, si cela ne pose guère de problèmes quand il s'agit de droits fondamentaux, tout se complique lorsqu'on vise le partage des richesses ainsi que l'égalité des chances.

1 Le point de départ

Pour Rawls, la justice est « la façon dont les institutions sociales les plus importantes répartissent les droits fondamentaux et déterminent la répartition des avantages tirés de la coopération sociale ». Il ajoute : « Par institutions sociales les plus importantes, j'entends la constitution politique et les principales structures socio-économiques » (Seuil, 1987, p. 33).

Il pose la question suivante : comment penser le modèle d'une société juste ? Pour y répondre, il s'appuie sur deux grandes traditions philosophiques. De la tradition des **théoriciens du Contrat Social,** des XVIIe et XVIIIe siècles, il reprend la méthode. Des **philosophes utilitaristes** (Bentham, Mill › p. 558), il retient qu'une question d'origine morale peut devenir un problème économique et politique : comment établir le plus grand bonheur pour le plus grand nombre ? Mais si la question est séduisante, elle laisse de côté l'essentiel : comment **répartir** cette somme globale de biens ? Le plus grand bonheur du plus grand nombre pourrait-il justifier une restriction des libertés d'une minorité ?

2 La méthode

Rawls s'inspire des théoriciens classiques du **Contrat Social** (Hobbes, Locke, Rousseau). Pour ces derniers, la question de la légitimité d'un pouvoir politique suppose qu'on établisse des critères de droit, universels et incontestables. Cela revient à poser les questions suivantes : à quelles conditions des hommes vivant libres dans un état de nature, c'est-à-dire sans la contrainte des lois civiles, accepteraient-ils d'entrer en société et d'obéir à un État ? À quoi seraient-ils prêts à renoncer, qu'est-ce qu'ils refuseraient absolument d'abandonner de leur état antérieur ? Une telle situation est purement théorique ; beaucoup d'auteurs, Rousseau le premier, ne croient pas en l'existence d'un tel état de nature. Mais il s'agit de construire un **modèle artificiel** permettant de fournir des critères de **droit** pour répondre à la question : qu'est-ce qu'un pouvoir politique légitime ?

Rawls reprend cette idée d'une **expérience hypothétique, purement artificielle.** Mais, au lieu de bâtir un état de nature, il propose de construire **par la pensée** une situation où les hommes seraient obligés de choisir le plus objectivement possible les principes d'une société juste. Pour cela, ces hommes devraient oublier leur point de vue personnel, et donc ignorer quelle situation leur serait réservée dans la société idéale qu'ils imagineraient. « Personne ne connaît sa place dans la société, sa position de classe ou son statut social, pas plus que personne ne connaît le sort qui lui est réservé dans la répartition des capacités et des dons naturels, par exemple, l'intelligence, la force, etc. J'irai même jusqu'à poser que les partenaires ignorent leur propres conceptions du bien ou leurs tendances psychologiques particulières » (*op. cit.*, p. 38).

Cette « situation originelle », c'est ce que Rawls appelle le « **voile d'ignorance** ». Cette méthode revient à fonder, d'une manière originale, une nouvelle théorie du Contrat Social.

3 Justification de la méthode

L'expérience idéale du « voile d'ignorance » repose sur l'égalité : les partenaires « ont tous les mêmes droits dans la procédure du choix des principes ; chacun peut faire des propositions » (*op. cit.*, p. 46). Cela garantit une décision équitable (*fair*) : « Par exemple, si un homme savait qu'il était riche, il pourrait trouver rationnel de proposer le principe suivant lequel les impôts nécessités par les mesures sociales sont injustes ; s'il savait qu'il était pauvre, il proposerait très probablement le principe contraire. Il faut donc, pour se représenter les restrictions nécessaires, imaginer une situation où tous seraient privés de ce genre d'information » (*op. cit.*, p. 45).

Cela conduit à un renversement de priorité par rapport à une position utilitariste : « le concept de juste est antérieur à celui de bien » (*op. cit.*, p. 57), ce qui signifie que la justice passe avant la question des satisfactions personnelles. « On ne prend pas les tendances et les inclinations des hommes comme données quelles qu'elles soient, pour ensuite chercher le meilleur moyen pour les satisfaire. C'est plutôt l'inverse, leurs désirs et leurs aspirations sont limités dès le début par les principes de la justice qui définissent les bornes que nos systèmes de fin doivent respecter » (*op. cit.*, p. 57).

4 La solution : les deux principes

Rawls fait part de deux principes de justice : l'un est un principe absolument égalitaire ; l'autre est un principe inégalitaire, mais où les inégalités sont limitées et justifiées (*op. cit.*, p. 91).

1. Chaque personne a droit à un système pleinement adéquat de libertés de base égales pour tous, compatible avec un même système de liberté pour tous.
2. Les inégalités sociales et économiques sont légitimes si elles satisfont à deux conditions :
   a) Elles doivent procurer le plus grand bénéfice aux membres les plus désavantagés de la société ;
   b) Elles doivent d'abord être attachées à des fonctions et à des positions ouvertes à tous, dans des conditions de juste égalité des chances.

L'ordre des principes n'est pas neutre, il signifie que le premier principe l'emporte sur le second de manière absolue. Cela exclut qu'on remette en cause quelques libertés de base au nom de plus grands avantages économiques.

Les libertés de base sont les suivantes (*op. cit.*, p. 92) :
- libertés politiques : droit de vote et d'emploi à une fonction publique ;
- libertés d'expression, de réunion, de pensée et de conscience ;
- intégrité de la personne contre l'oppression psychologique ou les agressions physiques ;
- droit de propriété personnelle ;
- protection contre les arrestations et les emprisonnements arbitraires.

Le deuxième principe est ainsi justifié : « Puisque le bien-être de chacun dépend d'un système de coopération sans lequel nul ne saurait avoir une existence satisfaisante, la répartition des avantages doit être telle qu'elle puisse entraîner la coopération volontaire de chaque participant, y compris les moins favorisés » (*op. cit.*, p. 41).

Rawls (1921-2002)

John Rawls est un philosophe américain. Il a enseigné dans de grandes universités américaines (Princeton, Harvard). Son livre majeur, *Théorie de la justice*, paraît en 1971, au moment de la guerre du Viet Nam et des revendications des Noirs américains pour les droits civiques. Le livre connaît immédiatement un très grand succès, il suscite un grand nombre de débats et de polémiques.

Rawls : *Théorie de la justice*, chapitres 1 et 2 (1971)

Comment équilibrer égalité juridique et inégalité économique ?

Voulant élaborer un modèle théorique permettant de penser les principes d'une société juste, Rawls pose, comme préalable méthodologique, l'hypothèse d'un « voile d'ignorance ».

Texte 1 Le « voile d'ignorance »

Dans la théorie de la justice comme équité, la position originelle d'égalité correspond à l'état de nature dans la théorie traditionnelle du contrat social. Cette position originelle n'est pas conçue, bien sûr, comme étant une situation historique réelle, encore moins une forme primitive de la culture. Il faut la comprendre comme étant une situation purement hypothétique, définie de manière à conduire à une certaine conception de la justice. Parmi les traits essentiels de cette situation, il y a le fait que personne ne connaît sa place dans la société, sa position de classe ou son statut social, pas plus que personne ne connaît le sort qui lui est réservé dans la répartition des capacités et des dons naturels, par exemple l'intelligence, la force, etc. J'irai même jusqu'à poser que les partenaires ignorent leurs propres conceptions du bien ou leurs tendances psychologiques particulières. Les principes de la justice sont choisis derrière un voile d'ignorance. Ceci garantit que personne n'est avantagé ou désavantagé dans le choix des principes par le hasard naturel ou par la contingence des circonstances sociales. Comme tous ont une situation comparable et qu'aucun ne peut formuler des principes favorisant sa condition particulière, les principes de la justice sont le résultat d'un accord ou d'une négociation équitables (*fair*). Car, étant donné les circonstances de la position originelle, c'est-à-dire la symétrie des relations entre les partenaires, cette situation initiale est équitable à l'égard des sujets moraux, c'est-à-dire d'êtres rationnels ayant leurs propres systèmes de fins et capables, selon moi, d'un sens de la justice.

John Rawls, *Théorie de la justice*, 1971, trad. C. Audard, Seuil, 1987, p. 38.

QUESTIONS

1• En quoi consiste le « voile d'ignorance » que Rawls pose comme fondement préalable de son analyse ?

2• Pourquoi pose-t-il ce préalable ? Quelle est son importance ?

Texte 2 Les principes d'une société juste

Je soutiendrai que les personnes placées dans la situation initiale choisiraient deux principes assez différents. Le premier exige l'égalité d'attribution des droits et des devoirs de base. Le second, lui, pose que les inégalités socio-économiques, prenons par exemple des inégalités de richesse et d'autorité, sont justes si et seulement si elles produisent, en compensation, des avantages pour chacun et, en particulier, pour les membres les plus désavantagés de la société. Ces principes excluent la justification d'institutions par l'argument selon lequel les épreuves endurées par certains peuvent être contrebalancées par un plus grand bien, au total. Il peut être opportun, dans certains cas, que certains possèdent moins afin que d'autres prospèrent, mais ceci n'est pas juste. Par contre, il n'y a pas d'injustice dans le fait qu'un petit nombre obtienne des avantages supérieurs à la moyenne, à condition que soit améliorée la situation des moins favorisés.

L'idée intuitive est la suivante : puisque le bien dépend d'un système de coopération sans lequel nul ne saurait avoir une existence satisfaisante, la répartition des avantages doit être telle qu'elle puisse entraîner la coopération volontaire de chaque participant, y compris des moins favorisés. Les deux principes que j'ai mentionnés plus haut constituent, semble-t-il, une base équitable sur laquelle les mieux lotis ou les plus chanceux dans leur position sociale – conditions qui ne sont ni l'une ni l'autre dues, nous l'avons déjà dit, au mérite – pourraient espérer obtenir la coopération volontaire des autres participants ; ceci dans le cas où le bien-être de tous est conditionné par l'application d'un système de coopération. C'est à ces principes que nous sommes conduits dès que nous décidons de rechercher une conception de la justice qui empêche d'utiliser les hasards des dons naturels et les contingences sociales comme des atouts dans la poursuite des avantages politiques et sociaux.

Op. cit., p. 40-41.

QUESTIONS

› 1• Quels sont les deux principes de la justice, selon Rawls ? Pourquoi cette séparation ?

› 2• Pensez-vous qu'un groupe quelconque, mis en situation de répondre à la question de Rawls (dans quelle société voudriez-vous vivre, compte tenu du « voile d'ignorance » ?), aboutirait aux mêmes réponses ?

Texte 3 Deux principes nettement séparés et hiérarchisés

En premier lieu : chaque personne doit avoir un droit égal au système le plus étendu de libertés de base égales pour tous qui soit compatible avec le même système pour les autres.

En second lieu : les inégalités sociales et économiques doivent être organisées de façon à ce que, à la fois, (a) l'on puisse raisonnablement s'attendre à ce qu'elles soient à l'avantage de chacun et (b) qu'elles soient attachées à des positions et des fonctions ouvertes à tous.

[...] Ainsi, nous distinguons entre les aspects du système social qui définissent et garantissent l'égalité des libertés de base pour chacun et les aspects qui spécifient et établissent des inégalités sociales et économiques. Or, il est essentiel d'observer que l'on peut établir une liste de ces libertés de base. Parmi elles, les plus importantes sont les libertés politiques (droit de vote et d'occuper un poste public), la liberté d'expression, de réunion, la liberté de pensée et de conscience ; la liberté de la personne qui comporte la protection à l'égard de l'oppression psychologique et de l'agression physique (intégrité de la personne) ; le droit de propriété personnelle et la protection à l'égard de l'arrestation et de l'emprisonnement arbitraires, tels qu'ils sont définis par le concept de l'autorité de la loi. Ces libertés doivent être égales pour tous d'après le premier principe.

Le second principe s'applique, dans la première approximation, à la répartition des revenus et des richesses et aux grandes lignes des organisations qui utilisent des différences d'autorité et de responsabilité. Si la répartition de la richesse et des revenus n'a pas besoin d'être égale, elle doit être à l'avantage de chacun et, en même temps, les positions d'autorité et de responsabilité doivent être accessibles à tous. [...]

Ces principes doivent être disposés selon un ordre lexical[1], le premier principe étant antérieur au second. Cet ordre signifie que des atteintes aux libertés de base égales pour tous, qui sont protégées par le premier principe, ne peuvent pas être justifiées ou compensées par des avantages sociaux et économiques plus grands. Ces libertés ont un domaine central d'application à l'intérieur duquel elles ne peuvent être limitées et remises en question que si elles entrent en conflit avec d'autres libertés de base.

Op. cit., p. 91 sq.

1. « C'est un ordre qui demande que l'on satisfasse le principe classé premier avant de passer au second. »

QUESTION

› Les deux principes dégagés par l'auteur respectent-ils effectivement les libertés de base et l'égalité ? Justifiez votre réponse.

Les droits de l'homme sont-ils réellement universels ?

Rédigée en deux mois – juillet, août 1789 – la Déclaration des droits de l'homme et du citoyen s'inspire des théories du Siècle des lumières et de la réalité politique de l'époque. Ce texte célèbre est un manifeste politique, avec ses revendications et ses oublis. Cette Déclaration se veut universelle, valable pour tous à toutes les époques. L'est-elle réellement ?

DOCUMENT 1 La Déclaration des droits de l'homme et du citoyen (1789)

Déclaration des Droits de l'Homme et du citoyen, huile sur bois attribuée à Jean Jacques Francois Barbier dit l'Aine, 1789, Paris, Musée Carnavalet.

Les représentants du peuple français, constitués en Assemblée Nationale, considérant que l'ignorance, l'oubli ou le mépris des droits de l'homme sont les seules causes des malheurs publics et de la corruption des gouvernements, ont résolu d'exposer, dans une Déclaration solennelle, les droits naturels, inaliénables et sacrés de l'homme, afin que cette Déclaration, constamment présente à tous les membres du corps social leur rappelle sans cesse leurs droits et leurs devoirs ; afin que les actes du pouvoir législatif et ceux du pouvoir exécutif, pouvant être à chaque instant comparés avec le but de toute institution politique, en soient plus respectés ; afin que les réclamations des citoyens, fondées désormais sur des principes simples et incontestables, tournent toujours au maintien de la Constitution, et au bonheur de tous.

En conséquence, l'Assemblée Nationale reconnaît et déclare en présence et sous les auspices de l'Être Suprême, les droits suivants de l'homme et du citoyen.

Article premier. — Les hommes naissent et demeurent libres et égaux en droits. Les distinctions sociales ne peuvent être fondées que sur l'utilité commune.

Article 2. — Le but de toute association politique est la conservation des droits naturels et imprescriptibles de l'homme. Ces droits sont la liberté, la propriété, la sûreté, et la résistance à l'oppression.

Article 3. — Le principe de toute souveraineté réside essentiellement dans la nation. Nul corps, nul individu ne peut exercer d'autorité qui n'en émane expressément.

Article 4. — La liberté consiste à faire tout ce qui ne nuit pas à autrui ; ainsi l'exercice des droits naturels de chaque homme n'a de bornes que celles qui assurent aux autres membres de la société la jouissance de ces mêmes droits. Ces bornes ne peuvent être déterminées que par la loi.

Article 5. — La loi n'a le droit de défendre que les actions nuisibles à la société. Tout ce qui n'est pas défendu par la loi ne peut être empêché et nul ne peut être contraint à faire ce qu'elle n'ordonne pas.

Article 6. — La loi est l'expression de la volonté générale. Tous les citoyens ont droit de concourir personnellement, ou par leurs représentants, à sa formation. Elle doit être la même pour tous, soit qu'elle protège, soit quelle punisse. Tous les citoyens, étant égaux à ses yeux, sont également admissibles à toutes dignités, places et emplois selon leur capacité et sans autre distinction que celle de leurs vertus et de leurs talents.

Article 7. — Nul homme ne peut être accusé, arrêté, ni détenu que dans les cas déterminés par la loi, et selon les formes qu'elle a prescrites. Ceux qui sollicitent, expédient, exécutent ou font exécuter des ordres arbitraires, doivent être punis ; mais tout citoyen appelé ou saisi en vertu de la loi doit obéir à l'instant ; il se rend coupable par la résistance.

Article 8. — La loi ne doit établir que des peines strictement et évidemment nécessaires, et nul ne peut être puni qu'en vertu d'une loi établie et promulguée antérieurement au délit et légalement appliquée.

Article 9. — Tout homme étant présumé innocent jusqu'à ce qu'il ait été déclaré coupable, s'il est jugé indispensable de l'arrêter, toute rigueur qui ne serait pas nécessaire pour s'assurer de sa personne doit être sévèrement réprimée par la loi.

Article 10. — Nul ne doit être inquiété pour ses opinions, même religieuses, pourvu que leur manifestation ne trouble pas l'ordre public établi par la loi.

Article 11. — La libre communication des pensées et des opinions est un des droits les plus précieux de l'homme ; tout citoyen peut donc parler, écrire, imprimer librement, sauf à répondre de l'abus de cette liberté dans les cas déterminés par la loi.

Article 12. — La garantie des droits de l'homme et du citoyen nécessite une force publique ; cette force est donc instituée pour l'avantage de tous, et non pour l'utilité particulière de ceux auxquels elle est confiée.

Article 13. — Pour l'entretien de la force publique, et pour les dépenses d'administration, une contribution commune est indispensable. Elle doit être également répartie entre tous les citoyens, en raison de leurs facultés.

Article 14. — Chaque citoyen a le droit, par lui-même ou par ses représentants, de constater la nécessité de la contribution publique, de la consentir librement, d'en suivre l'emploi et d'en déterminer la quotité, l'assiette, le recouvrement et la durée.

Article 15. — La société a le droit de demander compte à tout agent public de son administration.

Article 16. — Toute société dans laquelle la garantie des droits n'est pas assurée, ni la séparation des pouvoirs déterminée, n'a point de constitution.

Article 17. — La propriété étant un droit inviolable et sacré, nul ne peut en être privé, si ce n'est lorsque la nécessité publique, légalement constatée, l'exige évidemment, et sous la condition d'une juste et préalable indemnité.

QUESTIONS

❯ **1•** On a pu reprocher à cette Déclaration son caractère décousu. Cherchez si on ne peut pas repérer un plan logique derrière la succession des articles.

❯ **2•** La Déclaration de 1789 a parfois été dénoncée comme la « charte de l'individualisme bourgeois ». Qu'est-ce qui peut justifier une telle interprétation ?

DOCUMENT 2 Libertés abstraites et droits traditionnels

Le philosophe anglais Edmund Burke (1729-1797) s'oppose farouchement aux idées de la Révolution française auxquelles il reproche de fonder la liberté sur des bases abstraites et artificielles.

Nous ne sommes pas les adeptes de Rousseau, ni les disciples de Voltaire ; Helvétius[1] n'a pas fait fortune parmi nous ; des athées ne sont pas nos prédicateurs, ni des fous nos législateurs. Nous savons que nous n'avons pas fait de découvertes ; et nous croyons qu'il n'y a pas de découvertes à faire en moralité ; ni beaucoup dans les grands principes de gouvernement, ni dans les idées sur la liberté qui, longtemps avant que nous fussions au monde, étaient aussi bien connus qu'ils le seront lorsque la terre aura élevé son moule sur notre présomption, et que la tombe silencieuse aura appesanti sa loi sur notre babil[2] inconsidéré. En Angleterre, nous n'avons pas encore été dépouillés de nos entrailles naturelles ; nous sentons encore au-dedans de nous, nous chérissons et nous cultivons ces sentiments innés, qui sont les gardiens fidèles, les surveillants actifs de nos devoirs, et les vrais soutiens de toute morale noble et virile. Nous n'avons pas encore été vidés et recousus, pour être remplis, comme les oiseaux d'un musée, avec de la paille, avec des chiffons, et avec de méchantes et sales hachures de papiers sur les droits de l'homme. [...]

Vous voyez, monsieur, que dans ce siècle de lumière, je suis assez courageux pour avouer que nous sommes généralement les hommes de la nature, qu'au lieu de secouer tous les vieux préjugés, nous les aimons au contraire beaucoup ; et pour nous attirer encore plus de honte, je vous dirai que nous les aimons, parce qu'ils sont des préjugés, que plus ils ont régné, que plus leur influence a été générale, plus nous les aimons encore. Nous avons peur d'exposer les hommes à ne vivre et à ne commercer qu'avec le fonds particulier de raison qui appartient à chacun ; parce que nous soupçonnons que ce capital est faible dans chaque individu, et qu'ils feraient beaucoup mieux tous ensemble de tirer avantage de la banque générale et des fonds publics des nations et des siècles. Beaucoup de nos penseurs, au lieu de bannir les préjugés généraux, emploient toute leur sagacité à découvrir la sagesse cachée qui domine dans chacun. S'ils parviennent à leur but, et rarement ils le manquent, ils pensent qu'il est bien plus sage de conserver le préjugé avec le fonds de raison qu'il renferme, que de le dépouiller de ce qu'ils n'en regardent que comme le vêtement, pour laisser ensuite la raison toute à nu, parce qu'ils pensent qu'un préjugé, y compris sa raison, a un motif qui donne de l'action à cette raison, et un attrait qui y donne de la permanence. Le préjugé est d'une application soudaine dans l'occasion ; il détermine, avant tout, l'esprit à suivre avec constance la route de la sagesse et de la vertu, et il ne laisse pas les hommes hésiter au moment de la décision, il ne les abandonne pas aux dangers du scepticisme, du doute et de l'irrésolution. Le préjugé fait de la vertu une habitude pour les hommes, et non pas une suite d'actions incohérentes ; par le moyen des bons préjugés enfin, le devoir fait partie de notre propre nature.

Edmund Burke, *Réflexions sur la révolution de France*, 1790, *in 1789. Recueil de textes et documents*, ministère de l'Éducation nationale, p. 161-162.

Benjamin Read, *Vue of St. James's from Green Park*, London, 1838, aquarelle, Londres, Guildhall Library.

1. Helvétius (1715-1771) fit fortune en tant que fermier général, puis scandale en tant que philosophe ; adepte d'un point de vue sensualiste et matérialiste, il écrit *De l'esprit* (1758) où il expose des conceptions athées.
2. Abondance de paroles creuses.

QUESTIONS

1• Pourquoi ce texte, écrit dans les tout premiers mois de la Révolution française, est-il volontairement provocant ?

2• Derrière l'éloge rhétorique du préjugé, quels arguments sérieux sont évoqués ? Quelle est la force de la tradition ?

DOCUMENT 3 Les droits de l'homme : des outils idéologiques ?

La Déclaration des droits de l'homme et du citoyen *de 1789 est un texte purement laïc, excluant toute référence au droit divin. Mais si la religion est exclue, l'esprit religieux l'est-il également ? Marx ne le pense pas. Pour lui, la conception libérale des droits de l'homme reproduit, sous une forme apparemment non religieuse, le modèle chrétien. En effet, le dualisme homme/citoyen reprend le dualisme chrétien cité terrestre/cité céleste, tel qu'il est symbolisé par la fameuse phrase du Christ : « Rendez à César ce qui appartient à César, et à Dieu ce qui appartient à Dieu. »*

L'État[1] supprime à sa façon les distinctions constituées par la naissance, le rang social, l'instruction, l'occupation particulière, en décrétant que la naissance, le rang social, l'instruction, l'occupation particulière sont des différences *non politiques*, quand, sans tenir compte de ces distinctions, il proclame que chaque membre du peuple partage, *à titre égal*, la souveraineté populaire, quand il traite tous les éléments de la vie populaire effective en se plaçant au point de vue de l'État. Mais l'État n'en laisse pas moins la propriété privée, l'instruction, l'occupation particulière agir à *leur* façon, c'est-à-dire en tant que propriété privée, instruction, occupation particulière, et faire prévaloir leur nature spéciale. Bien loin de supprimer ces différences factices, il n'existe plutôt que dans leurs présuppositions ; il a conscience d'être un État *politique* et ne fait prévaloir son *universalité* que par opposition à ces éléments[2]. [...]

L'État politique parfait est, d'après son essence, la *vie générique* de l'homme[3] par opposition à sa vie matérielle. Toutes les suppositions de cette vie égoïste continuent à subsister dans la société civile[4] *en dehors* de la sphère de l'État, mais comme propriétés de la société civile. Là où l'État politique est arrivé à son véritable épanouissement, l'homme mène, non seulement dans la pensée, dans la conscience mais dans *la réalité*, dans *la vie*, une existence double, céleste et terrestre[5], l'existence dans la *communauté politique*, où il se considère comme un être communautaire, et l'existence dans la *société civile*, où il travaille comme homme privé, voit dans les autres hommes de simples moyens, se ravale lui-même au rang de simple moyen et devient le jouet de puissances étrangères[6]. L'État politique est, vis-à-vis de la société civile, aussi spiritualiste que le ciel l'est vis-à-vis de la terre. [...]

Aucun des prétendus droits de l'homme ne dépasse donc l'homme égoïste, l'homme en tant que membre de la société bourgeoise, c'est-à-dire un individu séparé de la communauté, replié sur lui-même, uniquement préoccupé de son intérêt personnel et obéissant à son arbitraire privé. L'homme est loin d'y être considéré comme un être générique ; tout au contraire, la vie générique elle-même, la société, apparaît comme un cadre extérieur à l'individu, comme une limitation de son indépendance originelle. Le seul lien qui les unisse, c'est la nécessité naturelle, le besoin et l'intérêt privé, la conservation de leurs propriétés et de leur personne égoïste.

Karl Marx, *La Question juive*, 1844, trad. J.-M. Palmier, 10/18, 1968, p. 23-24, 32, 39-40.

1. Celui qui est issu de la Révolution française.
2. L'État libéral ne veut pas agir sur la vie privée, l'économie, les problèmes scolaires, le droit du travail, la santé... sous le prétexte que tout cela concerne des choix individuels et non le souci de l'intérêt universel.
3. *Gattungswesen*, là où l'homme est vraiment homme : quand il se soucie du destin du genre humain, c'est-à-dire de tous les hommes, et pas seulement de lui-même, de ses intérêts privés.
4. *Bürgerliche Gesellschaft* (parfois traduit aussi par « société bourgeoise ») : c'est la sphère de la vie privée, du « bourgeois » au sens médiéval du terme, par opposition à la vie politique du citoyen.
5. Le chrétien mène une double vie : 1) en tant qu'homme réel, il est serf, ou seigneur, ou bourgeois, il ne doit pas se révolter contre les inégalités mais respecter l'ordre établi (cité terrestre) ; 2) en tant que chrétien, quel que soit son rang, il est l'égal de tous les autres hommes devant Dieu (cité céleste). De même, la démocratie libérale oppose le monde politique (égalité des citoyens) et le monde civil (inégalités des hommes privés)
6. Ce sont les lois économiques, les lois du marché.

QUESTIONS

› **1•** Quelles critiques Marx formule-t-il à l'encontre de l'État libéral ?

› **2•** Pourquoi, dans ce schéma, l'homme mène-t-il une double existence ?

› **3•** Reprenez le texte de la Déclaration de 1789 (› p. 460). Les critiques de Marx vous semblent-elles justifiées ? Peut-on parler de droits de l'« homme égoïste » ?

REPÈRES et DISTINCTIONS CONCEPTUELLES

Le droit

Toutes les lois ne sont pas de nature juridique. Les lois sociologiques ne sont pas instituées consciemment par les hommes ; elles viennent des traditions, des coutumes, des habitudes qui s'imposent souvent de manière inconsciente (› p. 428). Les lois morales viennent de la conscience individuelle et ne relève pas de sanctions pénales (sur **droit et morale** › p. 546). Seules les lois juridiques, édictées par le pouvoir législatif – ou autrefois par la « coutume » (droit coutumier) –, forment ce qu'on appelle le « droit ».

▪ Droit objectif et droit subjectif

Le droit, au sens objectif, est l'ensemble des lois qui régissent les rapports des hommes entre eux ; le droit, au sens subjectif, est une faculté, un pouvoir appartenant à l'individu de faire, de posséder, d'exiger… Par exemple, le Code pénal, en France, est le texte qui contient l'ensemble des lois fixant les peines (droit objectif). Quand il affirme : « j'ai le droit à la parole », l'individu revendique pour lui-même une faculté, un pouvoir qu'il peut exercer (droit subjectif). Ces deux faces du droit se constituent mutuellement.

Réunion du Conseil de sécurité de l'ONU, Paris, sept.-déc. 1948. Cette 3e session de l'ONU aboutira à la *Déclaration universelle des droits de l'homme*, le 10 décembre 1948.

▪ Droit naturel et droit positif

Le droit positif concerne les systèmes des lois tels qu'ils se sont effectivement, historiquement établis dans les sociétés. Ce sont les lois qui ont existé, ou qui existent encore. Elles définissent la **légalité**. Le droit naturel est une tentative théorique de dire, non pas ce que sont réellement les lois, mais ce qu'elles devraient être. C'est dans cette optique que s'inscrivent les *Déclarations des droits de l'homme* (› p. 460).

Légalité / légitimité / équité

La **légalité** est la conformité aux lois telles qu'elles existent dans tel pays, à telle époque. Ceux qui l'appliquent le font au nom de l'État, de l'ordre établi. Mais cet État peut être injuste, ses lois condamnables aux yeux d'une règle plus haute. Ce qui est au-dessus des États, des moments, des circonstances, ce qui doit s'appliquer partout et universellement, c'est le *droit naturel*. Il fonde la **légitimité**. Il est le modèle de tous les droits. Son principal inconvénient : n'étant fondé que sur des principes, n'ayant pas d'efficacité concrète immédiate, son importance dépend de l'attachement que les citoyens ont pour lui. **L'équité** est l'ajustement de la loi au cas particulier. En effet, la loi ne peut prévoir que des cas généraux et ne peut pas décrire l'ensemble des cas réels. C'est la raison pour laquelle le juge ne doit pas appliquer la loi mécaniquement, mais l'adapter au cas individuel qui est devant lui. Cette adaptation est l'équité. Elle donne lieu parfois à ce qu'on appelle **jurisprudence**, interprétation par un tribunal d'un détail de la loi qui vaut comme loi.

Punition / vengeance

Le sentiment de vengeance peut apparaître une forme primitive de justice : il repose sur ce sentiment subjectif que l'on nous doit réparation lorsque nous avons été atteints dans notre chair, dans nos biens, dans notre honneur. Par la vengeance, l'offensé se donne le droit de se faire justice lui-même, en édictant sa propre loi, en se faisant lui-même juge, en appliquant lui-même la peine. Il s'approprie donc les trois pouvoirs essentiels de toute société : pouvoir législatif, pouvoir judiciaire, pouvoir exécutif. Comme la peine de cet homme (= sa douleur, son honneur et sa fierté bafoués) est subjectivement **infinie,** il voudra infliger une peine objectivement infinie. La vengeance n'a donc pas de limites dans son intensité. Elle n'a pas non plus de limites dans le temps : la vengeance appelle la vengeance, dans une spirale qui n'a pas de fin (la *vendetta*).
La **loi du talion** est un aménagement de la vengeance, parce qu'elle instaure une **proportionnalité** : *œil pour œil, dent pour dent.* Qui doit se traduire par : « pas plus qu'un œil, pas plus qu'une dent… »

Zoom sur…

Les droits de l'homme, trois étapes historiques

La conception des droits de l'homme a varié en fonction des contextes historiques. Schématiquement, on distinguera trois étapes dans l'élaboration de ces droits que l'on dit *naturels*.

▪ 1. Première génération : les droits civils et politiques

Droit de vote, liberté d'opinion, liberté d'action et de circulation, défense contre l'arbitraire du pouvoir judiciaire ou policier (*habeas corpus*), refus de l'esclavage, de la torture, reconnaissance de la personnalité juridique, droit de propriété, droit de conscience et de religion constituent des droits inhérents à l'être humain. L'État n'a pas à les créer, mais à les garantir : « Les hommes naissent libres et égaux en droit… La liberté consiste à pouvoir faire tout ce qui ne nuit pas à autrui. »

▪ 2. Deuxième génération : les droits économiques et sociaux

Droit à l'éducation, droit à la Sécurité sociale, droit au repos, droit au travail sont des droits qui, contrairement aux droits civils et politiques, nécessitent l'intervention de l'État pour exister. Ils n'expriment pas seulement des garanties juridiques, mais des exigences matérielles. La *Déclaration universelle de 1948* contient de nombreux articles consacrés aux droits sociaux, économiques et culturels. Deux organisations internationales veillent à leur application : l'Organisation internationale du travail (OIT) et l'Organisation des Nations unies pour l'éducation, la science et la culture (UNESCO).

▪ 3. Troisième génération

Depuis quelques décennies, de nouveaux droits de l'homme ont vu le jour :

- les droits de l'enfant (ONU, 20 novembre 1989) ;
- les droits de la femme : la condition des femmes est inégale à celle des hommes sur l'ensemble de la planète (taux d'analphabétisme supérieur dans les pays en développement, moindre rémunération à travail égal et taux de chômage plus élevé dans les pays développés, etc.) ;
- le droit des peuples et des minorités (Alger, 1976) : droit à l'identité nationale et culturelle, à l'autodétermination, à la possession d'un territoire…

chapitre 19

L'État

Attribué à Luciano Laurana, *La Cité idéale ou Cité de Dieu*, XVe s. (67 x 240 cm), peinture sur bois, musée national d'Urbino, Italie.

Du mot...

Traditionnellement, en tant que réalité politique, le mot « État » s'écrit avec une majuscule. L'État désigne une puissance publique qui n'est pas toujours distinguée de la société, de la nation, du gouvernement, de la fonction publique, de l'administration. On peut chercher à cerner cette réalité en énumérant les bâtiments où il est représenté, qui sont aussi des institutions : les ministères, les préfectures et sous-préfectures, les palais de justice, les centres des impôts. Mais que faire des écoles, des collèges des lycées ? Des établissements militaires, des casernes de pompiers, des mairies, des hôpitaux ? Représentent-ils l'État de la même manière ? L'État est souvent confondu avec les responsables qui le dirigent, le gouvernement. On confond également les institutions concrètes et l'idéal abstrait : « un serviteur de l'État », « avoir le sens de l'État ». Idéalisé, l'État devient une réalité transcendante : « au nom de la continuité de l'État français qu'il entend représenter, le général de Gaulle refuse d'assumer les actions du gouvernement de Vichy ». Mais quelle différence avec ces autres idéaux : la république, la nation, la patrie ?

... au concept

L'État est une forme d'organisation politique et juridique d'une société. En tant que réalité politique institutionnelle, deux conditions sont nécessaires à la conception moderne de l'État : il doit être différencié des individus qui exercent le pouvoir ; il doit l'être aussi de la société civile, qui le dirige et qu'il dirige à la fois. L'État est donc d'une part une institution, qui se distingue des hommes, des gouvernements, et même des Constitutions, pour devenir le cadre permanent de l'action politique. Les hommes passent, l'État demeure. C'est, d'autre part, un idéal politique défini par l'intérêt général, le principe de souveraineté, la séparation des pouvoirs. En ce second sens, dans les démocraties modernes, l'État représente le peuple en tant que source ultime de l'autorité publique.

Pistes de réflexion

Comment définir l'État ?

Toute société n'est pas nécessairement de type étatique, c'est-à-dire avec un pouvoir politique, institutionnel autonome. L'État doit d'abord être distingué de la société civile. Mais il doit également être distingué du gouvernement et des hommes politiques qui le dirigent. L'État se définit-il comme détenteur de la puissance publique et/ou comme coordinateur du service public ?

Entre l'État et le citoyen, la société civile ?

On oppose souvent la sphère privée des individus à la sphère publique de l'État. Mais ce face-à-face tournerait vite au désavantage des citoyens. Les nations modernes aménagent, entre ces deux pôles, une réalité intermédiaire : associations, syndicats, groupement d'intérêts, organisations de défense, médias, opinion publique... forment ce que nous appelons la « société civile ». En quoi joue-t-elle un rôle essentiel dans une démocratie ?

L'État est-il un instrument de liberté ou de domination ?

Selon Max Weber, l'État a le monopole de la violence physique légitime. L'État ne risque-t-il pas d'abuser de son pouvoir ? Contre la société ? Contre les individus ? C'est la crainte du libéralisme comme de l'anarchisme. À l'inverse, l'État n'est-il pas le défenseur de la société, le garant de ses intérêts ? C'est l'espoir des idéaux nationalistes et socialistes.

L'expérience des États totalitaires appartient-elle au passé ?

Faut-il craindre que l'État outrepasse ses prérogatives et cherche à s'immiscer dans tous les domaines de la société ? D'où proviendrait ce risque ? De la logique propre de l'État, qui chercherait à étendre sa puissance ? De la société et de ses membres, qui désireraient se décharger de leurs responsabilités ?

La responsabilité politique suppose-t-elle une morale particulière ?

Le champ politique est d'un autre ordre que le champ moral : l'incertitude des conséquences d'une décision politique rend le choix plus difficile, et ses conséquences sont plus lourdes que celles d'une simple décision privée. Est-ce toutefois une raison pour dégager la politique de toute exigence morale ?

L'utopie est-elle un idéal ou un danger pour la pensée politique ?

L'utopie politique vise à imaginer une organisation politique idéale (étymologiquement, « utopie » signifie « qui n'est nulle part »). Elle pourrait jouer ainsi le rôle de modèle pour l'action politique. Mais l'écart entre l'imaginaire et la réalité ne risque-t-il pas, si l'on cherche à réaliser concrètement l'utopie, d'aboutir à un désastre ?

Passerelles

› Chapitre 17 La société, les échanges, p. 424.
› Chapitre 18 : La justice et le droit, p. 446.
› Chapitre 20 : La liberté, p. 502.

Découvertes

DOCUMENT 1 « Les trônes ne sont que des monticules... »

Mercier, journaliste et homme de lettres, célèbre pour ses descriptions de la vie à Paris au XVIIIe siècle, assiste à l'exécution de Louis XVI.

Est-ce bien le même individu, couronné et sacré à Reims, monté sur une estrade, environnés de tous les Grands, tous à ses genoux ; salué de mille acclamations, presque adoré comme un dieu ; dont les regards, la voix et le geste étaient autant de commandements, rassasié de respects, d'honneurs et de jouissances, enfin séparé pour ainsi dire de l'espèce humaine ; est-ce bien le même homme que je vois bousculé par quatre valets de bourreau, déshabillé de force, dont le tambour étouffe la voix, garrotté à une planche, se débattant encore ; et recevant si mal le coup de la guillotine, qu'il n'eut pas le col mais l'occiput et la mâchoire horriblement coupés ?

Son sang coule : les cris de joie de quatre-vingt mille hommes armés ont frappé les airs et mon oreille ; ils se répètent le long des quais ; je vois les écoliers des Quatre-Nations[1] qui élèvent leur chapeau en l'air ; son sang coule, c'est à qui trempera le bout de son doigt, une plume, un morceau de papier ; l'un le goûte et dit : *il est bougrement salé !* Un bourreau sur le bord de l'échafaud vend et distribue des petits paquets de ses cheveux ; on achète le cordon qui les retenait ; chacun emporte un petit fragment de ses vêtements ou un vestige sanglant de cette scène tragique. J'ai vu défiler tout un peuple se tenant le bras, causant familièrement, comme lorsqu'on revient d'une fête.

Aucune altération n'était sur les visages, et l'on a menti, lorsqu'on a imprimé que la stupeur régnait sur la ville. Ce ne fut que quelque jours après que la réflexion, et je ne sais quelle crainte inquiète de l'avenir jetèrent des nuages sur les sociétés particulières. Le jour de supplice ne fit aucune impression ; les spectacles s'ouvrirent comme de coutume ; les cabarets du côté de la place ensanglantée vidèrent leurs brocs comme à l'ordinaire ; on cria les gâteaux et les petits pâtés[2] autour du corps décapité : il fut mis comme un autre criminel dans le panier d'osier, conduit au cimetière de la Madeleine[3] où il reçut une ample dose de chaux vive qui le calcina de manière qu'il serait impossible à tout l'or des potentats[4] d'Europe de faire la plus petite relique de ses restes [...]

À un certain point de vue de hauteur, les trônes ne sont que des monticules ; et la mort d'un roi sur l'échafaud n'est point de ces événements qui troublent l'ordre physique, ou qui puissent interrompre une des moindres lois de la Nature, encore moins la marche des choses d'ici-bas. Louis XVI pouvait mourir d'une mort plus douloureuse encore ; mais les hommes, en renversant une idole, sont encore effrayés eux-mêmes des coups qu'ils lui portent ; et nous sommes tous plus ou moins semblables au statuaire[5] qui tomba à genoux devant son propre ouvrage.

Louis-Sébastien Mercier, *Le Nouveau Paris*, 1799, vol. 3, Mercure de France, 1994, p. 323-324.

1. Collège créé par Mazarin, fermé à la Révolution, dont les bâtiments sont aujourd'hui ceux de l'Institut de France (où se réunit l'Académie française).
2. Les vendeurs de rue lançaient des cris, propres à chaque profession.
3. Cimetière de Paris où l'on jetait les condamnés dans des fosses communes.
4. Le terme, d'usage péjoratif, désigne des pouvoirs absolus.
5. Allusion à Pygmalion qui, selon la mythologie grecque, tomba amoureux de la statue qu'il avait sculptée.

QUESTIONS

1• Recherchez les termes qui sacralisent le pouvoir, représenté ici par Louis XVI, y compris après sa déchéance.

2• Ce texte décrit une attitude ambiguë : désinvolture et joie d'un côté, crainte et fascination de l'autre. Pourquoi le pouvoir suprême de l'État génère-t-il ces deux attitudes ? Existent-elles encore aujourd'hui ?

DOCUMENT 2 L'allégorie de l'État

Cette image est une allégorie, figurant au début du livre de Hobbes, Léviathan *(1651). Elle représente la République, c'est-à-dire l'État, tel que Hobbes en analyse l'origine (**› textes pages suivantes**).*

Frontispice du *Léviathan* de Thomas Hobbes, 1651, gravure d'Abraham Bosse, coll. privée.

Citation biblique (Job, 41) : il n'est pas de pouvoir sur terre qui puisse lui être comparé.

Des hommes montent vers la tête unique du pouvoir : la puissance de l'État est constituée par cette foule compacte, le peuple, sans laquelle elle n'aurait ni légitimité ni permanence. Mais cette puissance s'exerce aussi de haut en bas, sous forme de pouvoir physique et idéologique, représenté par les deux bras du Léviathan. La logique qui va de bas en haut représente la souveraineté ; celle qui va de haut en bas la domination.

Une ville, des champs, des monuments… peuvent représenter à la fois l'espace géographique – un territoire, des frontières – et un patrimoine commun – l'histoire – sans lesquels il ne pourrait y avoir d'État-nation. Ici s'esquisse l'opposition entre les deux pouvoirs : une citadelle à gauche face à une cathédrale, des villages isolés face à ce qui semble être un monastère et ses domaines.

Ce sont les attributs des deux pouvoirs : 1) les lieux monumentaux où ils s'exercent : le château et l'église ; 2) leurs symboles : la couronne et la mitre ; 3) les menaces qui assurent leur puissance : la force, représentée par le canon ; les foudres de l'excommunication et la crainte de la punition divine ; 4) leurs armes : les fusils et la force militaire ; les armes de la logique et de la *disputatio* (controverse théologique), représentées curieusement par des fourches (des distinctions logiques ?) ; 5) les lieux de combat : le champ de bataille, la salle d'un tribunal (ou peut-être d'une université).

QUESTIONS

› **1•** Pourquoi est-il important que l'allégorie de l'État (haut de l'image) puisse être lue en deux sens : de bas en haut et de haut en bas ?

› **2•** Énumérez les images représentant, dans le bas de l'allégorie, le pouvoir temporel (à gauche) et le pouvoir spirituel (à droite). Comment s'appuient-ils mutuellement ?

Réflexion 1

▶ Peut-on penser la société avant l'État ?

Hobbes est, comme Locke et Rousseau (› p. 474-478), un philosophe contractualiste, c'est-à-dire un philosophe qui pense que l'État est le fruit d'un contrat passé entre les hommes. Avant ce contrat social, peut-on imaginer un « état de nature » dépourvu de toute contrainte politique ? Un tel état serait-il un état de guerre généralisé, comme le pense Hobbes ?

Texte 1 Les hommes sont égaux par nature

La nature a fait les hommes si égaux quant aux facultés du corps et de l'esprit, que, bien qu'on puisse parfois trouver un homme manifestement plus fort, corporellement, ou d'un esprit plus prompt qu'un autre, néanmoins, tout bien considéré, la différence d'un homme à un autre n'est pas si considérable qu'un homme puisse de ce chef réclamer pour lui-même un avantage auquel un autre ne puisse prétendre aussi bien que lui. En effet, pour ce qui est de la force corporelle, l'homme le plus faible en a assez pour tuer l'homme le plus fort, soit par une machination secrète, soit en s'alliant à d'autres qui courent le même danger que lui.

Quant aux facultés de l'esprit [...] j'y trouve, entre les hommes, une égalité plus parfaite encore que leur égalité de forces. [...] Car telle est la nature des hommes, que, quelque supériorité qu'ils puissent reconnaître à beaucoup d'autres dans le domaine de l'esprit, de l'éloquence ou des connaissances, néanmoins, ils auront du mal à croire qu'il existe beaucoup de gens aussi sages qu'eux-mêmes. Car ils voient leur propre esprit de tout près et celui des autres de loin. Mais cela prouve l'égalité des hommes sur ce point, plutôt que leur inégalité. Car d'ordinaire, il n'y a pas de meilleur signe d'une distribution égale de quoi que ce soit, que le fait que chacun soit satisfait de sa part.

Thomas Hobbes, *Léviathan*, 1651, trad. F. Tricaud, Sirey, 1965, p. 121-126.

Texte 2 De l'égalité découlent la rivalité et la méfiance

De cette égalité des aptitudes découle une égalité dans l'espoir d'atteindre nos fins. C'est pourquoi, si deux hommes désirent la même chose alors qu'il n'est pas possible qu'ils en jouissent tous les deux, ils deviennent ennemis : et dans leur poursuite de cette fin (qui est, principalement, leur propre conservation, mais parfois seulement leur agrément), chacun s'efforce de détruire ou de dominer l'autre. Et de là vient que, là où l'agresseur n'a rien de plus à craindre que la puissance individuelle d'un autre homme, on peut s'attendre avec vraisemblance, si quelqu'un plante, sème, bâtit, ou occupe un emplacement commode, à ce que d'autres arrivent tout équipés, ayant uni leurs forces, pour le déposséder et lui enlever non seulement le fruit de son travail, mais aussi la vie ou la liberté. Et l'agresseur à son tour court le même risque à l'égard d'un nouvel agresseur.

Du fait de cette défiance de l'un à l'égard de l'autre, il n'existe pour nul homme aucun moyen de se garantir qui soit aussi raisonnable que le fait de prendre les devants, autrement dit, de se rendre maître, par la violence ou par la ruse, de la personne de tous les hommes pour lesquels cela est possible, jusqu'à ce qu'il n'aperçoive plus d'autre puissance assez forte pour le mettre en danger. Il n'y a rien là de plus que n'en exige la conservation de soi-même, et en général on estime cela permis.

Op. cit., p. 121-126.

Texte 3 De l'état de guerre

De plus, les hommes ne retirent pas d'agrément (mais au contraire un grand déplaisir) de la vie en compagnie, là où il n'existe pas de pouvoir capable de les tenir tous en respect. Car chacun attend que son compagnon l'estime aussi haut qu'il s'apprécie lui-même, et à chaque signe de dédain, ou de mésestime il s'efforce naturellement, dans toute la mesure où il l'ose (ce qui suffit largement, parmi des hommes qui n'ont pas de commun pouvoir qui les tienne en repos, pour les conduire à se détruire mutuellement), d'arracher la reconnaissance d'une valeur plus haute à ceux qui le dédaignent, en leur nuisant ; aux autres, par de tels exemples. [...]

De la sorte, nous pouvons trouver dans la nature humaine trois causes principales de querelle : premièrement, la rivalité ; deuxièmement, la méfiance ; troisièmement, la fierté.

La première de ces choses fait prendre l'offensive aux hommes en vue de leur profit. La seconde, en vue de leur sécurité. La troisième, en vue de leur réputation. Dans le premier cas, ils usent de violence pour se rendre maîtres de la personne d'autres hommes, de leurs femmes, de leurs enfants, de leurs biens. Dans le second cas, pour défendre ces choses. Dans le troisième cas, pour des bagatelles, par exemple pour un mot, un sourire, une opinion qui diffère de la leur, ou quelque autre signe de mésestime, que celle-ci porte directement sur eux-mêmes, ou qu'elle rejaillisse sur eux, étant adressée à leur parenté, à leurs amis, à leur nation, à leur profession, à leur nom.

Il apparaît clairement par là qu'aussi longtemps que les hommes vivent sans un pouvoir commun qui les tienne tous en respect, ils sont dans cette condition qui se nomme guerre, et cette guerre est guerre de chacun contre chacun.

Op. cit., p. 121-126.

Texte 4 La nature du pacte social

La seule façon d'ériger un tel pouvoir commun, apte à défendre les gens de l'attaque des étrangers, et des torts qu'ils pourraient se faire les uns aux autres, et ainsi à les protéger de telle sorte que par leur industrie et par les productions de la terre, ils puissent se nourrir et vivre satisfaits, c'est de confier tout leur pouvoir et toute leur force à un seul homme, ou à une seule assemblée, qui puisse réduire toutes leurs volontés, par la règle de la majorité, en une seule volonté. Cela revient à dire : désigner un homme, ou une assemblée, pour assumer leur personnalité ; et que chacun s'avoue et se reconnaisse comme l'auteur de tout ce qu'aura fait ou fait faire, quant aux choses qui concernent la paix et la sécurité commune, celui qui a ainsi assumé leur personnalité, que chacun par conséquent soumette sa volonté et son jugement à la volonté et au jugement de cet homme ou de cette assemblée.

Op. cit., p. 177-178.

QUESTIONS **Textes 2, 3 et 4**

1• Montrez comment l'égalité naturelle est la source de la guerre de tous contre tous dans l'état de nature.

2• Pourquoi le pacte social doit-il rétablir artificiellement une inégalité radicale ?

3• Rousseau accusera Hobbes d'avoir projeté dans l'état de nature les comportements et les vices des sociétés « civilisées ». La violence décrite par Hobbes est-elle vraiment « naturelle » ? Qu'en pensez-vous ?

Réflexion 2

▶ Comment expliquer l'obéissance au pouvoir ?

Qu'est-ce que le pouvoir ? Comment est-il possible que quelques hommes puissent commander à des millions ? Pourquoi l'État, surtout s'il est une lourde charge pour le peuple, ne s'effondre-t-il pas, pourquoi le peuple ne se révolte-t-il pas ? Au-delà de la contrainte, il faut supposer une volonté d'obéir de la part des sujets, fondée sur le sentiment d'une légitimité du pouvoir. Quels sont les fondements de cette légitimité ?

Texte 1 Le mystère de la servitude volontaire

Mais, ô bon Dieu ! que peut être cela ? comment dirons-nous que cela s'appelle ? quel malheur est celui-là ? quel vice, ou plutôt quel malheureux vice ? Voir un nombre infini d'hommes non pas obéir mais servir ; non pas être gouvernés mais tyrannisés ; n'ayant ni biens ni parents, femmes ni enfants, ni leur vie même qui soit à eux ! souffrir les pilleries, les paillardises, les cruautés, non pas d'une armée, non pas d'un camp barbare contre lequel il faudrait défendre son sang et sa vie devant, mais d'un seul ; non pas d'un Hercule ni d'un Samson, mais d'un seul hommeau[1], et le plus souvent le plus lâche et femelin[2] de la nation ; non pas accoutumé à la poudre des batailles, mais encore à grand-peine au sable des tournois ; non pas qui puisse par force commander aux hommes mais tout empêché à servir vilement à la moindre femmelette. [...]

Est-ce lâcheté ? Or, il y a en tous vices naturellement quelque borne, outre laquelle ils ne peuvent passer : deux peuvent craindre un, et possible dix ; mais mille, mais un million, mais mille villes, si elles ne se défendent d'un, cela n'est pas couardise, elle ne va point jusque-là ; non plus que la vaillance ne s'étend pas qu'un seul échelle[3] une forteresse, qu'il assaille une armée, qu'il conquête[4] un royaume. Donc quel monstre de vice est ceci qui ne mérite pas encore le titre de couardise, qui ne trouve point de nom assez vilain[5], que la nature désavoue avoir fait et la langue refuse de nommer ?

Étienne de La Boétie, *Discours de la servitude volontaire*, 1574, Garnier-Flammarion, p. 133-135.

1. Petit homme.
2. Efféminé.
3. Escalade avec une échelle.
4. Conquiert.
5. Abject.

QUESTIONS

1• Selon La Boétie, en quoi consiste l'aspect incompréhensible du pouvoir ?

2• Pourquoi les explications qu'il propose ne le satisfont-elles pas ?

3• Ses questions concernent-elles seulement le pouvoir de son temps (une monarchie de droit divin) ou bien tout pouvoir en général ?

Texte 2 Les trois sources de légitimité du pouvoir

Il existe [...] trois raisons internes qui justifient la domination, et par conséquent il existe trois fondements de la légitimité. Tout d'abord l'autorité de l'« éternel hier », c'est-à-dire celle des coutumes sanctifiées par leur validité immémoriale et par l'habitude enracinée en l'homme de les respecter. Tel est le « pouvoir traditionnel » que le patriarche ou le seigneur terrien exerçaient autrefois. En second lieu l'autorité fondée sur la grâce personnelle et extraordinaire d'un individu (charisme) ; elle se caractérise par le dévouement tout personnel des sujets à la cause d'un homme et par leur confiance en sa seule personne en tant qu'elle se singularise par des qualités prodigieuses, par l'héroïsme ou d'autres particularités exemplaires qui font le chef. C'est là le pouvoir « charismatique » que le prophète exerçait, ou – dans le domaine politique – le chef de guerre élu, le souverain plébiscité, le grand démagogue ou le chef d'un parti politique. Il y a enfin l'autorité qui s'impose en vertu de la « légalité », en vertu de la croyance en la validité d'un statut légal et d'une « compétence » positive fondée sur des règles établies rationnellement, en d'autres termes l'autorité fondée sur l'obéissance qui s'acquitte des obligations conformes au statut établi.

Max Weber, *Le Savant et le politique*, 1919, trad. J. Freund, 10/18, 1963, p. 102.

QUESTION

› Quelles sont les trois sources de légitimité du pouvoir ? Expliquez-les et donnez des exemples.

Texte 3 Qu'est-ce que la politique ? Qu'est-ce que l'État ?

Qu'entendons-nous par politique ? Le concept est extraordinairement vaste et embrasse toutes les espèces d'activité directive autonome. On parle de la politique de devises d'une banque, de la politique d'escompte de la Reichsbank, de la politique d'un syndicat au cours d'une grève ; on peut également parler de la politique scolaire d'une commune urbaine ou rurale, de la politique d'un comité qui dirige une association, et finalement de la politique d'une femme habile qui cherche à gouverner son mari. Nous ne donnerons évidemment pas une signification aussi vaste au concept qui servira de base aux réflexions que nous ferons ce soir. Nous entendrons uniquement par politique la direction du groupement politique que nous appelons aujourd'hui « État », ou l'influence que l'on exerce sur cette direction.

Mais qu'est-ce donc qu'un groupement « politique » du point de vue du sociologue ? Qu'est-ce qu'un État ? Lui non plus ne se laisse pas définir sociologiquement par le contenu de ce qu'il fait. Il n'existe en effet presque aucune tâche dont ne se soit pas occupé un jour un groupement politique quelconque ; d'un autre côté il n'existe pas non plus de tâches dont on puisse dire qu'elles aient de tout temps, du moins exclusivement, appartenu en propre aux groupements politiques que nous appelons aujourd'hui États ou qui ont été historiquement les précurseurs de l'État moderne. Celui-ci ne se laisse définir sociologiquement que par le moyen spécifique qui lui est propre, ainsi qu'à tout autre groupement politique, à savoir la violence physique.

« Tout État est fondé sur la violence », disait un jour Trotsky à Brest-Litovsk. En effet, cela est vrai. S'il n'existait que des structures sociales d'où toute violence serait absente, le concept d'État aurait alors disparu et il ne subsisterait que ce qu'on appelle, au sens propre du terme, l'« anarchie ». [...] Par contre il faut concevoir l'État contemporain comme une communauté humaine qui, dans les limites d'un territoire déterminé – la notion de territoire étant une de ses caractéristiques – revendique avec succès pour son propre compte le monopole de la violence physique légitime.

Op. cit., p. 101.

QUESTIONS

› 1• Quels sont les deux sens, large et strict, du terme politique ?

› 2• On serait tenté de définir l'État par le contenu spécifique de ses tâches. Pourquoi, selon Weber, n'est-ce pas possible ?

› 3• Expliquez sa définition de l'État. Pourquoi, selon lui, tout État est-il fondé sur la violence ?

› 4• Pourquoi l'auteur affirme-t-il que société sans violence serait une « anarchie » ? Cherchez la définition du concept politique d'« anarchie ».

Passerelle

› **Texte :** Weber, Éthique de la conviction, éthique de la responsabilité, p. 491.

Une œuvre, une analyse

Présentation

Rousseau, *Du contrat social*, livre I (1762)

« L'homme est né libre, et partout il est dans les fers. » D'où vient cette servitude générale ? De l'histoire des sociétés humaines, qui n'est rien d'autre que le développement des inégalités parmi les hommes et des injustices au cœur des États. Les autres penseurs du droit naturel passent directement de la fiction d'un état de nature à la fiction fondatrice d'un contrat social. Rousseau, au contraire, procède en trois temps : l'état de nature, l'histoire des inégalités, la fondation d'un régime réellement républicain par le contrat social.

1 L'état de nature

Comme Hobbes (› p. 471), Rousseau admet un état de guerre généralisé, mais, contrairement à lui, il y voit la conséquence d'une histoire, non pas un fait naturel. Comme Locke, il admet un état de nature paisible, mais c'est parce que l'homme n'y est pas encore socialisé, qu'il n'est qu'une brute sans raison bien loin d'accéder à l'économie marchande imaginée par Locke (› p. 478).

Deux principes commandent l'homme à l'état de nature : la conservation de soi, ou **amour de soi** (à ne pas confondre avec l'amour-propre) et la **pitié** ; si l'homme n'est pas naturellement sociable – il vit seul –, ni raisonnable – il se laisse aller à ses impulsions, il ne sait pas parler –, il n'est pas non plus violent. Ce constat, dirigé contre Hobbes, indique la possibilité d'une vie sociale qui puisse se fonder sur l'humanité des hommes et la responsabilité des citoyens. Une troisième caractéristique définit l'homme naturel : la **perfectibilité**, cette possibilité indéfinie de se perfectionner qui permet d'entrevoir la sortie de l'homme hors de l'état de nature sans rendre cette sortie pour autant nécessaire.

2 L'origine des inégalités

Rousseau décrit des étapes, aussi logiques qu'historiques, qui permettent de comprendre le caractère exponentiel de la violence humaine.

Un hasard climatique, écologique pousse les hommes à s'unir et à former les premières sociétés : la première rivalité est d'ordre psychologique : l'**amour-propre**. Alors que l'amour de soi est un sentiment naturel, nécessaire à la conservation de soi, l'amour-propre est un sentiment artificiel, né de la comparaison avec les autres à partir d'**images** de soi. L'amour, contrairement à la sexualité, est d'emblée rivalité.

Un deuxième fait contingent, non nécessaire, préside à la naissance de la **propriété** et à la rivalité économique. L'agriculture et la métallurgie accélèrent le processus d'accumulation inégalitaire des richesses.

Enfin, pour se protéger, les riches inventent de « **faux droits** », de faux « contrats sociaux » qui les avantagent et les mettent à l'abri des pauvres et des faibles. Le Droit fonctionne alors comme outil de non-droit.

3 Que nous apprend le modèle de la nature rousseauiste ?

1. L'homme naturel de Rousseau ne peut pas servir de modèle à l'homme civil : il n'est ni rationnel, ni sociable, ni bon, ni mauvais. Certes, l'homme de la nature n'est pas mauvais, la violence n'est pas de son fait, mais il n'a aucune idée d'une loi morale, par rapport à laquelle il pourrait être jugé ; et s'il n'est pas mauvais, c'est qu'il n'a pas l'occasion de l'être, puisqu'il vit seul.

2. L'état de nature chez Rousseau retrace un monde harmonieux, d'un parfait équilibre « écologique » ; l'homme n'avait aucune raison de sortir de cet état, où il était un animal heureux. Pour expliquer la sortie hors de cette nature, Rousseau est obligé d'introduire l'histoire qui vient troubler l'harmonie originelle. Or c'est le hasard qui domine cette histoire (« l'axe du monde » qui bascule, et qui met l'homme, par hasard, sur la voie fatale de la sociabilité).

3. Rousseau oscille entre deux perspectives, deux finalités de l'évolution humaine : une perspective morale, fondée sur l'éducation (*Émile*), qui reviendrait à une refondation naturelle de l'homme ; et une perspective politique (*Du contrat social*), qui supposerait une seconde « dénaturation » de l'homme. Car, à la dénaturation de l'homme par le cours mauvais de l'histoire, on ne peut opposer qu'une autre dénaturation de l'homme (celle qui formerait le citoyen) réalisée par le contrat social.

4 Le contrat social

L'originalité de Rousseau est de lier un **pouvoir absolu**, celui du peuple, et une **liberté absolue**, celle du citoyen. Pour accorder ces deux principes, deux idées sont essentielles :

1) il n'y a pas de pouvoir au-dessus du peuple ;

2) le peuple est infaillible, du moins dans sa volonté. Car « on veut toujours son bien, mais on ne le voit pas toujours » (II, 3).

Pour en arriver là, il faut montrer que le fondement de l'État est purement artificiel. Le droit naturel refuse les explications naturalistes. Les genèses naturelles invoquées pour justifier le pouvoir (la famille, le droit du plus fort, l'esclavage) sont des mystifications. Quant au droit divin, c'est à peine s'il est nécessaire de l'évoquer. Tout pouvoir humain doit provenir d'une convention passée entre les hommes. Quelle est la nature de cette convention ? Il ne peut y avoir qu'un seul type de contrat, et ce contrat ne peut avoir qu'une seule clause : l'**aliénation totale** (droits et possessions) **de chacun à tous**. Ainsi sont garanties aussi bien la liberté que l'égalité, la rectitude de tous à l'égard de tous. C'est la loi qui redistribuera les droits et les biens à chacun, selon ce qui sera décidé par la volonté générale. Ce qui signifie qu'**aucun type de gouvernement,** qu'**aucun régime économique ne s'impose à la République**. Aucune limite externe ne peut contraindre le peuple ; seule une limite interne le dirige : le peuple ne peut aller contre les intérêts du peuple, à moins d'être un peuple de fous. Tel est le postulat rousseauiste.

Rousseau (1712-1778)

Pour Kant, « Rousseau est le Newton du monde moral ». En effet, on ne peut ignorer le rôle essentiel que Rousseau a joué dans au moins deux domaines : la politique, avec le *Contrat social*, livre fondateur de l'esprit républicain ; la pédagogie, avec l'*Émile*, qui introduit un regard nouveau sur l'enfance. Ces deux livres paraissent la même année, en 1762. En 1749, alors qu'il allait visiter Diderot, emprisonné à Vincennes après sa *Lettre sur les aveugles* (› p. 54), Rousseau a une révélation. À la lecture de la question posée par l'Académie de Dijon (est-ce que le rétablissement des sciences et des arts a contribué à épurer les mœurs ?), sa vocation lui apparaît soudain : lutter contre l'injustice, mettre au jour les contradictions sociales, dénoncer la corruption des institutions politiques. D'un caractère ombrageux, Rousseau a tendance à se sentir persécuté, ce qui le fait rompre avec la plupart de ses protecteurs et amis philosophes. Il meurt dans une solitude où il s'est peu à peu enfermé.

Extraits

Rousseau : *Du contrat social*, livre I (1762)

Le peuple a-t-il toujours raison ?

Pour Rousseau, la liberté est un bien sacré qui ne saurait être sacrifié. Mais il substitue à la liberté naturelle une liberté politique qui s'exprime par la voix de la volonté générale, celle du peuple compris comme un seul corps.

Texte 1 La liberté est inaliénable

Il suffirait de faire de la liberté une propriété possédée par l'individu pour trouver un biais justifiant l'esclavage ; car ce qui m'appartient, je peux le vendre, c'est-à-dire l'aliéner : en échange de la vie sauve (esclavage de guerre), ou bien d'une survie matérielle (le servage en échange d'une terre). C'est cette logique qui est réfutée ici par Rousseau.

Dire qu'un homme se donne gratuitement, c'est dire une chose absurde et inconcevable ; un tel acte est illégitime et nul, par cela seul que celui qui le fait n'est pas dans son bon sens. Dire la même chose de tout un peuple, c'est supposer un peuple de fous : la folie ne fait pas droit.

Quand chacun pourrait s'aliéner lui-même, il ne peut aliéner ses enfants ; ils naissent hommes et libres ; leur liberté leur appartient, nul n'a droit d'en disposer qu'eux. Avant qu'ils soient en âge de raison le père peut en leur nom stipuler des conditions pour leur conservation, pour leur bien-être ; mais non les donner irrévocablement et sans condition ; car un tel don est contraire aux fins de la nature et passe les droits de la paternité. Il faudrait donc, pour qu'un gouvernement arbitraire fût légitime, qu'à chaque génération le peuple fût le maître de l'admettre ou de le rejeter : mais alors ce gouvernement ne serait plus arbitraire.

Renoncer à sa liberté c'est renoncer à sa qualité d'homme, aux droits de l'humanité, même à ses devoirs. Il n'y a nul dédommagement possible pour quiconque renonce à tout. Une telle renonciation est incompatible avec la nature de l'homme, et c'est ôter toute moralité à ses actions que d'ôter toute liberté à sa volonté. Enfin c'est une convention vaine et contradictoire de stipuler d'une part une autorité absolue et de l'autre une obéissance sans bornes. N'est-il pas clair qu'on n'est engagé à rien envers celui dont on a droit de tout exiger, et cette seule condition, sans équivalent, sans échange n'entraîne-t-elle pas la nullité de l'acte ? Car quel droit mon esclave aurait-il contre moi, puisque tout ce qu'il a m'appartient, et que son droit étant le mien, ce droit de moi contre moi-même est un mot qui n'a aucun sens ?

Grotius[1] et les autres tirent de la guerre une autre origine du prétendu droit d'esclavage. Le vainqueur ayant, selon eux, le droit de tuer le vaincu, celui-ci peut racheter sa vie aux dépens de sa liberté ; convention d'autant plus légitime qu'elle tourne au profit de tous deux.

Mais il est clair que ce prétendu droit de tuer les vaincus ne résulte en aucune manière de l'état de guerre. [...]

La fin de la guerre étant la destruction de l'État ennemi, on a droit d'en tuer les défenseurs tant qu'ils ont les armes à la main ; mais sitôt qu'ils les posent et se rendent, cessant d'être ennemis ou instruments de l'ennemi, ils redeviennent simplement hommes et l'on n'a plus de droit sur leur vie.

Jean-Jacques Rousseau, *Du contrat social*, 1762, livre I, chap. 4, « De l'esclavage », Garnier-Flammarion, p. 50.

1. Grotius (1583-1645). Cet avocat hollandais est le père de l'école moderne du droit naturel, c'est en quelque sorte le Galilée de la pensée politique moderne.

QUESTIONS

1• Les arguments de Rousseau sont fondés sur des principes juridiques : à quelle condition un contrat est-il valide ? Montrez comment Rousseau utilise les cas d'invalidité de contrat dans le texte.

2• Pourquoi la guerre ne peut-elle pas fonder un droit de propriété sur un autre homme ?

3• Si la liberté n'est pas une « chose » que « nous possédons » et que nous pouvons aliéner, qu'est-ce que c'est ?

Texte 2 À quelle condition puis-je consentir à obéir ?

Le droit doit pouvoir se juger sur des critères reconnaissables par tous. C'est pourquoi il ne peut y avoir qu'un seul type de contrat social.

Je suppose les hommes parvenus à ce point où les obstacles qui nuisent à leur conservation dans l'état de nature l'emportent par leur résistance sur les forces que chaque individu peut employer pour se maintenir dans cet état. Alors cet état primitif ne peut plus subsister, et le genre humain périrait s'il ne changeait sa manière d'être. Or comme les hommes ne peuvent engendrer de nouvelles forces, mais seulement unir et diriger celles qui existent, ils n'ont plus d'autre moyen pour se conserver que de former par agrégation une somme de forces qui puisse l'emporter sur la résistance, de les mettre en jeu par un seul mobile et de les faire agir de concert.

Cette somme de forces ne peut naître que du concours de plusieurs : mais la force et la liberté de chaque homme étant les premiers instruments de sa conservation, comment les engagera-t-il sans se nuire, et sans négliger les soins qu'il se doit ? Cette difficulté ramenée à mon sujet peut s'énoncer en ces termes :

« Trouver une forme d'association qui défende et protège de toute la force commune la personne et les biens de chaque associé, et par laquelle chacun s'unissant à tous n'obéisse pourtant qu'à lui-même et reste aussi libre qu'auparavant. » Tel est le problème fondamental dont le contrat social donne la solution.

Op. cit., chap. 6, « Du pacte social », p. 55.

QUESTIONS

1• Relevez les éléments du problème posé par Rousseau. Quelle est la difficulté principale que le contrat social doit résoudre ?

2• Pourquoi ne doit-il pas y avoir plusieurs contrats possibles ?

Texte 3 Le pacte social

Les clauses de ce contrat sont tellement déterminées par la nature de l'acte que la moindre modification les rendrait vaines et de nul effet. [...]

Ces clauses bien entendues se réduisent toutes à une seule, *savoir l'aliénation totale*[1] *de chaque associé avec tous ses droits à toute la communauté.* Car, premièrement, chacun se donnant tout entier, la condition est égale pour tous, nul n'a intérêt de la rendre onéreuse aux autres.

De plus, l'aliénation se faisant sans réserve, l'union est aussi parfaite qu'elle peut l'être et nul associé n'a plus rien à réclamer : car s'il restait quelques droits aux particuliers, comme il n'y aurait aucun supérieur commun qui pût prononcer entre eux et le public, chacun étant en quelque point son propre juge prétendrait bientôt l'être en tous, l'état de nature subsisterait et l'association deviendrait nécessairement tyrannique ou vaine.

Enfin chacun se donnant à tous ne se donne à personne, et comme il n'y a pas un associé sur lequel on n'acquière le même droit qu'on lui cède sur soi, on gagne l'équivalent de tout ce qu'on perd, et plus de force pour conserver ce qu'on a.

Si donc on écarte du pacte social ce qui n'est pas de son essence, on trouvera qu'il se réduit aux termes suivants : *Chacun de nous met en commun sa personne et toute sa puissance sous la suprême direction de la volonté générale*[2] *; et nous recevons en corps chaque membre comme partie indivisible du tout.*

Op. cit., chap. 6, « Du pacte social », p. 56.

1. Aliéner, ici, c'est donner ou vendre.
2. Elle doit être distinguée de la volonté de tous qui vise un intérêt privé et n'est que la somme des volontés particulières. Au contraire, la volonté générale vise l'intérêt commun.

QUESTION

Pourquoi l'aliénation totale (l'individu donne tout ce qu'il possède, en termes de droits comme de biens matériels) est-elle une condition impérative ? Quelle objection vient tout de suite à l'esprit ? Quelle réponse peut-on y faire ?

Réflexion 3

L'État : avec ou contre la société ?

Comment comprendre les relations entre l'État et la société civile ? L'État est-il par nature supérieur à la société ? Ou bien, au contraire, la société doit-elle conserver une autonomie pour refuser l'arbitraire de l'État ?

Texte 1 Le droit de propriété au-dessus du pouvoir de l'État

Pour Locke, le pacte social se limite à établir une autorité commune capable de protéger les droits naturels des individus. Parmi ces droits, supérieurs à ceux de l'État, le droit de propriété joue un rôle fondamental.

Quelle que soit la personne entre les mains de qui le gouvernement a été placé, comme il ne lui a été confié que sous condition et pour une fin précise, c'est-à-dire que les hommes puissent rester maîtres de leurs biens en toute sécurité, le prince ou le sénat, même s'ils ont compétence pour réglementer par des lois la propriété des sujets dans les rapports de ces derniers entre eux, ne sauraient jamais détenir le pouvoir de s'approprier ces biens, en tout ou en partie, sans le consentement personnel des intéressés. Cela équivaudrait à les dépouiller de toute propriété.

Pour nous assurer, que, même le pouvoir absolu, là où il s'avère indispensable, n'est pas arbitraire malgré ce caractère d'absolutisme mais qu'il y a toujours des raisons qui le limitent et des fins qui le circonscrivent, celles même qui expliquent qu'il ait fallu le rendre absolu dans certains cas, nous n'avons qu'à considérer la pratique usuelle de la discipline militaire.

Le salut de l'armée, qui doit assurer celui de la république entière, exige l'obéissance absolue aux ordres de tout officier supérieur, et quiconque désobéit ou réplique aux plus dangereux ou aux plus déraisonnables d'entre eux mérite la mort ; pourtant, nous le voyons, le même sergent, qui pourrait donner à un soldat l'ordre de progresser jusqu'à la gueule d'un canon, ou de rester posté sur une brèche, où sa mort est presque certaine, ne peut pas commander à cet homme de lui remettre un seul centime de son argent ; d'autre part, le général peut le condamner à mort pour avoir abandonné son poste, ou pour avoir désobéi aux ordres les plus désespérés, mais tout ce pouvoir absolu de vie et de mort ne lui permet pas de disposer d'un quart de centime des biens de ce soldat, ni de saisir le plus insignifiant des objets qui lui appartiennent ; alors qu'il pourrait lui donner n'importe quel ordre et le faire pendre à la moindre désobéissance. En effet, la fin en vue de laquelle le chef militaire a reçu son pouvoir, c'est-à-dire, le salut de ceux qui restent, exige de l'intéressé cette obéissance aveugle, mais le droit de disposer de ses biens se situe sur un tout autre plan.

John Locke, *Deuxième Traité du gouvernement civil*, 1690, trad. B. Gilson, Vrin, p. 156-157.

QUESTION

› Comment Locke utilise-t-il l'exemple de la discipline militaire pour démontrer le caractère inaliénable du droit de propriété ? Pourquoi peut-on exiger d'un soldat qu'il se fasse tuer, mais non qu'il se laisse voler son argent ?

Passerelle

› **Réflexion :** La propriété est-elle fondée sur le travail ?, p. 248.

Texte 2 L'État, réalisation suprême de la liberté humaine

La société civile représente pour Hegel la réalisation des besoins privés, essentiellement économiques. Si l'État doit protéger ces intérêts, son rôle ne saurait se borner à cela.

L'État est la réalité en acte de la liberté concrète ; or, la liberté concrète consiste en ceci que l'individualité personnelle et ses intérêts particuliers reçoivent leur plein développement et la reconnaissance de leurs droits pour soi (dans les systèmes de la famille et de la société civile), en même temps que d'eux-mêmes ils s'intègrent à l'intérêt général, ou bien le reconnaissent consciemment et volontairement comme la substance de leur propre esprit, et agissent pour lui, comme leur but final. Il en résulte que ni l'universel ne vaut et n'est accompli sans l'intérêt particulier, la conscience et la volonté, ni les individus ne vivent comme des personnes privées, orientées uniquement vers leur intérêt sans vouloir l'universel ; elles ont une activité consciente de ce but. Le principe des États modernes a cette puissance et cette profondeur extrêmes de laisser le principe de la subjectivité s'accomplir jusqu'à l'extrémité de la particularité personnelle autonome et en même temps de le ramener à l'unité substantielle[1] et ainsi de maintenir cette unité dans ce principe lui-même.

Friedrich Hegel, *Principes de la philosophie du droit*, 1821, § 260-261, trad. A. Kaan, coll. Idées, Gallimard, p. 277-278.

1. L'individu ne peut pas défendre ses intérêts privés (famille, liberté d'entreprendre...) – qui le différencient et le mettent en concurrence avec les autres – sans s'appuyer sur la puissance publique – qui l'égalise et l'uniformise par rapport aux autres.

QUESTION

› D'un côté, l'individu défend sa particularité, la part privée de son existence qui, pour lui, est essentielle ; de l'autre, l'État défend le point de vue universel, l'intérêt général. Pourquoi Hegel pense-t-il 1) que ces deux tendances se rejoignent ; 2) que l'État (point de vue universel) est au fondement des libertés privées (point de vue particulier) ?

Texte 3 L'État comme ennemi de l'individu

Stirner ne reconnaît ni l'État modéré de la philosophie libérale, ni l'État absolu de Hegel. Pour lui, l'individu est par essence réfractaire à toute intégration dans un État, même libéral.

Tout État est despotique, que le despote soit un, qu'il soit plusieurs, ou que (et c'est ainsi qu'on peut se représenter une république), tous étant maîtres, l'un soit le despote de l'autre. Ce dernier cas se présente, par exemple, lorsque, à la suite d'un vote, une volonté exprimée par une assemblée du peuple devient pour l'individu une loi à laquelle il doit obéissance ou à laquelle son devoir est de se conformer. Imaginez même le cas où chacun des individus composant le peuple aurait exprimé la même volonté, supposez qu'il y ait eu parfaite « unanimité » : la chose reviendrait encore au même. Ne serais-je pas lié, aujourd'hui et toujours, à ma volonté d'hier ? Ma volonté dans ce cas serait immobilisée, paralysée. Toujours cette malheureuse stabilité ! Un acte de volonté déterminé, ma création, deviendrait mon maître ! Et moi qui ai voulu, moi le créateur, je me verrais entravé dans ma course sans pouvoir rompre mes liens ? Parce que j'étais hier un fou, j'en devrais être un toute ma vie ? Ainsi donc, être l'esclave de moi-même est ce que je puis attendre de mieux – je pourrais tout aussi bien dire de pire – de ma participation à la vie de l'État. Parce que hier j'ai voulu, aujourd'hui je n'aurai plus de volonté ; maître hier, je serai aujourd'hui esclave.

Quel remède à cela ? Un seul : ne reconnaître aucun devoir, c'est-à-dire ne pas me lier et ne pas me regarder comme lié. Si je n'ai pas de devoir, je ne connais pas non plus de loi.

Max Stirner, *L'Unique et la propriété*, 1844, trad. R. Reclaire, Stock, p. 230.

QUESTION

› Pourquoi, selon Stirner, la volonté de l'individu et celle de l'État sont-elles des puissances ennemies ?

Réflexion 4

▶ L'État porte-t-il en lui le risque totalitaire ?

Les contradictions entre société et État peuvent aboutir à deux initiatives radicales : soit effacer l'État au profit d'une organisation sociale autonome, autogérée (c'est l'anarchisme), soit étendre la logique de l'État à la totalité des sphères sociales (c'est la logique du totalitarisme).

Texte 1 Définition du totalitarisme

1. Propriété exclusive.

1. Le phénomène totalitaire intervient dans un régime qui accorde à un parti le monopole[1] de l'activité politique.

2. Le parti monopolistique est animé ou armé d'une idéologie à laquelle il confère une autorité absolue et qui, par suite, devient la vérité officielle de l'État.

3. Pour répandre cette vérité officielle, l'État se réserve à son tour un double monopole, le monopole des moyens de force et celui des moyens de persuasion. L'ensemble des moyens de communication, radio, télévision, presse, est dirigé, commandé, par l'État et ceux qui le représentent.

4. La plupart des activités économiques et professionnelles sont soumises à l'État et deviennent, d'une certaine façon, partie de l'État lui-même. Comme l'État est inséparable de son idéologie, la plupart des activités économiques et professionnelles sont colorées par la vérité officielle.

5. Tout étant désormais activité d'État et toute activité étant soumise à l'idéologie, une faute commise dans une activité économique ou professionnelle est simultanément une faute idéologique. D'où, au point d'arrivée, une politisation, une transfiguration idéologique de toutes les fautes possibles des individus et, en conclusion, une terreur à la fois policière et idéologique.

Raymond Aron, *Démocratie et totalitarisme*, 1965, coll. Idées, Gallimard, p. 287-288.

Texte 2 Le totalitarisme n'est pas la dictature

1. Développement pathologique, à la manière d'une tumeur.

Le totalitarisme n'est pas le régime dictatorial, comme on le laisse entendre chaque fois qu'on désigne sommairement sous ce nom un type de domination absolue dans lequel la séparation des pouvoirs est abolie. Plus précisément, il n'est pas un régime politique : il est une forme de société – cette forme au sein de laquelle toutes les activités sont immédiatement reliées les unes aux autres, délibérément présentées comme modalités d'un univers unique, dans laquelle un système de valeurs prédomine absolument, en sorte que toutes les entreprises individuelles ou collectives doivent de toute nécessité y trouver un coefficient de réalité, dans laquelle enfin le modèle dominant exerce une contrainte totale à la fois physique et spirituelle sur les conduites des particuliers. En ce sens, le totalitarisme prétend nier la séparation caractéristique du capitalisme bourgeois des divers domaines de la vie sociale ; du politique, de l'économique, du juridique, de l'idéologique, etc. Il effectue une identification permanente entre l'un et l'autre. Il n'est donc pas tant une excroissance[1] monstrueuse du pouvoir politique dans la société qu'une métamorphose de la société elle-même par laquelle le politique cesse d'exister comme sphère séparée.

Claude Lefort, *Éléments d'une critique de la bureaucratie*, 1971, Librairie Droz, p. 156 sq.

Texte 3 Le rôle théorique du parti unique

Le parti incarne dans la société bureaucratique une fonction historique d'un type absolument nouveau. Il est l'agent d'une pénétration complète de la société civile par l'État. Plus précisément, il est le milieu dans lequel l'État se change en société ou la société en État. L'immense réseau de comités et de cellules qui couvre le pays entier établit une nouvelle communication entre les villes et les campagnes, entre toutes les branches de l'activité sociale, entre toutes les entreprises de chaque branche. La division du travail qui tend à isoler rigoureusement les individus se trouve en un sens dépassée ; dans le parti, l'ingénieur, le commerçant, l'ouvrier, l'employé se trouvent côte à côte et avec eux le philosophe, le savant et l'artiste. Les uns et les autres se trouvent arrachés aux cadres étroits de leur spécialité et restitués ensemble dans celui de la société totale et de ses horizons historiques. La vie de l'État, les objectifs de l'État font partie de leur monde quotidien. Ainsi l'activité la plus modeste comme la plus haute se trouve valorisée, posée comme moment d'une entreprise collective. Non seulement les individus paraissent perdre, dans le parti, le statut qui les différencie dans la vie civile, pour devenir des « camarades », des hommes sociaux, mais ils sont appelés à échanger leur expérience, à exposer leur activité et celle de leur milieu à un jugement collectif en regard duquel elles prennent un sens.

Op. cit., p. 156.

Femmes, enfants et soldats de la Wehrmacht faisant le salut nazi, 19 juin 1940.

Texte 4 La réalité du parti unique

Tel est l'idéal du parti. Par sa médiation[1], l'État tend à devenir immanent[2] à la société. Mais, par un paradoxe que nous avons déjà longuement analysé, le parti s'avère dans la réalité revêtir une signification toute opposée. Comme la division du Travail et du Capital persiste et s'approfondit, comme l'unification stricte du Capital donne toute-puissance effective à un appareil dirigeant, subordonne toutes les forces productives à cet appareil, le parti ne peut être que le simulacre[3] de la socialisation. Dans la réalité, il se comporte comme un groupe particulier qui vient s'ajouter aux groupes engendrés par la division du travail, un groupe qui a pour fonction de masquer l'irréductible cloisonnement des activités et des statuts, de figurer dans l'imaginaire les transitions que refuse le réel, un groupe dont la véritable spécialité est de n'avoir pas de spécialité. Dans la réalité, l'échange des expériences se dégrade en un contrôle de ceux qui produisent, quel que soit leur domaine de production, par des professionnels de l'incompétence. À l'idéal de participation active à l'œuvre sociale vient répondre l'obéissance aveugle à la norme imposée par les chefs : la création collective devient inhibition[4] collective.

Op. cit., p. 156 sq.

1. Le médiateur est un intermédiaire destiné à concilier des oppositions, des différences.
2. Intérieur à.
3. Apparence, image.
4. Empêchement.

QUESTIONS

› **1• Textes 2, 3 et 4:** Pourquoi le totalitarisme est-il, selon Lefort, un type de société et non un régime politique ?

› **2• Textes 1, 2, 3 et 4:** À partir de ces textes, donnez une définition, la plus complète possible, du phénomène totalitaire.

Réflexion 5

▶ Quelle évolution pour les États ?

L'État démocratique est fondé sur l'idée de liberté et d'égalité. Mais ces principes ne peuvent-ils pas engendrer leurs contraires : des pouvoirs insidieusement contraignants ?

Texte 1 — Le danger des sociétés démocratiques : un despotisme paisible

Tocqueville[1] visite et étudie l'Amérique du début du XIXe siècle. Il voit dans cette démocratie d'un nouveau type, encore balbutiante, l'avenir des sociétés modernes : individualisme, volonté viscérale d'égalité, nivellement des conditions et des valeurs. Tocqueville craint un « despotisme mou », défendu par les citoyens eux-mêmes au nom de la liberté et de l'égalité.

Je veux imaginer sous quels traits nouveaux le despotisme pourrait se produire dans le monde : je vois une foule innombrable d'hommes semblables et égaux qui tournent sans repos sur eux-mêmes pour se procurer de petits et vulgaires plaisirs, dont ils emplissent leur âme. Chacun d'eux, retiré à l'écart, est comme étranger à la destinée de tous les autres : ses enfants et ses amis particuliers forment pour lui toute l'espèce humaine ; quant au demeurant[2] de ses concitoyens, il est à côté d'eux, mais il ne les voit pas ; il les touche et ne les sent point ; il n'existe qu'en lui-même et pour lui seul, et, s'il lui reste encore une famille, on peut dire du moins qu'il n'a plus de patrie.

Au-dessus de ceux-là s'élève un pouvoir immense et tutélaire[3], qui se charge seul d'assurer leur jouissance et de veiller sur leur sort. Il est absolu, détaillé, régulier, prévoyant et doux. Il ressemblerait à la puissance paternelle si, comme elle, il avait pour objet de préparer les hommes à l'âge viril ; mais il ne cherche, au contraire, qu'à les fixer irrévocablement dans l'enfance ; il aime que les citoyens se réjouissent, pourvu qu'ils ne songent qu'à se réjouir. Il travaille volontiers à leur bonheur ; mais il veut en être l'unique agent et le seul arbitre ; il pourvoit à leur sécurité, prévoit et assure leurs besoins, facilite leurs plaisirs, conduit leurs principales affaires, dirige leur industrie, règle leurs successions, divise leurs héritages ; que ne peut-il leur ôter entièrement le trouble de penser et la peine de vivre ?

C'est ainsi que tous les jours il rend moins utile et plus rare l'emploi du libre arbitre[4] ; qu'il renferme l'action de la volonté dans un plus petit espace, et dérobe peu à peu chaque citoyen jusqu'à l'usage de lui-même. L'égalité a préparé les hommes à toutes ces choses : elle les a disposés à les souffrir et souvent même à les regarder comme un bienfait. [...]

J'ai toujours cru que cette sorte de servitude, réglée, douce et paisible, dont je viens de faire le tableau, pourrait se combiner mieux qu'on ne l'imagine avec quelques-unes des formes extérieures de la liberté, et qu'il ne lui serait pas impossible de s'établir à l'ombre même de la souveraineté du peuple.

Alexis de Tocqueville, *De la démocratie en Amérique*, 1835-1840, 10/18, p. 361-362.

1. Alexis de Tocqueville (1805-1859), historien et homme politique français.
2. En ce qui concerne le reste.
3. Protecteur.
4. ❱ p. 512.

QUESTIONS

❱ **1•** Relevez les différentes caractéristiques que Tocqueville entrevoit des sociétés modernes. Pensez-vous que ses analyses se soient révélées pertinentes ? Donnez des exemples à l'appui.

❱ **2•** Quel est le danger pour la société quand l'État se charge d'assurer son bonheur ? Justifiez votre réponse.

Texte 2 De la démocratie libérale à la démocratie sociale

Dans la démocratie libérale, l'État a comme fonction de défendre les droits et les libertés, son rôle est minimal ; dans la démocratie sociale, l'État doit inventer et créer des conditions matérielles favorisant les libertés concrètes, son rôle s'étend.

Pour le libéralisme classique, la liberté, c'est d'abord l'autonomie de la personne humaine ; la liberté politique, celle que nous appelons liberté-participation, n'intervient qu'à titre second, comme garantie de la première. Or, aujourd'hui, la pratique démocratique a inversé ce rapport : c'est la liberté-participation qui est fondamentale, alors que la liberté-autonomie ne peut être qu'une conséquence de l'exercice des droits politiques. Cette inversion est d'une importance capitale puisqu'elle autorise les individus et les groupes à exiger l'intervention du pouvoir pour rendre effective leur autonomie. Ce changement de perspective entraîne, quant à la signification des droits, une transformation radicale puisque, selon la formule bien connue, le *droit à*... se substitue *au droit de*... Le premier appelle une intervention extérieure qui le confirme et assure sa réalisation ; le second se suffisait à lui-même. Il impliquait seulement qu'aucun obstacle ne serait apporté, par le pouvoir, à son accomplissement.

Cette transformation de la notion de droit se répercute sur la manière d'entendre son titulaire : le citoyen qui utilisait sa liberté-participation pour garantir son droit est remplacé par l'ayant droit qui la met en œuvre pour obtenir son droit. [...]

L'ayant droit, c'est l'homme de la revendication. Comme toute demande suppose un répondeur, c'est du pouvoir que l'on attend satisfaction. Cette demande le renforce. D'où la contradiction de l'attitude qui combat le pouvoir à raison de ce qu'il refuse et le veut dominateur pour qu'il puisse accorder. [...] Au-delà du salaire, de la sécurité de l'emploi, du pouvoir d'achat ou du loisir, le fondement de la revendication c'est la liberté. Cette liberté dont l'individu ne peut faire l'expérience à cause de sa situation même. Et c'est bien parce qu'il s'agit de la liberté que les exigences en cause sont des droits. De même que les droits de l'homme se concrétisent en devenant les droits du travailleur, de la femme, de l'immigré, du malade ou du vieillard, de même la liberté éclate et se morcelle en une pluralité de libertés.

Ainsi la liberté qui apparaît indivisible lorsqu'on la découvre dans la commune nature humaine s'émiette quand on la considère à travers les exigences qui s'attachent aux conditions d'existence des hommes.

Georges Burdeau, *Le Libéralisme*, 1979, coll. Points, Seuil, p. 291-295.

QUESTIONS

› **1•** Quelles différences peut-on faire entre « le droit de... » et « le droit à... » (premier paragraphe) ? Donnez des exemples.

› **2•** Pourquoi la notion de liberté change-t-elle de sens quand les droits deviennent objets de revendication auprès de l'État ?

Passerelles

› **Textes :** Rawls, *Théorie de la justice,* p. 456.
Marx et le matérialisme historique, p. 298.
Kant, *Idée d'une histoire universelle*, p. 294.
Constant, *De la liberté des Anciens comparée à celle des Modernes*, p. 454.

› **Chapitre 18 : La justice et le droit,** p. 446.

› **Chapitre 22 : Le bonheur,** p. 548.

Dossier 1

▶ L'utopie parvient-elle à supprimer la violence de l'État ?

L'île d'Utopie[1] est une démocratie qui abolit la propriété, réserve l'or pour la fabrication des pots de chambre, impose la tolérance religieuse, l'aide sociale, le travail de six heures par jour pour tous les citoyens. Pourtant, cet idéal ne trouve-t-il pas ses limites, dans sa volonté même d'être idéal ?

DOCUMENT

Six heures de travail par jour

Les Utopiens divisent l'intervalle d'un jour et d'une nuit en vingt-quatre heures égales. Six heures sont employées aux travaux matériels, en voici la distribution :

Trois heures de travail avant midi, puis dîner. Après midi, deux heures de repos, trois heures de travail, puis souper.

Ils comptent une heure où nous comptons midi, se couchent à neuf heures, et en donnent neuf au sommeil.

Le temps compris entre le travail, les repas et le sommeil, chacun est libre de l'employer à sa guise. Loin d'abuser de ces heures de loisir, en s'abandonnant au luxe et à la paresse, ils se reposent en variant leurs occupations et leurs travaux. Ils peuvent le faire avec succès, grâce à cette institution vraiment admirable.

Tous les matins, des cours publics sont ouverts avant le lever du soleil. Les seuls individus spécialement destinés aux lettres sont obligés de suivre ces cours, mais tout le monde a droit d'y assister, les femmes comme les hommes, quelles que soient leurs professions. Le peuple y accourt en foule ; et chacun s'attache à la branche d'enseignement qui est le plus en rapport avec son industrie et ses goûts. [...]

Ici, je m'attends à une objection sérieuse et j'ai hâte de la prévenir.

On me dira peut-être : six heures de travail par jour ne suffisent pas aux besoins de la consommation publique, et l'Utopie doit être un pays très misérable.

Il s'en faut bien qu'il en soit ainsi. Au contraire, les six heures de travail produisent abondamment toutes les nécessités et commodités de la vie, et en outre un superflu bien supérieur aux besoins de la consommation.

Vous le comprendrez facilement, si vous réfléchissez au grand nombre de gens oisifs chez les autres nations. D'abord, presque toutes les femmes, qui composent la moitié de la population, et la plupart des hommes, là où les femmes travaillent. Ensuite cette foule immense de prêtres et de religieux fainéants. Ajoutez-y tous ces riches propriétaires qu'on appelle vulgairement nobles et seigneurs ; ajoutez-y encore leurs nuées de valets, autant de fripons en livrée ; et ce déluge de mendiants robustes et valides qui cachent leur paresse sous de feintes infirmités. Et, en somme, vous trouverez que le nombre de ceux qui, par leur travail, fournissent aux besoins du genre humain, est bien moindre que vous ne l'imaginiez.

La tolérance religieuse

Utopus, en décrétant la liberté religieuse, n'avait pas seulement en vue le maintien de la paix que troublaient naguère des combats continuels et des haines implacables, il pensait encore que l'intérêt de la religion elle-même commandait une pareille mesure. Jamais il n'osa rien statuer témérairement en matière de foi, incertain si Dieu n'inspirait pas lui-même aux hommes des croyances diverses, afin d'éprouver, pour ainsi dire, cette grande multitude de cultes variés. Quant à l'emploi de la violence et des menaces pour contraindre un autre à croire comme soi, cela lui parut tyrannique et absurde. Il prévoyait que si toutes les religions étaient fausses, à l'exception d'une seule, le temps viendrait où, à l'aide de la douceur et de la raison, la vérité se dégagerait elle-même, lumineuse et triomphante de la nuit de l'erreur.

Mais aussi ses limites

[...] Néanmoins, il flétrit sévèrement, au nom de la morale, l'homme qui dégrade la dignité de sa nature, au point de penser que l'âme meurt avec le corps, ou que le monde marche au hasard, et qu'il n'y a point de Providence. [...] À ces matérialistes, on ne rend aucun honneur, on ne communique aucune magistrature, aucune fonction publique. On les méprise comme des êtres d'une nature inerte et impuissante. Du reste, on ne les condamne à aucune peine, dans la conviction qu'il n'est au pouvoir de personne de sentir suivant sa fantaisie. On n'emploie pas non plus la menace pour les contraindre de dissimuler leur opinion. La dissimulation est proscrite en Utopie, et le mensonge y est en horreur, comme touchant de très près à la fourberie. Seulement, il leur est interdit de soutenir leurs principes en public auprès du vulgaire ; mais ils peuvent le faire en particulier avec les prêtres et d'autres graves personnages.

Une vue d'Utopie (société idéale), gravure extraite de *L'Utopie* de Thomas More, 1516.

Les guerres, et l'arme du cynisme

La guerre à peine déclarée, ils ont soin de faire afficher en secret, le même jour, et dans les lieux les plus apparents du pays ennemi, des proclamations revêtues du sceau de l'État. Ces proclamations promettent des récompenses magnifiques au meurtrier du prince ennemi ; et d'autres récompenses moins considérables, quoique fort séduisantes encore, pour les têtes d'un certain nombre d'individus, dont les noms sont écrits sur ces lettres fatales. [...]

Cet usage de trafiquer de ses ennemis, de mettre leurs têtes à l'enchère, est réprouvé partout ailleurs comme une lâcheté cruelle propre seulement aux âmes dégradées. Les Utopiens, eux, s'en glorifient comme d'une action de haute prudence qui termine sans combat les guerres les plus terribles. Ils s'en honorent comme d'une action d'humanité et de miséricorde qui rachète, au prix de la mort d'une poignée de coupables, les vies de plusieurs milliers d'innocents des deux partis, destinés à périr sur le champ de bataille. Car la pitié des Utopiens embrasse les soldats de tous les drapeaux ; ils savent que le soldat ne va pas de lui-même à la guerre, mais qu'il y est entraîné par les ordres et les fureurs des princes.

Les mercenaires

Les citoyens sont pour la république d'Utopie le trésor le plus cher et le plus précieux ; la considération que les habitants de l'île ont les uns pour les autres est tellement élevée, qu'ils ne consentiraient pas volontiers à échanger un des leurs contre un prince ennemi. Ils prodiguent l'or sans regret, parce qu'ils ne l'emploient qu'aux usages dont je viens de parler, parce que personne chez eux ne serait exposé à vivre moins commodément, quand même il leur faudrait dépenser jusqu'à leur dernier écu.

D'ailleurs, outre les richesses renfermées dans l'île, ils sont encore, je crois vous l'avoir dit déjà, créanciers de plusieurs États, pour d'immenses capitaux. C'est avec une partie de cet argent qu'ils louent des soldats de tous pays, et principalement du pays des Zapolètes, qui est situé à l'est de l'Utopie, à une distance de cinq cent mille pas.

Ce peuple fait la guerre pour les Utopiens, contre tout le monde, parce que nulle autre part il ne trouve meilleure paye. De leur côté, les Utopiens, qui recherchent les honnêtes gens pour en user convenablement, engagent très volontiers cette infâme soldatesque pour en abuser et pour la détruire. Quand donc ils ont besoin de Zapolètes, ils commencent par les séduire au moyen de brillantes promesses, puis les exposent toujours aux postes les plus dangereux. La plupart y périssent et ne reviennent jamais réclamer ce qu'on leur avait promis ; ceux qui survivent reçoivent exactement le prix convenu, et cette rigide bonne foi les encourage à braver plus tard le péril avec la même audace. Les Utopiens se soucient fort peu de perdre un grand nombre de ces mercenaires, persuadés qu'ils auront bien mérité du genre humain, s'ils peuvent un jour purger la terre de cette race impure de brigands.

Thomas More, *L'Utopie*, 1516, trad. V. Stouvenel, revue par M. Bottigelli-Tisserand, coll. Les Classiques du peuple, Éd. Sociales, p. 125, 184, 173 sq.

1. Description d'une organisation idéale de la société humaine.

QUESTIONS

1• En quoi les idées de Thomas More sont-elles novatrices pour son époque ?

2• Relevez les contradictions qui jettent de l'ombre sur cette cité idéale. N'y a-t-il pas beaucoup de principes machiavéliques au fondement de cette île d'Utopie ?

3• Peut-on imaginer une utopie sans que les contraintes de la réalité ne réapparaissent d'une façon ou d'une autre ?

Une œuvre, une analyse

Présentation

Machiavel : *Le Prince* (1513)

Impossible d'évoquer Machiavel sans parler du machiavélisme : cette conception cynique de la politique, cette absence de scrupules dans l'action, cet art d'utiliser tous les moyens (violence, ruses, mensonges, trahisons...) pour parvenir au pouvoir et s'y maintenir. Et, de fait, on trouve aussi cela dans Machiavel. Mais il faut d'emblée reconnaître que cette vision politique, qu'on appelle « machiavélisme », ne date pas de Machiavel, et que la pensée de Machiavel ne s'y réduit pas.

1 Machiavel et le machiavélisme

Pour Machiavel, les moyens « machiavéliques » ne sont que des **moyens**, ils ne sont pas des **fins**. Au niveau de l'efficacité, toutes les conduites « machiavéliques » ne sont pas concluantes : s'il faut souvent employer la ruse et le mensonge, il arrive aussi parfois qu'il soit nécessaire de faire confiance. Or l'action politique ne se juge pas sur la routine, mais sur les circonstances.

Mais il y a plus : on ne fonde pas une politique véritable sur des moyens, on la juge en définitive sur ses fins. Ces fins définissent le génie politique : former, fonder, créer une réalité sociale nouvelle et stable. Cet objectif fondamental dépasse les petites et grandes ambitions de l'individu. C'est dire que l'analyse de Machiavel est plus subtile que le schéma auquel on la réduit trop souvent.

2 Une conception nouvelle et moderne de la politique

Nous pouvons utiliser deux dates symboliques pour baliser l'entrée de la pensée occidentale dans le monde moderne :

– 1453 : la prise de Constantinople par les Turcs marque la fin de l'Empire byzantin, héritier oriental de l'empire romain.

– 1492 : la découverte de l'Amérique par Christophe Colomb marque le début d'une géographie et d'une histoire nouvelles.

À sa façon, Machiavel marque notre entrée dans la modernité, en s'interrogeant sur l'essence du politique. Les Grecs avaient été les premiers à interroger le pouvoir, à chercher ses racines : quels sont les bons et les mauvais gouvernements ? Comment passe-t-on des bons aux mauvais gouvernements ? Ces questions étaient « normatives » : leur interrogation portait sur ce qui devait être, sur les normes qui devaient s'imposer.

Pour Machiavel, dans *Le Prince*, la question devient purement factuelle : comment parvenir au pouvoir ? Comment y rester ? Il écarte délibérément toute question de valeur : est-ce bien ou mal ? Est-ce juste ou injuste ? Est-ce un bon ou un mauvais gouvernement ? Il se concentre sur le « comment ». Comment prendre le pouvoir ? Comment le conserver ? Ce sont les mécanismes du pouvoir, et eux seuls, qui semblent l'intéresser ici. Machiavel semble s'adresser aux puissants, pour leur dire comment ils doivent faire pour garder le pouvoir. Mais on peut aussi penser (c'est la lecture de Rousseau, par exemple) que Machiavel s'adresse au peuple pour lui apprendre à se méfier des puissants, en lui montrant comment ils agissent réellement.

3 De la vertu morale à la vertu politique

Pourtant, ce serait un contresens d'en rester à l'aspect technique (comment s'assurer du pouvoir?) en faisant de l'œuvre de Machiavel un livre de recettes pour gouverner. L'idée même de recettes, sous sa forme la plus cynique, est encore une naïveté. Car elle ne permet pas de comprendre le fait politique, qui est précisément de se situer au-delà des règles: **stratégiquement**, dans la perception d'un but lointain qui n'est pas toujours perçu par les contemporains; **tactiquement**, dans la saisie d'occasions qui ne sont jamais identiques d'un moment à l'autre. C'est la raison pour laquelle Machiavel donne davantage des **exemples** – singuliers – qu'il ne donne de **lois** – générales. Cette spécificité explique l'usage fréquent qu'il fait du terme de « vertu » : elle serait à l'homme politique ce que le terme « génie » est à l'artiste. De même qu'il n'y a pas de règles imposées à l'artiste, mais des intuitions qui deviennent exemplaires après coup, de même il n'y a pas de méthodes en politique, mais des exemples qui, plus tard seulement, deviennent des vérités. On comprend pourquoi Machiavel s'attarde sur les actes des grands hommes qui ont eu à maîtriser des événements contradictoires, et à bâtir sur des passions humaines hostiles: Alexandre le Grand, Moïse, Romulus, César Borgia...
L'homme véritablement politique devra:

1) posséder des qualités contradictoires [chap. XVI-XVIII]: un homme politique idéal est celui qui est capable de se modeler lui-même afin de modeler les occasions;

2) se rappeler toujours l'importance du peuple [chap. XIX-XXI];

3) jouer sur l'image, mais sans s'enfermer dans l'image [chap. XXII-XXIV]: car s'il est facile de jouer sur l'apparence, il est plus difficile d'apprendre à ne pas être le jouet de l'apparence; l'homme politique est entouré de flatteurs, d'une multitude de cercles qui ont tout intérêt à le tromper et qui, le détournant progressivement de la réalité, le mènent à sa perte. L'apparence est un outil, mais c'est aussi un piège redoutable;

4) avoir de grands projets [chap. XXVI]: Machiavel rêve à l'homme politique de son temps qui réalisera l'unité italienne, c'est-à-dire fondera une nation nouvelle. Car s'il est justifié en politique de ne pas suivre les règles de la morale privée, cela doit être au nom d'une morale supérieure: celle qui donne force à une entreprise politique, en transcendant les ambitions particulières.

Machiavel (1469-1527)

D'origine sociale médiocre, Nicolas Machiavel ne pourra jamais prétendre à un rôle politique majeur. Pourtant, ses fonctions administratives et diplomatiques au service de la République de Florence le mettent en contact avec les réalités politiques de son temps. L'Italie de la Renaissance est composée d'une multitude d'États, qui sont admirés pour leur créativité artistique, pour leur dynamisme économique, mais qui sont aussi affaiblis par les guerres intestines qu'ils livrent les uns contre les autres. Ce mélange de grandeur et de faiblesse attise les convoitises des puissances étrangères : France, Espace, Allemagne, qui menacent leur indépendance sous prétexte de les aider. Machiavel rêve de l'unité italienne. C'est en grande partie dans ce but qu'il écrit *Le Prince*, où il peut faire part de son expérience acquise lors de missions diplomatiques en France, en Allemagne, au Vatican, auprès de César Borgia... Congédié en 1512 par les Médicis lors de leur retour aux affaires, il s'isole à la campagne et écrit *Le Prince, Discours sur la première décade de Tite-Live, L'Art de la guerre*. Il meurt en 1527, en laissant, en plus de ses analyses politiques, quelques ouvrages littéraires ou historiques : *La Mandragore, Histoires florentines.*

Extraits

Machiavel : *Le Prince* (1513)

▶ La responsabilité politique est-elle au-dessus de la morale ?

Machiavel veut comprendre pourquoi la morale privée n'est pas toujours compatible avec les responsabilités de l'homme d'État, et aussi pourquoi la morale – ne serait-ce que sous la forme de l'apparence – reste un enjeu du combat politique.

Texte 1 La trahison et la violence comme armes politiques : l'exemple de César Borgia

Quand il se fut emparé de la Romagne, le duc[1] s'aperçut qu'elle avait été confiée à des seigneurs sans autorité ni pouvoir. Ils songeaient plus à dépouiller leurs sujets qu'à les gouverner, et étaient pour eux une raison de désordre, non d'unité. À tel point que le pays se trouvait infesté de brigands, de scélérats, de criminels de toutes sortes. Pour le pacifier et faire respecter le bras royal, César jugea nécessaire de lui donner un bon gouvernement. C'est pourquoi il y nomma messire Rémy d'Orque, homme cruel et expéditif, auquel il accorda les pleins pouvoirs. En peu de temps, celui-ci étouffa les désordres ; à son seul nom, chacun trembla de peur. Par la suite, le duc estima qu'une autorité si excessive n'était plus indispensable, craignant qu'elle ne devînt odieuse ; il établit alors un tribunal civil au milieu de la province, avec un président de grand renom, et chaque ville y envoya ses doléances. Sachant bien que les rigueurs de son lieutenant lui avaient valu des inimitiés, afin d'en purger le cœur de ces populations et les gagner à soi, il voulut prouver que les cruautés en question n'étaient pas venues de lui, mais du caractère brutal de son ministre. Ayant ensuite bien choisi son lieu et son moment, il le fit un matin, à Cesena, écarteler et exposer sur la place publique, avec à ses côtés un morceau de bois et un couteau sanglant. Un spectacle aussi féroce remplit les populations en même temps de stupeur et de satisfaction.

Nicolas Machiavel, *Le Prince*, rédigé en 1513, publié en 1532, chap. VII, trad. J. Anglade, Livre de poche, p. 37-38.

1. Il s'agit de César Borgia, un des modèles de Machiavel, qui a pu l'approcher et l'observer. Il est l'un des fils du pape Alexandre VI Borgia, qui lui offre la province de Romagne (autour d'Imola, près de l'Adriatique, entre Venise et Ravenne).

QUESTION

› Relevez les trois étapes de ce récit : à chacune d'entre elles correspond une forme spécifique de violence. Décrivez ces trois formes de violence.

Texte 2 La nature humaine, matière première de l'action politique

Sur ce point, un problème se pose : vaut-il mieux être aimé que craint, ou craint qu'aimé ? Je réponds que les deux seraient nécessaires ; mais comme il paraît difficile de les marier ensemble, il est beaucoup plus sûr de se faire craindre qu'aimer, quand on doit renoncer à l'un des deux. Car des hommes, on peut dire généralement ceci : ils sont ingrats, changeants, simulateurs et dissimulateurs, ennemis des coups, amis des pécunes[1] ; tant que tu soutiens leur intérêt, ils sont tout à toi, ils t'offrent leur sang, leur fortune, leur vie et leurs enfants pourvu, comme j'ai dit, que le besoin en soit éloigné ; mais s'il se rapproche, ils se révoltent. Le prince qui s'est fondé entièrement sur leur parole, s'il n'a pas pris d'autres mesures, se trouve nu et condamné. Les amitiés qu'on prétend obtenir à force de ducats et non par une supériorité d'âme et de desseins, sont dues mais jamais acquises, et inutilisables au moment opportun. Et les hommes hésitent moins à offenser quelqu'un qui veut se faire aimer qu'un autre qui se fait craindre ; car le lien de l'amour est filé de reconnaissance : une fibre que les hommes n'hésitent pas à rompre, parce qu'ils sont méchants, dès que leur intérêt personnel est en jeu ; mais le lien de la crainte est filé par la peur du châtiment, qui ne les quitte jamais.

1. Argent.

Cependant, le prince doit se faire craindre de telle sorte que, s'il ne peut gagner l'amitié, du moins il n'inspire aucune haine, car ce sont là deux choses qui peuvent très bien s'accorder. Il lui suffira pour cela de ne toucher ni aux biens de ses concitoyens ni à leurs femmes. Si pourtant il doit frapper la famille de quelqu'un, que cette action ait une cause manifeste, une convenable justification ; qu'il évite par-dessus tout de prendre les biens d'autrui ; car les hommes oublient plus vite la perte de leur père que la perte de leur patrimoine.

Op. cit., chap. XVII, p. 87-88.

QUESTIONS

1• Quelle idée Machiavel se fait-il de l'homme ? En quoi cette idée commande-t-elle toute sa conception politique ?

2• On peut être craint sans être haï. Comment est-ce possible ?

Luigi Mussini, *Fête de Platon au palais Médicis dans la villa de Laurent le magnifique à Careggi*, 1862, huile sur toile (130,3 x 97,7 cm), Turin, Italie.

Texte 3 Le lion et le renard

Si donc tu dois bien employer la bête, il te faut choisir le renard et le lion ; car le lion ne sait se défendre des lacets, ni le renard des loups. Tu seras renard pour connaître les pièges, et lion pour effrayer les loups. Ceux qui se bornent à vouloir être lions n'y entendent rien. C'est pourquoi un seigneur avisé ne peut, ne doit respecter sa parole si ce respect se retourne contre lui et que les motifs de sa promesse soient éteints. Si les hommes étaient tous gens de bien, mon précepte serait condamnable ; mais comme ce sont tous de tristes sires et qu'ils n'observeraient pas leurs propres promesses, tu n'as pas non plus à observer les tiennes. Et jamais un prince n'a manqué de raisons légitimes pour colorer son manque de foi. [...]

Il n'est donc pas nécessaire à un prince de posséder toutes les vertus énumérées plus haut[1] ; ce qu'il faut, c'est qu'il paraisse les avoir. Bien mieux, j'affirme que s'il les avait et les appliquait toujours, elles lui porteraient préjudice ; mais si ce sont de simples apparences, il en tirera profit. Ainsi, tu peux sembler – et être réellement – pitoyable, fidèle, humain, intègre, religieux : fort bien ; mais tu dois avoir entraîné ton cœur à être exactement l'opposé, si les circonstances l'exigent. Si bien qu'un prince doit comprendre – et spécialement un prince nouveau[2] – qu'il ne peut pratiquer toutes ces vertus qui rendent les hommes dignes de louanges, puisqu'il lui faut souvent, s'il veut garder son pouvoir, agir contre la foi, contre la charité, contre l'humanité, contre la religion.

Op. cit., chap. XVIII, p. 91-93.

1. Tenir sa parole, vivre avec intégrité, ne pas employer la ruse...
2. Machiavel distingue les principautés héréditaires, où le pouvoir demeure inchangé même si les hommes qui l'exercent meurent, et les principautés nouvellement créées, soit par acquisition, soit par conquête.

QUESTIONS

1• Pourquoi ni la force seule ni la ruse seule ne suffisent-elles ?

2• Si le prince agissait toujours vertueusement, pourquoi cela lui porterait-il préjudice ? Mais pourquoi doit-il respecter une apparence de morale ?

Réflexion 6

▶ La responsabilité politique suppose-t-elle une morale particulière ?

Les maximes de la politique et celles de la morale semblent être contradictoires. Faut-il alors en conclure que la morale doit être absente de la politique au nom du principe d'efficacité ?

Texte 1 — Les faux-semblants d'une morale purement politique

Selon Kant, la prétendue morale politique est une « fausse morale », dont la force réside seulement dans le secret. Contre elle, Kant propose la maxime suivante : « toutes les actions relatives au droit d'autrui, dont la maxime ne peut supporter la publicité, sont injustes ».

Les maximes dont [le partisan de la morale politique[1]] se sert pour cela (bien qu'il ne veuille pas les énoncer), reviennent à peu près aux maximes sophistiques[2] suivantes :

1. *Fac et excusa*[3]. Saisis l'occasion favorable pour t'emparer, de ta propre autorité (du droit d'un État soit sur son peuple, soit sur un autre peuple voisin) ; la justification se présentera, une fois le fait accompli, et permettra de maquiller la violence. […] Cet aplomb donne même quelque apparence que l'on est intérieurement convaincu que l'action est conforme au droit, et le dieu *bonus eventus*[4] est, après cela, le meilleur défenseur du droit.

2. *Si fecisti nega*[5]. Les méfaits que tu as commis, comme par exemple amener ton peuple à désespérer et par suite, à se révolter, nie en être responsable ; au contraire, affirme que la responsabilité en incombe à la désobéissance des sujets, ou bien, si tu t'es emparé d'un peuple voisin, à la nature de l'homme qui, s'il ne devance pas autrui par la violence, peut compter avec certitude qu'autrui le devancera et s'emparera de lui.

3. *Divide et impera*[6]. Soit : si, dans ton peuple, il y a certains chefs privilégiés qui t'ont simplement choisi pour être leur chef suprême (*primus inter pares*[7]), sème la désunion parmi eux et brouilleries avec le peuple – range-toi alors du côté du peuple en lui faisant miroiter une plus grande liberté, et tout alors dépendra de ta volonté inconditionnelle. Ou bien s'il y a des États extérieurs, provoquer la dissension parmi eux est un moyen assez sûr de te les soumettre l'un après l'autre, sous couvert d'assistance au plus faible.

Les maximes politiques ne leurrent, il est vrai, personne ; car elles sont, dans leur ensemble, déjà universellement connues ; aussi n'y a-t-il pas lieu d'en rougir, comme si l'injustice sautait trop manifestement aux yeux. Car comme le jugement de la multitude ne fait jamais rougir de honte les grandes puissances qui ne rougissent que les unes devant les autres, mais comme, en ce qui concerne ces principes, seul leur échec, et non leur publicité, les fait rougir (car en ce qui concerne la moralité des maximes, elles sont toutes d'accord entre elles), il leur reste toujours la certitude de pouvoir compter sur *l'honneur politique*, en l'occurrence sur l'honneur *d'étendre leur puissance*, quel que soit le moyen par lequel on peut y parvenir.

Emmanuel Kant, *Vers la paix perpétuelle*, 1795, appendice 1, trad. J.-F. Poirier et F. Proust, Flammarion, p. 115-116.

1. Celui qui croit à une morale spécifiquement politique.
2. Un raisonnement sophistique est conforme aux règles de la logique mais aboutit à une conclusion fausse (› Chapitre 13 : La démonstration, p. 336).
3. Agis d'abord, et excuse-toi ensuite.
4. Dieu du succès.
5. Si tu l'as fait, nie-le.
6. Divise pour régner.
7. Le premier entre ses pairs, ses égaux.

QUESTIONS

› 1• Quelles sont les maximes de la morale politique présentées ici ? Cherchez-en des exemples dans l'histoire.

› 2• Comparez ce texte avec la position défendue par Machiavel concernant la morale politique (› p. 486).

Texte 2 Éthique de la conviction, éthique de la responsabilité

Max Weber oppose deux attitudes morales: l'éthique de la conviction, qui s'appuie sur la pureté de l'intention et tend à refuser tout compromis; et l'éthique de la responsabilité, qui entend prendre en charge des conséquences de l'action politique, même au prix d'arrangements diplomatiques.

Il est indispensable que nous nous rendions clairement compte du fait suivant: toute activité orientée selon l'éthique peut être subordonnée à deux maximes totalement différentes et irréductiblement opposées. Elle peut s'orienter selon l'éthique de la responsabilité ou selon l'éthique de la conviction. Cela ne veut pas dire que l'éthique de conviction est identique à l'absence de responsabilité et l'éthique de responsabilité à l'absence de conviction. Il n'en est évidemment pas question. Toutefois il y a une opposition abyssale entre l'attitude de celui qui agit selon les maximes de l'éthique de conviction – dans un langage religieux nous dirions: « Le chrétien fait son devoir et en ce qui concerne le résultat de l'action il s'en remet à Dieu » –, et l'attitude de celui qui agit selon l'éthique de responsabilité qui dit: « Nous devons répondre des conséquences prévisibles de nos actes. »

Vous perdrez votre temps à exposer, de la façon la plus persuasive possible, à un syndicaliste convaincu de la vérité de l'éthique de conviction que son action n'aura d'autre effet que celui d'accroître les chances de la réaction, de retarder l'ascension de sa classe et de l'asservir davantage, il ne vous croira pas. Lorsque les conséquences d'un acte fait par pure conviction sont fâcheuses, le partisan de cette éthique n'attribuera pas la responsabilité à l'agent, mais au monde, à la sottise des hommes ou encore à la volonté de Dieu qui a créé les hommes ainsi. Au contraire le partisan de l'éthique de responsabilité comptera justement avec les défaillances communes de l'homme (car, comme le disait fort justement Fichte[1], on n'a pas le droit de présupposer la bonté et la perfection de l'homme) et il estimera ne pas pouvoir se décharger sur les autres des conséquences de sa propre action pour autant qu'il aura pu les prévoir. Il dira donc: « Ces conséquences sont imputables à ma propre action. » [...]

Mais cette analyse n'épuise pas encore le sujet. Il n'existe aucune éthique au monde qui puisse négliger ceci: pour atteindre des fins « bonnes », nous sommes la plupart du temps obligés de compter avec, d'une part des moyens moralement malhonnêtes ou pour le moins dangereux, et d'autre part la possibilité ou encore l'éventualité de conséquences fâcheuses. Aucune éthique au monde ne peut nous dire non plus à quel moment et dans quelle mesure une fin moralement bonne justifie les moyens et les conséquences moralement dangereuses.

Max Weber, *Le Savant et le politique*, 1919, trad. J. Freund, 1963, 10/18, p. 172 sq.

1. Johann G. Fichte (1762-1814), philosophe allemand.

QUESTIONS

› **1•** Opposez les deux éthiques proposées par Max Weber. Quels sont les points positifs et négatifs de ces deux attitudes?

› **2•** Expliquez la dernière phrase du texte.

Passerelles

› **Textes:** Évangile selon Saint Matthieu, p. 526, 551.
Kant, *Idée d'une histoire universelle*, p. 294
Kant, *Fondements de la métaphysique des mœurs*, p. 532.

› **Zoom sur...** Kant, Les formulations de l'impératif catégorique, p. 547.

› **Chapitre 21: Le devoir**, p. 524.

Dossier 2

▶ Y a-t-il une « banalité du mal » ?

L'expression « banalité du mal » est utilisée pour la première fois par Hannah Arendt[1] à l'occasion du procès Eichmann. Ce responsable nazi est capturé à Buenos Aires en mai 1960, enlevé par les services secrets israéliens et jugé à Jérusalem à partir d'avril 1961. Hannah Arendt assiste comme journaliste au procès. Eichmann a joué un rôle important dans la déportation des juifs, durant la Seconde Guerre mondiale, et pourtant c'est un homme médiocre, avant tout préoccupé de sa carrière. La banalité du criminel fait contraste avec l'horreur de son crime. Eichmann sera pendu le 31 mai 1962.

DOCUMENT

Comment juger Eichmann ?

Il eût été réconfortant de croire qu'Eichmann était un monstre. [...] L'ennui, avec Eichmann, c'est précisément qu'il y en avait beaucoup qui lui ressemblaient et qui n'étaient ni pervers ni sadiques, qui étaient, et sont encore, effroyablement normaux.

Du point de vue de nos institutions et de notre éthique, cette normalité est beaucoup plus terrifiante que toutes les atrocités réunies, car elle suppose (les accusés et leurs avocats le répétèrent, à Nuremberg, mille fois) que ce nouveau type de criminel, tout *hostis humani generis*[2] qu'il soit, commet des crimes dans des circonstances telles qu'il lui est impossible de savoir ou de sentir qu'il a fait le mal. À cet égard, les faits rappelés au tribunal de Jérusalem sont encore plus convaincants que ceux qu'on évoqua à Nuremberg. Les principaux criminels de guerre avaient alors justifié leur bonne conscience par des arguments contradictoires : ils se vantaient à la fois d'avoir obéi aux « ordres supérieurs » et d'avoir, à l'occasion, désobéi. La mauvaise foi de ces accusés était donc manifeste. Mais se sont-ils jamais sentis coupables ? Nous n'en avons pas la moindre preuve. Certes, les nazis, et particulièrement les organismes criminels, auxquels appartenait Eichmann, avaient, pendant les derniers mois de la guerre, passé le plus clair de leur temps à effacer les traces de leurs propres crimes. Mais cela prouve seulement que les nazis étaient conscients du fait que l'assassinat en série était chose trop neuve pour que les autres pays l'admettent. Ou encore, pour employer la terminologie nazie, qu'ils avaient perdu la bataille engagée pour « libérer » l'humanité du « règne des espèces sous-humaines », et de la domination des Sages de Sion en particulier. Elle prouve seulement, pour employer un langage plus courant, que les nazis reconnaissaient qu'ils étaient vaincus. Se seraient-ils sentis coupables s'ils avaient gagné ?

Faut-il revenir à une idée archaïque de la réparation ?

[...] Tous les systèmes juridiques modernes supposent que pour commettre un crime il faut avoir l'intention de faire le mal. Les peuples civilisés s'enorgueillissent tout particulièrement de ce que leur jurisprudence prend en considération ce facteur subjectif. Quand cette intention est absente, quand, pour une raison ou une autre, fût-ce l'aliénation morale, la faculté de distinguer le bien du mal est atteinte, nous pensons qu'il n'y a pas eu crime. Nous rejetons, nous considérons comme barbare, l'idée qu'« un grand crime est une offense contre la nature, de sorte que la terre elle-même crie vengeance ; que le mal constitue une violation de l'harmonie naturelle que seul le châtiment peut rétablir, qu'une collectivité lésée a le devoir à l'égard de l'ordre moral de châtier le criminel ». Et cependant il me semble que c'est précisément pour ces raisons, oubliées depuis longtemps, qu'Eichmann a été traduit en justice ; ce sont ces raisons aussi qui justifient la peine de mort. Parce que Eichmann avait été impliqué, parce qu'il avait joué un rôle décisif, dans une entreprise dont le but avoué était l'élimination de certaines « races » de la surface de la Terre, il fallait l'éliminer, lui.

À crime sans précédent, un droit sans précédent ?

[...] Et s'il est vrai qu'il faut « non seulement que justice soit faite mais que cela apparaisse », alors ce qui a été fait à Jérusalem aurait été reconnu comme juste si seulement les juges avaient osé s'adresser à l'accusé en ces termes :

« Vous avez admis que le crime commis contre le peuple juif pendant la guerre était le plus grand crime de l'Histoire ; et vous avez reconnu le rôle que vous avez joué. Vous affirmez n'avoir jamais agi pour des raisons viles, n'avoir jamais eu de penchant pour l'assassinat, n'avoir jamais haï les Juifs,

Dans sa cabine à l'épreuve des balles, Eichmann a mis ses écouteurs pour suivre la lecture de l'acte d'accusation le 17 décembre 1961. Fonctionnaire allemand nazi, d'abord chargé de l'extermination des juifs en Pologne, Adolf Eichmann organisa la déportation et l'extermination des juifs dans treize pays d'Europe.

Et quelles que soient les circonstances, objectives et subjectives, quels que soient les hasards qui vous ont poussé à devenir criminel, il y a un abîme entre les crimes que vous avez commis et ceux que les autres auraient pu commettre. Nous ne nous intéressons qu'à vos actes. Votre vie intérieure, qui n'était peut-être pas celle d'un criminel, et les potentialités criminelles de ceux qui vous entouraient, nous importent peu. Vous vous êtes dépeint comme quelqu'un qui n'a pas eu de chance ; et, connaissant les circonstances, nous sommes prêts à reconnaître, jusqu'à un certain point du moins, que si vous aviez bénéficié de circonstances plus favorables vous n'auriez probablement jamais

et cependant vous affirmez aussi que vous n'auriez pas pu agir autrement et que vous ne vous sentez pas coupable. Cela nous paraît difficile à croire, mais non impossible. Il existe des preuves contre vous en matière de motivation et de conscience qui pourraient être suffisamment établies. Vous avez dit aussi que vous avez contribué à la Solution finale par hasard, que n'importe qui ou presque aurait pu prendre votre place, de sorte que, selon vous, presque tous les Allemands sont, de manière potentielle, également coupables. Vous entendiez par là que si tout le monde, ou presque, est coupable, alors personne ne l'est. Cette opinion est fort répandue, mais nous ne la partageons pas. [...] Devant la loi, la culpabilité et l'innocence sont des faits objectifs. Et vous ne seriez pas moins coupable si quatre-vingts millions d'Allemands avaient fait comme vous. »

« Heureusement nous n'avons pas besoin d'aller jusque-là. Vous-même ne prétendez pas qu'ils étaient réellement coupables, ceux qui vivaient dans un État dont la finalité politique principale était de commettre des crimes inouïs. Vous prétendez seulement qu'ils étaient des coupables en puissance.

eu à comparaître en justice, devant ce tribunal ou un autre. Supposons donc, pour les besoins de la cause, que seule la malchance a fait de vous un instrument consentant de l'assassinat en série. Mais vous l'avez été de votre plein gré ; vous avez exécuté, et donc soutenu activement, une politique d'assassinat en série. Car la politique et l'école maternelle ne sont pas la même chose : en politique, obéissance et soutien ne font qu'un. Et parce que vous avez soutenu et exécuté une politique qui consistait à refuser de partager la terre avec le peuple juif et les peuples d'un certain nombre d'autres nations – comme si vous et vos supérieurs aviez le droit de décider qui doit et ne doit pas habiter cette planète – nous estimons que personne, qu'aucun être humain, ne peut avoir envie de partager cette planète avec vous. C'est pour cette raison, et pour cette raison seule, que vous devez être pendu. »

Hannah Arendt, *Eichmann à Jérusalem. Rapport sur la banalité du mal*, 1963, trad. A. Guérin, coll. Folio histoire, Gallimard, p. 443 sq.

1. Philosophe américaine d'origine allemande (1906-1975).
2. Ennemi du genre humain.

QUESTIONS

1• On a reproché à Hannah Arendt de faire d'Eichmann un homme comme les autres. Que pensez-vous de ce reproche ?

2• Pourquoi la banalité d'Eichmann rend-elle la question du génocide plus « terrifiante » ? Pourquoi aurait-il été réconfortant qu'il fût un monstre ?

3• Hannah Arendt aurait voulu que les juges en reviennent à une idée archaïque de la réparation. Laquelle ?

Résistance et obéissance, voilà les deux vertus[1] du citoyen. Par l'obéissance il assure l'ordre ; par la résistance il assure la liberté. Et il est bien clair que l'ordre et la liberté ne sont point séparables, car le jeu des forces, c'est-à-dire la guerre privée, à toute minute, n'enferme aucune liberté ; c'est une vie animale, livrée à tous les hasards. Donc les deux termes, ordre et liberté, sont bien loin d'être opposés, j'aime mieux dire qu'ils sont corrélatifs[2]. La liberté ne va pas sans l'ordre ; l'ordre ne vaut rien sans la liberté.

Obéir en résistant, c'est tout le secret. Ce qui détruit l'obéissance est anarchie ; ce qui détruit la résistance est tyrannie. Ces deux maux s'appellent[3], car la tyrannie employant la force contre les opinions, les opinions, en retour, emploient la force contre la tyrannie ; et inversement quand la résistance devient désobéissance, les pouvoirs ont beau jeu pour écraser la résistance, et ainsi deviennent tyranniques. Dès qu'un pouvoir use de force pour tuer la critique, il est tyrannique.

Alain, *Propos sur les pouvoirs* (1925), © Gallimard, 1985.

1. Qualités.
2. Liés l'un à l'autre.
3. S'impliquent l'un l'autre.

La connaissance de la doctrine de l'auteur n'est pas requise. Il faut et il suffit que l'explication rende compte, par la compréhension précise du texte, du problème dont il est question.

Repérer les difficultés spécifiques du texte

Le texte met en place toute une série de concepts abstraits et ne donne aucun exemple concret. Le réseau d'oppositions conceptuelles est bien marqué :

- résistance / liberté contre la tyrannie
- obéissance /ordre contre l'anarchie

Et la logique est rigoureuse : les deux paragraphes séparent bien ce qui **devrait être** (la résistance et l'obéissance, 1er §) et ce qu'il **faut éviter** à tout prix (la tyrannie et l'anarchie, 2e §).

Mais les oppositions sont décrites également comme des corrélations ; apparemment opposés, les deux pôles de la vie politique s'entraînent mutuellement :

– la résistance doit aller avec l'obéissance ;

– sinon l'anarchie appelle la tyrannie, et la tyrannie appelle l'anarchie.

Le texte semble donc tracer un schéma rigoureux, mais auquel manqueraient deux points essentiels : l'analyse des mécanismes et les références historiques.

Les mécanismes : pourquoi et comment obéissance et résistance vont-elles ensemble ? Pourquoi l'anarchie provoque-t-elle la tyrannie ? Pourquoi la tyrannie, derrière son ordre apparent, engendre-t-elle le désordre ?

Il est important d'identifier d'emblée les concepts du texte, et comment ils s'articulent ensemble.

Rédiger l'explication de texte

Partie I

› **Fiche 9,** p. 588

Pour Alain, dans une démocratie, obéissance et résistance non seulement ne sont pas des attitudes opposées mais encore elles s'appellent l'une l'autre, au nom de deux principes : l'ordre et la liberté. De quelle obéissance s'agit-il et de quelle résistance ?

› Sous-partie 1 - L'ordre suppose l'obéissance

Dans le *Contrat Social*, Rousseau affirme que « L'obéissance à la loi qu'on s'est prescrite est liberté ». Il veut dire que la loi, en tant qu'elle est l'expression de la volonté générale, garantit les libertés de tous. Surtout, en obéissant à la loi, je n'obéis à aucune volonté particulière, qui serait arbitraire. Certes, je peux obéir à un juge, à un policier, à un fonctionnaire de l'État ; mais ce n'est pas à l'individu que j'obéis, c'est au représentant de la loi. Celui-ci ne peut agir que dans le cadre de ses attributions, et en vertu des lois ou des règlements. Il est vrai que, dans nos sociétés, on peut constater des abus de pouvoir, des cas de corruption, mais cela reste l'exception par rapport à un fonctionnement général. Du reste, en cas d'abus ou de corruption, le citoyen garde le droit et le devoir de résistance.

› Chapitre 18, La justice et le droit : **Rousseau**, *Du contrat social*, p. 452-453

› **Fiche 3,** p. 576

› Sous-partie 2 - La liberté suppose la résistance

Comment penser cette résistance, si elle ne doit pas être en contradiction avec la loi ? La démocratie offre des lieux de résistance. Je peux avoir recours à la justice, en cas d'abus de pouvoir ou de corruption. Si je dois obéir à la loi, je ne suis pas obligé d'être d'accord avec elle. Je peux légalement résister : en manifestant, en faisant grève, en militant dans des associations ou syndicats, en informant les autres citoyens. Peut-être y a-t-il une forme de résistance plus lourde, qui prend le risque d'un désaccord avec la loi, d'une désobéissance civile.

› *Déclaration des droits de l'homme* (1789), Article 2 : « [...] ces droits [naturels et imprescriptibles] sont la liberté, la propriété, la sureté et la résistance à l'oppression. »
› p. 461

Exemple Quand un soldat engagé refuse de combattre pour une guerre injuste, ou qu'un fonctionnaire invoque sa conscience pour désobéir à un ordre inique inacceptable.

Cela ne devrait pas arriver dans une démocratie, mais l'histoire récente montre que cela n'a rien d'exceptionnel. Ici, la résistance est aux limites de la loi, elle ruse avec la loi, parfois elle franchit le pas et devient illégale au nom de la légitimité. C'est un risque que prend le citoyen, en pariant sur le fait que la loi, ou l'opinion publique, ou les circonstances auront changé demain, et finiront par lui donner raison. Dans son texte, Alain ne précise pas s'il pense aussi à ces cas de figure. Ce qui est sûr, c'est que pour lui, l'ordre à tout prix n'est pas l'ordre démocratique.

L'explication envisage des cas auxquels Alain ne pensait sans doute pas ; mais l'analyse philosophique peut appuyer une pensée avec des arguments différents de ceux de l'auteur.

› Sous-partie 3 - L'ordre ne va pas sans la liberté

En effet, l'ordre ne va pas sans la liberté, la liberté ne va pas sans l'ordre. Curieusement, l'auteur n'explique que le second point, il ne s'attarde pas sur le premier, sans doute parce qu'il le juge évident.

Exemple Les expériences totalitaires du XXe siècle ont montré ce que pouvait un ordre sans la liberté.

Utiliser des références historiques.
› **Fiche 3**, p. 576

› Sous-partie 4 - La liberté ne va pas sans l'ordre

Alain insiste surtout sur la deuxième implication : la liberté a besoin d'ordre, parce qu'une liberté déréglée se retourne contre la liberté.

Référence On peut penser à Hobbes qui, dans son tableau de l'état de nature, décrit des individus livrés à leur liberté naturelle.

La guerre de tous contre tous conduit à la loi du plus fort. Les plus faibles seraient les premières victimes, mais ce ne sont pas seulement les plus faibles qui sont concernés. Alain écrit qu'un tel état « n'enferme aucune liberté ; c'est une vie animale, livrée à tous les hasards ». Et de fait, tout le monde aurait à y perdre, même ceux qui se croient les plus forts, puisqu'ils ne pourraient rien entreprendre de stable et de définitif, soumis aux changements perpétuels de la guerre civile, aux « hasards » dont parle Alain, ceux qui régissent « la lutte pour l'existence », qui est pour Darwin le moteur du monde animal.

› Refléxion 1 « Peut-on penser la société avant l'État ? » : **Hobbes**, *Léviathan*, p. 470

› Chapitre 15, Le vivant, la matière et l'esprit : **Darwin**, *L'Origine des espèces*, p. 382-383.

Transition

Ainsi l'auteur peut-il conclure : l'ordre et la liberté s'appellent mutuellement. Les deux vertus du citoyen consistent en l'obéissance (qui veut l'ordre), et la résistance (qui veut la liberté). L'auteur semble admettre la difficulté de cette organisation démocratique quand il écrit : « Obéir en résistant, c'est tout le secret. ». Chaque expérience démocratique, en effet, semble définir différemment ces frontières de la résistance et de l'obéissance, car les situations historiques changent. Chaque époque devra trouver son « secret » et inventer, comme un artisan ou un artiste, des moyens de concilier obéissance et résistance.

Lorsque l'interprétation du texte devient incertaine, on peut le souligner avec les expressions *sans doute, peut-être*...

Partie II

Que se passe-t-il quand ces deux vertus – résistance et obéissance – viennent à manquer, quand ces deux principes – ordre et liberté – ne sont plus liés ?

La seconde partie du texte ne fait que confirmer la première, par **une argumentation *a contrario*** : montrer, en partant de réalités opposées, qu'on aboutit à la même conclusion.

› Sous-partie 1 - Anarchie et tyrannie

L'auteur utilise ces concepts dans leur sens ordinaire. Au sens réel, l'anarchie n'est pas le désordre, mais une forme d'organisation politique qui refuse la centralisation de l'État et de son administration, au profit d'organisations plus décentralisées et proches des citoyens. Dans ce texte, Alain veut simplement parler de désordre. De la même façon, il utilise un concept ancien, celui de tyrannie, pour désigner des types de pouvoirs. La tyrannie, pour les Grecs, est un pouvoir qui n'est pas fondé sur une légitimité, mais sur la seule violence, on l'appellerait aujourd'hui dictature, ou pouvoir totalitaire. La dictature, c'est la concentration du pouvoir dans les mains d'un seul individu, ou d'un groupe, qui l'exerce par la force et la violence. Le pouvoir totalitaire est plus complexe : il vise l'abolition des libertés privées, au profit d'une puissance commune, supposée agir au nom de tous, et représentée par l'État, lui-même représenté par un parti unique, aux ordres d'un guide unique. Le totalitarisme ne vise pas seulement la contrainte par la violence, mais aussi l'embrigadement par la propagande, par l'éducation des masses.

On peut penser que Alain visait les démocraties de son temps. Car les démocraties peuvent aussi être sous l'emprise d'une tyrannie insidieuse, celle de l'opinion, par exemple, ou des médias, quand ils ne sont plus indépendants.

Il est important de faire la différence entre l'usage courant d'un mot et l'usage d'un concept ; ici l'auteur n'utilise pas « anarchie » comme un concept, mais comme un mot ordinaire.

› **Fiche 8**, p. 586

Utiliser une distinction conceptuelle : la différence entre **dictature** et **pouvoir totalitaire**.

Exemple Les campagnes de presse, comme lors de la guerre contre l'Irak, montre la puissance de cette tyrannie de l'opinion. Tocqueville fait allusion à une tyrannie molle, celle d'une démocratie endormie, qui ne réagit pas quand ses intérêts immédiats ne sont pas en jeu.

› Refléxion 5 « Quelle évolution pour les États ? » : **Tocqueville,** *De la démocratie en Amérique,* p. 482

› Sous-partie 2 - L'anarchie conduit à la tyrannie

Ce qui est le plus intéressant dans ce texte, c'est la liaison que l'auteur établit entre tyrannie et anarchie, anarchie et tyrannie. Que l'anarchie conduise à la tyrannie, cela n'est pas surprenant. En effet, l'exaspération des citoyens liée à la multiplication de violences, d'actes de délinquance, de corruption, d'indiscipline, peut encourager à souhaiter un pouvoir fort : « les pouvoirs ont beau jeu pour écraser la résistance », écrit l'auteur.

› Sous-partie 3 - La tyrannie conduit à l'anarchie

Plus difficile à comprendre est la manière dont une dictature, derrière son semblant d'ordre peut générer le désordre et l'anarchie : « les opinions en retour, emploient la force contre la tyrannie ». Cette réaction est plus difficile à illustrer, car le propre des dictatures modernes est de détruire les opinions. Par l'usage de propagandes, elles suppriment non seulement les moyens d'expression, mais encore les pensées elles-mêmes : il s'agit moins de contraindre l'individu à penser comme l'État que de le persuader que l'État pense comme lui et pour lui.
Pourtant les systèmes totalitaires ne sont pas si forts qu'ils veulent le faire croire. Leurs propagandes veulent convaincre de leur force, à l'intérieur comme à l'extérieur. Mais l'ordre policier n'est pas l'ordre social ni l'ordre économique ; et les manifestations forcées d'unité ne prouvent pas l'unité réelle derrière la force. En réalité, les systèmes totalitaires produisent de l'anarchie. Ce sont eux-mêmes, d'abord, qui organisent le désordre, en multipliant les phases d'« épuration ». Ils finissent par utiliser le désordre et l'instabilité comme un instrument de gouvernement.

Utiliser des références historiques.
› **Fiche 3**, p. 576

Exemple Même le nazisme, qui voulait montrer une économie conquérante, était en réalité au bord de la désorganisation économique lorsque la guerre a éclaté. La guerre devenait le moyen de régler cette inefficacité chronique en pillant les autres pays. Le stalinisme aussi maquillait les chiffres de la production pour cacher le gaspillage de l'économie réelle.

Rédiger une conclusion

Une démocratie repose sur un « secret », au sens artisanal du terme, qu'il faut sans cesse renouveler : comment concilier obéissance et résistance. Un secret, parce que l'articulation entre ces deux vertus est nécessaire selon l'auteur, mais qu'elle est sans cesse à réinventer. En effet, le droit de résistance à l'oppression est inscrit dans la *Déclaration des Droits de l'homme* de 1789 : droit de grève, de manifestation, d'expression ; mais ces droits sont parfois insuffisants. Le problème se pose quand la résistance veut faire bouger les lois et se situe elle-même aux limites de la légalité, au nom de la légitimité.

La conclusion insiste sur le fait que la jonction entre obéissance et résistance est au cœur de l'expérience démocratique, et que chaque époque doit réinventer le « secret » de sa résolution.
Récapituler l'idée principale du texte en l'inscrivant dans la réalité.

Aimé-Jules Dalou, *Le Char de la nation* ou *Triomphe de la République*, XVIIIe s., sculpture en bronze, Paris, place de la Nation. Debout sur un char tiré par deux lions, symboles de la force populaire, Marianne est entourée des allégories du Travail, de la Justice, de la Paix et de l'Abondance ; la présence d'enfants rappelle la mission pédagogique de la République ; le génie de la Liberté conduit l'attelage.

L'État / la société civile / la nation

▪ Les **premiers États** sont des appareils de domination ; ils supposent, pour apparaître, un surplus de richesse collective accaparé par un petits nombre. Ce surplus suppose des biens stockables, des propriétés, un état sédentaire. L'impôt est nécessaire pour payer les forces de contraintes (guerriers, bureaucrates, prêtres), et les forces de contraintes à leur tour sont nécessaires pour lever l'impôt.

▪ L'**idée moderne de l'État** est fondée sur le principe que la puissance publique, le droit souverain de commander, doit être séparée des hommes qui exercent effectivement le pouvoir. Ceux-ci n'en sont que des émanations. Ce qui caractérise l'État, c'est sa transcendance (l'État est d'un autre ordre, d'un niveau supérieur à celui de la société et à ses membres), sa permanence, sa continuité (la monarchie française l'exprimait à sa façon dans la fameuse formule : « Le roi est mort, vive le roi ! », voulant montrer que la royauté en tant qu'institution était au-dessus des rois en chair et en os). Historiquement, l'État cesse peu à peu d'être une propriété privée, un héritage familial, pour s'identifier progressivement à l'intérêt général. Mais, dans le même temps, se constitue face à lui une deuxième puissance, qui n'est plus simplement la somme des individus, sujets ou citoyens, mais une réalité collective, communautaire elle aussi, et pourtant non politique. Hegel, dans ses *Principes de la philosophie du droit* (1821), sera le premier à l'appeler **société civile**. Par là, comme les économistes libéraux avant lui et comme Marx après lui, il entend désigner essentiellement la sphère économique.

▪ La **société civile, dans un sens plus récent**, tend aujourd'hui à regrouper toutes les formes de médiation entre l'individu et l'État ; syndicats, associations, unions de défense sont autant de groupements poursuivant des buts d'intérêt général, mais sous l'égide de volontés privées. Les organisations non gouvernementales (ONG) sont le symbole de cette volonté de garder vivantes, entre l'individualisme et l'étatisme, des logiques communautaires où initiative privée et intérêt général sont solidaires. Mais jusqu'où va leur légitimité ?

▪ L'**idée de nation** est plus complexe à définir et peut être l'objet de débats idéologiques. La nation repose sur un sentiment d'appartenance collective, elle-même issue d'une histoire, d'une mémoire commune, faite de symboles, de commémorations, d'éléments culturels identitaires, par exemple – mais pas nécessairement – la langue. La part de flou et de sentiments subjectifs dans cette définition peut encourager des tendances nationalistes qui sacralisent la nation en lui conférant une réalité naturelle, pour ainsi dire éternelle.

Zoom sur...

Les fondements de la démocratie

Au sens moderne, la démocratie n'est plus le « gouvernement du peuple par le peuple », comme l'indique l'étymologie. Si tel était le cas dans l'Antiquité, aujourd'hui, la taille des États modernes ne permet plus au peuple de gouverner lui-même. En revanche, le peuple est souverain, c'est-à-dire que tout pouvoir doit émaner de lui, directement ou indirectement.

Sources → **Droits naturels**

Droits que l'homme possède par sa nature d'être humain. Ils correspondent à ce que les lois devraient respecter et garantir pour que l'État soit légitime.

Modèle fondateur → **Contrat social**

Fiction théorique visant à définir la légitimité d'un État. Il tente de répondre à cette question : à quelles conditions des hommes libres accepteraient-ils d'obéir à un pouvoir étatique ?

Légitimité du pouvoir → **Souveraineté du peuple**

Le peuple est le fondement du pouvoir politique. Même s'il n'exerce pas directement le pouvoir, il le délègue.

Fonctionnement → **Démocratie = Constitution**
Texte déterminant la forme du gouvernement et son organisation.

= Séparation et équilibre des trois pouvoirs
Les pouvoirs exécutif (le gouvernement), législatif (le parlement) et judiciaire (les juges), sont en théorie indépendants les uns des autres.

Garde-fous

La société civile

Intermédiaire entre le pouvoir de l'État et les citoyens, pris individuellement.
Ces garde-fous prennent plusieurs formes :

- Les médias, qui constituent le quatrième pouvoir
- Les organismes non gouvernementaux (ONG)
- Les syndicats, les partis politiques, les associations
- L'éducation, les écoles

Les finalités possibles

- Les libertés individuelles
- L'égalité des chances
- Les droits juridiques et politiques
- La justice sociale (santé, éducation, culture, protection contre le chômage...)

La morale

Chapitre 20 **La liberté**
Chapitre 21 **Le devoir**
Chapitre 22 **Le bonheur**

Deux choses remplissent le cœur d'une admiration et d'une vénération toujours nouvelles et toujours croissantes, à mesure que la réflexion s'y attache et s'y applique : *le ciel étoilé au-dessus de moi et la loi morale en moi.* [...] Le premier spectacle, d'une multitude innombrable de mondes, anéantit pour ainsi dire mon importance, en tant que je suis une créature animale qui doit rendre la matière dont elle est formée à la planète (à un simple point dans l'univers), après avoir été pendant un court espace de temps (on ne sait comment) douée de la force vitale. Le second, au contraire, élève infiniment ma valeur, comme celle d'une intelligence, par ma personnalité dans laquelle la loi morale me manifeste une vie indépendante de l'animalité et même de tout le monde sensible.

Emmanuel Kant, *Critique de la raison pratique*, 1788, trad. F. Picavet, PUF, p. 173.

Supposons que quelqu'un affirme, en parlant de son penchant au plaisir, qu'il lui est tout à fait impossible d'y résister quand se présente l'objet aimé et l'occasion ; si, devant la maison où il rencontre cette occasion, une potence était dressée pour l'y attacher aussitôt qu'il aurait satisfait sa passion, ne triompherait-il pas alors de son penchant ? On ne doit pas chercher longtemps ce qu'il répondrait. Mais demandez-lui si, dans le cas où son prince lui ordonnerait, en le menaçant d'une mort certaine, de porter un faux témoignage contre un honnête homme qu'il voudrait perdre sous un prétexte plausible, il tiendrait comme possible de vaincre son amour pour la vie, si grand qu'il puisse être. Il n'osera peut-être pas assurer qu'il le ferait ou qu'il ne le ferait pas, mais il accordera sans hésiter que cela lui est possible. Il juge donc qu'il peut faire une chose parce qu'il a conscience qu'il doit la faire.

Op. cit., p. 30.

Vincent Van Gogh, *Terrasse de café sur la place du Forum à Arles*, 1888, huile sur toile, Otterlo, Rijksmuseum Kroller-Muller. ›››

chapitre 20

La liberté

Fernand Léger, *Liberté*, 1953, dessin à l'encre (0,336 x 0,160 m), Paris, musée national d'Art moderne – Centre Georges-Pompidou.

Du mot...

La liberté, c'est d'abord le fait de ne pas être captif, de ne pas être en prison : « libérer un prisonnier » ; ou de cesser d'être dans la servitude : « affranchir un esclave ». Pendant longtemps sans doute, la liberté a eu ce sens concret, que l'histoire a rendu plus dramatique : « la libération des peuples opprimés », « la conquête des libertés fondamentales ». Aujourd'hui, les images ont changé, elles évoquent les loisirs, les vacances, les lieux de non travail, de non contrainte. La liberté, ce serait plutôt faire ce qu'on veut, sans contraintes. Même si on l'accompagne de la restriction d'usage : « faire ce qu'on veut, mais sans que cela empiète sur la liberté d'autrui », cette définition présente des difficultés quand on l'analyse dans le détail.

... au concept

Il est difficile, concernant le concept de liberté, de lui donner une définition unique. On peut préciser le sens de différentes libertés concrètes : liberté d'expression, liberté de conscience, liberté d'association... On peut aussi définir des concepts proches : libre arbitre, autonomie, indépendance, spontanéité... Mais il s'agit de facettes différentes de la liberté, non de la liberté elle-même. Aussi, dans un premier temps, doit-on se contenter modestement de circonscrire la liberté par les trois étapes qui caractérisent toute action : savoir – vouloir – pouvoir. Savoir, c'est-à-dire être informé avant de choisir ; vouloir, c'est-à-dire choisir véritablement, en toute conscience et avec fermeté ; pouvoir, c'est-à-dire avoir les capacités, les moyens et le droit d'agir.

Pistes de réflexion

Y a-t-il une liberté derrière la multitude de libertés existantes?

Une multitude de libertés existent, qui renvoient à des problèmes différents. Certaines semblent naturelles, comme la liberté de penser, d'aller et de venir. D'autres sont historiquement datées : la liberté syndicale, ou le droit de manifester. D'autres encore sont plus difficiles et ambitieuses: la liberté de faire sa vie en dehors des schémas habituels. Comment repérer, derrière toutes ces libertés, la liberté qui serait comme la matrice de toutes les autres?

La liberté consiste-t-elle à faire ce que l'on veut?

Cette définition courante a l'inconvénient d'oublier les libertés collectives gagnées par les hommes tout au long de l'histoire (peut-on être libre seul?); de sous-estimer les garanties contre les pouvoirs arbitraires (peut-on être libre sans lois?); de laisser dans le flou la notion de volonté (qu'est-ce qu'une volonté réellement libre?).

Quelles objections contre l'existence de la liberté?

Nombreuses sont les objections contre l'idée même de liberté: 1) le déterminisme: la nécessité des lois naturelles, s'appliquant à tout être vivant sur Terre, devrait également s'appliquer à l'homme; 2) les contraintes venant des hommes eux-mêmes: les lois sociales et juridiques imposent des obligations à chaque individu; 3) la finitude de l'être humain: les difficultés de l'individu à coïncider avec ce qu'il voudrait être, ses faiblesses, ses passions, ses préjugés. Jusqu'où ces objections sont-elles valables?

Le sentiment de liberté prouve-t-il la liberté?

Suffit-il de se sentir libre pour l'être? Le sentiment interne de la liberté est une expérience courante, pourtant ce sentiment n'évacue pas le soupçon de contraintes imperceptibles, surtout s'il s'agit d'actions complexes: je crois choisir librement mes opinions politiques, or je peux subir l'influence de mon environnement familial et social.

Le libre arbitre est-il un fait évident ou une invention?

Quelle que soit la force des raisons qui poussent l'homme à agir dans une direction, il doit se considérer comme libre, puisqu'il pourrait agir autrement s'il le voulait. Sans le libre arbitre, l'homme ne pourrait être responsable, donc coupable. Mais n'est-ce pas justement pour pouvoir juger les hommes coupables, que l'idée de libre arbitre aurait été inventée au cours de l'histoire?

En quoi la liberté est-elle liée à la responsabilité?

Je suis considéré comme pleinement responsable de toute action accomplie librement. Mais suis-je également responsable des conséquences plus ou moins lointaines, plus ou moins prévisibles de mon action, ou bien des actions commises par d'autres, qui sont sous mon autorité? Ma liberté et ma responsabilité se recoupent-elles exactement? Par ailleurs, à rendre l'homme entièrement responsable de ses actes, ne risque-t-on pas de transformer la liberté en fardeau?

Passerelles

- **Chapitre 1 : La conscience,** p. 24.
- **Chapitre 19 : L'État,** p. 466.
- **Chapitre 21 : Le devoir,** p. 524.
- **Texte :** Sartre, L'homme est condamné à être libre, p. 134.

Découvertes

DOCUMENT 1 « Un crime immotivé... »

Lafcadio est assis en face d'Amédée Fleurissoire dans le compartiment d'un train. Il décide de commettre un acte purement gratuit en précipitant le « petit vieux » dans le vide.

Sans attention pour la valise de Lafcadio, Fleurissoire, occupé à son nouveau faux col, avait mis bas sa veste pour pouvoir le boutonner plus aisément ; mais le madapolam[1] empesé, dur comme du carton, résistait à tous ses efforts.

– Il n'a pas l'air heureux, reprenait à part soi Lafcadio. Il doit souffrir d'une fistule, ou de quelque affection cachée. L'aiderai-je ! Il n'y parviendra pas tout seul...

Si pourtant ! le col enfin admit le bouton. Fleurissoire reprit alors, sur le coussin où il l'avait posée près de son chapeau, de sa veste et de ses manchettes, sa cravate et, s'approchant de la portière, chercha comme Narcisse sur l'onde, sur la vitre, à distinguer du paysage son reflet.

– Il n'y voit pas assez.

Yves Brayer, aquarelle illustrant le roman *Les Caves du Vatican* d'André Gide, Gallimard, 1948.

Lafcadio redonna de la lumière. Le train longeait alors un talus, qu'on voyait à travers la vitre, éclairé par cette lumière de chaque compartiment projetée ; cela formait une suite de carrés clairs qui dansaient le long de la voie et se déformaient tour à tour selon chaque accident du terrain. On apercevait au milieu de l'un d'eux, danser l'ombre falote de Fleurissoire ; les autres carrés étaient vides. [...]

– Un crime immotivé, continuait Lafcadio : quel embarras pour la police ! Au demeurant, sur ce sacré talus, n'importe qui peut, d'un compartiment voisin, remarquer qu'une portière s'ouvre, et voir l'ombre du Chinois cabrioler. Du moins les rideaux du couloir sont tirés... Ce n'est pas tant des événements que j'ai curiosité, que de moi-même. Tel se croit capable de tout, qui, devant que d'agir, recule... Qu'il y a loin, entre l'imagination et le fait !... Et pas plus le droit de reprendre son coup qu'aux échecs. Bah ! qui prévoirait tous les risques, le jeu perdrait tout intérêt !... Entre l'imagination d'un fait et... Tiens ! le talus cesse. Nous sommes sur un pont, je crois ; une rivière...

Sur le fond de la vitre, à présent noire, les reflets apparaissaient plus clairement, Fleurissoire se pencha pour rectifier la position de sa cravate.

– Là, sous ma main, cette double fermeture – tandis qu'il est distrait et regarde au loin devant lui – joue, ma foi ! plus aisément encore qu'on eût cru. Si je puis compter jusqu'à douze, sans me presser, avant de voir dans la campagne quelque feu, le tapir est sauvé. Je commence : Une ; deux ; trois ; quatre ; (lentement ! lentement !) cinq ; six ; sept ; huit ; neuf... Dix, un feu !...

Fleurissoire ne poussa pas un cri.

André Gide, *Les Caves du Vatican*, 1914, Livre de poche, p. 197 sq.

1. Étoffe de coton, sorte de calicot fort et lourd.

QUESTIONS

1• La « gratuité » de l'acte de Lafcadio est-elle réelle ou seulement apparente ? Cherchez les motifs qui auraient pu le pousser à commettre ce crime.

2• L'acte gratuit peut-il être un idéal de la liberté humaine ? Justifiez votre réponse.

DOCUMENT 2 Déclencheurs innés ?

Les êtres humains ont spontanément une attirance pour des figures d'animaux aux traits juvéniles : grands yeux, crânes arrondis, mentons effacés.

Les animaux présentant des traits opposés ne provoquent pas une telle réaction. Il s'agit de déclencheurs innés, et donc universels.

Konrad Lorenz, *Trois Essais sur le comportement animal et humain*, 1965, trad. C. et P. Fredet, Seuil, p. 355.

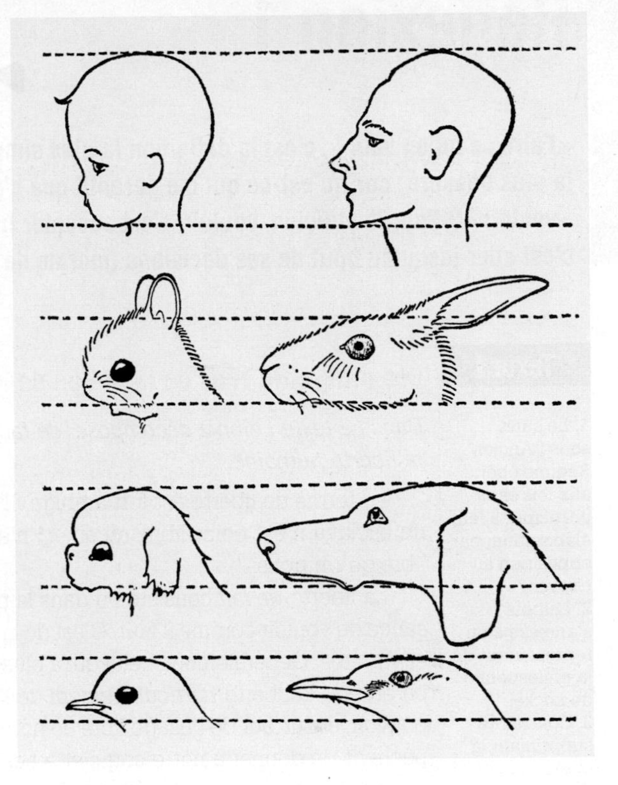

QUESTIONS

› **1•** Notre impression devant ces figures semble libre, elle ne l'est pas. Peut-on donner d'autres exemples du même genre ?

› **2•** Pourquoi la spontanéité ne suffit-elle pas à prouver la liberté d'une réaction ?

DOCUMENT 3 L'*habitus*, une « seconde nature »

L'*habitus*, c'est d'abord le produit d'un apprentissage devenu inconscient qui se traduit ensuite par une aptitude apparemment naturelle à évoluer librement dans un milieu. Ainsi le musicien ne peut improviser librement au piano qu'après avoir longtemps fait ses gammes, acquis les règles de la composition et de l'harmonie. Ce n'est qu'après avoir intériorisé les codes et contraintes musicales (les « structures structurées ») que notre pianiste pourra alors composer, créer, inventer, transmettre sa musique (les « structures structurantes »). L'auteur, le compositeur, l'artiste vit alors sa création sur le mode de la liberté créatrice, de la pure inspiration, parce qu'il n'a plus conscience des codes et styles qu'il a profondément intériorisés. Il en va ainsi de la musique, comme du langage, de l'écriture et de la pensée, en général. On les croit libres et désincarnés, alors qu'ils sont le produit de contraintes et structures profondément ancrées en soi. Les *habitus* sont aussi des sources motrices de l'action et de la pensée ; ce que P. Bourdieu appelle des « principes générateurs et organisateurs de pratiques et de représentations ».

La théorie de l'*habitus* renvoie donc dos à dos deux modèles de l'action opposés. D'un côté, le déterminisme sommaire qui enfermerait nos actions dans le cadre de contraintes imposées ; de l'autre, la fiction d'un individu autonome, libre et rationnel. Chacun de nous est bien le produit de son milieu, prisonnier de routines d'action. Mais nos habitudes et routines fonctionnent comme des programmes, possèdent des capacités créatrices et stratégiques dans un milieu donné.

Jean-François Dortier, « Les idées pures n'existent pas »,
in L'Œuvre de Pierre Bourdieu, Sciences humaines, n° spécial, 2002, p. 5-6.

QUESTIONS

› **1•** Expliquez la définition de l'*habitus* (premières lignes).

› **2•** En quoi la notion d'*habitus* est-elle une alternative à la fois au modèle déterministe et à l'idée de libre arbitre ?

Réflexion 1

Qu'est-ce qu'une volonté libre ?

« Faire ce qu'on veut » : c'est la définition la plus simple et la plus commune de la liberté. Mais aussi la plus obscure : car qu'est-ce qui me garantit que c'est bien *moi* qui veux ? Et puis, que veut dire « vouloir » ? Pour le stoïcien, vouloir, c'est accepter la nécessité de ce qui arrive ; pour Alain, vouloir, c'est aller jusqu'au bout de ses décisions (morale de la résolution).

Texte 1 Les différents sens de la notion de liberté

Dans ce texte Leibniz décompose, de façon très rigoureuse, les différentes significations de la liberté humaine.

Le terme de liberté est fort ambigu. Il y a liberté de droit et de fait. Suivant celle de droit, un esclave n'est point libre, un sujet[1] n'est pas entièrement libre, mais un pauvre est aussi libre qu'un riche.

La liberté *de fait* consiste ou dans la puissance de faire ce que l'on veut ou dans la puissance de vouloir comme il faut. C'est de la *liberté de faire* que vous parlez[2], et elle a ses degrés et variétés. Généralement, celui qui a plus de moyens est plus libre de faire ce qu'il veut. Mais on entend la liberté *particulièrement* de l'usage des choses qui ont coutume d'être en notre pouvoir, et surtout de l'usage libre de notre corps. Ainsi la prison et les maladies qui nous empêchent de donner à notre corps et à nos membres le mouvement que nous voulons, et que nous pouvons leur donner ordinairement dérogent à notre liberté : c'est ainsi qu'un prisonnier n'est point libre, et qu'un paralytique n'a point l'usage libre de ses membres.

La *liberté de vouloir* est encore prise en deux sens différents. L'un est quand on l'oppose à l'imperfection ou à l'esclavage d'esprit, qui est une coaction[3] ou contrainte, mais interne, comme celle qui vient des passions. L'autre sens a lieu quand on oppose la liberté à la nécessité. Dans le premier sens, les stoïciens disaient que le sage seul est libre ; et, en effet, on n'a point l'esprit libre quand il est occupé d'une grande passion, car on ne peut point vouloir comme il faut, c'est-à-dire avec la délibération qui est requise. C'est ainsi que Dieu seul est parfaitement libre, et que les esprits créés ne le sont qu'à mesure qu'ils sont au-dessus des passions. Et cette liberté regarde proprement notre entendement[4].

Mais la liberté de l'esprit opposée à la nécessité regarde la volonté nue et en tant qu'elle est distinguée de l'entendement. C'est ce qu'on appelle le *franc-arbitre*[5] et consiste en ce que l'on veut que les plus fortes raisons ou impressions que l'entendement présente à la volonté n'empêchent point l'acte de la volonté d'être contingent[6] et ne lui donnent point une nécessité absolue et pour ainsi dire métaphysique[7].

Gottfried Leibniz, *Nouveaux Essais sur l'entendement humain*, écrits en 1703-1704, livre II, chap. 21, posth. 1765, Garnier-Flammarion, p. 148.

1. Le sujet sous l'Ancien Régime obéit aux lois sans participer à leur élaboration, par opposition au citoyen.
2. Leibniz s'adresse à un représentant de la philosophie de Locke.
3. Contrainte supprimant la liberté de choix.
4. Capacité à discerner le vrai du faux.
5. Libre arbitre.
6. Ce qui peut être ou ne pas être : le contingent s'oppose au nécessaire.
7. Ici, au sens d'absolu.

QUESTIONS

› **1•** Quels sens de la liberté sont repérés par Leibniz ? Quelle méthode utilise-t-il pour les distinguer ?

› **2•** Quelle définition Leibniz donne t-il du libre arbitre dans le dernier paragraphe ? Pourquoi les « raisons » d'un acte ne sont pas des « causes » ?

Passerelle

› **Texte :** Rawls, *Théorie de la justice*, p. 456.

Texte 2 — Ce qui dépend de nous, ce qui n'en dépend pas

Pour le stoïcien, la volonté est libre si elle sait distinguer ce qui lui appartient de ce qui ne lui appartient pas. La sagesse consiste alors à vouloir librement ce qui arrive nécessairement.

Il y a ce qui dépend de nous, il y a ce qui ne dépend pas de nous. Dépendent de nous l'opinion, la tendance, le désir, l'aversion, en un mot toutes nos œuvres propres ; ne dépendent pas de nous le corps, la richesse, les témoignages de considération, les hautes charges, en un mot toutes les choses qui ne sont pas nos œuvres propres. Les choses qui dépendent de nous sont naturellement libres, sans empêchement, sans entrave ; celles qui ne dépendent pas de nous sont fragiles, serves, facilement empêchées, propres à autrui. Rappelle-toi donc ceci : si tu prends pour libres les choses naturellement serves[1], pour propres à toi-même les choses propres à autrui, tu connaîtras l'entrave, l'affliction, le trouble, tu accuseras dieux et hommes ; mais si tu prends pour tien seulement ce qui est tien, pour propre à autrui ce qui est, de fait, propre à autrui, personne ne te contraindra jamais ni ne t'empêchera, tu n'adresseras à personne accusation ni reproche, tu ne feras absolument rien contre ton gré, personne ne te nuira ; tu n'auras pas d'ennemi ; car tu ne souffriras aucun dommage.

Épictète, *Manuel*, IIe s. apr. J.-C., I, trad. J. Pépin, coll. La Pléiade, Gallimard, p. 1111.

1. Esclaves.

QUESTION

› Qu'est-ce qui dépend de nous, qu'est-ce qui n'en dépend pas ? Pourquoi la liberté humaine est-elle liée à cette distinction ?

Texte 3 — Non pas faire ce que l'on veut, mais vouloir ce qu'on fait

Tout choix est fait. Ici la nature nous devance, et jusque dans les moindres choses ; car, lorsque j'écris, je ne choisis point les mots, mais plutôt je continue ce qui est commencé, attentif à délivrer le mouvement de nature, ce qui est plutôt sauver que changer. Ainsi je ne m'amuse point à choisir ; ce serait vouloir hors de moi ; mais par fidélité je fais que le choix, quel qu'il soit, soit bon. De même je ne choisis pas de penser ceci ou cela ; le métier y pourvoit, ou le livre, ou l'objet, et en même temps l'humeur, réplique du petit monde au grand. Mais aussi il n'est point de pensée qui ne grandisse par la fidélité, comme il n'est point de pensée qui ne sèche pas le regret d'une autre. Ce sont des exemples d'écrivain. Revenons au commun métier d'homme.

Nul ne choisit d'aimer, ni qui il aimera ; la nature fait le choix. Mais il n'y a point d'amour au monde qui grandisse sans fidélité ; il n'y a point d'amour qui ne périsse par l'idée funeste que le choix n'était point le meilleur. Je dis bien plus : l'idée que le choix était le meilleur peut tromper encore, si l'on ne se jette tout à soutenir le choix. Il n'y a pas de bonheur au monde si l'on attend au lieu de faire, et ce qui plaît sans peine ne plaît pas longtemps. Faire ce qu'on veut, ce n'est qu'une ombre. Être ce qu'on veut, ombre encore. Mais il faut vouloir ce qu'on fait. Il n'est pas un métier qui ne fasse regretter de l'avoir choisi, car lorsqu'on le choisissait on le voyait autre ; aussi le monde humain est rempli de plaintes. N'employez point la volonté à bien choisir, mais à faire que tout choix soit bon.

Émile Chartier, dit Alain, *Les Idées et les âges*, 1927, *in Les Passions et la sagesse*, coll. La Pléiade, Gallimard, p. 278 sq.

QUESTIONS

› **1•** « Tout choix est fait » (première ligne) : prise à la lettre, l'expression semble annoncer un total fatalisme. Pourquoi cette première interprétation est-elle un contresens ?

› **2•** « Faire ce qu'on veut, ce n'est qu'une ombre » (§2) : cette phrase est d'abord choquante ; pourquoi ? Comment peut-on, d'après les éléments du texte, en comprendre le sens ?

Une œuvre, une analyse

Présentation

Spinoza : *Éthique*, appendice du livre I (posth. 1677)

L'homme a-t-il un libre arbitre, c'est-à-dire un pouvoir de se déterminer indépendamment de toute contrainte, intérieure ou extérieure ? Pour Spinoza, la réponse est clairement négative : la liberté de la volonté est une illusion de la conscience. L'homme est déterminé à agir, comme toutes les choses de l'univers, et n'échappe pas à la nécessité. Si Spinoza nie le libre arbitre, il ne nie pas pour autant la liberté humaine : celle-ci consiste dans la prise de conscience et la maîtrise de cette nécessité.

1 Dieu comme cause première

L'*Éthique* commence avec l'absolu, Dieu. C'est l'objet de la première partie. Pourtant, l'*Éthique* n'est pas un texte théologique, c'est un livre de philosophie dans lequel toutes les propositions, à l'exception des axiomes et des définitions, sont rigoureusement démontrées. Si l'on veut comprendre rationnellement, par des démonstrations rigoureuses, l'ordre des choses et la place de l'homme dans la nature, on doit commencer par la cause première de toutes choses, c'est-à-dire Dieu. C'est en partant de l'idée de Dieu que l'on pourra expliquer comment toutes les choses sont produites à partir d'un seul et même principe. L'ordre et **l'enchaînement logique des idées** dans le discours philosophique reproduit alors l'ordre et **l'enchaînement réel des choses** dans la nature.

2 Dieu, cause de soi

Si l'existence d'un être fini peut être empêchée par une multitude de causes (vieillesse, maladies, destruction...), il n'en est pas de même de la cause absolument première. Rien ni personne ne peut empêcher une telle cause d'exister. Dieu, qui est cause de sa propre existence, existe nécessairement. Une chose qui est cause de soi « ne peut être conçue autrement qu'existante » (*Éthique*, livre I, définition 1). Si Dieu est par nature cause de soi, il est impossible qu'il n'existe pas. L'existence fait partie de son essence (nature).

Dieu est également appelé « **substance** ». L'auteur de l'*Éthique* donne un sens strict et rigoureux à ce terme : « J'entends par *substance* ce qui est en soi et est conçu par soi » (*op. cit.*, première partie, définition 3). Seul un être qui se suffit complètement à lui-même ou qui est cause de soi peut être appelé ainsi. De ce fait Spinoza réserve-t-il le terme de substance à Dieu seul : Dieu est la seule et unique substance.

3 Liberté, nécessité, contrainte

Rien ni personne ne peut contraindre la substance qui est cause absolue d'elle-même. Elle est donc absolument libre. La liberté, pour Spinoza, est l'opposée de la **contrainte**. Mais elle n'est pas l'opposée de la **nécessité**, bien au contraire. Il importe de ne pas confondre les deux termes. Une chose contrainte « est déterminée par une autre à exister et à produire » (*op. cit.*, livre I, définition 7). En ce sens, tous les êtres, à l'exception de Dieu, sont déterminés à exister et agir par une cause extérieure. Seul Dieu est vraiment libre. Mais cette liberté n'est pas une propriété de sa volonté. Dieu n'agit pas en fonction d'une décision de sa volonté. Un être omnipotent et omniscient ne peut vouloir agir autrement qu'il ne le fait. Penser que Dieu pourrait vouloir créer les choses d'une autre manière et dans un autre ordre, c'est lui attribuer de l'inconstance et de l'impuissance. La liberté de Dieu ne peut en aucun cas se confondre avec le caprice ou l'arbitraire. Elle consiste à agir selon les lois de sa propre nature. « Cette chose est dite libre qui existe par la seule nécessité de sa nature et est déterminée par soi seule à agir » (*op. cit.*, livre I, définition 7). Autrement dit pour Spinoza, **la nécessité et la liberté sont une seule et même chose**. La nécessité est la condition d'un être qui se détermine par soi seul à agir.

4 L'homme ne fait pas exception aux lois universelles de la nature

Dieu, qui est absolument infini, produit et contient en lui toutes les choses particulières. Celles-ci constituent des *modes* ou des manières d'être de la substance. Elles dépendent entièrement de Dieu qui n'est autre que le monde même, c'est-à-dire la nature. Les hommes qui sont des modes de la substance sont eux-mêmes soumis à l'enchaînement naturel des causes. Ils ne font pas exception aux lois universelles de la nature. Le problème est qu'ils n'ont pas conscience des causes qui les déterminent physiquement et psychologiquement. Occupés à chercher ce qui leur est utile et à satisfaire leurs désirs, les hommes ignorent les causes qui les déterminent à agir et à désirer. **Ils ont conscience des *fins* de leurs actions, mais non des *causes*.** D'où l'illusion de la liberté. Victime du préjugé finaliste, (« Puisque je fais ceci en vue de cela, c'est que je sais ce que je veux »), ils renoncent à connaître la véritable cause de leurs désirs, et croient à leur liberté comme à une évidence incontestable. Cette illusion les conforte dans l'idée qu'ils sont les maîtres. Or l'homme n'est pas, au sein de la nature, comme un « empire dans un empire ».

Cela ne signifie pas que l'idée de liberté humaine soit abandonnée par Spinoza. Toute la cinquième partie de l'*Éthique* est au contraire consacrée aux moyens de libération de l'homme. Il ne s'agit plus d'échapper à la nécessité de notre nature, mais de la comprendre et de la conduire jusqu'à son maximum de perfection, c'est-à-dire jusqu'à l'exercice de la raison, qui s'accompagne du maximum de joie et de puissance intérieure, que Spinoza appelle la *Béatitude*.

Spinoza (1632-1677)

Né dans le quartier juif d'Amsterdam, Spinoza reçoit une éducation juive, apprend l'hébreu et se prépare au rabbinat. Mais il sera excommunié par la synagogue d'Amsterdam, le 27 juillet 1656, parce qu'il remettait en question les préjugés des théologiens et les dogmes religieux. Commence ensuite une période obscure pendant laquelle il taille et polit des lentilles d'optique pour gagner sa vie et assurer son indépendance. À partir de 1661, il commence à rédiger l'*Éthique*, son ouvrage majeur. Dans ce livre qu'il poursuivra jusqu'à la fin de sa vie, il expose de manière démonstrative sa philosophie : une liberté joyeuse, qui n'est possible que si on libère l'esprit de toutes les illusions et superstitions. Toute sa vie, Spinoza dénoncera le fanatisme et les préjugés véhiculés par les religions traditionnelles. Pour autant, il ne se proclamera pas athée, il refusera seulement cette attitude religieuse qui consiste à vouloir soumettre la raison à la foi. Les hommes ne peuvent en effet vivre libres et heureux que s'ils « vivent sous la conduite de la raison ». Spinoza développe également une réflexion politique et défend une position démocratique dans le *Traité théologico-politique* (1670) et le *Traité politique* (posth. 1677).

Spinoza : *Éthique*, appendice du livre I (posth. 1677)

▶ La liberté humaine est-elle une illusion ?

Spinoza nie la liberté du libre arbitre. Elle provient selon lui du contresens qui consiste à opposer nécessité et liberté. S'il faut redonner sens à la notion de liberté, c'est en la reliant au contraire à la nécessité : l'homme est réellement libre quand il comprend les déterminismes qui le font agir. Mais pour cela il doit d'abord détruire en lui le « préjugé finaliste » : la croyance aux causes finales.

Texte 1 L'ignorance des vraies causes

Il suffira pour le moment de poser en principe ce que tous doivent reconnaître : que tous les hommes naissent sans aucune connaissance des causes des choses, et que tous ont un appétit de rechercher ce qui leur est utile, et qu'ils en ont conscience. De là suit : 1° que les hommes se figurent être libres, parce qu'ils ont conscience de leurs volitions[1] et de leur appétit[2] et ne pensent pas, même en rêve, aux causes par lesquelles ils sont disposés à appéter et à vouloir, n'en ayant aucune connaissance. Il suit : 2° que les hommes agissent toujours en vue d'une fin, savoir l'utile qu'ils appètent. D'où résulte qu'ils s'efforcent toujours uniquement à connaître les causes finales[3] des choses accomplies et se tiennent en repos quand ils en sont informés, n'ayant plus aucune raison d'inquiétude. S'ils ne peuvent les apprendre d'un autre, leur seule ressource est de se rabattre sur eux-mêmes et de réfléchir aux fins par lesquelles ils ont coutume d'être déterminés à des actions semblables, et ainsi jugent-ils nécessairement de la complexion[4] d'autrui par la leur.

Baruch Spinoza, *Éthique*, posth. 1677, trad. C. Appuhn, Garnier-Flammarion, p. 61-62.

1. Actes de la volonté.
2. Signifie ici tendance (appéter : tendre vers) ; désir.
3. Ce en vue de quoi les choses sont faites.
4. Le « naturel » de l'individu, sa constitution, son tempérament.

QUESTION

› Pourquoi les hommes se croient-ils libres ?

Texte 2 Une fausse conception du divin

Comme, en outre, ils trouvent en eux-mêmes et hors d'eux un grand nombre de moyens contribuant grandement à l'atteinte de l'utile, ainsi, par exemple, des yeux pour voir, des dents pour mâcher, des herbes et des animaux pour l'alimentation, le soleil pour s'éclairer, la mer pour nourrir des poissons, ils en viennent à considérer toutes les choses existant dans la Nature comme des moyens à leur usage. Sachant d'ailleurs qu'ils ont trouvé ces moyens, mais ne les ont pas procurés, ils ont tiré de là un motif de croire qu'il y a quelqu'un d'autre qui les a procurés pour qu'ils en fissent usage. Ils n'ont pu, en effet, après avoir considéré les choses comme des moyens, croire qu'elles se sont faites elles-mêmes, mais, tirant leur conclusion des moyens qu'ils ont accoutumé de se procurer, ils ont dû se persuader qu'il existait un ou plusieurs directeurs[1] de la nature, doués de la liberté humaine, ayant pourvu à tous leurs besoins et tout fait pour leur usage. N'ayant jamais reçu au sujet de la complexion de ces êtres aucune information, ils ont dû aussi en juger d'après la leur propre, et ainsi ont-ils admis que les Dieux dirigent toutes choses pour l'usage des hommes afin de se les attacher et d'être tenus par eux dans le plus grand honneur ; par où il advint que tous, se référant à leur propre complexion, inventèrent divers moyens de rendre un culte à Dieu afin d'être aimés par lui par-dessus les autres, et d'obtenir qu'il dirigeât la Nature entière au profit de leur désir aveugle et de leur insatiable avidité.

Op. cit., p. 61-62.

1. Du latin *rectores* : qui dirigent, qui gouvernent.

QUESTIONS

› 1• Pourquoi les hommes ont-ils tendance à vouloir expliquer le monde à partir des causes finales ? Analysez les différentes étapes qui conduisent à cette illusion.

› 2• Quelles conséquences cette tendance a-t-elle quant à la façon humaine de concevoir Dieu, ou les dieux ?

Texte 3 L'illusion finaliste enchaîne à la superstition

De la sorte, ce préjugé se tourna en superstition et poussa de profondes racines dans les âmes ; ce qui fut pour tous un motif de s'appliquer de tout leur effort à la connaissance et à l'explication des causes finales de toutes choses. Mais, tandis qu'ils cherchaient à montrer que la Nature ne fait rien en vain (c'est-à-dire rien qui ne soit pour l'usage des hommes), ils semblent n'avoir montré rien d'autre sinon que la Nature et les Dieux sont atteints du même délire que les hommes. Considérez, je vous le demande, où les choses en sont enfin venues ! Parmi tant de choses utiles offertes par la nature, ils n'ont pu manquer de trouver bon nombre de choses nuisibles, telles les tempêtes, les tremblements de terre, les maladies, etc., et ils ont admis que de telles rencontres avaient pour origine la colère de Dieu excitée par les offenses des hommes envers lui ou par les pêchés commis dans son culte ; et, en dépit des protestations de l'expérience quotidienne, montrant par des exemples sans nombre que les rencontres utiles et les nuisibles échoient sans distinction aux pieux et aux impies, ils n'ont pas pour cela renoncé à ce préjugé invétéré[1]. Ils ont trouvé plus expédient[2] de mettre ce fait au nombre des choses inconnues dont ils ignoraient l'usage, et de demeurer dans un état actuel et natif[3] d'ignorance, que de renverser tout cet échafaudage et d'en inventer un autre. Ils ont donc admis comme certain que les jugements de Dieu passent de bien loin la compréhension des hommes : cette seule cause certes eût pu faire que le genre humain fût à jamais ignorant de la vérité, si la mathématique, occupée non des fins mais seulement des essences et des propriétés des figures, n'avait fait luire devant les hommes une autre norme de vérité.

Op. cit., p. 62-63.

1. Qui existe depuis longtemps (en parlant d'un défaut, d'un vice) et qui ne peut s'améliorer.
2. Utile, efficace.
3. Qu'on a en naissant, par opposition à ce qui est acquis.

QUESTIONS

1• En quoi consiste la superstition ?

2• Expliquez précisément pourquoi les mathématiques constituent un remède contre la superstition.

Texte 4 L'imagination, fondement des valeurs morales

Après s'être persuadé que tout ce qui arrive est fait à cause d'eux, les hommes ont dû juger qu'en toutes choses le principal est ce qui a pour eux le plus d'utilité, et tenir pour les plus excellentes celles qui les affectent le plus agréablement. Par là ils n'ont pu manquer de former ces notions par lesquelles ils prétendent expliquer les natures des choses, ainsi le Bien, le Mal, l'Ordre, la Confusion, le Chaud, le Froid, la Beauté et la Laideur ; et de la liberté qu'ils s'attribuent sont provenues ces autres notions, la Louange et le Blâme, le Péché et le Mérite ; j'expliquerai plus tard ces dernières, quand j'aurai traité de la nature humaine, et je rendrai compte ici brièvement des premières. Les hommes donc ont appelé Bien tout ce qui contribue à la santé et au culte de Dieu, Mal ce qui leur est contraire. Et, comme ceux qui ne connaissent pas la nature des choses, n'affirment rien qui s'applique à elles, mais les imaginent seulement et prennent l'imagination pour l'entendement, ils croient donc fermement qu'il y a en elles de l'Ordre, dans l'ignorance où ils sont de la nature tant des choses que d'eux-mêmes. Quand elles sont disposées en effet de façon que, nous les représentant par les sens, nous puissions facilement les imaginer et, par suite, nous les rappeler facilement, nous disons qu'elles sont bien ordonnées ; dans le cas contraire, qu'elles sont mal ordonnées ou confuses. Et, comme nous trouvons plus d'agrément qu'aux autres, aux choses que nous pouvons imaginer avec facilité, les hommes préfèrent l'ordre à la confusion ; comme si, sauf par rapport à notre imagination, l'ordre était quelque chose dans la Nature. […] Tout cela montre assez que chacun juge des choses selon la disposition de son cerveau.

Op. cit., p. 65-66.

QUESTION

Relevez les différents couples de valeurs qui dérivent de l'illusion finaliste. En quoi l'imagination rend-elle l'homme esclave de son « cerveau » ?

Réflexion 2

▶ Le libre arbitre : fondement de la responsabilité ou prétexte à culpabilité ?

La faute, pendant longtemps, n'a pas été associée à la responsabilité d'une personne, donc à la liberté individuelle. Aujourd'hui, on distingue l'acte volontaire ou prémédité de l'acte involontaire ou non prémédité, mais aussi la culpabilité individuelle de la culpabilité collective. Des degrés de responsabilité sont également évalués : acte commis par négligence, par imprudence, avec circonstances atténuantes, etc.

Texte 1 — Comment rendre compte de la source ultime d'un acte ?

On admet d'ordinaire qu'un acte est involontaire quand il est fait sous la contrainte, ou par ignorance.

Est fait par contrainte tout ce qui a son principe hors de nous, c'est-à-dire un principe dans lequel on ne relève aucun concours de l'agent ou du patient : si, par exemple, on est emporté quelque part, soit par le vent, soit par des gens qui vous tiennent en leur pouvoir.

Mais pour les actes accomplis par crainte de plus grands maux ou pour quelque noble motif (par exemple, si un tyran nous ordonne d'accomplir une action honteuse, alors qu'il tient en son pouvoir nos parents et nos enfants, et qu'en accomplissant cette action nous assurerions leur salut, et en refusant de la faire, leur mort), pour de telles actions la question est débattue de savoir si elles sont volontaires ou involontaires. C'est là encore ce qui se produit dans le cas d'une cargaison que l'on jette par-dessus bord au cours d'une tempête : dans l'absolu, personne ne se débarrasse ainsi de son bien volontairement, mais quand il s'agit de son propre salut et de celui de ses compagnons, un homme de sens agit toujours ainsi. De telles actions sont donc mixtes, tout en ressemblant plutôt à des actions volontaires, car elles sont librement choisies au moment où on les accomplit, et la fin de l'action varie avec les circonstances de temps. On doit donc, pour qualifier une action de volontaire ou d'involontaire, se référer au moment où elle s'accomplit. Or ici l'homme agit volontairement, car le principe qui, en de telles actions, meut les parties instrumentales de son corps, réside en lui, et les choses dont le principe est en l'homme même, il dépend de lui de les faire ou de ne pas les faire. Volontaires sont donc les actions de ce genre, quoique dans l'absolu elles soient peut-être involontaires, puisque personne ne choisirait jamais une pareille action en elle-même. [...]

L'acte fait par ignorance est toujours *non* volontaire ; il n'est involontaire que si l'agent en éprouve affliction et repentir. En effet, l'homme qui, après avoir accompli par ignorance une action quelconque, ne ressent aucun déplaisir de son acte, n'a pas agi volontairement, puisqu'il ne savait pas ce qu'il faisait, mais il n'a pas non plus agi involontairement, puisqu'il n'en éprouve aucun chagrin. Les actes faits par ignorance sont dès lors de deux sortes : si l'agent en ressent du repentir, on estime qu'il a agi *involontairement* ; et s'il ne se repent pas, on pourra dire, pour marquer la distinction avec le cas précédent, qu'il a agi *non volontairement* : puisque ce second cas est différent du premier, il est préférable, en effet, de lui donner un nom qui lui soit propre.

Aristote, *Éthique à Nicomaque*, IVe s. av. J.-C., III, 1 et 2, trad. J. Tricot, Vrin, p. 119-122.

QUESTIONS

1• Quels sont les critères dégagés par Aristote pour définir un « acte volontaire » ?

2• La différence entre « non volontaire » et « involontaire » semble n'être qu'un jeu de langage. Quels problèmes sérieux forcent Aristote à jouer sur les mots ?

Texte 2 — Le libre arbitre : condition nécessaire mais inexplicable de la responsabilité

La liberté d'une cause efficiente[1], surtout dans le monde sensible, ne peut, quant à sa possibilité, être en aucune façon perçue ; heureux encore si nous pouvons seulement être suffisamment assurés qu'il n'y a pas de preuves de son impossibilité et si nous sommes forcés par la loi morale qui la postule, et par là même aussi autorisés à l'admettre ! Cependant il y a encore beaucoup d'hommes qui croient pouvoir expliquer cette liberté, comme tout autre pouvoir naturel, par des principes empiriques et qui la considèrent comme une propriété psychologique dont l'explication réclame exclusivement un examen fort attentif de la nature de l'âme, et des mobiles de la volonté, non comme un prédicat transcendantal[2] de la causalité d'un être qui appartient au monde des sens (ce qui est pourtant en réalité la seule chose dont il s'agisse ici), et qui suppriment ainsi la merveilleuse perspective que nous ouvre la raison pure pratique au moyen de la loi morale, c'est-à-dire la perspective d'un monde intelligible, par la réalisation du concept d'ailleurs transcendant de la liberté ; par là, ils suppriment la loi morale elle-même, qui n'admet aucun principe empirique de détermination[3].

Emmanuel Kant, *Critique de la raison pratique*, 1788, trad. F. Picavet, PUF, p. 100.

1. Qui produit un effet ; désigne l'agent, l'auteur d'une action.
2. Ici : dépassant toute expérience possible. La liberté en effet ne se prouve pas. Elle suppose l'appartenance à un monde intelligible, dont l'homme ne peut avoir aucune connaissance.
3. › Kant, p. 532.

QUESTIONS

› **1•** Pourquoi une explication empirique de la liberté est-elle insuffisante ?

› **2•** La liberté échappe à toute explication issue de l'expérience. Comment peut-on accepter sa réalité ? Pourquoi est-il nécessaire de postuler la liberté ?

Texte 3 — Le libre arbitre, prétexte pour fonder la culpabilité ?

Nous n'avons maintenant plus aucune indulgence pour la notion de « libre arbitre » ; nous ne savons que trop ce que c'est – le plus suspect des tours de passe-passe des théologiens, aux fins de rendre l'humanité « responsable » – au sens où ils l'entendent, c'est-à-dire de la rendre plus dépendante des théologiens... Je n'évoquerai ici que la psychologie de toute « responsabilisation générale ». Chaque fois que l'on cherche à « établir les responsabilités », c'est habituellement l'instinct de vouloir punir et juger qui est à l'œuvre : c'est dépouiller le devenir de son innocence qu'attribuer à une volonté, à des intentions, à des actes de responsabilité le fait d'être de telle ou telle manière. La théorie de la volonté a été essentiellement inventée à des fins de châtiment, c'est-à-dire par « désir de trouver coupable ». Toute l'ancienne psychologie, la psychologie de la volonté est née de ce que ses auteurs, les prêtres qui étaient à la tête des anciennes communautés, voulaient se donner un droit d'infliger des punitions, ou donner à Dieu un tel droit... Si l'on a conçu les hommes libres, c'est à seule fin qu'ils puissent être jugés et condamnés, afin qu'ils puissent devenir coupables.

Friedrich Nietzsche, *Le Crépuscule des idoles*, 1888, coll. Idées, Gallimard, p. 64-65.

QUESTIONS

› **1•** Pourquoi la morale et la religion ont-elles besoin de croire au « libre arbitre » ? La négation du libre arbitre par le déterminisme serait-elle désastreuse pour la morale ? Comparez ce texte avec les textes de la *Généalogie de la morale* (› p. 538) et le texte de Michel Foucault (› p. 516).

› **2•** Doit-on considérer la métaphysique du libre arbitre comme une « métaphysique de bourreau » ? Le libre arbitre n'est-il pas, au contraire, une « exigence » éthique ? Justifiez votre point de vue.

Réflexion 3

▶ La liberté, contre ou avec le déterminisme ?

L'opposition logique entre liberté (l'homme est l'auteur de ses actes) et déterminisme (les actes humains obéissent à des causes comme n'importe quels phénomènes naturels) conduit à plusieurs tentatives de conciliation, dont les trois textes suivants offrent les exemples les plus marquants.

Texte 1 Kant : la liberté malgré le déterminisme

Qu'on prenne un acte volontaire, par exemple un mensonge pernicieux, par lequel un homme a introduit un certain désordre dans la société, dont on recherche d'abord les raisons déterminantes, qui lui ont donné naissance, pour juger ensuite comment il peut lui être imputé avec toutes ses conséquences. Sous le premier point de vue, on pénètre le caractère empirique de cet homme jusque dans ses sources, que l'on recherche dans la mauvaise éducation, dans les mauvaises fréquentations, en partie aussi dans la méchanceté d'un naturel insensible à la honte, qu'on attribue en partie à la légèreté et à l'inconsidération, sans négliger les circonstances tout à fait occasionnelles qui ont pu influer. Dans tout cela, on procède comme on le fait, en général, dans la recherche de la série des causes déterminantes d'un effet naturel donné.

Or, bien que l'on croie que l'action soit déterminée par là, on n'en blâme pas moins l'auteur et cela, non pas à cause de son mauvais naturel, non pas à cause des circonstances qui ont influé sur lui, et non pas même à cause de sa conduite passée ; car on suppose qu'on peut laisser tout à fait de côté ce qu'a été cette conduite et regarder la série écoulée des conditions comme non avenue, et cette action comme entièrement inconditionnée par rapport à l'état antérieur, comme si l'auteur commençait absolument avec elle une série de conséquences. Ce blâme se fonde sur une loi de la raison où l'on regarde celle-ci comme une cause qui a pu et a dû déterminer autrement la conduite de l'homme, indépendamment de toutes les conditions empiriques nommées. Et on n'envisage pas la causalité de la raison, pour ainsi dire, simplement comme concomitante[1], mais au contraire, comme complète en soi, quand bien même les mobiles sensibles ne seraient pas du tout en sa faveur et qu'ils lui seraient tout à fait contraires ; l'action est attribuée au caractère intelligible[2] de l'auteur : il est entièrement coupable à l'instant où il ment ; par conséquent, malgré toutes les conditions empiriques de l'action la raison était pleinement libre, et cet acte doit être attribué entièrement à sa négligence.

Emmanuel Kant, *Critique de la raison pure*, 1781,
trad. A. Tremesaygues et B. Pacaud, coll. Quadrige, PUF, p. 467.

1. Qui accompagne un autre fait, simultané.
2. Non pas le caractère sensible appartenant au monde des phénomènes, dans l'espace et dans le temps, le seul que l'homme peut connaître ; mais le caractère purement rationnel, tel qu'on peut le postuler « derrière » le monde des phénomènes, dans le « monde en soi » (› texte 2, p. 513).

QUESTION

› Analyser les deux logiques requises pour un jugement en responsabilité. Montrez en quoi ces logiques sont toutes deux nécessaires mais se contredisent.

Texte 2 Engels : la liberté par le déterminisme

La liberté n'est pas dans une indépendance rêvée à l'égard des lois de la nature, mais dans la connaissance de ces lois et dans la possibilité donnée par là même de les mettre en œuvre méthodiquement pour des fins déterminées. Cela est vrai aussi bien des lois de la nature extérieure que de celles qui régissent l'existence physique et psychique de l'homme lui-même, deux classes de lois que nous pouvons séparer tout au plus dans la représentation, mais non dans la réalité. La liberté de la volonté ne signifie donc pas autre chose que la faculté de décider en connaissance de cause. Donc, plus le jugement d'un homme est *libre* sur une question déterminée, plus grande est la nécessité qui détermine la teneur de ce jugement ; que l'incertitude reposant sur l'ignorance, – qui choisit en apparence arbitrairement entre de nombreuses possibilités de décisions diverses et contradictoires –, ne manifeste précisément par là que sa non-liberté, sa soumission à l'objet qu'elle devrait justement se soumettre. La liberté consiste par conséquent dans l'empire sur nous-mêmes et sur la nature extérieure, fondé sur la connaissance des nécessités naturelles ; ainsi, elle est nécessairement un produit du développement historique.

Friedrich Engels, *Anti-Dühring*, 1878, chap. 10, trad. E. Bottigelli, Éditions Sociales, 1977, p. 143.

QUESTION

› Engels nous dit que la connaissance des lois naturelles permet à l'homme de réaliser sa liberté. Donnez des exemples.

Texte 3 Sartre : la liberté éclairée par le déterminisme

L'argument décisif utilisé par le bon sens contre la liberté consiste à nous rappeler notre impuissance. Loin que nous puissions modifier notre situation à notre gré, il semble que nous ne puissions pas nous changer nous-mêmes. Je ne suis « libre » ni d'échapper au sort de ma classe, de ma nation, de ma famille, ni même d'édifier ma puissance ou ma fortune, ni de vaincre mes appétits les plus insignifiants ou mes habitudes. Je nais ouvrier, Français, hérédosyphilitique[1] ou tuberculeux. L'histoire d'une vie, quelle qu'elle soit, est l'histoire d'un échec. Le coefficient d'adversité des choses est tel qu'il faudrait des années de patience pour obtenir le plus infime résultat. Encore faut-il « obéir à la nature pour la commander », c'est-à-dire insérer mon action dans les mailles du déterminisme. Bien plus qu'il ne paraît « se faire », l'homme semble « être fait » par le climat et la terre, la race et la classe, la langue, l'histoire de la collectivité dont il fait partie, l'hérédité, les circonstances individuelles de son enfance, les habitudes acquises, les grands et les petits événements de sa vie.

Cet argument n'a jamais profondément troublé les partisans de la liberté humaine : Descartes, le premier, reconnaissait à la fois que la volonté est infinie et qu'il faut « tâcher à nous vaincre plutôt que la fortune ». C'est qu'il convient ici de faire des distinctions ; beaucoup des faits énoncés par les déterministes ne sauraient être pris en considération. Le coefficient d'adversité des choses, en particulier, ne saurait être un argument contre notre liberté, car c'est par nous, c'est-à-dire par la position préalable d'une fin, que surgit ce coefficient d'adversité. Tel rocher qui manifeste une résistance profonde si je veux le déplacer sera, au contraire, une aide précieuse si je veux l'escalader pour contempler le paysage. En lui-même – s'il est même possible d'envisager ce qu'il peut être en lui-même – il est neutre, c'est-à-dire qu'il attend d'être éclairé par une fin pour se manifester comme adversaire ou comme auxiliaire. Encore ne peut-il se manifester de l'une ou l'autre manière qu'à l'intérieur d'un complexe-ustensile déjà établi. Sans les pics et les piolets, les sentiers déjà tracés, la technique de l'ascension, le rocher ne serait ni facile ni malaisé à gravir ; la question ne se poserait pas, il ne soutiendrait aucun rapport d'aucune sorte avec la technique de l'alpinisme.

Jean-Paul Sartre, *L'Être et le néant*, 1943, coll. Tel, Gallimard, p. 538-539.

1. Atteint d'une syphilis congénitale. La syphilis est une maladie sexuellement transmissible.

QUESTIONS

› **1•** Le premier paragraphe établit un bilan, une balance : ce que j'ai choisi dans ma vie/ce que je n'ai pas choisi. Refaites vous-même l'inventaire. Quelle conclusion en tirez-vous ?

› **2•** La réponse de Sartre consiste-t-elle à nier les faits établis dans le premier paragraphe ?

Dossier ► Le droit pénal, entre folie et responsabilité

Le problème de la liberté se pose concrètement chaque fois qu'un tribunal doit juger un accusé : cet homme est-il l'auteur de son acte ? Kant remarquait déjà que deux logiques, toutes deux incompatibles mais toutes deux nécessaires, sont en jeu : celle des causes (déterminisme), celle de la responsabilité (liberté). L'acte commis sous l'emprise de la « folie » met en relief ce problème, comme le montre Foucault dans ce texte.

DOCUMENT 1

Depuis 150 ou 200 ans que l'Europe a mis en place ses nouveaux systèmes de pénalité. Les juges, peu à peu, mais par un processus qui remonte fort loin, se sont donc mis à juger autre chose que les crimes : l'« âme » des criminels.

Qu'est-ce que juger ?

Et ils se sont mis, par là même, à faire autre chose que juger. Ou, pour être plus précis, à l'intérieur même de la modalité judiciaire du jugement, d'autres types d'estimation sont venus se glisser, modifiant pour l'essentiel ses règles d'élaboration. Depuis que le Moyen Âge avait construit, non sans difficulté et lenteur, la grande procédure de l'enquête, juger, c'était établir la vérité d'un crime, c'était déterminer son auteur, c'était lui appliquer une sanction légale. Connaissance de l'infraction, connaissance du responsable, connaissance de la loi, trois conditions qui permettaient de fonder en vérité un jugement. Or voilà qu'au cours du jugement pénal se trouve inscrite maintenant une tout autre question de vérité. Non plus simplement : « Le fait est-il établi et est-il délictueux ? » Mais aussi : « Qu'est-ce donc que ce fait, qu'est-ce que cette violence ou ce meurtre ? À quel niveau ou dans quel champ de réalité l'inscrire ? Fantasme, réaction psychotique, épisode délirant, perversité ? » Non plus simplement : « Qui en est l'auteur ? » Mais : « Comment assigner le processus causal qui l'a produit ? Où en est, dans l'auteur lui-même, l'origine ? Instinct, inconscient, milieu, hérédité ? » Non plus simplement : « Quelle loi sanctionne cette infraction ? » Mais : « Quelle mesure prendre qui soit la plus appropriée ? Comment prévoir l'évolution du sujet ? De quelle manière sera-t-il le plus sûrement corrigé ? »

La folie au cœur du problème

Tout un ensemble de jugements appréciatifs, diagnostiques, pronostiques, normatifs, concernant l'individu criminel sont venus se loger dans l'armature du jugement pénal. Une autre vérité a pénétré celle qui était requise par la mécanique judiciaire – une vérité qui, enchevêtrée à la première, fait de l'affirmation de culpabilité un étrange complexe scientifico-juridique. Un fait significatif : la manière dont la question de la folie a évolué dans la pratique pénale. D'après le Code 1810, elle n'était posée qu'au terme de l'article 64. Or celui-ci porte qu'il n'y a ni crime ni délit, si l'infracteur était en état de démence au moment de l'acte. La possibilité d'assigner la folie était donc exclusive de la qualification d'un acte comme crime : que l'auteur ait été fou, ce n'était pas la gravité de son geste qui en était modifiée, ni sa peine qui devait en être atténuée ; le crime lui-même disparaissait. Impossible donc de déclarer quelqu'un à la fois coupable et fou ; le diagnostic de folie s'il était posé ne pouvait pas s'intégrer au jugement ; il interrompait la procédure, et dénouait la prise de la justice sur l'auteur de l'acte. Non seulement l'examen du criminel soupçonné de démence, mais les effets mêmes de cet examen devaient être extérieurs et antérieurs à la sentence. Or très tôt, les tribunaux du XIXe siècle se sont mépris sur le sens de l'article 64. Malgré plusieurs arrêts de la Cour de cassation rappelant que l'état de folie ne pouvait entraîner ni une peine modérée, ni même un acquittement, mais un non-lieu, ils ont posé dans leur verdict même la question de la folie. Ils ont admis qu'on pouvait être coupable et fou ; d'autant moins coupable qu'on était un peu plus fou ; coupable certes, mais à enfermer et à soigner plutôt qu'à punir ; coupable dangereux puisque manifestement malade, etc.

Légalité ou normalité

Du point de vue du Code pénal, c'étaient autant d'absurdités juridiques. Mais c'était là le point de départ d'une évolution que la jurisprudence et la législation elle-même allaient précipiter au cours des

150 années suivantes : déjà la réforme de 1832, introduisant les circonstances atténuantes, permettait de moduler la sentence selon les degrés supposés d'une maladie ou les formes d'une demi-folie. Et la pratique, générale aux assises, étendue parfois à la correctionnelle, de l'expertise psychiatrique fait que la sentence, même si elle est toujours formulée en termes de sanction légale, implique, plus ou moins obscurément, des jugements de normalité, des assignations de causalité, des appréciations de changements éventuels, des anticipations sur l'avenir des délinquants. Toutes opérations dont on aurait tort de dire qu'elles préparent de l'extérieur un jugement bien fondé ; elles s'intègrent directement au processus de formation de la sentence. Au lieu que la folie efface le crime au sens premier de l'article 64, tout crime maintenant et, à la limite, toute infraction portent en soi, comme un soupçon légitime, mais aussi comme un droit qu'ils peuvent revendiquer, l'hypothèse de la folie, en tout cas de l'anomalie. Et la sentence qui condamne ou acquitte n'est pas simplement un jugement de culpabilité, une décision légale qui sanctionne ; elle porte avec elle une appréciation de normalité et une prescription technique pour une normalisation possible. Le juge de nos jours – magistrat ou juré – fait bien autre chose que « juger ».

Michel Foucault, *Surveiller et punir*, 1975, coll. Bibliothèque des histoires, Gallimard, p. 24 sq.

QUESTIONS

1• Quel problème la folie pose-t-elle pour le droit pénal ? Quelle est la logique de l'article 64 du Code pénal de 1810 ?

2• Pourquoi cette logique a-t-elle été progressivement enfreinte ?

3• Le « progrès » du droit pénal doit-il conduire nécessairement à des incohérences logiques ?

DOCUMENT 2

Père de la « criminologie », Cesare Lombroso (1835-1909) pense que le criminel est sous le contrôle de sa propre nature biologique, en grande partie héréditaire : plus question de libre arbitre, on naît criminel. La science peut détecter les traits physiques (crâne, visage, bras, mains…) liés aux tendances criminelles des individus. La thèse est immédiatement contestée par les sociologues qui invoquent le déterminisme social. Entre ces deux thèses opposées, le problème du libre arbitre reste entier.

QUESTION

Pourquoi une logique déterministe peut-elle tantôt décharger l'homme de ses fautes, tantôt le condamner sans appel ?

Cesare Lombroso, *L'Homme criminel*, 1875.

Nous disons que l'existence de la liberté n'est qu'une vérité de sentiment, et non pas de discussion ; il est facile de s'en convaincre. Car le sentiment de notre liberté consiste dans le sentiment du pouvoir que nous avons de faire une action contraire à celle que nous faisons actuellement ; l'idée de la liberté est donc celle d'un pouvoir qui ne s'exerce pas, et dont l'essence même est de ne pas s'exercer au moment que nous le sentons ; cette idée n'est donc qu'une opération de notre esprit, par laquelle nous séparons le pouvoir d'agir d'avec l'action même, en regardant ce pouvoir oisif (quoique réel) comme subsistant pendant que l'action n'existe pas. Ainsi la notion de la liberté ne peut être qu'une vérité de conscience. Nous devons donc croire que nous sommes libres. D'ailleurs, quelles difficultés pourraient présenter cette grande question, si on voulait la réduire au seul énoncé net dont elle soit susceptible ? Demander si l'homme est libre, ce n'est pas demander s'il agit sans motif et sans cause, ce qui serait impossible ; mais s'il agit par choix et sans contrainte ; et sur cela il suffit d'en appeler au témoignage universel de tous les hommes.

Jean Le Rond D'Alembert, *Essai sur les éléments de philosophie* (1759).

La connaissance de la doctrine de l'auteur n'est pas requise. Il faut et il suffit que l'explication rende compte, par la compréhension précise du texte, du problème dont il est question.

Rédiger l'introduction

Les hommes pensent être ordinairement libres de leurs mouvements et de leurs pensées. Cette opinion peut être illusoire, des philosophes la contestent, comme Spinoza pour qui cette croyance ne repose que sur l'ignorance des vraies causes qui nous déterminent à agir. Et de fait, il est difficile de prouver l'existence du libre arbitre face au déterminisme de notre nature. Chaque fois que nous agissons, nous pouvons imaginer des causes qui nous déterminent à agir ainsi ; mais nous pouvons également sentir les raisons qui auraient pu nous faire agir autrement.

Dans ce texte, D'Alembert écarte ce problème métaphysique de la preuve en montrant que la liberté existe, non pas parce que nous pouvons le prouver rationnellement, mais parce que nous en avons en nous l'intuition : « l'existence de la liberté n'est qu'une vérité de sentiment ». Par cette position, l'auteur parvient-il à sauver l'hypothèse du libre arbitre ? L'auteur montre d'abord pourquoi nous devons nous contenter d'admettre que le libre arbitre existe, sans pouvoir réellement le prouver. La liberté n'est ni un fait empirique que nous pourrions observer, ni une conclusion rationnelle que nous pourrions démontrer. C'est un objet de croyance : « Nous devons donc croire que nous sommes libres. ». Dans un deuxième temps, pour échapper aux discussions interminables des philosophes, il en appelle au « témoignage universel de tous les hommes » en définissant la liberté en termes simples que tout le monde devrait admettre.

› **Fiche 2**, p. 574

› Une œuvre, une analyse : **Spinoza**, *Éthique*, p. 508-511.

Donner la logique d'ensemble du texte avant d'entrer dans le détail permet d'assurer la compréhension globale et un fil directeur.

Rédiger l'explication

Partie I - Le problème de la preuve de la liberté

Le libre arbitre est la capacité de choisir par nous-mêmes une action, de ne pas être soumis à des déterminismes qui nous pousseraient à agir en dehors de notre volonté.

Or certains philosophes pensent que cette liberté de choix est illusoire, que nous sommes toujours poussés par des causes inconscientes (biologiques, sociologiques, psychologiques) à agir dans un sens donné. Mais comme ces causes sont généralement invisibles, on ne peut pas plus les prouver que le libre arbitre lui-même. Le débat entre partisans de la liberté et partisans du déterminisme est donc sans fin.

› Chapitre 21, le devoir : sujet commenté, **Freud** et **Durkeim,** p. 543.

C'est pour échapper à ce débat, que l'auteur propose de ne plus chercher à prouver le libre arbitre (ce qui est impossible), mais de le fonder sur une autre source de vérité : le sentiment. Il entend par là une intuition intérieure dont nous pouvons trouver en nous le témoignage. Si tous les hommes peuvent témoigner de cette même intuition, alors la liberté existe. C'est une vérité de sentiment (intérieure) et non pas de discussion (rationnelle).

› **Intuition :** perception directe et évidente d'une vérité.

Partie II - Le paradoxe

L'intuition dont il s'agit n'est pas celle d'un acte réel, mais celle d'un acte possible. Or cette intuition est d'une nature particulière : le libre arbitre est l'intuition non pas de faire quelque chose mais de *pouvoir faire* autre chose. Si je décide de me promener, je le fais librement et non poussé par la paresse, si j'ai le sentiment que j'aurais pu tout aussi bien décider de travailler. Or cette dernière action n'a pas été réalisée, c'est une simple virtualité, on ne peut donc pas prouver sa réalité. Mais c'est parce je sens en moi le pouvoir de faire le contraire de ce que je fais, que je me sens libre de choisir. La thèse est paradoxale, « l'idée de la liberté est donc celle d'un pouvoir qui ne s'exerce pas ». C'est la raison pour laquelle, par définition, elle ne pourra jamais être prouvée. Comme l'explique l'auteur, nous séparons abstraitement, par une opération artificielle mais nécessaire de notre esprit, « le pouvoir d'agir d'avec l'action ». Or dans la réalité, cette distinction n'existe pas. Je peux séparer le « vouloir » de l'action elle-même (en effet, je désire *avant* de faire) ; je peux séparer le « savoir » de l'action elle-même (en effet, je réfléchis *avant* d'agir). Mais on ne voit pas concrètement comment on pourrait séparer l'agir et le pouvoir d'agir, surtout quand il s'agit d'une action qui n'a pas eu lieu ; c'est seulement une action que j'aurais pu faire. Nous devons donc admettre un pouvoir qui serait réel même s'il ne s'exerce pas. Cela ne peut être qu'une croyance, mais cette croyance pour l'auteur est nécessaire. « Nous devons donc croire que nous sommes libres ». Pourquoi serait-ce un devoir, une obligation ? L'auteur ne le dit pas explicitement. Sans doute parce que, sans cette croyance, nous ne nous jugerions plus responsables de nos actes, nous pourrions protester de notre irresponsabilité chaque fois que cela nous arrangerait. Nous deviendrions des animaux. Par l'instinct, l'animal ne fait que ce qu'il peut faire, il ne peut faire que ce qu'il fait : si le renard peut manger la poule, il la mange.

› **Paradoxe :** une contradiction apparente.

Utiliser le jeu des concepts :
savoir / vouloir / pouvoir

› Du mot... au concept, p. 502

Ne pas hésiter à interroger le texte pour évaluer la force des idées présentées.

Partie III - Une définition minimale de la liberté

Après avoir défini la liberté comme croyance fondée sur un sentiment intérieur, l'auteur propose une définition minimale de la liberté qui permettrait de clore le problème, « le seul énoncé net dont [la liberté] soit susceptible ». La liberté ne signifie pas absence de motif ou de cause, écrit-il. Pourquoi? Concernant les motifs, on peut comprendre facilement : il serait impossible de trouver des actions sans motif chez l'homme, à moins d'invoquer la folie ; or même dans la folie, il y a des motifs (d'ordre psychiatrique). Quant aux actes gratuits, faits sans raison apparente, ils ont en réalité une raison : soit provoquer, soit manifester spectaculairement la liberté. De plus, nous sommes d'autant plus libres que nous réfléchissons avant d'agir, c'est-à-dire que nous avons des raisons, des motifs d'agir. Loin d'être contradictoire avec la liberté, l'existence de motifs semble au contraire en être la condition.

Un motif est une idée qui pousse à agir après réflexion.

› Sur l'acte gratuit, Découvertes : **Gide**, *Les Caves du Vatican*, p. 504

Si la liberté ne s'oppose pas aux motifs, elle pourrait s'opposer aux causes, lesquelles ne viennent pas de ma réflexion, mais viennent soit de mon corps, soit de mon environnement, soit des circonstances, ou des trois facteurs à la fois.

Une cause est un mécanisme qui entraîne l'action à titre d'effet, sans réflexion.

> **Exemple** Si je veux manger, c'est parce que j'ai faim. Or la faim, avant de devenir le motif de mon action, est d'abord une cause qui ne dépend pas de moi. C'est une nécessité qui s'impose à moi, que je le veuille ou non.

Prendre un exemple pour tester la pensée de l'auteur.

Mais l'auteur écarte cette objection. Pourquoi? Il y a des milliers de causes qui me font agir et qui ne dépendent pas de moi : manger, dormir, pour mon corps ; dominer mes désirs, mes tendances, pour construire ma personnalité ; travailler, me discipliner, pour mon insertion sociale, etc. S'il fallait opposer tout cela à la liberté, il n'y aurait évidemment plus de liberté. C'est pourquoi l'auteur propose d'opposer la liberté non pas aux causes en général, mais aux seules causes qui contraignent. Comment justifier cette différence?

La contrainte est une nécessité à laquelle on ne peut s'opposer. Dans certains cas, je peux être obligé de faire quelque chose (faire mon devoir par exemple) tout en restant libre : je peux toujours désobéir à une obligation. La liberté ne s'oppose donc pas à l'obligation (devoir) mais à la contrainte (nécessité).

Une contrainte est une nécessité à laquelle on ne peut s'opposer.

> **Exemple** Or la faim n'est-elle pas une contrainte elle aussi? Dans la logique du texte, on pourrait répondre qu'elle devient une contrainte chez l'affamé, ou celui qui subit une famine, car dans ce cas, la situation ne laisse plus aucun choix. Dans la vie ordinaire, au contraire, la faim nous pousse à agir mais nous laisse des choix : quand, où, quoi manger?

Il y a une différence entre les causes en général, qui nous poussent sans nous contraindre, et les causes contraignantes, qui ne nous laissent aucun choix. Cependant, l'auteur ne précise pas les limites qui séparent les unes des autres. Peut-être juge-t-il la différence évidente? Ou bien au contraire pense-t-il qu'il y a des gradations insensibles des unes aux autres et qu'on ne peut trancher dans l'absolu?

On peut en rester à des notations hypothétiques lorsque le texte ne permet pas des affirmations plus fermes.

Partie IV - Un bilan : l'auteur a-t-il atteint son but ?

Ce texte permet-il de répondre à l'objection que faisait Spinoza aux partisans du libre-arbitre : les hommes se croient libres parce qu'ils ont conscience des fins qu'ils poursuivent mais non des causes qui les poussent à agir ? Le fait de ne pas sentir de contraintes, de sentir en soi le pouvoir d'agir autrement, comme l'affirme D'Alembert, ne semble pas une réponse suffisante. Car dans nos actions les plus irréfléchies, nous nous sentons entraînés par notre choix et non par une contrainte. Ainsi, dans l'enthousiasme, ou la passion, ou l'ivresse, l'homme croit vouloir par lui-même, et il se fâcherait contre tous ceux qui viendraient lui faire des remontrances. Car il « sent » sa liberté de l'intérieur. Ce n'est que plus tard, rétrospectivement, lorsque l'action sera placée sous une lumière différente, que l'acte pourra être jugé : non pas libre, mais déterminé par une force invisible qui ne semblait pas une contrainte sur le moment. L'action n'était pas libre puisqu'elle n'était pas entièrement réfléchie, qu'elle n'aurait pas été faite par quelqu'un ayant un jugement objectif. Cela serait sans doute la réponse de Spinoza au texte de D'Alembert.

Celui-ci pourrait peut-être répondre que même cette irréflexion est bien imputable à l'agent. Car s'il est vrai que son action est due à un aveuglement, il est le seul responsable de cet aveuglement dès lors qu'aucune autre contrainte extérieure ne lui imposait son enthousiasme, sa passion, son ivresse. Il semble qu'une des deux logiques, celle de Spinoza, envisage le détail de l'action, et retrouve le déterminisme derrière les apparentes libertés ; et que l'autre logique, celle de D'Alembert, envisage, dans une vue un peu plus large, la contingence des chaînes d'actions. Une vision plus large conduirait peut-être à nouveau au déterminisme ; une autre, plus large encore, au libre arbitre. L'existence du libre arbitre n'est peut-être qu'une affaire d'échelle.

L'explication peut proposer un bilan, qui est l'élément le plus personnel de l'analyse. Une analyse critique de ce que le texte apporte, de ce qui lui manque peut-être pour être entièrement convaincant.

› Repères et Distinctions conceptuelles : p. 522-523

› **Contingence** : le contraire de la nécessité, ce qui peut être ou ne pas être.

Rédiger la conclusion

En définissant modestement la liberté comme un choix échappant à la contrainte, en évitant d'en faire une force mystérieuse capable d'échapper aux causes et aux motifs, l'auteur pense que tous les hommes pourront admettre son existence. L'existence du libre arbitre ne serait ni de l'ordre du fait (on ne peut pas l'observer) ni de l'ordre du raisonnement (on ne peut pas la démontrer). On devrait se contenter du témoignage universel des hommes, fondé sur un sentiment intérieur lui-même paradoxal, puisqu'il porte non sur un pouvoir réel, mais sur un pouvoir virtuel : le sentiment de ce qu'on aurait pu faire…

L'intérêt de ce texte est de montrer que si l'homme ne peut échapper à la logique des causes, et donc à un certain déterminisme, toutes les causes n'ont pas le même rôle, toutes ne sont pas contraires à la liberté. Des causes « nécessitantes » (comme celles qui nous poussent à manger) ne deviennent « contraignantes » que dans les circonstances où elles ne nous laissent plus aucun choix, et ne ménagent aucun « jeu » à notre action.

› **Fiche 5,** p. 580

REPÈRES et DISTINCTIONS CONCEPTUELLES

Daumier, *L'Homme à la corde* ou *l'Évasion*, huile sur toile (113 x 73,5 cm), vers 1858-1860, Boston Museum of Fine Arts, États-Unis.

La liberté / les libertés

La liberté ne se laisse pas définir *a priori*. Il convient de se demander d'abord dans quelle dimension de l'action humaine on veut la situer. Leibniz (› p. 506) définit très bien les différents niveaux de problèmes et, en conséquence, les différentes définitions de la liberté.

▪ Les **libertés de droit** concernent les libertés juridiques et politiques : elles donnent *le droit* de faire ce que l'on veut. Est libre juridiquement la **personne**, c'est-à-dire l'individu considéré par la loi comme ayant une volonté juridique ; les esclaves ne sont pas libres ; les mineurs ne le sont pas totalement, ni les personnes privées de leur capacité juridique, c'est-à-dire mises sous tutelle. Politiquement, sont libres les **citoyens,** c'est-à-dire les individus en tant qu'ils participent, directement ou indirectement, à l'élaboration des lois auxquelles ils obéissent.

▪ Les **libertés réelles ou matérielles** concernent une multitude de libertés concrètes. Elles donnent le *pouvoir* de faire. Ces libertés présentent des degrés : plus ou moins d'argent, plus ou moins de santé, plus ou moins de loisirs… ; et des variétés : il y a autant de libertés qu'il y a de moyens de vivre : libertés physique, psychologique, financière, intellectuelle…

▪ La **liberté morale** concerne le *vouloir;* il s'agit de vouloir comme il faut, c'est-à-dire par soi-même, en se libérant de contraintes **internes** (passions, préjugés…). Elle ne met plus en cause le monde extérieur, mais le monde intérieur. Cette liberté morale peut s'appeler **sagesse** et se définir différemment en fonction des philosophies morales auxquelles on fera référence.

▪ Enfin, on appellera « **libre arbitre** » le fait d'être l'auteur de ses actions. Le libre-arbitre serait comme l'origine ultime et le fondement métaphysiquement nécessaire de toutes les autres libertés. Mais son existence est contestée (Spinoza, notamment › p. 508 et suivantes).

Les différentes formulations de la liberté

▪ **Le libre arbitre,** en effet, est la capacité de commencer par soi-même une action. Quelle que soit la force des raisons qui poussent l'homme à agir dans telle direction, il doit se considérer comme libre, puisque ces raisons le déterminent mais ne le contraignent pas ; il pourrait toujours agir autrement, s'il le voulait. Le libre arbitre est donc la capacité de choisir entre plusieurs actions possibles.

▪ **L'autonomie** est la capacité de se donner à soi-même ses propres lois. Celui qui obéit à soi-même n'obéit pas aux autres ; celui qui obéit à des règles générales n'obéit pas à des caprices arbitraires. L'idée d'autonomie présente l'avantage de relier les règles à leurs raisons d'être (on sait pourquoi on obéit), de joindre l'obéissance à la maîtrise de soi et des choses (en devenant autonome, on gagne en pouvoirs ce qu'on perd en caprices), de concilier devoirs et droits (on peut d'autant mieux revendiquer des droits pour soi-même qu'on les respecte chez autrui). L'idée d'autonomie est fondamentale en politique, en droit, en morale, en psychologie, en pédagogie.

▪ **L'indépendance,** c'est le fait de s'affranchir d'une tutelle, d'une autorité. C'est une composante de la liberté, mais toujours relative : il convient de préciser à chaque fois de quelle indépendance il s'agit. Ainsi, par exemple, si un adolescent en devenant adulte devient indépendant de ses parents, il reste dépendant du marché du travail, de contraintes financières, éventuellement de charges de famille, etc.

Le 10 mars 2008, 160 moines et nonnes sont partis à pied de Dharamsala, siège du gouvernement tibétain en exil (Inde) en direction de Delhi. Après 600 kilomètres de marche, ils ont atteint la capitale indienne quelques jours avant l'arrivée de la flamme olympique.

Les conceptions contestables de la liberté

▪ **L'acte gratuit** consiste à vouloir prouver sa liberté en agissant sans raisons, sans motivations, sans incitations : agir pour rien. Souvent, l'acte gratuit prend un aspect destructeur, violent ; il entre dans le cadre d'une provocation, d'une protestation, voire d'une vengeance contre un adversaire indéterminé. Ces précisions contredisent l'idée même de gratuité.

▪ **La « liberté d'indifférence »** fait l'hypothèse d'une volonté qui serait libre parce que toutes les options d'un choix pèseraient du même poids, comme pour une balance dont les plateaux seraient en équilibre. Ne penchant ni d'un côté ni d'un autre, la volonté serait véritablement « impartiale ». Mais cette indifférence est plutôt signe d'impuissance à choisir. Pour Descartes, « c'est le plus bas degré de la liberté ».

Les obstacles éventuels à la liberté

On oppose parfois la liberté au déterminisme ainsi qu'au fatalisme et au destin.

▪ **Le fatalisme,** c'est la croyance selon laquelle les événements futurs sont déjà écrits ; que toute chose devait se passer comme elle s'est passée. La fatalité, ou destin, est une nécessité absolue : cela doit arriver quoi qu'on fasse pour l'éviter. Le fatalisme est donc contraire à la liberté, à moins que l'on définisse la liberté de l'âme comme un acquiescement volontaire à ce qui arrive fatalement, comme dans le stoïcisme ou certaines religions.

▪ **Le déterminisme** implique une nécessité dans une chaîne de causes : « si tel point de départ, alors nécessairement tel point d'arrivée. » Mais la nécessité est ici relative : ce n'est pas l'événement qui est nécessaire, c'est une chaîne limitée d'événements reliés entre eux. En changeant le point de départ, l'homme peut changer le point d'arrivée. Le déterminisme n'est donc pas l'adversaire de la liberté, il est au contraire le fondement de l'action humaine : car c'est en comprenant la nécessité des choses qu'on peut agir sur elles. Par exemple, s'il doit y avoir tremblement de terre, alors beaucoup d'immeubles s'écrouleront. En comprenant cette relation de cause à effet, il est possible de construire des bâtiments antisismiques résistants aux secousses des tremblements de terre.

chapitre 21

Le devoir

Marie Stillman (1844-1927), *Antigone*, huile sur toile, Woodbridge, Simon Carter Gallery, Angleterre.

Du mot...

Dans le langage courant, le devoir désigne des règles, des ordres à respecter : le devoir du soldat, du citoyen... Si le nom semble simple, le sens du verbe « devoir » est plus complexe. Il peut désigner soit une possibilité (« il doit arriver ce soir »), soit un ordre (« tu dois te laver les mains », « tu lui dois des excuses »). Dans ce second sens, une confusion est possible entre ce qu'il est nécessaire de faire et ce qu'il est obligatoire de faire : se laver les mains est une règle d'hygiène, conforme à des nécessités biologiques ; présenter des excuses est un acte moral, conforme à des obligations librement acceptées.

... au concept

Or précisément, en philosophie, le devoir se distingue de la nécessité. Il désigne une obligation, laquelle par définition peut être accomplie ou non. Alors que la nécessité s'impose, l'obligation repose sur la liberté de l'individu. Pourtant, le devoir implique une relation de commandement : le «tu dois» suppose une personne qui commande face à une autre qui obéit. Ces deux entités peuvent être réellement séparées (l'homme face à Dieu, l'individu face à la société) ou intériorisées : chez le citoyen (l'intérêt général contre l'intérêt particulier), dans la personne humaine (la raison contre les passions, l'altruisme contre l'égoïsme, etc.). Plus le devoir est intériorisé, plus on passe des idées d'ordre, de commandement, à celles de responsabilité, d'engagement, d'autonomie.

Pistes de réflexion

Comment un devoir peut-il être librement consenti ?

Le devoir se présente comme un ordre, qui s'oppose à nos tendances naturelles – nos désirs, nos pulsions. En même temps, il s'agit d'une obligation qui s'adresse à notre liberté, ce n'est pas une nécessité qui s'impose mécaniquement. De quelle liberté s'agit-il ?

Qu'est-ce que la conscience morale ?

Par sa conscience morale, l'individu peut choisir de façon autonome les principes de ses actions. Enracinée dans sa liberté individuelle, la conscience morale serait pourtant universelle. Mais d'où vient-elle, comment se construit-elle ? Est-elle naturelle, ou le fruit d'une éducation ? Est-elle réellement indépendante de l'influence des mœurs, de l'éducation, du milieu social, de l'époque, etc. ?

Quelle est la source de nos devoirs ? La raison ? Les sentiments ? L'intérêt ?

La thèse philosophique la plus courante affirme que nos devoirs dérivent de notre raison, c'est-à-dire de notre capacité à dépasser nos tendances individuelles pour adopter un point de vue général. Mais d'autres sources ne sont-elles pas possibles ? La sensibilité, l'empathie, la pitié... ? Et pourquoi pas l'intérêt égoïste, lequel, bien compris, peut conduire à un calcul des devoirs ?

Dans quelle mesure droits et devoirs sont-ils liés ?

Souvent, les devoirs qui s'imposent à moi sont les symétriques de droits que je réclame pour moi. En est-il toujours ainsi ? Tous les devoirs que je dois accomplir se transmuent-ils en droits symétriques dont je pourrais bénéficier ? Cette réciprocité se retrouve-t-elle dans tous les types de devoirs : juridiques, moraux, religieux... ? Y a-t-il des devoirs qui ne sont que des devoirs ?

Quelles limites pour notre responsabilité ?

Nous sommes responsables parce que nous sommes libres de choisir et d'agir. Les limites de notre responsabilité semblent devoir correspondre à celles de notre liberté. Mais notre liberté s'inscrit dans le présent, tandis que notre responsabilité nous engage à la fois pour le passé (ce que nous avons été) et pour l'avenir (la manière dont notre action sera jugée par la postérité, avec des critères qui ne seront peut-être plus les mêmes). Peut-on circonscrire notre responsabilité à notre seule personne ? Ne nous engageons-nous pas, par nos choix, pour l'humanité entière ?

Passerelles

- **Chapitre 18 : La justice et le droit,** p. 446.
- **Chapitre 20 : La liberté,** p. 502.
- **Dossier :** Biotechnologies et bioéthique, p. 234.
- **Texte :** Sartre, *L'existentialisme est un humanisme*, p. 134.

Découvertes

DOCUMENT 1 Le « Sermon sur la montagne »

Le Sermon sur la montagne prononcé par Jésus marque un renversement dans l'histoire des représentations morales : renversement par rapport à la Loi ancienne (celle de Moïse, rassemblée dans les dix Commandements), par rapport aux pratiques courantes de piété, et même par rapport au « bon sens ».

À la vue de ces foules, il[1] gravit la montagne et, quand il se fut assis, ses disciples s'avancèrent vers lui. Et, ouvrant la bouche, il les enseignait en ces termes [...] :

Si donc tu présentes ton offrande à l'autel et que là tu te souviennes que ton frère a quelque chose contre toi, laisse là ton offrande devant l'autel et va d'abord te réconcilier avec ton frère, et alors tu viendras présenter ton offrande. [...]

Vous avez appris qu'il a été dit : *Tu ne commettras pas l'adultère.* Eh bien ! moi je vous dis : tout homme qui regarde une femme avec convoitise a déjà, dans son cœur, commis l'adultère avec elle. Si donc ton œil, ton œil droit, te scandalise, arrache-le et jette-le loin de toi ; car il est préférable pour toi qu'un seul de tes membres périsse et que ton corps tout entier ne soit pas jeté dans la géhenne[2]. [...]

Vous avez appris qu'il a été dit : *Œil pour œil, et dent pour dent.* Eh bien ! moi je vous dis de ne pas tenir tête au méchant. Au contraire, quelqu'un te donne-t-il un coup sur la joue droite, tends-lui encore l'autre. [...]

Vous avez appris qu'il a été dit : *Tu aimeras ton prochain et tu haïras ton ennemi.* Eh bien ! moi je vous dis : Aimez vos ennemis et priez pour ceux qui vous persécutent, afin de vous montrer les fils de votre Père des cieux, qui fait lever son soleil sur les méchants et sur les bons, et tomber la pluie sur les justes et sur les injustes. Car, si vous aimez ceux qui vous aiment, quelle récompense aurez-vous ? Les publicains[3] eux-mêmes n'en font-ils pas autant ? Et si vous ne saluez que vos frères, que faites-vous d'extraordinaire ? Les païens eux-mêmes n'en font-ils pas autant ? [...]

Lors donc que tu fais l'aumône, ne va pas le claironner devant toi, comme font les hypocrites dans les synagogues et dans les rues, afin de se faire louer des hommes. En vérité je vous le dis : ils ont déjà leur récompense. Pour toi, fais-tu l'aumône, que ta main gauche ignore ce que fait ta main droite, afin que ton aumône reste dans le secret ; et ton Père, qui voit dans le secret, te le revaudra [...].

Nul ne peut servir deux maîtres, ou bien en effet il haïra l'un et aimera l'autre, ou bien il s'attachera à l'un et méprisera l'autre. Vous ne pouvez servir Dieu et l'Argent [...].

Ne jugez pas, pour n'être pas jugés. Car c'est avec le jugement dont vous jugez que vous serez jugés, et c'est avec la mesure dont vous mesurez qu'il vous sera mesuré. Qu'as-tu à regarder la paille qui est dans l'œil de ton frère ? [...] Et la poutre qui est dans ton œil, tu ne la remarques pas ! Ou comment iras-tu dire à ton frère : attends que j'enlève la paille de ton œil ? [...] Et voici que dans ton œil à toi il y a une poutre ! Hypocrite, enlève d'abord la poutre de ton œil ; et alors tu verras clair pour enlever la paille de l'œil de ton frère.

Évangile selon saint Matthieu, vers 90 apr. J.-C., chap. 5,
Bible Osty-Trinquet, Seuil, 1973.

---

1. Il s'agit de Jésus.
2. L'enfer.
3. Employés subalternes des chevaliers romains qui avaient en charge le recouvrement des impôts ; choisis généralement dans la population locale, ils étaient méprisés et haïs du peuple.

Guido di Pietro (Piero), dit Beato Angelico, dit Fra Angelico, *Le Sermon sur la montagne*, 1438-1446, fresque, Florence, musée du couvent de Saint-Marc, cellule 32.

QUESTIONS

› 1• Faites l'inventaire des différents renversements que la morale exprimée dans le Sermon implique par rapport aux valeurs morales traditionnelles.

› 2• En quoi cette morale nouvelle met-elle l'accent sur l'intériorité du sujet ?

› 3• Cette morale vous semble-t-elle à la portée des hommes ?

DOCUMENT 2 Peut-on enseigner la morale ?

Voici la formule à laquelle peuvent se réduire à peu près toutes les leçons de morale qu'on fait et qu'on peut faire aux enfants.

Le maître. Il ne faut pas faire cela.

L'enfant. Et pourquoi ne faut-il pas faire cela ?

Le maître. Parce que c'est mal fait[1].

L'enfant. Mal fait ! Qu'est-ce qui est mal fait ?

Le maître. Ce qu'on vous défend.

L'enfant. Quel mal y a-t-il à faire ce qu'on me défend ?

Le maître. On vous punit pour avoir désobéi.

L'enfant. Je ferai en sorte qu'on n'en sache rien.

Le maître. On vous épiera.

L'enfant. Je me cacherai.

Le maître. On vous questionnera.

L'enfant. Je mentirai.

Le maître. Il ne faut pas mentir.

L'enfant. Pourquoi ne faut-il pas mentir ?

Le maître. Parce que c'est mal fait, etc.

Voila le cercle inévitable. Sortez-en, l'enfant ne vous entend plus.

Ne sont-ce pas là des instructions fort utiles ? Je serais bien curieux de savoir ce qu'on pourrait mettre à la place de ce dialogue ? [...] Connaître le bien et le mal, sentir la raison des devoirs de l'homme n'est pas l'affaire d'un enfant.

Jean-Jacques Rousseau, *Émile ou De l'éducation*, 1762, coll. Folio, Gallimard, p. 153-154.

1. Parce que c'est mal agir.

QUESTIONS

› 1• Pourquoi est-il difficile, voire impossible, selon Rousseau, de « faire la morale » à un enfant ?

› 2• Cela signifie-t-il qu'il ne peut pas y avoir d'éducation morale ? Peut-on apprendre le sens de la morale à un enfant sans lui « faire la morale » ? Comment ?

Dossier

▶ La conscience morale, une invention ?

Socrate prétendait agir en fonction d'une voix intérieure, son « démon » : « une certaine voix, qui, lorsqu'elle se fait entendre, me détourne toujours de ce que j'allais faire, sans jamais me pousser à agir » (*Apologie de Socrate*, 31d). Ce démon symbolise l'idée que des avertissements peuvent venir du plus profond de soi-même : c'est la préfiguration de la conscience morale.

DOCUMENT

Socrate pour sa part sait qu'il ne sait rien sur la mort, mais, en revanche, il affirme qu'il sait quelque chose sur un tout autre sujet :

Ce que je sais au contraire, c'est qu'il est mauvais et honteux de commettre l'injustice et de désobéir à meilleur que soi, qu'il soit dieu ou homme. Donc, jamais je ne craindrai, jamais je ne fuirai des choses dont je ne sais même pas si elles sont bonnes ou mauvaises, en les faisant passer avant les maux dont je sais qu'ils sont des maux.

Savoir et ignorance

Il est très intéressant de constater qu'ici le non-savoir et le savoir portent non pas sur des concepts, mais sur des valeurs : la valeur de la mort d'une part, la valeur du bien moral et du mal moral d'autre part. Socrate ne sait rien de la valeur qu'il faut attribuer à la mort, parce qu'elle n'est pas en son pouvoir, parce que l'expérience de sa propre mort lui échappe par définition. Mais il sait la valeur de l'action morale et de l'intention morale, parce qu'elles dépendent de son choix, de sa décision, de son engagement ; elles ont donc leur origine en lui-même. Ici encore le savoir n'est pas une série de propositions, une théorie abstraite, mais la certitude d'un choix, d'une décision, d'une initiative ; le savoir n'est pas un savoir tout court, mais un savoir-ce-qu'il-faut-préférer, donc un savoir-vivre. Et c'est ce savoir de la valeur qui le guidera dans les discussions menées avec ses interlocuteurs :

Si quelqu'un conteste et prétend avoir souci de lui-même (alors que ce n'est pas le cas), ne croyez pas que je vais le lâcher et m'en aller tout de suite : non, je l'interrogerai, je l'examinerai, je discuterai à fond. Alors, s'il me paraît certain qu'il ne possède pas la vertu, quoi qu'il en dise, je lui reprocherai d'attacher si peu de valeur à ce qui en a le plus, tant de valeur à ce qui en a le moins.

Ce savoir de la valeur est puisé dans l'expérience intérieure de Socrate, dans l'expérience d'un choix qui l'implique tout entier. Ici encore, il n'y a donc de savoir que dans une découverte personnelle qui vient de l'intérieur. Cette intériorité est d'ailleurs renforcée chez Socrate par la représentation de ce *daimôn*, de cette voix divine, qui, dit-il, parle en lui et le retient de faire certaines choses. Expérience mystique ou image mythique, il est difficile de le dire, mais nous pouvons y voir, en tout cas, une sorte de figure de ce que l'on appellera plus tard la conscience morale.

L'intériorité morale

Il semble donc que Socrate ait admis implicitement qu'il existait chez tous les hommes un désir inné du bien. C'est en ce sens aussi qu'il se présentait comme un simple accoucheur, dont le rôle se limitait à faire découvrir à ses interlocuteurs leurs possibilités intérieures. On comprend mieux alors la signification du paradoxe socratique : nul n'est méchant volontairement, ou encore, la vertu est savoir ; il veut dire que, si l'homme commet le mal moral, c'est parce qu'il croit y trouver le bien, et s'il est vertueux, c'est qu'il sait avec toute son âme et tout son être où est le vrai bien. Tout le rôle du philosophe consistera donc à permettre à son interlocuteur de « réaliser », au sens le plus fort du mot, quel est le vrai bien, quelle est la vraie valeur. Au fond du savoir socratique, il y a l'amour du bien [...].

Cette valeur absolue du choix moral apparaît aussi dans une autre perspective, lorsque Socrate déclare : « Pour l'homme de bien, il n'y a aucun mal, ni pendant sa vie, ni une fois qu'il est mort. » Cela signifie que toutes les choses qui paraissent des maux aux yeux des hommes, la mort, la maladie, la pauvreté, ne sont pas des maux pour lui. À ses yeux, il n'y a qu'un mal, c'est la faute morale, il n'y a qu'un seul bien, une seule valeur, c'est la volonté de faire le bien, ce qui suppose que l'on ne refuse pas d'examiner sans cesse rigoureusement sa manière de vivre, afin de voir si elle est toujours dirigée et inspirée par cette volonté de faire le bien. On peut dire, jusqu'à un certain point, que ce qui intéresse Socrate, ce n'est pas de définir ce que peut être le contenu théorique et objectif de la moralité : ce qu'il faut faire, mais de savoir si l'on veut réellement et concrètement faire ce que l'on considère comme juste

Socrate est un bon vivant ; s'il veut penser la mort, c'est pour bien vivre. Fragment de mosaïque romaine, « Connais-toi toi-même » (*gnothi seauton*).

et bien : comment il faut agir. Dans l'*Apologie*, Socrate ne donne aucune raison théorique pour expliquer pourquoi il s'oblige à examiner sa propre vie et la vie des autres. Il se contente de dire, d'une part, que c'est la mission qui lui a été confiée par le dieu et, d'autre part, que seule une telle lucidité, une telle rigueur à l'égard de soi-même peut donner un sens à la vie.

Une vie qui ne se met pas elle-même à l'épreuve ne mérite pas d'être vécue. [...]

Parlant de l'étrangeté de la philosophie, M. Merleau-Ponty disait qu'elle n'est « jamais tout à fait dans le monde, et jamais cependant hors du monde ». Il en est de même de l'étrange, de l'inclassable Socrate. Il n'est, lui aussi, ni dans le monde, ni hors du monde.

Le souci de soi n'est pas de l'égoïsme

D'une part, il propose, aux yeux de ses concitoyens, un total renversement des valeurs qui leur paraît incompréhensible :

Si je dis que c'est peut-être le plus grand des biens pour un homme que de s'entretenir tous les jours soit de la vertu, soit des autres sujets dont vous m'entendez parler, lorsque je mets à l'épreuve les autres et moi-même, et si j'ajoute qu'une vie qui ne se met pas elle-même à l'épreuve ne mérite pas d'être vécue, vous ne me croirez pas.

Ses concitoyens ne peuvent percevoir son invitation à remettre en question toutes leurs valeurs, toute leur manière d'agir, à prendre souci d'eux-mêmes, que comme une rupture radicale avec la vie quotidienne, avec les habitudes et les conventions de la vie courante, avec le monde qui leur est familier. Et d'ailleurs cette invitation à prendre souci de soi-même, ne serait-ce pas un appel à se détacher de la cité, venant d'un homme qui serait lui-même en quelque sorte hors du monde, *atopos*, c'est-à-dire déroutant, inclassable, troublant ? Socrate ne serait-il pas alors le prototype de l'image si répandue et, d'ailleurs, finalement si fausse, du philosophe, qui fuit les difficultés de la vie, pour se réfugier dans sa bonne conscience ?

Mais d'autre part le portrait de Socrate, tel qu'il est dessiné par Alcibiade, dans le *Banquet* de Platon, et d'ailleurs aussi par Xénophon, nous révèle tout au contraire un homme qui participe pleinement à la vie de la cité, à la vie de la cité telle qu'elle est, un homme presque ordinaire, quotidien, avec femme et enfants, qui s'entretient avec tout le monde, dans les rues, dans les boutiques, dans les gymnases, un bon vivant qui est capable de boire plus que tout autre sans être ivre, un soldat courageux et endurant.

Le souci de soi ne s'oppose donc pas au souci de la cité. D'une manière tout à fait remarquable, dans l'*Apologie* de Socrate et dans le *Criton*, ce que Socrate proclame comme son devoir, comme ce à quoi il doit tout sacrifier, même sa vie, c'est l'obéissance aux lois de la cité, ces « Lois » personnifiées, qui, dans le *Criton*, exhortent Socrate à ne pas se laisser aller à la tentation de s'évader de la prison et de fuir loin d'Athènes, en lui faisant comprendre que son salut égoïste serait une injustice à l'égard d'Athènes. Cette attitude n'est pas du conformisme, car Xénophon fait dire à Socrate que l'on peut bien « obéir aux lois en souhaitant qu'elles changent, comme on sert à la guerre en souhaitant la paix ». Merleau-Ponty l'a bien souligné : « Socrate a une manière d'obéir qui est une manière de résister. »

Pierre Hadot, *Qu'est-ce que la philosophie antique ?*, 1995, coll. Folio Essais, Gallimard, p. 49 sq.

QUESTIONS

› **1•** Peut-on assimiler les avertissements du *daimôn* aux injonctions de la conscience morale ? Justifiez votre réponse.

› **2•** Quels sont les points communs entre la morale de Socrate et la morale du Christ (› « Le Sermon sur la montagne », p. 526) ? En quoi ces deux morales diffèrent-elles ?

› **3•** Expliquez la phrase : « À ses yeux, il n'y a qu'un mal, c'est la faute morale, il n'y a qu'un seul bien, une seule valeur, c'est la volonté de faire le bien. »

Réflexion 1

Devoir moral et devoir social : quelle différence ?

Dans ce texte écrit en 1660, Pascal s'adresse à un « grand », le fils d'un duc, pour lui expliquer que sa condition sociale privilégiée (le « rang ») ne lui donne pas de privilège au niveau moral (l'estime). Car le devoir moral est par nature égalitaire. Le propos reste actuel dans nos sociétés, toujours inégalitaires, où les richesses ont remplacé les « rangs ».

Texte 1 Une étrange fable

Un homme est jeté par la tempête dans une île inconnue, dont les habitants étaient en peine de trouver leur roi, qui s'était perdu ; et, ayant beaucoup de ressemblance de corps et de visage avec ce roi, il est pris pour lui, et reconnu en cette qualité par tout ce peuple. D'abord il ne savait quel parti prendre ; mais il se résolut enfin de se prêter à sa bonne fortune. Il reçut tous les respects qu'on lui voulut rendre, et il se laissa traiter de roi. Mais comme il ne pouvait oublier sa condition naturelle, il songeait, en même temps qu'il recevait ces respects, qu'il n'était pas ce roi que ce peuple cherchait, et que ce royaume ne lui appartenait pas. Ainsi il avait une double pensée : l'une par laquelle il agissait en roi, l'autre par laquelle il reconnaissait son état véritable, et que ce n'était que le hasard qui l'avait mis en place où il était. Il cachait cette dernière pensée et il découvrait l'autre. C'était par la première qu'il traitait avec le peuple, et par la dernière qu'il traitait avec soi-même. Ne vous imaginez pas que ce soit par un moindre hasard que vous possédez les richesses dont vous vous trouvez maître, que celui par lequel cet homme se trouvait roi. Vous n'y avez aucun droit de vous-même et par votre nature, non plus que lui : et non seulement vous ne vous trouvez fils d'un duc, mais vous ne vous trouvez au monde, que par une infinité de hasards.

Blaise Pascal, *Trois Discours sur la condition des grands*, 1660.

QUESTIONS

1• Précisez la double pensée qui anime l'homme devenu roi.

2• Quelle est la morale de la fable ? En quoi éclaire-t-elle notre réalité sociale ?

Texte 2 Inégalité de rang, égalité de nature

Que s'ensuit-il de là ? que vous devez avoir, comme cet homme dont nous avons parlé, une double pensée ; et que si vous agissez extérieurement avec les hommes selon votre rang[1], vous devez reconnaître, par une pensée plus cachée mais plus véritable, que vous n'avez rien naturellement au-dessus d'eux. Si la pensée publique vous élève au-dessus du commun des hommes, que l'autre vous abaisse et vous tienne dans une parfaite égalité avec tous les hommes ; car c'est votre état naturel.Le peuple qui vous admire ne connaît pas peut-être ce secret. Il croit que la noblesse est une grandeur réelle et il considère presque les grands comme étant d'une autre nature que les autres. Ne leur découvrez pas cette erreur, si vous voulez ; mais n'abusez pas de cette élévation avec insolence, et surtout ne vous méconnaissez pas vous-même en croyant que votre être a quelque chose de plus élevé que celui des autres.

Op. cit.

1. Rang social, hiérarchie au sein de la noblesse.

QUESTIONS

1• Quel conseil Pascal donne-t-il au fils de haute noblesse ?

2• Pourquoi la double pensée est-elle maintenue ? Qu'est-ce qui rend chacune des deux nécessaire ? Pourquoi aucune des deux n'est-elle suffisante ?

Texte 3 Deux sortes de grandeurs

Il y a dans le monde deux sortes de grandeurs ; car il y a des grandeurs d'établissement et des grandeurs naturelles. Les grandeurs d'établissement[1] dépendent de la volonté des hommes, qui ont cru avec raison devoir honorer certains états[2] et y attacher certains respects. Les dignités et la noblesse sont de ce genre. En un pays on honore les nobles, en l'autre les roturiers[3], en celui-ci les aînés, en cet autre les cadets. Pour quoi cela ? Parce qu'il a plu aux hommes. La chose était indifférente avant l'établissement : après l'établissement elle devient juste, parce qu'il est injuste de la troubler. Les grandeurs naturelles sont celles qui sont indépendantes de la fantaisie des hommes, parce qu'elles consistent dans des qualités réelles et effectives de l'âme ou du corps, qui rendent l'une ou l'autre plus estimable, comme les sciences, la lumière de l'esprit, la vertu, la santé, la force.

Op. cit.

1. Ce sont les hiérarchies établies par convention parmi les hommes.
2. Il s'agit ici des situations sociales, des fonctions politiques ou administratives.
3. Les non-nobles.

QUESTIONS

› **1•** Quel sens Pascal donne-t-il au mot « établissement » ? À quoi ce mot pourrait-il faire référence aujourd'hui ?

› **2•** Quelles sont les deux sortes de grandeurs ? Cherchez des exemples actuels.

Texte 4 Deux sortes de devoirs

Aux grandeurs d'établissement, nous leur devons des respects d'établissement, c'est-à-dire certaines cérémonies extérieures qui doivent être néanmoins accompagnées, selon la raison, d'une reconnaissance intérieure de la justice de cet ordre, mais qui ne nous font pas concevoir quelque qualité réelle en ceux que nous honorons de cette sorte. Il faut parler aux rois à genoux ; il faut se tenir debout dans la chambre des princes. C'est une sottise et une bassesse d'esprit que de leur refuser ces devoirs. Mais pour les respects naturels qui consistent dans l'estime, nous ne les devons qu'aux grandeurs naturelles ; et nous devons au contraire le mépris et l'aversion aux qualités contraires à ces grandeurs naturelles.

Il n'est pas nécessaire, parce que vous êtes duc, que je vous estime ; mais il est nécessaire que je vous salue. Si vous êtes duc et honnête homme, je rendrai ce que je dois à l'une et à l'autre de ces qualités. Je ne vous refuserai point les cérémonies que mérite votre qualité de duc, ni l'estime que mérite celle d'honnête homme. Mais si vous étiez duc sans être honnête homme, je vous ferais encore justice ; car en vous rendant les devoirs extérieurs que l'ordre des hommes a attachés à votre naissance, je ne manquerais pas d'avoir pour vous le mépris intérieur que mériterait la bassesse de votre esprit.

Voilà en quoi consiste la justice de ces devoirs. Et l'injustice consiste à attacher les respects naturels aux grandeurs d'établissement, ou à exiger les respects d'établissement pour les grandeurs naturelles.

Op. cit.

QUESTIONS

› **1•** Deux sortes de respects s'opposent. Lesquelles ? Quelles différences cela entraîne-t-il dans le devoir et le respect que nous devons aux autres ?

Textes 1 à 4

› Expliquez l'articulation entre la double pensée, les deux sortes de grandeurs et les deux sortes de devoirs.

Passerelle

› **Chapitre 18 : La justice et le droit,** p. 446.

Une œuvre, une analyse

Présentation

Kant : *Fondements de la métaphysique des mœurs* (1785)

Kant se propose de trouver les principes d'une morale qui puisse être valable pour tous les hommes, et pour tous les temps. Il cherche ainsi à déterminer la forme d'une action purement morale, c'est-à-dire universellement acceptable.

1 1re étape : Seule la volonté peut être moralement bonne

C'est à l'intérieur de nous, dans **l'intention**, qu'on jugera de la valeur d'un acte. Deux personnes peuvent faire un même don, leur acte sera équivalent sur un plan social, utilitaire, mais du point de vue moral, c'est l'intention qui aura présidé à ce don qui comptera. La morale repose sur une logique distincte des logiques juridiques ou économiques. Sa sphère est celle de la **bonne volonté**. Kant exclut donc du domaine strictement moral **les « qualités » d'intelligence**, **de caractère**, les dons de la fortune : richesse, santé... Avoir un bon caractère, être sensible, être modéré sont des qualités qui peuvent aider la volonté à être bonne, mais elles ne sont pas intrinsèquement morales.

Kant exclut également du jugement moral **les effets de l'action, ses conséquences** : a-t-elle réussi ? A-t-elle échoué ? Modifie-t-elle un peu, beaucoup, pas du tout, le monde qui nous entoure ? Ces questions ont de l'importance dans le domaine social. Mais, dans le domaine moral, « l'utilité ou la stérilité ne peut rien ajouter ni rien retirer » à la valeur absolue du simple vouloir. On peut échouer dans ses efforts pour aider quelqu'un, cela n'enlève rien à la valeur morale de l'acte. « Ce qui fait que la bonne volonté est telle, ce ne sont pas ses œuvres ou ses succès, ce n'est pas son aptitude à atteindre tel ou tel but proposé, c'est seulement le vouloir. »

2 2e étape : La « bonne volonté » agit par devoir

Il faut distinguer les actions accomplies **conformément au devoir** et celles accomplies par devoir. De l'extérieur, rien ne les distingue ; de l'intérieur, moralement parlant, elles sont très différentes.

Les actions seulement conformes au devoir peuvent être accomplies par inclination immédiate (sympathie, pitié, peur...) ou par intérêt (c'est dans l'intérêt d'un commerçant de ne pas voler ses clients). Dans ces cas-là, nous faisons ces actions en tant qu'êtres naturels au même titre que les animaux, soumis au déterminisme de la nature (nos goûts, nos désirs...) et non pas en tant qu'êtres raisonnables.

Ce n'est que lorsque nous obéissons **par devoir**, que nous montrons que nous sommes capables d'échapper au déterminisme naturel, d'agir par un ordre qui nous vient uniquement de notre Raison.

La morale, pour Kant, a pour fonction de faire agir l'homme par la Raison, indépendamment du plaisir, de l'intérêt et même du bonheur. Contrairement aux philosophes de l'Antiquité, Kant ne croit pas que le bonheur soit le but ultime de la vie. Si c'était le cas, la « nature » n'aurait pas donné à l'homme la Raison, qui n'est pas le meilleur moyen pour être heureux (elle implique une lucidité, une discipline, des responsabilités, des soucis...). L'homme ne doit pas agir pour être heureux, mais seulement pour se rendre digne d'être heureux. Il s'agit là d'une **morale rigoriste**.

3 3e étape : Qu'est-ce qu'agir « par devoir » ?

Quelle instance établit les devoirs? Quels critères permettent de juger ce qu'il faut faire?

La valeur morale d'une action ne peut venir ni de son contenu, ni de son utilité, ni de ses buts, ni des sentiments qui l'accompagnent. Que reste-t-il? Kant répond qu'il reste la **forme de la loi morale**. Or qu'est-ce qui fait la forme d'une loi? C'est son **caractère universel**. Dans la nature, une loi physique, comme celle de la chute des corps, doit valoir pour tous les phénomènes identiques. De même, en politique, une loi de l'État doit valoir pour tous les citoyens. Partant de cette analogie, on dira que, dans le domaine moral, nous agissons par devoir si les raisons qui nous font agir peuvent être généralisées et prendre la forme d'une loi universelle. Le seul critère, nécessaire et suffisant, pour juger si nous agissons moralement est donc le suivant: pouvons-nous universaliser la maxime de notre action sans contradiction logique?

Exemple: le mensonge peut-il être justifié? Supposons qu'on universalise le mensonge. Il ne s'agit pas de voir si cela serait nuisible ou pas, si cela ferait plaisir ou non, etc. Il suffira de se demander: une loi qui universaliserait le mensonge **est-elle logiquement possible?** La réponse est non: en effet, le mensonge suppose que les autres croient en la vérité, laquelle disparaîtrait si le mensonge était universalisé. Ainsi y a-t-il contradiction interne à dire: tout le monde mentira. Il n'y en a pas, au contraire, à dire: tout le monde dira la vérité. L'intérêt de ce critère, c'est qu'il rend inutile l'examen de cas particuliers. Pour Kant, il n'y a pas de cas particuliers qui légitimeraient tels ou tels mensonges. La loi vaut absolument.

4 4e étape : Les différentes formulations de l'impératif catégorique

Pour Kant, il n'y a qu'une seule loi morale, c'est l'impératif catégorique (› **Zoom**, p. 547): « je dois toujours me conduire de telle sorte que je puisse vouloir que ma maxime devienne une loi universelle. » Celui-ci commande absolument, sans exception. Il est dit catégorique parce qu'il est absolu (indépendant de conditions ou de circonstances) et qu'il s'oppose à d'autres impératifs (qui ne sont pas réellement moraux) qu'on appelle impératifs hypothétiques. Ceux-ci ont la forme: « si tu veux X, fais Y. » Par exemple: « si tu veux avoir un bon métier, travaille bien à l'école. » Ces impératifs hypothétiques relèvent de l'intérêt bien compris, de la prudence, mais non véritablement de la morale.

Kant (1724-1804)

Né à Königsberg, en Prusse orientale, Kant ne s'éloignera jamais de sa ville natale. En 1770, il est nommé titulaire de la chaire de métaphysique et de logique de l'université de Königsberg. En 1781, il publie la première grande œuvre qui va le rendre célèbre, la *Critique de la raison pure*. Kant appartient à ce mouvement d'idées qui, en Allemagne, s'appelle l'*Aufklärung* et en France « les Lumières ». Les penseurs des Lumières veulent libérer l'homme des ténèbres de la superstition. Mais Kant va plus loin, il radicalise la pensée des Lumières : tout doit être soumis à la critique (du grec *crinein* qui signifie « examiner, juger »), non seulement les préjugés religieux, mais encore la Raison elle-même, qui doit se soumettre à un examen scrupuleux des limites de ses propres pouvoirs. Kant s'oppose ici, à la suite de Hume, au dogmatisme en philosophie, qui prétend que la Raison peut connaître des objets qui ne sont donnés dans aucune expérience possible : l'origine première du monde, l'existence de Dieu, le libre arbitre...

Extraits

Kant : *Fondements de la métaphysique des mœurs* (1785)

▶ La morale doit-elle limiter son analyse au problème du devoir ?

Ce peut être parfois un plaisir de faire le bien, mais ce plaisir est-il moral ? Aux yeux de Kant, ce plaisir laisse soupçonner que des raisons non morales (satisfaction personnelle, impression de supériorité, soulagement, bonne conscience…) viennent parasiter la pureté de l'intention morale. C'est pourquoi celle-ci ne peut provenir, pour Kant, que de l'accomplissement strict du devoir.

Texte 1 La morale n'est pas affaire de sentiments

Être bienfaisant quand on le peut est un devoir, et il y a en outre bien des âmes qui sont si disposées à la sympathie que, même sans autre motif relevant de la vanité ou de l'intérêt, elles trouvent une satisfaction intérieure à répandre la joie autour d'elles et qu'elles peuvent se réjouir du contentement d'autrui, dans la mesure où il est leur œuvre. Mais je soutiens que, dans un tel cas, une action de ce genre, si conforme au devoir, si digne d'affection soit-elle, n'a pourtant aucune véritable valeur morale, mais qu'elle va de pair avec d'autres inclinations[1], par exemple avec le penchant pour les honneurs, lequel, si par bonheur il porte sur ce qui est en fait en accord avec l'intérêt commun et en conformité avec le devoir, par conséquent sur ce qui est honorable, mérite des louanges et des encouragements, mais non point de l'estime ; car à la maxime fait défaut la teneur morale[2], telle qu'elle consiste en ce que de telles actions soient accomplies, non par inclination, mais par devoir.

Ainsi, supposons que l'esprit de ce philanthrope soit assombri par cette affliction personnelle qui éteint toute sympathie pour le destin d'autrui, qu'il conserve toujours le pouvoir de faire du bien à d'autres personnes plongées dans la détresse mais que cette détresse des autres ne l'émeuve pas, suffisamment préoccupé qu'il est par la sienne propre, et que dans cette situation, alors qu'aucune inclination ne l'y incite plus, il s'arrache pourtant à cette insensibilité mortelle et qu'il mène à bien son action en dehors de toute inclination, exclusivement par devoir : dans ce cas uniquement, cette action possède sa valeur morale véritable.

Emmanuel Kant, *Métaphysique des mœurs. Fondation*, 1785, trad. A. Renaut, Flammarion, p. 66.

1. Mouvement spontané, venant de notre affectivité, vers quelque chose ; désir, envie, penchant.
2. Contenu moral.

Texte 2 Distinguer la prudence de la loi morale

Posons par exemple cette question : ne puis-je pas, si je me trouve dans l'embarras, faire une promesse en ayant l'intention de ne pas la tenir ? Je distingue ici sans difficultés les différents sens que peut avoir la question, selon que l'on demande s'il est prudent ou s'il est conforme au devoir de faire une fausse promesse.

Sans doute la considération de la prudence peut-elle fort souvent intervenir. Certes, je vois bien qu'il ne suffit pas, grâce à cette échappatoire, de me tirer d'un embarras actuel, mais qu'à l'évidence il faudrait examiner si, de ce mensonge, ne pourraient pas procéder pour moi dans le futur des ennuis bien plus graves que ne le sont ceux dont je me dégage aujourd'hui. […] Simplement, il m'apparaît bientôt ici transparent qu'une telle maxime n'a cependant toujours pour fondement que le souci des conséquences. Or, il est pourtant tout différent d'être de bonne foi par devoir et de l'être par souci des conséquences désavantageuses : dans le premier cas, le concept de l'action contient déjà en lui-même une loi pour moi, alors que, dans le second, il me faut avant tout considérer par ailleurs quels effets pourraient bien se trouver pour moi associés à cette action.

Op. cit., p. 71.

Texte 3 Le principe d'universalisation

En tout état de cause, la voie la plus courte et la moins trompeuse pour me forger un avis en vue de répondre à la question de savoir si une promesse mensongère est conforme au devoir, c'est de me demander à moi-même si je serais vraiment satisfait que ma maxime (de me tirer d'embarras par une fausse promesse) dût valoir comme une loi universelle (aussi bien pour moi que pour autrui) ; et pourrais-je bien me dire que tout homme peut faire une promesse fallacieuse lorsqu'il se trouve dans l'embarras et qu'il ne peut s'en tirer d'une autre manière ? Je prends ainsi bien vite conscience que je puis certes vouloir le mensonge, mais non point du tout une loi universelle ordonnant de mentir ; car, selon une telle loi, il n'y aurait absolument plus, à proprement parler, de promesse, attendu qu'il serait vain d'indiquer ma volonté, en ce qui concerne mes actions futures, à d'autres hommes qui ne croiraient pas ce que je leur indiquerais ou qui, s'ils y croyaient de manière inconsidérée, me payeraient en tout cas de la même monnaie, – en sorte que ma maxime, dès lors qu'elle serait transformée en loi universelle, ne pourrait que se détruire elle-même.

Op. cit., p. 73.

Texte 4 L'homme est une fin en soi ; il a une dignité

Dans le règne des fins, tout a ou bien un *prix*, ou bien une *dignité*. À la place de ce qui a un prix on peut mettre aussi quelque chose d'autre en le considérant comme son *équivalent* ; ce qui en revanche est au-dessus de tout prix, et par conséquent n'admet nul équivalent, c'est ce qui possède une dignité.

Ce qui se rapporte aux inclinations et aux besoins répandus universellement parmi les hommes a un *prix marchand* ; ce qui, même sans supposer un besoin, est conforme à un certain goût[1], c'est-à-dire à une satisfaction que nous pouvons retirer du simple jeu, sans but, des facultés de notre esprit, cela a un *prix affectif* ; mais ce qui constitue la condition sous laquelle seulement quelque chose peut être une fin en soi, cela n'a pas simplement une valeur relative, c'est-à-dire un prix, mais possède une valeur absolue, c'est-à-dire une *dignité*.

Or, la moralité est la condition sous laquelle seulement un être raisonnable peut être une fin en soi, étant donné que c'est seulement par elle qu'il est possible d'être un membre législateur dans le règne des fins[2]. La moralité et l'humanité en tant qu'elle est capable de moralité, c'est donc ce qui seul possède de la dignité.

Op. cit., p. 116.

1. Allusion au jugement esthétique, qui apprécie la beauté de la nature ou celle d'une œuvre d'art (› L'art doit-il plaire ?, p. 212).
2. Communauté idéale d'êtres raisonnables régis par les lois de la raison où chacun est législateur en commun avec les autres.

QUESTIONS

Texte 1

› 1• Pourquoi Kant refuse-t-il toute valeur morale aux (bons) sentiments ?

› 2• Quelle différence fait-il entre « conforme au devoir » et « par devoir » ?

Texte 2

› 1• Pourquoi, selon Kant, la logique de la prudence n'est-elle pas moralement satisfaisante ?

› 2• Comment peut-on exclure la considération des conséquences d'un acte ?

Texte 3

› Expliquez : « Je puis certes vouloir le mensonge, mais non point du tout une loi universelle ordonnant de mentir. »

Texte 4

› 1• D'après ce texte, que peut vouloir dire « valeur » ? Quel est le sens du mot « valeur » ? Distinguez la valeur relative et la valeur absolue.

› 2• Pourquoi, selon Kant, l'homme est-il le seul être à prétendre à une valeur absolue ?

› 3• Comment définiriez-vous la « dignité » de l'homme ?

Réflexion 2

▶ Le devoir suffit-il à fonder la morale ?

La morale kantienne a inspiré les morales laïques du XIXe siècle ; elle est cependant critiquée sur deux points : la raison peut-elle à elle seule motiver des actions concrètes ? Son contenu n'est-il pas trop vague pour aider à choisir dans des cas difficiles ?

Texte 1 La morale peut-elle s'émanciper de ses racines religieuses ?

Eugène Delacroix, *Le Bon Samaritain*, 1850, huile sur toile (0,37 x 0,30 m), coll. privée.

L'obligation est-elle une force suffisante pour motiver une action morale ? Celle-ci ne doit-elle pas puiser son énergie dans notre sensibilité ? C'est sur cette question que se fonde l'objection principale que Schopenhauer adresse à la morale kantienne.

En général, depuis le christianisme, la morale philosophique a emprunté, sans le savoir, sa forme à la morale des théologiens ; celle-ci a pour caractère essentiel de *commander* ; et de même la morale des philosophes a pris la forme du précepte, d'une théorie des devoirs, cela en toute innocence, et sans imaginer que sa tâche vraie fût bien différente ; mais bien plutôt ils étaient persuadés que c'était bien là sa forme propre et naturelle. Sans doute on ne saurait nier [...] la valeur métaphysique, supérieure à toute réalité sensible, et qui n'est à sa place que dans la région de l'éternel, la valeur de l'activité humaine en ce qu'elle a de moral ; mais ce n'est pas une erreur moindre de croire qu'il est dans l'essence de cette valeur de se manifester sous la forme du commandement et de l'obéissance, de la loi et de l'obligation. Dès qu'on sépare ces idées des hypothèses théologiques dont elles sont un rejeton, elles perdent toute signification.

Arthur Schopenhauer, *Le Fondement de la morale*, 1841, trad. A. Burdeau, Livre de poche, p. 48.

QUESTION

› Quel est le principal reproche qu'on peut faire, selon Schopenhauer, à une morale fondée uniquement sur le devoir comme celle de Kant (› textes p. 532) ?

Texte 2 L'empathie, au fondement de la morale ?

À une loi purement rationnelle, Schopenhauer oppose une force affective, la pitié.

Pour que mon action soit faite uniquement *en vue d'un autre*, il faut que *le bien de cet autre soit pour moi, et directement, un motif*, au même titre où *mon bien à moi* l'est d'ordinaire. De là une façon plus précise de poser le problème : comment donc le bien et le mal d'un autre peuvent-ils bien déterminer ma volonté directement, à la façon dont seul à l'ordinaire, agit mon propre bien ? [...] Évidemment, il faut que cet autre être devienne la *fin dernière* de mon acte, comme je la suis moi-même en toute autre circonstance : il faut donc que je veuille son bien et que je ne veuille pas son mal, comme je fais d'ordinaire pour mon propre bien et mon propre mal. À cet effet, il est nécessaire que je compatisse à son mal à lui, et comme tel ; que je sente son mal, ainsi que je fais d'ordinaire le mien. Or, c'est supposer que par un moyen quelconque je suis *identifié* avec lui, que toute différence entre moi et autrui est détruite, au moins jusqu'à un certain point, car c'est sur cette différence que repose justement mon égoïsme. Mais je ne peux me glisser *dans la peau* d'autrui : le seul moyen où je puisse recourir, c'est donc d'utiliser la *connaissance* que j'ai de cet autre, la représentation que je me fais de lui dans ma tête, afin de m'identifier à lui, assez pour traiter, dans ma conduite, cette différence comme si elle n'existait pas. Toute cette série de pensées, dont voilà l'analyse, je ne l'ai pas rêvée, je ne l'affirme pas en l'air ; elle est fort réelle, même elle n'est point rare ; c'est là le phénomène quotidien de la *pitié*, de cette *participation* tout immédiate, sans aucune arrière-pensée, d'abord aux *douleurs* d'autrui, puis et par suite à la cessation, ou à la suppression de ces maux, car c'est là le dernier fond de tout bien-être et de tout bonheur. Cette pitié, voilà le seul principe réel de toute justice *spontanée* et de toute *vraie* charité. Si une action a une valeur morale, c'est dans la mesure où elle en vient : dès qu'elle a une autre origine, elle ne vaut plus rien.

Op. cit., p. 155-156.

QUESTION

› Que propose Schopenhauer comme fondement de la morale ? Expliquez les caractéristiques de ce fondement. Comment l'auteur justifie-t-il sa thèse ?

Texte 3 La morale kantienne peut-elle résoudre les dilemmes moraux ?

Sartre cite le cas d'un jeune étudiant qui vient le voir sous l'occupation allemande, durant la Seconde Guerre mondiale, pour lui confier ses doutes et ses hésitations.

Ce jeune homme avait le choix, à ce moment-là, entre partir pour l'Angleterre et s'engager dans les Forces Françaises Libres – c'est-à-dire, abandonner sa mère – ou demeurer auprès de sa mère, et l'aider à vivre. Il se rendait bien compte que cette femme ne vivait que par lui et que sa disparition – et peut-être sa mort – la plongerait dans le désespoir. Il se rendait aussi compte qu'au fond, concrètement, chaque acte qu'il faisait à l'égard de sa mère avait son répondant, dans ce sens qu'il l'aidait à vivre, au lieu que chaque acte qu'il ferait pour partir et combattre était un acte ambigu qui pouvait se perdre dans les sables, ne servir à rien : par exemple, partant pour l'Angleterre, il pouvait rester indéfiniment dans un camp espagnol, en passant par l'Espagne ; il pouvait arriver en Angleterre ou à Alger et être mis dans un bureau pour faire des écritures. Par conséquent, il se trouvait en face de deux types d'actions très différentes : une concrète, immédiate, mais ne s'adressant qu'à un individu ; ou bien une action qui s'adressait à un ensemble infiniment plus vaste, une collectivité nationale, mais qui était par là même ambiguë, et qui pouvait être interrompue en route. Et, en même temps, il hésitait entre deux types de morale. D'une part, une morale de la sympathie, du dévouement individuel ; et d'autre part, une morale plus large, mais d'une efficacité plus contestable. Il fallait choisir entre les deux. Qui pouvait l'aider à choisir ? [...] Qui peut en décider *a priori* ? Personne. Aucune morale inscrite ne peut le dire. La morale kantienne dit : ne traitez jamais les autres comme moyen mais comme fin[1]. Très bien ; si je demeure auprès de ma mère, je la traiterai comme fin et non comme moyen, mais de ce fait même, je risque de traiter comme moyen ceux qui combattent autour de moi ; et réciproquement si je vais rejoindre ceux qui combattent je les traiterai comme fin, et de ce fait je risque de traiter ma mère comme moyen.

Jean-Paul Sartre, *L'existentialisme est un humanisme*, 1946, coll. Folio Essais, Gallimard, p. 41-43.

1. On peut noter que la citation de Sartre est inexacte : il oublie « jamais simplement » et « toujours en même temps... », termes qui changent totalement la signification de l'impératif Kantien › p. 547.

QUESTIONS

› 1• Quel est le dilemme du jeune homme ? En quoi renvoie-t-il à deux morales différentes ?

› 2• Pourquoi, selon Sartre, la morale kantienne ne peut-elle résoudre les cas de conscience un peu compliqués ?

Une œuvre, une analyse

Présentation

Nietzsche : *Généalogie de la morale*, 2e dissertation (1887)

Un sujet moral autonome existe-t-il ? Y aurait-il une voix intérieure qui serait la véritable source de nos décisions morales ? Pour Nietzsche, il n'en est rien : l'autonomie est une illusion, la conscience morale est le symptôme d'une volonté impuissante qui déprécie la vie.

1 Analyser la morale en généalogiste

Dans cette deuxième dissertation, Nietzsche soutient trois idées :

1. La conscience morale n'est pas une réalité indispensable à l'homme, la majeure partie de l'humanité a vécu sans elle.

2. Ce qui est indispensable à l'humanité, ce sont les mœurs : dressage social, autodomestication de l'homme par l'homme, dont les instruments les plus efficaces sont la souffrance et la cruauté.

3. La « conscience morale » est une conquête historique moderne. Elle est donc récente. Elle consiste en une intériorisation de la cruauté sous la forme d'un sentiment de culpabilité, c'est une sorte de maladie de l'âme. La conscience morale est par essence « mauvaise conscience ».

Pour montrer cela, il faut étudier la morale en généalogiste. La généalogie, au départ, est l'étude de l'origine des familles nobles et de leur histoire. Il s'agit de juger de leur ancienneté, de la grandeur de leurs ancêtres et donc de leur prétention à des titres de noblesse. C'est de cette façon que Nietzsche entend juger la morale : en historien. Quelle est l'origine de la morale, quels titres l'autorisent à décréter le bien et le mal ? Quelle valeur ont les « valeurs » morales ? Leur « naissance » décidera de leur grandeur. Et cette grandeur, ou bassesse d'origine décidera de leur droit à être respectées, ou non.

2 Deux stades très différents de la moralisation de l'homme

La tâche de la culture a été de faire de l'animal-homme un être capable de « promettre », de tenir parole, d'être responsable. Le premier stade de l'humanité consiste à dresser l'homme **de l'extérieur** (comme on dresse un animal), le second stade à le contraindre à se dresser lui-même **de l'intérieur** (par la conscience morale) [§ 1-2].

3 Le dressage par la moralité des mœurs

Dans les sociétés archaïques, l'idée de responsabilité et de culpabilité n'existe pas. Le mal est comme un microbe. La société demandera compensation à celui par qui le mal arrive, qu'il en ait été l'agent volontaire ou non, conscient ou non.

1re thèse : le schéma fondamental des sociétés archaïques est le contrat qui lie un créancier (celui à qui la dette est due) à un débiteur (celui qui doit). Un tel contrat exclut toute idée de responsabilité, mais englobe l'idée d'un équivalent-douleur d'un dommage. Si on me lèse, je peux obtenir réparation par le plaisir de voir souffrir celui qui m'a lésé. C'est qu'il y a un droit à la cruauté [§ 4-7] entre individus [§ 8], et entre individus et communauté [§ 9-10]. C'est durant les fêtes, en effet (pendant longtemps), que les condamnations à mort étaient exécutées. Elles faisaient partie des « réjouissances ».

2e thèse : la société archaïque ne punit pas pour telle ou telle raison. Les finalités invoquées pour expliquer les châtiments sont accessoires. En réalité, on punit essentiellement pour punir [§ 12-13]. La punition est l'affirmation de la puissance de la collectivité sur l'individu.

3e thèse : ce dressage de l'homme ne peut faire naître la conscience de la faute. Bien au contraire, le châtiment a été le principal obstacle à l'émergence du sentiment de culpabilité. Puisque, par la punition, je paie ma dette, je n'ai pas en plus à me sentir coupable ! [§ 14-15] Il faut donc trouver ailleurs que dans le châtiment l'origine de la mauvaise conscience, du remords.

4 La conscience morale comme maladie

La thèse centrale de la deuxième dissertation est : la conscience morale est due à un retournement des instincts de cruauté vers l'intérieur de l'individu. L'individu retourne contre lui-même sa cruauté [§ 16]. Par quel processus ? Le développement des États a joué un rôle [§ 17-18], mais c'est surtout certaines religions qui ont contribué à convaincre les hommes qu'ils étaient coupables, qu'ils avaient une dette à payer. D'abord, une dette à l'égard des ancêtres [§ 19], puis une dette envers les dieux, puis une dette non remboursable envers Dieu lui-même [§ 20]. Le monothéisme fait naître l'idée d'une faute tellement radicale que la dette ne peut plus être payée en retour. Le christianisme pousse à l'extrême cette mauvaise conscience, puisque c'est Dieu lui-même, dans la personne de Jésus, qui se sacrifie pour sauver les hommes [§ 21].

La conscience morale n'est donc que l'approfondissement de la mauvaise conscience, et de la dépréciation de la vie : tous les instincts vitaux sont jugés mauvais [§ 22 et fin]. C'est pourquoi Nietzsche considère que la conscience morale est une maladie, et même la maladie par excellence : elle rendrait malade en empêchant chaque homme d'aimer la vie.

Passerelles

- Chapitre 6 : Nature et culture, p. 150.
- Chapitre 10 : La religion, p. 260.
- Textes : Évangile selon Saint Matthieu, p. 526.
  Kant, *Fondements de la métaphysique des mœurs*, p. 532.

Nietzsche (1844-1900)

Nietzsche fait des études brillantes de philologie. Sous l'influence de Schopenhauer et de Wagner, il se tourne rapidement vers la philosophie. En 1872 paraît sa première œuvre : *La Naissance de la tragédie*. En 1889, il est foudroyé par la folie. Entre-temps, il a écrit une œuvre difficile et déroutante (*Le Gai Savoir, Ainsi parlait Zarathoustra, Aurore, Par-delà le bien et le mal, Généalogie de la morale, Le Crépuscule des idoles*...). Se présentant rarement sous une forme systématique, riche en sentences, fragments, aphorismes, elle ressemble à un labyrinthe. C'est une critique radicale de la philosophie, de la religion, de la morale traditionnelles ; critique non seulement des idées métaphysiques classiques (âme, conscience, vérité, devoir...), mais aussi des idéologies contemporaines (rationaliste, libérale, socialiste, nationaliste...). Ses concepts majeurs (volonté de puissance, nihilisme, décadence, surhomme...) ont pu être mal compris. Il est en effet nécessaire de se familiariser avec l'œuvre entière pour interpréter tel ou tel passage.

Extraits

Nietzsche : *Généalogie de la morale*, 2e dissertation (1887)

La conscience morale, une maladie de l'âme ?

L'homme n'a pas toujours eu une conscience morale, et l'humanité a même longtemps vécu sans elle. Pour Nietzsche, loin d'être une donnée naturelle, elle est le symptôme d'une maladie, la maladie de la vie.

Texte 1 La préhistoire de la responsabilité

C'est là précisément la longue histoire de l'origine de la *responsabilité*. Cette tâche d'élever et de discipliner un animal qui puisse faire des promesses a pour condition préalable, ainsi que nous l'avons déjà vu, une autre tâche : celle de *rendre* d'abord l'homme déterminé et uniforme jusqu'à un certain point, semblable parmi ses semblables, régulier et, par conséquent, calculable. Le prodigieux travail de ce que j'ai appelé la « moralité des mœurs[1] » – le véritable travail de l'homme sur lui-même pendant la plus longue période de l'espèce humaine, tout son travail *préhistorique*, prend ici sa signification et reçoit sa grande justification, quel que soit d'ailleurs le degré de cruauté, de tyrannie, de stupidité et d'idiotie qui lui est propre : ce n'est que par la moralité des mœurs et la camisole de force sociale que l'homme est *devenu* réellement calculable. Plaçons-nous par contre au bout de l'énorme processus, à l'endroit où l'arbre mûrit enfin ses fruits, où la société et sa moralité des mœurs présentent enfin au jour ce pour quoi elles n'étaient que moyens et nous trouverons que le fruit le plus mûr de l'arbre est *l'individu souverain*, l'individu qui n'est semblable qu'à lui-même, l'individu affranchi de la moralité des mœurs, l'individu autonome et supramoral (car « autonome » et « moral » s'excluent), bref l'homme à la volonté propre, indépendante et durable, l'homme qui *peut promettre* [...].

La fière connaissance du privilège extraordinaire de la *responsabilité*, la conscience de cette rare liberté, de cette puissance sur lui-même et sur le destin, a pénétré chez lui jusqu'aux profondeurs les plus intimes, pour passer à l'état d'instinct, d'instinct dominant : – comment l'appellera-t-il, cet instinct dominant, à supposer qu'il ressente le besoin d'une désignation ? Ceci n'offre pas l'ombre d'un doute : l'homme souverain l'appelle sa *conscience*.

Friedrich Nietzsche, *Généalogie de la morale*, 1887, II, 2, trad. H. Albert, Mercure de France, p. 78.

1. « La moralité n'est rien d'autre (et donc, surtout, *rien de plus*) que l'obéissance aux mœurs, quelles qu'elles soient ; or les mœurs sont la façon traditionnelle d'agir et d'apprécier. [...] Qu'est-ce que la tradition ? Une autorité supérieure à laquelle on obéit non parce qu'elle ordonne ce qui nous est utile, mais parce qu'elle ordonne » (*Aurore*, § 9).

QUESTIONS

1• Comment Nietzsche envisage-t-il la « préhistoire » de la responsabilité ? Que cherche-t-il ici à dénoncer ?

2• Pour que l'homme devienne responsable, il faut qu'il soit calculable. Quel paradoxe souligne ici Nietzsche ?

Texte 2 La cruauté comme « outil » mnémotechnique

« Comment à l'homme-animal faire une mémoire ? Comment sur cette intelligence du moment, à la fois obtuse et trouble, sur cette incarnation de l'oubli, imprime-t-on quelque chose assez nettement pour que l'idée en demeure présente ? » [...]

Ce problème très ancien, comme il est facile de l'imaginer, n'a pas été résolu par des moyens précisément doux ; peut-être n'y a-t-il même rien de plus terrible et de plus inquiétant dans la préhistoire de l'homme que sa *mnémotechnique*[1]. « On applique une chose au fer rouge pour qu'elle reste dans la mémoire : seul ce qui ne cesse de faire souffrir reste dans la mémoire » – c'est là un des principaux axiomes de la plus vieille psychologie qu'il y ait eu sur la terre (et malheureusement aussi de la psychologie qui a duré le plus longtemps).

1. Ensemble de techniques destinées à mémoriser mieux et plus vite.

On pourrait même dire que, partout où il y a aujourd'hui encore sur la terre, dans la vie des hommes et des peuples, de la solennité, de la gravité, du mystère, des couleurs sombres, il reste quelque chose de l'épouvante qui jadis présidait partout aux transactions, aux engagements, aux promesses : le passé, le lointain, l'obscur et le cruel passé nous anime et bouillonne en nous lorsque nous devenons « graves ». Cela ne se passait jamais sans supplices, sans martyres et sacrifices sanglants, quand l'homme jugeait nécessaire de se créer une mémoire ; les plus épouvantables sacrifices et les engagements les plus hideux (par exemple le sacrifice du premier-né), les mutilations les plus répugnantes (entre autres, la castration), les rituels les plus cruels de tous les cultes religieux (car toutes les religions sont en dernière analyse des systèmes de cruauté) – tout cela a son origine dans cet instinct qui a su deviner dans la douleur l'adjuvant le plus puissant de la mnémotechnique.

Op. cit., § 3, p. 80-81.

QUESTIONS

1• Pourquoi la mémoire de l'homme, selon Nietzsche, a-t-elle dû recourir à la cruauté pour s'établir ? De quelle mémoire s'agit-il ? Qu'est-ce qui fait obstacle à la mémorisation ?

2• Quels sont le sens et la fonction du châtiment dans les sociétés archaïques ?

Texte 3 La conscience morale, c'est la cruauté retournée contre soi-même

On aura déjà deviné *ce qui* se passa avec tout cela et sous le voile de tout cela : cette volonté à se torturer soi-même, cette cruauté rentrée de l'animal-homme refoulé dans sa vie intérieure, se retirant avec effroi dans son individualité, enfermé dans l'« État » pour être apprivoisé, et qui inventa la mauvaise conscience pour se faire du mal, après que la voie *naturelle* de cette volonté de faire le mal lui fut coupée, – cet homme de la mauvaise conscience s'est emparé de l'hypothèse religieuse pour pousser son propre supplice à un degré de dureté et d'acuité effrayant. Une dette envers *Dieu* : cette pensée devint pour lui un instrument de torture. Il saisit en « Dieu » ce qu'il y a de plus contraire à ses propres instincts animaux irrémissibles[1], il interprète ces instincts mêmes comme dette envers Dieu (hostilité, rébellion, révolte contre le « maître », le « père », l'ancêtre et le principe du monde), il se place au beau milieu de l'antithèse entre « Dieu » et le « diable », il jette hors de lui-même toutes les négations, tout ce qui le pousse à se nier soi-même, à nier la nature, la spontanéité, la réalité de son être pour en faire l'affirmation de quelque chose d'existant, de corporel, de réel, Dieu, Dieu saint, Dieu juge, Dieu bourreau, l'Au-delà, le supplice infini, l'enfer, la grandeur incommensurable[2] du châtiment et de la faute.

C'est là une espèce de délire de la volonté dans la cruauté psychique, dont à coup sûr on ne trouvera pas d'équivalent : cette *volonté* de l'homme à se trouver coupable et réprouvé jusqu'à rendre l'expiation impossible, sa *volonté* de se voir châtié sans que jamais le châtiment puisse être l'équivalent de la faute, sa *volonté* d'infester et d'empoisonner le sens le plus profond des choses par le problème de la punition et de la faute, pour se couper une fois pour toutes la sortie de ce labyrinthe d'« idées fixes », sa volonté enfin d'ériger un idéal – celui du « Dieu très saint » – pour bien se rendre compte en présence de cet idéal de son absolue indignité propre.

Quelle bête triste et folle que l'homme !

Op. cit., § 22, p. 132 sq.

1. Qui ne mérite pas de pardon.
2. Deux réalités incommensurables n'ont pas d'unité de mesure commune qui permettrait de les comparer sur un plan quantitatif.

QUESTIONS

1• Que signifie l'idée d'« une dette envers Dieu » ?

2• Expliquez comment le sentiment de cette dette conduit au sentiment de culpabilité et à la mauvaise conscience.

SUJET COMMENTÉ

Dissertation • Devoir et liberté sont-ils deux principes compatibles ?

Première approche du sujet : comprendre l'intitulé

La notion de devoir semble s'opposer à celle de liberté. Le devoir implique un effort contre ce qui pourrait être notre pente « naturelle » : un désir, une tendance, une paresse, un mouvement libre et spontané. Ce n'est pas un hasard s'il se donne à nous comme un impératif adressé de l'extérieur : « tu dois, tu ne dois pas ». Du reste beaucoup de devoirs ne sont accomplis régulièrement que sous la menace d'une punition extérieure, qu'elle soit réelle (une punition pour les enfants, une amende pour les adultes) ou symbolique (le reproche, la déconsidération...). Il semble donc que, laissés à eux-mêmes, libres, les hommes n'accompliraient pas spontanément leurs devoirs ; ceux-ci iraient donc essentiellement à l'encontre d'une liberté perçue comme spontanéité.

Il faut être attentif à la façon dont la question est formulée pour distinguer le type d'énoncé qui est posé, comprendre la relation qui unit les concepts du sujet, afin de préparer la construction de la problématique : ici il s'agit d'étudier si **devoir** et **liberté** s'opposent.

Analyser les concepts du sujet

▪ **Les différentes définitions du devoir**

Les devoirs renvoient à des domaines différents. On peut en dégager trois sortes : **devoirs moraux**, qui concernent la conscience de chacun ; **devoirs juridiques,** qui concernent la société dans son ensemble ; **devoirs professionnels,** qui concernent des métiers particuliers (fonctionnaires, médecins, avocats, policiers...). La différence principale, c'est le type de sanction qui punit le non accomplissement du devoir dans ces trois cas. Les trois dimensions se recoupent-elles, ou peuvent-elles être traitées séparément ? Les deux solutions sont a priori possibles.

Les termes du sujet doivent être interrogés pour cerner les enjeux de la question. Ce qui permet de comprendre la portée, et l'étendue du sujet, de cerner les domaines concernés.

▪ **Devoir / Liberté**

Que nos **devoirs** viennent se heurter à nos tendances spontanées ne fait aucun doute. Le problème est de savoir si l'on peut réduire **la liberté** à la spontanéité, à l'impulsion. On voit bien que l'homme acquiert son **autonomie**, sa liberté ; qu'il prend en charge des **responsabilités**, parce qu'il veut maîtriser le monde qui l'entoure. Et que cela exige une certaine discipline, des efforts. La liberté n'est donc pas la spontanéité. À partir de là, liberté et devoir ne sont plus contradictoires ; reste à savoir s'ils peuvent s'unir.

Un devoir est une obligation ; il est important de comprendre qu'une **obligation** n'est pas une **nécessité**.

Une fois ce premier travail de définition effectué, il faut mettre en lumière les oppositions implicites.

› Repères et distinctions conceptuelles, p. 546

Construire une problématique

En tant qu'obligation acceptée, le devoir est donc compatible avec la liberté. Si un adulte choisit d'avoir des enfants, il choisit également les devoirs qui accompagnent le statut de parent. Tout choix libre d'un métier ou d'un mode de vie implique le choix de devoirs qui accompagnent métiers et modes de vie. Il y aurait incohérence, ou mauvaise foi, à revendiquer l'un en refusant l'autre.

Le problème est maintenant de savoir si l'obligation volontaire ne cache pas des contraintes inconscientes ; si la volonté apparemment libre n'est pas contrainte de façon souterraine.

S'appuyer sur des références

▪ Les déterminismes psychologiques

Dans une certaine mesure, le devoir peut sembler proche d'un trouble psychologique : mauvaise conscience, obsession, angoisse, stress. Une culture trop stricte du devoir peut prendre une allure pathologique, comme dans les cas de rigidité morale. Freud laisse entendre que le problème ne touche pas seulement les cas extrêmes mais l'origine même du devoir. Faut-il voir dans cette thèse un argument contre la liberté morale ?

> Un autre fait qui nous frappe, c'est que la conscience morale présente une grande affinité avec l'angoisse ; on peut, sans hésiter, la décrire comme une « conscience angoissante ». Or, l'angoisse, nous le savons, a sa source dans l'inconscient ; la psychologie des névroses nous a montré que lorsque des désirs ont subi un refoulement, leur libido se transforme en angoisse. Et, à ce propos, nous rappellerons que dans la conscience morale il y a aussi quelque chose d'inconnu et d'inconscient, à savoir les raisons du refoulement, du rejet de certains désirs. Et c'est cet inconnu, cet inconscient qui détermine le caractère angoissant de la conscience morale…
>
> Freud, *Totem et tabou*, trad. Jankélévitch, © Payot, p. 83.

▪ Les déterminismes sociologiques

Durkheim, reprenant une formule de Spinoza, renverse l'ordre de l'impératif moral : un acte est condamné non parce qu'il est mauvais, mais il est tenu comme mauvais parce qu'il est condamné. Et ce jugement primitif n'est pas issu de la conscience individuelle mais de la pression sociale. Ce serait la supériorité de la société sur l'individu qui donnerait au devoir son caractère absolu. Est-ce un argument contre la liberté morale ?

> Il ne faut pas dire qu'un acte froisse la conscience commune parce qu'il est criminel, mais qu'il est criminel parce qu'il froisse la conscience commune. Nous ne le réprouvons pas parce qu'il est un crime, mais il est un crime parce que nous le réprouvons. Quant à la nature intrinsèque de ces sentiments, il est impossible de la spécifier ils ont les objets les plus divers, et on n'en saurait donner une formule unique. On ne peut dire qu'ils se rapportent ni aux intérêts vitaux de la société, ni à un minimum de justice toutes ces définitions sont inadéquates. Mais, par cela seul qu'un sentiment, quelles qu'en soient l'origine et la fin, se retrouve dans toutes les consciences avec un certain degré de force et de précision, tout acte qui le froisse est un crime. La psychologie contemporaine revient de plus en plus à l'idée de Spinoza, d'après laquelle les choses sont bonnes parce que nous les aimons, bien loin que nous les aimions parce qu'elles sont bonnes. Ce qui est primitif c'est la tendance, l'inclination, le plaisir et la douleur ne sont que des faits dérivés. Il en est de même dans la vie sociale. Un acte est socialement mauvais parce qu'il est repoussé par la société.
>
> Émile Durkheim, *De la division du travail* (1893), p. 48.

▪ La généalogie de la conscience morale

Pour Nietzsche, la « voix du devoir » serait l'effet d'un dressage moral et de la construction historique de la « mauvaise conscience ».

Les références ou citations ne sont pas simplement des exemples, des illustrations ou des allusions, mais soutiennent l'argumentation.
› **Fiche 3**, p. 576

› Chapitre 18, **Découvertes** : Un cas de conscience, Victor Hugo, *Les Misérables*, p. 448

› **Libido** : L'ensemble des pulsions sexuelles.

› **Intrinsèque** : qui appartient à la nature profonde, essentielle d'une chose (d'un être ou d'un objet).

› Chapitre 20, La liberté : **Spinoza**, *Éthique*, appendice du livre I, p. 508-511

› Chapitre 21, Le devoir : **Nietzsche**, *Généalogie de la morale*, p. 538-541

Rédiger une introduction

› Fiche 2, p. 574

Nos devoirs prennent la forme d'obligation, ils supposent des efforts de notre part pour être accomplis. Certains, parmi les plus superficiels, peuvent devenir plus faciles à force d'habitude : les devoirs de politesse, de sociabilité, d'amabilité. D'autres peuvent être aiguillonnés par les nécessités : comme le devoir de travailler. Mais les devoirs les plus profonds, ceux qui n'offrent pas de profit apparent demeurent difficiles à suivre : comme celui de dire la vérité, de ne pas manquer à l'équité, de ne pas profiter de passe-droits. Ces difficultés et ces efforts semblent s'opposer à notre liberté. L'idée même d'obligation semble fort proche de celle de contrainte. Sans la crainte d'être condamnés, ou d'être mal vus, ou d'avoir honte, obéirions-nous aux ordres de notre conscience ? Sommes-nous vraiment libres quand nous nous efforçons d'accomplir nos devoirs ?

La question porte directement sur l'opinion commune de l'opposition entre liberté et obligation, qui est présupposée par le sujet.

L'opposition **obligation / contrainte** n'est pas définie ; elle est simplement posée de façon allusive.

› Repères et distinctions conceptuelles, p. 546

Rédiger un plan

Partie I - Devoir et liberté s'opposent

Intuitivement, nous sentons une contradiction entre l'idée de devoir et celle de liberté. Souvent l'obligation morale apparaît comme une contrainte, soit visible, soit cachée.

Cette partie va dans le sens de l'opinion commune : on ira du plus simple au plus complexe.

› Sous-partie 1 - Les gênes et les difficultés à accomplir ses devoirs

C'est l'argument le plus superficiel.

› Sous-partie 2 - Les contraintes psychologiques : Le *surmoi* freudien, les complexes, les sentiments de culpabilité, les soumissions d'enfants bâtiraient une habitude d'obéissance que l'on dissimulerait derrière l'idée du devoir ; la rigidité morale serait une protection contre les tentations de la vie, les ouvertures vers l'existence.

› Zoom sur… **Les deux topiques freudiennes,** p. 91

› Sous-partie 3 - Les contraintes sociologiques : Le conformisme, la crainte du « qu'en dira-t-on » feraient pression pour une mise au pas routinière… Plus subtilement, le sentiment d'appartenance à une nation, une communauté religieuse, une profession, certains plis de « métier » ou d'éducation contribueraient à faire du devoir un signe d'honneur et de fierté.

› Par exemple le personnage de Jean Valjean dans *Les Misérables* de Victor Hugo (1862).

› Sous-partie 4 - Le soupçon métaphysique : L'homme, « animal malade » selon Nietzsche, se serait contraint à se faire souffrir lui-même pour se rendre prévisible, c'est-à-dire responsable.

› Chapitre 21, Le devoir : **Nietzsche**, *Généalogie de la morale*, p. 538-541

Partie II - Le sens du devoir construit l'autonomie morale

Malgré des difficultés visibles, l'apprentissage de la liberté passe par l'apprentissage des devoirs. L'apprentissage des devoirs peut aller dans le sens d'une libération de l'individu, si cette liberté est comprise, non plus comme spontanéité, mais comme autonomie.

› Sous-partie 1 - Nature de la conscience morale : Le sentiment du devoir n'est pas simplement une habitude routinière, elle est aussi à la base des réactions de révolte, de résistance contre l'injustice, ou les dictatures.

› La littérature engagée en offre des exemples (on peut citer ici *Germinal* de Zola).

› Sous-partie 2- L'exercice de la raison: Se forcer à prendre position contre ses penchants, ses préjugés, c'est prendre du recul; le devoir peut être un détachement qui permet une certaine hauteur sur la vie.

› Sous-partie 3- Responsabilité et autonomie: La liberté suppose qu'on prenne en charge ses responsabilités; pour réussir une vie, le principe de réalité doit souvent s'imposer sur le principe de plaisir. Ce n'est pas un renoncement au plaisir lui-même, mais une estimation plus ambitieuse du bonheur. « Il vaut mieux être Socrate insatisfait qu'un imbécile satisfait. »

› **Mill**, *L'Utilitarisme*, p. 559

Partie III - L'incertitude et le doute sont des ingrédients de la liberté morale

On montre ici que le doute subsiste, qu'il faut donc être vigilant ; que la liberté morale n'est pas donnée, qu'elle doit être gagnée.

La distinction entre une obligation libre (**Partie II**) et une contrainte inconsciente (**Partie I**) n'est pas toujours assurée par le sentiment intérieur, ni garantie par l'analyse. Le doute subsiste : un devoir peut être rempli par paresse, renoncement, frilosité ; une liberté peut consister à refuser des devoirs illégitimes ou routiniers. Le fait qu'il n'y ait pas de certitudes nous contraint-il à dissocier liberté et devoir? Ou bien faut-il au contraire intégrer cette incertitude au sein de la liberté morale?

› Sous-partie 1- Les limites de la lucidité: On ne peut jamais savoir la part de rigidité qui impose le devoir, ni les mouvements de l'âme qui poussent à faire le bien. Kant admet lui aussi que le « saint » lui-même ne peut savoir s'il a fait vraiment le bien, car aucune sensibilité humaine ne peut connaître les ressorts souterrains de son action. C'est toujours dans l'obscurité que s'accomplit le devoir ; s'il pouvait être clair, peut-être n'aurait-il plus de mérite.

› Une œuvre, une analyse: **Kant**, *Fondements de la métaphysique des mœurs*, p. 532-535

› Sous-partie 2- L'inconnu des déterminismes: En montrant des déterminismes psychologiques ou sociologiques, Freud et Durkheim ne veulent pas détruire le devoir ; ils veulent seulement en montrer le relativisme. Les déterminismes ne sont pas des contraintes, mais des sources d'action que nous devons connaître pour ne pas en être les jouets. Que l'origine du devoir soit dans le refoulement des désirs, ou dans la pression sociale, ce qui compte, c'est ce qu'il est devenu aujourd'hui. Le devoir issu du refoulement peut être utilisé contre les pratiques de refoulement, le devoir issu de la société peut être dirigé contre les contraintes de la société.

› **Freud** et **Durkheim**, p. 543

› Sous-partie 3 - L'engagement existentiel : Pour Sartre, angoisse et incertitude sont au cœur de l'action, donc de la liberté. S'engager c'est prendre des risques, et ces risques sont toujours lourds à porter.

› Chapitre 5, Le temps, l'existence: **Sartre,** *L'existentialisme est un humanisme,* p. 134-137

Rédiger une conclusion

› **Fiche 5**, p. 580

Le devoir est une obligation qui refuse d'être une contrainte. Souvent les devoirs ne sont pas remplis sans doute ni sans hésitation. Ces doutes ne portent pas seulement sur les difficultés ou les conséquences du devoir à accomplir ; ils portent sur la pertinence même du devoir : c'est ce qu'on appelle des cas de conscience. Nous ne sommes jamais assurés, quand nous obéissons à un devoir que nous n'obéissions qu'à nous-mêmes plutôt qu'à un commandement étranger. Mais ce doute sur la liberté est peut-être le signe même de la liberté. Agir en toute certitude, serait-ce encore choisir librement?

REPÈRES et DISTINCTIONS CONCEPTUELLES

Devoir moral / devoir juridique

Les devoirs sont des obligations, mais ils n'ont pas la même extension selon qu'ils concernent la conscience (lois morales) ou le droit (lois juridiques). La sphère morale définit des devoirs, qui ne s'accompagnent pas symétriquement chez autrui de droits : si j'ai le devoir moral d'aider les autres, les autres n'ont pas le droit de m'obliger à les aider. En revanche, si la loi civile prévoit que les enfants aideront financièrement leurs parents dans le besoin, ce ne sera plus seulement un devoir de le faire, mais une obligation juridique : car les parents seront en droit de réclamer cette aide. Dans ce dernier cas, la société ne demandera pas aux individus de remplir leurs obligations de bon gré ; elle leur demandera seulement de les remplir. Dans l'action morale, au contraire, un devoir qui s'accompagnerait de signes manifestes de mauvaise humeur et de contrainte intérieure perdrait une part essentielle de sa valeur.

Devoir / obligation / nécessité

Ces deux mots sont souvent pris l'un pour l'autre dans le langage de tous les jours : « c'est nécessaire », « c'est obligatoire ». Comme si c'était la même chose. Or, non seulement ce n'est pas la même chose, mais encore il y a contradiction : si l'on dit que c'est nécessaire, alors cela ne peut pas être obligatoire ; si l'on dit que c'est obligatoire, alors ce ne peut pas être nécessaire. La **nécessité** s'impose à moi, sans faire intervenir un choix de ma part, tandis que l'**obligation** se présente comme un devoir, que je suis libre ou non d'accepter.

Affiche des années 1960, lithographie, archives Charmet.

La conscience morale

On parle souvent de « juger en son for intérieur ». L'expression vient du *forum* latin, qui désigne la place publique, mais aussi le lieu par excellence des tribunaux. Le *for*, c'est le tribunal intime de la conscience. On voit, par cette métaphore, que, même si la conscience morale s'enracine dans le secret de l'intimité, elle ne peut effacer une certaine analogie primordiale avec les procédures sociales. Les « trois pouvoirs » – législatif, judiciaire, exécutif – ne se retrouvent-ils pas au cœur du sujet moral pour le rappeler à sa responsabilité ?

1) **Être son propre législateur**, c'est obéir à la règle qu'on se prescrit : c'est la définition de l'autonomie.

2) **Être son propre juge**, c'est s'observer, chercher scrupuleusement les motivations, les intentions premières de ses actions.

3) **Être son propre gouvernement** signifie qu'on doit assumer les décisions du tribunal, et en particulier récompenser et punir. La punition morale prend la forme essentielle du remords (on parlera alors de mauvaise conscience).

L'éthique

C'est un terme plus difficile à définir. Tantôt le mot désigne l'étude générale des mœurs, tantôt l'analyse des principes fondateurs de la morale. Aujourd'hui, l'éthique tend à désigner un domaine plus spécifique : celui des frontières entre la morale et le droit (« éthique professionnelle », « éthique médicale », « éthique des affaires »), entre les règles anciennes et les nouvelles pratiques, par exemple les nouvelles technologies (bioéthique, éthique de l'environnement…), entre l'évolution des mœurs et les traditions (problèmes de l'euthanasie, de l'eugénisme…).

Zoom sur...

Les formulations de l'impératif catégorique de Kant

La seule règle morale pour Kant est l'impératif catégorique, qui affirme qu'une maxime d'action est moralement bonne si elle peut être universalisée, c'est-à-dire avoir la forme d'une loi : est-ce qu'il y aurait encore un sens logique à cette maxime, si tous les hommes la suivaient ? Kant donne trois formulations de l'impératif catégorique.

▪ **1re formulation Principe de cohérence universelle de l'action morale**

« Agis comme si la maxime de ton action devait être érigée par ta volonté en LOI UNIVERSELLE DE LA NATURE. »

Fais comme si tes maximes morales, au lieu d'être simplement moralement obligatoires (mais susceptibles d'être enfreintes) était aussi physiquement nécessaires (comme la loi de la chute des corps, qu'on ne peut enfreindre).

Remarque : la nécessité se distingue de l'obligation, comme les lois de la nature se distinguent des lois des hommes : ces dernières peuvent être enfreintes, pas les premières.

Par exemple, le problème du suicide : « Par amour de moi-même, je pose en principe d'abréger ma vie si en la prolongeant j'ai plus de maux à craindre que de satisfactions à espérer... Mais on voit qu'une nature dont ce serait la loi de détruire la vie même, juste par ce sentiment [l'amour de soi] dont la fonction spéciale est de pousser au développement de la vie, serait en contradiction avec elle-même. »

▪ **2e formulation Principe d'égale dignité de la personne humaine**

« Agis de telle sorte que tu traites l'humanité, aussi bien dans ta personne que dans la personne de tout autre, toujours en même temps comme une fin, et jamais simplement comme un moyen. »

Considérer tout homme comme une personne doit être la fin, le but de toute mon action. C'est pourquoi, si je suis dans la nécessité d'avoir recours à quelqu'un comme moyen pour tel ou tel but personnel (dans les relations professionnelles, par exemple, ou commerciales), je dois « toujours en même temps » le considérer comme fin, c'est-à-dire penser à la personne, libre et égale, qui est devant moi, et faire tout mon possible pour la traiter comme telle.

« Dans le règne des fins, tout a un prix ou une dignité. Ce qui a un prix peut être aussi bien remplacé par quelque chose d'autre à titre d'équivalent ; au contraire, ce qui est supérieur à tout prix, ce qui par suite n'admet pas d'équivalent, c'est ce qui a une dignité. »

Cette maxime s'applique aussi à moi-même, car je dois respecter la personne que je suis : il y a donc des **devoirs envers soi-même** : « Ainsi je ne puis disposer en rien de l'homme en ma personne, soit pour le mutiler, soit pour l'endommager, soit pour le tuer. » D'où, de nouveau, l'interdiction morale du suicide.

▪ **3e formulation Principe d'autonomie**

« Agis de telle sorte que ta volonté puisse se considérer elle-même en même temps comme légiférant universellement grâce à sa maxime. »

Chaque homme doit pouvoir se considérer comme l'auteur de la loi morale. **L'autonomie**, c'est être soumis à sa propre législation, qui doit être universalisable. La source de l'obligation ne peut être qu'en moi-même. Agir pour d'autres motifs (intérêt, sentiment, passions, pression sociale...), c'est perdre sa liberté morale, c'est ce que Kant appelle l'hétéronomie.

chapitre 22

Le bonheur

Paul Signac, *Au temps d'harmonie (L'âge d'or n'est pas dans le passé, il est dans l'avenir)*, 1893-1895, huile sur toile (312 x 410 cm), Montreuil, mairie.

Du mot...

Il s'agit d'un terme difficile à définir. Tout le monde le comprend, mais sans lui donner un sens précis. Par contraste, l'étymologie est éclairante. Elle indique l'idée de chance, « je n'ai pas l'heur de lui plaire », c'est-à-dire « je n'ai pas la chance de lui plaire », qu'on retrouvera dans le mot « porte-bonheur », ou bien dans les expressions courantes : par bonheur, heureusement... C'est-à-dire : par chance. Cette signification étymologique se retrouve dans de nombreuses langues.

... au concept

Or, précisément, la plupart des courants philosophiques ou bien ignorent, ou bien réfutent, ou bien minimisent autant que possible cette idée de chance. Le bonheur, c'est le Souverain Bien, c'est l'objet d'une pratique morale, laquelle ne dépend pas de la chance, mais de la réflexion, du mérite et de l'exercice. D'une manière générale, on ne peut trouver un sens conceptuel à la notion de bonheur qu'en se référant à une doctrine philosophique particulière : « pour le stoïcisme, pour l'épicurisme, le bonheur c'est... ». C'est ainsi que peuvent être définis l'ataraxie, concept épicurien, l'apathie, concept stoïcien, ou le nirvana, concept bouddhiste ; ou bien encore des positions philosophiques : eudémonisme, hédonisme, utilitarisme... Situation d'autant plus complexe que beaucoup de philosophies, à l'âge classique, emploient d'autres termes à la place du mot « bonheur » : joie, contentement, béatitude...

Pistes de réflexion

Le sentiment de bonheur repose-t-il sur la comparaison avec celui des autres ?

On pourrait supposer que certains critères matériels : confort, sécurité, santé, pouvoir d'achat, loisirs exercent une influence directe sur le sentiment intime de bonheur. Or ce n'est pas certain. Car on estime moins ce qu'on possède que ce qu'on devrait posséder en fonction de normes sociales. L'estimation intérieure du bonheur peut-elle se faire sans une comparaison avec le bonheur supposé des autres ?

L'homme est-il fait pour être heureux ?

Aujourd'hui, tout concourt à enjoindre chacun d'être heureux : la publicité, les sagesses ordinaires ou exotiques... Mais ces injonctions sont-elles compatibles avec la nature humaine ? Le bonheur est-il un état à la portée de l'homme ? Ne s'agit-il pas plutôt d'un rêve, d'une espérance, l'homme étant condamné à une perpétuelle insatisfaction ? Et n'est-ce pas un obstacle au bonheur que de le rendre, pour ainsi dire, obligatoire ?

Le bonheur est-il le souverain bien ?

Le bonheur est-il vraiment le bien suprême ? De quel bonheur parle-t-on ici ? Du bonheur individuel ou du bonheur de l'humanité ? Du bonheur dans cette vie ou du bonheur dans une autre vie ? D'autres valeurs ne peuvent-elles pas prétendre au titre de souverain bien ? Lesquelles ? Au nom de quels principes ?

Pour être heureux, faut-il être vertueux ?

Le bonheur est-il la récompense d'une attitude morale ? Pour les grandes philosophies morales de l'Antiquité, l'accomplissement des devoirs conduit au bonheur. Inversement, leur non-accomplissement empêche l'homme ordinaire d'être heureux. La vertu est-elle une condition nécessaire au bonheur ? Est-elle une condition suffisante ?

Le bonheur peut-il être l'objet d'un souci politique ?

« Le bonheur est une idée neuve en Europe », disait Saint Just. Le droit au bonheur est inscrit dans la Déclaration d'indépendance des États-Unis. L'idée d'une gestion de la société comme devant maximiser les chances du plus grand nombre à être heureux a fait son chemin durant les deux derniers siècles. Mais est-ce à la puissance publique de se soucier du bonheur de l'individu ?

Passerelles

- **Chapitre 3 : L'inconscient**, p. 72.
- **Chapitre 4 : Le désir, autrui**, p. 92.
- **Une œuvre, une analyse :** Rawls, *Théorie de la justice*, p. 446.
- **Dossier :** L'île d'Utopie, More, p. 484.

Découvertes

DOCUMENT 1 « Moi » : devoir et bonheur sont unis

Le bonheur peut-il être érigé en norme universelle ? Le sensualiste Diderot (Moi) s'acharne à défendre le lien qui unit le devoir et le bonheur. Le neveu de Rameau, génial parasite (Lui), oppose au philosophe l'incommunicabilité des bonheurs singuliers.

MOI. – Je ne méprise pas les plaisirs des sens. J'ai un palais aussi et il est flatté d'un mets délicat ou d'un vin délicieux. J'ai un cœur et des yeux, et j'aime à voir une jolie femme, j'aime à sentir sous ma main la fermeté et la rondeur de sa gorge, à presser ses lèvres des miennes, à puiser la volupté dans ses regards, et à en expirer entre ses bras. Quelquefois, avec mes amis, une partie de débauche, même un peu tumultueuse, ne me déplaît pas. Mais, je ne vous le dissimulerai pas, il m'est infiniment plus doux encore d'avoir secouru le malheureux, d'avoir terminé une affaire épineuse, donné un conseil salutaire, fait une lecture agréable, une promenade avec un homme ou une femme chère à mon cœur, passé quelques heures instructives avec mes enfants, écrit une bonne page, rempli les devoirs de mon état, dit à celle que j'aime quelques choses tendres et douces qui amènent ses bras autour de mon cou. [...]

LUI. – Voilà une espèce de félicité avec laquelle j'aurai de la peine à me familiariser, car on la rencontre rarement. Mais, à votre compte, il faudrait donc être d'honnêtes gens ?

MOI. – Pour être heureux ? assurément.

LUI. – Cependant je vois une infinité d'honnêtes gens qui ne sont pas heureux et une infinité de gens qui sont heureux sans être honnêtes.

MOI. – Il vous semble.

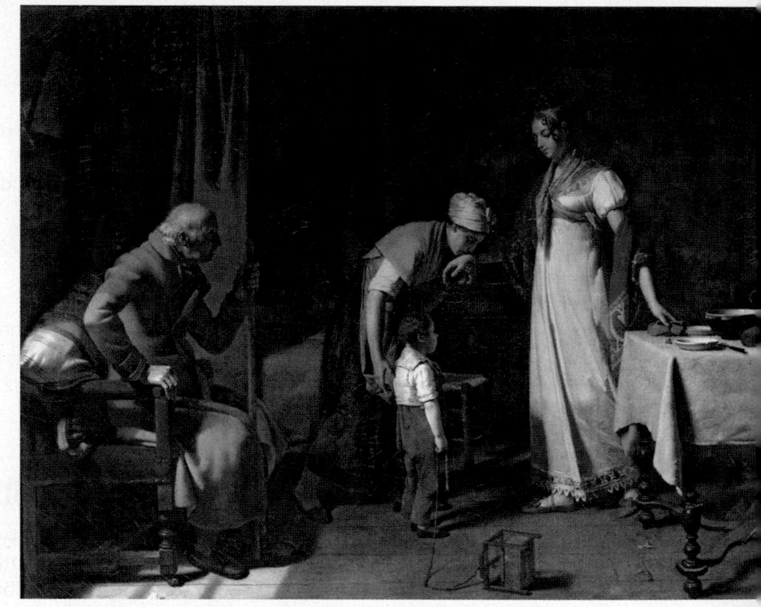

Martin Drolling, *Une jeune femme portant secours à une famille malheureuse*, XIXe s., huile sur toile (0,74 x 0,92 m), Caen, musée des Beaux-Arts.

Denis Diderot, *Le Neveu de Rameau*, 1762-1773, *in Œuvres*, t. III, coll. Bouquins, Robert Laffont, p. 649 sq.

« Lui » : à chacun son bonheur

LUI. – Puisque je puis faire mon bonheur par des vices qui me sont naturels, que j'ai acquis sans travail, que je conserve sans effort, qui cadrent avec les mœurs de ma nation, qui sont du goût de ceux qui me protègent, et plus analogues à leurs petits besoins particuliers que des vertus qui les gêneraient en les accusant depuis le matin jusqu'au soir, il serait bien singulier que j'allasse me tourmenter comme une âme damnée, pour me bistourner[1] et me faire autre que je ne suis, pour me donner un caractère étranger au mien, des qualités très estimables, j'y consens, pour ne pas disputer, mais qui me coûteraient beaucoup à acquérir, à pratiquer, ne me mèneraient à rien, peut-être à pis que rien, par la satire continuelle des riches auprès desquels les gueux comme moi ont à chercher leur vie. On loue la vertu, mais on la hait, mais on la fuit, mais elle gèle de froid, et dans ce monde, il faut avoir les pieds chauds. Et puis cela me donnerait de l'humeur, infailliblement ; car pourquoi voyons-nous si fréquemment les dévots si durs, si fâcheux, si insociables ? C'est qu'ils se sont imposé une tâche qui ne leur est pas naturelle. Ils souffrent, et quand on souffre, on fait souffrir les autres. Ce n'est pas là mon compte, ni celui de mes protecteurs ; il faut que je sois gai, souple, plaisant, bouffon, drôle. La vertu se fait respecter, et le respect est incommode ; la vertu se fait admirer, et l'admiration n'est pas amusante. J'ai affaire à des gens qui s'ennuient, et il faut que je les fasse rire. Or c'est le ridicule et la folie qui font rire, il faut donc que je sois ridicule et fou ; et quand la nature ne m'aurait pas fait tel, le plus court serait de le paraître. Heureusement je n'ai pas besoin d'être hypocrite [...]. Il faut que Rameau soit ce qu'il est : un brigand heureux avec des brigands opulents, et non un fanfaron de vertu ou même un homme vertueux, rongeant sa croûte de pain, seul, ou à côté des gueux. Et pour le trancher net, je ne m'accommode point de votre félicité, ni du bonheur de quelques visionnaires[2] comme vous.

MOI. – Je vois, mon cher, que vous ignorez ce que c'est et que vous n'êtes pas même fait pour l'apprendre.

LUI. – Tant mieux, mordieu ! tant mieux. Cela me ferait crever de faim, d'ennui, et de remords peut-être.

Op. cit.

1. Se courber, se déformer.
2. Qui a des idées folles, extravagantes.

QUESTION

› Opposez les deux conceptions du bonheur. Pourquoi sont-elles inconciliables? S'agit-il seulement d'opposer un moraliste et un partisan des plaisirs?

DOCUMENT 2 « Les béatitudes »

HEUREUX les pauvres de cœur : le Royaume des cieux est à eux.
HEUREUX les doux : ils auront la terre en partage.
HEUREUX ceux qui pleurent : ils seront consolés.
HEUREUX ceux qui ont faim et soif : ils seront rassasiés.
HEUREUX les miséricordieux : il leur sera fait miséricorde.
HEUREUX les cœurs purs : ils verront Dieu.
HEUREUX ceux qui font œuvre de paix : ils seront appelés fils de Dieu.
HEUREUX ceux qui sont persécutés pour la justice : le Royaume des Cieux est à eux.
HEUREUX êtes-vous lorsque l'on vous insulte, que l'on vous persécute et que l'on dit faussement contre vous toute sorte de mal à cause de moi. Soyez dans la joie et l'allégresse, car votre récompense est grande dans les cieux ; c'est ainsi en effet qu'on a persécuté les prophètes qui vous ont précédés.

Évangile selon Saint Matthieu, 80-90 apr. J.-C.,
5, 3-12, *in Nouveau Testament interlinéaire grec / français*, p. 14.

QUESTIONS

› 1• Observez le renversement opéré par les paroles du Christ. Quels mondes différents opposent-elles ?

› 2• Le bonheur promis peut-il aider à construire le bonheur présent ? Comment ?

Réflexion 1

▶ Vertu et bonheur sont-ils liés ?

Lorsque Aristote parle de « vertu » (en grec, *arété*), il faut lire « excellence », c'est-à-dire un accomplissement de soi selon le meilleur de soi : à la fois noblesse, énergie, mérite, équilibre. Dans l'excellence, devoir et bonheur ne font qu'un.

Texte 1 Bonheur et excellence

Si nous posons que la fonction de l'homme consiste dans un certain genre de vie[1], c'est-à-dire dans une activité de l'âme et dans des actions accompagnées de raison ; si la fonction d'un homme vertueux est d'accomplir cette tâche, et de l'accomplir bien et avec succès, chaque chose au surplus étant bien accomplie quand elle l'est selon l'excellence qui lui est propre : – dans ces conditions, c'est donc que le bien pour l'homme consiste dans une activité de l'âme en accord avec la vertu[2], et, au cas de pluralité de vertus, en accord avec la plus excellente et la plus parfaite d'entre elles. Mais il faut ajouter : « et cela dans une vie accomplie jusqu'à son terme », car une hirondelle ne fait pas le printemps, ni non plus un seul jour : et ainsi la félicité et le bonheur ne sont pas davantage l'œuvre d'une seule journée, ni d'un bref espace de temps.

Aristote, *Éthique à Nicomaque*, IVe s. av. J.-C., trad. J. Tricot, Vrin, p. 59-60.

1. Aristote distingue : 1) la vie vouée à l'accumulation de richesses, au commerce, etc. ; 2) la vie politique ; 3) la vie contemplative.
2. Ou bien encore : selon l'excellence propre de l'homme.

Texte 2 Le plaisir noble fait corps avec l'action noble

De même qu'aux Jeux Olympiques, ce ne sont pas les plus beaux et les plus forts qui sont couronnés, mais ceux qui combattent (car c'est parmi eux que sont pris les vainqueurs), de même aussi les nobles et bonnes choses de la vie deviennent à juste titre la récompense de ceux qui agissent. Et leur vie est encore en elle-même un plaisir, car le sentiment du plaisir rentre dans la classe des états de l'âme, et chacun ressent du plaisir par rapport à l'objet, quel qu'il soit, qu'il est dit aimer : par exemple, un cheval donne du plaisir à l'amateur de chevaux, un spectacle à l'amateur de spectacles ; de la même façon, les actions justes sont agréables à celui qui aime la justice, et, d'une manière générale, les actions conformes à la vertu plaisent à l'homme qui aime la vertu. Mais tandis que chez la plupart des hommes les plaisirs se combattent, parce qu'ils ne sont pas des plaisirs par leur nature même, ceux qui aiment les nobles actions trouvent au contraire leur agrément dans les choses qui sont des plaisirs par leur propre nature. Or tel est précisément ce qui caractérise les actions conformes à la vertu, de sorte qu'elles sont des plaisirs à la fois pour ceux qui les accomplissent et en elles-mêmes.

Dès lors la vie des gens de bien n'a nullement besoin que le plaisir vienne s'y ajouter comme un surcroît postiche[1], mais elle a son plaisir en elle-même. Ajoutons, en effet, à ce que nous avons dit, qu'on n'est pas un véritable homme de bien quand on n'éprouve aucun plaisir dans la pratique des bonnes actions, pas plus que ne saurait être jamais appelé juste celui qui accomplit sans plaisir des actions justes, ou libéral celui qui n'éprouve aucun plaisir à faire des actes de libéralité, et ainsi de suite. S'il en est ainsi, c'est en elles-mêmes que les actions conformes à la vertu doivent être des plaisirs. Mais elles sont encore en même temps bonnes et belles, et cela au plus haut degré, s'il est vrai que l'homme vertueux est bon juge en ces matières ; or son jugement est fondé, ainsi que nous l'avons dit. Ainsi donc le bonheur est en même temps ce qu'il y a de meilleur, de plus beau et de plus agréable.

Op. cit., p. 65 sq.

1. Artifice destiné à remplacer quelque chose de naturel ; par exemple : des cheveux postiches.

Texte 3 Les plaisirs qui divisent

Les méchants recherchent la société d'autres personnes avec lesquelles ils passeront leurs journées, mais ils se fuient eux-mêmes, car seuls avec eux-mêmes, ils se ressouviennent d'une foule d'actions qui les accablent et prévoient qu'ils en commettront à l'avenir d'autres semblables, tandis qu'au contraire la présence de compagnons leur permet d'oublier. De plus, n'ayant en eux rien d'aimable, ils n'éprouvent aucun sentiment d'affection pour eux-mêmes. Par suite, de tels hommes demeurent étrangers à leurs propres joies et à leurs propres peines, car leur âme est déchirée par les factions[1] : l'une de ses parties, en raison de sa dépravation, souffre quand l'individu s'abstient de certains actes, tandis que l'autre partie s'en réjouit ; l'une tire dans un sens et l'autre dans un autre, mettant ces malheureux pour ainsi dire en pièces. Et s'il n'est pas strictement possible qu'ils ressentent dans un même moment du plaisir et de la peine, du moins leur faut-il peu de temps pour s'affliger d'avoir cédé au plaisir et pour souhaiter que ces jouissances ne leur eussent jamais été agréables : car les hommes vicieux sont chargés de regrets.

Op. cit., p. 446.

1. Parties ennemies qui conspirent.

Texte 4 On ne peut écarter totalement la chance de la définition du bonheur

Cependant il apparaît nettement qu'on doit faire aussi entrer en ligne de compte les biens extérieurs, ainsi que nous l'avons dit, car il est impossible, ou du moins malaisé, d'accomplir les bonnes actions quand on est dépourvu de ressources pour y faire face. En effet, dans un grand nombre de nos actions, nous faisons intervenir à titre d'instruments les amis ou la richesse, ou l'influence politique ; et, d'autre part, l'absence de certains avantages gâte la félicité : c'est le cas, par exemple, pour la noblesse de race, une heureuse progéniture, la beauté physique. On n'est pas, en effet, complètement heureux si on a un aspect disgracieux, si on est d'une basse extraction, ou si on vit seul et sans enfants ; et pis encore sans doute, si on a des enfants ou des amis perclus de vices, ou si enfin, alors qu'ils étaient vertueux, la mort nous les a enlevés. Ainsi donc que nous l'avons dit, il semble que le bonheur ait besoin, comme condition supplémentaire, d'une prospérité de ce genre ; de là vient que certains mettent au même rang que le bonheur, la fortune favorable, alors que d'autres l'identifient à la vertu.

Op. cit., p. 67-68.

QUESTIONS

Texte 1

› Quels sont les éléments de la définition du bonheur selon Aristote ?

Texte 2

› Pourquoi, chez l'homme vertueux, le plaisir et l'action ne font-ils qu'un ?

Texte 3

› « De tels hommes demeurent étrangers à leurs propres joies et à leurs propres peines » : que veut dire cette phrase ? En quoi est-elle significative d'une tragédie humaine ?

Texte 4

› **1•** En dehors de la vertu, que faut-il faire intervenir comme ingrédients du bonheur ?

› **2•** D'où vient la position prudente d'Aristote ? Pourquoi le philosophe ne peut-il faire l'économie du hasard, du destin, de la chance ?

Une œuvre, une analyse

Présentation

Épicure, *Lettre à Ménécée* (début du IIIe s. av. J.-C.)

La *Lettre à Ménécée* est une des trois lettres originales qui nous restent de tous les écrits, pourtant considérables, d'Épicure. Elle donne un résumé de l'enseignement moral de l'école épicurienne : la philosophie nous apprend comment être heureux, en nous apprenant à nous détourner de ce qui nous rend malheureux. C'est pourquoi il est urgent de philosopher pour tous, jeunes et vieux. Ceux qui retardent ce moment retardent d'autant leur bonheur. La philosophie n'est donc pas simplement une science théorique, c'est avant tout une réflexion pratique visant le bonheur sur cette terre. Mais pour atteindre ce but, il faut d'abord connaître la nature : c'est l'objet de la physique.

1 Une vision matérialiste de l'univers

Épicure inscrit son analyse morale dans une explication atomiste du monde, héritée du philosophe Démocrite, contemporain de Socrate et fondateur de l'atomisme : tout ce qui existe est composé d'éléments non visibles à l'œil nu et insécables, les **atomes**. Mais Épicure modifie la pensée de Démocrite en développant le concept de *clinamen* (déviation spontanée des atomes) qui introduit le hasard et la liberté dans la nécessité aveugle de la matière. Les atomes se déplacent dans le vide et forment, au hasard de leurs rencontres, des **agrégats** : les corps et les êtres vivants que nous connaissons. L'âme elle-même, nos pensées, nos perceptions sont des ensemble d'atomes. Deux principes règnent donc dans la nature : la nécessité des mouvements des particules, le hasard de leurs rencontres. Les conséquences qu'Épicure tire de ces principes peuvent choquer les opinions de son époque : toutes les réalités sont mortelles, notre monde lui-même est voué à la destruction parmi l'infinité des mondes existants pour l'homme, aucune survie n'est à espérer après la mort. Mais, pas plus qu'il n'y a à espérer, il n'y a à craindre : pas de châtiments après la mort, les Enfers et leurs supplices ne sont que des imaginations des hommes, issues de leurs passions d'ici-bas.

2 Détruire les peurs : le quadruple remède

Une juste compréhension du fonctionnement de l'univers est donc une condition préalable à la recherche du bonheur. Il convient d'écarter toutes les peurs issues des fausses opinions. Tel est le quadruple remède, (*tetrapharmakos*) dont on retrouve une esquisse dans la *Lettre à Ménécée* : 1) ni les dieux ni la fatalité ne nous veulent du mal ; 2) la mort n'est rien pour nous ; 3) la douleur quand elle nous touche est supportable ; 4) le bonheur est accessible à tous, on ne peut pas passer à côté dès lors qu'on en comprend la nature : en effet, le bonheur n'est que le plaisir, et le plaisir n'est qu'un état d'équilibre dans le corps et l'âme, accessible à tous.

3 Une morale hédoniste : le plaisir comme début et fin de l'existence

La morale d'Épicure est une recherche du bonheur associant plaisir et vertu. On peut poser les rapports d'égalité suivants : souverain bien = bonheur = plaisir = absence de souffrances du corps (**aponie**) et de troubles de l'âme (**ataraxie**). Le plaisir dans son essence ne peut ni augmenter ni diminuer, il est étranger à toute évaluation quantitative puisqu'il est un point d'équilibre (**plaisir catastématique**). On peut seulement le faire varier qualitativement (**plaisir cinétique**).

4 La distinction des désirs

Pour accéder à l'ataraxie, l'homme doit se limiter à certains désirs (ceux qui sont mesurés) et fuir les autres (ceux qui sont démesurés). Épicure distingue trois sortes de désirs : 1) les désirs naturels et nécessaires, qui s'imposent à tous les hommes mais sont facilement satisfaisables ; 2) les désirs naturels non nécessaires, que l'on peut réaliser si l'occasion se présente, qui enrichissent une vie sans que leur manque vienne à peser ; 3) les désirs non naturels, non nécessaires, qui se caractérisent par leur démesure, parce qu'ils sont infinis et que leur objet est illusoire. Ceux-là sont à bannir. Dans sa Lettre, Épicure ne précise pas le contenu de cette distinction par des exemples précis. On peut mettre dans la troisième catégorie les désirs de gloire, de richesse, de possession amoureuse. Mais il ne serait pas pertinent de réduire les désirs naturels aux seuls besoins physiologiques : pour Épicure, la vie au sein d'une communauté d'amis, en vue de la connaissance de l'univers et de l'enrichissement moral, est un désir aussi naturel que le boire et le manger. Si Épicure se désintéresse volontairement de la politique, il fait de l'amitié un ingrédient essentiel du bonheur.

5 Le Jardin d'Épicure

Il faut en effet concevoir l'épicurisme sous la forme d'une communauté entre amis, où les esclaves et les femmes sont admis à part entière (fait exceptionnel durant l'Antiquité). Cicéron en témoigne deux siècles plus tard : « Épicure, dans sa seule demeure, une petite maison, quelles troupes d'amis il a réunies, et dans quelle harmonie d'une affection partagée ! Cette tradition est encore vivante chez les épicuriens » (*Des fins ultimes*, I, 20, 65). La vie en communauté au sein de ses semblables n'est pas un simple choix pour le sage, c'est bien une condition essentielle pour l'exercice de la vie heureuse. « Parmi ce que la sagesse se procure en vue du bonheur de la vie entière, le plus important, de très loin, c'est la possession de l'amitié » (*Maxime capitale*, XXVII). L'amitié assure en effet cette sécurité qui fait que « rien de terrible » ne peut durer longtemps, et qu'on peut vivre « comme un dieu parmi les hommes » (fin de la *Lettre à Ménécée*).

Passerelles

› **Chapitre 4 : Le désir, autrui,** p. 92.
› **Réflexion :** Sait-on vivre au présent ?, p. 130.

Épicure (vers 341 av. J.-C.-270 av. J.-C.)

Épicure fonde son école en 306 av. J.-C., dans un endroit d'Athènes nommé « le Jardin » (ce nom est parfois utilisé pour désigner l'épicurisme). Après la conquête des cités grecques par Philippe de Macédoine et Alexandre le Grand, celles-ci connaissent un épisode de décadence. Cela explique sans doute le besoin d'un repli sur une vie plus intérieure, dont le Jardin est le témoin. L'étude de la philosophie s'y accompagne d'une vie simple et frugale ; on dit qu'Épicure était végétarien. Malgré cela, pendant des siècles, l'épicurisme sera calomnié (« les pourceaux d'Épicure ») parce qu'il mettait le plaisir au centre de la vie morale et professait des thèses scandaleuses : l'infinité et la destructibilité des mondes, l'absence de vie après la mort, le caractère purement imaginaire des Enfers, l'indifférence des dieux envers les hommes. Les disciples gardèrent pieusement la mémoire de leur maître et cette fidélité explique en partie le succès de cette doctrine, rivale du stoïcisme durant cinq ou six siècles.

Épicure, *Lettre à Ménécée* (début du IIIe s. av. J.-C.)

Le bonheur est-il accessible à tous ?

On sait peu de choses sur Ménécée, destinataire de cette lettre. Mais cela n'a guère d'importance, il ne s'agit pas d'une lettre privée. C'est un résumé doctrinal par lequel Épicure s'adresse à des personnes de tout âge : « il n'est en effet pour personne ni trop tôt ni trop tard lorsqu'il s'agit d'assurer la santé de l'âme » ; il présente le quadruple remède qui rendra l'homme heureux.

Texte 1 Ne pas craindre les dieux

En premier lieu, considérant que le dieu est un vivant incorruptible et bienheureux, ainsi que la notion commune du dieu en a tracé l'esquisse, ne lui ajoute rien d'étranger à son incorruptibilité ni rien d'inapproprié à sa béatitude. En revanche, tout ce qui peu préserver en lui la béatitude qui accompagne l'incorruptibilité, juge que cela lui appartient. Car les dieux existent[1]. Évidente est en effet la connaissance que l'on a d'eux. Mais ils ne sont pas tels que la plupart des hommes les conçoivent. Ceux-ci ne les respectent pas tels qu'ils les conçoivent. Est impie, d'autre part, non pas celui qui abolit les dieux de la foule, mais celui qui ajoute aux dieux des opinions de la foule, car les déclarations de la foule à propos des dieux ne sont pas des préconceptions[2] mais des suppositions fausses.

Épicure, *Lettre à Ménécée*, début du IIIe s. av. J.-C., trad. P.-M. Morel, Garnier-Flammarion, p. 44-45.

1. Les dieux épicuriens sont des réalités matérielles vivant entre les différents mondes ; ils ne s'occupent pas des hommes.
2. *Prolepsis* : ce sont des notions intérieures à l'âme qui organisent nos perceptions et notre compréhension des mots ; issues de données du monde extérieur, elles ont une certaine objectivité si rien ne vient les déformer.

QUESTION

› Qu'est-ce que l'impiété ? Quelle définition de l'impiété Épicure donne-t-il ? En quoi diffère-t-elle de la définition commune ?

Texte 2 Ne pas craindre la mort

Accoutume-toi à considérer que la mort n'est rien pour nous, puisque tout bien et tout mal sont contenus dans la sensation ; or la mort est privation de sensation. Par suite, la sûre connaissance que la mort n'est rien pour nous fait que le caractère mortel de la vie est source de jouissance, non pas en ajoutant à la vie un temps illimité, mais au contraire en la débarrassant du regret de ne pas être immortel. En effet, il n'y a rien de terrifiant dans le fait de vivre pour qui a réellement saisi qu'il n'y a rien de terrifiant dans le fait de ne pas vivre. Aussi parle-t-il pour ne rien dire, celui qui dit craindre la mort, non pour la douleur qu'il éprouvera en sa présence, mais pour la douleur qu'il éprouve parce qu'elle doit arriver un jour ; car ce dont la présence ne nous gêne pas ne suscite qu'une douleur sans fondement quand on s'y attend. Ainsi, le plus effroyable des maux, la mort, n'est rien pour nous, étant donné, précisément, que quand nous sommes, la mort n'est pas présente ; et que, quand la mort est présente, alors nous ne sommes pas. Elle n'est donc ni pour les vivants ni pour ceux qui sont morts, étant donné précisément qu'elle n'est rien pour les premiers et que les seconds ne sont plus.

Op. cit., p. 45-46.

QUESTION

› Selon Épicure, la mort n'est rien pour nous. Sur quelle argumentation cette idée repose-t-elle ? Quelles objections peut-on lui faire ?

Texte 3 Le bonheur est à notre portée

1. En se fondant sur l'observation des similitudes et des différences des désirs que nous ressentons.

Il faut en outre établir par analogie[1] que, parmi les désirs, les uns sont naturels, les autres sans fondement et que parmi ceux qui sont naturels, les uns sont nécessaires et les autres naturels seulement. Parmi ceux qui sont nécessaires, les uns sont nécessaires au bonheur, d'autres à l'absence de dysfonctionnement dans le corps, et d'autres à la vie elle-même. En effet, une étude rigoureuse des désirs permet de rapporter tout choix et tout refus à la santé du corps et à l'absence de trouble dans l'âme puisque c'est cela la fin de la vie heureuse. C'est en effet en vue de cela que nous faisons tout, afin de ne pas souffrir et de ne pas éprouver de craintes. Mais une fois que cet état s'est réalisé en nous, toute la tempête de l'âme se dissipe, le vivant n'ayant pas besoin de se mettre en marche vers quelque chose qui lui manquerait, ni à rechercher quelque autre chose, grâce à laquelle le bien de l'âme et du corps trouverait conjointement sa plénitude. C'est en effet quand nous souffrons de l'absence de plaisir que nous avons besoin du plaisir ; mais quand nous ne souffrons pas, nous n'avons pas besoin du plaisir. Voilà pourquoi nous disons que le plaisir est principe et fin de la vie bienheureuse.

Op. cit., p. 47-48.

QUESTIONS

1• Reprenez la classification des désirs chez Épicure. Proposez des exemples.

2• Pourquoi le bonheur est-il à la portée de tous ?

Texte 4 L'idéal d'une vie « autosuffisante »

1. *Autarkeia* : autarcie, indépendance.

Par ailleurs, nous considérons l'autosuffisance[1] elle aussi comme un grand bien, non pas dans l'idée de faire avec peu en toutes circonstances, mais afin que, dans le cas où nous n'avons pas beaucoup, nous nous contentions de peu, parce que nous sommes légitimement convaincus que ceux qui ont le moins besoin de l'abondance sont ceux qui en tirent le plus de jouissance, et que tout ce qui est naturel est facile à acquérir, alors qu'il est difficile d'accéder à ce qui est sans fondement. Car les saveur simples apportent un plaisir égal à un régime d'abondance quand on a supprimé toute la souffrance qui résulte du manque, et du pain et de l'eau procurent le plaisir le plus élevé lorsqu'on s'en procure alors qu'on en manque. Donc, s'accoutumer aux régimes simples et non abondants assure la plénitude de la santé, rend l'homme actif dans les occupations nécessaires à la conduite de la vie, nous met dans de plus fortes dispositions quand nous allons, par moments, vers l'abondance et nous prépare à être sans crainte devant les aléas de la fortune.

Quand nous disons que le plaisir est la fin, nous ne parlons pas des plaisirs des débauchés ni de ceux qui consistent dans les jouissances – comme le croient certains qui, ignorant de quoi nous parlons, sont en désaccord avec nos propos ou les prennent dans un sens qu'ils n'ont pas – mais du fait, pour le corps, de ne pas souffrir et, pour l'âme, de ne pas être troublée.

Op. cit., p. 49-50.

QUESTIONS

1• Qu'est-ce que l'autosuffisance pour Épicure ? Pourquoi un tel modèle de vie est-il, selon lui, un modèle de bonheur ?

2• Quelle définition l'auteur donne-t-il du plaisir ? Vous semble-t-elle exacte ?

Passerelles

- Chapitre 4 : Le désir, autrui, p. 92.
- Chapitre 5 : Le temps, l'existence, p. 120.

Réflexion 2

▶ Le bonheur peut-il faire l'objet d'un calcul moral ?

Disciple du philosophe anglais Bentham, John Stuart Mill reprend l'idée de la maximisation du bonheur du plus grand nombre, ce qui est le critère fondamental de la morale utilitariste. Le bonheur y est défini, de manière hédoniste, comme plaisir à rechercher et douleur à éviter.

Texte 1 Le principe du plus grand bonheur

La doctrine qui donne comme fondement à la morale l'utilité ou le principe du plus grand bonheur, affirme que les actions sont bonnes ou sont mauvaises dans la mesure où elles tendent à accroître le bonheur, ou à produire le contraire du bonheur. Par « bonheur » on entend le plaisir et l'absence de douleur ; par « malheur », la douleur et la privation de plaisir. Pour donner une vue claire de la règle morale posée par la doctrine, de plus amples développements sont nécessaires ; il s'agit de savoir, en particulier, quel est, pour l'utilitarisme, le contenu des idées de douleur et de plaisir, et dans quelle mesure le débat sur cette question reste ouvert. Mais ces explications supplémentaires n'affectent en aucune façon la conception de la vie sur laquelle est fondée cette théorie de la moralité, à savoir que le plaisir et l'absence de douleur sont les seules choses désirables comme fins, et que toutes les choses désirables (qui sont aussi nombreuses dans le système utilitariste que dans tout autre) sont désirables, soit pour le plaisir qu'elles donnent elles-mêmes, soit comme des moyens de procurer le plaisir et d'éviter la douleur.

John Stuart Mill, *L'Utilitarisme*, 1861, trad. G. Tanesse, coll. Champs, Flammarion, p. 48-49.

QUESTIONS

› 1• Quel est le critère de la moralité, selon le point de vue utilitariste ?

› 2• À quelle doctrine morale de l'Antiquité le point de vue utilitariste peut-il être rattaché ?

Texte 2 Définition de la vie heureuse

Si l'on désignait par le mot bonheur un état continu d'exaltation agréable au plus haut degré, ce serait évidemment chose irréalisable. Un état de plaisir exalté dure seulement quelques instants, ou parfois, et avec des interruptions, quelques heures ou quelques jours ; c'est la flambée éclatante et accidentelle de la jouissance, ce n'en est pas le feu permanent et sûr. C'est là une chose dont se sont bien rendu compte, aussi pleinement que ceux qui les gourmandaient[1], les philosophes qui, dans leur enseignement, ont donné le bonheur pour fin à la vie. La vie heureuse, telle qu'ils l'ont entendue, n'est pas une vie toute de ravissement ; elle comprend seulement quelques instants de cette sorte dans une existence faite d'un petit nombre de douleurs passagères, et d'un grand nombre de plaisirs variés, avec une prédominance bien nette de l'actif sur le passif ; existence fondée, dans l'ensemble, sur cette idée qu'il ne faut pas attendre de la vie plus qu'elle ne peut donner. Une vie ainsi composée a toujours paru aux êtres fortunés dont elle a été le partage mériter le nom de vie heureuse. Et, même aujourd'hui, une telle existence est le lot d'un grand nombre d'hommes durant une partie considérable de leur vie. La déplorable éducation, les déplorables arrangements sociaux actuels sont le seul obstacle véritable qui s'oppose à ce qu'une telle vie soit à la portée de presque tous les hommes.

1. Adresser des reproches sévères.

Op. cit., p. 59-60.

QUESTION

› Comment Mill conçoit-il la vie heureuse ? Quel reproche peut-on faire à un tel tableau ?

Texte 3 La différence entre bonheur et satisfaction

Croire qu'en manifestant une telle préférence on sacrifie quelque chose de son bonheur, croire que l'être supérieur – dans des circonstances qui seraient équivalentes à tous égards pour l'un et pour l'autre – n'est pas plus heureux que l'être inférieur, c'est confondre les deux idées très différentes de bonheur et de satisfaction. Incontestablement, l'être dont les facultés de jouissance sont d'ordre inférieur, a les plus grandes chances de les voir pleinement satisfaites ; tandis qu'un être d'aspirations élevées sentira toujours que le bonheur qu'il peut viser, quel qu'il soit – le monde étant fait comme il l'est – est un bonheur imparfait. Mais il peut apprendre à supporter ce qu'il y a d'imperfections dans ce bonheur, pour peu que celles-ci soient supportables ; et elles ne le rendront pas jaloux d'un être qui, à la vérité, ignore ces imperfections, mais ne les ignore que parce qu'il ne soupçonne aucunement le bien auquel ces imperfections sont attachées. Il vaut mieux être un homme insatisfait qu'un porc satisfait ; il vaut mieux être Socrate insatisfait qu'un imbécile satisfait. Et si l'imbécile ou le porc sont d'un avis différent, c'est qu'ils ne connaissent qu'un côté de la question : le leur. L'autre partie, pour faire la comparaison, connaît les deux côtés.

Op. cit., p. 54.

QUESTIONS

1• Quelle différence Mill fait-il entre satisfaction et bonheur ?

2• La distinction ne revient-elle pas à réintroduire des devoirs moraux à l'encontre des plaisirs ? Or Mill prétend qu'aucune vertu ne mérite de sacrifier un plaisir. Comment rendre cohérente sa position ?

Texte 4 Comment différencier et hiérarchiser des qualités différentes de plaisir ?

On pourrait me demander : « Qu'entendez-vous par une différence de qualité entre les plaisirs ? Qu'est-ce qui peut rendre un plaisir plus précieux qu'un autre – en tant que plaisir pur et simple – si ce n'est qu'il est plus grand quantitativement ? » Il n'y a qu'une réponse possible. De deux plaisirs, s'il en est un auquel tous ceux ou presque tous ceux qui ont l'expérience de l'un et de l'autre accordent une préférence bien arrêtée, sans y être poussés par un sentiment d'obligation morale, c'est ce plaisir-là qui est le plus désirable. Si ceux qui sont en état de juger avec compétence de ces deux plaisirs placent l'un d'eux tellement au-dessus de l'autre qu'ils le préfèrent tout en le sachant accompagné d'une plus grande somme d'insatisfaction, s'ils sont décidés à n'y pas renoncer en échange d'une quantité de l'autre plaisir telle qu'il ne puisse pas, pour eux, y en avoir de plus grande, nous sommes fondés à accorder à la jouissance ainsi préférée une supériorité qualitative qui l'emporte tellement sur la quantité, que celle-ci, en comparaison, compte peu.

Or, c'est un fait indiscutable que ceux qui ont une égale connaissance des deux genres de vie, qui sont également capables de les apprécier et d'en jouir, donnent résolument une préférence très marquée à celui qui met en œuvre leurs facultés supérieures. Peu de créatures humaines accepteraient d'être changées en animaux inférieurs sur la promesse de la plus large ration de plaisirs de bêtes ; aucun être humain intelligent ne consentirait à être un imbécile, aucun homme instruit à être un ignorant, aucun homme ayant du cœur et une conscience à être égoïste et vil, même s'ils avaient la conviction que l'imbécile, l'ignorant ou le gredin sont, avec leurs lots respectifs, plus complètement satisfaits qu'eux-mêmes avec le leur.

Op. cit., p. 51-53.

QUESTIONS

1• Quel critère « objectif » Mill fournit-il pour hiérarchiser qualitativement les plaisirs ? Donnez un exemple.

2• Par quoi la jouissance des plaisirs supérieurs se paie-t-elle ? Pourquoi ? Cette face négative ne vient-elle pas contredire la notion même de bonheur ?

Une œuvre, une analyse

Présentation

Pascal : *Pensées* (posth. 1669)

Le pessimisme de Pascal introduit dans l'histoire de la pensée moderne, à côté du *cogito* cartésien (› p. 28), une deuxième sorte de subjectivité : non plus une conscience de soi conquérante, mais une conscience désespérée et angoissée, lucide sur sa propre misère. Or cette lucidité interdit l'accession de l'homme au bonheur. C'est en ce sens que Pascal s'oppose aux philosophes de l'Antiquité : la sagesse non seulement n'est plus une garantie, mais c'est aussi un obstacle au bonheur.

1 L'absence de point fixe

Une question aussi concrète que celle du bonheur n'est jamais séparable d'interrogations abstraites, apparemment très éloignées, voire ignorées par les gens ordinaires, mais qui influent en profondeur sur leur façon de vivre. Or le diagnostic que porte Pascal sur son époque, c'est celui d'une disparition de points de repères, de « points fixes », qui protégeaient contre les peurs et les angoisses.

Plus de point fixe cosmologique. C'est d'abord la révolution scientifique, initiée par Galilée, qui explique cette incertitude. Non seulement la Terre n'est plus au centre du monde, mais encore il n'y a plus de centre du tout. Dans un espace infini, « le centre est partout, la circonférence nulle part ». Il n'y a plus d'échelle naturelle, plus de juste milieu entre l'infiniment grand et l'infiniment petit.

Plus de point fixe épistémologique. Tout est dans tout : pour comprendre réellement la moindre parcelle de l'univers, il faudrait comprendre le tout de l'univers. Comme c'est impossible, l'homme découpe des « domaines » en créant artificiellement des hypothèses et des déductions partielles. Pascal réfute le projet cartésien de fonder la science sur des bases absolues et définitives.

Plus de point fixe anthropologique. Si l'homme fait l'ange, on lui montrera la bête qui est en lui ; s'il veut faire la bête, on lui montrera l'ange. Du fait que l'homme participe à la fois du divin et de l'animalité, on ne peut pas lui attribuer une place stable dans la nature. Entièrement voué au bonheur (l'ange) et non au plaisir (la bête), il est par là même incapable de l'un comme de l'autre.

Plus de point fixe moral. Si on laisse la morale à la seule appréciation d'une raison naturelle, comme le voulaient les philosophes de l'Antiquité ou les humanistes de la Renaissance, elle perd son efficience. Dans les *Entretiens avec M. de Sacy*, Pascal critique les « deux plus grands défenseurs des deux plus célèbres sectes du monde » : **Épictète, le stoïcien, et Montaigne, le sceptique**. Épictète a bien vu les devoirs des hommes, mais en s'octroyant le pouvoir surhumain de les remplir sans faiblir, il s'est pris pour un dieu. Il ne suffit pas d'être sage pour être heureux. Montaigne, qui s'amuse à montrer la relativité des opinions, leur fragilité, a bien compris la misère humaine. Mais il n'a pas vu l'ancienne grandeur de l'homme. Il ne suffit pas de vivre caché pour vivre heureux.

2 La misère de l'homme

Le mystère. Le mystère du péché originel (› p. 358) explique à la fois la recherche effrénée du bonheur, et son inaccessibilité : « Certainement, rien ne nous heurte plus rudement que cette doctrine, et cependant, sans ce mystère, le plus incompréhensible de tous, nous sommes incompréhensibles à nous-mêmes. Le nœud de notre condition prend ses replis et ses tours dans cet abîme ; de sorte que l'homme est plus inconcevable sans ce mystère que ce mystère n'est inconcevable à l'homme » [fr. 31/434].

L'angoisse. C'est d'abord celle du « libertin » qui refuse la foi : « Quand je vois la petite durée de ma vie absorbée par l'éternité précédant et suivant le petit espace que je remplis et même que je vois, abîmé dans l'immensité des espaces que j'ignore et qui m'ignorent, je m'effraie et m'étonne de me voir ici plutôt que là, car il n'y a pas de raison pourquoi ici plutôt que là, pourquoi à présent plutôt que lors. Qui m'y a mis » ? [fr. 427/194].

Mais la difficulté d'être heureux torture également le croyant, face aux injonctions contradictoires qui sont faites à l'homme : « Le christianisme est étrange. Il ordonne à l'homme de reconnaître qu'il est vil et même abominable, et lui ordonne de vouloir être semblable à Dieu. Sans un tel contrepoids, cette élévation le rendrait horriblement vain, ou cet abaissement le rendrait horriblement abject » [fr. 351/537].

Les contradictions et le divertissement. La misère est visible dans les incohérences du comportement humain. Ni le repos ni l'agitation ne peuvent satisfaire l'homme. Il doit fuir sa situation, se détourner, se « divertir ». Pour le joueur, le jeu est plus important que le gain, puisque l'essentiel c'est de gagner du temps. Pourtant le jeu ne serait rien sans l'appât du gain : il faut pouvoir se prendre au jeu, en faire une affaire sérieuse, sinon on s'ennuie. Ainsi, se divertir, c'est vouloir deux choses : le jeu et le sérieux, l'oubli par le jeu et l'oubli que ce n'est que du jeu. Pour ces raisons, le divertissement désigne tout aussi bien les amusements des hommes que leurs préoccupations les plus sérieuses. L'important est d'oublier, de se détourner de la condition d'homme. Il n'y a pas de moyen d'être heureux, mais seulement des manières de faire semblant de l'être.

3 Le seul point fixe : la religion chrétienne

On ne guérit pas du divertissement. Contrairement aux philosophes anciens qui présentaient les passions de la foule comme des folies dont le sage doit se guérir afin d'être heureux, pour Pascal, il n'y a pas de guérison possible. La philosophie des « philosophes » est illusion de lucidité ; le malheur de l'homme, c'est de chercher le bonheur sur terre. L'homme ne peut se sauver que dans la foi chrétienne. Pour lui, le seul principe c'est Jésus-Christ. Mais il parle au « cœur » avant de parler à la raison.

Passerelles

› **Textes :** Descartes, *Méditations métaphysiques*, p. 28.
Pascal, *Trois Discours sur la condition des grands*, p. 530.
La Bible, Le mythe d'Adam et Ève, p. 358.
Épictète, *Manuel*, p. 100, 507.

› **Chapitre 5 : Le temps, l'existence,** p. 120.

Pascal (1623-1662)

Né à Clermont-Ferrand, Pascal se fait d'abord connaître par son œuvre scientifique : physique et mathématique. À partir de 1654, à la suite d'une révélation mystique, il se concentre sur les problèmes théologiques et philosophiques. Lié au couvent de Port-Royal, il défend les idées jansénistes, en particulier contre le relâchement de la morale des jésuites (*Lettres provinciales*, sur le jansénisme[1] › *La Logique ou l'Art de penser*, p. 344). Il prépare une *Apologie de la religion chrétienne* visant à convertir les libertins à la foi chrétienne. Les fragments de ce travail nous sont demeurés sous la forme des *Pensées*. Pascal était aussi un esprit pratique : il invente une machine à calculer ; il crée à Paris une compagnie de carrosses à cinq sols, premier exemple d'organisation de transport public bon marché.

1. Doctrine de Jansénius (1585-1638) sur la prédestination et la grâce de Dieu. Elle impose une morale austère, rigoriste. Les jansénistes se sont opposés aux jésuites.

Extraits

Pascal : *Pensées* (posth. 1669)

▶ Chercher le bonheur sur terre, n'est-ce pas se condamner à ne pas le trouver ?

Le vrai joueur, le joueur pris par sa passion, ne se contenterait jamais du gain si on le lui donnait contre la promesse qu'il ne jouera plus ; mais il ne se contenterait jamais non plus du jeu si on lui proposait de jouer pour rien. Qu'en penser ? Pour Pascal, cette contradiction du joueur passionné est la contradiction même de toute existence : celle qui empêche l'homme d'être heureux.

Texte 1 — Le présent nous échappe

La misère de l'homme se manifeste, pour Pascal, dans l'incapacité où nous sommes de saisir le présent. Or, selon les philosophes de l'Antiquité, il n'y a de bonheur que par la maîtrise du présent.

Nous ne nous tenons jamais au temps présent. Nous rappelons le passé ; nous anticipons l'avenir comme trop lent à venir, comme pour hâter son cours, ou nous rappelons le passé pour l'arrêter comme trop prompt, si imprudents que nous errons dans des temps qui ne sont point nôtres, et ne pensons point au seul qui nous appartient, et si vains que nous songeons à ceux qui ne sont rien, et échappons sans réflexion le seul qui subsiste. C'est que le présent d'ordinaire nous blesse. Nous le cachons à notre vue parce qu'il nous afflige, et s'il nous est agréable nous regrettons de le voir échapper. Nous tâchons de le soutenir par l'avenir, et pensons à disposer les choses qui ne sont pas en notre puissance pour un temps où nous n'avons aucune assurance d'arriver. Que chacun examine ses pensées. Il les trouvera toutes occupées au passé ou à l'avenir. Nous ne pensons presque point au présent, et si nous y pensons ce n'est que pour en prendre la lumière pour disposer de l'avenir. Le présent n'est jamais notre fin.

Le passé et le présent sont nos moyens ; le seul avenir est notre fin. Ainsi nous ne vivons jamais, mais nous espérons de vivre, et, nous disposant toujours à être heureux, il est inévitable que nous ne le soyons jamais.

Blaise Pascal, *Pensées,* posth. 1669, fr. 47/172, *in Œuvres complètes,* coll. L'intégrale, Seuil, p. 506.

QUESTIONS

1• Pourquoi ne nous en « tenons »-nous pas au seul temps que nous possédons ?

2• Pourquoi nos désirs se tournent-ils vers des temps que nous ne pouvons pas posséder ?

3• En quoi sa relation au temps explique-t-elle la difficulté de l'homme d'être heureux ?

Texte 2 — Pourquoi se divertir ?

« Divertir », au sens premier, c'est « détourner ». Si la vie humaine est caractérisée par le divertissement, ce n'est pas que l'homme aime avant tout l'amusement. Pour Pascal, la recherche d'activités sérieuses est tout autant un signe de divertissement.

Quand je m'y suis mis quelquefois à considérer les diverses agitations des hommes, et les périls, et les peines où ils s'exposent dans la Cour, dans la guerre d'où naissent tant de querelles, de passions, d'entreprises hardies et souvent mauvaises, j'ai dit souvent que tout le malheur des hommes vient d'une seule chose, qui est de ne savoir pas demeurer en repos dans une chambre. Un homme qui a assez de bien pour vivre, s'il savait demeurer chez soi avec plaisir n'en sortirait pas pour aller sur la mer ou au siège d'une place ; on n'achèterait une charge à l'armée si cher[1] que parce qu'on trouverait insupportable de ne bouger de la ville et on ne recherche les conversations et les divertissements des jeux que parce qu'on ne demeure chez soi avec plaisir.

1. À l'époque de Pascal, et jusqu'à la Révolution française, les postes d'officiers étaient achetés, comme un grand nombre d'offices publics.

Mais quand j'ai pensé de plus près et qu'après avoir trouvé la cause de tous nos malheurs j'ai voulu en découvrir les raisons, j'ai trouvé qu'il y en a une bien effective qui consiste dans le malheur naturel de notre condition faible et mortelle et si misérable que rien ne peut nous consoler lorsque nous y pensons de près. Quelque condition qu'on se figure, si l'on assemble tous les biens qui peuvent nous appartenir, la royauté est le plus beau poste du monde et cependant, qu'on s'en imagine, accompagné de toutes les satisfactions qui peuvent le toucher, s'il est sans divertissement et qu'on le laisse considérer et faire réflexion sur ce qu'il est – cette félicité languissante ne le soutiendra point – il tombera par nécessité dans les vues qui le menacent, des révoltes qui peuvent arriver et enfin de la mort et des maladies qui sont inévitables, de sorte que, s'il est sans ce qu'on appelle divertissement, le voilà malheureux, et plus malheureux que le moindre de ses sujets qui joue et qui se divertit.

Op. cit., fr. 136/139, p. 516 sq.

QUESTIONS

1• Pour quelles raisons les hommes cherchent-ils à se divertir?

2• Pourquoi ne faut-il pas confondre divertissement et amusement?

Texte 3 Les contradictions de toute existence

Deux instincts secrets et contradictoires animent les hommes: la nostalgie lointaine d'un état heureux; la fuite de leur état présent.

Ils ont un instinct secret qui les porte à chercher le divertissement et l'occupation au-dehors, qui vient du ressentiment de leurs misères continuelles. Et ils ont un autre instinct secret qui reste de la grandeur de notre première nature[1], qui leur fait connaître que le bonheur n'est en effet que dans le repos et non pas dans le tumulte. Et de ces deux instincts contraires, il se forme en eux un projet confus qui se cache à leur vue dans le fond de leur âme qui les porte à tendre au repos par l'agitation et à se figurer toujours que la satisfaction qu'ils n'ont point leur arrivera si en surmontant quelques difficultés qu'ils envisagent ils peuvent s'ouvrir par là la porte au repos. Ainsi s'écoule toute la vie; on cherche le repos combattant quelques obstacles et si on les a surmontés, le repos devient insupportable par l'ennui qu'il engendre. Il en faut sortir et mendier le tumulte [...]

Tel homme passe sa vie sans ennui en jouant tous les jours peu de chose. Donnez-lui tous les matins l'argent qu'il peut gagner chaque jour à la charge[2] qu'il ne joue point, vous le rendez malheureux. On dira peut-être que c'est qu'il recherche l'amusement du jeu et non pas le gain. Faites-le donc jouer pour rien, il ne s'y échauffera pas et s'y ennuiera. Ce n'est donc pas l'amusement seul qu'il recherche. Un amusement languissant et sans passion l'ennuiera. Il faut qu'il s'y échauffe, et qu'il se pipe[3] lui-même en s'imaginant qu'il serait heureux de gagner ce qu'il ne voudrait pas qu'on lui donnât à condition de ne point jouer, afin qu'il se forme un sujet de passion et qu'il excite sur cela son désir, sa colère, sa crainte pour cet objet qu'il s'est formé comme les enfants qui s'effraient du visage qu'ils ont barbouillé.

Op. cit., fr. 136/139, p. 516-517 sq.

1. Nature innocente de l'homme, avant le péché originel, avant la chute.
2. À la condition.
3. Se trompe.

QUESTIONS

1• Le souvenir de l'âge d'or, du paradis («instinct secret») n'aide en rien les hommes. Au contraire, il est le moteur de leur malheur. Pourquoi?

2• Pourquoi le joueur a-t-il besoin à la fois du jeu et du gain pour ne pas s'ennuyer? Pourquoi est-ce le signe d'une impossibilité pour l'homme d'être heureux?

Passerelles

Chapitre 5: Le temps, l'existence, p. 120.

Réflexion: Quelle place pour l'homme dans un univers infini?, p. 144.

Réflexion 3

▶ Le bonheur est-il en contradiction avec la nature humaine ?

Le bonheur est une fin commune à tous, mais peu d'entre nous arrivent à être heureux. Peut-être que l'homme n'est pas « fait pour le bonheur », étant un être de désir et de souffrance.

Texte 1 Le désir, obstacle au bonheur ?

L'intuition fondamentale de Schopenhauer n'est pas sans rappeler la position bouddhiste. Ce n'est pas un obstacle extérieur qui empêche l'homme d'être heureux, c'est sa volonté même de vivre. Vivre, c'est désirer ; et désirer, c'est être insatisfait, donc entrer dans une logique contraire au bonheur.

Nous sentons la douleur, mais non l'absence de douleur ; le souci, mais non l'absence de souci ; la crainte, mais non la sécurité. Nous ressentons le désir, comme nous ressentons la faim et la soif ; mais le désir est-il rempli, aussitôt il en advient de lui comme de ces morceaux goûtés par nous et qui cessent d'exister pour notre sensibilité, dès le moment où nous les avalons. Nous remarquons douloureusement l'absence des jouissances et des joies, et nous les regrettons aussitôt ; au contraire, la disparition de la douleur, quand même elle ne nous quitte qu'après longtemps, n'est pas immédiatement sentie, mais tout au plus y pense-t-on parce qu'on veut y penser, par le moyen de la réflexion. Seules, en effet, la douleur et la privation peuvent produire une impression positive[1] et par là se dénoncer d'elles-mêmes. Le bien-être, au contraire, n'est que pure négation.

Aussi n'apprécions-nous pas les trois plus grands biens de la vie, la santé, la jeunesse et la liberté, tant que nous les possédons ; pour en comprendre la valeur, il faut que nous les ayons perdus, car ils sont aussi négatifs. Que notre vie était heureuse, c'est ce dont nous ne nous apercevons qu'au moment où ces jours heureux ont fait place à des jours malheureux. Autant les jouissances augmentent, autant diminue l'aptitude à les goûter : le plaisir devenu habitude n'est plus éprouvé comme tel. Mais par là même grandit la faculté de ressentir la souffrance ; car la disparition d'un plaisir habituel cause une impression douloureuse. Ainsi la possession accroît la mesure de nos besoins, et du même coup la capacité de ressentir la douleur.

Le cours des heures est d'autant plus rapide qu'elles sont plus agréables, d'autant plus lent qu'elles sont plus pénibles ; car le chagrin, et non le plaisir, est l'élément positif, dont la présence se fait remarquer. De même nous avons conscience du temps dans les moments d'ennui, non dans les instants agréables. Ces deux faits prouvent que la partie la plus heureuse de notre existence est celle où nous la sentons le moins ; d'où il suit qu'il vaudrait mieux pour nous ne la pas posséder. Une grande, une vive joie ne se peut absolument concevoir qu'à la suite d'un grand besoin passé ; car peut-il s'ajouter rien d'autre à un état de contentement durable qu'un peu d'agrément ou quelque satisfaction de vanité ?

Arthur Schopenhauer, *Le Monde comme volonté et comme représentation*, 1818, trad. A. Burdeau, PUF, p. 1337 sq.

1. Ici, positif veut dire ressenti réellement, par opposition à ce qui négatif, qui n'est pas ressenti comme tel.

QUESTIONS

› **1•** Quelle thèse l'auteur cherche-t-il à défendre ?

› **2•** Faites l'inventaire de tous ses arguments. Vous semblent-ils satisfaisants ? Citez des exemples à l'appui de vos réponses.

› **3•** Peut-on donner une définition du bonheur qui échapperait aux critiques de Schopenhauer ?

Texte 2 Il est plus naturel pour l'homme d'être malheureux qu'heureux

Les devoirs moraux ont leur part dans la souffrance des hommes : soit qu'ils prennent la forme inconsciente du surmoi, source de sentiment de culpabilité et d'angoisse, soit qu'ils créent des idéaux que Freud juge irréalisables et source d'insatisfaction, telle l'injonction chrétienne d'aimer son prochain comme soi-même. Pourtant, la seule loi du plaisir ne rendrait pas l'homme plus heureux, elle l'enchaînerait dans l'ordre de la répétition et de la violence. Aussi la souffrance n'est-elle pas contingente dans la vie humaine, elle en est un ingrédient nécessaire.

[Les hommes] aspirent au bonheur, ils veulent devenir heureux et le rester. Cette aspiration a deux côtés, un but positif et un but négatif, elle veut d'une part l'absence de souffrance et de déplaisir, de l'autre l'expérience de forts sentiments de plaisir. Au sens plus restreint, le mot « bonheur » n'est appliqué qu'à cette expérience. En fonction de cette double répartition des buts, l'activité des hommes se déploie dans deux directions, selon qu'elle cherche à réaliser – principalement ou même exclusivement – l'un ou l'autre de ces buts.

C'est, comme on le note, tout simplement le programme du principe de plaisir[1] qui fixe la finalité de la vie. Ce principe domine le fonctionnement de l'appareil psychique dès le début ; son efficacité ne fait aucun doute, et pourtant son programme est en désaccord avec le monde entier, avec le macrocosme comme avec le microcosme[2]. Il n'est absolument pas applicable, tous les ordonnancements de l'univers vont à son encontre ; on dirait volontiers que l'intention humaine d'être « heureux » ne figure pas dans le plan de la « création ». Ce qu'on appelle bonheur au sens strict résulte de la satisfaction plutôt soudaine de besoins accumulés et n'est possible par nature que comme phénomène épisodique. Toute prolongation d'une situation convoitée par le principe de plaisir donne seulement une sentiment de tiède contentement ; nous sommes ainsi faits que nous ne pouvons jouir intensément que du contraste, et très peu d'un état.

De ce fait, nos possibilités de bonheur sont déjà limitées par notre constitution. Il y a beaucoup moins de difficultés à faire l'expérience du malheur. La souffrance menace de trois côtés : de notre propre corps, destiné à la déchéance et à la décomposition, et qui même ne saurait se passer de la douleur et de l'angoisse comme signaux d'alarme ; du monde extérieur, capable de se déchaîner contre nous avec des forces énormes, implacables et destructrices ; et finalement des relations avec d'autres êtres humains. La souffrance provenant de cette dernière source, nous l'éprouvons peut-être plus douloureusement que toute autre ; nous avons tendance à y voir une sorte de surcroît sans nécessité, bien qu'elle ne soit sans doute pas moins fatalement inévitable que les souffrances d'autre origine.

Sigmund Freud, *Le Malaise dans la culture*, 1929, trad. B. Lortholary, coll. Points, Seuil, p. 63-64.

1. C'est le principe qui pousse à la satisfaction d'une pulsion pour mettre fin à l'état de tension et de souffrance ; il s'oppose au principe de réalité qui tient compte des nécessités naturelles ou sociales de l'existence.
2. Macrocosme, microcosme : le « grand monde », le « petit monde », c'est-à-dire l'univers d'une part, l'individu d'autre part.

QUESTIONS

1• Freud distingue un sens large et un sens étroit de la notion de bonheur : quels sont-ils ?

2• Quels faits montrent, aux yeux de Freud, que la constitution humaine a peu d'aptitude au bonheur ?

3• Pourquoi l'homme est-il davantage doué pour le malheur ? Quelles en sont les trois grandes causes ? Donnez des exemples.

Passerelle

Chapitre 3 : L'inconscient, p. 72.

Dossier

▶ Les choses, une condition du bonheur ?

Écrit en 1965, le livre de Perec décrit la vie d'un jeune couple, issu des classes moyennes. Leur vie est axée sur l'exigence de bonheur, un bonheur devenu devoir ; or ce bonheur est lié à l'acquisition de biens matériels. On y a vu une critique de la « société de consommation », l'asservissement aux « choses ». En effet, les années soixante sont marquées par un essor économique sans précédent. Mais Perec veut simplement montrer, d'après ses propres dires, qu'il y a « entre les choses du monde moderne et le bonheur un rapport obligé ».

DOCUMENT

L'œil, d'abord, glisserait sur la moquette grise d'un long corridor, haut et étroit. Les murs seraient des placards de bois clair, dont les ferrures de cuivre luiraient. Trois gravures, représentant l'une Thunderbird, vainqueur à Epsom, l'autre un navire à aubes, le *Ville-de-Montereau*, la troisième une locomotive de Stephenson, mèneraient à une tenture de cuir, retenue par de gros anneaux de bois noir veiné, et qu'un simple geste suffirait à faire glisser. La moquette, alors, laisserait place à un parquet presque jaune, que trois tapis aux couleurs éteintes recouvriraient partiellement.

Ce serait une salle de séjour, longue de sept mètres environ, large de trois. À gauche, dans une sorte d'alcôve, un gros divan de cuir noir fatigué serait flanqué de deux bibliothèques en merisier pâle où des livres s'entasseraient pêle-mêle. Au-dessus du divan, un portulan occuperait toute la longueur du panneau. Au-delà d'une petite table basse, sous un tapis de prière en soie, accroché au mur par trois clous de cuivre à grosses têtes, et qui ferait pendant à la tenture de cuir, un autre divan, perpendiculaire au premier, recouvert de velours brun clair, conduirait à un petit meuble haut sur pieds, laqué de rouge sombre, garni de trois étagères qui supporteraient des bibelots : des agates et des œufs de pierre, des boîtes à priser, des bonbonnières, des cendriers de jade, une coquille de nacre, une montre de gousset en argent, un verre taillé, une pyramide de cristal, une miniature dans un cadre ovale. Puis loin, après une porte capitonnée, des rayonnages superposés, faisant le coin, contiendraient des coffrets et des disques, à côté d'un électrophone fermé dont on n'apercevrait que quatre boutons d'acier guilloché, et que surmonterait une gravure représentant le *Grand Défilé de la fête du Carrousel*. De la fenêtre, garnie de rideaux blancs et bruns imitant la toile de Jouy, on découvrirait quelques arbres, un parc minuscule, un bout de rue. Un secrétaire à rideau encombré de papiers, de plumiers, s'accompagnerait d'un petit fauteuil canné. Une athénienne supporterait un téléphone, un agenda de cuir, un bloc-notes. [...]

La première porte ouvrirait sur une chambre, au plancher recouvert d'une moquette claire. Un grand lit anglais en occuperait tout le fond. À droite, de chaque côté de la fenêtre, deux étagères étroites et hautes contiendraient quelques livres inlassablement repris, des albums, des jeux de cartes, des pots, des colliers, des pacotilles. À gauche, une vieille armoire de chêne et deux valets de bois et de cuivre feraient face à un petit fauteuil crapaud tendu d'une soie grise finement rayée et à une coiffeuse. Une porte entrouverte, donnant sur une salle de bains, découvrirait d'épais peignoirs de bain, des robinets de cuivre en col de cygne, un grand miroir orientable, une paire de rasoirs anglais et leur fourreau de cuir vert, des flacons, des brosses à manche de corne, des éponges. Les murs de la chambre seraient tendus d'indienne ; le lit serait recouvert d'un plaid écossais. Une table de chevet, ceinturée sur trois faces d'une galerie de cuivre ajourée, supporterait un chandelier d'argent surmonté d'un abat-jour de soie gris très pâle, une pendulette quadrangulaire, une rose dans un verre à pied et, sur sa tablette inférieure, des journaux pliés, quelques revues. Plus loin, au pied du lit, il y aurait un gros pouf de cuir naturel. Aux fenêtres, les rideaux de voile glisseraient sur des tringles de cuivre ; les doubles rideaux, gris, en lainage épais, seraient à moitié tirés. Dans la pénombre, la pièce serait encore claire. Au mur, au-dessus du lit préparé pour la nuit, entre deux petites lampes alsaciennes, l'étonnante photographie, noire et blanche, étroite et longue, d'un oiseau en plein ciel, surprendrait par sa perfection un peu formelle.

La seconde porte découvrirait un bureau. Les murs, de haut en bas, seraient tapissés de livres et de revues, avec, çà et là, pour rompre la succession des reliures et des brochages, quelques gravures, des dessins, des photographies – le *Saint Jérôme* d'Antonello de

Messine, un détail au *Triomphe de saint Georges*, une prison du Piranese, un portrait de Ingres, un petit paysage à la plume de Klee, une photographie bistrée de Renan dans son cabinet de travail au Collège de France, un grand magasin de Steinberg, le *Mélanchthon* de Cranach – fixés sur des panneaux de bois encastrés dans les étagères. Un peu à gauche de la fenêtre et légèrement en biais, une longue table lorraine serait couverte d'un grand buvard rouge. Des sébiles de bois, de longs plumiers, des pots de toutes sortes contiendraient des crayons, des trombones, des agrafes, des cavaliers. Une brique de verre servirait de cendrier. Une boîte ronde, en cuir noir, décorée d'arabesques à l'or fin, serait remplie de cigarettes. La lumière viendrait d'une vieille lampe de bureau, malaisément orientable, garnie d'un abat-jour d'opaline verte en forme de visière. De chaque côté de la table, se faisant presque face, il y aurait deux fauteuils de bois et de cuir, à hauts dossiers. Plus à gauche encore, le long du mur, une table étroite déborderait de livres. [...]

Vilhelm Hammershoi, *Intérieur, Strandgade, 30*, 1904, huile sur toile (0,555 x 0,460 m), Paris, musée d'Orsay.

La vie, là, serait facile, serait simple. Toutes les obligations, tous les problèmes qu'implique la vie matérielle trouveraient une solution naturelle. Une femme de ménage serait là chaque matin. On viendrait livrer, chaque quinzaine, le vin, l'huile, le sucre. Il y aurait une cuisine vaste et claire, avec des carreaux bleus armoriés, trois assiettes de faïence décorées d'arabesques jaunes, à reflets métalliques, des placards partout, une belle table de bois blanc au centre, des tabourets, des bancs. Il serait agréable de venir s'y asseoir, chaque matin, après une douche, à peine habillé. Il y aurait sur la table un gros beurrier de grès, des pots de marmelade, du miel, des toasts, des pamplemousses coupés en deux. Il serait tôt. Ce serait le début d'une longue journée de mai.

Ils décachetteraient leur courrier, ils ouvriraient les journaux. Ils allumeraient une première cigarette. Ils sortiraient. Leur travail ne les retiendrait que quelques heures, le matin. Ils se retrouveraient pour déjeuner, d'un sandwich ou d'une grillade, selon leur humeur ; ils prendraient un café à une terrasse, puis rentreraient chez eux, à pied, lentement.

Leur appartement serait rarement en ordre mais son désordre même serait son plus grand charme. Ils s'en occuperaient à peine : ils y vivraient. Le confort ambiant leur semblerait un fait acquis, une donnée initiale, un état de leur nature. Leur vigilance serait ailleurs : dans le livre qu'ils ouvriraient, dans le texte qu'ils écriraient, dans le disque qu'ils écouteraient, dans leur dialogue chaque jour renoué. Ils travailleraient longtemps. Puis ils dîneraient ou sortiraient dîner ; ils retrouveraient leurs amis ; ils se promèneraient ensemble.

Il leur semblerait parfois qu'une vie entière pourrait harmonieusement s'écouler entre ces murs couverts de livres, entre ces objets si parfaitement domestiqués qu'ils auraient fini par les croire de tout temps créés à leur unique usage, entre ces choses belles et simples, douces, lumineuses. Mais ils ne s'y sentiraient pas enchaînés : certains jours, ils iraient à l'aventure. Nul projet ne leur serait impossible. Ils ne connaîtraient pas la rancœur, ni l'amertume ni l'envie. Car leurs moyens et leurs désirs s'accorderaient en tous points, en tout temps. Ils appelleraient cet équilibre bonheur et sauraient, par leur liberté, par leur sagesse, par leur culture, le préserver, le découvrir à chaque instant de leur vie commune.

Georges Perec, *Les Choses*, 1965, coll. Press Pocket, Julliard, p. 9-16.

QUESTIONS

1• Ce rêve de bonheur est-il irréaliste ? En quoi pourtant s'agit-il bien d'un « bonheur rêvé » ? Qu'est-ce qui, de la réalité, est effacé ?

2• Pourquoi les choses, les objets, l'aménagement des habitations, donnent-ils facilement des images (souvent illusoires) de bonheur ? Est-ce simplement lié à un désir humain de possession ?

REPÈRES et DISTINCTIONS CONCEPTUELLES

Le bonheur

Le **bonheur** est le but que tous les hommes désirent atteindre. C'est aussi la fin que se fixent un grand nombre de philosophies morales, qui font du bonheur le **Souverain Bien**, c'est-à-dire le bien suprême qui commandent tous les autres. Malheureusement, un accord sur une définition du bonheur est plus difficile à trouver, quant à son contenu et aux moyens d'y parvenir.

Hieronymus Van Aeken (Aken) dit Jérôme Bosch, *Le Jardin des délices*, détail, 1503-1504, huile sur toile (220 x 195 cm), Madrid, Musée du Prado.

Béatitude / félicité / contentement / joie

La philosophie classique utilise souvent, à la place du mot « bonheur », d'autres concepts.

La **béatitude** est une forme de bonheur d'une grande intensité ; c'est un état permanent, auquel rien ne peut manquer et dont jouissent les « élus » au Paradis. Essentiellement religieuse, la notion peut également s'appliquer aux sages de la philosophie. Dans les deux cas, la notion renvoie à un mode de vie essentiellement spirituel.

La **félicité** est également une forme de bonheur sans mélange, durable, infini. Une seule nuance : alors que la béatitude indique un débordement de vie venu de l'intérieur, la félicité est davantage liée aux circonstances, à la situation.

Le **contentement**, dans la langue classique, c'est l'état profond et durable de celui qui ne désire rien de plus, rien de mieux que ce qu'il a. Le terme, plus modeste que ceux de béatitude et de félicité, indique une sagesse et une satisfaction d'autant plus fortes qu'elles ont été conquises, donc méritées par celui qui les ressent.

Pour Spinoza, la **joie** est l'expression d'un passage « d'une perfection moindre à une perfection plus grande ». Quand nous ajoutons quelque chose de plus à ce que nous nous sentons être, à nos possibilités, alors nous sommes joyeux ; et cette joie ne se distingue pas réellement du bonheur.

Les attitudes philosophiques

L'**eudémonisme** (l'étymologie retrouve le grec *daimôn*, le « démon », le génie, l'esprit qui accompagne tout homme ; *eu* = bon, *cf.* eugénisme, euphorie…) : l'eudémonisme est la doctrine morale qui fait du bonheur le souverain bien, le but ultime de toute vie. Le bonheur n'est pas perçu comme opposé au devoir moral ; bien au contraire, il en est la résultante naturelle. La plupart des philosophies morales de l'antiquité sont eudémonistes.

L'eudémonisme ne pas être confondu avec l'**hédonisme** : doctrine qui prend pour principe de la morale la recherche du *plaisir* (*hédoné*, en grec = plaisir) et l'évitement de la douleur. L'épicurisme est une doctrine hédoniste. Mais il faut rappeler que, pour Épicure, le plaisir se définit comme absence de souffrance, donc aussi comme absence de trouble : ataraxie. Pour Épicure, le bonheur s'obtient en levant les obstacles qui nous empêchent d'être heureux. Pour cela, il propose quatre remèdes : 1) Ne pas craindre les dieux ; 2) Ne pas craindre la mort ; 3) Ne pas craindre de passer à côté du bonheur ; 4) Ne pas craindre la douleur.

L'**ataraxie** : c'est l'absence de trouble de l'âme, idéal de la morale épicurienne ; mais on retrouve aussi cet idéal chez les stoïciens, les sceptiques…

William Blake, *L'Échelle de Jacob*, vers 1800-1803, gravure coloriée au crayon et à l'aquarelle (39,8 x 30,6 cm), Londres, British Museum.

L'**apathie** est un concept propre au stoïcisme. Il n'a pas le sens du mot couramment employé. L'apathie, c'est l'absence de passions. Or les passions sont les maladies de l'âme. Elles nous mettent hors de nous et nous font souffrir. L'absence de passions n'est pas l'absence de vie, de curiosité, de dynamisme, bien au contraire. Tout ce qui nous ramène à nous-mêmes est bon. Les passions sont ici synonymes de maladies (*pathos* = « passion » donc maladie = souffrance), elles représentent tout ce qui nous éloigne de nous-mêmes.

L'**utilitarisme** est une doctrine selon laquelle le principe de l'utilité est le fondement de la morale : une action est définie comme morale dès lors qu'elle tend à favoriser « le plus grand bonheur pour le plus grand nombre » (Bentham, Mill). Mais, contrairement à ce que son nom pourrait suggérer, une telle morale n'est pas fondée sur l'utilité égoïste, ou simplement matérielle ; elle est fondée sur une volonté de maximiser le bonheur de tous, et donc de dépasser le cadre étroit de l'égoïsme.

Les incertitudes fondamentales sur l'essence du bonheur

Première incertitude : le bonheur est-il affaire de chance, de hasard, ou bien de mérite, de travail sur soi-même ? L'étymologie et l'opinion courante penchent du côté de la chance (un objet porte-bonheur). Mais la plupart des philosophies pensent au contraire que le bonheur est lié à la vertu et au mérite : « Le bonheur, écrit Démocrite, comme le malheur, est le propre de l'âme » (fr. 170). Si la vertu morale est une condition nécessaire, la question demeure de savoir si elle est une condition suffisante. Cette dernière opinion est celle des stoïciens : quelles que soient les circonstances, le sage est heureux. Plus prudent, Aristote admet, à côté de la vertu, des circonstances favorables. Une telle union de la morale et du bonheur est moquée par les libertins de l'époque classique (*Don Juan*, *Le Neveu de Rameau*), et rejetée par les morales rigoristes, comme celle de Kant, qui dissocient la question du devoir et celle du bonheur (❯ p. 532).

Deuxième incertitude : le bonheur, pour exister, doit-il correspondre à une émotion effectivement ressentie (« je me sens heureux ») ? Ou bien des états qui ne sont pas accompagnés d'une sensation de bonheur peuvent-ils être dits « heureux » (« en ces temps-là, nous étions heureux, mais nous ne le savions pas ») ? Beaucoup de journées en effet peuvent se passer dans l'effort, le travail, la tension, sans qu'un sentiment de satisfaction se fasse jour. Mais ces moments peuvent être perçus rétrospectivement comme heureux. Inversement, certaines périodes d'euphorie peuvent apparaître après coup superficielles et illusoires.

Troisième incertitude : le bonheur dépend-il de critères purement subjectifs : « peu importe la vie que l'on vit, du moment qu'on s'en contente » ? Ou faut-il ajouter des critères objectifs ? Dans ce cas, ce n'est pas n'importe quelle vie qui peut rendre heureux. Le bonheur doit être relié à un développement objectif des qualités humaines, selon une hiérarchie de valeurs qui ne dépend pas du choix arbitraire de l'individu. On dira que l'amitié a plus de valeur que la solitude, que l'exercice de l'intelligence a plus de valeur que celui de l'estomac, que l'effort a plus de valeur que la paresse…

Quatrième incertitude : le bonheur peut-il se juger sur un moment, un état provisoire (« je suis aujourd'hui vraiment heureux »), ou bien dépend-il du bilan de toute une vie (« le bonheur, je vous en parlerai au moment de mourir ») ? Aristote termine sa définition du bonheur en précisant : « mais il faut ajouter : "et cela dans une vie accomplie jusqu'à son terme", car "une hirondelle ne fait pas le printemps" » (❯ p. 552).

Partie II Méthodes

Paul Klee *L'Ouverture*, (C) BPK, Berlin, Dist. RMN / Jens Ziehe

1 LE SENS D'UN PROBLÈME (1) : COMMENT PROBLÉMATISER ?

Un sujet de dissertation est présenté sous forme de question. Cette question renvoie à un problème ; le travail de réflexion vise d'abord à dégager une problématique. Quelle différence entre question, problème et problématique ? La problématique n'est pas une simple reformulation du sujet mais une mise en questionnement du sujet.

1 Question, problème, problématique, quelle différence ?

› Une simple **question** peut avoir une réponse claire et précise.

› Un **problème** se pose quand nous ne pouvons plus proposer une seule réponse. Il oblige à trouver une réponse entre plusieurs solutions possibles, également incertaines.

› Une **problématique** retourne le problème sur le problème lui-même : que veut-il dire ? Comment faut-il le prendre ? Plutôt que de répondre directement à une question, ou de vouloir résoudre tout de suite le problème, on commence par réfléchir sur le problème lui-même. Une problématique est donc une mise en question d'un problème. Elle cherche à savoir ce que le problème veut dire exactement, pourquoi il se pose, s'il se pose dans des termes simples ou complexes, à quels interlocuteurs il s'adresse, de quel lieu il questionne, s'il est important, et s'il l'est, de quelle manière il l'est, et quelles sont les conséquences des réponses que l'on proposera.

2 Interroger le problème

› **D'où vient-il ?** Est-ce un problème ancien, lié à l'existence même des hommes, ou un problème plus récent, historiquement daté ? Est-il lié aux comportements, aux institutions politiques, à l'émergence de telle manière de vivre contemporaine, aux nouvelles technologies... ?

› **En quoi consiste-t-il exactement (sa forme logique) ?** S'attaque-t-il implicitement à un préjugé, une opinion identifiable ? Renvoie-il à un problème de droit (est-il légitime ?) ou de fait (est-il possible ?) ? Met-il en évidence un paradoxe ? Confronte-t-il deux concepts, deux principes ?

› **Quel est le sens des mots ?** Les mots utilisés sont-ils des concepts techniques ou des mots du langage courant ? Faut-il les définir tout de suite, ou les analyser progressivement au cours d'une réflexion plus approfondie ? (› Fiche 7, p. 584.)

› **Le problème est-il lié à d'autres problèmes ?** La question peut-elle se comprendre en plusieurs sens ? Y a-t-il un problème, ou plusieurs problèmes ? Souvent une question peut en cacher d'autres, qu'il convient de dégager dès le départ ; ces différentes questions peuvent organiser une démarche logique et donner le plan.

› **Quelles sont les conséquences de la réponse choisie ?** L'enjeu invite à mettre en relation les réponses éventuelles avec les réalités sociales, politiques et humaines concernées.

Exemple commenté

Sujet : Faut-il limiter ses désirs ?

La façon de problématiser ce sujet conduit à des dissertations très différentes.

PROBLÉMATIQUE 1

Une première problématique s'en tiendra à des présupposés moraux qui ne sont pas encore totalement analysés pour eux-mêmes.

a. **Pourquoi devrait-on limiter ses désirs ?** 1) pour ne pas tomber dans des désillusions ? 2) pour vivre en paix avec les autres ? 3) parce qu'on ne peut pas faire autrement ?

b. **Limiter ses désirs, une mauvaise idée ?** 1) parce que ce serait aller contre sa nature ? 2) parce que les désirs sont les seules choses intéressantes dans la vie ? 3) parce que c'est un domaine privé où l'interdit n'a pas sa place ?

Bilan : Des points de vue différents sont confrontés, mais l'analyse manque encore de recul critique concernant la nature et l'origine des préceptes moraux. L'idée d'une limite n'est pas interrogée : d'où vient-elle ? La définition du désir n'est pas interrogée. Peut-on mettre sur le même pied d'égalité des besoins, des envies, des passions... ?

PROBLÉMATIQUE 2

Une deuxième problématique interrogera plus avant les arrière-pensées de ces préceptes moraux ; non plus seulement « leurs avantages et leurs inconvénients », mais leur origine et leur valeur.

a. Les prescriptions morales sont-elles destinées à empêcher l'homme de s'épanouir, ou au contraire à l'aider à vivre pleinement ? Quelle part de mauvaise conscience, ou de refus de vivre y a-t-il dans cette entreprise de limiter nos désirs ? Quel arrière-fond de culpabilité religieuse ?

b. Inversement, derrière le mot d'ordre « désirer sans entraves », sous l'apparence de liberté, n'y a t-il pas des incitations sociales, des modes dominantes, des pressions cachées (société de consommation, individualisme, course à l'argent et aux signes de pouvoir) ?

Bilan : Cette deuxième problématique est déjà plus intéressante, car avant de prendre position dans un sens ou dans un autre, elle cherche à détecter des *logiques souterraines* et à s'en méfier. Elle interroge des notions sous-entendues par le sujet : qu'est-ce que la morale, la liberté, le bonheur ?

PROBLÉMATIQUE 3

Une troisième problématique approfondira davantage la question en analysant l'essence même du désir, en particulier la compatibilité du désir avec la logique d'une limitation. On comprend aisément cette logique dans le cas de besoins biologiques : ni trop ni trop peu de calories dans notre alimentation. Mais peut-on étendre cette logique au désir lui-même ? Le désir est par définition sans limites, il est recherche d'absolu : inconsciemment, au travers d'objets extérieurs, le désir touche à l'individu lui-même et à ses raisons d'exister. Si la logique de la limitation ne fonctionne plus, par quels autres mécanismes réguler le désir ?

Bilan : Ici, la problématisation est à son maximum ; après avoir réfléchi sur le problème, elle se propose de reformuler la question de départ, pour la rendre analysable.

2 LE SENS D'UN PROBLÈME (2) : COMMENT RÉDIGER UNE INTRODUCTION ?

La problématique trouve sa place naturelle dans l'introduction. Celle-ci n'est pas un simple ornement. Avant de la rédiger, il faut déjà avoir une vue globale de la manière dont on traitera le sujet, c'est donc la dernière étape du travail préparatoire. Le rôle de l'introduction est double : montrer que la question posée fait problème et indiquer comment vous allez traiter ce problème.

1 D'où vient le problème ?

Il faut chercher le point de départ du problème. D'où vient-il ?

› **De situations générales** (anthropologique, historique, sociologique... ?)

› **D'ancrages plus concrets** (faits d'actualité, opinions couramment répandues, réalités quotidiennes... ?)

› **De débats déjà théorisés** (philosophique, juridique, politique... ?)

2 Les éléments de l'introduction

› **Un point de départ :** un fait concret tiré de la vie quotidienne ou de l'actualité ? Une mise au point historique ? Un préjugé répandu dont on veut faire l'analyse critique ?

› **Des définitions :** éclaircir les termes, oui, mais seulement ceux qui en ont besoin, et sans préjuger de la réponse à la question.

› **Une clarification de la forme logique de la question :** un paradoxe, une opposition, une formule surprenante peuvent servir de point d'appui pour entamer le questionnement. *Peut-on ? Doit-on ? Faut-il ? Est-il suffisant ? Est-il nécessaire ?*, ces interrogations n'ont pas le même sens logique.

› **Des sous-questions :** les énumérer si l'analyse du sujet l'impose ; parfois, cela permet l'annonce d'un plan.

› **Les enjeux :** c'est ce qui donne son poids de responsabilité à la réflexion, et parfois un fil directeur.

› **L'annonce d'un plan :** éviter l'annonce de plan formel (*dans un premier temps, nous répondrons oui ; dans un deuxième temps, nous répondrons non*). Le plan peut être annoncé par un simple jeu de questions ; c'est la meilleure option. Mais on peut aussi se contenter de faire comprendre le problème : dans ce cas, le plan se déroulera naturellement sans qu'il soit nécessaire de l'annoncer.

3 Faire un choix

Il faut **adapter l'introduction au sujet,** se poser cette question : quel est le plus important pour ce sujet-là ?
Faut-il insister sur l'origine du problème, sur le préjugé courant qu'il invite à critiquer ? Insister sur le vocabulaire, ou sur la forme logique de la question (paradoxe, problème de légitimité...) ? Ou plutôt démêler les questions sous-jacentes ? Ou bien souligner les enjeux ? Il convient de s'adapter à chaque sujet. Il n'y a pas de modèle standard d'introduction.

Exemple commenté

Sujet : « Je ne crois que ce que je vois » : peut-on en rester à ce principe ?

LES ÉTAPES DE L'INTRODUCTION

De tous les sens, la vue est le plus précieux, car elle semble nous donner directement accès à la réalité : quand j'ouvre les yeux, le monde semble se donner immédiatement tel qu'il est. De là, sans doute, cette formule de bon sens : « je ne crois que ce que je vois », par laquelle nous préférons fonder notre opinion sur la vue plutôt que sur de simples témoignages, ou hypothèses, ou sur des on-dit.

Le point de départ de l'introduction est un constat ordinaire : « quand j'ouvre les yeux ». Cet aspect ordinaire, par contraste, met l'accent sur le problème : qu'en est-il en réalité ?

Certes, une telle attitude est souvent justifiée : elle nous protège d'une trop grande naïveté, elle nous met en garde contre la crédulité, elle représente certainement un progrès dans la lutte contre la superstition.

Mais avant d'interroger, il y a une concession à l'opinion courante. La maxime qu'on doit examiner ne peut avoir totalement tort.

Mais, à vouloir l'appliquer systématiquement, ne risquons-nous pas de tomber dans une naïveté plus grande que celle que nous voulions éviter ? Sur le plan théorique, nos connaissances, en particulier nos connaissances scientifiques existeraient-elles si les hommes avaient appliqué à la lettre cette maxime ? Sur le plan moral, notre vie de tous les jours n'exige-t-elle pas que nous dépassions sans cesse le monde visible pour donner corps à nos projets ? La confiance, la promesse, l'espoir ne sont-ils pas nécessaires à la moindre de nos actions ?

Le « mais... » revient à la question et établit deux niveaux de problèmes : 1/ sur le plan théorique (nos connaissances, la science...) ; 2/ sur le plan moral (nos actions, nos valeurs...). Cette distinction pourrait fournir l'annonce d'un plan.

Nos sens constituent-ils vraiment de bons critères pour accéder à la réalité ? Et si tel n'était pas le cas, quels autres principes, mieux adaptés, pourrions-nous substituer au témoignage de nos sens ?

La fin de l'introduction requestionne. Il faut noter que la dernière question n'est pas explicitement contenue dans l'intitulé du sujet. Or elle est essentielle : si les sens ne sont pas suffisants, quel(s) critère(s) proposer à leur place ?

Remarque › Une introduction doit faire des choix. L'essentiel, c'est que le problème soit bien compris, et les pistes de l'analyse bien balisées.

3 ARGUMENTER : COMMENT DÉFENDRE UNE IDÉE ?

Argumenter, c'est défendre une idée, la justifier, répondre à d'éventuelles objections. Dans le meilleur des cas, argumenter, c'est prouver ce qu'on avance. Le plus souvent, il faut se contenter de positions plausibles, d'hypothèses probables. Même si elle n'est qu'hypothétique, une idée demande toujours à être justifiée.

1 Une position plausible

L'énoncé d'un fait est rarement suffisant pour être généralisé. Si je veux donner une certaine généralité à ce que j'avance, je dois **analyser,** c'est-à-dire donner soit le pourquoi, soit le comment : › **pourquoi** en est-il ainsi ? (origine, causes) ;
› **comment** cela se passe-t-il ? (mécanismes).

Exemple › Avancer que les hommes sont naturellement jaloux peut paraître arbitraire et contestable. La jalousie est-elle vraiment naturelle ? D'où vient-elle ? (de la conscience ou de l'estime de soi, de la peur du regard d'autrui, de la comparaison...). Comment fonctionne-t-elle ? (comme peur de l'exclusion ou lutte pour la reconnaissance...).

2 Des points d'appui : exemples, références, analogies

› **Les exemples :** ils sont nécessaires, mais il faut se rappeler qu'ils n'ont pas valeur de preuve.

› **Les références :** ce sont des savoirs, des analyses, des documents empruntés à une culture scolaire ou personnelle.

a. Les références philosophiques renvoient au cours de philosophie ou aux lectures personnelles ; si on cite un philosophe, il convient de reprendre son analyse, ce qui suppose qu'on l'ait d'abord comprise.

b. Les références disciplinaires renvoient à des savoirs issus d'autres disciplines : histoire, économie, littérature, physique, sciences naturelles...

c. Les références personnelles renvoient à des expériences et des pratiques de la vie quotidienne, à l'actualité... Ce ne sont des références que si elles sont généralisables.

› **Les analogies :** dans l'analogie, l'idée défendue est comparée à une autre afin de montrer qu'elles ont une structure logique commune.

Exemple › Pascal écrit : « L'homme n'est qu'un roseau, le plus faible de la nature, mais c'est un roseau pensant. ». De même que la faiblesse du roseau (il plie au vent) est aussi sa force (il ne casse pas), de même la faiblesse de l'homme, essentiellement physique, l'oblige à utiliser sa pensée, qui est sa force.

L'analogie a davantage une fonction rhétorique ou pédagogique (faire comprendre des idées) que logique. Elle a surtout une force « heuristique », pour aider à trouver des idées.

3 Une réponse aux objections

La meilleure façon de défendre une idée est de penser aux objections qu'on pourra émettre à son encontre. Proposer une idée, prévoir des objections, inventer des contre-objections, tout cela construit une démarche vivante et réfléchie.

Exemple commenté

Il y a une *Lumière née avec nous*. Car puisque les sens et les inductions ne nous sauraient jamais apprendre des vérités tout à fait universelles, ni ce qui est absolument nécessaire, mais seulement ce qui est, et ce qui se trouve dans des exemples particuliers, et puisque nous connaissons cependant des vérités nécessaires et universelles des sciences, en quoi nous sommes privilégiés et au-dessus des bêtes ; il s'ensuit que nous avons tiré ces vérités en partie de ce qui est en nous. Ainsi peut-on y mener un enfant par des simples interrogations à la manière de Socrate, sans lui rien dire, et sans le rien faire expérimenter sur la vérité de ce qu'on lui demande. Et cela se pourrait pratiquer fort aisément dans les nombres et autres matières approchantes.

Je demeure cependant d'accord que, dans le présent état, les sens externes nous sont nécessaires pour penser et que, si nous n'en avions eu aucun, nous ne penserions pas. Mais ce qui est nécessaire pour quelque chose n'en fait point l'essence pour cela. L'air nous est nécessaire pour la vie, mais notre vie est autre chose que l'air. Les sens nous fournissent de la matière pour le raisonnement, et nous n'avons jamais des pensées si abstraites que quelque chose de sensible ne s'y mêle ; mais le raisonnement demande encore autre chose que ce qui est sensible.

(Leibniz)

articulations logiques

allusions

référence

analogie

Dans ce texte, Leibniz défend la thèse rationaliste (il y a une raison innée dans l'homme) contre la thèse empiriste (toutes nos connaissances viennent de nos sens).

a. L'argumentation logique

1• Par les sens et l'induction, on ne peut obtenir ni de l'universel ni du nécessaire, mais du particulier et du factuel.

2• Or nous possédons des vérités universelles et nécessaires : les mathématiques et des « matières approchantes ».

3• Donc, si cette vérité nécessaire et universelle ne peut venir des sens et de l'induction, elle doit venir « en partie » de nous.

b. Une concession nuance la thèse sans la contredire : Leibniz fait droit à une **objection** : pourrions-nous penser si nous n'avions pas de sens ?

1• Il s'agit de considérer la nature humaine telle qu'elle est : l'homme n'est pas un pur esprit, ses capacités sont limitées.

2• De ce fait, il a besoin des sens externes qui lui fournissent la matière première de sa réflexion ; de plus, la pensée humaine ne peut se mouvoir dans l'abstraction pure, elle a besoin de s'aider d'images sensibles.

3• Mais condition nécessaire ne veut pas dire condition suffisante. S'il faut s'appuyer sur une figure sensible pour une démonstration, la nécessité de la démonstration vient du raisonnement, non de la figure.

c. Exemples, références : Il n'y a pas dans ce texte d'**exemples** à proprement parler, mais :

- **deux allusions** (exemples non développés) : la pensée chez les bêtes ; les nombres ;
- **une référence** (argumentation faite par quelqu'un d'autre, et supposée connue) : le petit esclave du Ménon interrogé par Socrate ;
- **une analogie** pour expliquer la différence entre condition nécessaire et condition suffisante. Nous savons que, sans air, un animal ne peut pas vivre : l'air est donc une condition nécessaire à la vie. Mais le fonctionnement de l'être vivant ne se réduit pas à de l'air. L'air n'est pas l'essence de la vie. De même les sens sont nécessaires mais ne sont pas essentiels au raisonnement.

4 CONSTRUIRE UN PLAN

Une dissertation est une réponse construite sur un sujet donné. Avant de rédiger, il est donc important de préparer le plan de votre réponse. Le fil conducteur de votre plan sera la problématique que vous aurez auparavant dégagée.

1 Récapituler et trier ses idées

› Au fur et à mesure de votre analyse du sujet, vous avez dégagé un certain nombre d'éléments de réponse. Avant de les articuler sous forme d'un plan, faites-en la liste puis classez-les en fonction de leur nature : définitions de concepts, exemples, références ou citations, questions, idées, arguments.

› Comparez ces divers éléments avec les questions que vous avez posées dans la problématique et demandez-vous lesquels sont intéressants pour le sujet, lesquels sont hors-sujet.

› Une dissertation n'est ni un exposé ni un cours : vous n'avez pas à mobiliser toutes vos connaissances sur une notion, mais seulement celles qui concernent le sujet.

2 Organiser sa réflexion en parties et sous-parties

› C'est la problématique qui doit guider la construction de votre plan. Il n'existe pas de plan type en philosophie. L'important est que votre plan vous permette de traiter le sujet dans son ensemble, et pas seulement une partie. Vous n'êtes donc pas obligé de proposer un plan du type thèse / antithèse / synthèse, ni même de proposer un plan en trois parties.

› Un bon plan est un plan qui propose progressivement, étape par étape, une réponse précise et argumentée. La conclusion de votre réflexion ne saurait donc être « cela dépend des cas, parfois oui, parfois non ».

› Afin d'éviter de dévier du problème précis posé par le sujet, demandez-vous si chacune de vos parties apporte bien un élément de réponse au sujet.

› Quand le sujet donné met en œuvre deux notions (par exemple, L'indépendance est-elle une condition du bonheur ?), évitez de faire une partie par notion, car vous risquez de ne pas répondre à la question posée, mais de traiter chaque notion pour elle-même.

› Un bon plan propose un fil directeur, une démarche continue, du début (l'introduction) jusqu'à la fin (la conclusion).

Exemple commenté

Sujet: Jusqu'à quel point connaître implique-t-il de douter?

PARTIE I Thèse défendue: Le doute comme moyen de connaissance.

Pour pouvoir connaître, est-il nécessaire de douter?

a. Douter pour distinguer la connaissance de l'opinion;

b. Définition du doute comme mise à l'épreuve de nos idées;

c. Mais faut-il tout remettre en doute? *Si on doute de ses facultés, par exemple, comment acquérir des connaissances?*

Transition : Le doute est une étape du processus de connaissance, mais ce n'est pas tout. Est-ce que le doute n'intervient qu'au début du processus de connaissance? N'a-t-il pas sa place aussi au terme de ce processus?

PARTIE II Thèse défendue : Le doute comme conséquence de la connaissance.

La connaissance aurait-elle pour conséquence d'augmenter le doute? Quelle sorte de doute?

a. La connaissance vise la certitude, le doute est une incertitude. Donc où pourrait-il rester une place pour le doute? Il faut étudier le processus de connaissance.

b. Premier problème: toute connaissance repose sur des principes admis mais non prouvés.

c. Second problème: plus je connais de choses, plus les problèmes m'envahissent. *Quand je sais que le requin est un poisson, et que le dauphin est un mammifère, je m'étonne qu'ils se ressemblent autant.* Ce sont mes connaissances qui me font douter.

Transition : Penser que la connaissance exclut le doute serait tomber dans le dogmatisme, c'est-à-dire prendre ses connaissances pour des certitudes absolues qui ne peuvent être contestées. Cependant n'existe-t-il pas des connaissances absolument indubitables?

PARTIE III Thèse défendue: Examen de la possibilité d'une connaissance indubitable.

a. Ne peut-on jamais être certain de posséder la vérité? N'est-on pas alors condamné à être sceptique, à n'être certain de rien?

b. Il existe deux sortes de vérités indubitables:

→ les connaissances indépendantes de l'expérience: les mathématiques, qui sont une construction de l'esprit;

→ les définitions: elles expliquent le sens d'un mot, d'un concept.

c. Le problème est que notre désir de connaissance ne se limite pas à ces deux types de connaissances. Il existe également deux grands domaines de connaissances: les sciences de la nature et les sciences de l'homme. Ces deux types de sciences utilisent l'outil mathématique pour augmenter leur certitude mais aussi l'expérimentation, qui consiste en une mise à l'épreuve des hypothèses. Le doute à l'égard des hypothèses est ainsi utilisé comme moyen d'augmenter notre degré de certitude.

Conclusion: Connaissance et doute sont étroitement associés. D'une part, le doute nous rend insatisfait de l'opinion et nous pousse à chercher à connaître; d'autre part, le doute est inclus dans la définition même de la connaissance si celle-ci ne veut pas se transformer en dogme. Une connaissance est vraie jusqu'à preuve du contraire. La limite du doute vis-à-vis de la connaissance est double: avoir confiance dans notre capacité à trouver la vérité et dans le désir de la trouver.

5 CONCLURE UNE ARGUMENTATION

Quand on a réussi à faire jouer des arguments contradictoires, à confronter des thèses et leurs objections, il peut parfois sembler difficile de faire un bilan. Le bilan d'une argumentation ne s'opère pas seulement en conclusion. Il peut aussi s'imposer dans la dernière partie de la dissertation. Il s'agit d'un travail récapitulatif, d'une synthèse et non d'une répétition. Il ne faut pas renvoyer dos à dos les idées du développement, mais bien proposer une réponse à la question posée par le sujet. Plusieurs possibilités logiques s'offrent pour un bilan :

1 Le maintien des oppositions

Dès lors que des contradictions ou oppositions ont une nécessité logique et qu'on peut montrer en quoi elles consistent, d'où elles viennent, un bilan peut se contenter d'en prendre acte. Une conclusion peut relativiser cette opposition ; elle peut aussi en constater le caractère indépassable.

Exemple › Même si la raison et la foi peuvent trouver des terrains d'entente, sur le plan politique (laïcité), moral (tolérance) et philosophique (délimitation de « territoires » différents), il n'en reste pas moins vrai que la foi repose sur un dépassement de la raison, qu'il y a objectivement contradiction. (› Réflexion 3, p. 268)

2 La conciliation

La conciliation ne cherche pas à effacer artificiellement les difficultés, elle cherche à en réduire l'ampleur en proposant des rapprochements ; cela est important, en particulier, pour les problèmes éthiques.

Exemple › Quand Jankélévitch écrit que « toute vérité n'est pas bonne à dire » (› *L'Ironie*, p. 403), il ne défend pas le mensonge ; il montre que l'exigence de vérité implique de la prudence : *quand ? à qui ? comment ? par quel cheminement ? avec quelles précautions ?* Ces analyses tendent à rapprocher l'éthique de la conviction (*il ne faut jamais mentir*) et l'éthique de la responsabilité (*il faut tenir compte des conséquences prévisibles de la vérité*).

3 Les distinctions

La distinction de domaines (*public / privé, moral / juridique...*) permet de proposer des analyses différentes, voire opposées, mais non contradictoires.

Exemple › Kant justifie son interdiction du mensonge par le fait que la vérité appartient à tout le monde, que personne ne doit se permettre de décider à votre place si une vérité vous est due ou non. Mais on peut aussi affirmer que certaines vérités, dès lors qu'elles appartiennent à une sphère privée, doivent être protégées (par exemple le secret professionnel). (› *D'un prétendu droit de mentir*, p. 402)

4 Le dépassement de la problématique

Il est possible qu'une question conduise à une impasse logique ; il faut alors dépasser la problématique initiale et **poser le problème autrement** : *Si telle logique ne fonctionne pas, par quelle(s) autre(s) logique(s) la remplacer ?* (voir exemple page ci-contre)

Exemple commenté

Sujet : Faut-il limiter nos désirs?

Ici sont envisagées deux logiques conclusives : distinguer des domaines, dépasser le questionnement.

Les distinctions

Les différentes réponses ne se contredisent plus, puisque l'analyse définit des domaines aux logiques séparées.

La logique de la limite ne peut être considérée de la même manière selon qu'on pense à des « besoins » ou à des « désirs » : les besoins peuvent être limités selon un point de vue quantitatif ; les désirs ne peuvent être limités, mais seulement dirigés, gouvernés, détournés.

a. Les besoins : Un besoin aussi élémentaire que celui d'eau potable, dans certaines circonstances, peut être limité. L'eau devient un produit de plus en plus rare à l'échelle mondiale. Même dans les pays qui en sont pourvus abondamment, les périodes de sécheresse peuvent obliger chacun à limiter ses besoins superflus en eau.

b. Les désirs : En ce qui concerne les désirs, il en va autrement. Le désir vise un objet, et quelque chose d'autre derrière cet objet. Le désir met en jeu, moins un manque de quelque chose, qu'une recherche de soi, un « manque à être ». Il appartient alors à son essence de ne pouvoir être satisfait, il peut être « apaisé », « humanisé », mais non mesuré.

Le dépassement de la problématique

Puisque la logique de la limite ne fonctionne réellement que pour le *besoin*, mais pas pour le *désir*, par quelle autre logique la remplacer ?

a. Renoncer, s'interdire

Le renoncement à certains désirs n'est pas nécessairement renonciation, cela peut être un point de départ vers autre chose. En effet, tout choix de vie implique renoncement à d'autres vies possibles.

Référence Ainsi quand Descartes écrit dans sa troisième maxime (› *Discours de la méthode*, p. 100) qu'il tâchera plutôt de changer ses désirs que l'ordre du monde, c'est dans la perspective de son grand projet : refonder la science. C'est ce désir qui commande les autres.

b. Accepter le principe de réalité

Référence Dans l'*Émile,* Rousseau montre qu'il faut apprendre à l'enfant à obéir le plus possible aux choses pour ne pas avoir à obéir aux personnes. Quand l'enfant commande aux personnes qui l'entourent, il peut obtenir une réponse immédiate à ses désirs, mais plus tard il apprendra que tout cela n'est pas gratuit. En revanche, les « choses », c'est-à-dire la réalité, font reculer la satisfaction à plus tard, c'est un travail plus difficile, mais le plaisir est alors plus authentique.

c. Sublimer les désirs

Freud parle de sublimation pour désigner la transformation des pulsions sexuelles en activités socialement valorisées, comme l'art, le sport, la recherche intellectuelle.

Exemple L'adolescent ou l'adulte peut sublimer son agressivité ou son désir de domination en faisant du judo. Ainsi, faire vivre le désir, ce n'est pas nécessairement le réaliser, mais le transformer.

d. Prolonger les désirs, les différer?

Référence Françoise Dolto conseille aux parents de ne pas céder aux désirs des enfants, ce serait comme les supprimer en leur donnant une satisfaction illusoire. Les faire vivre, c'est les mettre en suspens, pour plus tard, mais sans les faire mourir : les mettre en paroles, en figures, en symboles.

6 METTRE EN PLACE DES TRANSITIONS

Une transition est un passage logique qui permet de lier l'étape d'un raisonnement à l'étape suivante, la partie d'une dissertation à la partie suivante. Il y a des *transitions fortes* : entre les parties ; et des *transitions secondaires* : entre les arguments à l'intérieur de chaque partie.

 Pourquoi est-il important de mettre en place des transitions ?

› **Dans un exposé oral**, qu'il soit d'ordre scolaire ou professionnel, il est important de s'assurer que ceux qui nous écoutent ont compris ce que nous venons de dire, qu'ils sachent où nous en sommes, qu'ils devinent dans quelle direction nous allons aller.

Une transition est donc comme une **liaison** :
- elle reprend ce qui vient d'être dit, elle fait le bilan de la partie qui précède ;
- elle prépare à ce qui va être dit, elle fait rebondir le problème qui suit.

› **À l'écrit,** mettre en place des transitions est également important :

• **en faisant un bilan de ce qui précède** par un résumé très bref, je montre que j'ai compris ce que j'ai écrit ;

• **en reformulant la question** pour la partie suivante, je m'assure que je suis toujours dans le sujet et que mon propos reste cohérent ;

• **en reprenant la question de départ et en la reformulant dans la transition**, je montre que je suis sensible au questionnement. Car une dissertation de philosophie n'est pas faite pour donner des solutions définitives, mais pour délimiter autant que possible les aspects d'un problème, ainsi que leurs solutions éventuelles. Le questionnement, essentiel dans l'introduction, l'est aussi dans les transitions.

2 Concrètement, où placer la transition ?

› **À la fin de la partie précédente ? Au début de la partie suivante ?**
Les deux solutions sont possibles. On peut également séparer la transition, en l'isolant des deux parties, comme pour une articulation.

› **Les transitions les plus importantes sont entre les parties de la dissertation** et elles peuvent prendre la forme d'un paragraphe complet.

› **Mais les transitions sont aussi souhaitables à l'intérieur de chaque partie**, pour mieux distinguer les arguments, tout en les liant. Ici, les transitions sont secondaires. On peut les réduire à une courte phrase ou, plus simplement, à un connecteur logique : *cependant, pourtant, de même, de plus, au contraire, en conséquence...*

Remarque › Une transition peut marquer **une rupture logique** : objection, passage à une thèse radicalement différente ; ou au contraire **une continuité** : une fois énoncés des faits ou des principes, on passe par exemple à leurs conséquences ; ou bien la transition peut simplement indiquer **des nuances, des restrictions ou des corrections** à apporter sans rompre avec la thèse précédente.

Exemple commenté

Sujet : « Je ne crois que ce que je vois » : peut-on en rester à ce principe?

PARTIE I Thèse défendue : S'en tenir à la vue, donc à l'observation directe, est le fondement de toute prudence.

a. La vue est ce qui permet de répondre efficacement à mon environnement

Ce paragraphe s'appuiera sur un contre-exemple : *qu'est-ce qui manque à un aveugle? Les données visuelles peuvent-elles être compensées par d'autres données sensorielles équivalentes : tactiles, verbales, auditives?*

› Transition secondaire (vers une deuxième sous-partie)

Mais ma vue ne me permet pas seulement d'obtenir des informations vitales, elle permet aussi de vérifier certaines opinions, de rejeter le faux ou le douteux.

→ L'articulation tourne autour de la différence entre « obtenir » et « vérifier » des informations.

b. S'en tenir aux faits observés permet d'échapper à des opinions sans fondements

Ce paragraphe s'attaquera aux on-dit, aux rumeurs, aux croyances superstitieuses, aux préjugés, à la crédulité, grâce à l'expérience et à l'observation.

› Transition secondaire (vers une troisième sous-partie)

Or ce n'est pas seulement dans la vie quotidienne que la vue est fondamentale. Dans la démarche scientifique, l'observation joue également un rôle important.

→ L'articulation tourne autour de la différence entre connaissances « quotidiennes » et connaissances « scientifiques ».

c. L'observation joue un rôle important dans les sciences

Ce paragraphe analysera quelques cas privilégiés.

Exemple 1 *Grâce à la lunette astronomique, Galilée est le premier à voir les cratères de la lune, les satellites de Jupiter, les anneaux de Saturne. Ces observations ont des conséquences théoriques importantes.*

Exemple 2 *Si l'on n'avait pas vu et observé des ornithorynques, on n'aurait jamais pu croire en leur existence, tant ils ressemblent à des animaux imaginaires.*

› Transition forte (passage de la partie I à la partie II)

Ainsi la vue me donne des informations vitales, avec précision et rapidité. Elle permet de réfuter des opinions fausses, de confirmer des hypothèses, voire de découvrir des réalités nouvelles. Cependant peut-on lui faire une confiance aveugle? Tout ce qui est vu est-il réel? Ne parle-t-on pas d'illusions d'optique? Inversement, tout ce qui est réel est-il visible ? Ne faut-il pas aller au-delà de ce qu'on voit pour comprendre le monde ? Enfin suffit-il de voir pour savoir? Par exemple, une radiographie, une cellule vue au microscope, une carte de géographie parlent-elles à la vue seule ?

→ L'articulation tourne autour de la différence logique entre « condition nécessaire » et « condition suffisante » : la vue est certes nécessaire pour établir une vérité, mais est-elle suffisante?

7 DÉFINIR MOTS ET CONCEPTS (1)

On lit souvent, dans les conseils pour la dissertation qu'il faut définir précisément les notions d'un sujet. Certes, définir est un travail essentiel de la réflexion, mais il convient de comprendre que tout n'est pas à définir de la même manière, ni au même endroit, ni avec la même rigueur.

1 Pourquoi définir ?

Le travail de définition obéit à plusieurs finalités :

- **être d'accord avec un interlocuteur** sur ce dont on parle ;
- **poser les bases d'un problème** dans une dissertation ;
- **comprendre :** si je lis que, chez Spinoza, Dieu n'est pas un être *transcendant*, je dois comprendre qu'il n'est pas *extérieur au monde* comme le créateur l'est par rapport à sa créature ;
- **utiliser des outils d'analyse :** savoir définir une obligation *morale*, c'est pouvoir l'opposer à une obligation *juridique*. La seconde est liée à des contraintes légales, pas la première ;
- **conclure une analyse :** si on demande ce qu'est un *citoyen*, ce n'est pas pour répéter la définition du dictionnaire, mais pour réfléchir sur ce que **devrait être, réellement,** un citoyen dans les sociétés actuelles.

2 Pour chaque terme, quel travail de définition ?

Tout ne se définit pas de la même façon, on peut distinguer :

- **des concepts techniques :** *chrématistique, anthropocentrisme ;*
- **des concepts techniques déterminés seulement au sein d'une philosophie donnée :** le concept de *substance* n'a pas le même sens chez Descartes et chez son disciple Spinoza ;
- **des mots polysémiques :** *le mythe, l'instinct...*
- **des notions philosophiques :** *la liberté, la volonté, la justice...*
- **des mots d'usage courant, objets de problèmes philosophiques :** *le mensonge, le courage...*
- **des mots d'usage courant devenus concepts, à la suite d'analyses reconnues :** *l'angoisse* (chez Heidegger, et chez Sartre), *le don* (chez le sociologue Marcel Mauss)...

3 Construire une définition

- **Définir c'est d'abord trouver le genre,** c'est-à-dire la catégorie abstraite immédiatement supérieure à l'espèce qu'on veut définir : *le marteau est un outil, le mythe est un récit...*
- **C'est ensuite trouver les caractères spécifiques :** *quel type d'outil est le marteau, quel type de récit est le mythe ?*
- **Cela suppose une énumération** (non pas exhaustive, mais représentative) des espèces voisines : *Quels sont les principaux types de récits dont le mythe devra être distingué ?*
- **C'est proposer des traits distinctifs :** *les récits peuvent être réels ou fictifs, d'origine orale ou écrite, longs ou courts, proposant une morale ou non...*

Exemple commenté

L'adjectif « empirique »

L'adjectif *empirique* est couramment employé en philosophie : *est empirique ce qui provient de l'expérience.* La définition est simple mais cette simplicité n'est qu'apparente. Le sens de l'adjectif doit être précisé en fonction d'une relation d'opposition : à quoi oppose-t-on cet adjectif lorsqu'on l'utilise ?

a. empirique / a priori › *qui dépend / ne dépend pas de l'expérience*

Exemple Le menuisier considère les figures géométriques comme des moyens empiriques pour construire ses meubles ; le mathématicien, comme des réalités « a priori » appartenant à la pensée, sur lesquelles on fait des démonstrations également « a priori ».

b. empirique / expérimental › *qui ne suppose pas / suppose une démarche scientifique*

Exemple Autrefois, la médecine était une pratique empirique, fondée sur l'expérience acquise et des recettes traditionnelles. À partir du XIXe siècle, la médecine s'appuie sur des résultats expérimentaux.

c. empirique / métaphysique › *qui est susceptible / n'est pas susceptible d'être connu par l'expérience*

Exemple Même si on ne la voit pas directement, la pesanteur (loi d'attraction) est connaissable par ses effets empiriques ; au contraire, on ne sait pas si Dieu existe, car son existence échappe à toute expérience possible : c'est une réalité métaphysique.

L'adjectif « anthropologique »

a. L'étymologie : On peut retenir que *anthropos*, en grec, signifie « homme » ; voir : *anthropophagie, anthropocentrisme, misanthrope, philanthrope.*

b. Une définition : On appelle *anthropologique* un fait qui concerne tous les hommes et uniquement les hommes. Deux critères : 1) *tous* les hommes ; 2) *uniquement* les hommes.

c. Les oppositions :

- Pour être anthropologique, un fait ne doit concerner que les hommes.

  Exemple Manger, digérer sont des faits humains, mais ils ne concernent pas que les hommes, ils concernent aussi les animaux. Ce sont des **faits biologiques**.

- Pour être anthropologique, un fait doit concerner tous les hommes.

  Exemple 1 L'écriture ne concerne pas toutes les civilisations, elle a été inventée au Moyen-Orient, quelques millénaires avant Jésus-Christ. On dira que l'écriture est un **fait historique**.

  Exemple 2 De même, s'habiller en noir pour porter le deuil n'est pas commun à toutes les sociétés. Pour certaines d'entre elles, la couleur du deuil est le blanc. On parlera ici de **fait sociologique**.

d. Les enjeux :

Qualifier un fait d'anthropologique, c'est définir ce qu'il y a de commun au genre humain par-delà la diversité des cultures. C'est poser en quoi tous les hommes sont bien des hommes (idée qui n'a pas toujours été évidente) et mettre en avant ce qui les unit par opposition à ce qui les distingue.

8 DÉFINIR MOTS ET CONCEPTS (2)

Une définition a une valeur très différente selon qu'elle répond à la question : *qu'est-ce que ce mot veut dire ?* Ou à la question : *qu'est-ce qu'est cette chose ? quelle est l'essence de ce phénomène ?* La première question est affaire de convention, on se met d'accord sur le sens d'un mot ; la seconde est affaire de vérité, on cherche la nature profonde d'une réalité.

1 Définitions de dictionnaire / Définitions conceptuelles

Il faut se rappeler qu'un dictionnaire a comme but de décrire les usages courants d'un mot. Or ces usages courants ne correspondent pas toujours à des critères logiques. De plus, un dictionnaire indique *ce qu'un mot veut dire*, non pas *ce qu'est la réalité* qui y correspond ; sa fonction première n'est pas de définir des concepts.

2 Sens ordinaire / Sens technique

Il arrive parfois que des concepts tombent dans l'usage courant, en perdant leur sens technique, et qu'ils deviennent des mots courants ; ou bien, inversement, que des mots courants soient redéfinis par des auteurs ou des ouvrages devenus classiques et deviennent des concepts avec un contenu nouveau. Ainsi, un même mot peut être écartelé entre un sens ordinaire et un sens technique, lesquels se questionnent mutuellement.

Exemple › Les notions de *don*, de *tabou*, en sociologie ; de *doute*, d'*angoisse*, d'*absurde* en philosophie ; de *phénomène*, d'*objet*, en épistémologie ; de *fétichisme*, de *tendance* en psychologie.

3 Définition d'essence

La définition d'essence n'est plus une simple définition de mot, ni une définition technique ; c'est le résultat d'une analyse.

Exemple › Quand Renan se demande ce qu'est une nation. Il élimine d'abord plusieurs points de vue possibles, mais faux ou insuffisants à ses yeux : communauté raciale ou ethnique ; communauté linguistique ; communauté religieuse ; communauté d'intérêt économique ; communauté inscrite dans des frontières géographiques naturelles. Il retient finalement deux critères : 1) une mémoire commune, 2) un contrat implicite. « Une nation est donc une grande solidarité, constituée par le sentiment des sacrifices qu'on a faits et de ceux qu'on est disposé à faire encore. Elle suppose un passé ; elle se résume pourtant dans le présent par un fait tangible : le consentement, le désir clairement exprimé de continuer la vie commune. » (*Qu'est-ce qu'une nation ?*, 1882).

Une telle définition n'est évidemment pas celle d'un dictionnaire ; elle renferme une thèse, une prise de position ; elle est polémique, elle est donc contestable par principe.

Dans une dissertation, une telle définition vient naturellement en conclusion. Elle n'a pas sa place en introduction.

Exemple commenté

SENS ORDINAIRE / SENS TECHNIQUE : Le don.

Le don est devenu une notion philosophique à partir du célèbre article du sociologue français Marcel Mauss (› *Essai sur le don*, in *Sociologie et Anthropologie*, 1950).

Mauss distingue trois caractéristiques essentielles du don, dans les sociétés dites primitives :

a. derrière l'acte volontaire du don, se cache **une obligation sociale** : *quand on me donne, je dois rendre* ;

b. derrière la symbolique de la paix et de l'entente, se cache l'arrière-fond d'**une concurrence,** d'une lutte, pouvant dégénérer en combat : *je te donnerai encore plus, pour que tu ne puisses pas t'imaginer supérieur* ;

c. derrière l'individu, se cache **une communauté** qui fait pression.

Le don		
Sens ordinaire	**Sens technique : en sociologie**	**En commun**
• Individuel • Volontaire, libre • Secret, privé • Spontané, improvisé • Gratuit, sans espérance d'un retour • Conciliant, amical	• Collectif • Contraint, obligatoire • Ostentatoire, public • Ritualisé, préparé • Intéressé, attendant le retour • Concurrentiel, conflictuel	**a.** Logique non marchande, non capitaliste **b.** Échange symbolique, autant que matériel **c.** Finalité ambivalente : gratuité/réciprocité ; paix/guerre ; don/prise

DÉFINITION D'ESSENCE : Qu'est-ce qu'une religion ?

***Qu'est ce qu'un fait religieux ?* La définition recherchée (l'essence) doit être valable pour toutes les sociétés, pour tous les temps (›** Émile Durkeim « De la définition des phénomènes religieux », *Année sociologique*, volume II, 1897-98) :

a. Ce n'est pas une croyance en des choses surnaturelles : « Bien loin de voir du surnaturel partout, le primitif n'en voit nulle part. En effet, pour qu'il pût en avoir l'idée [...], il faudrait qu'il eût le sentiment de ce qu'est un *ordre naturel,* et il n'est rien de moins primitif. »

b. Ce n'est pas une croyance en Dieu ou en des divinités, car il y a des religions d'où toute idée de Dieu est absente, tel le bouddhisme, ou pour les sociétés primitives, le totémisme.

c. C'est un ensemble de cultes, de pratiques collectives, mais il y a des pratiques collectives qui ne sont pas religieuses (la chasse, les fêtes, le sport...).

d. C'est un ensemble de règles à respecter sous peine de sanction, mais « les préceptes du droit et de la morale sont identiques à ceux de la religion » sans être de nature religieuse.

e. C'est un ensemble de croyances obligatoires d'un type particulier reposant sur la « division des choses en sacrées et en profanes ». Mais en quoi consiste cette différence ?

f. La nature de l'obligation sacrée est de se référer à une puissance transcendante, mais quelle est cette puissance ? Pour Durkheim, ce ne peut être que la société. « Il n'y a pas de puissance morale au-dessus de l'individu, sauf celle du groupe auquel il appartient. »

D'où cette définition finale :
« *Les phénomènes dits religieux consistent en croyances obligatoires, connexes de pratiques définies qui se rapportent à des objets donnés dans ces croyances* [...] »
« Pour la connaissance empirique, le seul être pensant qui soit plus grand que l'homme, c'est la société. Elle est infiniment supérieure à chaque force individuelle [...]. C'est donc elle qui prescrit au fidèle les dogmes qu'il doit croire et les rites qu'il doit observer. »

9 EXPLIQUER UN TEXTE : RETROUVER LES ARTICULATIONS LOGIQUES

Comprendre un texte, c'est comprendre sa structure logique : la manière dont un certain nombre de propositions sont reliées entre elles pour conduire à la conclusion. Cette structure a rarement l'aspect formel du syllogisme aristotélicien ; les « marqueurs logiques » ne sont pas toujours explicites.

1 Dégager l'idée principale du texte

1• Il faut d'abord relever les propositions (éventuellement les numéroter). Les propositions sont les unités de bases d'une argumentation. Attention, une proposition a rarement la forme canonique : *tous les hommes sont mortels*. Elle ne s'identifie pas aux phrases. Une seule phrase peut contenir plusieurs propositions, et une seule proposition peut être formée de plusieurs phrases.

2• Il faut ensuite repérer dans les propositions :

1) **la thèse** qui est la conclusion ;
2) **les prémisses** qui conduisent à cette thèse.

Et il faut examiner si la conclusion est déduite à partir d'un seul argument ou de plusieurs ; et si les propositions sont liées entre elles ou fonctionnent de façon indépendante.

2 Repérer les deux structures possibles

› Une thèse peut être défendue par plusieurs arguments indépendants les uns des autres :

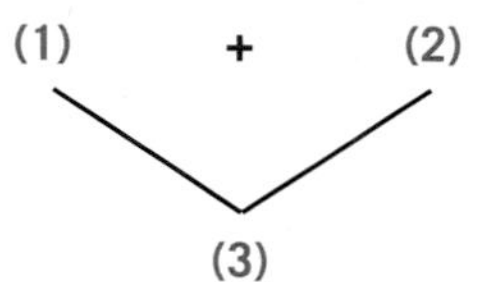

Pour que la thèse soit vraie, il est **suffisant** qu'un seul argument soit vrai.
Pour réfuter la thèse, il est **nécessaire** de réfuter tous les arguments.

› Une thèse peut être défendue par un seul argument formé de prémisses liées entre elles :

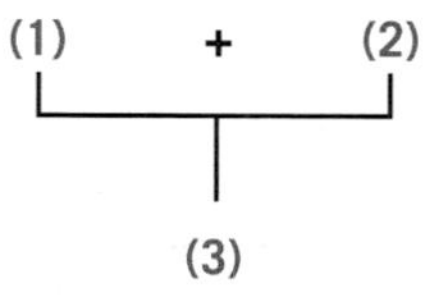

Pour que la thèse soit vraie, il est **nécessaire** que toutes les prémisses soient vraies.
Pour réfuter la thèse, il est **suffisant** de réfuter une seule prémisse.

3 Représenter une arborescence logique

Beaucoup d'articulations logiques ne sont pas explicites. Repérer les marqueurs logiques (*et, donc, car...*) ne suffit pas à comprendre à quel endroit des « embranchements logiques » du texte on se situe ; il faut encore préciser leur place dans une arborescence logique. Celle-ci consiste à fragmenter le texte en étageant les propositions principales et secondaires, selon leur liaison logique.

Exemple commenté (1)

Sujet : Hobbes, *Léviathan* (1651)

Les enfants ne sont doués d'aucune raison avant d'avoir acquis l'usage de la parole ; mais on les appelle des créatures raisonnables à cause de la possibilité qui apparaît chez eux d'avoir l'usage de la raison dans l'avenir. Et la plupart des hommes, encore qu'ils aient assez d'usage du raisonnement pour faire quelques pas dans ce domaine (pour ce qui est, par exemple, de manier les nombres jusqu'à un certain point), n'en font guère d'usage dans la vie courante : dans celle-ci, en effet, ils se gouvernent, les uns mieux, les autres plus mal, selon la différence de leurs expériences, la promptitude de leur mémoire, et la façon dont ils sont inclinés vers des buts différents ; mais surtout selon leur bonne ou mauvaise fortune, et les uns d'après les erreurs des autres. Car pour ce qui est de la science et des règles de conduite certaines, ils en sont éloignés au point de ne pas savoir ce que c'est.

Livre I, chap. 5, trad. Gérard Mairet, © éd. Gallimard, 2000, p. 119.

« DÉCORTIQUER » LE TEXTE

Le texte est présenté ici afin de mettre en relief sa structure logique.

a. Numéroter les propositions du texte

(1) Les enfants ne sont doués d'aucune raison avant d'avoir acquis l'usage de la parole ;
(2) **mais** on les appelle des créatures raisonnables (**1re thèse**)
(3) **à cause de** la possibilité qui apparaît chez eux d'avoir usage de la raison dans l'avenir.
(4) **(4a)** Et la plupart des hommes,...
(4b) **encore qu'**ils aient assez d'usage du raisonnement pour faire quelques pas dans ce domaine (pour ce qui est, par exemple, de manier les nombres jusqu'à un certain point),...
...n'en font guère d'usage dans la vie courante (**2e thèse**)
(5) dans celle-ci, **en effet**, ils se gouvernent, les uns mieux, les autres plus mal,
(5a) selon la différence de leurs expériences,
(5b) la promptitude de leur mémoire,
(5c) **et** la façon dont ils sont inclinés vers des buts différents ;
(5d) mais surtout selon leur bonne ou mauvaise fortune,
(5e) et les uns d'après les erreurs des autres.
(6) **Car** pour ce qui est...
(6a) de la science,
(6b) des règles de conduite certaines,
...ils en sont éloignés au point de ne pas savoir ce que c'est.

b. Reconstruire le texte

1• Tout enfant qui naît est doué de raison, même s'il n'est pas capable d'exercer cette raison dès les premiers temps ; car l'usage du langage est nécessaire.

2• Or ces potentialités ne sont pas exploitées par l'adulte. Celui-ci est certes capable dans la vie de tous les jours de défendre ses intérêts, mais il utilise d'autres moyens. Quant à utiliser la raison en vue d'un savoir désintéressé (« la science »), ou de l'intérêt général (« les règles de conduits certaines »), l'adulte n'en est guère capable.

Exemple commenté (2)

Sujet : Pascal, *Pensées* (posth. 1670)

Il est juste que ce qui est juste soit suivi ; il est nécessaire que ce qui est le plus fort soit suivi. La justice sans la force est impuissante ; la force sans la justice est tyrannique. La justice sans force est contredite, parce qu'il y a toujours des méchants. La force sans la justice est accusée. Il faut donc mettre ensemble la justice et la force, et pour cela faire que ce qui est juste soit fort, ou que ce qui est fort soit juste.

1. NUMÉROTER LES PROPOSITIONS DU TEXTE

(1) Il est juste [...] soit suivi.
(2) La justice [...] accusée.
(3) Il faut [...] soit juste.

2. REPÉRER LA CONCLUSION ET LES PRÉMISSES

Les propositions **(1)** et **(2)** constituent les prémisses, la proposition **(3)** est la conclusion.
Remarque › Les connecteurs logiques (*or, donc, mais, car, par conséquent...*) indiquent souvent la structure logique ; c'est le cas ici pour le « donc » de la proposition **(3)**. Ces connecteurs peuvent également être absents et sous-entendus. Ainsi entre **(1)** et **(2)**, on attendrait « or ».

3. REPRÉSENTER PAR UN SCHÉMA EN ARBRE LES LIENS ENTRE LES PRÉMISSES ET LA CONCLUSION

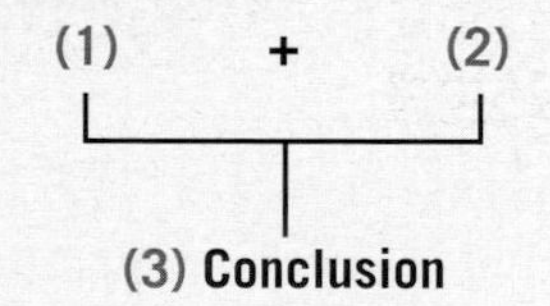

4. EXPLIQUER L'ARGUMENTATION

Dans la prémisse **(1)**, l'auteur pose deux argumentations qui doivent être admises comme vraies sans qu'elles soient justifiées : **(1a)** respecter la justice est un devoir, **(1b)** obéir à la force est une nécessité.

Dans la prémisse **(2)**, l'auteur renvoie aux faits : **(2a)** « sans la force », la justice n'est pas respectée ; **(2b)** « sans la justice », la force est injuste. Ces faits sont expliqués : **(2a')** « parce qu'il y a toujours des méchants » ; **(2b')** « la force sans la justice est accusée ».

Dans la conclusion **(3)**, l'auteur peut donc affirmer : il faut associer justice et force (pour qu'une société soit bien établie).